D0892341

Dictionnaire
latin-français

Félix Gaffiot

Dictionnaire latin-français

abrégé

Édition revue et corrigée par

Catherine Magnien

Agrégée des Lettres

Le Livre de Poche

AVERTISSEMENT

Voici une version de poche du *Dictionnaire Latin-Français* de Félix Gaffiot. Nous nous sommes efforcée d'en conserver l'esprit encyclopédique qui en fait la richesse et l'originalité. Les jeunes latinistes trouveront dans ces pages toutes les entrées nécessaires à leurs études, les constructions et des citations des auteurs classiques ainsi que les cartes et plans indispensables.

Catherine Magnien-Simonin

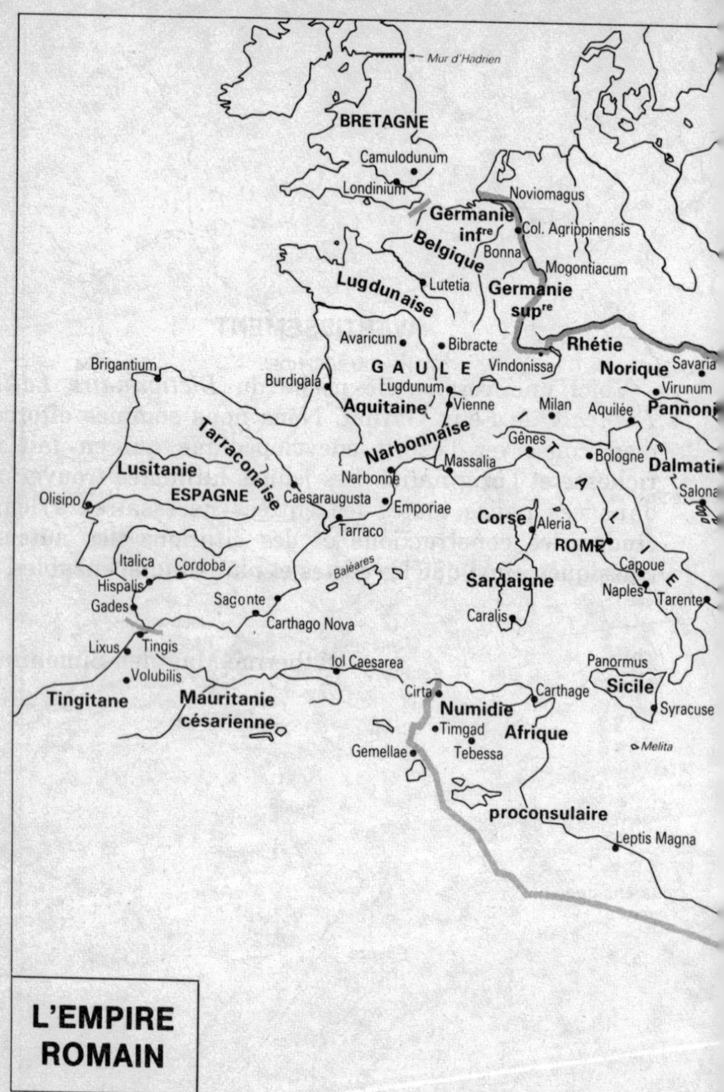
Mur d'Hadrien
BRETAGNE
Camulodunum
Londinium
Germanie infre
Noviomagus
Col. Agrippinensis
Belgique
Bonna
Mogontiacum
Lugdunaise
Lutetia
Germanie supre
Avaricum
Bibracte
Rhétie
GAULE
Vindonissa
Norique
Savaria
Brigantium
Burdigala
Lugdunum
Virunum
Aquitaine
Vienne
Milan
Aquilée
Pannoni
Tarraconaise
Narbonnaise
Gênes
Bologne
Dalmati
Lusitanie
Massalia
ITALIE
Narbonne
Salona
Olisipo
ESPAGNE
Caesaraugusta
Emporiae
Corse
Aleria
Tarraco
ROME
Italica
Cordoba
Capoue
Hispalis
Baléares
Sardaigne
Naples
Gades
Sagonte
Tarente
Carthago Nova
Caralis
Lixus
Tingis
Iol Caesarea
Panormus
Volubilis
Cirta
Carthage
Sicile
Tingitane
Mauritanie césarienne
Numidie
Syracuse
Timgad
Afrique
Gemellae
Tebessa
Melita
proconsulaire
Leptis Magna
L'EMPIRE ROMAIN

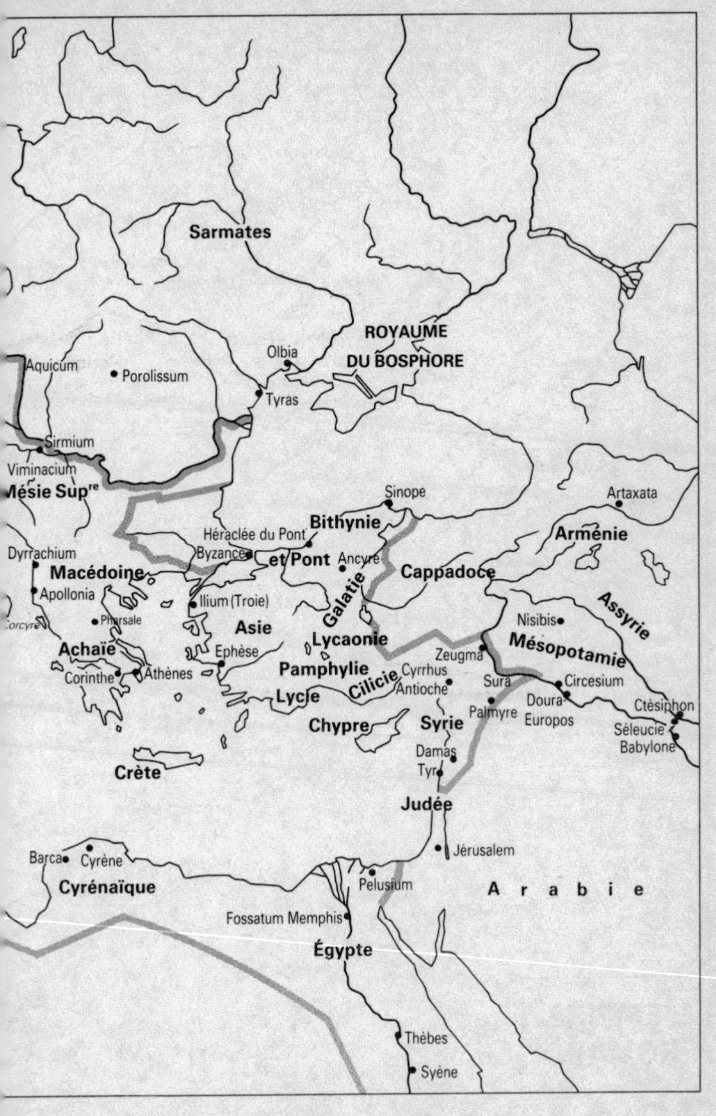
Sarmates
ROYAUME
DU BOSPHORE
Olbia
Aquicum
Porolissum
Tyras
Sirmium
Viminacium
Mésie Sup^re
Sinope
Artaxata
Bithynie
Héraclée du Pont
Arménie
Dyrrachium
Byzance
et Pont
Ancyre
Macédoine
Cappadoce
Apollonia
Galatie
Ilium (Troie)
Assyrie
Pharsale
Corcyre
Asie
Nisibis
Lycaonie
Mésopotamie
Achaïe
Ephèse
Zeugma
Pamphylie
Cyrrhus
Corinthe
Athènes
Cilicie
Sura
Circesium
Antioche
Lycie
Doura-
Europos
Ctésiphon
Palmyre
Chypre
Syrie
Séleucie
Babylone
Damas
Crète
Tyr
Judée
Jérusalem
Barca
Cyrène
Cyrénaïque
Pelusium
Arabie
Fossatum Memphis
Égypte
Thèbes
Syène

ITALIA
ANTIQUA
RHÆTIA
A L P E S
Rhenus
Rhodanus
Verbanus L.
Larius L.
Comum
Benacus L.
Athesis
CARNI
VENETI
Aquileia
Dravus
Savus
Salassi
Augusta Taurinorum
Taurini
Mediolanum
Insubres
GALLIA
Brixia
Cenomani
Verona
Patavium
Clastidium
Placentia
Cremona
Mantua
Padus
Lingones
Atria
Tanarus
Pollentia
LIGURES
Anani
Parma
Boii
CISALPINA
APPENNINUS
Mutina
Bononia
Ravenna
Genua
Apuani
Ariminum
Pisaurum
MARE HADRIATICUM
Luna
Pistorium
Pisæ
Luca
Fæsula
Senones
Ancona
Arnus
Arretium
Volaterræ
UMBRI
via Flaminia
PICENUM
Trasimenus L.
Tiberis
Nuceria
ETRUSCI
Perusia
Ilva
Asculum
Spoletium
via Aurelia
Vadimonis L.
Vetulonia
Interamna
SABINI
Vestini
CORSICA
Aleria
Tarquinii
Capena
Corfinium
Frentani
Pyrgi
Cære
Veii
Pæligni
Roma
Alsium
Fregenæ
Ostia
Tusculum
Marsi
Teanum
Latini
LATIUM
via Latina
SAMNIUM
APULI
Sipontum
Vulturnus
Cannæ
Antium
Tarracina
Minturnæ
Aquilonia
Aufidus
via Trajana
Olbia
Suessa
Capua
Nola
Venusia
via Appia
Brundisium
Cumæ
Neapolis
CAMPANIA
Tarentum
SARDINIA
Vesuvius
Salernum
Metapontum
Thyrsus
Pæstum
LUCANI
via Popilia
Heraclea
MARE TYRRHENUM
Sybaris
Caralis
Consentia
Temesa
Scylaceum
BRUTTII
MARE
Messana
Locri
Panhormus
Mylæ
Regium
Segesta
Solus
Halæsa
Tauromenium
SICILIA
Henna
IONIUM
Leontini
Agrigentum
Syracusæ
Elorus

ABRÉVIATIONS ET SIGNES

abl. ablatif
abrév. abréviation
absol., abs. absolu ou absolument
acc. accusatif
adj. adjectif
adv. adverbe
antécéd. antécédent
arch. archaïque
auj. aujourd'hui
av. avec
c.-à-d. c'est-à-dire
ch. chose
coord. coordination
compar. comparatif
conj. conjonction
consec. consécutif
corrél. corrélation
dat. datif
dimin. diminutif
dr. droite
E. est
en gén. en général
en parl. en parlant
ép. époque
épith. épithète
exclam. exclamatif
extens. extension
f. féminin
fig. figuré ou figurément
fréq. fréquentatif
fut. futur
g. gauche
gén. génitif
gramm. grammaire ou grammairien
h. habitant
imp. ou *impers.* impersonnel
ind. indicatif
indécl. indéclinable
indéf. indéfini
indir. indirect
inf. infinitif
interj. interjection
interr. interrogatif

intr. intransitif
jurispr. jurisprudence
litt. littérature
m. masculin
mauv. mauvais
métaphor. métaphorique
milit. militaire
N. nord
n. neutre
nég. négatif
not. notamment
O. ouest
opp. opposé
ord. ordinairement
parenth. parenthèse
part. participe ou particulier
pass. passif
pers. personne
pf. parfait
pl. pluriel
poét. poétique
poss. possessif
prép. préposition
prés. présent
pron. pronom ou pronominal
prop. propre ou proposition
prov. proverbe
qcq. quelconque
qq. quelque
qqch. quelque chose
qqf. quelquefois
qqn. quelqu'un
rel. ou *relat.* relatif
répét. répétitif
rhét. rhétorique
rom. romain
S. sud
s. siècle
s.-ent. sous-entendu
sing. singulier
souv. souvent
subj. subjonctif
subst. substantif ou substantivement
superl. superlatif
st. style
surt. surtout
t. terme
touj. toujours
tr. transitif
v. verbe
voc. vocatif

1. A, f., n., indécl., [première lettre de l'alphabet] || abréviations diverses: *A.* = *Aulus* [prénom] || = *antiquo,* je rejette (la proposition) [sur les bulletins de vote dans les comices] || = *absolvo,* j'absous [sur les bulletins des juges].

2. a, interject., v. *ah.*

3. a, ab, abs, prép. avec abl.,

I. [point de départ] **1.** [avec des v. de mouvement, tr. ou intr., simples ou composés] de: ***a)*** *a* (ou *ab*) *venire,* venir de; ***b)*** [avec noms de pers.] de chez, d'auprès; ***c)*** [sans verbe] *non ille Serranus ab aratro,* non pas le fameux Serranus venu de sa charrue; ***d)*** [en parl. de lettres] de la part de: *litteræ adlatæ a prætore,* une lettre apportée de la part du préteur ***e)*** [avec les noms de ville] de = des environs de || **2.** [pour marquer la provenance] *petere, postulare, quærere,* demander à; *impetrare,* obtenir de; *accipere,* recevoir de; *habere,* tenir de, etc.; *emere,* acheter à; *sumere,* prendre à; *haurire,* puiser à; *trahere,* tirer de; *ducere,* faire venir de, etc.; *discere,* apprendre de; *audire,* entendre de, etc. || **3.** [idée d'origine] ***a)*** *oriri,* prendre naissance à; *fluere,* découler de; *nasci,* naître de; *proficisci,* partir de, provenir de; ***b)*** [idée de naissance, de descendance] *a Deucalione ortus,* né de Deucalion || [filiation philosophique, littéraire, etc.] *erat ab isto Aristotele,* il était de l'école de votre Aristote.

II. [éloignement, séparation, au pr. et fig.] de, loin de, **1.** *dimittere,* renvoyer de (loin de); *excludere, deterrere,* chasser de, détourner de, etc.; *ab oppido castra movere,* en levant le camp s'éloigner de la ville || [sans aucun verbe] *a Chrysippo pedem numquam,* de Chrysippe il ne s'éloigne jamais d'une semelle; *nunc quidem paululum, inquit, a sole,* pour le moment, dit-il, écarte-toi un tant soit peu de mon soleil || à l'abri de || **2.** [expression] *ab re,* contrairement à l'intérêt.

III. du côté de: **1.** [sens local] *a tergo,* de dos; *a latere,* de flanc, *a fronte,* de front [de face]; *a decumana porta,* du côté de la porte décumane; *ab ea parte,* de ce côté || **2.** [point de départ, point d'attache] à la partie inférieure || **3.** [fig.] du côté de, du parti de, en faveur de: *ab aliquo stare,* être du parti de qqn || **4.** du côté de, sous le rapport de: *a re frumentaria laborare,* souffrir de l'approvisionnement en blé; *a pecunia imparati,* pris au dépourvu sous le rapport de l'argent.

IV. à partir de: **1.** de, à partir de, depuis: *gemere ab ulmo,* gémir au sommet de l'orme; *ab summo,* à partir du sommet || **2.** [évaluation d'une distance]: *a duobus milibus passuum castra ponere,* établir son camp à deux mille pas || [limites d'un espace] *ab... ad,* depuis... jusqu'à: *ab imo ad summum,* de la base au sommet || **3.** à partir de = y compris, avec.

V. [point de départ d'un jugement, d'une opinion, etc.] **1.** d'après: *aliquid ab aliqua re cognoscere,* reconnaître qqch. d'après tel détail|| **2.** [point de départ d'un sentiment] d'après, par suite de, du fait de : *metuere, timere ab aliquo,* craindre du fait de qqn.

VI. à partir de [temps], depuis : **1.** *a primo, a principio,* dès le début ; *a principiis,* dès les débuts ; *ab initio,* dès le commencement ; *a puero, a pueritia,* dès l'enfance ; *ab ineunte adulescentia,* dès le commencement de la jeunesse || [à la prépos. se joignent souvent *inde, jam, jam inde, statim, protinus*] || **2.** [évaluation d'un laps de temps] : *ab... ad (usque ad),* depuis... jusqu'à || **3.** après, aussitôt après, au sortir de : *a tuo digressu,* après ton départ.

VII. du fait de, par l'effet de : **1.** [surtout avec les inchoatifs] : *calescere ab,* réchauffer grâce à || **2.** par suite de, par un effet de, en raison de [avec un nom de sentiment] : *ab ira,* par effet de la colère.

VIII. [après les verbes passifs] **1.** [avec un nom de pers. pour marquer l'agent] || **2.** [avec des noms de choses considérées comme des pers.] : *a civitatibus,* par les villes ; *a re publica,* par l'État ; || **3.** [différent de *per*] : *qui a te defensi et qui per te servati sunt,* ceux que tu as défendus et ceux que ton entremise a sauvés || **4.** [avec des intr. équivalant pour le sens à des passifs] *a paucis interire,* périr sous les coups de quelques hommes.

1. abactus, *a, um,* part. de *abigo.*

2. abactus, *us,* m., détournement des troupeaux, enlèvement du butin.

abacus, *i,* m., abaque : **1.** bahut, buffet, crédence || **2.** table à faire des calculs || **3.** table de jeu || **4.** tablette de marbre ou semblable à du marbre qu'on appliquait sur les murs comme ornement.

abalienatus, *a, um,* part. de *abalieno.*

abalieno, *are, avi, atum,* tr., faire passer ailleurs ; d'où : **1.** détourner : *aliquem ab aliqua re,* détourner qqn de qqch. || **2.** dégager de : *aliquem metu,* délivrer qqn de la crainte || priver de : *abalienati jure civium,* privés des droits de citoyens || **3.** aliéner, détourner : *a se judices,* s'aliéner les juges || rendre hostile || **4.** céder à autrui la propriété d'une chose, aliéner, vendre.

abavus, *i,* m., **1.** trisaïeul || **2.** [au pl.] les ancêtres.

abcido, abcise, *etc.,* c. *abscido, abscise,* etc.

Abdera, *æ,* f., et **Abdera,** *orum,* n., Abdère, ville de Thrace.

abdicatio, *onis,* f. *(abdico),* action de déposer une chose, de s'en démettre.

abdicatus, *a, um,* part. de *abdico.*

1. abdico, *are, avi, atum,* tr., **1.** renier [un fils, un père], ne pas le reconnaître || [fig.] rejeter, repousser [en gén.] || **2.** renoncer à, se démettre de : ***a)*** *se magistratu,* renoncer à une magistrature ; ***b)*** *abdicare magistratum,* abdiquer une magistrature ; ***c)*** [absol.] *abdicaverunt consules,* les consuls se démirent de leurs fonctions.

2. abdico, *ere, dixi, dictum,* tr., [t. de la langue relig.], refuser, ne pas consentir à.

abdidi, pf. de *abdo.*

abditus, *a, um,* **1.** part. de *abdo* || **2.** adj. ***a)*** placé hors de la vue, caché ; ***b)*** [fig.] caché, secret, mystérieux, intime || [pl. n. *abdita* pris subst.] : *terræ abdita,* les entrailles de la terre || [expression] *ex abdito,* de provenance secrète, de source cachée ; *in abdito,* en secret.

abdo, *ere, didi, ditum,* tr., **1.** placer loin de, écarter, dérober aux regards, cacher ; *se in terram,* se cacher dans la terre || [avec *in* abl.] || [avec abl. seul] || [avec dat.] || [pass. réfl.] *abdi,* se retirer à l'écart, se cacher || **2.** [métaph.] *se abdere,* s'ensevelir dans, s'enfoncer dans [avec abl. ou *in* acc.] || **3.** recouvrir, dissimuler.

abdomen, *inis,* n., **1.** ventre, abdomen || **2.** [fig.] = sensualité, gourmandise.

abduco, *ere, duxi, ductum,* tr.,

I. [pr.] **1.** emmener : *cohortes secum,* emmener avec soi les cohortes ; *ex ædibus,* de la maison ; *ab Sagunto exercitum,* emmener l'armée de Sagonte || **2.** enlever.

II. 1. [fig.] séparer de, détacher de : *aliquem ab negotio,* détourner qqn de ses occupations ; *discipulum ab aliquo,* enlever à qqn son disciple || **2.** détourner d'une chose *(ab re)* et mener à une autre *(ad rem)* || **3.** enlever, emporter.

abductus, *a, um,* part. de *abduco.*

abduxi, pf. de *abduco.*

abegi, pf. de *abigo.*

abeo, *ire, ii, itum,* intr.,

I. [pr.] s'en aller, s'éloigner, quitter : *ex eorum agris,* s'en aller de leurs terres ; *ex conspectu,* s'éloigner de la vue ; *ab urbe,* s'éloigner de la ville ; *ab aliquo,* s'éloigner de qqn || [avec supin] *cubitum,* s'en aller se coucher || [avec attribut au sujet] : *integri abeunt,* ils s'en vont sans dommage || [poét.] pénétrer dans : *in corpus,* s'enfoncer dans le corps.

II. [fig.], **1.** s'en aller, disparaître : *sensus abiit,* le sentiment a disparu ||

2. [avec abl.] *magistratu, consulatu,* quitter une magistrature, le consulat || **3.** s'éloigner d'une chose: *ab jure,* s'écarter du droit; *abeamus a fabulis,* laissons là les récits fabuleux || *illuc unde abii redeo,* je reviens à ce point d'où je suis parti || *ne longius abeam,* pour ne pas faire une trop longue digression || **4.** se transformer en qqch [avec *in* acc.]: *in villos abeunt vestes,* ses vêtements se changent en poils || **5.** aboutir à: [avec *in* acc.] *in vanum,* aboutir au néant || [avec un adv.] *bene, male abire,* avoir une bonne, une mauvaise issue || **6.** [expr. familière]: *abi in malam rem!* va-t'en à la malheure! *in malam crucem!* va te faire pendre! va-t'en au diable.

abequito, *are, avi,* intr., partir à cheval.

aberratio, *onis,* f., moyen de s'éloigner de, diversion à.

aberro, *are, avi, atum,* intr., **1.** errer loin de: *pecore aberrare,* être égaré loin de son troupeau || **2.** [fig.] s'éloigner, s'écarter, *ab aliqua re,* de qqch. || [absol.] s'égarer, se fourvoyer.

abesse, inf. de *absum.*

abhinc, adv., à partir de maintenant: [avec acc.] *abhinc annos prope trecentos fuit,* il vécut voilà près de trois cents ans || [avec abl.] *abhinc annis quindecim,* il y a quinze ans maintenant.

abhorrens, *tis,* **1.** part. prés. de *abhorreo* || **2.** adj., déplacé, inopportun || [avec dat.] inconciliable avec.

abhorreo, *ere, ui,* intr., **1.** éprouver de l'éloignement, de la répugnance pour qqch: ***a)*** *a dolore,* avoir de l'aversion pour la douleur; ***b)*** [avec abl.]; ***c)*** [absol.] être réfractaire, être hostile || **2.** [en parl. de choses] être incompatible avec, être contradictoire, répugner à.

abicio, v. *abjicio.*

abiegnus, *a, um (abies),* de sapin.

abiens, *euntis,* part. prés. de *abeo.*

abies, *etis,* f., **1.** sapin [arbre] || **2.** [objets faits avec le sapin]: vaisseau, lance.

abigo, *ere, egi, actum, (ab* et *ago),* tr., **1.** pousser loin de, chasser: *aliquem ab œdibus,* repousser qqn de la maison || **2.** emmener, détourner, voler || **3.** [fig.] chasser.

abii, pf. de *abeo.*

abitus, *us,* m., **1.** départ, éloignement || **2.** issue, sortie.

abjeci, pf. de *abjicio.*

abjecte, lâchement, bassement.

abjectio, *onis,* f. *(abjicio),* abattement, découragement.

abjectus, *a, um,* **1.** part. de *abjicio* || **2.** adj. ***a)*** [rhét.] banal, plat; ***b)*** bas, humble, commun; ***c)*** abattu, sans courage.

abjicio, *ere, jeci, jectum (ab* et *jacio),* tr., **1.** jeter loin de soi || [fig.] abandonner, laisser là: *dolorem,* chasser la douleur || **2.** jeter en bas, jeter à terre: *statua abjecta,* la statue une fois abattue; *e muro se in mare,* se jeter du haut d'un mur dans la mer || **3.** abattre, terrasser || *se abjicere,* se laisser tomber à terre; *se ad pedes alicui* ou *ad pedes alicujus,* se jeter aux pieds de qqn || **4.** [fig.] ***a)*** abattre [au sens moral]: *se abjicere,* se laisser abattre || surtout part. *abjectus* = abattu; ***b)*** abaisser, ravaler.

abjudicatus, *a, um,* part. de *abjudico.*

abjudico, *are, avi, atum,* tr., **1.** refuser par un jugement, enlever par un jugement || **2.** [fig.] rejeter, repousser: *aliquid ab aliquo,* dénier qqch. à qqn.

abjunctus, *a, um,* part. de *abjungo.*

abjungo, *ere, junxi, junctum,* tr., **1.** détacher du joug, dételer || **2.** [fig.] séparer.

abjuratus, *a, um,* part. de *abjuro.*

abjuro, *are, avi, atum,* tr., nier par un faux serment.

ablaqueatio, *onis,* f., déchaussement.

ablaqueatus, *a, um,* part. de *ablaqueo.*

ablaqueo, *are, avi, atum,* tr., déchausser un arbre.

ablatus, *a, um,* part. de *aufero.*

ablegatio, *onis,* f., **1.** action d'éloigner || **2.** bannissement, relégation.

ablegatus, *a, um,* part. de *ablego.*

ablego, *are, avi, atum,* tr., envoyer loin de, éloigner, écarter, *ab aliquo, ab aliqua re,* de qqn, de qqch.

abludo, *ere,* intr., ne pas s'accorder avec; [fig.] être différent de [avec *ab*].

abluo, *ere, ui, utum,* tr., **1.** enlever en lavant, laver [sang, sueur] || *Ulixi pedes,* laver les pieds d'Ulysse || [t. relig.] purifier par ablution || **2.** [fig.] effacer, faire disparaître.

ablutio, *onis,* f., lavage.

ablutus, *a, um,* part. de *abluo.*

abnato, *are,* intr., se sauver à la nage.

abnego, *are, avi, atum,* tr., **1.** refuser absolument, *alicui aliquid,* qqch. à qqn || [avec inf.] se refuser à || **2.** renier [un dépôt].

abnepos, *otis,* m., arrière-petit-fils (4e degré).

abneptis, *is,* f., arrière-petite-fille.

abnocto, *are,* intr., passer la nuit hors de chez soi, découcher.

abnormis, *e (ab* et *norma),* qui n'est pas conforme à la règle.

abnuiturus, *a, um,* part. fut. de *abnuo.*

abnuo, *ere, ui,* tr., **1.** faire signe pour repousser qqch., faire signe que non || [avec prop. inf.] faire signe que ne... pas || **2.** [fig.] ***a)*** refuser, *aliquid,* qqch. || [avec inf.] refuser de || *non abnuere quin,* ne pas s'opposer à ce que || *aliquid alicui,* refuser qqch. à qqn || *alicui de re,* opposer à qqn un refus sur un point; ***b)*** nier, *aliquid,* qqch. || [avec prop. inf.] nier que || [pass. imp.] *abnuitur,* on nie que.

aboleo, *ere, evi, itum,* tr., détruire, anéantir || [fig.] supprimer.

abolesco, *ere, evi,* intr., dépérir, se perdre; [fig.] se faner.

abolitio, *onis,* f., abolition, suppression.

abolitus, *a, um,* part. de *aboleo.*

abolla, *æ,* f., manteau.

abominandus, *a, um,* [pris adj.] abominable.

abominatus, *a, um,* **1.** part. passif de *abomino* || **2.** part. de *abominor.*

abomino, *are, avi, atum,* tr., repousser comme sinistre présage [n'existe guère qu'au part., *abominatus*].

abominor, *ari, atus sum,* tr., **1.** écarter un mauvais présage || [avec acc.] repousser de ses vœux || **2.** repousser avec horreur.

aborior, *iri, ortus sum,* intr., périr, mourir || [fig.] s'éteindre.

abortus, *a, um,* part. de *aborior.*

abrado, *ere, rasi, rasum,* tr., enlever en rasant, raser.

abrasus, *a, um,* part. de *abrado.*

abreptus, *a, um,* part. de *abripio.*

abripio, *ere, ripui, reptum (ab* et *rapio),* tr., arracher, enlever || arracher de [avec *a, ex, de*] || *se abripere,* s'esquiver, se dérober.

abrodo, *rodere, rosi, rosum,* tr., enlever en rongeant.

abrogatio, *onis,* f. *(abrogare),* suppression par une loi d'une autre loi, abrogation.

abrogatus, *a, um,* part. de *abrogo.*

abrogo, *are, avi, atum,* tr., **1.** enlever: *fidem alicui, alicui rei,* enlever le crédit à qqn, à qqch.; *magistratum alicui,* enlever à qqn sa charge || **2.** supprimer, abroger [une loi] || **3.** [en gén.] enlever, supprimer.

abrosi, pf. de *abrodo.*

abrumpo, *ere, rupi, ruptum,* tr., détacher en rompant: **1.** détacher violemment: *abruptæ procellæ,* la tempête déchaînée || **2.** briser, rompre: *abrupto ponte,* le pont étant brisé || [fig.] *somnos,* rompre le sommeil; *vitam,* briser l'existence.

abrupte, brusquement.

abruptio, *onis,* f. *(abrumpo),* rupture.

abruptum, *i,* n. *(abruptus),* **1.** plur.: ***a)*** parties brisées, tronçons; ***b)*** *abrupta viarum,* escarpements des routes || **2.** *in abruptum ferri, trahi,* être entraîné dans l'abîme || *per abrupta,* par des voies escarpées.

abruptus, *a, um,* **1.** part. de *abrumpo* || **2.** adj.: ***a)*** à pic, escarpé, abrupt; ***b)*** [en parl. du style] brisé, coupé, haché; ***c)*** [en parl. du caractère] intraitable, roide.

abs, prép., c. *a.*

abscedo, *ere, cessi, cessum,* intr., s'éloigner, s'en aller: **1.** ***a)*** [absol.] *abscede,* va-t'en, retire-toi; ***b)*** *ab aliquo,* s'éloigner de qqn; *ab urbe,* s'éloigner de la ville; [fig.] se tenir à l'écart: *e foro,* s'éloigner du forum; ***c)*** abandonner, renoncer à: *ab obsidione,* ou *obsidione,* renoncer au siège || **2.** [fig.] s'en aller, se retrancher, diminuer [opposé à *accedere,* s'ajouter].

abscessio, *onis,* f., action de s'éloigner, éloignement.

abscessurus, *a, um,* part. fut. de *abscedo.*

abscessus, *us,* m., **1.** acte de s'éloigner, éloignement || **2.** absence || retraite.

abscido, *ere, cidi, cisum (abs* et *cædo),* tr., **1.** séparer en coupant, trancher: *caput,* trancher la tête || [fig.] ***a)*** séparer; ***b)*** retrancher, enlever.

abscindo, *ere, scidi, scissum,* tr., séparer en déchirant, arracher, déchirer: *alicujus tunicam a pectore,* arracher à qqn sa tunique de la poitrine; [poét.] *abscissa comas,* s'arrachant les cheveux; *venas abscindere,* s'ouvrir les veines.

abscise, d'une manière concise.

abscissus, *a, um,* part. de *abscindo.*

abscisus, *a, um,* **1.** part. de *abscido* || **2.** adj., ***a)*** abrupt; ***b)*** [en parl. du style] écourté, tronqué; ***c)*** raide, intraitable, inaccessible.

abscondi et **abscondidi,** pf. de *abscondo.*

abscondite, [fig.] ***a)*** d'une manière enveloppée; ***b)*** d'une manière profonde.

absconditus, *a, um,* **1.** part. de *abscondo* || **2.** adj., caché, invisible; [fig.] ignoré, secret, mystérieux.

abscondo, *ere, condidi* et *condi, conditum* et *consum,* tr., **1.** cacher loin de, dérober à la vue || [poét.] perdre de vue [en naviguant]; pass. *abscondi,* se coucher [en parl. des astres] || **2.** [fig.] cacher, dissimuler.

absconsus, *a, um,* part. de *abscondo.*

absens, *tis,* part. prés. de *absum.*

absentia, *æ,* f., absence.

absilio, *ire, silui* et *silivi (ab, salio),* intr., sauter loin de.

absimilis, *e,* différent.

absinthium, *ii,* n., absinthe.

absis, ou mieux **apsis,** *idis,* f., arc, voûte || course d'une planète.

absisto, *ere, stiti,* intr., **1.** s'éloigner de: *ab aliqua re,* de qqch. || [poét.] jaillir || **2.** [fig.] cesser de, renoncer à: *oppugnatione,* renoncer au siège; *continuando magistratu,* à se maintenir en charge; [avec inf.] || [absol.] s'arrêter, cesser: *absistamus,* tenons-nous-en là.

absolute, d'une façon achevée, parfaite.

absolutio, *onis,* f. *(absolvo),* **1.** acquittement || **2.** achèvement, perfection.

absolutus, *a, um,* **1.** part. de *absolvo* || **2.** adj., achevé, parfait || complet, qui forme par soi-même un tout.

absolvo, *ere, solvi, solutum,* tr., **1.** détacher, dégager: *vinclis absoluti,* dégagés de leurs fers; *aliquem cura,* débarrasser qqn d'un souci || **2.** acquitter, absoudre || *majestatis absolvi,* être acquitté du chef de lèse-majesté || *ambitu,* être absous du chef de brigue || *de prævaricatione absolutus,* absous du chef de prévarication || **3.** achever || [absol.] achever un développement, un exposé.

absonus, *a, um,* **1.** qui n'a pas le son juste, faux || **2.** [fig.] discordant: *alicui rei,* qui ne s'accorde pas avec qqch.; [ou] *ab aliqua re.*

absorbeo, *ere, bui,* tr., absorber, engloutir.

absp-, v. *asp-.*

absque, prép. av. abl., sans || excepté, hormis.

abstemius, *a, um,* **1.** qui s'abstient de vin || **2.** sobre, tempérant || [avec gén.] qui s'abstient de.

abstentus, *a, um,* part. de *abstineo.*

abstergeo, *ere, tersi, tersum,* tr., **1.** essuyer [des larmes, du sang, de la poussière] || **2.** [fig.] effacer, balayer, dissiper [la douleur, les ennuis, etc.] || **3.** emporter, balayer.

absterreo, *ere, terrui, territum,* tr., détourner par la crainte; chasser: *ab aliqua re,* détourner de qqch. || *hostem,* chasser l'ennemi.

absterritus, *a, um,* part. de *absterreo.*

abstersi, pf. de *abstergeo.*

abstersus, *a, um,* part. de *abstergeo.*

abstinens, *tis,* **1.** part. prés. de *abstineo* || **2.** adj. ***a)*** qui s'abstient, retenu, modéré, réservé; ***b)*** désintéressé; ***c)*** [avec gén.]: *pecuniæ,* indifférent à l'argent.

abstinenter, avec désintéressement.

abstinentia, *æ,* f., **1.** action de s'abstenir, retenue, réserve || *alicujus rei,* acte de s'abstenir de qqch. || **2.** désintéressement || **3.** abstinence, continence: *abstinentia finire,* se laisser mourir de faim.

abstineò, *ere, tinui, tentum (abs* et *teneo),*

I. tr., **1.** tenir éloigné de, maintenir loin de: *ab aliquo, ab aliqua re manus,* tenir ses mains éloignées de qqn, de qqch.; *ab æde ignem,* écarter le feu du temple || **2.** [réfléchi] ***a)*** *se abstinere ab aliqua re,* s'abstenir de qqch. || *scelere,* s'abstenir d'un crime; ***b)*** [absol.]: *se abstinere,* se tenir à l'écart.

II. intr., s'abstenir de, se tenir à l'écart de: ***a)*** *prœlio,* s'abstenir de combattre; ***b)*** *a mulieribus,* épargner les femmes || *a voluptatibus,* s'abstenir des plaisirs; ***c)*** *non abstinere quin* ou *quominus*: ne pas s'abstenir de.

absto, *are,* intr., être éloigné, être placé à distance.

abstractus, *a, um,* part. de *abstraho.*

abstraho, *ere, traxi, tractum,* tr., **1.** séparer de, détacher de, éloigner de; ***a)*** *a rebus gerendis,* détourner de l'activité politique; *a sollicitudine,* soustraire à l'inquiétude; ***b)*** *de matris amplexu aliquem,* arracher qqn des bras de sa mère; ***c)*** *e sinu patriæ,* arracher du sein de la patrie; ***d)*** *frumento ac commeatu abstractus,* entraîné loin du ravitaillement et des approvisionnements || **2.** entraîner: *ad bellicas laudes,* entraîner vers les exploits guerriers.

abstrudo, *ere, trusi, trusum,* tr., cacher, dérober à la vue: *in silvam se,* se cacher dans un bois; *tristitiam*, dissimuler sa tristesse.

abstrusus, *a, um,* **1.** part. de *abstrudo* || **2.** adj. ***a)*** caché, refoulé; ***b)*** abstrus, difficile à pénétrer; ***c)*** [caractère] dissimulé, fermé.

abstuli, pf. de *aufero.*

absum, *abesse, afui, afuturus,* intr., **1.** être à une distance de; [souvent avec les adv. *longe, prope, procul* ou un accus. de distance]: *non longe a Tolosatium finibus*, n'être pas à une grande distance du pays des Tolosates; *a morte propius*, être à une distance plus rapprochée de la mort || *non longe ex eo loco*, n'être pas loin de cet endroit || **2.** être loin de, être éloigné de: ***a)*** *ab urbe, ex urbe, urbe,* être éloigné de la ville; ***b)*** [fig.] *tantum absum ab ista sententia, ut*, je suis si loin de partager votre avis que; ***c)*** [absol., au pr. et fig.] être éloigné, être absent || **3.** [fig.] manquer, faire défaut: *hoc unum illi afuit*, c'est la seule qualité qui lui ait manqué; || **4.** être loin de, différent de: *longe abesse a natura ferarum*, être fort éloigné de la bête || **5.** [en parl. de ch.] être éloigné, n'être pas compatible avec: *nihil a me abest longius crudelitate*, rien n'est plus éloigné de ma nature que la cruauté || **6.** être loin de, exempt de: *a culpa*, être exempt de faute || se tenir éloigné de, s'écarter de || **7.** [expressions]: ***a)*** *non multum, haud procul, non longe, paulum abest quin,* il ne s'en faut pas de beaucoup que; *nihil abest quin*, il ne s'en manque de rien que; *neque multum abest ab eo, quin*, il ne s'en faut pas de beaucoup que; *quid abest quin?* que s'en manque-t-il que? s'en manque-t-il de beaucoup que? ***b)*** *longe abest ut*, il s'en faut de beaucoup que; ***c)*** *tantum abest ut...*, tant s'en faut que... qu'au contraire; ***d)*** [*tantum* exclamatif]: *tantum abest ut ego... velim!*, tant je suis loin de vouloir...!

absumo, *ere, sumpsi, sumptum,* tr., **1.** user entièrement, consumer [au pr. et fig.]: *res paternas*, dissiper son patrimoine; *vires*, épuiser ses forces || *dicendo tempus*, épuiser le temps en parlant || **2.** détruire, anéantir: *classis absumpta*, flotte anéantie || **3.** faire périr, anéantir || [au pass.] *absumi*, être emporté, périr: *multi ferro ignique absumpti sunt*, beaucoup périrent par le fer et par le feu.

absumptus, *a, um,* part. de *absumo.*

absurde, **1.** d'une manière qui détonne || **2.** d'une manière déplacée || **3.** d'une manière absurde.

absurdus, *a, um,* **1.** qui a un son faux, qui détonne || [d'où] choquant, désagréable, déplaisant || **2.** qui détonne, qui jure, qui ne convient pas || *haud absurdum est* [avec inf.], il n'est pas déplacé de || **3.** absurde, saugrenu || *absurdum est* [avec inf.] il est absurde de; [avec prop. inf.] il est absurde que.

abundans, *tis,* **1.** part. prés. de *abundo* || **2.** adj. ***a)*** qui déborde; ***b)*** qui est en abondance, à profusion, surabondant; ***c)*** qui a en profusion, riche; ***d)*** riche en (avec abl. ou gén.).

abundanter, abondamment.

abundantia, *æ,* f., **1.** abondance || **2.** richesse, opulence || **3.** [rhét.] surabondance, prolixité.

abundatio, *onis,* f., débordement d'un cours d'eau.

abunde, **1.** abondamment, en abondance; *abunde est* [avec inf.], c'est bien assez de; *abunde est, si*, c'est bien assez si (que) || **2.** [avec gén.] assez de.

abundo, *are, avi, atum,* intr., **1.** déborder **2.** être en abondance **3.** avoir en abondance, être abondamment pourvu de: *equitatu*, être abondamment pourvu de cavalerie **4.** [absol.] être riche, être dans l'abondance.

abusque, prép. abl. = *usque ab*, depuis.

abusus, *a, um,* part. de *abutor.*

abutor, *uti, usus sum,*

I. [arch.] tr., épuiser, consumer: *rem patriam*, dissiper son patrimoine.

II. intr., **1.** se servir pleinement de, user librement de: *otio*, employer entièrement ses moments de loisir || **2.** user [en détournant l'objet de sa destination première]: *sagacitate canum ad utilitatem nostram*, faire servir à notre usage le flair des chiens || **3.** abuser: *militum sanguine*, abuser de la vie de ses soldats.

Abydenus, *a, um,* d'Abydos [Mysie] || [m. pris subst.] = Léandre, amant d'Héro.

Abydus, *i,* f. Abydos [ville de Mysie] || [ville de la Haute-Égypte].

ac, v. *atque.*

acacia, *æ,* f., acacia.

Academia, *æ,* f., **1.** Académie [gymnase d'Académus, près d'Athènes, dans un parc; c'est là qu'enseignait Platon] || **2.** [gymnase de Cicéron dans sa villa de Tusculum] || **3.** la philosophie platonicienne.

Academicus, *a, um,* relatif à l'Académie: *Academici libri,* ou *Academica* [pl. n.], les Académiques [traité de

Cicéron]; pl. m. *Academici*, les philosophes de l'Académie.

Academus, *i*, m., héros grec.

acalanthis, *idis*, f., chardonneret.

Acamas, *antis*, m., nom de divers personnages grecs, notamment du fils de Thésée et de Phèdre.

acanthinus, *a, um*, d'acanthe.

acanthus, *i*, **1.** m., acanthe [plante dont la feuille sert souvent comme ornement dans l'architecture] || **2.** f., arbre d'Égypte épineux et toujours vert.

Acarnan, *anis*, m., **1.** nom du héros éponyme de l'Acarnanie || **2.** [adj. et subst.], Acarnanien; pl., *Acarnanes*.

Acarnania, *æ*, f., Acarnanie [partie de l'Epire].

Acarnanicus, *a, um*, ou **-nanus,** *a, um*, Acarnanien.

Acca, f., **1.** compagne de Camille dans l'Eneide || **2.** *Acca Larentia*, nourrice de Romulus et Rémus.

accedo, *ere, cessi, cessum (ad* et *cedo)*, **I.** intr., **A) 1.** aller vers, s'approcher de: ***a)*** *ad aliquem*, aborder qqn; *ad castra*, s'approcher du camp; ***b)*** [avec *in* acc.] se rendre dans, pénétrer dans; *in funus*, se mêler à un cortège de funérailles || **2.** [idée d'hostilité] marcher sur, contre: *ad castra*, marcher contre le camp || **3.** fréquenter qqn, *ad aliquem*; *alicui* || **4.** [fig.] ***a)*** *ad rem publicam*, aborder les affaires publiques; *ad causam*, se charger d'une cause; ***b)*** *propius ad mortem*, se rapprocher de la mort; ***c)*** *ad veritatem* ou *veritati*, se rapprocher de la réalité; ***d)*** *ad facinus*, en venir à un crime; *ad pœnam*, se disposer à punir; *ad dicendum*, se disposer à parler; *ad pericula*, s'exposer aux dangers; ***e)*** accéder à, donner son adhésion à: *ad condiciones*, à des conditions. — **B)** venir s'ajouter. **1.** *ad rem* ou *rei*, s'ajouter à une chose || **2.** [tours partic.] ***a)*** *accedit quod*, à cela s'ajoute le fait que; *accedit illud etiam quod*, à cela s'ajoute encore que; ***b)*** *accedit ut*, il arrive en outre que, à cela s'ajoute que.

II. tr., **1.** *aliquem*, aborder qqn || **2.** [fig.] aborder, affronter || se joindre à, se rallier à.

acceleratus, *a, um*, part. de *accelero*.

accelero, *are, avi, atum (ad, celero)*, **1.** intr., se hâter, faire diligence || **2.** tr., hâter, presser: *iter*, accélérer la marche; *gradum*, presser le pas.

accendo, *ere, di, sum*, tr., **1.** embraser, mettre le feu à, allumer: *faces*, allumer des torches || *ignem*, allumer un feu || [métaph.] embraser, rendre brûlant || **2.** [fig.] ***a)*** enflammer, exciter, *aliquem*, qqn || *ad pugnam*, exciter au combat || *aliquem contra aliquem*, ou *in aliquem*, enflammer qqn contre qqn; ***b)*** allumer, éveiller, provoquer qqch.; *odium*, allumer la haine; *favorem alicui*, allumer pour qqn la faveur populaire; ***c)*** attiser, augmenter.

accenseo (adcenseo), *ere, censum*, tr., mettre au nombre de, rattacher à, *alicui, alicui rei*, à qqn, à qqch.

1. accensus, *a, um*, **1.** part. de *accendo* || **2.** part. de *accenseo*.

2. accensus, *i*, m. *(accenseo)*, **1.** [pl. *accensi, orum*]; soldats de réserve en surnombre; *accensi velati*, soldats surnuméraires [litt. habillés et non armés] || **2.** huissier, appariteur.

accentus, *us*, m. *(accino)*, accent, son d'une syllabe.

accepi, pf. de *accipio*.

acceptatus, *a, um*, part. de *accepto*.

acceptio, *onis*, f. *(accipio)*, réception.

accepto, *are, avi, atum (accipio)*, tr., **1.** avoir l'habitude de recevoir || **2.** recevoir, accueillir.

acceptum, *i*, n. (part. de *accipio* pris subst.), ce qu'on a reçu, ce qu'on a touché: *ratio accepti atque expensi*, compte des recettes et des dépenses; *ratio acceptorum et datorum*, compte des entrées et des sorties; *in acceptum referre*, porter au chapitre des recettes.

acceptus, *a, um*, **1.** part. de *accipio* || [en part.] *aliquid acceptum ferre, referre alicui*: porter qqch. à l'avoir, au crédit de qqn, porter au compte de, imputer à || **2.** adj. ***a)*** [en parl. de choses] bien accueilli; agréable, *alicui*, à qqn; ***b)*** [en parl. de pers.] bien vu, bienvenu: *maxime plebi acceptus*, le mieux vu du peuple.

accers-, v. *arcess-*.

accessio, *onis*, f. *(accedo)*, **1.** action de s'approcher || **2.** arrivée, accès d'une maladie || **3.** arrivée en plus, addition, augmentation, prolongement || **4.** partie ajoutée, partie accessoire || [fig.] rôle secondaire || **5.** ce qu'on donne en plus de la chose due ou stipulée, supplément, surplus.

accessus, *us*, m. *(accedo)*, **1.** arrivée, approche || **2.** accès auprès de qqn, possibilité d'approcher qqn || accès dans un lieu, lieu d'abordage pour les navires || **3.** attaque d'une maladie.

Accianus, *a, um*, d'Accius [le poète].

accidens, *entis*, n. du part. prés. *d'accido* pris subst. au pl.: **1.** manière d'être accidentelle || **2.** événement malheureux, accident fâcheux.

1. accido, *ere, cidi (ad* et *cadere),* intr. **1.** tomber vers ou sur: *de cælo ad terram,* descendre du ciel sur la terre || *genibus* ou *ad genua,* se jeter aux genoux de qqn || [milit.] survenir, tomber sur l'ennemi || **2.** arriver, parvenir [aux oreilles, à la vue]: *auribus,* ou *ad aures,* arriver aux oreilles; *ad oculos animumque,* tomber sous les yeux et frapper l'attention || *accidere* [seul], arriver aux oreilles (avec inf.) || **3.** arriver [événements fortuits le plus souvent malheureux]: *si quid accidit Romanis,* s'il arrive quelque malheur aux Romains || **4.** arriver de telle ou telle manière, tourner bien ou mal: *consilium incommode accidit,* le dessein eut des suites fâcheuses; *si secus accidit,* si les événements ont mal tourné || **5.** [tours part.]: ***a)*** *magno accidit casu, ut,* par un hasard surprenant il arriva que; *mihi accidit ut... peterem,* il m'arriva de briguer...; ***b)*** *percommode accidit quod,* c'est une chance que; *accidit perincommode quod,* c'est très fâcheux que.

2. accido, *ere, cidi, cisum (ad* et *cædo),* tr., **1.** entamer, entailler || [fig.] *post accisas Volscorum res,* après le coup porté à la puissance volsque || **2.** couper entièrement, couper à ras || [poét.] consommer.

accinctus, *a, um,* part. de *accingo.*

accingo, *ere, cinxi, cinctum (ad* et *cingo),* tr., **1.** [poét.] adapter par une ceinture || **2.** *accingi ferro, armis, ense,* se ceindre du glaive, de ses armes, de son épée; [d'où] *accinctus,* armé || **3.** munir de, pourvoir de, armer de || [d'où] *se accingere rei* ou *ad rem* ou *in rem,* se préparer, se disposer en vue d'une chose || [avec inf.]: se disposer à.

accinxi, pf. de *accingo.*

accio, *ire, ivi* et *ii, itum (ad* et *cio),* tr., faire venir, mander: *ex Etruria,* faire venir d'Étrurie.

accipio, *ere, cepi, ceptum (ad* et *capio),* tr., **1.** recevoir: *ore accipere,* prendre [un aliment] avec la bouche || **2.** ***a)*** recevoir [par les sens, par l'oreille]: *auribus,* recueillir par l'oreille, entendre || [d'où] *accipe, accipite,* écoute, écoutez; ***b)*** [en gén.] recueillir, apprendre, *ab aliquo,* de qqn; *accepimus* [avec prop. inf.], nous savons par la tradition que || **3.** prendre une chose en bonne, en mauvaise part, l'accueillir bien, mal: *in bonam partem aliquid,* prendre qqch. en bonne part || **4.** recevoir qqn: *in urbem; domum,* recevoir dans la ville, dans sa maison || *aliquem in amicitiam suam,* recevoir qqn dans son amitié || **5.** recevoir, accueillir qqn, bien ou mal: *male aliquem,* faire mauvais visage à qqn; *male verbis,* recevoir qqn avec des paroles mal accueillantes || **6.** recevoir, supporter, essuyer || **7.** recevoir = accepter: *condicionem pacis,* accepter des conditions de paix.

accipiter, *tris,* m., épervier, faucon; [en gén.] oiseau de proie.

accisus, *a, um,* part. de *accido.*

1. accitus, *a, um,* **1.** part. de *accio* || **2.** adj., importé, d'origine étrangère.

2. accitus, abl. *u,* m., appel: *accitu alicujus,* sur un appel de qqn.

Accius, *ii,* m., L. Accius [poète romain].

accivi, pf. de *accio.*

acclamatio (adcl-), *onis,* f., cris à l'adresse de qqn: ***a)*** acclamation; ***b)*** huée, clameur.

acclamo (adcl-), *are, avi, atum (ad* et *clamo),* intr., **1.** pousser des cris à l'adresse de qqn ou de qqch., pour protester ou blâmer: *acclamatur,* on pousse des cris hostiles; *acclamare alicui,* se récrier contre qqn || répondre par des cris; [avec prop. inf.] répondre par acclamation que || **2.** [avec acc. de la chose criée] *aliquem servatorem liberatoremque,* proclamer qqn sauveur et libérateur.

acclinatus, *a, um,* part. de *acclino.*

acclinis (adcl-), *e,* appuyé à ou contre, adossé à || [fig.] penché.

acclino (adcl-), *are, avi, atum,* tr., appuyer à ou contre, incliner vers: *se ad aliquem,* se pencher vers qqn.

acclivis (adcl-), *e (ad, clivus),* qui a une pente montante, qui va en montant.

acclivitas (adcl-), *atis,* f., montée.

accola, *æ,* m. *(accolo),* voisin.

accolo (adcolo), *ere, colui, cultum,* tr., habiter auprès.

accommodate (adcom-), d'une manière appropriée, qui convient: *ad naturam accommodatissime,* de la manière la plus conforme à la nature.

accommodatio (adcom-), *onis,* f., appropriation.

accommodatus (adcom-), *a, um,* **1.** part. de *accommodo* || **2.** adj., approprié à; *ad rem* ou *rei,* approprié à qqch.

accommodo (adcom-), *are, avi, atum,* tr., **1.** adapter, ajuster: *rem rei* ou *ad rem,* ajuster une chose à une autre || **2.** [fig.] approprier, *rem rei* ou *ad rem,* une chose à une autre ||

accommodari [avec *in* acc.] s'adapter à, s'appliquer à.

accommodus (adcom-), *a, um,* approprié à, convenable pour [avec dat.].

accredo (adcr-), *ere, didi,* intr., être disposé à croire, ajouter foi [avec dat.].

accresco (adcr-), *ere, crevi, cretum,* intr., **1.** aller en s'accroissant || **2.** s'ajouter à [avec dat.].

accretio (adcr-), *onis,* f., accroissement.

accretus, *a, um,* part. de *accresco.*

accrevi, pf. de *accresco.*

accubitio, *onis,* f. *(accumbo),* action de s'étendre, de se coucher || action de prendre place sur un lit de table.

accubo (adcubo), *are,* intr., **1.** être couché, étendu auprès [avec dat.] || **2.** être étendu sur le lit de table, être à table.

accubui, pf. de *accumbo.*

accumbo, *ere, cubui, cubitum (ad, cumbo),* intr., **1.** se coucher, s'étendre || **2.** s'étendre sur le lit de table, assister à un repas.

accumulate *(accumulo),* avec abondance, largement.

accumulator, *oris,* m., accumulateur.

accumulo, *are, avi, atum (ad, cumulo),* tr., **1.** amonceler, accumuler || **2.** augmenter: *rem re,* ajouter une chose à une autre.

accurate, avec soin, soigneusement.

accuratio, *onis,* f., action d'apporter ses soins.

accuratus, *a, um,* **1.** part. de *accuro* || **2.** adj., fait avec soin, soigné.

accuro, *are, avi, atum (ad, curo),* tr., apporter ses soins à, faire (préparer) avec soin.

accurro, *currere, curri* (plus rar. *cucurri*) [*ad, curro*], intr., courir vers, accourir.

accursus, *us,* m. *(accurro),* action d'accourir.

accusabilis, *e (accuso),* digne d'être accusé.

accusatio, *onis,* f. *(accuso),* action d'accuser, d'incriminer: accusation (*alicujus* = portée par qqn, ou contre qqn); discours d'accusation.

accusator, *oris,* m., accusateur, celui qui intente une accusation || accusateur de métier.

accusatorie, à la manière d'un accusateur, avec passion.

accusatorius, *a, um,* d'accusateur.

accusatrix, *icis,* f., accusatrice.

accusatus, *a, um,* part. de *accuso.*

accuso, *are, avi, atum (ad, causa),* tr., mettre en cause, accuser: **1.** accuser en justice, intenter une accusation; *aliquem,* accuser qqn || *ambitus* [gén.] accuser de brigue || *de pecuniis repetundis,* accuser de concussion || *accusatus fecisse...,* accusé d'avoir fait... || *accusare aliquem capitis,* intenter à qqn une accusation capitale || *crimine veneni accusatus,* objet d'une accusation d'empoisonnement || **2.** accuser [en gén.], incriminer: *aliquid,* incriminer qqch. || *aliquem quod* [subj.], reprocher à qqn de...

aceo, *acui, ere,* intr., être aigre.

1. acer, *eris,* n., érable.

2. acer, *cre, cris,* **1.** pointu, perçant: *ferrum acre,* fer acéré || **2.** pénétrant, âpre, rude, vif: *acetum acre,* vinaigre piquant || **3.** perçant, pénétrant || **4.** ardent, impétueux, énergique, ou violent, fougueux, passionné: *hostis acerrimus,* l'ennemi le plus acharné || **5.** vif, violent, rigoureux: *acerrima pugna,* combat le plus acharné.

acerbe *(acerbus),* **1.** âprement, durement, cruellement || **2.** péniblement: *acerbe ferre aliquid,* supporter qqch. avec peine.

acerbitas, *atis,* f. *(acerbus),* **1.** âpreté, âcreté, amertume; verdeur des fruits || **2.** âpreté, dureté [mœurs, caractère] || **3.** calamité, malheur.

acerbo, *are (acerbus),* tr., rendre âpre, amer.

acerbus, *a, um (acer),* **1.** âpre, âcre || **2.** qui n'est pas à maturité: *res acerbæ,* affaires inachevées; *acerbum funus,* mort prématurée || **3.** âpre, dur, pénible, amer, cruel: *acerbum est* [avec inf.], il est pénible de || pl. n., *acerba,* choses pénibles || **4.** cruel, impitoyable; [avec *in* acc., à l'égard de]; *acerbæ linguæ fuit,* il eut une langue acerbe, mordante.

acernus, *a, um (acer 1),* d'érable.

acerra, *æ,* f., petite boîte à encens.

Acerræ, *arum,* f., Acerres [ville de Campanie] || **-ani,** *orum,* m., habitants d'Acerres.

acervatim *(acervo),* par tas || en gros.

acervatio, *onis,* f., accumulation.

acervatus, *a, um,* part. de *acervo.*

acervo, *are, avi, atum (acervus),* tr., entasser, amonceler, accumuler.

acervus, *i,* m., monceau, tas, amas.

acesco, *(aceo), acui, ere,* intr., devenir aigre.

Acesines, *is,* m., fleuve de l'Inde.

Acesta, *æ,* f., Ségeste [ville de Sicile] || **-tæus,** *a, um,* et **-tensis,** *e,* de Ségeste.

Acestes, *æ,* m., Aceste [roi de Sicile].

acetabulum, *i,* n. *(acetum),* **1.** vase à vinaigre, bol, écuelle || **2.** trompe || **3.** calice.

acetaria, *orum,* n. *(acetum),* légumes assaisonnés au vinaigre, salade.

1. acetum, *i,* n. *(aceo),* **1.** vinaigre || **2.** [fig.] esprit caustique.

2. acetum, *i,* n., miel vierge.

Achæi, *orum,* m., **1.** Achéens [nord du Péloponnèse] || **2.** les Grecs || **3.** habitants de la Grèce réduite en prov. romaine.

Achæmenides, *is,* m., compagnon d'Ulysse.

Achæmenius, *a, um = Persicus,* de Perse.

Achæus, *a, um,* achéen.

Achaia, *æ,* f., Achaïe: **1.** nord du Péloponnèse || **2.** la Grèce.

Achaicus, *a, um,* **1.** achéen || **2.** grec || **3.** de la Grèce, prov. romaine.

Achais, *idis,* f., **1.** Achéenne, Grecque || **2.** Achaïe, Grèce.

Acharnæ, *arum,* f., Acharnes [bourg de l'Attique] || **-nanus,** *a, um,* Acharnien.

Achates, *æ,* m., Achate, compagnon d'Énée.

Achelois, *idis,* f., Achéloïde [fille d'Acheloüs] || au pl., les Sirènes.

Acheloius, *a, um,* d'Achéloüs.

Achelous, *i,* m., Achéloüs: **1.** fleuve de Grèce || **2.** dieu de ce fleuve || **3.** l'eau du fleuve.

Acheron, *ontis,* m., Achéron: **1.** fleuve des Enfers || les Enfers || dieu du fleuve || **2.** fleuve d'Épire || **3.** fleuve du Bruttium.

Acheruns, *untis,* m., Achéron.

Acherusia, *æ,* f., Achérusie: **1.** marais d'Épire || **2.** lac de Campanie || **3.** caverne de Bithynie, entrée des Enfers.

Acherusius, *a, um,* achérusien: **1.** des Enfers, infernal || **2.** relatif au fleuve des Enfers.

acheta, *æ,* m., cigale.

Achillas, *æ,* m., meurtrier de Pompée.

Achilles, *is* ou *i* ou *ei* (acc. *em* ou *ea*), m., Achille [fils de Pélée et de Thétis] || [fig.] un Achille.

Achilleus, *a, um,* d'Achille, achilléen.

Achivus, *a, um,* grec || **Achivi,** *orum,* m., les Grecs.

Achradina, *æ,* f., Achradine [quartier de Syracuse].

Acidalius, *a, um,* acidalien, d'Acidalie [fontaine en Béotie, où se baignaient Vénus et les Grâces] || *Acidalia,* surnom de Vénus.

acidulus, *a, um,* aigrelet.

acidus, *a, um (aceo),* aigre, acide || [au fig.] aigre, désagréable.

acies, *ei,* f. *(ac-,* cf. *acer),* partie aiguë, pointe:

I. [pr.] pointe, tranchant

II. [fig.] **1.** éclat (des astres) || glaive (de l'autorité) || **2.** pénétration, force pénétrante || [d'où] regard: *aciem intendere,* porter (diriger) son regard || **3.** [milit.]: ***a)*** ligne de soldats, ligne de bataille, armée rangée en bataille: *prima, secunda,* première, deuxième ligne; *duplex, triplex,* armée rangée sur deux, sur trois lignes; *aciem instruere, constituere, instituere,* disposer, établir, former la ligne de bataille [ranger l'armée en bataille] || ***b)*** bataille rangée, bataille: *acies Pharsalica,* bataille de Pharsale; *Cannensis,* de Cannes.

acinaces, *is,* m., courte épée.

acinosus, *a, um (acinus),* en forme de grain de raisin.

acinus, *i,* m. (ou **acinum,** n.), petite baie; grain de raisin || baie du lierre, de la grenade, etc.

acipenser, *eris,* m., poisson de mer.

Acis, *idis,* m. (voc. *Aci,* acc. *Acin*), **1.** fleuve de Sicile || **2.** berger.

aclys, *idis,* f., javelot.

Acmon, *onis,* m., compagnon d'Énée || de Diomède.

Acmonides, *is,* m., un des aides de Vulcain.

Acœtes, *is,* m., personnage mythol. || compagnon d'Énée.

aconitum, *i,* n., aconit [pl. *aconita*] || poison violent, breuvage empoisonné.

acor, *oris,* m. *(aceo),* aigreur, acidité.

acquiesco (adq-), *escere, quievi, quietum,* intr., **1.** se reposer || prendre le dernier repos, mourir || **2.** [fig. en parl. de choses]: *dolor acquiescit,* la douleur s'assoupit || **3.** trouver le calme de l'âme, être tranquillisé, *re* ou *in aliqua re,* grâce à qqch. [ou] dans qqch., se complaire dans qqch.

acquiro (adq-), *ere, quisivi, quisitum (ad, quæro),* tr., **1.** ajouter à, acquérir en plus: ***a)*** *aliquid ad rem,* ajouter qqch. à une chose; [absol.] *ad fidem,* augmenter son crédit; ***b)*** *aliquid,* acquérir qqch. en plus; *vires adquirit* *eundo*, [la renommée] augmente sa force en cheminant || **2.** acquérir.

acquisitus, *a, um,* part. de *acquiro.*

Acragas, *antis,* m., Agrigente [ville de Sicile].

acredula, *æ,* f., sorte de grenouille.

acriculus, *a, um (acer 2),* légèrement mordant.

acrifolium et **aquifolium,** *ii,* n., houx.

acrimonia, *æ,* f. *(acer 2),* **1.** âcreté, acidité || **2.** âpreté [de caractère], dureté || énergie.

Acrisione, *es,* f., Danaé, fille d'Acrisius || **-neus,** *a, um,* d'Acrisius, argien || **-niades,** *æ,* m., descendant d'Acrisius [Persée].

Acrisius, *ii,* m., roi d'Argos.

acriter *(acer 2),* d'une façon perçante, pénétrante [fig.]: *acrius vitia videre,* voir avec plus de pénétration les défauts || vivement, énergiquement: *pugnare,* combattre avec acharnement || violemment, sévèrement.

acroama, *atis,* n., **1.** audition, concert || **2.** l'artiste qui se fait entendre, virtuose.

Acroceraunia, *orum,* n., monts Acrocérauniens [en Épire] || **-nius,** *a, um,* acrocéraunien; [fig.] dangereux.

Acrota, *æ,* m., roi d'Albe.

1. acta, *æ,* f., rivage, plage || vie sur la plage, plaisirs de plage.

2. acta, *orum,* n., choses faites,

I. actions, faits, exploits.

II. actes [en langue officielle]: **1.** lois, ordonnances, décisions de magistrats || **2.** *acta senatus,* recueil des procès-verbaux des séances du sénat, comptes rendus officiels || **3.** *acta urbana, publica, diurna, rerum urbanarum, acta* [seul], journal officiel de Rome (chronique journalière, bulletins des nouvelles), relation officielle affichée dans les endroits en vue; [en gén.] journal.

actæa, *æ,* f., hièble, sureau.

Actæon, *onis,* m., Actéon [changé en cerf et dévoré par ses chiens].

Actæus, *a, um,* de l'Attique, attique, athénien || **Actæi,** *orum,* m., les Athéniens.

Acte, *es,* f., Acté: **1.** ancien nom de l'Attique || **2.** affranchie de Néron.

Actiacus, *a, um,* d'Actium.

Actias, *adis,* f., attique || d'Actium.

actio, *onis,* f. *(ago),* action de faire: **1.** accomplissement d'une chose: *gratiarum,* action de remercier || **2.** action, acte || **3.** action oratoire [débit, gestes, attitudes] || jeu des acteurs || **4.** action d'un magistrat dans l'exercice de ses fonctions; débats, propositions, motions [devant le peuple ou le sénat]; *nulla erat consularis actio,* aucune mesure n'était prise par les consuls || **5.** [dans la langue judiciaire] poursuite devant les tribunaux: *actionem perduellionis intendere,* intenter une action [accusation] de haute trahison || **6.** discours [judiciaire].

actitatus, *a, um,* part. de *actito.*

actito, *are, avi, atum* (fréq. de *ago*), tr., *causas,* plaider fréquemment des causes || *tragœdias,* jouer souvent des tragédies.

Actium, *ii,* n., ville et promontoire d'Acarnanie [célèbre bataille d'Actium].

actiuncula, *æ,* f., petit discours judiciaire.

Actius, *a, um,* d'Actium.

actor, *oris,* m. *(ago),* **1.** celui qui fait avancer: *pecoris,* conducteur de troupeau || **2.** celui qui fait: *auctor, actor illarum rerum fuit,* il fut de tout cela l'instigateur et l'exécuteur || **3.** celui qui joue [une pièce, un rôle], acteur || **4.** celui qui parle avec l'action oratoire, orateur || **5.** celui qui plaide une affaire || **6.** qui agit pour qqn, agent subalterne.

actuaria, *æ,* f. [s.-ent. *navis*], vaisseau léger.

actuariola, *æ,* f., barque.

1. actuarius, *a, um,* facile à mouvoir: *actuaria navis,* vaisseau léger.

2. actuarius, *ii,* m. *(actus),* **1.** sténographe || **2.** teneur de livres, comptable || **3.** intendant militaire.

actum, *i,* n. *(actus),* acte [v. *acta 2*].

actuose, avec véhémence, avec passion.

actuosus, *a, um (actus),* plein d'activité, agissant: *actuosa vita,* vie active.

1. actus, *a, um,* part. de *ago.*

2. actus, *us,* m. *(ago),* **1.** le fait de se mouvoir, d'être en mouvement || **2.** action de pousser en avant || **3.** mouvement du corps; action oratoire || geste, jeu de l'acteur || **4.** acte [dans une pièce de théâtre] || **5.** action: ***a)*** accomplissement d'une chose; ***b)*** acte: *tui actus,* tes actes.

actutum, adv., aussitôt, sur-le-champ, incessamment.

acui, pf. d'*aceo,* d'*acesco,* d'*acuo.*

acula, *æ,* f. *(aquola),* filet d'eau.

aculeatus, *a, um (aculeus),* qui a des

aiguillons, des piquants || [fig.] pointu, subtil.

aculeus, *i,* m. *(acus),* aiguillon: **1.** *apis,* dard de l'abeille || pointe d'un trait || **2.** [métaph., surtout au pl.]: ***a)*** *aculei,* aiguillons de la parole [mots capables de percer, de blesser]; ***b)*** stimulant; ***c)*** pointes, finesses, subtilités.

acumen, *inis,* n. *(acuo),* **1.** [au propre] pointe [de glaive, de lance]; *acumen stili,* la pointe du stylet (de la plume); sommet [d'une montagne] || **2.** [fig.] ***a)*** pénétration: *acumen habere,* avoir du piquant; ***b)*** subtilités, finesses.

acuo, *ere, ui, utum (ac-,* cf. *acus, acies),* tr., rendre aigu, pointu: **1.** *gladios,* aiguiser (affiler) les épées || **2.** [fig.] ***a)*** aiguiser, exercer: *linguam,* aiguiser sa langue; ***b)*** exciter, stimuler || [avec *ad*] exciter à || [avec *in* acc.] animer contre.

1. acus, *eris,* n., balle de blé.

2. acus, *i,* m., aiguille [poisson de mer].

3. acus, *us,* f., aiguille: *acu pingere,* broder || *tetigisti acu,* tu as mis le doigt dessus || épingle pour la chevelure.

acute *(acutus),* de façon aiguë, perçante, fine, pénétrante.

acutulus, *a, um* (dimin. de *acutus*), légèrement aigu, subtil.

acutus, *a, um,* **1.** part. de *acuo* || **2.** adj. ***a)*** aigu, pointu [en parlant d'épées, de traits, de pieux, de rochers, etc.] || ***b)*** aigu [en parlant du son] || piquant [en parlant du froid, des saveurs] || ***c)*** aigu, pénétrant, fin [en parlant de l'intelligence] || [en parlant des sens]: *oculi acuti,* yeux perçants || *acutus ad excogitandum,* adroit à imaginer (inventer) || *acutus in cogitando,* plein de finesse dans l'invention.

ad, prép. qui régit l'acc.

I. [sens local] **A)** [idée générale de mouvement, de direction, au pr. et au fig.] **1.** vers, à: *legatos ad aliquem mittere,* envoyer des ambassadeurs à qqn || avec les noms de lieu, *ad* exprime l'idée d'approche; l'idée d'entrée dans le lieu est exprimée par *in* || [en lang. milit.] vers, contre: *ad hostes contendere,* marcher contre les ennemis || **2.** [idée d'attacher, lier]: *ad terram naves deligare,* attacher des vaisseaux au rivage || [idée d'ajouter]: *ad naves viginti quinque,* en plus des 25 navires; *ad hæc,* en outre; ou *ad hoc*; *ad id* || **3.** [idée de diriger, incliner]: *omnium mentibus ad pugnam intentis,* l'attention de tous étant portée sur le combat; || **4.** [idée d'adresser par écrit, par la parole, etc.]: *epistula C. Verris ad Neronem,* lettre de C. Verrès à Néron || **5.** [indication de distance, de limite] à, jusqu'à: *usque ad ultimas terras,* jusqu'aux confins de la terre || [au fig.] *ad vivum,* jusqu'au vif; *ad plenum,* jusqu'au plein; *ad numerum,* jusqu'au nombre fixé; *ad certum pondus,* jusqu'à un poids déterminé; *omnes ad unum,* tous jusqu'au dernier.

B) [sans idée de mouvement] **1.** près de, chez: *fuit ad me sane diu,* il resta chez moi très longtemps; *ad judicem,* devant le juge; *ad populum agere,* plaider devant le peuple || **2.** [proximité d'un lieu] près de: *ad urbem esse,* être près de la ville [Rome] || [en parlant de batailles]: *ad Nolam,* bataille de Nola || *ad lævam, ad dextram,* vers la gauche, vers la droite (à g., à dr.) || **3.** [adaptation, accompagnement, adhérence, participation]: à.

II. [sens temporel], **1.** jusqu'à: *ad summam senectutem,* jusqu'à la plus grande vieillesse; *usque ad hanc diem,* jusqu'à aujourd'hui || **2.** [approximation] vers: *ad vesperam,* sur le soir; *ad lucem,* vers le point du jour || **3.** [précision] à: *ad diem,* au jour fixé; *ad idus,* aux ides.

III. [rapports variés], **1.** pour, en vue de, [très souvent *ad* est suivi du gérondif ou de l'adj. verbal]: *ad omnes casus,* pour toutes les éventualités || **2.** [marquant le résultat, l'aboutissement]: *mutatis repente ad misericordiam animis,* la fureur populaire s'étant changée soudain en compassion || *ad necem,* jusqu'à ce que mort s'ensuive || **3.** relativement à: *ad cetera egregius,* remarquable sous les autres rapports || *quid id ad rem?* quel rapport cela a-t-il avec l'affaire? *quid ad prætorem?* en quoi cela intéresse-t-il le préteur? || **4.** suivant, conformément à, d'après: *ad tempus,* suivant les circonstances; *ad naturam,* conformément à la nature; *ad perpendiculum,* suivant la perpendiculaire || **5.** comme suite à, par suite de: *ad clamorem convenerunt,* aux cris poussés, ils se rassemblèrent; *ad hæc audita,* à ces paroles || **6.** [approximation] vers, environ [devant un nom de nombre]: *ad hominum milia decem,* environ 10 000 hommes || [emploi adverbial]: *occisis ad hominum milibus quattuor,* 4 000 hommes environ ayant été tués.

adactio, *onis,* f. *(adigo),* action de contraindre: *juris jurandi,* obligation de prêter serment.

adactus, *a, um,* part. de *adigo.*

adæquatus, *a, um,* part. de *adæquo.*

adæquo, *are, avi, atum,* tr., **1.** rendre égal : ***a)*** une chose à une autre, *rem rei* ou *rem cum re*; ***b)*** rendre qqn égal à qqn : *aliquem cum aliquo* ; *aliquem alicui* ; ***c)*** comparer, assimiler, *rem rei,* une chose à une autre || **2.** égaler, atteindre.

adaggero, *are,* tr., entasser, accumuler.

adalligo, *are, avi, atum,* tr., attacher à [av. *ad* ou av. dat.].

adamanteus, *a, um,* et **adamantinus,** *a, um,* d'acier, dur comme l'acier.

adamas, *antis,* m. [acc. *anta*], le fer le plus dur, acier || le diamant.

adamatus, *a, um,* part. de *adamo.*

adamo, *are, avi, atum,* tr., se mettre à aimer, s'éprendre.

adamussim, v. *amussis.*

adaperio, *erire, perui, pertum,* tr., découvrir, ouvrir.

adapertilis, *e (adaperio),* qui laisse voir par une ouverture.

adapertus, *a, um,* part. de *adaperio.*

adaptatus, *a, um,* part. de *adapto.*

adapto, *are, avi, atum,* tr., adapter, ajuster.

adaquo, *are, avi,* tr., arroser || [pass.] être amené à boire, aller boire [en parl. de troupeaux].

1. adauctus, *a, um,* part. de *adaugeo.*

2. adauctus, *us,* m., augmentation, accroissement.

adaugeo, *ere, auxi, auctum,* tr., augmenter.

adaugesco, *ere,* intr., commencer à grossir, croître.

adaugmen, *inis,* n., accroissement, augmentation.

adbibo, *ere, bibi,* tr., absorber en buvant, boire.

adc-, v. *acc-.*

addecet, impers., il convient ; *aliquem,* à qqn.

addenseo, *ere,* tr., rendre plus épais, plus compact || **addenso,** *are,* [employé au pass.] s'épaissir, se condenser.

addico, *dicere, dixi, dictum,* tr., **1.** [absol.] dire pour, approuver, être favorable [en parl. des auspices] || **2.** adjuger : *aliquem alicui,* adjuger qqn à qqn, la personne du débiteur au créancier ; [v. le subst. *addictus*] || *aliquid alicui,* adjuger qqch. à qqn || **3.** [adjuger dans une enchère] : *alicui,* adjuger à qqn ; *in publicum bona alicujus,* confisquer les biens de qqn || [au fig.] céder au plus offrant || **4.** [fig.] dédier, vouer, abandonner : *senatui se addicere,* se dévouer au sénat.

addictio, *onis,* f., adjudication.

1. addictus, *a, um,* part. de *addico.*

2. addictus, *i,* m. (part. de *addico* pris subst.), esclave pour dette.

addidi, pf. de *addo.*

addisco, *discere, addidici,* tr., apprendre en outre, ajouter à ce que l'on sait.

additamentum, *i,* n. *(addo),* addition.

additio, *onis,* f., action d'ajouter.

additus, *a, um,* part. de *addo.*

addo, *dere, didi, ditum,* tr.,

I. mettre en plus, donner en plus : **1.** *quodcumque addebatur,* tout ce qui était ajouté || *addere gradum,* (doubler) presser le pas || **2.** ajouter, *rem ad rem* ou *rem rei,* une chose à une chose || *huc addit equites DCCC,* à cela [à ces fantassins] il ajoute 800 cavaliers || **3.** ajouter [par la parole ou l'écriture] : *pauca addit,* il ajoute quelques paroles || [avec une prop. inf.] *addebant me desiderari,* ils ajoutaient qu'on me regrettait || [avec *ut, ne,* idée d'ordre, de conseil] : *illud addidit (senatus) ut redirem...,* (le sénat) ajouta cette mention que je devais revenir... || [expressions] : *adde,* ajoute, ajoutons ; *huc, istuc,* ajoute à cela ; *eodem,* ajoute encore à cela ; *adde quod,* ajoute ce fait que.

II. placer vers : *alicui custodem,* placer un gardien à côté de qqn || appliquer : *virgas alicui,* appliquer les verges à qqn ; *nugis pondus,* attacher de l'importance à des bagatelles.

addoceo, *ere,* tr., enseigner [en complétant].

addormisco, *ere,* intr., s'endormir.

Addua et **Adua,** *æ,* m., affluent du Pô.

addubitatus, *a, um,* part. de *addubito.*

addubito, *are, avi, atum,* intr., pencher vers le doute, douter ; *de aliqua re,* douter de qqch.

adduco, *ducere, duxi, ductum,* tr.,

I. amener à soi, attirer : **1.** *ramum,* rameau ; ramener en arrière || **2.** [d'où] tendre : *habenas,* tendre les rênes ; *adducto arcu,* avec son arc bandé || serrer, contracter : *frontem* ou *vultum,* contracter (froncer) le sourcil.

II. conduire vers, mener à : **1.** amener : *aliquem secum, tecum, mecum,* amener qqn avec soi, avec toi, avec moi || [en part.] : *in judicium,* appeler en justice ; *ad populum,* citer devant le peuple ||

aquam, amener de l'eau || **2.** [fig.], mener à : *ad iracundiam, ad fletum*, amener [le juge] à l'irritation, aux larmes ; *in spem*, amener à espérer ; *ad suscipiendum bellum*, amener à entreprendre la guerre || *eo adduxit eos, ut vererentur*, il les amena à craindre || [d'où l'emploi du part. *adductus*] entraîné, déterminé, décidé.

adducte, inusité ; *adductius*, d'une façon plus tendue, plus roide.

adductus, *a, um*, **1.** part. de *adduco* || **2.** adj. : ***a)*** contracté, resserré || ***b)*** tendu, roide, sévère.

adduxi, pf. de *adduco*.

adedo, *ere, edi, esum*, tr., entamer avec les dents, ronger.

adegi, pf. de *adigo*.

ademi, pf. de *adimo*.

ademptio, *onis*, f. *(adimo)*, action d'enlever : *civitatis*, suppression du droit de cité.

ademptus, *a, um*, part. de *adimo*.

1. adeo, adv., jusque-là, jusqu'au point, **1.** [sens temporel] : *usque adeo [dum]*, aussi longtemps [que], [ou] *usque adeo quoad* || **2.** [marquant le degré] à ce point || [réflexion qui conclut] : tant || *adeo ut, usque adeo ut*, à tel point que, jusqu'au point que ; *adeo non... ut*, ils furent si loin de... que ; *adeo non... ut contra*, si loin de... qu'au contraire || [suivi d'une particule de compar.] : *adeo quasi* ou *tamquam*, tout autant que, que si || **3.** à plus forte raison ; [avec une négation] encore bien moins || **4.** [enchérissement] *atque adeo*, et bien plus || **5.** [sert à souligner] au surplus, d'ailleurs ; en plus, surtout, particulièrement.

2. adeo, *ire, ii, itum*, intr. et tr.,

I. intr., aller vers : **1.** *ad aliquem*, aller vers qqn, aller trouver qqn ; *ad libros Sibyllinos*, aller consulter les livres sibyllins ; *ad urbem*, se rendre à une ville || [absol., terme militaire] s'avancer, se porter en avant || **2.** [fig.] *ad rem publicam*, aborder les affaires publiques ; *ad extremum periculum*, s'exposer aux suprêmes dangers.

II. tr., **1.** *aliquem*, aller trouver qqn, s'adresser à qqn, aborder qqn ; *urbem*, aller dans une ville ; *oraculum*, consulter un oracle || **2.** [fig.] *pericula*, s'exposer aux dangers || *omnia quæ adeunda erant*, tout ce qu'il fallait entreprendre || *hereditatem adire* [expression du droit civil], accepter d'être héritier ; *hereditatem non adire*, renoncer à une succession.

adeps, *dipis*, m. et f., **1.** graisse || **2.** terre grasse, marne || **3.** aubier.

adeptio, *onis*, f. *(adipiscor)*, acquisition.

adeptus, *a, um*, part. de *adipiscor*, ayant atteint, ayant acquis, etc. || [avec sens passif] : acquis.

adequito, *are, avi, atum*, intr., aller à cheval vers : *ad nostros*, s'approcher des nôtres à cheval.

aderro, *are*, intr., errer auprès, autour.

adesse, inf. prés. de *adsum*.

adesus, *a, um*, part. de *adedo*.

adeundus, *a, um*, adj. verbal de *adeo*.

adfabilis, *e (adfari)* à qui l'on peut parler, affable, accueillant.

adfabilitas, *atis*, f., affabilité.

adfabiliter, avec affabilité ; *adfabilissime*.

adfabre, adv., artistement, avec art.

adfatim, adv., à suffisance, amplement, abondamment.

1. adfatus, *a, um*, part. de *adfor*.

2. adfatus, *us*, m., paroles adressées à qqn.

adfeci, pf. de *adficio*.

adfectatio, *onis*, f., aspiration vers, recherche, poursuite.

adfectator, *oris*, m., qui est à la recherche de, qui aspire à.

adfectatus, *a, um*, part. de *adfecto*.

adfectio, *onis*, f. *(adficio)*, **1.** influence || **2.** état (manière d'être) qui résulte d'une influence subie ; phénomène affectif || **3.** état affectif, disposition morale ou physique, état, manière d'être || **4.** disposition, sentiment.

adfecto, *are, avi, atum* (fréq. de *adficio*), tr., **1.** approcher de, aborder, atteindre : *(navem) dextra*, atteindre (le vaisseau) avec la main ; *viam Olympo*, suivre la route de l'Olympe || **2.** chercher à atteindre, avoir des vues sur, être en quête de, chercher à gagner, aspirer à || [avec inf.] viser à.

1. adfectus, *a, um*,

I. *part. de adficio*.

II. adj. [rar. comp. et superl.] || **1.** pourvu de, doté de : *beneficio adfectus*, objet d'une faveur ; *vitiis, virtutibus*, pourvu (doté) de vices, de vertus || **2.** mis dans tel ou tel état, disposé || **3.** mal disposé, atteint, affecté, affaibli : *summa difficultate rei frumentariæ adfecto exercitu*, l'armée étant incommodée par suite de l'extrême difficulté du ravitaillement ; *in corpore adfecto*, dans un corps épuisé || **4.** près de sa fin, dans un état avancé : *ætate* *adfecta*, d'un âge à son déclin, d'un âge avancé.

2. adfectus, *us,* m., **1.** état, disposition [de l'âme] || **2.** sentiment: *dubiis adfectibus*, avec des sentiments incertains || [en part.] sentiment d'affection.

adfero, *ferre, adtuli, adlatum,* tr., apporter: **1.** [au pr.]: *candelabrum Romam*, apporter un candélabre à Rome || *sese adferre*, se transporter, venir || **2.** *epistulam, litteras,* apporter une lettre, *ad aliquem* ou *alicui*, à qqn || [d'où l'emploi du verbe seul signifiant annoncer]: *quietæ res ex Volscis adferebantur*, on annonçait que les Volsques se tenaient tranquilles || [avec prop. inf.]: annoncer que || [avec *ut*, au sens d'injonction]: *adlatum est ut*, l'ordre vint que || **3.** porter sur, contre: *vim alicui*, faire violence à qqn; *manus alienis bonis*, porter la main sur les biens d'autrui || **4.** apporter: *testimonium, argumentum, exemplum, rationem, causam*, apporter (produire) un témoignage, une preuve, un exemple, une raison, une cause || [d'où] alléguer, dire || **5.** apporter, occasionner: *delectationem, dolorem, luctum, metum, spem*, apporter du plaisir, de la douleur, le deuil, la crainte, l'espoir; *pacem, bellum*, apporter la paix, la guerre.

adficio, *ere, feci, fectum (ad* et *facio)*, tr., **1.** pourvoir de: *aliquem aliqua re*, pourvoir qqn de qqch.; *aliquem sepultura*, ensevelir qqn; *pœna*, punir, châtier || **2.** mettre dans tel ou tel état, affecter, disposer || **3.** affaiblir, affecter: *exercitum fames adfecit*, la famine attaqua l'armée.

adfictus, *a, um,* part. de *adfingo*.

adfigo, *figere, fixi, fixum,* tr., **1.** attacher: *cruci aliquem*, attacher qqn à la croix || **2.** [fig.] *aliquid animo adfigere*, fixer qqch. dans l'esprit.

adfingo, *fingere, finxi, fictum,* tr., **1.** appliquer, ajouter [en façonnant], *aliquid alicui rei*, qqch. à une chose || **2.** attribuer faussement, imputer à tort; ajouter en imaginant: *probam orationem adfingere improbo*, prêter un langage vertueux à un homme pervers.

adfinis, *e,* **1.** limitrophe, voisin: *regiones adfines barbaris*, les régions voisines des barbares || **2.** mêlé à qqch.: *sceleri*, complice d'un crime; *turpitudini*, mêlé à une infamie || *rei capitalis*, qui a trempé dans un crime capital || **3.** allié, parent par alliance; [substantivé]: *tuus adfinis*, ton parent par alliance.

adfinitas, *atis,* f., **1.** voisinage || **2.** parenté par alliance || [fig.] relation étroite.

adfirmate *(adfirmatus)*, d'une façon ferme, formelle.

adfirmatio, *onis,* f. *(adfirmo)*, affirmation, action d'assurer (de garantir).

adfirmatus, *a, um,* part. de *adfirmo*.

adfirmo, *are, avi, atum,* tr., **1.** affermir, consolider, fortifier [une idée, un sentiment, etc.] || **2.** affirmer, donner comme sûr et certain.

adfixus, *a, um,* part. de *adfigo*.

1. adflatus, *a, um,* part. de *adflo*.

2. adflatus, *us,* m., **1.** souffle qui vient vers (contre), bouffée || **2.** [fig.] souffle qui inspire, inspiration.

adfleo, *ere,* intr., pleurer [à, en présence de].

adflictatio, *onis,* f., douleur démonstrative, désolation.

adflicto, *are, avi, atum,* tr. (fréq. de *adfligo)*, **1.** frapper (heurter) souvent ou avec violence contre: *tempestas adflictabat naves*, la tempête jetait les vaisseaux à la côte (drossait les vaisseaux) || **2.** bousculer, maltraiter; endommager, mettre à mal || **3.** *se adflictare*, se frapper, se maltraiter [en signe de douleur] || [d'où] se désespérer, se désoler || *adflictari*, même sens.

adflictor, *oris,* m., destructeur.

adflictus, *a, um,* **1.** part. de *adfligo* || **2.** adj., jeté à terre, abattu, terrassé: *rebus adflictis*, dans une situation désespérée.

adfligo, *ere, flixi, flictum,* tr., **1.** frapper (heurter) contre; *ad scopulos adflicta navis*, navire jeté contre les rochers || **2.** jeter à terre: *Catuli monumentum adflixit*, il renversa le monument de Catulus || [au fig.] *victum erigere, adfligere victorem*, relever le vaincu, abattre le vainqueur; *tu me adflixisti*, c'est toi qui as causé ma chute.

adflo, *are, avi, atum,*

I. intr., souffler vers (sur, contre).

II. tr., **1.** [acc. de la chose portée par le souffle]: *odores adflantur ex floribus*, des parfums s'exhalent des fleurs || **2.** [acc. de l'objet sur lequel porte le souffle] *terga adflante vento*, le vent soufflant derrière eux; *adflati incendio*, atteints par le souffle embrasé || *Sibylla adflata numine dei*, la Sibylle touchée du souffle de la divinité.

adfluens, *tis,* **1.** part. prés. de *adfluo* || **2.** adj., ***a)*** coulant abondamment, abondant || ***b)*** abondamment pourvu de, surchargé: *opibus adfluentes*, des gens ayant des richesses en abondance.

adfluenter, abondamment || dans le luxe.

adfluentia, *æ,* f., abondance, luxe.

adfluo, *ere, fluxi,* intr., **1.** couler vers, baigner || [fig.] parvenir || **2.** [fig.] affluer, arriver en abondance (en foule) : *adfluentibus undique barbaris,* les barbares affluant de toutes parts || **3.** être abondamment pourvu : *unguentis adfluens,* ruisselant de parfums ; *divitiis,* regorger de richesses.

adfor, *fari, fatus sum,* tr., parler à : *versibus aliquem,* s'adresser en vers à qqn || adresser la parole [pour saluer ou pour dire adieu].

adfore, inf. fut. de *adsum.*

adfrango, *ere, fractum,* tr., briser contre.

adfremo, *ere,* intr., frémir à (à la suite de).

adfrico, *are, fricui, frictum,* tr., frotter contre.

adfrictus, *us,* m., frottement.

adfringo, *ere,* c. *adfrango.*

adfudi, pf. de *adfundo.*

adfulgeo, *ere, fulsi,* intr., **1.** apparaître en brillant || **2.** [fig.] apparaître, se montrer, luire.

adfundo, *ere, fudi, fusum,* tr., **1.** verser (répandre) sur, contre : *venenum vulneri adfusum,* poison versé sur la blessure || **2.** [sens réfléchi au pass.] se répandre sur || [en partic. au participe] affaissé, prosterné : *adfusæ jacent tumulo,* elles gisent affaissées sur son tombeau.

adfusus, *a, um,* part. de *adfundo.*

adfuturus, *a, um,* part. fut. de *adsum.*

adgemo, *ere,* intr., gémir avec qqn [*alicui*].

adgero (agg-), *gerere, gessi, gestum,* tr., **1.** porter à (vers), apporter : *ingens adgeritur tumulo tellus,* on apporte au tertre une masse de terre || entasser : *terram,* entasser de la terre || **2.** [fig.] produire (alléguer) en masse.

1. adgestus, *a, um,* part. de *adgero.*

2. adgestus, *us,* m., action d'apporter : *pabuli, materiæ, lignorum,* transport [par corvées] du fourrage, du bois de construction et de chauffage.

adglomero, *are, avi, atum,* tr., (ajouter en formant pelote), rattacher (réunir) étroitement.

adglutinatus, *a, um,* part. de *adglutino.*

adglutino, *are, avi, atum,* tr., coller à (contre).

adgravatus, *a, um,* part. de *adgravo.*

adgravesco, *ere,* intr., s'alourdir || s'aggraver.

adgravo, *are, avi, atum,* tr., rendre plus lourd || aggraver : *bello res adgravatæ,* situation aggravée par la guerre || *reum,* charger un accusé.

adgredior, *gredi, gressus sum (ad* et *gradior),* intr. et tr.,

I. intr., **1.** aller vers, s'approcher : *silentio adgressi,* s'étant approchés en silence || **2.** [fig.] *adgredi ad causam,* aborder une cause ; *ad dicendum,* se mettre à parler.

II. tr., **1.** aborder [*aliquem,* qqn] || **2.** entreprendre qqn, chercher à le circonvenir || **3.** attaquer : *alteram navem adgressus,* ayant attaqué le second vaisseau || **4.** aborder, entreprendre [*rem,* qqch.] : *causam,* aborder une cause [en entreprendre la défense] || [avec inf.] : *oppidum oppugnare adgressus,* ayant entrepris d'assiéger la place.

adgrego, *are, avi, atum,* tr. *(ad, grex),* adjoindre, associer, réunir : *se ad amicitiam alicujus adgregare,* se ranger parmi les amis de qqn || *alicui se adgregare,* se ranger au parti de qqn.

adgressio, *onis,* f., attaque, assaut.

adgressus, *a, um,* part. de *adgredior.*

adhærens, *tis,* part. prés. de *adhæreo.*

adhæreo, *ere, hæsi, hæsum,* intr., être attaché à [avec dat.] || être adhérent à [dat.] || [fig.] *alicui,* être toujours aux côtés de qqn, être assujetti à.

adhæresco, *ere, hæsi,* intr., s'attacher à ; *ad rem, in rem, in re, rei,* à qqch. || [au fig.] *ad disciplinam,* s'attacher à une école.

adhæsio, *onis,* f. *(adhæreo),* adhérence.

adhæsus, *us,* m., adhérence.

Adherbal, *alis,* m., fils de Micipsa, tué par Jugurtha.

adhibeo, *ere, bui, bitum (ad* et *habeo),* tr., mettre à, appliquer à, employer à : *ad consilium aliquem,* faire participer qqn à un conseil [à une assemblée] ; adjoindre, ajouter ; *ægro medicinam,* appliquer un remède à un malade || appliquer, employer : *oratorem,* recourir à un orateur ; *potionem, cibum,* employer la boisson, la nourriture ; *severitatem in aliquo,* montrer de la sévérité à propos de qqn || *aliquem ducem,* employer qqn comme chef || *sic se adhibere, ut...,* se comporter de telle manière que...

adhibitus, *a, um,* part. de *adhibeo.*

adhinnio, *ire, ivi, itum,* intr., hennir à qqn ou qqch.

adhortatio, *onis,* f., exhortation.

adhortator, *oris,* m., qui exhorte.

adhortatus, *a, um,* part. de *adhortor.*

adhortor, *ari, atus, sum,* tr., exhorter, encourager : *aliquem ad rem, ad rem faciendam,* exhorter qqn à qqch., à faire qqch. || [avec *ut*] exhorter à || [avec *ne*] exhorter à ne pas.

adhuc, adv., jusqu'ici, jusqu'à ce moment, jusqu'à maintenant || encore.

Adiabene, *es* et **Adiabena,** *æ,* f., Adiabène [contrée d'Assyrie] || **-benus,** *a, um,* de l'Adiabène || **-beni,** *orum,* m., habitants de l'Adiabène.

adicio, *ere,* v. *adjicio.*

adiens, *euntis,* part. prés. de *adeo.*

adigo, *ere, egi, actum (ad* et *ago),* tr., **1.** pousser vers : *pecore e vicis adacto,* en faisant amener du bétail des bourgades ; *quis deus Italiam* [acc. poét.] *vos adegit ?,* quel dieu vous a poussés en Italie ? || *arbitrum adigere aliquem* citer qqn devant l'arbitre || **2.** enfoncer : *tigna fistucis,* enfoncer des pilotis avec des masses || **3.** *telum,* lancer un trait de manière qu'il porte à un but : *ex inferiore loco tela adigi non possunt,* lancés d'en bas les traits ne peuvent parvenir au but || **4.** [fig.] pousser à : *ad insaniam,* pousser à la folie || [avec inf., poét.] || **5.** [expr. consacrées] : *jusjurandum aliquem adigere,* faire prêter serment à qqn ; *ad jusjurandum aliquem,* même sens ; *in verba alicujus aliquem jusjurandum adigere,* faire prêter serment à qqn dans les termes qu'une personne indique [c.-à-d. faire prendre à qqn un engagement solennel envers une personne].

adii, pf. de *adeo.*

adimo, *ere, emi, emptum (ad, emo),* tr., **1.** enlever : *aliquid alicui,* qqch. à qqn || *dolores, pœnas,* supprimer les douleurs, les châtiments || **2.** [poét.] *casus, fortuna, mors aliquem adimit,* le sort, la destinée, la mort enlève qqn ; [d'où] *ademptus, a, um,* enlevé par la mort.

adipiscor, *ipisci (ad, apiscor), adeptus sum,* tr., atteindre : *quos sequebantur non sunt adepti,* ils n'atteignirent pas ceux qu'ils poursuivaient ; *senectutem,* atteindre la vieillesse || [avec *ut* subj.] obtenir que ; [avec *ne*] obtenir de ne pas.

1. aditus, *a, um,* part. de *adeo.*

2. aditus, *us,* m., **1.** action d'approcher, approche || **2.** abord, accès : *litoris,* l'accès du rivage || *ad aliquem,* accès auprès de qqn || **3.** entrée [monuments, camp, etc.] || **4.** [fig.] entrée, accès : *consulatus* ou *ad consulatum aditus,* l'accès au consulat || **5.** possibilité de qqch. : *sermonis aditum habere,* avoir possibilité de s'entretenir.

adjacens, *tis,* part. prés. de *adjaceo.*

adjaceo, *ere, cui,* intr., être couché auprès ; être situé auprès || [absol.] *adjacentes populi,* peuples du voisinage || *adjacentia* [pl. n. pris subst.], environs.

adjectio, *onis,* f. *(adjicio),* ajout, addition, adjonction.

adjectus, *a, um,* part. de *adjicio.*

adjicio, *jicere, jeci, jectum (ad* et *jacio),* tr.,

I. jeter vers (à) || [fig.] *oculos ad rem* ou *rei,* jeter les yeux sur qqch. || *animum rei* ou *ad rem,* envisager qqch.

II. ajouter à : **1.** *rei* ou *ad rem aliquid adjicere,* ajouter qqch. à une chose || **2.** dire (écrire) en outre || [avec prop. inf.] ajouter que || *adjice,* ajoute à cela ; *adjice quod,* ajoute que.

adjudicatus, *a, um,* part. de *adjudico.*

adjudico, *are, avi, atum,* tr., adjuger : *aliquid alicui,* adjuger qqch. à qqn.

adjumentum, *i,* n. *(adjuvo),* aide, secours, assistance || *adjumento esse alicui,* apporter du secours à qqn.

adjunctio, *onis,* f. *(adjungo),* action de joindre, d'ajouter.

adjunctor, *oris,* m., qui fait ajouter.

adjunctus, *a, um,* **1.** part. de *adjungo* || **2.** adj., lié, attaché, attenant.

adjungo, *ere, junxi, junctum,* tr., joindre à, unir (*rei* ou *ad rem,* à qqch.) ; *legioni legionem adjungere,* ajouter une légion à une autre || *aliquem sibi socium,* s'associer qqn || rallier qqn || ajouter [par la parole, par l'écriture] ; [avec prop. inf.] ajouter que.

adjuratus, *a, um,* part. de *adjuro.*

adjuro, *are,* tr., **1.** jurer en outre || **2.** jurer à qqn, affirmer à qqn par serment || **3.** [poét.] *alicujus caput,* jurer sur la tête de qqn.

adjutor, *oris,* m. *(adjuvo),* **1.** celui qui aide, aide, assistant : *alicujus rei* ou *ad rem,* aide pour qqch. || **2.** adjoint.

adjutorium, *ii,* n. *(adjuvo),* aide, secours.

adjutrix, *icis,* f., aide, auxiliaire.

adjutus, *a, um,* part. de *adjuvo.*

adjuvo, *are, juvi, jutum,* tr., aider, seconder, *aliquem,* aider, seconder qqn || *rem,* seconder, appuyer, favoriser qqch. || *aliquem aliqua re,* aider qqn de qqch. (au moyen de qqch.) || *aliquem nihil*, n'aider qqn en rien || *in aliqua re*, en qqch. || *in rem, ad rem*, pour qqch. || [absol.] *Lepido adjuvante*, avec l'aide de Lépidus || *adjuvare ut*, aider, contribuer à ce que || [impers.] *adjuvat*, il est utile; *nihil adjuvat*, il ne sert à rien.

adlabor, *labi, lapsus sum*, intr., se glisser vers || [avec dat. et acc. de but, poét.]: *oris*, arriver au rivage; *aures*, parvenir aux oreilles.

adlacrimans, *tis*, [part. prés. seul existant] pleurant à (en réponse à).

1. adlapsus, *a, um*, part. de *adlabor*.

2. adlapsus, *us*, m. *(adlabor)*, arrivée en glissant.

adlatro, *are, avi, atum*, tr., **1.** aboyer après, crier contre.

adlatum, adlatus, de *adfero*.

adlecto, *are* (fréq. de *adlicio*), tr., engager à.

adlectus, *a, um*, de *adlego 2*.

adlegatio, *onis*, f. *(adlego 1)*, délégation (à, vers).

1. adlego, *are, avi, atum*, tr., **1.** déléguer, envoyer [en mission privée] || **2.** alléguer, produire [comme preuve, comme justification], *rem alicui*, qqch. à qqn.

2. adlego, *legere, legi, lectum*, tr., adjoindre par choix, par élection || *in senatum*, faire entrer dans le Sénat.

adlevamentum, *i*, n. *(adlevo)*, allégement, soulagement.

adlevatio, *onis*, f. *(adlevo)*, allégement.

adlevatus, *a, um*, part. de *adlevo*.

adlevi, pf. de *adlino*.

1. adlevo, *are* (de *levis*), *avi, atum, tr.*, **1.** soulever: *supplicem*, relever un suppliant || **2.** [fig.] alléger, soulager: *sollicitudines*, adoucir les peines; *adlevor*, j'éprouve un réconfort.

2. adlevo, *are* (de *levis*), tr., rendre lisse, uni.

adlexi, pf. de *adlicio*.

adlicefacio (allic-), *ere*, tr., attirer.

adlicefactus, *a, um*, part. de *adlicefacio*.

adlicio, *licere (ad, lacio), lexi, lectum*, tr., attirer à soi, gagner || *ad rem, ad recte faciendum*, amener à qqch., à bien faire.

adlido, *lidere (ad, lædo), lisi, lisum*, tr., heurter contre: *ad scopulos adlidi*, être heurté contre des rochers.

adligatio, *onis*, f. *(adligo)*, action de lier.

adligator, *oris*, m., lieur, qui lie.

adligatura, *æ*, f., lien pour la vigne.

adligatus, *a, um*, part. de *adligo*.

adligo, *are, avi, atum*, tr., **1.** attacher à, lier à: *aliquem ad palum*, attacher qqn à un poteau || **2.** faire une ligature, mettre un bandeau sur: *vulnus*, bander une plaie || **3.** enchaîner, lier || **4.** lier moralement, astreindre.

adlino, *linere, levi, litum*, tr., étendre en enduisant sur ou à côté || [fig.] [*alicui*], imprégner qqn.

adlisus, *a, um*, part. de *adlido*.

adlocutio, *onis*, f., allocution || paroles de consolation.

adlocutus, *a, um*, part. de *adloquor*.

adloquium, *ii*, n. *(adloquor)*, paroles adressées à, allocution, exhortation || paroles de consolation.

adloquor, *loqui, locutus sum*, tr., adresser des paroles à qqn; *aliquem*, parler à qqn || [absol.] adresser une allocution, haranguer.

adluceo (alluc-), *ere, luxi*, intr., luire auprès, en outre || [impers.]: *nobis adluxit*, la lumière a lui pour nous [nous avons un heureux présage].

adludo, *ludere, lusi, lusum*, intr., jouer, badiner, plaisanter [à l'adresse de qqn ou de qqch.] || *ad aliquem*, ou *alicui*, adresser des plaisanteries à qqn.

adluo, *luere, lui*, tr., venir mouiller, baigner.

adluvies, *iei*, f. *(adluo)*, inondation.

adluvio, *onis*, f. *(adluo)*, alluvion, atterrissement.

adluxi, pf. de *adluceo*.

admensus, *a, um*, part. de *admetior*.

admetior, *iri, mensus sum*, tr., mesurer à qqn qqch., *alicui rem*.

Admetus, *i*, m., Admète: **1.** roi de Phères en Thessalie || **2.** roi des Molosses.

adminiculatus, *a, um*, part. de *adminiculo*.

adminiculo, *are, avi, atum (adminiculum)*, tr., étayer || soutenir, appuyer.

adminiculum, *i*, n. *(ad, mineo)*, étai, échalas || toute espèce d'appui || [fig.] aide, appui, secours.

administer, *tri*, m., aide, agent.

administra, *æ*, fém. du précédent.

administratio, *onis*, f., **1.** action de prêter son aide || **2.** administration, exécution || **3.** administration, gestion, direction: *rei publicæ*, l'administration de l'État; *belli*, conduite d'une guerre || *navis*, manœuvre d'un navire.

administrator, *oris,* m., qui a la charge de : *belli gerendi,* qui est chargé de la conduite d'une guerre.

administratus, *a, um,* part. de *administro.*

administro, *are, avi, atum,*
I. intr., prêter son ministère, son aide : *alicui,* prêter son aide à qqn.
II. tr., **1.** avoir en main, s'occuper de, diriger, régler || **2.** diriger, administrer : *rem publicam,* administrer les affaires publiques ; *navem,* diriger (gouverner) un navire || [absol.] administrer ; diriger la manœuvre.

admirabilis, *e,* adj. [sans superl.], admirable || étonnant, prodigieux.

admirabilitas, *atis,* f., le fait d'être digne d'admiration.

admirabiliter, d'une manière admirable, admirablement || d'une manière étrange, bizarre.

admirandus, *a, um,* [pris adj.], digne d'admiration, admirable.

admiratio, *onis,* f., **1.** admiration : *admirationem habere,* exciter l'admiration || **2.** étonnement, surprise.

admirator, *oris,* m., admirateur.

admiratus, *a, um,* part. de *admiror.*

admiror, *ari, atus sum,* tr., admirer, s'étonner : **1.** [absol.] être dans l'admiration || **2.** admirer qqn, qqch. || s'étonner de || **3.** [avec *quod*] s'étonner de ce que || [avec la prop. inf.] : s'étonner que || [avec une intr. indir.] se demander avec étonnement pourquoi, comment, etc.

admisceo, *ere, miscui, mixtum (mistum),* tr., **1.** ajouter en mêlant, *rem rei,* une chose à une autre || **2.** [fig.] mêler à, mélanger à ; incorporer à || impliquer dans, faire participer : *admisceri ad consilium,* prendre part à un conseil || **3.** mélanger avec : *rem cum re,* mélanger une chose avec une autre.

admisi, pf. de *admitto.*

admissio, *onis,* f. *(admitto),* action d'admettre ; admission, audience.

admissum, *i,* n. du part. de *admitto* pris subst., action, acte, mauvaise action, méfait, crime.

admitto, *mittere, misi, missum,* tr.,
I. faire aller vers ou laisser aller vers : *in hostem equos,* lancer les chevaux contre l'ennemi ; *equo admisso,* à toute bride, à bride abattue.
II. laisser venir vers : **1.** admettre, permettre l'accès : *admissi auditique sunt,* ils furent reçus en audience et entendus || *domum* ou *in domum admittere aliquem,* admettre qqn chez soi || **2.** admettre à une chose : *ad colloquium,* admettre à une entrevue || **3.** accueillir || **4.** *in se aliquid,* se permettre qqch., perpétrer qqch. [au sens péjoratif] : *admittere in se facinus,* commettre un crime || [sans *in se*] : *admittere scelus,* commettre un crime || **5.** admettre, permettre.

admixtio, *onis,* f. *(admisceo),* mélange, addition.

admixtus, *a, um,* part. de *admisceo.*

admodum, adv., jusqu'à la mesure, pleinement : **1.** tout à fait, parfaitement || **2.** tout à fait : *admodum adulescens,* tout jeune ; *admodum senex,* très vieux || **3.** [avec un n. de nombre, il indique que le chiffre est juste] au moins, tout au plus.

admoneo, *ere, ui, itum,* tr., **1.** faire souvenir, rappeler : *aliquem de aliqua re,* faire souvenir qqn de qqch. ou *aliquem alicujus rei* || [avec prop. inf.] rappeler que || **2.** avertir, faire remarquer, faire prendre garde || *aliquem de aliqua re,* avertir qqn de qqch., attirer l'attention de qqn sur qqch. || [avec prop. inf.] avertir que, annoncer que || **3.** rappeler qqn à l'ordre : *aliquem verberibus,* rappeler à l'ordre par des coups || admonester, faire des remontrances, une semonce || **4.** engager [à], stimuler ; [avec *ut*] avertir de, engager à ; [avec *ne*] engager à ne pas.

admonitio, *onis,* f. *(admoneo),* **1.** action de faire souvenir, rappel || **2.** action de faire remarquer (constater) || **3.** avertissement, représentation.

admonitor, *oris,* m., qui rappelle au souvenir.

admonitum, *i,* n. pris subst. : avertissement.

1. admonitus, *a, um,* part. de *admoneo.*

2. admonitus, *us,* m. [touj. à l'abl.], **1.** rappel du souvenir || **2.** conseil : *admonitu istius,* sur son conseil || avertissement || parole d'excitation, d'encouragement.

admonui, pf. de *admoneo.*

admotio, *onis,* f. *(admoveo),* action d'approcher.

admotus, *a, um,* part. de *admoveo.*

admoveo, *ere, movi, motum,* **1.** faire mouvoir vers, approcher ; *scalas mœnibus,* approcher les échelles des murailles || *altaribus aliquem,* faire approcher qqn des autels || *ad lumen se,* s'approcher d'une lumière ; *alicui se,* s'approcher de qqn || **2.** appliquer, employer : *orationem ad sensus animorum inflammandos,* employer la parole à enflammer les passions de l'auditoire ; *stimulos alicui*, aiguillonner, stimuler qqn ; *curationem ad aliquem*, appliquer un traitement à qqn.

admugio, *ire, ivi,* intr., mugir, meugler [en réponse à, à l'adresse de], [avec dat.].

admurmuratio, *onis,* f., murmure pour approuver ou blâmer.

admurmuro, *are, avi, atum,* intr., faire entendre des murmures à l'adresse de.

adnascor, etc., v. *agnascor*, etc.

adnato, *are, avi,* intr., **1.** nager vers || **2.** nager à côté de [dat.].

adnatus, v. *agnatus.*

adnavigo, *are, avi,* intr., naviguer vers.

adnecto, *ere, nexui, nexum,* tr., attacher à || [avec prop. inf.] ajouter que.

1. adnexus, *a, um,* part. de *adnecto.*

2. adnexus, *us,* m., rattachement, association.

adnisus, *a, um,* part. de *adnitor.*

adnitor, *niti, nixus (nisus) sum,* intr., **1.** s'appuyer à || **2.** s'efforcer de, travailler à [avec *ut, ne*] || [avec inf.] s'efforcer de || *de triumpho*, faire des efforts à propos du triomphe.

adnixus, *a, um,* part. de *adnitor.*

adno, *are, avi,* intr., nager vers || arriver par eau : *ad urbem*, à la ville || nager à côté de [dat.].

adnotamentum, *i,* n., annotation, remarque.

adnotatio, *onis,* f., annotation, remarque.

adnotatiuncula, *æ,* f., petite remarque, notule.

adnotator, *oris,* m., qui prend note de.

1. adnotatus, *a, um,* part. de *adnoto.*

2. adnotatus, *us,* m., remarque.

adnoto, *are, avi, atum,* tr., mettre une note à ; [d'où] noter, remarquer, *aliquid*, qqch. ; [avec prop. inf.] remarquer que.

adnuiturus, *a, um,* part. fut. de *adnuo.*

adnumeratus, *a, um,* part. de *adnumero.*

adnumero, *are, avi, atum,* tr., **1.** compter à, remettre en comptant : *pecuniam alicui*, compter une somme à qqn || **2.** ajouter au compte de, ajouter.

adnuntio, *are, avi, atum,* tr., annoncer.

adnuo (annuo), *ere, nui, nutum,* intr. et tr., **1.** faire un signe à, adresser un signe à : *alicui*, faire signe à qqn || indiquer par un signe [*aliquem, aliquid*, qqn, qqch.] || demander par signes || **2.** donner par signes son approbation, son assentiment, approuver || *alicui rei*, donner son approbation à qqch. || *alicui*, donner son approbation, son consentement à qqn ; *alicui aliquid*, consentir pour qqn à qqch., daigner accorder à qqn qqch. || [absol.] *adnueram*, j'avais consenti.

adnutrio, *ire,* tr., élever auprès.

adoleo, *ere, evi, adultum,* tr., transformer en vapeur : **1. *a)*** [dans la langue religieuse] faire évaporer, faire brûler [pour honorer un dieu] ; ***b)*** couvrir de vapeur, de fumée le lieu qu'on honore d'un sacrifice : *flammis penates*, répandre sur les pénates la vapeur des victimes embrasées ; ***c)*** honorer : *cruore captivo aras*, honorer les autels par l'offrande du sang des captifs || **2.** brûler [en général] : *stipulas*, faire brûler les chaumes.

adolescens, -centia, v. *adul-.*

1. adolesco, *ere, evi, adultum,* intr., croître, grandir, se développer.

2. adolesco, *ere,* inchoat. de *adoleo*, se transformer en vapeur, brûler.

Adonis, *idis,* m., Adonis [célèbre par sa beauté].

adoperio, *ire, operui, opertum,* tr., couvrir || employé surtout au part. pf. pass.] *adopertus, a, um,* couvert, voilé, fermé.

adopertus, *a, um,* part. de *adoperio.*

adoptatio, *onis,* f., action d'adopter, adoption.

adoptator, *oris,* m., celui qui adopte, père adoptif.

adoptatus, *a, um,* part. de *adopto.*

adoptio, *onis,* f., action d'adopter, adoption : *in adoptionem alicui filium emancipare*, émanciper son fils en vue de son adoption par qqn ; *filium in adoptionem dare*, donner son fils en adoption.

adoptivus, *a, um,* adoptif, qui est adopté. || qui adopte : *sacra adoptiva*, le culte de la famille adoptive.

adopto, *are, avi, atum,* tr., **1.** prendre par choix, choisir, adopter : *aliquem sibi patronum*, prendre qqn comme défenseur || **2.** [en droit] adopter : *sibi filium*, adopter comme fils ; *aliquem*, adopter qqn.

ador, *oris,* n., espèce de froment, épeautre.

adoratio, *onis,* f., action d'adorer, adoration.

adoratus, *a, um,* part. de *adoro.*

adorea (adoria), *æ,* f., récompense

en blé donnée aux soldats : [d'où] gloire militaire.

adoreus, *a, um,* de blé || **adoreum,** *i,* n., blé, froment.

adoria, v. *adorea.*

adorior, *iri, ortus sum,* tr., **1.** assaillir, attaquer : *aliquem gladiis, fustibus,* assaillir qqn avec des épées, des bâtons ; *castra,* attaquer un camp || **2.** entreprendre : *aliquid,* entreprendre qqch. ; *nefas,* entreprendre (oser) un crime.

adornatus, *a, um,* part. de *adorno.*

adorno, *are, avi, atum,* tr., **1.** équiper, préparer : *naves onerarias,* équiper des vaisseaux de transport ; *accusationem,* préparer une accusation || **2.** orner, parer.

adoro, *are, avi, atum,* tr., **1.** adresser des paroles de vénération, de prière, adorer || **2.** implorer par des prières : *pacem deorum,* implorer la faveur des dieux || **3.** adorer, rendre un culte à, vénérer.

adortus, *a, um,* part. de *adorior.*

adpet-, v. *appet-.*

adpl-, v. *appl-.*

adpr-, adpu-, v. *app-.*

adquiro, v. *acquiro.*

adrado, *ere, rasi, rasum,* tr., tondre, raser || rogner, tondre des rejetons || [fig.] trancher, tailler.

Adramytteum, *i,* n. et **Adramytteos,** *i,* f., Adramytte [ville de Mysie] || **-enus,** *a, um,* d'Adramytte.

Adrastus, *i,* m., Adraste [roi d'Argos, beau-père de Tydée et de Polynice].

adrasus, *a, um,* part. de *adrado.*

adrectus (arr-), *a, um,* **1.** part. de *adrigo* || **2.** adj., ***a)*** escarpé ; ***b)*** [dressé] dans l'attente, impatient de.

adrepo (arr-), *repere, repsi,* intr., ramper vers [*ad aliquid, ad aliquem,* vers qqch., vers qqn] || [fig.] se glisser, s'insinuer.

adreptans (arr-), *antis,* part. de *adrepto.*

Adria, Adriacus, v. *Hadr-.*

adrideo (arr-), *ere, risi, risum,* intr., **1.** rire à (en réponse à) : *ridentibus adridere,* répondre au rire par son rire || **2.** sourire [avec marque d'approbation] || *alicui,* sourire à qqn || **3.** sourire, plaire.

adrigo (arr-), *ere, rexi, rectum,* tr., **1.** mettre droit, dresser || **2.** [fig.] relever, exciter [*animos,* les esprits].

adripio (arr-), *ere, ripui, reptum,* tr., **1.** tirer à soi, saisir : *telum,* saisir une arme || **2.** saisir, arrêter || **3.** traîner devant les tribunaux || **4.** [fig.] saisir brusquement, s'emparer de.

adrisor (arr-), *oris,* m., qui sourit en approbation, flatteur.

adrodo (arr-), *ere, rosi, rosum,* tr., ronger autour, entamer avec les dents.

adrogans (arr-), *antis,* part. prés. pris adj., arrogant : *homo,* personnage arrogant.

adroganter (arr-), [*-tius*], avec arrogance.

adrogantia (arr-), *æ,* f., arrogance, présomption.

adrogatus, *a, um,* part. de *adrogo.*

adrogo (arr-), *are, avi, atum,* tr., **1.** *sibi adr.,* faire venir à soi, s'approprier, s'arroger || **2.** [poét.] *aliquid alicui rei,* faire venir qqch. s'ajoutant à qqch., ajouter (attribuer) qqch. à une chose : *chartis pretium,* donner du prix à un ouvrage.

adrosor (arr-), *oris,* m., rongeur.

adrosus, *a, um,* part. de *adrodo.*

Adrumetum (Hadr-), *i,* n., Adrumète [ville maritime, entre Carthage et Leptis] || **-tinus,** *a, um,* d'Adrumète.

adsc-, v. *asc-.*

adsecla, adsecula et **assecla,** *æ,* m. *(adsequor),* qui fait partie de la suite de qqn || [en mauv. part] acolyte ; séquelle.

adsectatio (ass-), *onis,* f., action d'accompagner, de faire cortège [à un candidat].

adsectator (ass-), *oris,* m., **1.** celui qui accompagne, qui fait cortège [à un candidat], partisan || **2.** poursuivant, prétendant || **3.** sectateur, disciple.

adsectatus (ass-), *a, um,* part. de *adsector.*

adsector (ass-), *ari, sectatus sum,* tr. (fréq. de *adsequor*), suivre partout (continuellement) || faire cortège [*aliquem,* à qqn].

adsecula (ass-), v. *adsecla.*

adsecutus (ass-), *a, um,* part. de *adsequor.*

adsensi (ass-), pf. de *adsentio.*

adsensio (ass-), *onis,* f. *(adsentio),* assentiment, adhésion, approbation.

adsensor (ass-), *oris,* m., approbateur.

1. adsensus (ass-), *a, um,* part. de *adsentior.*

2. adsensus (ass-), *us,* m., assentiment, adhésion.

adsentatio (ass-), *onis (adsentor),* f., action d'abonder dans le sens de qqn par calcul; flatterie || approbation empressée.

adsentatiuncula (ass-), *æ,* f., petite flatterie.

adsentator (ass-), *oris,* m., approbateur par calcul, flatteur.

adsentatorie (ass-), adv., en flatteur.

adsentior (ass-), *sentiri, sentire, sensus sum* (plus rarement **adsentio,** *sensi, sensum)* intr., donner son assentiment, son adhésion [*alicui,* à qqn; *alicui rei,* à qqch.; approuver qqn, qqch.] || *illud* [*hoc, id*], *cetera, alterum, utrumque tibi adsentior,* je suis de ton avis en cela [en ceci], sur tout le reste, sur un des deux points, sur les deux points || [avec prop. inf.] accorder que || *Platoni adsentior,* je suis d'avis, comme Platon.

adsentor (ass-), *ari, atus sum (adsentior),* intr., approuver continuellement, abonder || flatter: *alicui adsentari,* flatter qqn.

adsequor (ass-), *sequi, secutus sum,* tr., **1.** atteindre, attraper, joindre || **2.** [fig.] atteindre, parvenir à, obtenir: *honores,* obtenir les magistratures; *immortalitatem,* conquérir l'immortalité || atteindre par la pensée, comprendre || [avec *ut (ne)*] obtenir que (que ne pas).

1. adsero (ass-), *serere, sevi, situm,* tr., planter à côté.

2. adsero (ass-), *serere, serui, sertum,* **1.** [t. de droit] amener [*manu,* avec la main] une personne devant le juge et affirmer qu'elle est de condition libre ou qu'elle est esclave: *aliquem in libertatem; in servitutem,* revendiquer (réclamer) qqn comme homme libre, comme esclave || affranchir || **2.** [en général] se faire le défenseur de, défendre, soutenir || **3.** amener de, faire venir de, tirer de || **4.** attacher à, attribuer à: *aliquid sibi adserere,* s'attribuer qqch. || [sans *sibi*] *laudes alicujus,* s'approprier la gloire de qqn.

adsertio (ass-), *onis,* f., action de revendiquer pour qqn la condition de personne libre [ou d'esclave].

adsertor (ass-), *oris,* m., **1.** celui qui affirme devant le juge qu'une personne est de condition libre, ou inversement, qu'elle est esclave || **2.** défenseur, libérateur.

adsertus (ass-), *a, um,* part. de *adsero 2.*

adserui (ass-), pf. de *adsero 2.*

adservatus (ass-), *a, um,* part. de *adservo.*

adservio (ass-), *ire,* intr., s'asservir à, s'assujettir à [avec dat.].

adservo (ass-), *are, avi, atum,* tr., **1.** garder, conserver || garder à vue qqn || **2.** garder, surveiller.

adsessio (ass-), *onis,* f. *(adsideo),* présence aux côtés de qqn [pour le consoler].

adsessor (ass-), *oris,* m. *(adsideo),* assesseur, aide [dans une fonction].

adsessus (ass-), *a, um,* part. de *adsideo.*

adseverans (ass-), *tis,* part. prés. de *adsevero.*

adseveranter (ass-) *(adseverans),* de façon affirmative (catégorique).

adseverate (ass-) *(adseveratus),* avec assurance || avec feu, avec passion.

adseveratio (ass-), *onis,* f. *(adsevero),* assurance (insistance) dans l'affirmation, affirmation sérieuse.

adsevero (ass-), *are, avi, atum,* tr., **1.** [absol.] parler sérieusement || **2.** affirmer sérieusement, assurer, attester.

adsevi (ass-), pf. de *adsero 1.*

adsibilo (ass-), *are,* **1.** intr., siffler contre (en réponse à) || **2.** tr., *animam,* rendre l'âme en sifflant.

adsicco (ass-), *are,* tr., sécher.

adsideo (ass-), *ere, sedi, sessum (ad, sedeo),*

I. intr., **1.** être assis (placé) auprès [*alicui,* de qqn] || **2.** être installé auprès; [fig.] se donner assidûment à || **3.** [t. de droit] assister, siéger comme juge || assister qqn [*alicui*] dans la direction des affaires.

II. tr. [rare]: *pedes alicujus,* être assis aux pieds de qqn || être installé (campé) auprès, assiéger.

adsido (ass-), *ere, sedi, sessum,* **1.** intr., s'asseoir, prendre place || **2.** tr., s'asseoir à côté de.

adsidue (ass-) *(adsiduus),* assidûment, continuellement, sans interruption.

adsiduitas (ass-), *atis,* f. *(adsiduus),* **1.** présence constante, assiduité || persévérance, ténacité || **2.** persistance, durée persistante.

adsiduus (ass-), *a, um (adsideo),*

I. [t. de droit] domicilié || [fig.] de valeur notable: *scriptor,* écrivain notable [qui a pignon sur rue].

II. 1. qui est (se tient) continuellement qq. part: *adsiduus Romæ,* demeurant constamment à Rome; *in oculis hominum,* vivant constamment sous les yeux du public || *hostis adsiduus magis quam gravis*, ennemi plus opiniâtre que redoutable || **2.** ininterrompu : *adsiduus labor*, travail incessant.

adsignatio (ass-), *onis,* f., assignation, répartition : *agrorum*, partage des terres.

adsignatus (ass-), *a, um,* part. de *adsigno.*

adsigno (ass-), *are, avi, atum,* tr., **1.** assigner, attribuer dans une répartition : *colonis agros*, attribuer des terres aux colons || **2.** attribuer, imputer, mettre sur le compte de || **3.** remettre, confier.

adsilio (ass-), *ire, silui,* intr. *(ad, salio)*, sauter contre (sur), assaillir : *mœnibus*, assaillir les remparts.

adsimilatio (ass-), *onis,* f., c. *adsimulatio.*

adsimilatus (ass-), *a, um,* part. de *adsimilo.*

adsimilis (ass-), *e,* dont la ressemblance s'approche de, à peu près semblable à [av. gén.].

adsimilo (ass-), *are,* c. *adsimulo.*

adsimulatio (ass-), *onis,* f., action de rendre semblable, ressemblance || comparaison.

adsimulatus (ass-), *a, um,* feint, simulé.

adsimulo (ass-), *are, avi, atum,* tr., **1.** reproduire, simuler, feindre || **2.** rendre semblable, reproduire par l'imitation || **3.** comparer, assimiler.

adsisto (ass-), *sistere, stiti,* intr., **I. 1.** se placer auprès, s'arrêter auprès [av. *ad aliquid* ou dat.] || **2.** s'arrêter en se tenant droit, se tenir debout.
II. = *adstare* : **1.** se tenir (debout) près de : *ad epulas regis*, se tenir debout près de la table du roi [pour servir] || [dat.] *foribus*, se tenir à la porte || **2.** [fig.] assister en justice [*alicui*, qqn].

adsitus (ass-), *a, um,* part. de *adsero 1.*

adsociatus (ass-), *a, um,* part. de *adsocio.*

adsocio (ass-), *are, avi, atum,* tr., joindre, associer.

adsoleo (ass-), *ere,* intr., **1.** [mode pers. seul à la 3ᵉ p. sing. et plur.] avoir coutume || **2.** [impers.] *ut adsolet*, suivant l'usage.

adsono (ass-), *are,* intr., répondre par un son.

adsp-, v. *asp-.*

adstipulator, *oris,* m., celui qui s'engage (s'oblige) solidairement avec qqn [pour qqn], répondant || [fig.] celui qui approuve, partisan, tenant.

adstipulor, *ari, atus sum,* intr., **1.** prendre un engagement (s'obliger) solidairement avec qqn pour le remplacer dans l'obligation [pour être son mandataire] || **2.** [fig.] se rendre solidaire [*alicui*, de qqn] || donner son adhésion à, confirmer.

adstiti, pf. de *adsisto* ou *adsto.*

adsto (asto), *are, stiti,* intr., **1.** se tenir debout auprès, se tenir auprès : *adstante ipso*, en sa présence : *omnes qui adstabant*, tous ceux qui étaient présents || **2.** se dresser || **3.** se tenir aux côtés de qqn, l'assister.

adstrepo, *ere,* intr., frémir à (en réponse à, en écho à) || répondre par des manifestations bruyantes.

adstricte (as-) *(adstrictus)*, d'une façon serrée, étroite, stricte || avec concision.

adstrictus (astr-), *a, um,* **1.** part. de *adstringo* || **2.** adj., ***a)*** serré, flottant ; ***b)*** [fig.] serré, regardant [opp. à *profusus*].

adstringo (astr-), *ere, strinxi, strictum,* tr., **1.** attacher étroitement à || **2.** serrer, resserrer, contracter || rafraîchir, retremper (le corps) || **3.** [fig.] lier, enchaîner || *fidem*, engager sa parole ; *ad temperantiam adstringi*, s'assujettir à la tempérance || *adstringi* ou *se adstringere scelere*, se lier par un crime, se rendre coupable d'un crime.

adstructus, *a, um,* part. de *adstruo.*

adstruo, *ere, struxi, structum,* tr., **1.** bâtir à côté (contre) || **2.** [fig.] ajouter [*rem rei*, une chose à une autre] || donner en plus qqch. [*alicui*, à qqn].

adstupeo, *ere,* intr., s'étonner à la vue de [*alicui*, devant qqn] ; *alicui rei*, rester béant devant qqch.

adsuefacio (ass-), *ere, feci, factum,* tr., rendre habitué, habituer, dresser ; *aliqua re adsuefactus*, habitué à qqch. ; ou [*alicui rei*] ou [*ad rem*] || [avec inf.] accoutumer à.

adsuefactus, *a, um,* part. de *adsuefacio.*

adsuesco (ass-), *ere, evi, etum,* **1.** intr., s'habituer [au pf., avoir l'habitude] : [ad aliquem] s'accoutumer à qqn || [dat.] *militiæ*, s'accoutumer au métier des armes ; v. *adsuetus* || [avec inf.] s'habituer à || **2.** tr. [rare et poét.] = *adsuefacio*, habituer.

adsuetudo (ass-), *inis,* f. *(adsuesco)*, habitude.

adsuetus (ass-), *a, um,* p.-adj. de *adsuesco*, **1.** habitué : *aliqua re*, habitué à qqch., [*alicui rei*] || [*in rem*] || *adsueti inter se hostes*, ennemis habitués à se combattre mutuellement || *adsueti muros defendere*, habitués à défendre les remparts || **2.** habituel || *longius adsueto*, plus loin que d'ordinaire.

adsuevi, pf. de *adsuesco*.

adsulto (ass-), *are, avi, atum (adsilio)*, sauter contre (vers, sur): **1.** intr., bondir contre, fondre sur || **2.** tr., assaillir.

adsultus, *us*, m., bond, saut; vive attaque.

adsum (ass-), *adesse, adfui*, intr., être près de: **1.** être là, être présent [opp. *absum*]: *qui aderant*, les personnes qui étaient présentes || *ad diem adesse*, être présent au jour fixé; *huc ades*, viens ici || se présenter sur ordre d'un magistrat, comparaître || **2.** *adesse alicui in consilio*, conseiller qqn dans une délibération || [fréquent au sens de] assister qqn, le soutenir: *hunc defendunt, huic adsunt*, ils le défendent, ils l'assistent; *tuis rebus adero*, je soignerai tes intérêts; *adeste, cives! adeste, commilitones!*, à moi, citoyens! à moi, compagnons d'armes! || *adesse animo (animis)*, être présent d'esprit, faire attention, [ou] être présent de cœur, avoir du courage || **3.** *adesse alicui rei*, assister à qqch., y coopérer: *decreto scribendo*, prendre part à la rédaction d'un décret || **4.** [en parl. de choses] être là, être présent: *aderant unguenta, coronæ*, il y avait là parfums, couronnes; *adsunt Kalendæ Januariæ*, nous voici aux calendes de janvier.

adsumo (ass-), *ere, sumpsi, sumptum*, tr., **1.** prendre pour soi (avec soi), emprunter || *aliquem socium adsumere*, prendre qqn pour allié, associer qqn || **2.** s'approprier, se réserver || **3.** prendre en plus, joindre à ce qu'on avait; s'adjoindre.

adsumptio (ass-), *onis*, f. *(adsumo)*, action de prendre (choisir, emprunter).

adsumptus (ass-), *a, um*, part. de *adsumo*.

adsuo (ass-), *ere, sui, sutum*, tr., coudre à.

adsurgo (ass-), *ere, surrexi, surrectum*, intr., **1.** se lever [de la position couchée ou assise] || *alicui*, se lever pour faire honneur à qqn || **2.** [fig. et poét.] se dresser, se soulever, se hausser.

adsurrexi (ass-), pf. de *adsurgo*.

adtempt- (attempt-), v. *adtent-*.

adtendo (att-), *tendere, tendi, tentum*, tr., **1.** tendre vers || **2.** [fig.] *animum adtendere*, être attentif, *ad aliquid*, à qqch. || **3.** [le plus souv. *adtendere* seul] être attentif, prendre garde, remarquer: *aliquem*, écouter qqn attentivement || *de aliqua re*, porter son attention sur qqch. || **4.** [constructions non class.]: ***a)*** *alicui, alicui rei*, faire attention à qqn, à qqch.; ***b)*** *attendere ut* (av. subj.): s'occuper de.

adtentatus (att-), *a, um*, part. de *adtento*.

adtente (att-), avec attention, avec application.

adtentio (att-), *onis*, f. *(adtendo)*, application, *animi*, de l'esprit || attention.

adtento (att-), *are, avi, atum*, tr., entreprendre, essayer, attaquer (qqn, qqch.); [idée d'hostilité]: corrompre; *fidem alicujus*, surprendre la bonne foi de qqn || [sans idée d'hostilité, rare]: chercher à atteindre.

adtentus (att-), *a, um*, **1.** part. de *adtendo* et *adtineo* || **2.** adj.: ***a)*** attentif, *ad aliquid, alicui rei*: à qqch.; ***b)*** attentif, vigilant; ***c)*** ménager, regardant.

adtenuate (att-), d'une manière mince; [fig.] avec un style simple.

adtenuatio (att-), *onis*, f., amoindrissement, affaiblissement || simplicité du style.

adtenuatus (att-), *a, um*, **1.** part. de *adtenuo* || **2.** adj., ***a)*** affaibli, amoindri; ***b)*** simple [en parlant du style].

adtenuo (att-), *are, avi, atum*, tr., **1.** amincir, amoindrir, affaiblir || **2.** [rhét.] abaisser, amoindrir || réduire [le style] à l'expression la plus simple.

adtero (att-), *ere, trivi, tritum*, tr., **1.** frotter contre || **2.** enlever par le frottement || [fig.] user, affaiblir, écraser.

adtestor (att-), *ari, atus sum*, tr., attester, prouver || confirmer [un premier présage].

adtexo (att-), *ere, texui, textum*, tr., joindre en tissant, lier intimement à [avec datif].

adtineo (att-), *ere, tinui tentum (ad, teneo)*, **1.** tr., tenir [*aliquid*, qqch.] || retenir [*aliquem*, qqn] || garder, maintenir || tenir occupé, amuser, lanterner || **2.** intr., aboutir jusqu'à, s'étendre jusqu'à: *Scythæ ad Tanaim attinent*, les Scythes s'étendent jusqu'au Tanaïs || concerner, regarder: *negotium hoc ad me adtinet*, cette question me regarde || [expressions]: *nunc nihil ad me adtinet*, pour le moment cela ne m'intéresse pas; *quid adtinet dicere?*, à quoi bon dire?

adtingo (att-), *ere, tigi, tactum (ad, tango),* tr., toucher à, toucher: **1.** *aliquem digito*, toucher qqn du doigt; *priusquam murum aries attigit*, avant que le bélier ait commencé à battre les murs; *genua, dextram*, toucher les genoux, la main droite de qqn [en suppliant] || *aliquem*, toucher à qqn (s'attaquer à qqn) || **2.** toucher, atteindre || **3.** toucher à, confiner à: *(Gallia) attingit flumen Rhenum*, (la Gaule) touche au Rhin || **4.** aborder (arriver dans, à): *Asiam*, atteindre l'Asie || *verum*, atteindre le vrai || **5.** se mettre à: *causam*, prendre une cause en mains; || **6.** avoir rapport à: *aliquem cognatione*, toucher à qqn par la parenté.

adtollo (att-), *ere*, tr., **1.** élever, soulever: *manus ad cælum*, lever les mains au ciel; *attollit*, il se redresse || **2.** élever, dresser: *arcem*, élever une citadelle; *malos*, dresser les mâts || **3.** [fig.] élever: *ad consulatus spem animos*, élever (hausser) ses prétentions jusqu'à l'espoir du consulat || soulever, exalter || grandir, rehausser: *aliquem triumphi insignibus*, rehausser (décorer) qqn des insignes du triomphe || grandir (exalter) par des paroles.

adtondeo (att-), *ere, tondi, tonsum,* tr., tondre || brouter; émonder.

adtonitus (att-), *a, um,* p.-adj. de *adtono*, **1.** frappé de la foudre, étourdi || **2.** frappé de stupeur: *re nova attoniti*, étourdis par la surprise || **3.** [poét.] jeté dans l'extase, en proie à l'égarement prophétique || **4.** béant dans l'attente de qqch., absorbé tout entier par la pensée de qqch., anxieux.

adtono (att-), *are, tonui, tonitum,* tr., frapper de stupeur.

adtonsus (att-), part. de *adtondeo.*

adtonui (att-), pf. de *adtono.*

adtorqueo (att-), *ere,* tr., brandir, lancer [un javelot].

adtractus (att-), *a, um,* **1.** part. de *adtraho* || **2.** adj., contracté.

adtraho (att-), *ere, traxi, tractum,* tr., tirer à soi: **1.** *ferrum*, attirer le fer || **2.** tirer violemment (traîner) vers || **3.** [fig.] attirer: *Romam aliquem*, attirer qqn à Rome.

adtrectatus, *a, um,* part. de *adtrecto.*

adtrecto (att-), *are, avi, atum,* tr., **1.** toucher à, palper, manier || **2.** chercher à saisir || [fig.] entreprendre qqch.

adtremo (att-), *ere,* intr., trembler à (en réponse à): *alicui*, devant qqn.

adtribuo (attr-), *ere, ui, utum,* tr., **1.** donner, attribuer, allouer || assigner, allouer [des terres, de l'argent] || mettre sous la dépendance de: *Boios Hæduis*, annexer les Boïens aux Éduens || assigner [comme commandement]: *ei ducentos equites attribuit*, il met sous ses ordres deux cents cavaliers || assigner [comme tâche] || **2.** départir, donner en partage || **3.** attribuer, imputer: *aliquid alicui*, mettre qqch. sur le compte de qqn; *alicui culpam*, faire retomber une faute sur qqn.

adtributus, *a, um,* part. de *adtribuo.*

1. adtritus (attr-), *a, um,* **1.** part. de *adtero*, usé par le frottement: *sulco attritus vomer*, soc usé (poli) par le sillon || **2.** adj., usé.

2. adtritus (attr-), *us,* m., frottement.

adtrivi, pf. de *adtero.*

adtuli, pf. de *adfero.*

adtumulo (att-), *are (ad, tumulus),* tr., recouvrir de.

Aduatuca, *æ,* f., place forte des Éburons.

Aduatuci, *orum,* m., les Aduatuques [Belgique].

adulabilis, *e (adulor),* caressant, insinuant.

adulans, *tis,* part. prés. pris adj., caressant, flatteur.

adulatio, *onis,* f. *(adulor),* **1.** caresse des animaux qui flattent || **2.** caresses rampantes, flatterie basse || prosternement.

adulator, *oris,* m., flatteur, flagorneur, vil courtisan.

adulatorius, *a, um,* qui se rattache à l'adulation.

adulatus, *a, um,* part. de *adulor.*

adulescens, *tis,* **1.** part. prés. de *adulesco* pris adj.: *adulescentior*, qui est plus jeune, plus jeune homme || **2.** subst. m., jeune homme; subst. f., jeune femme [en principe de 17 ans à 30 ans].

adulescentia, *æ,* f., jeunesse || la jeunesse = les jeunes gens.

adulescentulus, *a, um,* tout jeune homme.

adulesco, c. *adolesco.*

adulor, *ari, atus sum,*
I. tr., **1.** faire des caresses, flatter || **2.** flatter, aduler, *aliquem, aliquid,* qqn, qqch.
II. intr. [avec dat.] *alicui*, aduler qqn.

1. adulter, *era, erum (adultero),* altéré, falsifié.

2. adulter, *eri,* m., **adultera,** *æ,* f., adultère.

adulteratio, *onis,* f., falsification.

adulteratus, *a, um,* part. de *adultero.*

adulterinus, *a, um (adulter),* falsifié, faux.

adulterium, *ii,* n. *(adulter),* **1.** adultère, crime d'adultère || **2.** altération, mélange.

adultero, *are, avi, atum (ad, alter),* tr., falsifier, altérer.

adultus, *a, um,* p.-adj. de *adolesco,* qui a grandi, développé.

adumbratio, *onis,* f., esquisse, ébauche.

adumbratus, *a, um,* p.-adj. de *adumbro,* **1.** esquissé || **2.** vague, superficiel || **3.** fictif, faux.

adumbro, *are, avi, atum,* tr., **1.** mettre à l'ombre, ombrager, masquer || **2.** esquisser || imiter, reproduire.

adunatus, *a, um,* part. de *aduno.*

aduncitas, *atis,* f. *(aduncus),* courbure.

aduncus, *a, um,* crochu, recourbé.

aduno, *are, avi, atum,* tr., unir, assembler.

adurens, *tis,* part. prés. de *aduro.*

adurgeo, *ere,* tr., presser || poursuivre.

aduro, *ere, ussi, ustum,* tr., brûler à la surface, brûler légèrement.

adusque, prép. avec acc., jusqu'à.

adustio, *onis,* f. *(aduro),* action de brûler || brûlure, plaie.

adustus, *a, um,* **1.** part. de *aduro* || **2.** adj., brûlé par le soleil.

advecticius, *a, um (adveho),* importé.

advectio, *onis,* f. *(adveho),* transport.

advecto, *avi, atum, are (adveho),* tr., transporter.

1. advectus, *a, um,* part. de *adveho.*

2. advectus [seulement à l'abl. **-u**], m., action de transporter, transport.

adveho, *ere, vexi, vectum,* tr., amener, transporter vers [par chariot, navire, bête de somme] || [au pass.] être transporté, amené, [d'où] arriver [par eau, en voiture, à cheval] || importer.

advelo, *are,* tr., voiler.

advena, *æ (advenio)* [peut se rapporter aux 3 genres, mais en gén. m.], étranger [venu dans un pays].

advenio, *ire, veni, ventum,* intr., arriver || [fig.] *dies advenit,* le jour [fixé] arriva.

adventicius, *a, um (advenio),* **1.** qui vient du dehors || **2.** qui vient de l'étranger || **3.** qui survient de façon inattendue, accidentel.

advento, *are (advenio),* intr. [les formes du prés. et de l'imp. seules usitées], approcher; *ad Italiam,* approcher de l'Italie; *Romam,* de Rome.

adventus, *us,* m. *(advenio),* acte d'arriver et fait d'être arrivé, arrivée.

adverbero, *are,* tr., frapper sur.

adverro, *ere,* tr., balayer.

adversa, *orum,* v. *adversus 2* fin.

adversaria, *orum* [pl. n. pris subst.], qqch. que la personne a toujours devant soi, brouillon, brouillard.

adversarius, *a, um (adversus),* qui se tient en face, contre; opposé, adverse, contraire [en parl. des pers. et des choses]: *homo alicui,* opposé (contraire) à qqn; *alicui rei,* à qqch. || *res adversaria homini,* chose opposée (contraire) à qqn; *res adversaria rei,* chose opposée à qqch. || [m. pris subst.] *adversarius, ii,* un adversaire, un rival, [et f.] *adversaria, æ,* une adversaire, une rivale.

adversatus, *a, um,* part. de *adversor.*

adverse, d'une manière contradictoire.

adversor (advorsor), *ari, atus sum,* intr., s'opposer, être contraire: *adversante fortuna,* malgré la fortune || *alicui,* être opposé (hostile) à qqn; *alicui rei,* à qqch.

1. adversus (adversum),

I. adv., contre, vis-à-vis, en face.

II. prép. [acc.] **1.** en face de, en se dirigeant vers, contre || **2.** [fig.] contre, à l'encontre de || en réplique à, en réponse à || **3.** vis-à-vis de, à l'égard de, en s'adressant à || à l'égard de, envers.

2. adversus (advor-), *a, um,*

I. part. de *adverto.*

II. adj. **1.** qui est en face, à l'opposite, devant; *adverso corpore,* [blessures reçues] sur le devant du corps, pardevant; *adversum monumentum,* le devant du monument; *adverso flumine,* en remontant le fleuve || [expr. adverbiales] ***a)*** *ex adverso,* en face, à l'opposé; ***b)*** *in adversum,* dans le sens contraire || **2.** [avec idée d'obstacle, d'hostilité]: *alicui* [rar.] *alicujus,* hostile à qqn, adversaire de qqn; *alicui rei,* hostile à qqch., adversaire de qqch. || *vento adverso,* le vent étant contraire || **3.** contraire, fâcheux, malheureux: *res adversæ,* les événements contraires, le malheur; *adversa fortuna,* la fortune contraire (adverse), le malheur; *adversum prœlium,* combat malheureux;

nihil adversi; *aliquid adversi*, rien de malheureux, qqch. de malheureux; *adversa*, le malheur.

adverto, *ere, verti, versum,* tr., **1.** tourner vers, diriger du côté de || *oculos*, tourner les yeux || **2.** tourner vers soi, attirer sur soi || **3.** *animum (mentem) advertere,* tourner son esprit vers; [avec *ne*] veiller à ce que ne pas || *animum advertere,* remarquer, voir, s'apercevoir de [construit c. *animadvertere*]: *aliquem*, remarquer qqn; *aliquid*, remarquer qqch. || **4.** *advertere* seul = *animum advertere,* faire attention, remarquer; *aliquem, aliquid advertere* || **5.** *advertere in aliquem*, punir qqn, sévir contre qqn.

advesperascit, *ascere, avit,* impers., le soir vient, il se fait tard.

advexi, pf. de *adveho*.

advigilo, *are, avi,* intr., veiller à (près).

advocatio, *onis,* f. *(advoco),* action d'appeler à soi: **1.** appel en consultation; consultation || **2.** réunion de ceux qui assistent en justice, l'ensemble des *advocati* || **3.** délai, remise || [en gén.] délai, répit || **4.** métier d'avocat, plaidoirie.

1. advocatus, *a, um,* part. de *advoco*.

2. advocatus, *i,* m., **1.** celui qui a été appelé à assister qqn en justice [il aide par ses conseils, par ses consultations juridiques, par sa seule présence qui peut influer sur le jury; mais il ne plaide pas], conseil, assistant, soutien || **2.** [ép. impériale] avocat plaidant, avocat || **3.** [fig.] aide, défenseur.

advoco, *are, avi, atum,* tr., appeler vers soi: **1.** appeler, convoquer, faire venir; *ad contionem*, convoquer à une assemblée || **2.** [en part.] appeler comme conseil dans un procès || **3.** [ép. impér.] appeler comme avocat || **4.** appeler comme aide, invoquer l'assistance de qqn; [en part.] invoquer les dieux || **5.** faire appel à, recourir à.

advolo, *are, avi, atum,* intr., voler vers, approcher en volant || [fig.] se précipiter vers, accourir vers, fondre sur.

advolutus, *a, um,* part. de *advolvo*.

advolvo, *ere, volvi, volutum,* tr., rouler vers || *advolvi* ou *se advolvere*, se jeter aux pieds de qqn.

adytum, *i,* n., partie la plus secrète d'un lieu sacré, sanctuaire.

Æacideius, Æacides, *v. Æacus*.

Æacus, *i,* m., Éaque [roi d'Égine, père de Pélée, de Télamon et de Phocus; grand-père d'Achille; après sa mort juge aux Enfers avec Minos et Rhadamanthe] ||. **Æacides,** *æ,* m., Éacide, descendant mâle d'Éaque [c.-à-d. soit un de ses fils, p. ex. Pélée, soit son petit-fils, Achille, soit son arrière-petit-fils, Pyrrhus, fils d'Achille, soit enfin un de ses descendants, comme Persée, roi de Macédoine, vaincu par Paul-Émile] || [d'où] **Æacideius,** *a, um,* éacidéen: *Æacideia regna*, le royaume des Éacides [île d'Égine].

Ææa, *æ* ou **Ææe,** *es,* f., Eéa [île fabuleuse, séjour de Circé] || [d'où] **Ææus,** *a, um,* d'Eéa; [surnom de Circé].

ædes ou **ædis,** *is,* f., **1.** temple || **2.** chambre || [au pl.] **ædes,** *ium,* f., maison, demeure || ruche des abeilles.

ædicula, *æ,* f., (dimin. de *ædes*), **1.** [au sing.] chapelle, niche || **2.** [au pl.] petite maison.

ædificatio, *onis,* f., **1.** action de bâtir, construction || **2.** édifice.

ædificatiuncula, *æ,* f., petite construction.

ædificator, *oris,* m., qui bâtit, constructeur || qui a la manie de bâtir, bâtisseur.

ædificatus, *a, um,* part. de *ædifico*.

ædificium, *ii,* n., édifice, bâtiment en général.

ædifico, *are, avi, atum (ædes, facio),* tr., **1.** [absol.] bâtir, construire un bâtiment, édifier une construction || **2.** ***a)*** *domum; carcerem*, construire une maison, une prison; ***b)*** garnir de bâtiments: *locum*, bâtir sur un emplacement; ***c)*** [fig.] *mundum*, créer le monde (l'univers).

ædilicius, *a, um,* qui concerne l'édile; *ædilicia repulsa*, échec dans une candidature à l'édilité || *ædilicius vir (homo)*, ancien édile.

ædilis, *is,* m. *(ædes),* édile [magistrat romain].

ædilitas, *atis,* f., édilité, charge d'édile.

æditim-, v. *æditum-*.

ædituens, *tis,* m. *(ædes, tueor),* gardien d'un temple.

æditumus (-timus), *i,* m., gardien d'un temple.

æditųus, m., c. *æditumus*.

Ædui (Hædui), *orum,* m., Éduens [peuple de la Gaule, entre la Loire et la Saône] || **Æduus,** un Éduen et **Æduus,** *a, um,* éduen.

Æeta, *æ* et **Æetes,** *æ,* m., Eétès [roi de Colchide] || **-tias,** *adis,* f., fille d'Eétès [Médée].

Æfula, *æ,* f., ou **Æfulum,** *i,* n., bourgade du Latium || **-lanus,** *a, um,* d'Æfula.

Ægæon, *onis,* m., [acc. *ona*], autre nom de Briarée, géant à cent bras || nom d'un dieu marin.

Ægæum (-eum) mare, la mer Égée || d'où l'adj. **Ægæus (-eus),** *a, um,* de la mer Égée.

Ægates, *ium,* ou **Ægatæ,** *arum,* f., îles Égates.

æger, *gra, grum,* **1.** malade, souffrant : *ægro corpore esse,* être malade ; *æger vulneribus* ; *ex vulnere,* malade par suite de blessures, d'une blessure || [subst.] un malade || **2.** [fig.] *animo magis quam corpore æger,* malade moralement plutôt que physiquement || **3.** douloureux, pénible : *anhelitus æger,* respiration pénible.

Ægeum mare, v. *Ægæum.*

Ægeus *ei,* m., Égée [roi d'Athènes, père de Thésée].

Ægides, *æ,* m., fils ou descendant d'Égée.

Ægienses, *ium,* m., habitants d'Égium.

Ægina, *æ,* f., Égine [île en face du Pirée] || **-ensis,** *e,* d'Égine ; **-enses,** *ium,* m., ou **-etæ,** *arum,* m., les Éginètes, habitants d'Égine.

Ægion (-gium), *ii,* n., Égium [ville d'Achaïe] || **Ægius,** *a, um* ou **Ægiensis,** *e,* d'Égium.

ægis, *idis (idos),* f., **1.** égide [bouclier de Pallas, avec la tête de Méduse] || bouclier de Jupiter || [fig.] bouclier, défense.

Ægisthus, *i,* m., Égisthe [fils de Thyeste, tué par Oreste].

Ægium, v. *Ægion.*

Ægos flumen, n., fleuve de la chèvre, Ægos Potamos [fleuve et ville de la Chersonèse de Thrace.]

ægre, adv., **1.** de façon affligeante, pénible || **2.** avec peine, difficilement ; *ægrius,* avec plus de peine ; *ægerrime,* avec la plus grande peine || **3.** avec peine, à regret, avec déplaisir : *ægre id passus,* ayant trouvé la chose mauvaise || *ægre ferre,* supporter avec peine, *aliquid,* qqch.

ægresco, *ere,* intr., **1.** devenir malade || **2.** s'aigrir, s'irriter, empirer.

ægrimonia, *æ,* f., malaise moral, chagrin, peine morale.

ægritudo, *inis,* f., **1.** indisposition, malaise physique || **2.** malaise moral, chagrin.

ægrotatio, *onis,* f., maladie [du corps].

ægroto, *are (ægrotus),* intr., être malade : *graviter,* être malade gravement || [d'où le part. prés. pris subst.] *leviter ægrotantes leniter curare,* aux gens légèrement malades donner un traitement bénin.

ægrotus, *a, um* [ni comp. ni superl.], malade || *ægrotus, i,* m., un malade.

Ægyptiacus, *a, um,* d'Égypte.

Ægyptius, *a, um,* Égyptien || [subst.] un Égyptien.

Ægyptus, *i,* f., Égypte.

Aello, *us,* f., nom d'une Harpye || un des chiens d'Actéon.

Æmathia, etc., v. *Emathia,* etc.

Æmilia, *æ,* f. (*via* exprimé ou s.-ent.), voie Émilienne.

Æmilianus, *a, um,* Émilien [*agnomen* du second Scipion l'Africain, tiré du nom de sa propre famille : il était le fils de L. Æmilius Paullus].

Æmilius, *ii,* m., Émile [nom de famille romaine, illustré par plusieurs personnages, notamment L. Æmilius Paullus, qui vainquit Persée].

æmula, *æ,* f., v. *æmulus*

æmulatio, *onis,* f. *(æmulor),* émulation [en bonne et en mauv. part]: **1.** désir de rivaliser, d'égaler : *alicujus,* désir de rivaliser avec qqn || **2.** rivalité, jalousie.

æmulator, *oris,* m., qui cherche à égaler, à imiter : *Catonis,* qui se pique d'imiter Caton.

1. æmulatus, *a, um,* part. de *æmulor.*

2. æmulatus, *us,* m., rivalité.

æmulor, *atus sum, ari (æmulus),* être émule [en bonne et mauv. part]: **1.** tr., chercher à égaler, rivaliser avec : *aliquem,* chercher à égaler qqn ; *aliquid,* rivaliser avec qqch. || **2.** intr., *alicui,* rivaliser avec qqn ; être jaloux de qqn ; *cum aliquo,* être rival de qqn.

æmulus, *a, um,* [le plus souv. pris subst. au m. ou au f.] qui cherche à imiter, à égaler [en bonne et mauv. part]: **1.** *alicujus,* émule de qqn ; *alicujus rei,* de qqch. || **2.** rival, adversaire || rival, jaloux.

Æneadæ, *arum* et *um,* m., compagnons ou descendants d'Énée || Romains || [sing.] **-ades,** *æ,* fils ou descendant d'Énée.

Æneas æ, m., Énée [prince troyen] || **Æneas Silvius,** roi d'Albe.

aeneator (ahe-), *oris,* m., sonneur de trompette.

Æneis, *idos,* f., Énéide [poème de Virgile].

Æneius, *a, um,* d'Énée.

aeneus (ahe-), *a, um,* de cuivre, de

bronze || de la couleur du bronze || [fig.] dur comme l'airain [âge d'airain].

Ænides, *æ,* m., fils ou descendant d'Énée.

ænigma, *atis,* n. **1.** énigme || allégorie un peu obscure || **2.** énigme, obscurité.

aenum (ahe-), *i,* n., chaudron.

aenus (ahe-), *a, um,* de cuivre, de bronze, d'airain || [fig.] inflexible.

Æoles, *um,* m., Éoliens (peuple de l'Asie Mineure].

Æolia, *æ,* f., Éolie [contrée d'Asie Mineure] || résidence d'Éole [dieu des Vents].

Æoliæ, *insulæ* et **Æoliæ,** *arum,* f., îles Éoliennes.

Æolicus, *a, um,* des Éoliens, éolien.

1. Æolides, *æ,* m., fils ou descendant d'Éole.

2. Æolides, *um,* m., c. *Æoles.*

Æolis, *idis,* f., **1.** Éolienne, Thessalienne || **2.** [contrée d'Asie Mineure].

Æolius, *a, um,* **1.** des Éoliens, et de leurs colonies || **2.** d'Éole [dieu des Vents].

Æolus, *i,* m., Éole [dieu des Vents].

æquabilis, *e (æquo),* [sans superl.] **1.** qui peut être égalé à || **2.** égal à soi-même en toutes ses parties, régulier, uniforme: *satio,* ensemencement régulier; *æquabile genus orationis,* style égal || égal, impartial: *jus æquabile,* droit égal pour tous || [en parl. des pers.] *in suos,* juste envers les siens || [en politique] égal pour tous les citoyens.

æquabilitas, *atis,* f., *(æquabilis),* égalité, uniformité, régularité, unité [du caractère] || impartialité: *decernendi,* impartialité des arrêts || [en politique] égalité [des droits].

æquabiliter, d'une manière égale, uniforme, régulière.

æquævus, *a, um (æquus, ævum),* du même âge.

æqualis, *e (æquus),* **1.** égal par l'âge; ***a)*** de même âge: *alicui* ou *alicujus æqualis,* du même âge que qqn; *meus æqualis,* du même âge que moi; *temporibus illis,* contemporain de cette époque-là || *æquales,* personnes du même âge, [ou] de la même époque, contemporains; ***b)*** de la même durée: *studiorum agitatio vitæ æqualis fuit,* leur activité studieuse dura autant que leur vie || **2.** égal [sous le rapport de la forme, de la grandeur, etc.]: *intervallis æqualibus,* par des intervalles égaux || **3.** = *æquabilis:* régulier || **4.** = *æquus:* uni.

æqualitas, *atis,* f. *(æqualis),* égalité **1.** [de l'âge] *æq. vestra,* le fait que vous êtes du même âge || **2.** identité || **3.** [en politique] égalité [des droits] || **4.** égalité de surface [surface unie] || égalité des proportions, harmonie || invariabilité, régularité dans la vie.

æqualiter, par parties égales, d'une manière égale: *frumentum æq. distributum,* blé assigné [comme contribution] par quantités égales || compar.: *æqualius.*

æquanimitas, *atis,* f., **1.** sentiments bienveillants || **2.** égalité d'âme.

æquatio, *onis,* f., égalisation.

æquatus, *a, um,* part. de *æquo.*

æque *(æquus)* (avec comp. et superl. seulement au sens 2), également, de la même manière: **1.** de même longueur || [avec *ac (atque)*]: *æque ac tu doleo,* je suis aussi affligé que toi; *æque ac si,* autant que si || **2.** équitablement, à bon droit.

Æqui, *orum,* m., les Èques [peuple voisin des Latins].

Æquicoli, et **-culi,** *orum,* m., c. *Æqui* || **-culus,** *a, um,* des Èques.

Æquicus, *a, um,* des Èques.

æquilibritas, *atis,* f., juste harmonie (exacte proportion) de toutes les parties.

æquilibrium, *ii,* n., équilibre, exactitude des balances; niveau || talion, compensation.

æquinoctialis, *e,* équinoxial.

æquinoctium, *ii,* n. *(æquus, nox),* équinoxe, égalité des jours et des nuits.

æquiparo, mieux **-pero,** *are, avi, atum,* **1.** tr., ***a)*** égaler, mettre au même niveau, *rem ad rem,* une chose avec une autre; ou *rem rei;* ***b)*** égaler, atteindre, *aliquid, aliquem,* qqch., qqn || *aliqua re,* en qqch.

æquipondium, *ii,* n. *(æquus, pondus),* poids égal, contrepoids.

æquitas, *atis,* f., égalité: **1.** égalité d'âme, calme, équilibre moral || absence de passion, de parti pris, impartialité || absence de convoitise, esprit de modération, désintéressement || **2.** équité, esprit de justice.

æquo, *are, avi, atum,* tr., rendre égal: **1.** aplanir: *locum,* aplanir le terrain || *aream,* faire une aire parfaitement plane || **2.** rendre égal à || *aliquem alicui,* égaler un homme à un autre; *solo,* raser [une maison] et [au fig.] détruire; *cælo aliquem laudibus,* porter qqn jusqu'aux nues || **3.** arriver à égaler, être égal: *equos velocitate,* égaler les chevaux en vitesse; *gloriam alicujus*, atteindre la gloire de qqn.

æquor, *oris,* n. *(æquus),* toute surface unie (plane): **1.** plaine || **2.** plaine de la mer, mer; *arare vastum maris æquor,* labourer (sillonner) l'immense plaine de la mer || **3.** plaine liquide [en parl. de fleuves].

æquoreus, *a, um,* marin, maritime.

æquum, *i,* n. pris subst., v. *æquus.*

æquus, *a, um,* égal: **1.** plat, uni, plan: *locus,* endroit uni, plaine || [n. pris subst.] *æquum,* plaine || **2.** facile, favorable, avantageux: *et loco et tempore æquo,* avec l'avantage à la fois du lieu et des circonstances || **3.** [fig.] favorable, bien disposé, bienveillant || **4.** égal [en parl. de l'âme], calme, tranquille: *æquo animo,* avec calme, avec sang-froid, avec résignation || **5.** équitable; juste: *æquam sententiam pronuntiare,* prononcer une sentence équitable || *æquum est,* il est juste (il convient) que [avec prop. inf.] || [n. sing. pris subst.] *æquum, i,* l'équité, la justice || **6.** égal [par comparaison] || *pensionibus æquis,* par paiements égaux; *æquis manibus, æqua manu*; *æquo prœlio*; *æquo Marte,* avec des avantages égaux, le succès étant balancé || [expressions adverbiales] *ex æquo,* à égalité, sur le pied de l'égalité; *in æquo esse,* être au même niveau, être égal; *in æquo aliquem alicui ponere,* placer une personne sur le même rang qu'une autre.

aer, *aeris,* m., acc. *aerem* et *aera,* **1.** air || [poét.] *summus aer arboris,* la partie supérieure de l'air qui entoure l'arbre [= la cime de l'arbre] || **2.** [poét.] nuage, brouillard [répandu par les dieux autour de qqn].

æramentum, *i (æs),* n., objet d'airain (de bronze, de cuivre).

æraria, *æ,* f., mine de cuivre.

ærarium, *ii,* n. *(æs),* trésor public [placé dans le temple de Saturne, d'où l'expr. *ær. Saturni;* le même lieu servait de dépôt des archives; on y déposait les comptes des magistrats, les registres du cens, les textes de lois, les enseignes militaires, etc.] || *ær. militare,* trésor militaire.

1. ærarius, *a, um (æs),* **1.** relatif à l'airain (au bronze, au cuivre): *faber,* fondeur || **2.** relatif à l'argent: *æraria ratio,* cours de la monnaie; *tribuni ærarii,* tribuns du trésor.

2. ærarius, *ii,* m., éraire [citoyen non inscrit dans une tribu, soumis à une capitation [*æs*] fixée arbitrairement, n'ayant pas le droit de vote; c'était une flétrissure que d'être relégué dans la classe des éraires].

æratus, *a, um (æs),* **1.** couvert d'airain; *æratæ acies,* troupes revêtues d'airain || **2.** en airain, d'airain.

æreus, *a, um (æs),* **1.** d'airain (cuivre, bronze): *ærea signa,* statues d'airain || **2.** garni d'airain (cuivre, bronze): *temo æreus,* timon garni d'airain || **3.** semblable à l'airain || **4.** m. pris subst., *æreus, i,* pièce de monnaie en cuivre.

ærifer, *fera, ferum (æs* et *fero),* porteur d'airain [cymbales d'airain].

æripes, *edis (æs, pes),* aux pieds d'airain.

aerius, *a, um (aer),* **1.** relatif à l'air, aérien; venu de l'air, du ciel || **2.** aérien, élevé dans l'air, haut.

ærosus, *a, um (æs),* riche en cuivre, mêlé de cuivre.

æruca, *æ,* f., vert-de-gris.

æruginosus, *a, um,* rouillé.

ærugo, *inis,* f. *(æs),* rouille du cuivre, vert-de-gris || [fig.] fiel, envie || rouille (cupidité) qui ronge le cœur.

ærumna, *æ,* f., peines, tribulations, misères, épreuves || [en part.] les travaux d'Hercule: *Herculis ærumnæ.*

ærumnosus, *a, um (ærumna),* accablé de peines, de misères.

æs, *æris,* n., **1.** airain, bronze, cuivre || **2.** objet d'airain (bronze, cuivre): trompette, cymbales, bouclier || **3.** cuivre (bronze) servant primitivement aux échanges, aux achats: *rude, infectum,* métal brut; *signatum,* lingot d'un poids déterminé portant une empreinte [primitiv. celle d'une brebis ou d'un bœuf] || *æs grave* et *æs* seul = *as libralis,* un as [monnaie romaine]: *æris gravis viginti milia,* vingt mille as; *milibus æris quinquaginta censeri,* être porté sur les listes de recensement pour une somme de cinquante mille as || **4.** argent || fortune, moyens: *æs alienum,* argent emprunté, dette, ou *æs mutuum*; *alicujus æs alienum suscipere,* se charger des dettes de qqn; *habere*; *contrahere,* avoir, contracter des dettes; *solvere, persolvere, dissolvere,* payer une dette; *ære alieno premi,* être accablé de dettes || **5.** argent de la solde: *ære dirutus,* privé de sa solde.

Æschines, *is,* m., **1.** Eschine [orateur rival de Démosthène].

Æschylus, *i,* m., Eschyle [poète tragique grec].

Æsculapius, *ii,* m., Esculape [dieu de la Médecine].

æsculetum, *i,* n., forêt de chênes.

æsculeus, *a, um,* de chêne.

æsculus, *i,* f., chêne, rouvre [consacré à Jupiter].

Æson, *onis,* m., Éson [père de Jason].

Æsonides, *æ,* m., descendant mâle d'Éson [Jason].

Æsonius, *a, um,* d'Éson.

Æsopeus, ou **-pius,** *a, um,* ésopique.

Æsopus, *i,* m., Ésope [célèbre fabuliste].

æstas, *atis,* f., été || [poét.] année; moment de l'été; air de l'été.

æstifer, *era, erum (æstus* et *fero),* **1.** qui apporte la chaleur, brûlant || **2.** qui comporte la chaleur, brûlé par la chaleur.

æstimabilis, *e,* que l'on peut apprécier (évaluer), qui a de la valeur.

æstimatio, *onis,* f. *(æstimo),* **1.** évaluation, estimation [du prix d'un objet]: *frumenti,* estimation du blé; *in æstimationem venire,* être soumis à l'estimation, être évalué || **2.** appréciation.

æstimator, *oris,* m., celui qui estime, qui évalue, taxateur || appréciateur.

æstimatus, *a, um,* part. de *æstimo.*

æstimo, *are, avi, atum,* tr., **1.** estimer, évaluer, priser: *id quanti æstimabat tanti vendidit,* il a vendu l'objet au prix qu'il l'évaluait; *pluris*; *minoris,* estimer plus, moins || *permagno aliquid,* estimer qqch. à très haut prix || **2.** apprécier, estimer: *magni* ou *magno*; *pluris*; *minoris,* estimer beaucoup, davantage, moins; *levi momento aliquid,* considérer qqch. comme de peu d'importance || **3.** [rare] penser, juger.

æstiva, *orum,* n., **1.** camp d'été: *æstiva agere,* tenir ses quartiers d'été || **2.** campagne d'été, expédition militaire: *æstivis confectis,* la campagne étant finie.

æstivo, *avi, are (æstivus),* intr., passer l'été.

æstivus, *a, um (æstas),* d'été: *tempora æstiva,* la saison d'été; *æstivi saltus,* gorges qui servent de pâturages l'été.

æstuans, *tis,* part. prés. de *æstuo* pris adj., bouillonnant, écumant.

æstuarium, *ii,* n. *(æstus),* estuaire || lagune, marécage.

æstuo, *are, avi, atum (æstus),* intr., **I.** [en parl. du feu], **1.** s'agiter, être en effervescence || **2.** être brûlant. **II.** [en parlant de l'eau], **1.** bouillonner, être houleux || **2.** [fig.] être dans une agitation violente.

æstuose, avec les bouillonnements de la mer || *æstuosius* [adj. ou adv.], plus ardent [ou] plus ardemment.

æstuosus, *a, um,* **1.** brûlant || **2.** bouillonnant.

æstus, *us,* m., **1.** grande chaleur, ardeur, feu: *æstu magno,* par une chaleur accablante || chaleur de l'été, été || **2.** agitation de la mer, flots houleux || marée: *æstu suo,* ayant pour lui la marée || **3.** [fig.] bouillonnement des passions, agitation violente; fluctuations de l'opinion [dans les comices] || force entraînante; violents transports; embarras.

ætas, *atis,* f. *(ævitas, ævum),* **I. 1.** temps de la vie, vie: *ætatem agere, degere,* passer sa vie, vivre; *ætatem in aliqua re terere*; *conterere*; *consumere,* user sa vie à (dans) une chose || **2.** âge de la vie, âge: *alicui ætate præstare,* devancer qqn par l'âge; *ætas puerilis,* l'enfance; *confirmata*; *constans,* âge affermi (âge viril); *quæstoria*; *consularis,* âge de la questure, du consulat; *multi ex omni ætate,* beaucoup de personnes de tout âge; *homines omnium ætatum,* des gens de tout âge || *prima ætate,* au début de la vie || **3.** [en part., suivant le contexte] jeunesse, vieillesse. **II. 1.** temps: *omnia fert ætas,* le temps emporte tout || **2.** époque, siècle, génération: *usque ad nostram ætatem,* jusqu'à notre époque || [poét.] *ætas aurea,* la génération de l'âge d'or.

ætatula, *æ,* f., âge tendre.

æternitas, *atis,* f. *(æternus),* **1.** éternité: *omni æternitate*; *ex æternitate; ab omni æternitate,* de toute éternité || **2.** durée éternelle.

1. æterno, adv., éternellement.

2. æterno, *are,* tr., rendre éternel, éterniser.

æternum, acc. n. adv., éternellement, indéfiniment.

æternus, *a, um (æviternus, ævum),* éternel || *in æternum,* pour l'éternité, pour toujours.

æther, *eris* (acc. *era*), m., **1.** éther [air subtil des régions supérieures, qui enveloppe l'atmosphère *(aer)*; il était de feu et alimentait les astres] || **2.** [poét.] ciel || séjour des dieux: *rex ætheris,* le roi du Ciel [Jupiter] || **3.** air || le monde d'en haut [opp. aux Enfers].

ætherius, *a, um,* **1.** éthéré || **2.** céleste: *sedes ætheriæ,* les demeures éthérées (le ciel); *arces,* les hauteurs de l'éther (du ciel) || **3.** aérien || **4.** d'en haut [par opp. aux Enfers].

Æthiopes, *um,* m. [acc. *as*], Éthiopiens.

Æthiopia, *æ,* f., Éthiopie.

Æthiopicus, *a, um,* éthiopien.

Æthiops, *opis,* m., Éthiopien.

æthra, *æ,* f., région de l'éther, où se trouvent les astres || limpidité de l'air, pureté du ciel.

Ætna, *æ,* f., Etna, **1.** volcan de Sicile || **2.** ville au pied de l'Etna.

Ætnæus, *a, um,* de l'Etna || m. pl., habitants des environs de l'Etna.

Ætnensis, *e,* de la ville d'Etna.

Ætoli, *orum,* m., Étoliens [peuple de Grèce].

Ætolia, *æ,* f., Étolie [province de Grèce].

Ætolicus, *a, um,* Étolien.

Ætolis, *idis,* f., Étolienne.

Ætolius, *a, um,* Étolien.

Ætolus, *a, um,* d'Étolie.

ævitas, *atis,* f. *(ævum),* temps, durée, âge.

ævum, *i,* n., **1.** la durée [continue, illimitée], le temps || **2.** temps de la vie, vie: *ævo sempiterno frui,* jouir d'une vie éternelle || **3.** âge de la vie, âge: *æquali ævo,* du même âge; *obsitus ævo,* chargé d'ans || **4.** époque, temps, siècle: *exemplar ævi prioris,* modèle de l'âge précédent || les gens du siècle: *ævi prudentia nostri,* la sagesse de notre siècle || [en gén.] moment de la durée.

Afer, *fra, frum,* Africain; pl. m., les Africains.

aff-, v. *adf-.*

Afri, *orum,* v. *Afer.*

Africa, *æ,* f., Afrique || province d'Afrique.

1. Africanus, *a, um,* africain.

2. Africanus, *i,* m., surnom des deux grands Scipions, l'un vainqueur d'Hannibal, l'autre [Scipion Émilien] destructeur de Carthage et de Numance.

Africus, *a, um,* africain || *Africus ventus* ou *Africus, i,* m., vent du sud-ouest, l'Africus.

Agamemnon et **Agamemno,** *onis,* m., Agamemnon [roi de Mycènes, généralissime des Grecs au siège de Troie] || **-nonius,** *a, um,* d'Agamemnon.

Aganippe, *es.,* f., Aganippe [source de l'Hélicon] || **-pis,** *idos,* f., consacrée aux Muses.

agaso, *onis,* m., palefrenier, valet d'armée || conducteur de chevaux.

Agathocles, *is,* et *i,* m., Agathocle, roi de Sicile.

Agave, *es,* f., Agavé [fille de Cadmus].

age, agite, agedum, agitedum *(ago),* anciens impératifs devenus de pures interjections: eh bien! allons! or çà! [les formes du sing. *age, agedum* sont employées même quand elles s'adressent à une pluralité] || [avec impér.] *age vero, responde,* allons! voyons! réponds || *nunc age, expediam...,* eh bien! maintenant, j'expliquerai...

Agedincum, *i,* n., capitale des Sénons, sur l'Yonne [auj. Sens].

agedum, v. *age.*

agellus, *i,* m., tout petit champ.

agema, m., agéma [corps d'élite, garde du corps, chez les Macédoniens].

Agenor, *oris,* m., ancêtre de Didon: *Agenoris urbs,* Carthage || **-noreus,** *a, um,* d'Agénor || **-norides,** *æ,* m., Cadmus, fils d'Agénor; [ou] Persée, descendant d'Agénor || **-noridæ,** *arum,* m., descendants d'Agénor [Carthaginois].

agens, *tis,* part. prés. de *ago.*

ager, *agri,* m., **1.** champ, fonds de terre || **2.** les champs, la campagne || **3.** territoire, contrée, pays: *ager Campanus,* le territoire Campanien; *ager publicus,* territoire (domaine) de l'État || **4.** [t. d'arpentage] *in agrum* [opposé à *in fronte*], en profondeur.

Agesilaus, *i,* m., Agésilas, roi de Sparte.

agger, *eris,* m. *(adgero),* **1.** amoncellement de matériaux de toute espèce: *fossam aggere explent,* ils comblent le fossé d'un amas de matériaux || **2.** levée de terre [pour fortifier un camp]: *aggerem ac vallum extruere,* établir une levée de terre et une palissade || **3.** chaussée, terrasse [pour un siège] || **4.** [en gén.] remblai, digue || chaussée d'une route || levée formant route || **5.** [poét.] monceau, amas, élévation.

aggeratus, *a, um,* part. de *aggero.*

1. aggero, *are, avi, atum (agger),* **1.** amonceler, accumuler || **2.** [fig.] développer, grossir.

2. aggero, v. *adgero.*

agges-, aggi-, aggr-, aggu-, v. *adges-, adgl-, adgr-, adgu-.*

agilis, *e (ago),* **1.** que l'on mène facilement, facile à manœuvrer || **2.** qui se meut aisément agile, preste, leste || **3.** actif, agissant.

agilitas, *atis*, f., facilité à se mouvoir, agilité des membres; facilité de manœuvre des navires.

agitabilis, *e*, facilement mobile.

agitans, *tis*, part. prés. de *agito*.

agitatio, *onis*, f. *(agito)*, **1.** action de mettre en mouvement, agitation || [fig.] action de pratiquer qqch.: *studiorum agitatio*, la pratique des études || **2.** action de se mouvoir, de s'agiter, mouvement, agitation: *mentis agitatio*, activité de l'esprit.

agitator, *oris*, m. *(agito)*, **1.** conducteur de char || **2.** celui qui pousse devant lui du bétail.

agitatus, *a, um*, **1.** part. de *agito* || **2.** adj., mobile, agile, remuant: *agitatior animus*, esprit plus actif (alerte).

agitedum, v. *age*.

agito, *are, avi, atum* (fréq. de *ago*), tr.,

I. [idée de mouvement], **1.** pousser vivement: *equum*, presser un cheval; *aquila aves agitans*, aigle qui pourchasse les oiseaux || **2.** mettre en mouvement: *navem agitare*, faire manœuvrer un vaisseau || **3.** remuer, agiter, brandir || **4.** agiter, poursuivre, tourmenter, persécuter || remuer, exciter || **5.** [en part.] poursuivre (attaquer) en paroles, critiquer || **6.** *agitari*, se remuer, se déplacer.

II. [idée d'occupation], **1.** s'occuper de, s'acquitter de: *præsidium agitare*, monter d'ordinaire la garde; *mutas artes*, exercer une profession obscure || [absol.] *agitare*, se comporter, agir || **2.** agiter dans son esprit: *rem in mente, mente; animo, in animo* || agiter une chose, l'examiner, la discuter: *res agitata in contionibus*, affaire agitée dans les assemblées du peuple.

III. [idée de temps], **1.** *ævum agitare*, passer sa vie, vivre || **2.** [absol.] vivre.

agmen, *inis*, n. *(ago)*,

I. [en général], **1.** marche, cours || **2.** file, bande, troupe: *it nigrum campis agmen (formicarum)*, la noire colonne (des fourmis) chemine dans la plaine.

II. [langue militaire], **1.** marche d'une armée: *in agmine adoriri*, attaquer pendant la marche; *citato agmine, concitato agmine*, d'une marche vive || **2.** [sens le plus ordinaire] armée en marche, colonne de marche: *primum agmen*, avant-garde; *medium*, le centre de la colonne; *novissimum*, arrière-garde; *quadrato agmine* ou *agmine quadrato*, marche en carré = en ordre de bataille || [poét.] *agmina*, troupes, armée, bataillons, escadrons.

agna, *æ*, f. *(agnus)*, agnelle, jeune brebis.

agnascor (adgn-), *nasci, atus sum (ad, nascor)*, intr. **1.** naître après le testament du père || **2.** naître (pousser) sur, à côté de.

agnatio, *onis*, f. *(agnascor)*, parenté du côté paternel, agnation.

1. agnatus, *a, um*, part. de *agnascor*.

2. agnatus, *i*, m., agnat [parent du côté paternel].

agnina, *æ*, f. = *agnina caro*, chair d'agneau.

agninus, *a, um*, d'agneau.

agnitio, *onis*, f. *(agnosco)*, **1.** connaissance || **2.** action de reconnaître, reconnaissance.

agnitor, *oris*, m., qui reconnaît.

agnitus, *a, um*, part. de *agnosco*.

agnomen, *inis*, n., surnom ajouté: *prænomen, nomen, cognomen, agnomen, ut Publius Cornelius Scipio Africanus*, [on distingue] le prénom, le nom, le surnom qui fait corps avec le nom, le surnom qui s'y ajoute, ex. Publius Cornélius Scipion l'Africain.

agnosco (adgn-), *ère, novi, nitum (ad, nosco)*, tr., **1.** reconnaître, percevoir, saisir || **2.** reconnaître [qqn, qqch. déjà connu] || **3.** reconnaître, admettre || [en part.] reconnaître un fils.

agnus, *i*, m., agneau.

ago, *agere, egi, actum*, tr.,

I. mettre en mouvement: **1.** faire avancer: *capellas*, pousser devant soi ses chèvres || [réfléchi et passif à sens réfléchi] se mouvoir, s'avancer; s'élancer: *sese Palinurus agebat*, Palinure s'avançait || *turres*, faire avancer des tours || pousser, enfoncer: *sublicas*, enfoncer des pilotis || **2.** pousser devant soi, emmener: *agere et portare*, emmener et transporter || *agere et ferre*, emmener et emporter || **3.** pousser dehors, chasser: *lapidibus aliquem*, chasser qqn à coups de pierres || exhaler: *animam*, rendre l'âme, être à l'agonie || **4.** poursuivre, traquer, talonner: *apros*, poursuivre des sangliers [à la chasse] || **5.** pousser à, faire aller à, conduire à: *in crucem*, faire aller au supplice de la croix; *ad certamen, ad scelus*, pousser au combat, au crime.

II. faire [expression de l'activité]: **A)** tr., **1.** *rem (res)*, accomplir une chose (des choses); *ante rem, acta re*, avant, après l'accomplissement de la chose || **2.** *rem agere*, traiter, régler une affaire, *cum aliquo*, avec qqn || **3.** faire une chose, s'occuper d'une chose : *aliud (alias res) agere*, s'occuper d'autre chose, être distrait, indifférent || traiter [par écrit], exposer : *bella quæ... agimus*, guerres dont nous poursuivons l'exposé || **4.** *agere (id, hoc) ut* et subj., mettre son activité à faire qqch., se proposer de, viser à || *agere nihil aliud nisi*, ne faire rien d'autre que || **5.** [avec des compl. divers] : *negotium*, s'occuper d'une affaire ; *joca et seria*, plaisanter et parler sérieusement ; *gratias*, remercier ; *laudes*, glorifier || *honores*, exercer des magistratures || **6.** [en parl. de magistrats et d'actes officiels] traiter des affaires : *cum ageretur ea res in senatu*, comme on traitait cette question au sénat || **7.** [au passif indicatif] être en question, être en jeu : *agitur*, il s'agit de || **8.** [au part.] *actus, a, um*, accompli, c.-à-d. passé ; [expr. proverb.] *acta agere*, revenir sur le fait accompli, perdre sa peine ; ou *rem actam agere* || **B)** [absol.] **1.** agir, être actif [surtout au gérondif] : *aliud agendi tempus, aliud quiescendi*, un temps pour agir, un autre pour se reposer || [avec déterm. adverbiale] *agite ut voltis*, agissez à votre guise ; *bene agis, cum...*, tu as raison de || **2.** *agere cum aliquo bene, male*, se comporter bien, mal à l'égard de qqn, traiter qqn bien, mal || [au pass. impers.] *secum male actum putat*, il pense qu'on s'est mal comporté à son égard || **3.** [terme officiel] *agere cum populo, cum patribus, cum plebe*, s'adresser au peuple, aux sénateurs, à la plèbe || *per populum, per senatum agere*, s'adresser au peuple, au sénat || *de aliqua re in senatu agere*, traiter une affaire dans le sénat || **4.** *agere cum aliquo*, traiter avec qqn, avoir affaire avec qqn, parler à qqn || [avec *ut* subj.] entreprendre qqn pour obtenir qqch., demander que.

III. exprimer par le mouvement, par la parole **1.** [en parlant des acteurs] : *fabulam*, jouer une pièce ; *partes*, tenir un rôle [au pr. et au fig.] || **2.** [en parlant des orateurs] : *causam*, plaider une cause ; *pro aliquo*, pour qqn.

IV. passer la vie, le temps : *ætatem, vitam*, passer sa vie, vivre ; *octogesimum annum*, vivre sa quatre-vingtième année ; [d'où] *hiberna, æstiva agere*, tenir les quartiers d'hiver, les quartiers d'été || [absol. au sens de *vivere*] vivre.

agon, *onis*, m., lutte dans les jeux publics.

agrarius, *a, um (ager)*, relatif aux champs : *lex agraria*, loi agraire ; *triumvir agrarius*, triumvir [commissaire] chargé de la répartition des terres.

agrestis, *e (ager)*, **1.** relatif aux champs, champêtre, agreste || *agrestis, is*, m., paysan ; *agrestes*, des paysans || **2.** agreste, grossier, inculte, brut.

agricola, *æ*, m. *(ager, colere)*, cultivateur, agriculteur.

Agricola, *æ*, m., général romain, beau-père de Tacite.

agri cultio, *onis*, f., agriculture.

agri cultor, *oris*, m., agriculteur.

agri cultura, *æ*, f., agriculture, culture des terres.

Agrigentum, *i*, n., Agrigente [ville de Sicile] || **Agrigentinus,** *a, um*, d'Agrigente ; *Agrigentini*, Agrigentins.

agripeta, *æ*, m. *(ager, peto)*, détenteur d'un lot [dans le partage des terres aux vétérans].

Agrippa, *æ*, m., Agrippa : **1.** v. *Menenius* || **2.** M. Vipsanius [gendre d'Auguste].

Agrippina, *æ*, f., Agrippine : **1.** femme de Germanicus || **2.** femme de l'empereur Tibère || **3.** fille de Germanicus et mère de Néron.

Agrippinensis colonia, f., colonie d'Agrippina [Cologne sur le Rhin] ; [d'où] **Agrippinenses, ium,** m., habitants d'Agrippina.

ah ou **a,** interjection [exprime la douleur, la joie, l'étonnement, la colère] : ah ! oh !

ahen-, v. *aen.*

aiens, *tis*, part. prés. de *aio.*

aio, *ais*, verbe défectif, **1.** dire oui : *Diogenes ait, Antipater negat*, Diogène dit oui, Antipater dit non || **2.** dire, affirmer, soutenir [a pour compl. soit un pronom neutre] *quid ait ?*, que dit-il ? [soit les mots mêmes que l'on cite ; alors *ait* est souvent intercalé] || *ut aiunt, quod aiunt, quemadmodum aiunt*, comme dit le proverbe, suivant l'expression proverbiale || [av. prop. inf.] dire que.

Ajax, *acis*, m., fils de Télamon || fils d'Oïlée [héros grecs].

ala, *æ*, f., **1.** aile || **2.** aile d'une armée : *ala dextra, sinistra*, aile droite, aile gauche ; [mais *ala* s'applique plus spécialement à la cavalerie] : *Numidarum*, corps de cavaliers numides || [poét.] *alæ*, escadrons.

alacer (alacris), *is, e*, alerte, vif, bouillant ; allègre, dispos, gaillard.

alacritas, *atis*, f. *(alacer)*, vivacité, feu, ardeur, entrain.

alacriter, vivement, avec ardeur.

alapa, *æ*, f., soufflet || soufflet donné pour affranchir un esclave.

alaris, *e (ala)*, qui fait partie des ailes d'une armée || [subst.] *alares*, les troupes des ailes [= les cavaliers auxiliaires].

alarius, *a, um*, qui fait partie des ailes || [subst.] *alarii*, troupes auxiliaires.

alatus, *a, um (ala)*, ailé.

alauda, *æ*, f., alouette.

1. Alba, *æ*, f., ou *Alba Longa*, Albe [premier emplacement de Rome].

2. Alba, *æ*, m., nom d'un roi d'Albe la Longue.

Albani, *orum*, m., **1.** Albains [hab. d'Albe la Longue] || **2.** Albaniens [hab. de l'Albanie].

Albania, *æ*, f., contrée de l'Asie sur les côtes de la mer Caspienne.

Albanus, *a, um*, **1.** d'Albe || **2.** d'Albanie.

albarius, *a, um (albus)*, relatif au crépi || **-rium opus,** crépissure, stuc.

albatus, *a, um (albus)*, vêtu de blanc.

albens, part. prés. de *albeo*.

Albenses, *ium*, m., Albains.

albeo, *ēre (albus)*, intr., être blanc || *albens*, blanc : *albente cælo*, à l'aube.

albesco, *ĕre*, intr. [inchoatif], devenir blanc, blanchir.

albico, *are (albus)*, **1.** tr., rendre blanc || **2.** intr., être blanc.

albidus, *a, um (albus)*, blanc.

Albis, *is*, m., Elbe [fleuve d'Allemagne].

albisco, *ere*, c. *albesco*.

Albula, *æ*, m., ancien nom du Tibre || **Albulæ,** *arum*, f., sources sulfureuses près de Tibur.

album, *i*, n. de *albus*, **1.** blanc || **2.** couleur blanche || **3.** tableau blanc [blanchi au plâtre, exposé publiquement, pour que tout le monde pût lire ce qu'il portait écrit] || **4.** liste, rôle : *album judicum*, liste des juges [établie par le préteur].

Albunea, *æ*, f., source, près de Tibur.

Alburnus, *i*, m., montagne de Lucanie.

albus, *a, um*, **1.** blanc mat [opposé à *ater ; candidus*, blanc éclatant, opposé à *niger*] || **2.** pâle, blême || **3.** favorable : *alba stella*, la blanche étoile [annonçant un ciel serein, clair] || **4.** [expr. proverb.] : *equis albis præcurrere aliquem*, devancer à toute allure qqn [les chevaux blancs étant réputés les plus rapides] ; *avem albam videre*, voir un merle blanc ; *album calculum rei adjicere*, donner un caillou blanc à qqch. [approuver].

Alcæus, *i*, m., Alcée [poète lyrique].

alcedo, *inis*, f., alcyon.

alces, *is*, f., élan.

Alcibiades, *is*, m., Alcibiade [général athénien].

Alcides, *æ*, m., Alcide, descendant d'Alcée [Hercule].

Alcinous, *i*, m., Alcinoüs [roi des Phéaciens].

Alcmena, *æ*, f., et **Alcmene,** *es*, f., Alcmène, mère d'Hercule.

alcyon ou **halcyon,** *onis*, f., alcyon.

alcyoneus ou **alcyonius,** *a, um*, relatif aux alcyons.

alea, *æ*, f., **1.** dé, jeu de dés, jeu de hasard, hasard : *alea ludere*, jouer aux dés ; *jacta alea esto*, que le sort en soit jeté || **2.** hasard, risque, chance.

aleator, *oris*, m., joueur de dés ; joueur.

aleatorius, *a, um*, qui concerne le jeu.

Alecto ou **Allecto,** f., indécl., une des Furies.

ales, *itis (ala)*, **1.** qui a des ailes, ailé : *ales equus*, cheval ailé [Pégase] || léger, rapide || **2.** subst. **ales,** *itis*, m. et f., [poét.] oiseau.

alesco, *ĕre (alo)*, intr., pousser, augmenter.

Alesia, *æ*, f., ville de la Gaule.

Alexander, *dri*, m., **1.** Alexandre le Grand, fondateur du royaume de Macédoine || **2.** Alexandre, roi de Macédoine, fils de Persée.

Alexandrea (-ia), *æ*, f., Alexandrie || **-drinus,** *a, um*, d'Alexandrie.

alga, *æ*, f., algue.

algeo, *ere, alsi*, intr., avoir froid.

algificus, *a, um (algeo, facio)*, qui glace.

algor, *oris*, m. *(algeo)*, le froid.

algosus, *a, um (alga)*, couvert d'algues.

alia, adv. *(alius)*, par un autre endroit.

alias, adv., **1.** une autre fois, à un autre moment, à une autre époque || *alias... alias*, tantôt... tantôt || **2.** autrement, sans quoi.

alibi, dans un autre endroit.

alicubi, quelque part, en quelque endroit.

alicunde, de quelque endroit, de quelque part.

alienatio, *onis*, f. *(alieno)*, **1.** aliénation, transmission d'une propriété à un autre || **2.** éloignement, désaffection ||

3. *alienatio (mentis)*, aliénation mentale.

alienatus, *a, um*, part. de *alieno*.

alienigena, *æ*, m. *(alienus, geno)*, né dans un autre pays, étranger || f., étrangère.

alienigenus, *a, um*, étranger.

alieno, *are, avi, atum (alienus)*, tr., **1.** aliéner, transporter à d'autres son droit de propriété || **2.** éloigner (détacher), rendre étranger (ennemi) : *aliquem a se*, s'aliéner qqn ; *aliquem alicui*, aliéner qqn à qqn || *alienari*, se détacher, s'éloigner, avoir de l'éloignement, devenir ennemi ; [d'où] *alienatus, a, um*, qui a rompu avec qqn, adversaire, ennemi || **3.** [en part.] *mentem alienare*, aliéner l'esprit, ôter la raison ; *alienatus*, égaré, qui n'est pas en possession de soi.

alienus, *a, um (alius)*, qui appartient à un autre :

I. [idée d'autrui], **1.** d'autrui : *in alienis malis*, quand il s'agit du malheur d'autrui || *æs alienum*, dette || *alienum, i*, n., le bien d'autrui, ce qui appartient aux autres || **2.** étranger : *alienus alicui*, étranger à qqn || **3.** étranger [de patrie].

II. [idée de séparation, éloignement] **1.** éloigné de, hostile : *ab aliquo; ab aliqua re*, éloigné de qqn, de qqch. ; *alieno esse animo in aliquem*, avoir des sentiments hostiles contre || **2.** étranger à, impropre, déplacé : *homo sum, humani nihil a me alienum puto*, je suis homme et je considère que rien de ce qui concerne l'homme ne m'est étranger || incompatible avec, indigne de || **3.** désavantageux, préjudiciable : *alieno tempore*, dans des circonstances désavantageuses (inopportunes) ; *alieno loco*, dans un lieu défavorable.

alifer, *fera, ferum (ala* et *fero)*, qui porte des ailes, ailé.

aliger, *era, erum (ala* et *gero)*, ailé, qui a des ailes.

alimentarius, *a, um (alimentum)*, alimentaire, pouvant servir de nourriture.

alimentum, *i*, n. *(alo)*, d'ord. au pl. *alimenta*, aliments || aliments (entretien, nourriture) dus aux parents par les enfants.

alimonia, *æ*, f., et **alimonium,** *ii*, n., nourriture, aliment.

alio, adv., vers un autre lieu, ailleurs [avec mouv.] : *ceteri alius alio*, les autres s'en allèrent chacun de son côté || [fig.] ailleurs, sur un autre objet || *alio spectare*, avoir une portée tout autre, un autre sens.

alioqui ou **alioquin,** adv., **1.** sous d'autres rapports, du reste, au demeurant || **2.** autrement, sans quoi.

aliorsum *(aliovorsum)*, adv., dans une autre direction, vers un autre endroit.

alipes, *edis (ala, pes)*, qui a des ailes aux pieds, aux pieds ailés || rapide.

aliqua *(aliquis)*, adv., par quelque endroit || [fig.] par quelque moyen.

aliquamdiu (aliquandiu), adv., passablement longtemps.

aliquam multi, *æ, a*, [rare] passablement nombreux.

aliquam multum, adv., une quantité passablement grande.

aliquando *(aliquis)*, adv., **1.** un jour, une fois, qq. jour : *si aliquando*, si jamais, si qq. jour || **2.** enfin, une bonne fois || **3.** quelquefois, parfois : *aliquando id opus est; sed sæpe obest*, c'est qqf. utile, mais souvent nuisible.

aliquantisper (cf. *parumper*), adv., pendant passablement de temps, qq. temps.

aliquanto, v. *aliquantum*.

aliquantulum, diminutif de *aliquantum*, adv. et subst. n. ; un petit peu, tant soit peu.

aliquantum, n., [employé souvent comme adv.] une assez grande quantité, une quantité notable || *aliquantum commotus*, assez fortement ému || [abl. *aliquanto* avec compar.] ; *aliquanto post*, assez longtemps après ; *aliquanto ante*, assez longtemps avant.

aliquantus, *a, um*, assez grand, d'une grandeur notable.

aliquatenus, adv., jusqu'à un certain point.

aliqui, *qua, quod*, adj.-pron. indéf. [*aliquod* est touj. adj.], quelque : *aliqui morbus*, quelque maladie || [subst.] quelqu'un.

aliquis, *qua, quid*, adj.-pron. indéf. [la forme *aliquis* est tantôt adj. tantôt pron. ; *aliquid* touj. pron.], **1.** quelqu'un [indéterminé, mais existant], un tel ou un tel : *quisquis est ille, si modo est aliquis*, celui-là quel qu'il soit, si seulement il y a qqn [s'il existe] || adj., quelque, tel ou tel : *in aliquo judicio*, dans tel ou tel procès || **2.** [joint ou non à *alius*] quelque [n'importe lequel], tel ou tel : *non alio aliquo, sed eo ipso crimine*, non pas pour tel ou tel autre grief, mais précisément pour celui-là || **3.** quelque (de qq. importance) : *sine aliquo quæstu*, , sans qq. profit, sans un profit sérieux || **4.** [avec noms de nombre] quelque, environ : *aliquos viginti dies*, pendant quelque vingt jours || **5.** [formules]: *dicet aliquis; quæret aliquis*, qqn dira, demandera || **6.** *aliquid posse*, avoir qq. valeur || [pris adv.] *aliquid differre*, différer en qqch. (qq. peu).

aliquo, adv., quelque part [avec mouvement]: *aliquo concedere*, se retirer qq. part.

aliquot, [indécl.; employé comme adj. et qqf. comme subst.], quelques, un certain nombre de: *aliquot ex veteribus*, un certain nombre parmi les anciens.

aliquotiens, adv., quelquefois.

aliter, adv., **1.** autrement: *aliter ac (atque) jusserat*, autrement qu'il n'avait ordonné; *non aliter quam*, non autrement que || *non aliter nisi*, non autrement que si || *aliter cum aliis loqui*, parler aux uns d'une manière, aux autres d'une autre || [expression]: *longe aliter est*, il en est tout autrement || **2.** autrement, sans quoi.

alitus, *a, um*, part. de *alo*.

aliubi, adv., ailleurs.

alium, *ii*, n., ail.

aliunde, adv., d'un autre lieu: *aliunde aliquid arcessere*, faire venir qqch. d'ailleurs.

alius, *a, ud* (gén. *alius* et ord. *alterius*, dat. *alii*), autre, un autre [en parlant de plusieurs; *alter* en parlant de deux]: **1.** constructions: ***a)*** *alius ac (atque); alius... et*, autre que; ***b)*** *nihil aliud nisi; nihil aliud quam*, rien d'autre que; ***c)*** [*alius*, surtout *alii*, répété deux ou plusieurs fois] l'un... un autre; les uns (d'aucuns)... les autres (d'autres); *alius... alius... plerique*, l'un... un autre... la plupart; ***d)*** [*alius alium* marquant réciprocité ou alternative]: *alii aliam in partem ferebantur*, ils se portaient les uns d'un côté, les autres d'un autre || **2.** différent: *aliud est gaudere, aliud non dolere*, c'est une chose que d'être en joie, une autre que de ne pas souffrir || *alias res agere*, être distrait, indifférent.

allapsus, v. *adlapsus*.

allat-, v. *adl-*.

1. Allecto (Alecto), f., Alecto [une des trois Furies].

2. allecto, *are*, v. *adl-*.

alleg-, v. *adleg-*.

allegoria, *æ*, f., allégorie.

allev-, v. *adlev-*.

Allia, *æ*, f., rivière des Sabins, où les Romains furent battus par les Gaulois, 390 av. J.-C.

allic-, allid-, v. *adl-*.

Alliensis, *e*, de l'Allia.

allig-, v. *adlig-*.

allin-, v. *adl-*.

allis-, v. *adl-*.

Allobroges, *um*, m., peuple de la Narbonnaise || **-gicus,** *a, um*, des Allobroges.

alloc-, v. *adloc-*.

alloq-, alluc-, allud-, alluo, v. *adl-*.

alluv-, v. *adl-*.

almus, *a, um (alo)*, nourrissant, nourricier; [d'où] bienfaisant, bon.

alnus, *i*, f., **1.** aune [arbre] || **2.** ce qui est fait en bois d'aune [les bateaux].

alo, *ere, alui, altum* ou *alitum*, tr., **1.** nourrir, alimenter, sustenter: *exercitum, canes alere*, nourrir (entretenir) une armée, des chiens || élever || alimenter, faire se développer: *terra stirpes alit*, la terre nourrit (alimente) les racines || **2.** [fig.] nourrir, développer || **3.** [passif avec sens réfléchi] se nourrir: *lacte ali*, se nourrir de lait.

aloe, *es*, f., aloès [plante].

Aloidæ, *arum*, m., Aloïdes [nom patronymique des fameux géants Ottus et Ephialte].

Alpes, *ium*, f., les Alpes.

Alpheus, ou **-eos,** *i*, m., l'Alphée [fleuve de l'Elide] || **-eus,** *a, um*, de l'Alphée.

Alpicus et **Alpinus,** *a, um*, des Alpes.

alsi, pf. de *algeo*.

alsius, [comp. neutre de l'inus. *alsus*], plus frais.

altanus, *ventus*, vent qui souffle de la mer.

altar, *aris*, n., **altare,** *is*, n. *(altus)*, autel [où l'on brûlait les victimes] || pl. **altaria**.

alte, adv. *(altus)*, **1.** en haut, de haut || **2.** profondément || **3.** de loin.

alter, *era, erum* (gén. *alterius*, dat. *alteri*), **1.** l'un des deux; [en parlant de deux] l'un, l'autre; [dans une énumération] second: *alter ambove...*, un seul ou les deux ensemble; *tua altera patria*, ta seconde patrie || *alterum tantum*, une seconde fois autant || *alter... alter*, l'un... l'autre, le premier... le second; *alteri... alteri*, les uns... les autres || *unus aut alter, unus alterve*, un ou deux || *unus et alter*, un, puis un autre || *alter alterius judicium reprehendit*, tous deux blâment réciproquement leur jugement || **2.** autrui.

altercatio, *onis*, f. *(altercor)*, altercation, dispute [en gén.] || prises oratoires [échange d'attaques et de ripostes entre les avocats des parties adverses].

altercator, *oris,* m., interpellateur, preneur à partie.

altercor, *ari, atus sum (alter),* intr., **1.** échanger des propos, prendre à partie, disputer *(cum aliquo)* || **2.** [au tribunal] échanger attaques et ripostes avec l'avocat adverse.

alternans, *tis,* part. prés. de *alterno.*

alternatus, *a, um,* part. de *alterno.*

alternis (abl. pl. de *alternus* pris adv.), alternativement, à tour de rôle || *alternis... alternis...,* tantôt... tantôt.

alterno, *are, avi, atum (alter),* **1.** tr., faire tantôt une chose, tantôt l'autre, faire tour à tour || **2.** intr., être alternant, aller en alternant || hésiter.

alternus, *a, um (alter),* **1.** l'un après l'autre, alternant || pl. n. *alterna,* les choses qui alternent || **2.** qui se rapporte à l'un et à l'autre, à chacun des deux successivement.

alteruter, *tra, trum* (gén. *alterutrius,* dat. *alterutri*), l'un des deux, l'un ou l'autre.

alticinctus, *a, um (alte, cinctus),* qui a retroussé sa robe, actif.

altilis, *e (alo),* **1.** engraissé || **2.** nourrissant || **3.** [subst.] **altilis,** f., volaille engraissée.

altitonans, *antis (alte, tono),* qui tonne dans les hauteurs.

altitudo, *inis,* f. *(altus),* **1.** hauteur; *tantæ altitudinis machinationes,* machines d'une si grande hauteur || [fig.] *altitudo animi,* grandeur d'âme, sentiments élevés || **2.** profondeur: *fluminis,* d'un fleuve; *maris,* de la mer.

altivolans, *tis,* et **altivolus,** *a, um (alte, volo),* qui vole haut.

altor, *oris,* m. *(alo),* celui qui nourrit, nourricier.

altrinsecus *(alter, secus),* de l'autre côté.

altrix, *icis,* f. *(altor),* celle qui nourrit, nourrice.

altum, *i,* n., v. *altus 2.*

1. altus, part. de *alo.*

2. altus, *a, um,* adj. dérivé du part. de *alo,* développé: **1.** haut, élevé: *ex altissimo muro,* du haut d'un mur très élevé || [fig.] *altus gradus dignitatis,* haut degré d'honneur; [épithète des dieux et des héros]: *altus Apollo,* le grand Apollon || **altum** [n. sing. ou pl. pris subst.] *altum petere,* gagner les hauteurs de l'air || *ab alto,* des hauteurs [du ciel] || **2.** profond: *fossæ quinos pedes altæ,* fossés profonds chacun de cinq pieds; *altum vulnus,* blessure profonde || [au fig.] profond en parl. du sommeil, du repos, du silence, de la paix, de la nuit || n. **altum** [pris subst. au pr. et fig.] profondeur || **3.** profond en étendue, qui s'étend au loin, reculé; *ex alto rem repetere,* reprendre les choses de loin || [le n. sing. pris subst.] **altum,** *i,* la haute mer: *in alto jactari,* être ballotté en pleine mer.

alucin-, v. *hallucin-.*

alui, pf. de *alo.*

alumnus, *a, um (alo, almus),* nourrisson, enfant || disciple, élève.

Aluntium, *ii,* n., ville de Sicile || **-inus,** *a, um,* d'Aluntium.

aluta, *æ,* f., cuir tendre [préparé avec de l'alun] || soulier; porte-monnaie; bourse.

alvarium, *ii,* n. *(alvus),* ruche d'abeilles.

alveare, *is,* n., c. *alvarium.*

alveatus, *a, um (alveus),* creusé en forme d'alvéole.

alveolus, *i,* m. (dimin. de *alveus*), **1.** petit vase, petit baquet || panier à terre || **2.** table de jeu || **3.** lit étroit de rivière.

alveus, *i,* m. *(alvus),* **1.** cavité || **2.** baquet, auge || **3.** coque d'un navire; [d'où] pirogue, canot || **4.** table de jeu || **5.** baignoire || **6.** lit de rivière || **7.** ruche.

alvus, *i,* f., **1.** ventre, intestins || **2.** estomac || **3.** ruche || **4.** coque d'un navire.

Alyattes, *is,* m., Alyatte [roi de Lydie].

amabilis, *e (amo),* digne d'amour, aimable.

amabiliter, avec amour || agréablement.

Amadryas, v. *Hamadryas.*

Amalthea, *æ,* f., Amalthée [chèvre (ou nymphe?) qui nourrit Jupiter de son lait].

amandatio, *onis,* f. *(amando),* éloignement, exil.

amando ou **amendo,** *are, avi, atum,* tr. (de *a* et *mando*), éloigner.

amandus, *a, um,* part.-adj., aimable.

Amanicæ Pylæ, f., défilé du mont Amanus.

Amanienses, *ium,* m., habitants du mont Amanus.

amans, *tis,* **1.** part. prés. de *amo* || **2.** adj., *amans patriæ,* qui aime sa patrie; *tui amantior,* plus affectionné pour toi; *amantissimus otii,* très épris de repos || *amantissimum consilium,* conseil très affectueux.

amanter, en ami, d'une façon affectueuse.

amanuensis, *is*, m. *(a manu)*, secrétaire.

Amanus, *i*, m., mont situé entre la Syrie et la Cilicie.

amare, amèrement, avec amertume.

amaritudo, *inis*, f. *(amarus)*, amertume, aigreur.

amaror, *oris*, m. *(amarus)*, amertume.

amarus, *a, um*, **1.** amer || [odeur] aigre, désagréable || **2.** [fig.]: ***a)*** amer, pénible || pl. n. *amara*, les choses amères, l'amertume; ***b)*** amer, mordant, âpre, sarcastique; ***c)*** amer, aigre, morose, acariâtre.

Amaryllis, *idis*, f., nom de bergère.

Amata, *æ*, f., femme de Latinus.

amata, *æ*, f. du part. de *amo* pris subst., amante.

Amathus, *untis*, f., Amathonte, ville de Chypre, avec un temple de Vénus || **-thusia,** *æ*, f., Vénus || **-thusiacus,** *a, um*, d'Amathonte.

amator, *oris*, m. *(amo)*, qui aime, qui a de l'amour, de l'affection.

amatorie, en amoureux.

amatorius, *a, um (amator)*, d'amour, qui concerne l'amour.

amatus, *a, um*, part. de *amo* || m. pris subst., amant.

Amazon, *onis*, f., Amazone || surtout pl. **Amazones** et **Amazonides,** *um*, f., les Amazones [femmes guerrières de Scythie].

Amazonicus, *a, um*, et **Amazonius,** *a, um*, d'Amazone.

ambactus, *i*, m., esclave.

ambages, *is*, f. *(amb, ago)*, [sing. rare], **1.** détours, sinuosités [à l'abl. *ambage*] || **2.** ambiguïté, obscurité.

ambages, *um*, f. pl., **1.** détours, circonlocutions, ambages || **2.** ambiguïté, obscurité, caractère énigmatique: *per ambages*, par des voies détournées.

Ambarri, *orum*, m., peuple de la Gaule lyonnaise.

Ambarvalia, *ium*, n., Ambarvales [fête en l'honneur de Cérès].

ambedo, *edere, edi, esum*, tr., manger (ronger) autour.

ambesus, *a, um*, part. de *ambedo.*

Ambiani, *orum*, m., peuple de la Belgique.

Ambibarii, *orum*, m., peuple de l'Armorique.

ambiendus, *a, um*, adj. verbal de *ambio.*

ambiens, *tis*, part. de *ambio.*

ambigo, *ere (amb, ago)*, **1.** ***a)*** intr., discuter, être en controverse || [surtout pass. impers.]: *illud ipsum de quo ambigebatur*, le point précisément sur lequel portait la discussion; ***b)*** tr. [seul. au passif], *quod ambigitur*, ce qui est matière à contestation || **2.** intr., être en discussion (en procès) || être en controverse avec soi-même, être dans l'incertitude: *de aliqua re*, être dans l'incertitude sur qqch.

ambigue *(ambiguus)*, à double entente, d'une manière ambiguë (équivoque) || d'une manière incertaine, douteuse: *pugnabatur ambigue*, le combat était indécis.

ambiguitas, *atis*, f. *(ambiguus)*, ambiguïté [double sens], équivoque, obscurité.

ambiguus, *a, um (ambigo)*, **1.** variable, douteux, incertain, flottant || **2.** *victoria ambigua*, victoire douteuse || [en parl. des pers.] ne sachant pas || **3.** à double entente, ambigu, équivoque: *oracula ambigua*, oracles ambigus || n. pris subst. *ambiguum*, l'équivoque, l'ambiguïté || **4.** douteux, peu sûr.

ambii, pf. de *ambio.*

Ambiliati, *orum*, m., peuple de la Belgique.

ambio, *ire, ii* et *ivi, itum (ambi* et *eo)*, tr., **1.** aller à l'entour || **2.** [fig.] entourer || **3.** entourer qqn [pour le prier, le solliciter] [surtout en parl. du candidat qui sollicite les suffrages]: *ambiuntur, rogantur*, on s'empresse autour d'eux, on les sollicite || [absol.] solliciter, briguer.

Ambiorix, *igis*, m., chef des Éburons.

ambitio, *onis*, f. *(ambio)*, **1.** tournée (démarches) des candidats pour solliciter les suffrages, par des voies légitimes [*ambitus*, brigue, c.-à-d. emploi de moyens illégitimes] || **2.** [en gén.] ambition || désir de popularité || désir de se faire bien venir, complaisances intéressées || **3.** pompe, faste.

ambitiose, **1.** en faisant les démarches d'un candidat, d'un solliciteur || **2.** avec désir de plaire, avec complaisance || **3.** par ambition || par ostentation.

ambitiosus, *a, um* [*-sior*], celui qui poursuit les honneurs, les charges || avide de popularité || désireux de se faire bien venir: *in aliquem*, désireux de plaire à qqn, complaisant envers qqn || intrigant, qui use de brigue || ambitieux, avide de gloire, prétentieux.

1. ambitus, *a, um*, part. de *ambio.*

2. ambitus, *us*, m. *(amb, eo)*, **1.** mouvement circulaire || circuit, détour || pourtour, enceinte || **2.** brigue [recherche des magistratures par des démarches et moyens illégitimes]: *lex ambitus; lex de ambitu*, loi sur la brigue; *damnatus est ambitus*, il fut condamné pour brigue; *de ambitu postulatus*, accusé de brigue (corruption électorale) || [en gén.] intrigue, manœuvres pour avoir la faveur || ambition.

Ambivareti, *orum*, m., peuple de la Gaule Celtique.

Ambivariti, *orum*, peuple de la Gaule Belgique.

ambo, *æ, o*, deux en même temps, tous deux ensemble, les deux.

Ambracia, *æ*, f., Ambracie [ville d'Épire] || **-ciensis,** *e*, d'Ambracie, Ambracien ou **-cius,** *a, um* || **-ciotes,** *æ*, m., Ambraciote.

ambrosia, *æ*, f., ambroisie [nourriture des dieux].

ambrosius (-eus), *a, um*, d'ambroisie || suave comme l'ambroisie || parfumé d'ambroisie.

ambubaiæ, *arum*, f., joueuses de flûte.

ambulacrum, *i*, n. *(ambulo)*, promenade plantée d'arbres devant une maison.

ambulatio, *onis*, f. *(ambulo)*, promenade || lieu de promenade.

ambulatiuncula, *æ*, f., petite promenade.

ambulator, *oris*, m. *(ambulo)*, promeneur || colporteur.

ambulatorius, *a, um (ambulo)*, **1.** fait pendant la promenade || **2.** mobile || **3.** qui sert à la promenade.

ambulo, *are, avi, atum* (dimin. de *ambio*), intr.,

I. absol., aller et venir, marcher, se promener: *in sole*, se promener au soleil || marcher, avancer, circuler.

II. avec acc., **1.** [acc. de l'objet intérieur] *cum maria ambulavisset*, après avoir navigué sur la mer || **2.** [acc. de l'espace parcouru] *septingenta milia passuum*, faire une marche de sept cent mille pas.

amburo, *ere, ussi, ustum (amb* et *uro)*, tr., **1.** brûler autour, brûler || **2.** [employé surtout au part.] *ambustus*, brûlé tout autour, roussi || atteint par le feu.

ambustio, *onis*, f. *(amburo)*, action de brûler.

ambustus, *a, um*, part. de *amburo*.

amendo, v. *amando*.

amens, *tis (a* et *mens)*, **1.** [en parl. des pers.] qui n'a pas sa raison, qui est hors de soi, égaré, éperdu, fou || **2.** [pers. et choses] extravagant, insensé, stupide.

amentatus, *a, um*, part. de *amento*, garni d'une courroie; prêt à être lancé.

amentia, *æ*, f. *(amens)*, absence de raison, démence, égarement.

amento, *are, avi, atum (amentum)*, tr., **1.** garnir d'une courroie || **2.** lancer un javelot au moyen d'une courroie.

amentum ou **ammentum,** *i*, n., courroie (lanière) adaptée aux javelots.

Ameria, *æ*, f., Amérie [ville d'Ombrie] || **-rinus,** *a, um*, d'Amérie || **-rini,** *orum*, m., habitants d'Amérie.

ames, *itis*, m., perche: **1.** bâton d'oiseleur || **2.** traverse de clôture.

amethystinus, *a, um*, couleur d'améthyste || orné d'améthyste.

amethystus (-os), *i*, f., améthyste.

amfractus, c. *anfractus*.

amica, *æ*, f., amie.

amice, amicalement.

amicio, *ire, icui* et *ixi, ictum (amb, jacio)*, tr., mettre autour, envelopper [surtout au passif]: *pallio amictus*, couvert d'un manteau || *amiciri*, s'habiller, se draper, faire toilette.

amicitia, *æ*, f., **1.** amitié: *amicitiam contrahere*, former une amitié; *conglutinare*, sceller une amitié || **2.** [entre peuples] amitié, bons rapports, alliance.

1. amictus, *a, um*, part. de *amicio*.

2. amictus, *us*, m. *(amicio)*, enveloppe, ce qui recouvre || vêtement de dessus.

amiculum, *i*, n. *(amicio)*, vêtement, manteau.

amiculus, *i*, m. (dimin. de *amicus*), petit ami.

1. amicus, *a, um*, ami: *homines mihi amicissimi*, des gens qui me sont très attachés || cher, plaisant.

2. amicus, *i*, m., ami: *amicus firmus, fidelis*, ami sûr, fidèle; *amicissimi vestri*, vos plus grands amis || ami, confident [d'un roi] || ami, allié [du peuple romain].

Amilcar, m., v. *Hamilcar*.

amisi, pf. de *amitto*.

amissio, *onis*, f. *(amitto)*, perte.

amissus, *a, um*, part. de *amitto*.

Amisus, *i*, f., ville du Pont.

amita, *æ*, f., sœur du père, tante du côté paternel.

Amiternum, *i*, n., ville des Sabins || **-nus,** *a, um* et **-ninus,** *a, um*, d'Amiterne; **-nini,** *orum,* m., habitants d'Amiterne.

amitto, *ere, misi, missum,* tr., **1.** envoyer loin de soi (renvoyer), ou laisser partir || **2.** [fig.] perdre [volontairement], abandonner; *amittere fidem,* trahir sa parole || **3.** laisser s'échapper, perdre [involontairement]: *occasionem; tempus,* perdre l'occasion, le moment favorable || **4.** perdre (faire une perte): *aliquem,* perdre qqn [par la mort]; *vitam; fortunam,* perdre la vie, sa fortune; *civitatem,* les droits de citoyen; *mentem,* la raison.

Ammianus Marcellinus, *i,* m., Ammien Marcellin [historien latin du IVe s.].

Ammon ou **Hammon,** *onis,* m., nom de Jupiter, chez les Libyens.

amnicola, *æ,* m. *(amnis, colo),* qui habite ou croît au bord d'une rivière.

amniculus, *i,* m. *(amnis),* petite rivière.

amnis, *is,* m., **1.** cours d'eau rapide, fleuve || rivière || torrent || **2.** courant: *secundo amni,* en suivant le courant [en aval]: *adverso amne,* contre le courant [en amont] || **3.** [poét.] eau.

amo, *are, avi, atum,* tr., **1.** aimer, avoir de l'affection pour || **2.** se plaire à: *amare epulas; divitias; litteras; philosophiam,* aimer les festins, les richesses, les lettres, la philosophie || [poét. av. prop. inf. ou inf.] || **3.** [expressions]: *amabo,* je t'aimerai = je t'en prie, de grâce || *si me amas,* si tu m'aimes, par amitié pour moi, de grâce || *multum te amo quod,* je te sais grand gré de ce que.

amœne *(amœnus),* agréablement.

amœnitas, *atis,* f. *(amœnus),* agrément, charme, beauté.

amœnus, *a, um,* agréable, charmant.

amolior, *iri, itus sum,* tr., **1.** écarter, éloigner [avec idée d'effort, de peine] || **2.** [fig.] *crimen ab aliquo,* détourner de qqn une accusation.

amolitus, *a, um,* part. de *amolior.*

amomum ou **amomon,** *i,* n., cardamome.

amor, *oris,* m., **1.** amour, affection: *in aliquem; erga aliquem; alicujus,* affection pour qqn; *amor in patriam; patriæ,* amour pour la patrie || **2.** amour, vif désir, passion.

amotio, *onis,* f. *(amoveo),* action d'éloigner, éloignement.

amotus, *a, um,* part. de *amoveo.*

amoveo, *ere, movi, motum,* tr., **1.** éloigner, détourner, écarter: *aliquem ex loco,* éloigner qqn d'un endroit; *sacra ab hostium oculis,* dérober aux yeux des ennemis les objets sacrés || détourner, soustraire || **2.** [fig.] écarter, bannir.

Amphiaraus, *i,* m., devin d'Argos || **-reiades,** *æ,* m., descendant d'Amphiaraüs.

Amphictyones, *um,* m., Amphictyons [magistrats qui représentaient au congrès de la Grèce les différentes villes de ce pays].

Amphilochia, *æ,* f., contrée de l'Épire || **-chius** ou **chicus,** *a, um,* d'Amphilochie || **-chii,** *orum,* m., habitants de l'Amphilochie.

Amphion, *onis,* m., Amphion [qui bâtit Thèbes en faisant mouvoir les pierres aux sons de sa lyre] || **-ionius,** *a, um,* d'Amphion.

Amphipolis, *is,* f., ville de Macédoine; || **-polites,** *æ,* m., habitant d'Amphipolis || **-politanus,** *a, um,* d'Amphipolis.

amphisbæna, *æ,* f., espèce de serpent pouvant marcher en avant et en arrière.

Amphissa, *æ,* f., Amphisse [ville des Locriens].

amphitheatralis, *e,* et **amphitheatricus,** *a, um,* d'amphithéâtre.

amphitheatrum, *i,* n., amphithéâtre.

Amphitrite, *es,* f., Amphitrite [déesse de la mer].

Amphitryo ou **tryon,** *onis,* m., Amphitryon [mari d'Alcmène, roi de Thèbes] || **-oniades,** *æ,* m., fils d'Amphitryon, Hercule.

amphora, *æ,* f., amphore || mesure pour les liquides.

amphoralis, *e,* qui contient une amphore.

Amphrysos (-sus), *i,* m., Amphryse [fleuve de Thessalie, où Apollon fit paître les troupeaux d'Admète, roi du pays] || **-siacus** et **-sius,** *a, um,* de l'Amphryse, d'Apollon.

ample *(amplus),* amplement, largement || [fig.] *amplissime,* de la manière la plus large, la plus grandiose, la plus généreuse.

amplector, *plecti, plexus sum (am, plecto),* tr., **1.** embrasser, entourer: *vir virum amplexus,* se saisissant l'un l'autre à bras-le-corps; *genua, dextram,* embrasser (saisir) les genoux, la main de qqn [pour le supplier] || **2.** [fig.] embrasser, enfermer, passer en revue || embrasser, étendre sa possession sur || **3.** entourer de son affection, choyer:

aliquem, entourer qqn de prévenances || **4.** s'attacher à qqch. [que l'on aime, que l'on approuve], s'y tenir fermement || **5.** accueillir qqch. avec empressement.

amplexatus, *a, um*, part. de *amplexor*.

amplexor, *ari, atus sum* (intensif de *amplector*), **1.** embrasser, serrer dans ses bras || **2.** s'attacher à qqch. [avec prédilection] || **3.** choyer, cajoler qqn.

1. amplexus, *a, um*, part. de *amplector*.

2. amplexus, *us*, m., action d'embrasser, d'entourer, embrassement.

ampliatus, *a, um*, part. de *amplio*.

amplificatio, *onis*, f. *(amplifico)*, accroissement || [rhét.] amplification.

amplificator, *oris*, m., celui qui augmente.

amplificatus, *a, um*, part. de *amplifico*.

amplifico, *are, avi, atum (amplus, facio)*, tr., **1.** élargir, accroître, augmenter || **2.** [rhét.] amplifier.

amplio, *are, avi, atum (amplus)*, tr., **1.** augmenter, élargir || [fig.] rehausser, illustrer || **2.** [droit] prononcer le renvoi d'un jugement.

amplitudo, *inis*, f. *(amplus)*, **1.** grandeur des proportions, ampleur: *corporis*, corpulence, embonpoint || **2.** [fig.] grandeur: *honoris*, importance considérable d'une magistrature; *amplitudo animi*, grandeur d'âme || **3.** [rhét.] ampleur du style.

amplius, comp. de *ample*, **1.** avec plus d'ampleur, en plus grande quantité, plus longtemps, davantage || **2.** en plus de ce qui est déjà, en outre || **3.** [avec les noms de nombre, à l'abl.]: *amplius quinis milibus passuum*, plus de cinq mille pas chaque fois || *horam amplius*, depuis plus d'une heure || [avec *quam*]: *non amplius quam*, pas plus de || **4.** [t. de droit] supplément d'information (d'instruction), plus ample informé: «*amplius*» *pronuntiare*, décider un supplément d'information, renvoyer à plus ample informé.

amplus, *a, um*, **1.** ample, de vastes dimensions, spacieux || **2.** grand, vaste, important: *amplissimæ fortunæ*, biens immenses || **3.** [en parl. de choses] grand, magnifique, imposant: *amplissima dignitas*, le plus haut rang (les plus hautes dignités) || **4.** [en parl. des pers.] grand, considérable, notable, influent: *amplissimo genere natus*, de la plus illustre naissance.

Ampsanctus, *i*, m., lac d'Italie [très dangereux par ses émanations pestilentielles].

ampulla, *æ*, f. (dimin. de *ampora, amphora*), petite fiole à ventre bombé.

amputatio, *onis*, f. *(amputo)*, action d'élaguer.

amputatus, *a, um*, part. de *amputo*.

amputo, *are, avi, atum (am, puto)*, tr., couper, élaguer || [fig.] retrancher.

amuletum, *i*, n., amulette, préservatif.

Amulius, *ii*, m., roi d'Albe qui donna l'ordre que Rémus et Romulus fussent jetés dans le Tibre.

amurca, *æ*, f., marc d'huile.

amussis, *is*, f., règle, cordeau, équerre || [fig.] **ad amussim** ou **adamussim,** au cordeau, exactement.

Amyclæ, *arum*, f., ville de Laconie || **-clæus,** *a, um*, d'Amycles.

amygdala, *æ*, f., **1.** amande || **2.** amandier.

amygdalinus, *a, um*, d'amande ou d'amandier.

amygdalum, *i*, n., **1.** amande || **2.** amandier.

amylum, *i*, n., amidon, empois.

Amyntas, *æ*, m., roi de Macédoine, père de Philippe || nom d'un berger || **-tiades,** *æ*, m., d'Amyntas.

an, conjonction, qui sert à interroger, **I.** interr. directe, **1.** [simple]: est-ce que? mais est-ce que? est-ce que vraiment? ou bien par hasard est-ce que? ou bien alors est-ce que? || [en part.] serait-ce que...? ne serait-ce pas que? = c'est sans doute que: *cujum pecus? an Meliboei?*, à qui le troupeau? n'est-ce pas à Mélibée? || **2.** [interr. double]: *ne... an...*, est-ce que... ou bien? || *num... an*, même sens || *utrum... an...*, est-ce que... ou bien...? || *utrum... an non?* est-ce que... ou non? || [aucune particule au 1er membre] même traduction que dans les cas précédents.

II. interr. indirecte, **1.** [simple]; après *nescio, haud scio*, je ne sais pas; *dubito*, je doute; *incertum est*, il n'est pas sûr, signifie «si ne... pas»; [ces expressions peuvent souvent se traduire par] peut-être: *haud scio an aliter sentias*, peut-être bien as-tu une autre opinion || [suivi d'une négation, *nescio an* signifie] peut-être ne pas: *haud scio an nulla beatior (vita) possit esse*, il se pourrait qu'il n'y ait pas de vie plus heureuse || **2.** [interr. indir. double]; *ne... an*, si... ou si... || *utrum... an*, si... ou si || [aucune particule dans le 1er membre]: *nihil interest nostra vacemus an cruciemur dolore*, pour nous, peu importe que nous soyons exempts ou accablés de douleur.

Anagnia, *æ*, f., Anagnie [ville du Latium] **-gninus,** *a, um*, d'Anagnie.

anagnostes, *æ* (acc. *en*), m., lecteur.

analecta, *æ*, m., esclave qui ramasse les restes [du repas].

analogia, *æ*, f., analogie; *de Analogia*, titre d'un traité de César.

anapæstus, *i*, m., anapeste [pied composé de deux brèves et d'une longue].

anas, *itis (atis)*, f., canard, cane.

anaticula, *æ*, f. *(anas)*, petit canard.

Anaxagoras, *æ*, m., célèbre philosophe de Clazomène.

anceps, *cipitis (amb, caput)*, **1.** à deux têtes || **2.** qui a double front (double face), double: *securis anceps*, hache à double tranchant || **3.** incertain, douteux: *ancipiti pugna, ancipiti prœlio, ancipiti Marte*, dans un combat douteux || *animus anceps inter...*, esprit partagé entre... || **4.** douteux, ambigu, équivoque || **5.** incertain, dangereux || [n. pris subst. au sing. et au pl.], situation critique, danger: *in ancipiti esse*, être en danger; *inter ancipitia*, dans les moments hasardeux.

Anchisa, *æ*, et **Anchises,** *æ*, m., Anchise, père d'Énée || **-chiseus,** *a, um*, d'Anchise || **chisiades,** *æ*, m., fils d'Anchise [Énée].

ancile, *is*, pl. *ancilia, ium* et *iorum*, n., **1.** bouclier sacré [tombé du ciel sous le règne de Numa, qui en fit faire onze semblables, confiés à la garde des prêtres saliens] || **2.** bouclier ovale.

ancilla, *æ*, f., servante, esclave.

ancillaris, *e* (*ancilla*), de servante.

ancillula, *æ*, f., dimin. de *ancilla*, petite servante, petite esclave.

Ancon, *onis*, et **Ancona,** *æ*, f., Ancône [port d'Italie sur l'Adriatique] || **-nitanus,** *a, um*, d'Ancône.

ancora, *æ*, f., ancre || [fig.] refuge, soutien.

ancoralis, *e (ancora)*, d'ancre || **-rale,** *is*, n., câble de l'ancre.

ancorarius, *a, um (ancora)*, d'ancre.

Ancus, *i*, m., Ancus Martius, quatrième roi de Rome.

Andecavi ou **-gavi,** *orum*, m., Andécaves ou Andégaves [peuple de la Lyonnaise].

1. Andes, *ium*, f., Andes [village près de Mantoue, patrie de Virgile].

2. Andes, *ium*, m., habitants de l'Anjou.

Andocides, *is*, m., orateur athénien.

Androclus, *i*, m., esclave épargné par un lion qu'il avait soigné.

Androgeos, *o*, et **-geus,** *i*, m., Androgée [fils de Minos].

Andromacha, *æ*, f., et **Andromache,** *es*, f., Andromaque.

Andromeda, *æ*, et **Andromede,** *es*, f., Andromède.

Andros (-us), *i*, f., île d'Andros [une des Cyclades].

anellus, *i*, m. (dimin. de *anulus*), petit anneau.

1. anfractus, *a, um*, sinueux, tortueux.

2. anfractus (amfr-), *us*, m. *(am, frango)*, **1.** courbure, sinuosité || **2.** détours d'un chemin || sinuosités d'une montagne || **3.** [fig.] détours, biais, circonlocution.

angina, *æ*, f. *(ango)*, angine, esquinancie.

angiportum, *i*, n., mieux **angiportus,** *us*, m., ruelle, petite rue détournée.

Angli ou **Anglii,** *orum*, m., Angles [peuple de Germanie].

ango, *angere*, tr., **1.** serrer, étrangler || **2.** [fig.] serrer le cœur, faire souffrir, tourmenter, inquiéter || passif *angi*, se tourmenter; *aliqua re; de re; propter rem*, se tourmenter à propos de qqch., à cause de qqch.

angor, *oris*, m. *(ango)*, **1.** esquinancie || oppression || **2.** [fig.] tourment, angoisse.

Angrivarii, *orum*, m., peuple germain.

anguicomus, *a, um (anguis* et *coma)*, qui a des serpents pour cheveux.

anguiculus, *i*, m. (dimin. de *anguis*), petit serpent.

anguifer, *fera, ferum (anguis* et *fero)*, qui porte des serpents.

anguigena, *æ*, m., f. *(anguis* et *geno)*, né d'un serpent.

anguilla, *æ*, f. *(anguis)*, **1.** anguille || **2.** lanière faite en peau d'anguille.

anguipes, *edis*, m. *(anguis, pes)*, qui se termine en serpent.

anguis, *is*, m., **1.** serpent, couleuvre || **2.** constellation [le Dragon]; [le Serpentaire].

Anguitenens, *tis*, m., le Serpentaire [constellation].

angularis, *e*, qui a des angles.

angulatus, *a, um*, qui a des angles.

angulus, *i*, m., **1.** angle, coin || **2.** lieu écarté, retiré || **3.** [fig.] salle d'études, salle d'école.

angustatus, *a, um*, part. de *angusto*.

anguste *(angustus)*, **1.** de façon

étroite, resserrée || **2.** [fig.] de façon restreinte.

angustiæ, *arum,* f. *(angustus),* **1.** étroitesse || [absol.] espace étroit ; passage étroit, défilé || *angustiæ temporis,* étroites limites de temps || **2.** [fig.] état de gêne : *angustiæ ærarii, rei frumentariæ,* gêne du trésor public, état précaire de l'approvisionnement || **3.** difficultés, situation critique : *cum in his angustiis res esset,* la situation étant ainsi difficile.

angusto, *are, avi, atum (angustus),* tr., rendre étroit, rétrécir.

angustum, *i,* n. de *angustus* pris subst., **1.** espace étroit || **2.** [fig.] *res in angusto est,* les affaires sont dans une situation critique.

angustus, *a, um (ang-,* cf. *ango),* **1.** étroit, peu spacieux, resserré || **2.** [en parl. du temps] mesuré, limité || **3.** [fig.] étroit, limité, étroitement mesuré || **4.** étroit, mesquin, borné || *in rebus tam angustis,* dans des circonstances si pressantes.

anhelans, *tis,* haletant, hors d'haleine.

anhelatio, *onis,* f. *(anhelo),* respiration difficile, essoufflement.

anhelator, *oris,* m., qui respire difficilement.

anhelatus, *a, um,* part. de *anhelo.*

anhelitus, *us,* m. *(anhelo),* **1.** exhalaison || **2.** respiration, souffle || **3.** respiration pénible.

anhelo, *are, avi, atum (an* et *halo),* **I.** intr., **1.** respirer difficilement, être hors d'haleine || **2.** émettre des vapeurs. **II.** tr., exhaler.

anhelus, *a, um (anhelo),* **1.** essoufflé, haletant || **2.** qui rend haletant.

anicula, *æ,* f. (dimin. de *anus*), petite vieille.

Anien, *enis,* **Anio,** *onis,* **Anienus,** *i,* m., l'Anio [affluent du Tibre] || **-iensis,** *e,* ou **-ienus,** *a, um,* de l'Anio.

anilis, *e (anus),* de vieille femme || à la manière d'une vieille.

aniliter, à la manière des vieilles femmes.

anima, *æ,* f. (cf. *animus*), souffle : **1.** air : *reciprocare animam,* aspirer et expirer l'air (respirer) || **2.** souffle, haleine : *continenda anima,* en retenant (ménageant) son souffle || **3.** âme [principe de la vie], vie : *animam edere, efflare, emittere, exhalare, expirare,* etc., rendre l'âme, exhaler son âme (sa vie), mourir || âme [terme de tendresse] : *vos, meæ carissimæ animæ,* vous, mes très chères âmes || [poét.] âme = créature : *nos animæ viles,* nous autres, créatures de rien || **4.** âme [par opp. au corps] *immortalitas animæ,* l'immortalité de l'âme.

animabilis, *e (animo),* vivifiant.

animadversio, *onis,* f. *(animadverto),* **1.** attention de l'esprit, application de l'esprit || **2.** observation, remontrance, blâme.

animadversor, *oris,* m. *(animadverto),* observateur.

animadversus, *a, um,* part. de *animadverto.*

animadverto, *ere, ti, sum,* tr. *(animum adverto),* tourner son esprit vers : **1.** faire attention, remarquer : *rem,* remarquer qqch. || [avec *ne*] prendre garde que... ne || **2.** reconnaître, constater, remarquer, voir || [avec prop. inf.] voir que, constater que, remarquer que || **3.** blâmer, critiquer || *in aliquem animadvertere,* sévir contre qqn, châtier qqn.

animal, *alis,* n. *(anima),* **1.** être vivant, être animé || **2.** animal, bête.

animalis, *e (anima),* **1.** formé d'air || **2.** animé, vivant.

1. animans, *antis,* part. prés. de *animo* pris adj., animé, vivant.

2. animans, *antis* (subst. des trois genres), être vivant, animal.

animatus, *a, um,* part.-adj. de *animo,* **1.** animé || **2.** disposé : *bene,* bien (favorablement) disposé ; *erga aliquem ; in aliquem,* disposé à l'égard de qqn.

animo, *are, avi, atum (anima* et *animus),* tr., **1.** animer, donner la vie || **2.** [au passif] être disposé de telle ou telle façon, recevoir tel ou tel tempérament.

animose *(animosus),* **1.** avec cœur, avec courage, avec énergie || **2.** avec passion, avec ardeur.

animosus, *a, um (animus),* **1.** qui a du cœur, courageux, hardi || qui a de la grandeur (de la force) d'âme || **2.** fier || **3.** passionné, ardent || [poét.] impétueux.

animula, *æ,* f. (dimin. de *anima*), petite âme.

animus, *i,* m., âme, esprit : **1.** [en gén., principe distinct du corps, qui préside à l'activité d'un être vivant, homme ou animal] || **2.** [siège de la pensée, ensemble des facultés de l'âme] : *ita factus est animo et corpore, ut,* il est fait de telle sorte au moral et au physique, que... || *habere aliquid cum animo, in animo,* avoir qqch. dans l'esprit, dans la pensée, méditer qqch. || **3.** [siège du désir et de la volonté] : *animi causa,* par goût, par amusement || *hoc animo, ut,* avec l'intention de || *in animo habeo facere aliquid,* j'ai l'intention de faire qqch. ||

4. [siège du sentiment et des passions] âme, cœur : *ex animo*, de cœur, sincèrement || disposition d'esprit, sentiments : *alieno animo esse in aliquem, bono animo esse in aliquem*, avoir des sentiments hostiles, dévoués à l'égard de qqn || cœur, courage, énergie : *alicui animum adferre*, donner du courage à qqn ; *animum frangere, debilitare*, briser, affaiblir le courage || au pl. : cœur, ardeur, fierté, audace.

Anio, v. *Anien.*

anisum, *i*, n., anis [plante].

Anna, *æ*, f., sœur de Didon || **Anna Perenna,** *æ*, f., déesse italienne.

Annæus, *i*, m., nom d'une famille romaine ; [en part.] famille des Sénèques et de Lucain.

annalis, *e (annus)*, relatif à l'année || m. pris subst., **annalis,** *is (= annalis liber)*, livre d'annales ; [employé surtout au pl.], **annales,** *ium*, annales ; [ce mot sert à désigner] : 1° les Annales *(Annales Maximi)*, sorte de registres des événements principaux de l'année tenus par les grands pontifes ; 2° les œuvres particulières des premiers historiens latins ; 3° épopée d'Ennius || *annales nostrorum laborum*, le récit [année par année] de nos peines.

annato, v. *adn-.*

anne, adv. interr., ou bien est-ce que || v. *an.*

annecto, v. *adn-.*

annell-, v. *anell-.*

annex, v. *adnex-.*

Annibal, v. *Hannibal.*

anniculus, *a, um (annus)*, d'un an, âgé d'un an.

annifer, *era, erum (annus* et *fero)*, qui porte des fruits toute l'année.

annit-, v. *adn-.*

anniversarius, *a, um (annus* et *verto)*, qui revient (qui se fait, qui arrive) tous les ans.

1. anno, v. *adno.*

2. Anno, v. *Hanno.*

annon ou **an non,** v. *an.*

1. annona, *æ*, f. *(annus)*, **1.** production de l'année, récolte de l'année || **2.** [surtout] l'approvisionnement en denrées || [d'où] le cours [en fonction de la récolte] : *vilitas annonæ*, une baisse du cours des denrées || **3.** [en part.] cours élevé, cherté des cours.

2. Annona, *æ*, f., déesse des denrées.

annosus, *a, um (annus)*, chargé d'ans.

annota-, v. *adnota-.*

annotinus, *a, um (annus*, cf. *diutinus)*, d'un an, qui est de l'année précédente.

annoto, v. *adnoto.*

annula-, v. *anul-.*

annulus, v. *anulus.*

annum-, annunt-, v. *adn-.*

annuo, v. *adnuo.*

annus, *i*, m., **1.** année || **2.** [poét.] saison || produit de l'année || **3.** *annus meus, tuus... etc.*, l'année voulue par la loi pour moi, pour toi [en vue d'une candidature] || **4.** [expressions] : *anno*, chaque année, annuellement ; *bis anno* ou *in anno*, deux fois par an || *in annum prorogare imperium*, proroger pour un an un commandement.

annut-, v. *adnut-.*

annuum, *i*, et plus fréquemment **annua,** *orum*, n., revenu annuel, pension.

annuus, *a, um (annus)*, **1.** annuel, qui dure un an || **2.** qui revient chaque année.

anomalia, *æ*, f., irrégularité.

anquiro, *rere, quisivi, quisitum (ambi, quæro)*, **1.** chercher de part et d'autre (autour), être en quête de, rechercher || **2.** s'enquérir || **3.** [t. de droit] faire une enquête judiciaire, poursuivre : *aliquem de perduellione*, poursuivre qqn pour haute trahison.

anquisitio, *onis*, f. *(anquiro)*, enquête.

ansa, *æ*, f., anse, poignée, prise || attache d'une chaussure || [fig.] occasion : *habere reprehensionis ansam aliquam*, prêter qq. peu le flanc à la critique.

ansatus, *a, um (ansa)*, qui a une anse.

anser, *eris*, m., oie.

anserculus, *i*, m. *(anser)*, petite oie, oison.

anserinus, *a, um*, d'oie.

ansula, *æ*, f. *(ansa)*, petite anse || petite bague || courroie de soulier.

antæ, *arum*, f., piliers aux côtés des portes.

Antæus, *e*, m., Antée [géant tué par Hercule].

ante,

I. adv., **1.** [lieu] devant, en avant || **2.** [temps] avant, auparavant, antérieurement : *paulo, multo, aliquanto ante*, peu, beaucoup, assez longtemps auparavant.

II. prép. avec acc., **1.** [lieu] devant : *ante oculos ponere*, placer devant les yeux || **2.** [temps] avant : *ante Romam conditam*, avant la fondation de Rome || au lieu de *die tertio ante*, de *paucis ante diebus*, on trouve *ante diem tertium, ante paucos dies*, trois jours, peu de jours auparavant || au lieu de *die quinto ante Idus Quintiles*, les Latins disaient *ante diem quintum Idus Quintiles*, le cinquième jour avant les ides de juillet [écrit en abrégé *a. d. V. Id.*] || **3.** [idée de précellence] avant, plus que : *longe ante alios acceptissimus*, de beaucoup le plus aimé.

antea, adv. *(ante, ea,* cf. *antehac)*, auparavant || [suivi de *quam*], avant que.

anteago = *ante, ago.*

anteambulo, *onis*, m., qui marche devant.

anteaquam, v. *antea.*

antecapio, *ere, cepi, captum* et *ceptum*, tr., prendre avant, devancer (prévenir).

antecaptus, *a, um*, part. de *antecapio.*

antecedens, *entis*, part. prés. de *antecedo* pris adj., précédent.

antecedo, *ere, cessi, cessum*, intr. et tr., **1.** ***a)*** intr., marcher devant, précéder ; ***b)*** tr., *agmen*, précéder le gros de la colonne (former l'avant-garde) || **2.** tr., devancer (arriver avant), gagner de vitesse, devancer les messagers || **3.** [fig.] ***a)*** tr., devancer, l'emporter sur, avoir le pas sur : *aliquem aliqua re*, ou *in aliqua re*, l'emporter sur qqn en qqch. ; ***b)*** intr., *alicui (aliqua re)*, avoir le pas sur qqn (en qqch.).

antecello, *ere*, s'élever au-dessus de ; [d'où au fig.] se distinguer, l'emporter sur : **1.** intr., *alicui (aliqua re)*, l'emporter sur qqn (en qqch.) || **2.** tr., dépasser qqn *(aliquem)*.

antecepi, pf. de *antecapio.*

anteceptus, *a, um*, part. de *antecapio.*

antecessio, *onis*, f. *(antecedo)*, **1.** action de précéder, précession || **2.** fait qui précède, antécédent.

antecessor, *oris*, m. *(antecedo)*, éclaireur, avant-coureur.

antecessus, *us*, m., usité dans l'expr. *in antecessum*, par avance, par anticipation.

antecessus, *a, um*, part. de *antecedo.*

antecursor, *oris*, m. *(ante, curro)*, qui court en avant ; au pl., éclaireurs d'avant-garde.

anteeo, *ire, ii, itum*, intr. et tr., aller devant, en avant :

I. intr., **1.** *anteibant lictores*, devant marchaient les licteurs || *alicui*, marcher devant qqn || **2.** [fig.] être avant, être supérieur : *alicui (aliqua re)*, surpasser qqn [en qqch.].

II. tr., **1.** *aliquem*, précéder qqn || devancer || **2.** [fig.] devancer, prévenir || surpasser, dépasser : *aliquem (aliqua re)*, surpasser qqn (en qqch.)

antefero, *ferre, tuli, latum*, tr., **1.** porter devant || **2.** placer devant (au-dessus), préférer : *aliquem alicui*, préférer qqn à qqn ; *rem rei* [rar. *rem re*] préférer qqch. à qqch.

antefixa, *orum*, n., antéfixes [ornements fixés, au bas du toit, sous la gouttière].

antefixus, *a, um (ante, figo)*, fixé en avant.

antegredior, *gredi, gressus sum (ante* et *gradior)*, tr., marcher devant, devancer, précéder.

antegressus, *a, um*, part. de *antegredior.*

antehabeo, *ere*, tr., préférer.

antehac, avant ce temps-ci, auparavant, jusqu'à présent.

antelatus, *a, um*, part. de *antefero.*

antelucanus, *a, um (ante, lux)*, d'avant le jour, jusqu'avant le jour, matinal || **-lucanum,** *i*, n., l'aube.

antemeridianus, *a, um*, d'avant midi.

antemna, *æ*, f., antenne de navire.

Antenor, *oris*, m., roi de Thrace, fondateur de Patavium || **-norides,** *æ*, m., descendant d'Anténor.

antepes, *pedis*, m., pied de devant.

antepilanus, *i*, m., soldat qui combattait devant les *pilani* ou *triarii* || qui combat au premier rang ; [fig.] champion.

antepono, *ere, posui, positum*, tr., **1.** placer devant || **2.** [fig.] mettre avant, préférer || [tmèse] : *mala bonis ponere ante*, préférer le mal au bien.

antepositus, *a, um*, part. de *antepono.*

antequam [en un seul mot, ou **ante** séparé de **quam**], conj., avant que.

anterior, *oris (ante)*, qui est devant.

antes, *ium*, m., rangs.

antesignanus, *i*, m., **1.** soldat de première ligne || **2.** [pl.] soldats armés à la légère attribués à chaque légion || **3.** [fig.], chef.

antestatus, *a, um*, part. de *antestor.*

antesto ou **antisto,** *stare, stiti*, surpasser : **1.** intr., *alicui aliquare re*, surpasser qqn en qqch. || **2.** tr., *aliquem in* *aliqua re* || **3.** [absol.] être au premier rang.

antestor, *ari, atus sum,* tr., appeler comme témoin.

antetuli, pf. de *antefero.*

antevenio, *venire, veni, ventum,* **1.** intr., venir avant, prendre les devants || [au fig.] être supérieur || **2.** tr., *aliquem, rem,* surpasser, devancer qqn, qqch.

anteverto, *ere, verti, versum,* **1.** intr., devancer, prendre les devants: *alicui,* devancer qqn || [absol.] prendre les devants, prévenir || **2.** tr., devancer: *aliquem,* prévenir qqn || préférer: *rem rei,* préférer une chose à une chose.

antevolo, *are,* tr., devancer en volant.

anthemis, *idis,* f. camomille.

anthologica, *orum,* et **anthologumena,** *orum,* n., anthologie.

anthropographus, *i,* m., peintre de figures humaines.

anthropophagus, *i,* m., anthropophage.

Antianus, Antias, Antiatinus, etc., v. *Antium.*

Anticato, *onis,* m., et **Anticatones,** *um,* m., Anticaton [titre de deux ouvrages de César].

antichthones, *um,* m., les antipodes.

anticipatio, *onis,* f. *(anticipo),* connaissance anticipée.

anticipatus, *a, um,* part. de *anticipo.*

anticipo, *are, avi, atum (ante, capio),* tr., prendre par avance.

Anticlea (-ia), *æ,* f., mère d'Ulysse.

anticus, *a, um,* qui est devant.

Anticyra, *æ,* f., Anticyre [trois villes: en Phocide, sur le golfe de Corinthe; en Locride, sur le même golfe; en Thessalie, près du mont Œta; toutes trois réputées pour leur ellébore].

antidea, c. *antea.*

antidotum, *i,* n., et **antidotus,** *i,* f., contrepoison.

Antiensis, v. *Antium.*

Antigone, *es,* et **-ona,** *æ,* f., fille d'Œdipe || fille du roi Laomédon.

Antigonus, *i,* m., nom de plusieurs rois de Macédoine.

Antilibanus, *i,* m., l'Antiliban [montagne en Syrie].

Antilochus, *i,* m., fils de Nestor.

Antiochensis, v. *Antiochia.*

Antiochia (-ea), *æ,* f., Antioche [capitale de la Syrie] || **-chensis,** *e,* d'Antioche; **-chenses,** *ium,* m., habitants d'Antioche.

Antiochus, *i,* m., nom de plusieurs rois de Syrie.

Antiopa, *æ,* et **Antiope,** *es,* f., épouse de Piérus [mère des Piérides].

Antipater, *tri,* m., **1.** général d'Alexandre || **2.** nom de plusieurs philosophes.

Antiphates, *æ,* m., roi des Lestrygons.

antipodæ, *arum,* m., et **antipodes,** *um,* m., les antipodes.

antiquarius, *a, um (antiquus),* **1.** d'antiquité, relatif à l'Antiquité || **2.** subst. m., partisan de l'Antiquité.

antiquatus, *a, um,* part. de *antiquo.*

antique, adv., à l'antique.

antiquitas, *atis,* f. *(antiquus),* **1.** temps d'autrefois, antiquité || événements d'autrefois, histoire des temps anciens || les gens de l'Antiquité || caractère antique, mœurs antiques || **2.** ancienneté (antiquité) de qqch.

antiquitus, adv. *(antiquus),* **1.** depuis l'Antiquité || **2.** dans l'Antiquité, dans les temps anciens.

antiquo, *are, avi, atum (antiquus),* tr., [t. de droit] rejeter [une loi, une proposition de loi, etc.].

antiquus, *a, um (ante),* **1.** [sens local au comp. et au superl.] plus important, le plus important: *nihil antiquius habere quam ut...,* n'avoir rien de plus à cœur (de plus pressant) que de...; *antiquissimum est* avec inf., le plus important est de... || **2.** [sens temporel] d'autrefois, d'auparavant, précédent || **3.** qui appartient aux temps d'autrefois (au passé), ancien, antique: *antiqui,* les anciens.

antistes, *itis,* m. et f. *(ante, stare),* chef, préposé || prêtre.

antistita, *æ,* f., prêtresse.

antisto, v. *antesto.*

Antium, *ii,* n., ville du Latium || **-ianus,** *a, um,* ou **-ias,** *tis,* d'Antium, et **-iates,** *ium,* m., les habitants d'Antium || **-iatinus,** *a, um* ou **-iensis,** *e,* d'Antium.

antlia, *æ,* f., machine à tirer de l'eau, pompe.

Antoninus, *i,* m., Antonin [nom de plusieurs empereurs].

Antonius, *ii,* m., Marc Antoine [le triumvir] || **-tonia,** *æ,* f., fille du triumvir || **-tonius,** *a, um,* d'Antoine || **-tonianus,** *a, um,* Antonien, d'Antoine; [d'où] **Antoniani,** partisans d'Antoine; **Antonianæ,** *arum,* f., discours de Cicéron contre Antoine (Philippiques).

antrum, *i,* n., grotte, caverne || creux dans un arbre.

Anubis, *is* et *idis*, m., dieu égyptien.

anularius, *a, um (anulus)*, d'anneau || subst. m., fabricant d'anneaux.

anulatus, *a, um (anulus)*, portant un anneau.

anulla, *æ*, f., dimin. de *anus*, petite vieille.

anulus, *i*, m. *(anus 1)*, **1.** bague, anneau ; [servant de sceau, de cachet] || **2.** anneau d'or [emblème du rang de chevalier], [d'où] titre de chevalier || **3.** anneau de rideau || boucle de cheveux || baguette courbée en cercle.

1. anus, *i*, m., anneau.

2. anus, *us*, f., **1.** vieille femme || **2.** [adj.] vieille, vieux.

anxie *(anxius)*, **1.** avec peine, avec amertume || **2.** avec anxiété, avec un soin inquiet.

anxietas, *atis*, f. *(anxius)*, **1.** disposition habituelle à l'inquiétude, caractère anxieux || **2.** soin inquiet, souci méticuleux.

anxifer, *era, erum (anxius, fero)*, qui tourmente.

anxitudo, *inis*, c. *anxietas*.

anxius, *a, um (ango)*, **1.** anxieux, inquiet, tourmenté || [avec gén.]: *animus futuri anxius*, âme inquiète de l'avenir || **2.** sans repos, aux aguets, vigilant || **3.** pénible, qui tourmente.

Anxur, *uris*, **1.** n., ville du Latium, plus tard Terracine || **-urus,** m., Jupiter, dieu adoré à Anxur || **-urnas,** *atis*, m., d'Anxur || **2.** m., source du voisinage.

Aones, *um*, m., habitants de l'Aonie.

Aonia, *æ*, f., Aonie [nom mythique de la Béotie] || **-nides,** *æ*, m., Aonien ; pl., **Aonidæ,** *um* = Béotiens || **-nis,** *idis*, f., femme béotienne ; **Aonides,** *um*, f., les Muses || **-nius,** *a, um*, d'Aonie.

Aornos, *i*, m., marais de Campanie.

apage, ôte, éloigne : [avec acc.] *apage te a me*, éloigne-toi de moi || [absol.] *apage*, arrière, loin d'ici.

Apelles, *is*, m., célèbre peintre grec || **-leus,** *a, um*, d'Apelle.

Apeninus, v. *Appenninus*.

Apenn-, v. *Appenn-*.

1. aper, *pri*, m., sanglier.

2. Aper, *pri*, m., nom d'h.

aperio, *ire, perui, pertum*, tr., **1.** ouvrir, découvrir || [réfléchi]: *se aperire*, ou *aperiri*, s'ouvrir, se découvrir, se montrer || **2.** ouvrir, creuser || *viam, vias, iter*, ouvrir, frayer, creuser une route, des routes, un chemin || **3.** [fig] ouvrir, mettre à découvert || **4.** mettre au grand jour.

aperte *(apertus)*, **1.** ouvertement, à découvert || **2.** clairement : *apertius dicam*, je parlerai plus clairement ; *apertissime aliquid explicare*, exposer qqch. de la manière la plus claire.

apertum, *i*, part. n., de *aperio* pris subst., **1.** *in aperto*, dans un lieu découvert ; *aperta populatus*, ayant ravagé la rase campagne || [fig] *in aperto esse*, être libre, ouvert à tous, facile || **2.** *in aperto*, à l'air libre || **3.** *ex aperto*, ouvertement.

apertura, *æ*, f. *(aperio)*, ouverture.

apertus, *a, um*,

I. part. de *aperio*.

II. adj., **1.** ouvert, découvert : *in loco æquo atque aperto*, sur un terrain égal et découvert || [fig] ouvert, libre || **2.** découvert (sans défense) || **3.** découvert, qui a lieu au grand jour || ouvert, loyal || **4.** manifeste, clair : *apertum est*, il est clair que [av. prop. inf.].

aperui, pf. de *aperio*.

apex, *icis*, m., **1.** pointe, sommet || **2.** [d'où] petit bâton enroulé de laine que les flamines portaient à la pointe de leur bonnet || le bonnet lui-même || **3.** tiare, couronne || **4.** aigrette || aigrette de feu, langue de feu || **5.** [fig] couronne, fleuron.

aphractus, *i*, f., vaisseau non ponté || pl. n. **aphracta,** *orum*, même sens.

Aphrodita, *æ*, et **Aphrodite,** *es*, f., Aphrodite [déesse grecque de l'Amour à laquelle correspond la Vénus latine].

apianus, *a, um (apis)*, d'abeille : **apiana uva,** raisin muscat [aimé des abeilles].

apiarium, *ii*, n. *(apis)*, ruche.

apiaster, *tri*, m., ou **apiastrum,** *i*, n., mélisse.

apicatus, *a, um (apex)*, coiffé du bonnet des flamines.

apicula, *æ*, f. *(apis)*, petite abeille.

1. apis, *is*, f., abeille ; surtout au pl. *apes, apium* ou *apum*.

2. Apis, *is*, m. (acc. *Apim*), Apis [le bœuf adoré en Égypte].

apiscor, *sci, aptus sum*, tr., **1.** atteindre || **2.** [fig] saisir par l'intelligence || **3.** gagner, obtenir.

apium, *ii*, n. *(apis)* persil.

apluda, ou **appluda,** *æ*, f., menue paille, balle || son.

aplustre, *is*, n., ordin. pl., **aplustria,** *um*, et **aplustra,** *orum*, aplustre [ornement de la poupe d'un vaisseau].

Apollinaris, *e*, d'Apollon ; *ludi Apollinares*, jeux apollinaires.

Apollineus, *a, um*, d'Apollon.

Apollo, *inis*, m., Apollon.

Apollonia, *æ*, f., Apollonie, nom de plusieurs villes || **-niates,** *æ*, m., natif d'Apollonie || **-niatæ,** *arum*, m., ou **-niates,** *ium*, m., habitants d'Apollonie || **-niensis,** *e*, d'Apollonie || **-nienses,** *ium*, m., habitants d'Apollonie.

apologus, *i*, m., récit fictif || apologue, fable.

apotheca, *æ*, f., lieu où l'on serre les provisions || cellier, cave [chambre où le vin se bonifiait dans la fumée].

apparate *(apparatus)*, avec appareil, somptueusement.

apparatio, *onis*, f. *(apparo)*, **1.** préparation, apprêt || **2.** [fig] apprêt, recherche.

1. apparatus, *a, um*, **1.** part. de *apparo* || **2.** adj., préparé, disposé [d'où] bien pourvu || plein d'appareil, d'éclat.

2. apparatus, *us*, m., **1.** action de préparer, préparation, apprêt : *belli, triumphi, sacrorum*, préparatifs de guerre, du triomphe, d'un sacrifice ; [en gén.] préparatifs || **2.** ce qui est préparé, appareil [meubles, machines, instruments, bagages, etc.] || **3.** somptuosité, pompe : *apparatu regio*, avec un faste royal ; *sine apparatu*, sans recherche.

appareo (adpareo), *ere, ui, itum*, intr., apparaître : **1.** être visible || se montrer || **2.** se montrer manifestement, être clair || impers. *apparet*, il est clair, il est manifeste || **3.** être près de qqn pour le servir, être au service de, être appariteur.

apparitio, *onis*, f. *(appareo 3)*, **1.** action de servir || **2.** gens de service.

apparitor, *oris*, m. *(appareo 3)*, appariteur, huissier attaché au service d'un magistrat [p. ex. les licteurs, les scribes, les hérauts, etc.].

apparo (adparo), *are, avi, atum*, tr., préparer, apprêter, disposer ; faire les apprêts, les préparatifs de || [avec inf.] s'apprêter à.

apparui, pf. de *appareo*.

appellatio, *onis*, f. *(appello 1)*, **1.** action d'adresser la parole || **2.** appel : *tribunorum*, appel aux tribuns || **3.** appellation, dénomination, nom || **4.** prononciation.

appellatus, *a, um*, part. de *appello 1*.

appellitatus, *a, um*, part. de *appellito*.

appellator, *oris*, m. *(appello 1)*, appelant qui fait appel [v. *appello* 1, § 2].

appellito, *are, avi, atum*, tr., fréq. de *appello*, appeler souvent.

1. appello (adp-), *are, avi, atum*, tr., appeler : **1.** adresser la parole, apostropher || prier, invoquer || **2.** faire appel à : *in aliqua re, de aliqua re*, faire appel au sujet de qqch. || **3.** adresser une réclamation [pour de l'argent], mettre en demeure, sommer [de payer] || **4.** désigner [en accusant], inculper || **5.** appeler (donner un nom) || mentionner : *aliquem*, mentionner qqn ; *aliquid*, mentionner qqch. || **6.** prononcer.

2. appello (adp-), *appellere, appuli, appulsum*, tr., **1.** pousser vers, diriger vers || **2.** [en part.] pousser vers le rivage : *classem ad locum*, faire aborder une flotte à un endroit ; || [absol.] aborder.

appendix, *icis*, f., addition, supplément, appendice.

appendo (adp-), *ere, di, sum*, tr., peser.

Appenninicola, *æ*, m., f., habitant de l'Apennin.

Appenninigena, *æ*, m., f., né sur l'Apennin.

Appenninus, *i*, m., l'Apennin [grande chaîne de montagne de l'Italie].

appensus, *a, um*, part. de *appendo*.

appetens (adp-), *tis*, **1.** part. prés. de *appeto* || **2.** adj. ***a)*** [absol.] convoiteux, qui a des désirs (avide, ambitieux, etc.) ; ***b)*** [avec gén.] avide de, qui recherche.

appetenter (adp-) *(appetens)*, avec avidité.

appetentia (adp-), *æ*, f. *(appetens)*, recherche de qqch., envie, désir.

appetitio (adp-), *onis*, f. *(appeto)*, **1.** action de chercher à atteindre, désir || désir passionné, convoitise || **2.** penchant naturel.

1. appetitus (adp-), *a, um*, part. de *appeto*.

2. appetitus (adp-), *us*, m., **1.** penchant naturel, instinct || **2.** désir de [avec gén.].

appeto (adp-), *ere, ivi* ou *ii, itum*, **I.** intr. [en parl. du temps] approcher : *cum lux adpeteret*, comme le jour approchait.
II. tr., chercher à atteindre : **1.** attaquer, assaillir qqn ; *lapidibus*, à coups de pierres || **2.** rechercher qqn [= chercher ses bonnes grâces, son amitié] || **3.** [fig] désirer, convoiter qqch., aspirer à qqch. || **4.** faire venir à soi : *aliquid sibi de aliqua re*, tirer à soi qqch. de qqch.

Appia via, f., et **Appia,** *æ*, f., la voie Appienne [dont la construction fut commencée par le censeur Appius Claudius Cæcus].

appingo (adp-), *ere, pinxi, pictum*, tr., peindre sur, à, dans [av. datif] || [fig] ajouter.

Appius, *ii*, m., prénom romain, surtout dans la gens Claudia ; v. *Claudius*.

applaudo, applodo (adp-), *dere, si, sum*, **1.** tr., frapper contre || **2.** intr., applaudir.

applausus, *a, um*, part. de *applaudo*.

applicatio (adp-), *onis*, f. *(applico)*, action d'attacher, attachement.

applicaturus (adp-), *a, um*, part. fut. de *applico*.

applicatus (adp-), *a, um*, part. de *applico*.

applico (adp-), *are, avi* ou *ui, atum*, tr., **1.** appliquer, mettre contre, adosser : *se ad arborem*, s'appuyer contre un arbre || **2.** diriger vers [en parl. de vaisseaux]; [d'où] faire aborder || [absol.] *adplicare*, aborder || **3.** [fig] appliquer à, assujettir, attacher à : *se ad aliquem*, s'attacher à qqn (suivre assidûment les leçons de qqn) || *ad historiam scribendam se*, s'attacher (se consacrer) à écrire l'histoire.

applodo, v. *applaudo*.

apploro (adp-), *are, avi*, intr., pleurer à propos de, adresser ses larmes à.

applosus, v. *applaudo*.

appono (adp-), *ere, posui, positum*, tr.,
I. placer auprès : **1.** *scalis appositis*, ayant dressé (contre) des échelles ; *notam*, mettre une marque || **2.** présenter, mettre sur la table, servir || **3.** [en parl. de personnes] placer auprès : *aliquem alicui*, mettre qqn au côté de qqn || [souvent en mauv. part] aposter.
II. placer en outre : *ad rem aliquid*, ajouter qqch. à qqch.

apportatus (adp-), *a, um*, part. de *apporto*.

apporto (adp-), *are, avi, atum*, tr., amener, transporter || [fig] apporter avec soi.

apposite *(appositus)*, de façon appropriée.

appositio, *onis*, f. *(appono)*, action d'ajouter, addition.

appositus (adp-), *a, um*, **1.** part. de *appono* || **2.** adj., ***a)*** placé auprès, attenant, voisin ; ***b)*** placé pour, approprié, propre à.

appotus (adp-), *a, um*, qui a bien bu.

apprecor (adp-), *ari, atus sum*, tr., prier, invoquer.

apprehendo (adp-), *ere, di, sum*, tr., **1.** prendre, saisir || **2.** s'emparer de || attraper, fondre sur, assaillir qqn.

apprehensio, *onis*, f. *(apprehendo)*, action de saisir.

apprehensus, *a, um*, part. de *apprehendo*.

appressus, *a, um*, part. de *apprimo*.

apprime (adp-) *(apprimus)*, en première ligne, avant tout, entre tous, supérieurement.

apprimo (adp-), *ere, essi, essum*, tr., presser, serrer contre : *aliquid ad rem* ou *rei*, serrer qqch. contre qqch.

approbatio (adp-), *onis*, f. *(approbo)*, approbation.

approbator (adp-), *oris*, m., approbateur.

approbatus (adp-), *a, um*, part. de *approbo*.

approbe (adp-), très bien.

approbo (adp-), *are, avi, atum*, tr., **1.** approuver || [av. prop. inf.] reconnaître que, être d'avis avec qqn que || **2.** démontrer || **3.** faire admettre, faire approuver, rendre acceptable, *aliquid, alicui*, qqch. à qqn.

appromitto (adp-), *ere*, tr., [av. prop. inf.] se porter garant (être garant) que.

approperatus (adp-), *a, um*, part. de *appropero*.

appropero (adp-), *are, avi, atum*, **1.** tr., hâter || **2.** intr., se hâter.

appropinquatio (adp-), *onis*, f., approche.

appropinquo (adp-), *are, avi, atum*, intr., s'approcher de [avec *ad* ou avec le dat.] || [en parl. du temps, etc.] approcher.

appugno (adp-), *are*, tr., assaillir, attaquer.

1. appulsus (adp-), *a, um*, part. de *appello 2*.

2. appulsus (adp-), *us*, m., **1.** action de faire approcher || **2.** abordage, accès || influence causée par une approche, atteinte.

apra, *æ*, f. *(aper)*, laie.

apricatio, *onis*, f. *(apricor)*, exposition au soleil.

apricitas, *atis*, f. *(apricus)*, température tiède.

apricor, *ari (apricus)*, intr., se chauffer au soleil.

apricus, *a, um*, **1.** exposé au soleil || *apricum, i*, n., place ensoleillée || **2.** qui aime le soleil.

Aprilis, *is,* m., avril || adj.; *nonis Aprilibus,* aux nones d'avril.

aprinus, *a, um (aper),* de sanglier.

aprugnus et **aprunus,** *a, um,* de sanglier.

aprunus, c. *aprugnus.*

aptatus, *a, um,* part. de *apto.*

apte *(aptus),* **1.** de telle façon que tout se tient avec une liaison parfaite || [en parl. du style] avec une liaison harmonieuse des mots || **2.** de façon appropriée, d'une manière qui s'ajuste convenablement.

apto, *are, avi, atum (aptus),* tr., **1.** adapter, attacher: *arma corpori,* s'armer || **2.** préparer, disposer || [avec abl.] munir de: *se armis,* prendre ses armes || [fig] *aptatus ad aliquid,* approprié à qqch.

aptus, *a, um* (part. de *apiscor*).
I. 1. attaché, joint: *cum aliqua re, alicui rei,* attaché à qqch. || lié dans ses parties, formant un tout bien lié || **2.** [fig] qui découle de || **3.** préparé complètement, en parfait état || **4.** [poét.] muni de, pourvu de [avec abl.]
II. adj., propre, approprié, fait pour || *(calcei) apti ad pedem,* (chaussures) adaptées au pied || [avec *in* acc.].

apud, prép. av. acc.,
I. [sens local] **1.** auprès de, à: *apud focum,* auprès du foyer || [en parl. de batailles, de sièges]: *apud Dyrrachium, Mantineam,* à Dyrrachium, à Mantinée || **2.** [au lieu de *in* abl. ou du locatif, avec noms de villes et de pays]: *apud Rhodum,* à Rhodes.
II. [avec des noms de pers.] près de, chez || chez, dans la maison de qqn || *apud Romanos, apud majores nostros,* chez les Romains, chez nos ancêtres || *apud exercitum,* à l'armée || *apud Platonem,* dans Platon || *apud se esse,* être en possession de soi-même || devant [un magistrat, le peuple, etc.].

Apulia, *æ,* f., Apulie [région d'Italie, auj. la Pouille] || **Apulus,** *a, um,* d'Apulie; **Apuli,** *orum,* m., les Apuliens.

1. aqua, *æ,* f., **1.** eau || pl., *aquæ perennes,* des eaux intarissables || **2.** eau de rivière || la mer || eau de pluie || [au pl.] eaux thermales, eaux pour les baigneurs, etc.: *ad aquas venire,* venir aux eaux || **3.** [expressions]: *præbere aquam,* offrir l'eau pour les ablutions avant le repas, [d'où] inviter qqn || *aquam dare,* fixer le temps de parole à un avocat [clepsydre] || *mihi aqua hæret,* je suis dans l'embarras || *aquam et terram ab aliquo petere,* demander à qqn l'eau et la terre [coutume perse] = demander la soumission d'un ennemi.

2. Aqua dans les expressions comme *Aqua Appia, Aqua Marcia, Aqua Claudia, Aqua Virgo,* etc., = aqueduc.

aquæductus, mieux **aquæ ductus,** *us,* m., aqueduc.

aqualis, *e,* chargé d'eau || **-lis,** *is,* m., aiguière.

aquarius, *a, um,* qui concerne l'eau: *aquaria provincia,* intendance des eaux || **-rius,** *ii,* m.: ***a)*** porteur d'eau; ***b)*** inspecteur chargé de la surveillance des eaux; ***c)*** le Verseau [signe du zodiaque] || **-rium,** *ii,* n., réservoir, abreuvoir.

aquaticus, *a, um,* aquatique || humide, aqueux.

aquatilis, *e,* **1.** aquatique || aqueux || **2. -tilia,** *ium,* n., animaux aquatiques.

aquatio, *onis,* f., **1.** action de faire provision d'eau || **2.** lieu où se trouve de l'eau.

aquator, *oris,* m. *(aquor),* celui qui va faire provision d'eau.

aquatus, *a, um,* aqueux, mêlé d'eau || *aquatior,* renfermant plus d'eau.

aquila, *æ,* f., **1.** aigle || **2.** [poét., l'aigle portant l'éclair de Jupiter] || **3.** enseigne romaine || porteur de l'enseigne || **4.** l'Aigle [constellation] || **5.** espèce de poisson.

Aquileia, *æ,* f., Aquilée [ville de l'Istrie] || **-eiensis,** d'Aquilée || **-eienses,** *ium,* m., habitants d'Aquilée.

aquilifer, *feri,* m. *(aquila, fero),* légionnaire qui porte l'aigle, porte-enseigne.

aquilinus, *a, um (aquila),* d'aigle, aquilin.

aquilo, *onis,* m., vent du nord.

aquilonius, *a, um,* du nord.

aquilus, *a, um,* brun.

Aquinas, v. *Aquinum.*

Aquinum, *i,* n., ville du Latium || **-nas,** *atis,* d'Aquinum; **-nates,** *um* ou *ium,* m., habitants d'Aquinum.

Aquitania, *æ,* f., l'Aquitaine || **-tanus,** *a, um,* d'Aquitaine; **-tani,** *orum,* m., les Aquitains || **-tanicus,** *a, um,* d'Aquitaine.

aquor, *ari, atus, sum (aqua),* intr., faire provision d'eau, faire de l'eau.

aquosus, *a, um (aqua),* aqueux, humide || clair, limpide,

aquula, *æ,* f., filet d'eau.

ara, *æ,* f., **1.** autel || **2.** l'Autel [constellation] || **3.** monument honorifique || **4.** [fig] = asile, protection, secours.

Arabes, Arabi, v. *Arabs, Arabus.*

Arabia, *æ,* f., l'Arabie || **-bius, -bicus,** *a, um,* d'Arabie.

arabilis, *e (aro),* labourable.

Arabs, *abis,* adj., arabe; m. pl. **Arabes,** *um,* Arabes || **-bus,** *a, um,* arabe, arabique; **Arabus,** *i,* m., Arabe.

Arabus, *i,* m., v. *Arabs.*

Arachne, *es,* f., Arachné [jeune fille changée en araignée par Minerve].

Arachosia, *æ,* f., province perse || **-chosii,** *orum,* m., ou **-choti,** *orum,* ou **-chotæ,** *arum,* m., Arachosiens.

Arados ou **-dus,** *i,* f., ville et île près de la Phénicie || **-dius,** *a, um,* d'Aradus; **-dii,** *orum,* m., habitants d'Aradus.

aranea, *æ,* f., araignée || toile d'araignée || fil très fin.

araneola, *æ,* f., et **araneolus,** *i,* m., petite araignée.

araneosus, *a, um,* plein de toiles d'araignée || semblable à une toile d'araignée.

araneum, *i,* n., toile d'araignée.

1. araneus, *i,* m., araignée || poisson de mer.

2. araneus, *a, um,* d'araignée; *araneus mus,* musaraigne.

Arar, *aris,* et **Araris,** *is,* m., l'Arar [la Saône].

aratio, *onis,* f. *(aro),* labour || terre cultivée.

arator, *oris,* m. *(aro),* laboureur || fermier des terres de l'État.

aratrum, *i,* n. *(aro),* charrue.

1. aratus, *a, um,* part. de *aro.*

2. aratus, *us,* m., labourage.

Arausio, *onis,* f., ville de la Narbonnaise [Orange].

Araxes, *is,* m., **1.** fleuve de l'Arménie || **2.** fleuve de Perse.

Arbaces, *is* et **Arbactus,** *i,* m., premier roi des Mèdes.

Arbela, *orum,* n., Arbèles [ville d'Assyrie, célèbre par la victoire d'Alexandre sur Darius].

arbiter, *tri,* m., **1.** témoin, auditeur, assistant || confident || **2.** [t. de jurispr.] arbitre, juge qui apprécie la bonne foi entre les deux parties avec des pouvoirs d'appréciation illimités: *arbitrum adigere aliquem,* citer qqn devant l'arbitre || **3.** [en gén.] arbitre, juge || **4.** [par suite] maître: *solus arbiter rerum,* seul arbitre des affaires, seul maître; *arbiter bibendi,* le roi du festin [symposiarque].

arbitra, *æ,* f., **1.** témoin, confidente || **2.** arbitre, qui juge, qui décide.

arbitrarius, *a, um (arbiter),* **1.** arbitral || **2.** voulu, volontaire || **3.** arbitraire, douteux.

1. arbitratus, *a, um,* part. de *arbitror.*

2. arbitratus, *us,* m., **1.** sentence de l'arbitre || **2.** pouvoir, liberté: *meo (tuo, suo) arbitratu,* à ma (ta, sa) guise, à mon (ton, son) gré || *arbitratu alicujus,* au gré de qqn, suivant le bon plaisir de qqn.

arbitrium, *ii,* n. *(arbiter),* **1.** jugement de l'arbitre, arbitrage, v. *arbiter* || **2.** jugement, décision || **3.** pouvoir de faire qqch. à sa guise, bon plaisir: *in alicujus arbitrium venire,* se mettre à la discrétion de qqn.

arbitror, *ari, atus sum (arbiter),* tr., **1.** [arch.] être témoin de, entendre ou voir || **2.** arbitrer, apprécier (juger) comme arbitre || **3.** [sens courant] penser, juger, croire, être d'avis || *quod non arbitror,* chose que je ne crois pas || *ut arbitror,* à ce que je crois.

arbor (-bos, poètes), *oris,* f., arbre, **1.** *arbor fici,* le figuier || **2.** [poét.] *arbor Jovis,* l'arbre de Jupiter [le chêne]; *Phœbi,* le laurier; *Palladis,* l'olivier; *arbos Herculea,* le peuplier || **3.** [objets en bois]: *arbos mali,* le bois du mât, le mât || l'aviron || *arbor infelix,* gibet, potence.

arborarius, *a, um,* qui concerne les arbres.

arborator, *oris,* m. *(arbor),* émondeur [des arbres].

arboresco, *ere (arbor),* intr., devenir arbre.

arboreus, *a, um (arbor),* d'arbre, de bois.

arbos, c. *arbor.*

arbuscula, *æ,* f., arbuste, arbrisseau.

arbustivus, *a, um (arbustum),* planté d'arbres.

arbusto, *are (arbustum),* tr., planter d'arbres.

arbustum, *i,* n., **1.** lieu planté d'arbres || **2.** [poét.] arbre.

arbustus, *a, um,* planté d'arbres || *arbusta vitis,* vigne mariée à des arbres.

arbuteus, *a, um,* d'arbousier.

arbutum, *i,* n., **1.** arbouse || **2.** arbousier.

arbutus, *i,* f., arbousier.

arca, *æ,* f., **1.** coffre, armoire || [en

part.] cassette || **2.** cercueil || **3.** prison étroite, cellule.

Arcades, *um*, m., Arcadiens.

Arcadia, *æ*, f., Arcadie [région du Péloponnèse] || **-dicus,** *a, um* ou **-dius,** *a, um*, arcadien.

arcano *(arcanus)*, en secret, en particulier.

arcanum, *i*, n. *(arcanus)*, secret.

arcanus, *a, um (arca)*, **1.** discret, sûr || **2.** caché, secret, mystérieux.

1. Arcas, *adis*, m., fils de Jupiter et de Callisto.

2. Arcas, *adis*, ou *ados*, m., Arcadien.

arceo, *ere, ui* (cf. *arca, arx*), tr., **1.** contenir, maintenir, retenir || **2.** tenir éloigné, détourner, écarter : *aliquem ab aliqua re; aliquem aliqua re*, détourner qqn de qqch. || *arcere ne*, empêcher que ; *non arcere quin*, ne pas empêcher que.

Arcesius, *ii*, m., fils de Jupiter, père de Laerte.

arcessitor, *oris*, m. *(arcesso)*, celui qui mande, qui appelle || accusateur.

arcessitu, abl. m. de l'inus. *arcessitus : alicujus arcessitu*, sur l'invitation de qqn.

arcessitus, *a, um*, part. de *arcesso*.

arcesso (accerso), *ere, ivi, itum*, tr., **1.** faire venir, appeler, mander || *hinc, inde, undique*, faire venir d'ici, de là, de partout ; *Athenis, a Capua*, faire venir d'Athènes, des environs de Capoue || [av. dat.] *auxilio arcessiti*, appelés au secours || **2.** citer (appeler) en justice, accuser : *aliquem capitis*, intenter une action capitale à qqn || **3.** [fig.] faire venir de, tirer de || amener, procurer.

archetypum, *i*, n., original, modèle.

Archias, *æ*, m., poète grec, défendu par Cicéron.

Archimedes, *is*, m., Archimède [célèbre géomètre de Syracuse, contribua par ses inventions multiples à prolonger la résistance de sa ville assiégée par Marcellus ; quand elle eut été emportée par surprise, il fut tué par un soldat pendant qu'il était absorbé dans la solution d'un problème].

archipirata, *æ*, m., chef des pirates.

architectatus, *a, um*, part. de *architector*.

architecton, *onis*, m., c. *architectus*.

architectonice, *es*, f., architecture.

architectonicus, *a, um*, qui concerne l'architecture.

architector, *ari (architectus)*, tr., bâtir || inventer, procurer.

architectura, *æ*, f. *(architectus)*, architecture.

architectus, *i*, m., architecte || inventeur, auteur, artisan.

archon, *ontis*, m., archonte, magistrat grec.

Archytas, *æ*, m., philosophe pythagoricien de Tarente.

arcitenens (arqui-), *tis*, m. *(arcus, teneo)*, porteur d'arc [surnom de Diane et d'Apollon] || le Sagittaire [constellation].

arctatio, arcte, arcto, arctum, arctus, v. *art-*.

arctophylax, *acis*, m., le Bouvier [constellation].

Arctos et **Arctus,** *i*, f., l'Ourse [la grande ou la petite] ; pl. *Arcti*, les deux Ourses || le pôle Nord || le pays et les peuples du Nord.

arctous, *a, um*, arctique.

Arcturus, *i*, m., l'Arcture [étoile du Bouvier] || la constellation entière.

Arctus, v. *Arctos*.

arcuatim, adv., en forme d'arc.

arcuatus ou **arquatus,** *a, um*, **1.** courbé en arc || **2.** [ord. **arquatus**] qui a la couleur de l'arc-en-ciel || *arquatus morbus*, jaunisse [couleur d'arc-en-ciel] ; [d'où] *arquatus*, qui a la jaunisse.

arcula, *æ*, f. (dimin. de *arca*), coffret || petite cassette || boîte à fard ou à parfums || coffre.

arcuo, *are, avi, atum (arcus)*, tr., courber en arc.

arcus ou **arquus,** *us*, m., arc || arc-en-ciel || voûte, arc de triomphe || toute espèce d'objet courbé en forme d'arc || arc de cercle.

ardalio, *onis*, m., faiseur d'embarras.

1. ardea, *æ*, f., héron.

2. Ardea, *æ*, f., ville des Rutules || **-deas,** *atis*, d'Ardée || **-deates,** *ium*, m., habitants d'Ardée || **-deatinus,** *a, um*, d'Ardée.

Ardenna, v. *Arduenna*.

ardens, *tis*, **1.** part. prés. de *ardeo* || **2.** adj. : ***a)*** brûlant ; ***b)*** étincelant ; ***c)*** [fig.] brûlant, ardent.

ardenter, ardemment.

ardeo, *ere, arsi, arsurus*, intr., **1.** être en feu, brûler || **2.** briller, resplendir, étinceler, flamboyer || **3.** [fig.] être en feu, être transporté par un sentiment violent ; *dolore, ira*, être transporté de dépit, de colère || [en part.] brûler de désir ; avec *ad aliquid faciendum*, ou avec. inf. : brûler de || **4.** être en feu, se développer avec violence.

ardesco, *ere, arsi (ardeo),* intr., **1.** s'enflammer, prendre feu || **2.** [fig.] s'enflammer, se passionner || **3.** prendre feu, se développer.

ardor, *oris,* m. *(ardeo),* **1.** feu, embrasement || **2.** *oculorum,* l'éclat des yeux || **3.** [fig.] feu, ardeur, passion.

Arduenna, *æ,* f., les Ardennes; *Arduenna silva,* la forêt des Ardennes.

arduum, *i,* n. *(arduus),* hauteur, montagne, raideur.

arduus, *a, um,* **1.** haut, élevé, abrupt: *arduus ascensus,* montée abrupte || la tête haute || **2.** [fig.] ***a)*** difficile; ***b)*** défavorable: *rebus in arduis,* dans l'adversité.

area, *æ,* f., **1.** surface, sol uni; [en part.] emplacement pour bâtir || cour de maison || large espace pour jeux, arène || espace libre, place || [fig.] carrière, théâtre, époque [de la vie] || **2.** [en part.] aire à battre le blé || **3.** [fig.] parterre, bordure [en parl. des jardins] || aire aménagée pour prendre les oiseaux (pipée) || **4.** aire, superficie.

arefacio, *ere, feci, factum (areo, facio),* tr., faire sécher, dessécher.

arefactus, *a, um,* part. de *arefacio.*

arefio, *fieri, factus sum,* se sécher, se dessécher.

Arelas, *atis,* f., et **Arelate,** n. indécl., Arles || **-atensis,** *e,* d'Arles.

Aremorica, *æ,* f., l'Armorique [province occidentale de la Gaule] || **-cus,** *a, um,* de l'Armorique.

arena (har-), *æ,* f., **1.** sable || **2.** terrain sablonneux || **3.** [en part.] ***a)*** désert de sable; ***b)*** rivage; ***c)*** l'arène; [d'où] les combats du cirque || les combattants du cirque, gladiateurs.

arenaceus, *a, um* et **-cius,** *a, um (arena),* sablonneux, sec.

arenaria, *æ,* f., ou **arenarium,** *ii,* n., carrière de sable.

arenatio, *onis,* f. *(arena),* mélange de chaux et de sable; crépissage.

arenatus, *a, um (arena),* mêlé de sable || *arenatum, i,* n., mélange de chaux et de sable.

arenosus, *a, um (arena),* plein de sable, sablonneux || subst. **arenosum,** *i,* n., terrain sablonneux.

arens, *tis,* part.-adj. de *areo,* **1.** desséché, aride || **2.** desséché, altéré.

arenula, *æ,* f. *(arena),* grain de sable, sable fin.

areo, *ere, ui,* intr., **1.** être sec || **2.** être desséché, fané.

areola, *æ,* f. *(area),* petite cour || planche [dans un jardin], carreau, parterre.

Areopagita, *æ,* surtout **-tes,** *æ,* m., Aréopagite, membre de l'Aréopage.

Areopagus (-os), *i,* m., Aréopage [tribunal d'Athènes].

aresco, *scere, arui (areo),* intr., se sécher, se dessécher || avoir soif.

Arete, *es,* f., fille de Denys l'Ancien, tyran de Syracuse.

Arethusa, *æ,* f., Aréthuse [nymphe de la suite de Diane] || fontaine près de Syracuse.

Aretium (Arre-), n., Aretium [ville d'Étrurie, auj. Arezzo] || **-tinus,** *a, um,* d'Arétium; **-tini,** *orum,* m., habitants d'Arétium.

Areus, *a, um,* de l'Aréopage.

Arganthonius, *ii,* m., roi des Tartessiens qui parvint à un âge fort avancé.

argentaria, *æ,* f., **1.** mine d'argent || **2.** banque || négoce d'argent.

argentarius, *a, um (argentum),* **1.** d'argent, qui concerne l'argent: *argentaria metalla,* mines d'argent || d'argent [monnaie]: *taberna argentaria,* boutique de changeur || **2.** subst. m., banquier.

argentatus, *a, um,* argenté, garni d'argent.

argenteus, *a, um,* **1.** d'argent || orné d'argent || **2.** blanc comme l'argent.

argentifodina, *æ,* f. *(argentum, fodina),* mine d'argent.

Argentoratus, *i,* f., Argentoratus [Strasbourg, ville de la Gaule] || **-ensis,** *e,* d'Argentoratus.

argentosus, *a, um,* mêlé d'argent, riche en argent.

argentum, *i,* n., **1.** argent [métal]: *argentum infectum,* argent brut; *argentum factum,* argent ciselé || **2.** objets en argent, argenterie || **3.** argent monnayé, monnaie en général || **4.** *argentum vivum,* vif-argent, mercure.

Argiletum, *i,* n., quartier de Rome, près du mont Palatin || **-tanus,** *a, um,* de l'Argilète.

argilla, *æ,* f., argile, terre de potier.

argillaceus, *a, um (argilla),* argileux.

argillosus, *a, um,* riche en argile.

Argilos, *i,* f., ville de Macédoine || **Argilius,** *a, um,* d'Argilos.

Arginusæ, *arum,* f., les Arginuses [îles de la mer Égée; célèbres par la victoire navale de Conon sur les Spartiates].

Arginussæ, c. *Arginusæ.*

Argius, Argivus, v. *Argos.*

Argo, *us,* f., acc. *Argo,* **1.** navire des Argonautes || **-gous,** *a, um,* d'Argo || **2.** constellation.

Argolicus, Argolis, v. *Argos.*

Argonautæ, *arum,* m., les Argonautes.

Argos, n. [seul. au nom. et acc.] et **Argi,** *orum,* m., **1.** Argos || **2.** = la Grèce || **-eus,** *a, um,* ou **-ius,** *a, um,* ou **ivus,** *a, um,* d'Argos, argien ou grec; [d'où] **Argivi,** *orum,* m., les Argiens, [ou poét.] les Grecs || **-olicus,** *a, um,* d'Argos, argien; **-olis,** *idis,* f., argienne, grecque.

Argous, *a, um,* v. *Argo.*

argumentatio, *onis,* f. *(argumentor),* argumentation || arguments.

argumentatus, *a, um,* part. de *argumentor.*

argumentor, *ari, atus sum (argumentum),* **1.** intr., apporter des preuves, raisonner sur des preuves, argumenter || **2.** tr., produire comme preuve.

argumentum, *i,* n. *(arguo),* **1.** argument, preuve || **2.** la chose qui est montrée, matière, sujet, objet, argument, thème.

arguo, *ere, ui, utum,* tr., **1.** montrer, prouver || [pass. à sens réfléchi]: *argui,* se montrer || **2.** dévoiler, mettre en avant [avec idée de reproche, d'inculpation]; [av. prop. inf.], dénoncer que || **3.** inculper avec preuve || [en gén.] inculper, accuser.

Argus, *i,* m., fils d'Arestor [ayant cent yeux].

argute, d'une façon fine, piquante, ingénieuse.

argutiæ, *arum,* f. *(argutus),* **1.** tout ce qui en général est expressif, vivant, parlant || vivacité piquante dans les propos || [en parl. de l'orateur] gestes mimant la pensée: *nullæ argutiæ digitorum,* pas de jeu expressif des doigts [cherchant à mimer l'idée] || **2.** finesse, pénétration || **3.** subtilité.

argutiola, *æ,* f., petite subtilité.

arguto, *are,* tr., ressasser, jacasser, bavarder.

argutulus, *a, um,* assez piquant || quelque peu subtil.

argutus, *a, um (arguo),* **1.** expressif, parlant || fin, pénétrant, ingénieux || **2.** [poét.] aux cris aigus, au feuillage sonore, harmonieux.

argyraspides, *um,* m., argyraspides, soldats qui portaient des boucliers d'argent.

argyritis, *idis,* f., oxyde de plomb.

Aria, *æ,* f., contrée de la Parthie.

Ariadna, *æ,* et **Ariadné,** *es,* f., Ariane [fille de Minos] || **-næus,** *a, um,* d'Ariane.

Ariana, *æ,* et **Ariane,** *es,* f., l'Ariane [partie méridionale de l'Arie] || **-nus,** *a, um,* de l'Ariane et **-ni,** *orum,* m., habitants de l'Ariane.

Ariarathes, *is,* m., roi de Cappadoce.

Aricia, *æ,* f., Aricie: **1.** princesse athénienne, épouse d'Hippolyte, fils de Thésée || **2.** village près de Rome || **-cinus,** *a, um,* d'Aricie; **-cini,** *orum,* m., habitants d'Aricie.

ariditas, *atis,* f. *(aridus),* aridité, sécheresse.

aridulus, *a, um,* dimin. de *aridus,* un peu sec.

aridum, *i,* n. *(aridus),* terre ferme.

aridus, *a, um (areo),* **1.** sec, desséché || **2.** [fig.] décharné, maigre, mince, pauvre || frugal || sec [style], non orné.

aries, *etis,* m., **1.** bélier || **2.** bélier [machine de guerre] || **3.** étançon || **4.** constellation.

arietatio, *onis,* f. *(arieto),* choc.

arietatus, *a, um,* part. de *arieto.*

arietinus, *a, um (aries),* **1.** de bélier || **2.** qui ressemble au bélier.

arieto, *are, avi, atum (aries),* **1.** intr., ***a)*** jouer des cornes; ***b)*** choquer, heurter; [avec *in* acc.] heurter contre || **2.** tr., heurter, ébranler, secouer.

Arii, *orum,* m., **1.** habitants de l'Arie || **2.** peuple de Germanie.

Ariminum, *i,* n., Ariminum [ville de l'Ombrie] || **-ensis,** *e,* d'Ariminum; **-enses,** *ium,* m., habitants d'Ariminum.

Ariobarzanes, *is,* m., roi de Cappadoce.

ariolor, -olus, v. *har-.*

Arion ou **Ario,** *onis,* m., poète lyrique sauvé par un dauphin || **-nius,** *a, um,* d'Arion.

Ariopagita, -pagus, etc., v. *Areop-.*

Ariovistus, *i,* m., Arioviste [roi des Germains, qui, ayant envahi la Gaule et menaçant Vesontio, fut battu par César].

arista, *æ,* f., barbe de l'épi || épi || été.

Aristæus, *i,* m., Aristée [berger célèbre, fils d'Apollon et de la nymphe Cyrène, qui introduisit l'élevage des bestiaux, la récolte de l'huile, l'apiculture, etc.].

Aristander, *dri,* m., devin de Telmesse.

Aristarchus, *i,* m., Aristarque [célèbre

critique alexandrin qui révisa les poèmes d'Homère] || [en gén.] un critique.

Aristides, *is* et *i*, m., Aristide [Athénien célèbre par sa vertu].

Aristius, *ii*, m., Aristius Fuscus [grammairien et orateur, ami d'Horace].

Aristogiton, *onis*, m., Athénien qui conspira avec son ami Harmodius pour délivrer sa patrie de la tyrannie d'Hippias.

Aristomache, *es*, f., femme de Denys le Tyran.

Aristomenes, *is*, m., célèbre chef messénien, qui soutint longtemps la lutte contre les Lacédémoniens (2e guerre de Messénie).

Aristonicus, *i*, m., **1.** roi de Pergame || **2.** tyran de Lesbos.

Aristophanes, *is*, m., Aristophane: **1.** le célèbre poète comique d'Athènes || **-neus,** *a, um*, d'Aristophane || **2.** grammairien de Byzance.

Aristoteles, *is* ou *i*, m., Aristote [célèbre philosophe de Stagire, précepteur d'Alexandre] || **-leus, -lius,** *a, um*, ou **-icus,** *a, um*, d'Aristote.

arithmetica, v. *arithmeticus*.

arithmeticus, *a, um*, d'arithmétique || **-tica,** *æ*, f., ou **-tice,** *es*, f., ou **-tica,** *orum*, n., arithmétique.

arma, *orum*, n., **1.** ustensiles, instruments || **2.** armes [en gén.] || hommes armés, troupe || les combats, la guerre.

armamenta, *orum*, n. *(arma)*, outils de toute espèce, ustensiles || [surtout] agrès, équipement d'un navire.

armamentarium, *ii*, n. *(armamenta)*, arsenal.

armarium, *ii*, n. *(arma)*, armoire || buffet || bibliothèque.

armatura, *æ*, f. *(armo)*, **1.** armure, armes || **2.** soldats en armes, troupes; [surtout] *levis armatura*, troupes légères, infanterie légère.

1. armatus, *a, um*, **1.** part. de *armo* || **2.** adj., armé || **armati,** *orum*, m., gens armés.

2. armatus, abl. *u*, m., **1.** armes || **2.** soldats en armes, troupes.

Armenia, *æ*, f., l'Arménie || **-iacus,** *a, um*, d'Arménie || **-iacum,** n., abricot || **-iaca,** *æ*, f., abricotier || **-nius,** *a, um*, Arménien.

armentalis, *e (armentum)*, de gros bétail.

armentarius, *a, um (armentum)*, de bétail || **-arius,** *ii*, m., pâtre.

armentosus, *a, um (armentum)*, riche en bestiaux.

armentum, *i*, n., **1.** troupeau || **2.** bête de labour.

armifer, *era, erum (arma, fero)*, guerrier, belliqueux.

armiger, *era, erum (arma, gero)*, **1.** qui porte des armes || **2. -ger,** *eri*, m.: ***a)*** qui porte les armes d'un autre, écuyer; ***b)*** satellite.

armilla, *æ*, f. *(armus)*, bracelet, anneau de fer.

armillatus, *a, um (armilla)*, qui porte des bracelets.

Arminius, *ii*, m., célèbre chef germain.

armipotens, *tis (arma, potens)*, puissant par les armes, redoutable, belliqueux.

armisonus, *a, um (arma, sono)*, dont les armes retentissent.

armo, *are, avi, atum (arma)*, tr., **1.** armer || armer (équiper) un vaisseau || armer une place forte, fortifier || **2.** [fig.] = munir, pourvoir: *aliquem aliqua re*, armer qqn de qqch.

armonia, etc., v. *harmonia*, etc.

Armoricanus, Armoricus, v. *Arem-*.

armus, *i*, m., jointure du bras et de l'épaule, épaule [des animaux] || épaule [de l'homme] || bras || **-mi,** *orum*, m., flancs [d'un cheval].

Arnus, *i*, m., Arno [fleuve d'Étrurie].

aro, *are, avi, atum*, tr., labourer: *agrum*, labourer un champ || [en gén.] cultiver: *publicos agros*, cultiver le domaine public || [absol.] être cultivateur, faire valoir || [poét.] *æquor maris*, sillonner la plaine liquide de la mer.

aroma, *atis*, n., aromate.

Arpi, *orum*, m., Arpi ou Argyrippe, ville d'Apulie.

Arpinas, v. *Arpinum*.

Arpinum, *i*, n., ville des Volsques [patrie de Marius et de Cicéron] || **-nas,** *atis*, m., f., n., d'Arpinum || **-nates,** *ium*, m., habitants d'Arpinum.

1. Arpinus, *a, um*, d'Arpi || **-pini,** *orum*, m., habitants d'Arpi.

2. Arpinus, *a, um*, d'Arpinum = de Cicéron.

Arpocrates, v. *Harpocrates*.

arquatura, arquatus, v. *arcu-*

arqui, arquo, arquus, v. *arcu-*.

arra, *æ*, f., gages, arrhes.

arrabo, *onis*, m., c. *arra*.

arrado, v. *adrado*.

arrect, arrem, arrep, v. *adre-*.

Arret-, v. *Aret-*.

arrexi, v. *adrigo*.

arrha, arrhabo, arrhalis, v. *arra, etc.*

Arrhidæus, *i*, m., frère d'Alexandre.

arrid-, arrig-, arrip-, arris-, v. *adr-.*

arro-, v. *adro-.*

Arruns, *tis*, m., fils de Tarquin le Superbe; Tarquin étant venu avec une armée étrusque pour reprendre le pouvoir à Rome, dans la bataille Brutus et Arruns s'affrontèrent et s'entretuèrent.

ars, *artis*, f., **1.** talent, savoir-faire, habileté, art || [d'où] **artes,** *tium*, f.: ***a)*** [en gén.] talents, qualités; ***b)*** [sens moral]: *bonæ artes*, les bonnes qualités, les vertus, les bons principes d'action, le bien; *malæ artes*, les mauvaises qualités, les manifestations d'une habileté mauvaise, mauvaise ligne de conduite, les vices, le mal; ***c)*** manifestations du savoir-faire, moyens, procédés, ligne de conduite || **2.** ce à quoi s'applique le talent, le savoir-faire; métier, profession; art, science: *ars dicendi*, l'art de la parole, de l'éloquence; *artes honestæ; ingenuæ; liberales*, connaissances libérales, culture libérale, beaux-arts, belles-lettres; || **3.** connaissances techniques, théorie, corps de doctrine, système, art || [en part.] traité || art, habileté technique || au pl., productions de l'art, œuvres d'art.

Arsaces, *is*, m., fondateur de l'empire des Parthes et chef des Arsacides || **-cidæ,** *arum*, m., Arsacides (descendants d'Arsacès).

arsi, pf. de *ardeo.*

Artabanus, *i*, m., **1.** général de Xerxès || **2.** roi des Parthes.

Artabazus, *i*, m., satrape perse.

Artaphernes, *is*, m., général perse.

artatus, *a, um*, part. de *arto.*

Artaxerxes, *is*, m., nom de rois perses.

arte *(artus, a, um)*, **1.** étroitement, d'une manière serrée || **2.** [fig.] étroitement, sévèrement: *aliquem arte colere*, traiter qqn sévèrement || étroitement, solidement.

Artemisia, *æ*, f., Artémise [femme de Mausole, reine de Carie, qui éleva à son mari défunt un magnifique tombeau].

Artemisium, *ii*, n., promontoire et ville de l'Eubée.

arteria, *æ*, f., **1.** trachée artère || **2.** artère.

articularis, *e (articulus)*, articulaire: *articularis morbus*, la goutte.

articularius, *a, um*, c. le précédent.

articulate *(articulatus)*, en articulant.

articulatim *(articulatus)*, **1.** par morceaux || **2.** fragment par fragment, distinctement.

articulatio, *onis*, f. *(articulo)*, **1.** formation de bourgeons dans les arbres || **2.** maladie des bourgeons de la vigne.

articulatus, *a, um*, part. de *articulo.*

articulo, *are, avi, atum (articulus)*, tr., articuler, prononcer distinctement.

articulosus, *a, um (articulus)*, noueux.

articulus, *i*, m. *(artus)*, **1.** articulation, jointure des os || articulation (nœud) des sarments de la vigne || membre || doigt || **2.** [fig.] ***a)*** membre de phrase, partie, division; ***b)*** [gramm.] l'article; ***c)*** moment, instant, point précis || moment critique, décisif.

artifex, *icis*, m. *(ars* et *facio)*,

I. subst., **1.** qui pratique un art, un métier; artiste, artisan || maître dans un art, spécialiste: *dicendi artifices*, maîtres d'éloquence || **2.** [en gén.] ouvrier d'une chose, créateur, auteur.

II. adj., **1.** habile, adroit || **2.** fait avec art.

artificiose *(artificiosus)*, avec art, artistement.

artificiosus, *a, um (artificium)*, **1.** fait suivant l'art, obtenu par l'art || **2.** qui a de l'art, adroit.

artificium, *ii*, n. *(artifex)*, **1.** art, profession, métier, état || **2.** art, travail artistique || **3.** art, connaissances techniques, science, théorie || **4.** art, habileté, adresse || [en mauv. part] artifice.

arto, *are, avi, atum (artus)*, tr., serrer fortement, étroitement || [fig.] resserrer, raccourcir, amoindrir.

artum, *i*, n. de *artus* pris subst., **1.** espace étroit: *in arto*, dans un espace resserré || **2.** [fig.] *in arto esse*, être dans une situation critique.

1. artus, *a, um*, serré, resserré, étroit || *artior somnus*, un sommeil plus profond || mesuré, limité, restreint.

2. artus, *us*, m., plus souv. pl. **artus,** *uum, ubus*, articulations || membres [du corps] || rameaux d'un arbre.

arui, pf. de *areo.*

arula, *æ*, f. *(ara)*, petit autel.

arundifer, *era, erum (arundo, fero)*, qui porte des roseaux.

arundinaceus, *a, um (arundo)*, semblable au roseau.

arundinetum, *i*, n. *(arundo)*, lieu planté de roseaux.

arundineus, *a, um (arundo)*, de roseau: *arundineum carmen*, chant pastoral (sur la flûte) || semblable à un roseau.

arundinosus, *a, um,* fertile en roseaux.

arundo (harundo), *inis,* f., **1.** roseau || **2.** [objets en roseau]: chalumeau de pâtre, flûte || tige de la flèche || flèche || ligne de pêcheur || gluau || canne (bâton) || roseau pour écrire || traverse pour les tisserands.

Aruns, v. *Arruns.*

aruspex, aruspicina, v. *har-.*

Arvæ, *arum,* f., ville d'Hyrcanie.

arvalis, *e (arvum),* qui concerne les champs: *arvales fratres,* frères arvales, prêtres de Cérès.

Arveni, *orum,* m., Arvernes [Auvergne].

arvina, *æ,* f., saindoux.

arvum, *i,* n. (n. de *arvus*), **1.** terre en labour, champ || **2.** moisson || **3.** rivage || **4.** pâturage || **5.** plaine: *arva Neptunia,* plaines de Neptune, la mer.

arvus, *a, um,* labourable.

arx, *arcis,* f., **1.** citadelle, forteresse || = le Capitole || **2.** [poét.] = place forte, ville || **3.** [fig.] citadelle, défense, protection || **4.** [poét.] lieu élevé, hauteur; les collines de Rome.

as, *assis,* m., as: **1.** unité pour la monnaie, le poids, les mesures: ***a)*** = douze onces; [devenu synonyme d'une valeur insignifiante]: *perdere omnia ad assem,* perdre tout jusqu'au dernier sou; *assis facere, æstimare,* ne pas faire cas de (estimer à la valeur d'un as); ***b)*** [mesure] = un pied || un arpent || **2.** [unité opposée à n'importe quelle division]: [d'où l'expr.] *ex asse* (opp. *ex parte*), en totalité.

Ascanius, *ii,* m., Ascagne, fils d'Énée.

ascendo (adsc-), *ere, scendi, scensum (ad, scando),* intr. et tr.
I. intr., **1.** monter || **2.** [fig.] s'élever.
II. tr., **1.** gravir, escalader un mur; *navem,* monter sur un vaisseau; *equum,* monter un cheval || **2.** [fig.] *summum locum civitatis,* monter au rang le plus considérable dans la cité.

ascensio (adsc-), *onis,* f. *(ascendo),* action de monter, ascension.

1. ascensus (adsc-), *a, um,* part. de *ascendo.*

2. ascensus (adsc-), *us,* m., **1.** action de monter, escalade || **2.** chemin par lequel on monte, montée || **3.** [fig.] accès, ascension.

ascia (ascea), *æ,* f., cognée, doloire.

ascio (adscio), *ire,* tr., faire venir à soi, s'adjoindre, recevoir.

ascisco (adsc-), *ere, ivi, itum,* tr., appeler à soi: **1.** *sibi,* s'associer, s'adjoindre || **2.** prendre pour soi, emprunter, adopter || s'attribuer, s'arroger || **3.** adopter, admettre, approuver.

ascitus (adsc-), *a, um,* **1.** part. de *ascisco* || **2.** adj., tiré de loin, emprunté: *ascitas dapes petere,* rechercher des mets étrangers.

Ascra, *æ,* f., village de Béotie, près de l'Hélicon, patrie d'Hésiode || **-æus,** *a, um,* **1.** d'Ascra, ascréen: *senex,* le vieillard d'Ascra, Hésiode || **2.** relatif à Hésiode.

ascribo (adsc-), *ere, scripsi, scriptum,* tr., **1.** ajouter en écrivant, écrire en sus || **2.** ajouter à une liste || **3.** assigner || mettre au compte de, attribuer || **4.** faire figurer parmi, inscrire au nombre de.

ascripticius (adsc-), *a, um (ascribo),* récemment inscrit sur les rôles.

ascriptio (adsc-), *onis,* f. *(ascribo),* addition [par écrit].

ascriptor (adsc-), *oris,* m. *(ascribo),* celui qui ajoute sa signature en signe d'approbation, qui contresigne, partisan, soutien.

Asculum, *i,* n., ville du Picénum || **-lanus,** *a, um,* d'Asculum; **-ani,** *orum,* m., habitants d'Asculum.

Asdrubal, v. *Hasdrubal.*

asella, *æ,* f., dimin. de *asina,* petite ânesse.

1. asellus, *i,* m. (dimin. de *asinus*), petit âne, ânon.

2. Asellus, *i,* m. surnom romain.

1. asia, *æ,* f., seigle.

2. Asia, *æ,* f., Asie || [en part.] province romaine d'Asie.

Asianus, *a, um,* d'Asie, Asiatique || **Asiani,** *orum,* m., habitants de l'Asie.

Asiaticus, *a, um,* **1.** asiatique, d'Asie || **2.** surnom de L. Cornélius Scipion, vainqueur d'Antiochus.

asilus, *i,* m., taon.

1. asina, *æ,* f. *(asinus),* ânesse.

2. Asina, *æ,* m., surnom dans la *gens Cornelia.*

asinarius, *ii,* m. *(asinus),* ânier.

Asinius, *ii,* m., nom d'une famille romaine; [en part.] C. Asinius Pollion [l'ami d'Auguste, protecteur de Virgile, etc.].

asinus, *i,* m., âne || [fig.] âne, homme stupide.

Asis, *idis,* (acc. *-ida*), f., asiatique.

Asius, *a, um,* d'Asie [région de la Lydie].

Asopiades, *æ*, m., descendant d'Asopus, Éaque.

Asopis, *idis*, f., fille d'Asopus, Égine || ancien nom de l'île d'Eubée.

Asopus (-os), *i*, m., fils de l'Océan et de Téthys, changé en fleuve par Jupiter || nom de plusieurs fleuves.

Aspar, *aris*, m., ami de Jugurtha.

Asparagium, *ii*, n., ville d'Illyrie.

asparagus, *i*, m., asperge.

aspargo, *inis*, c. *aspergo 2.*

Aspasia, *æ*, f., Aspasie [courtisane célèbre de Milet].

aspectabilis, *e (aspecto)*, visible.

aspecto (adsp-), *are, avi, atum* (fréq. de *aspicio*), tr., **1.** regarder à différentes reprises, regarder avec attention || **2.** [fig.] être attentif à qqch. || **3.** regarder vers, faire face.

1. aspectus (adsp-), *a, um*, part. de *aspicio.*

2. aspectus (adsp-), *us*, m. *(aspicio).*

I. 1. action de regarder, regard || regards, présence || **2.** sens de la vue, faculté de voir : *aspectum amittere*, perdre le sens de la vue || **3.** vue, regards, champ de la vue (de la vision).

II. [rare] fait d'être vu (d'apparaître) ; [d'où] aspect.

aspello, *pellere, (puli), pulsum (abs, pello)*, tr., repousser, chasser, éloigner.

Aspendos, *i*, f. **(Aspendum,** *i*, n.), ville de Pamphylie || **-dius,** *a, um*, d'Aspendos || **-dii,** *orum*, m., habitants d'Aspendos.

1. asper, *era, erum*,

I. rugueux, âpre, raboteux [opposé à *levis*, poli, lisse] : *nummus asper*, pièce de monnaie neuve (qui a encore son relief) || *vinum asperum*, vin âpre || rauque || [du style] âpre, rude.

II. [fig.], **1.** âpre, dur, pénible : *res asperæ*, les choses (les entreprises) difficiles ; *sententia asperior*, avis plus rigoureux ; *in rebus asperis*, dans le malheur || **2.** [en parl. des pers.] âpre, dur, sévère, farouche, intraitable.

2. Asper, *eri*, m., surnom romain.

asperatus, *a, um*, part. de *aspero.*

aspere *(asper)*, **1.** de façon rugueuse || **2.** de façon rude, dure [à l'oreille] || **3.** avec âpreté, dureté, sévérité : *aspere dicta*, paroles dures || *aliquid aspere accipere*, recevoir (accueillir) qqch. avec irritation.

1. aspergo (adsp-), *ere, spersi, spersum (ad, spargo)*, tr.,

I. *aliquid*, répandre qqch.

II. *aliquem (aliquid) aliqua re*, saupoudrer, asperger qqn (qqch.) de qqch., arroser.

2. aspergo et **aspargo (adsp-),** *inis*, f., aspersion, arrosement.

asperitas, *atis*, f. *(asper)*, **1.** aspérité || **2.** âpreté || rencontre désagréable de sons, hiatus || **3.** [fig.] âpreté, rudesse.

aspernandus, *a, um (aspernor)*, méprisable.

aspernatio, *onis*, f. *(aspernor)*, action d'écarter, d'éloigner.

aspernatus, *a, um*, part. de *aspernor.*

aspernor, *ari, atus sum (ab, sperno)*, tr., repousser, rejeter.

aspero, *are, avi, atum (asper)*, tr., **1.** rendre âpre, rugueux : *undas*, hérisser (soulever) les flots || **2.** aiguiser, affiler || **3.** [fig.] rendre plus violent, aggraver, aigrir, irriter : *iram alicujus*, irriter la colère de qqn.

aspersio (adsp-), *onis*, f. *(aspergo)*, aspersion.

1. aspersus (adsp-), *a, um*, part. de *aspergo.*

2. aspersus (adsp-), abl. *u*, m., aspersion, arrosement.

Asphaltites lacus ou **-tites,** *æ*, m., lac Asphaltite [en Judée].

asphodelus, *i*, m., asphodèle.

aspicio (adsp-), *ere, spexi, spectum (ad, specio)*, tr., **1.** porter ses regards vers (sur) ; regarder || **2.** regarder, examiner, inspecter || **3.** regarder [par la pensée], considérer || **4.** apercevoir, voir || **5.** regarder, donner sur [topographiquement].

aspiratio (adsp-), *onis*, f. *(aspiro)*, **1.** aspiration : *aeris*, aspiration de l'air [dans la respiration] **2.** exhalaison, émanation || **3.** [gramm.] aspiration.

aspiratus (adsp-), *a, um*, part. de *aspiro.*

aspiro (adsp-), *are, avi, atum (ad, spiro)*, intr. et tr.

I. intr., **1.** [au pr.] souffler vers || **2.** [poét.] avoir un souffle favorable, favoriser, seconder || **3.** [fig.] diriger son souffle vers, faire effort vers, aspirer à, approcher de.

II. tr., **1.** faire souffler || **2.** inspirer.

aspis, *idis*, f., aspic.

asportatio, *onis*, f. *(asporto)*, action d'emporter, transport.

asportatus, *a, um*, part. de *asporto.*

asporto, *are, avi, atum (abs, porto)*, tr., emporter, transporter [d'un endroit à un autre] || [en part.] emmener [par bateau].

aspreta, *orum*, n. *(asper)*, lieux raboteux, pleins d'aspérités.

assa, *orum,* n., v. *assum.*

Assaracus, *i,* m., roi de Troie, aïeul d'Anchise || *gens Assaraci,* la race d'Assaracus = les Romains.

assec-, v. *adsec-.*

assens-, assent-, assequ-, v. *ads-.*

asser, *eris,* m., chevron, poutre.

asserculus, *i,* m., **asserculum,** *i,* n., petite solive, petit chevron, petit pieu.

assero, assert-, asserv-, v. *ads-.*

assess-, assev-, assib-, assicc-, v. *ads-.*

assid-, assig-, assil-, v. *ads-.*

assim-, assist-, v. *ads-.*

assoc-, assol, asson, v. *ads-.*

Assorum, *i,* n., ville de Sicile || **-rini,** *orum,* m., habitants d'Assore.

assuef-, assuesc-, assuet-, v. *ads-.*

assula, *æ,* f., fragments du bois quand on le coupe, éclat, copeau || fragments, éclats de pierre.

assulatim *(assula),* en morceaux.

assult-, v. *adsult-.*

1. assum, v. *adsum.*

2. assum, *i,* n. *(assus),* rôti || n. pl. *assa,* étuves.

assum-, assuo, assurgo, v. *adsu-.*

Assuria, -rius, v. *Assyria, -rius.*

assurrexi, v. *adsur-.*

assus, *a, um,* rôti, grillé || [fig.] sec, tel quel, pur et simple.

Assyria, *æ,* f., l'Assyrie [province de l'Asie] || **-ius,** *a, um,* d'Assyrie || **-ii,** *orum,* m., Assyriens.

ast, 1. d'autre part || **2.** du moins || **3.** mais.

Astapa, *æ,* f., ville de la Bétique || **-enses,** *ium,* m., habitants d'Astapa.

Astarte, *es,* f., Astarté, divinité de Syrie.

aster, *eris,* m., étoile || *aster Atticus,* muguet.

asticus, *a, um,* de la ville, de la capitale.

astipul-, asto, v. *adst-.*

Astræa, *æ,* f., Astrée [déesse de la justice].

astragalus, *i,* m., astragale, chapelet [architecture].

astrepo, astrictus, v. *adst-.*

astrifer, *era, erum (astrum, fero),* qui soutient les astres.

astriger, *era, erum (astrum, gero),* qui porte les astres.

astringo, v. *adstringo.*

astrologia, *æ,* f., astronomie.

astrologus, *i,* m., **1.** astronome || **2.** astrologue.

astronomia, *æ,* f., astronomie.

astruo, v. *adstruo.*

astrum, *i,* n., **1.** astre, étoile || constellation || **2.** pl. [fig.], ciel: *sic itur ad astra,* voilà comme on monte aux étoiles.

1. astu, n. ind., la ville par excellence chez les Grecs, Athènes.

2. astu, abl. de *astus.*

astula, *æ,* f., c. *assula.*

Asturia, *æ,* f., Asturie [province de la Tarraconnaise].

astus, *us,* m. [surt. à l'abl. sing.], ruse, astuce, fourbe.

astute, avec ruse, avec astuce, adroitement.

astutia, *æ,* f., ruse, machination astucieuse, astuce.

astutus, *a, um (astus),* rusé, astucieux, fourbe || *astutior.*

Astyages, *is,* m., **1.** Astyage [roi de Médie] || **2.** ennemi de Persée, métamorphosé en pierre.

Astyanax, *actis,* m., fils d'Hector.

asylum, *i,* n., temple, lieu inviolable, refuge.

at,

I. [conjonction, qui marque l'opposition] mais, mais au contraire, || **1.** [*at* détachant la personne]: *at tibi pro scelere...!* à toi! que pour prix de ton crime || dans les vœux, les prières, etc.: *at vos, o Superi...,* et vous, ô dieux d'en haut || [dans le dialogue, surtout sous la forme *at ille*] lui, de son côté || **2.** [objection d'un adversaire, réelle ou fictive] mais, dit-on; *at enim,* mais, diras-tu, mais dira-t-on || [réponse à l'objection]: «*male judicavit populus*», *at judicavit,* «le peuple a mal jugé»; mais il a jugé || **3.** et pourtant.

II. [introduisant la proposition principale après une subordonnée, le plus souvent conditionnelle] du moins, par contre, en revanche: *si non (si minus)... at tamen,* sinon... du moins (cependant).

atavus, *i,* m., quatrième aïeul|| **atavi,** *orum,* m., ancêtres.

Atella, *æ,* f., ville des Osques || **-anus,** *a, um,* d'Atella: *fabella Atellana,* c. *atellana* || **atellana,** *æ,* f., atellane [petite pièce de théâtre].

atellanus, *i,* m., acteur qui joue dans les atellanes.

ater, *tra, trum,* noir [sombre, qui manque d'éclat] || *alba et atra discernere,* distinguer le blanc du noir || sombre, triste, funeste, cruel.

Athamanes, *um*, m., habitants de l'Athamanie || **Athamania,** *æ*, f., l'Athamanie [province de l'Épire].

Athamas, *antis*, m., roi de Thèbes || **Athamanteus,** *a, um*, d'Athamas || **-tiades,** *æ*, m., fils d'Athamas [Palémon] || **-tis,** *idos*, f., fille d'Athamas [Hellé].

Athenæ, *arum*, f., Athènes.

Atheniensis, *e*, d'Athènes || **-ses,** *ium*, m., les Athéniens.

athleta, *æ*, m., athlète.

athletice, à la manière des athlètes.

athleticus, *a, um*, des athlètes.

Atho, Athon, *onis*, c. *Athos.*

Athos, gén. dat. abl. *o*, acc. *o* et *on*, m., mont de Macédoine.

Atina, *æ*, f., ville des Volsques || **Atinas,** *atis*, m., f., n., d'Atina.

Atlantiacus, *a, um* et **-ticus,** *a, um*, Atlantique.

Atlantiades, *æ*, m., fils ou descendant d'Atlas.

Atlanticus, v. *Atlantiacus.*

Atlantides, *um*, f., Atlantides, filles d'Atlas.

Atlas (Atlans), *antis*, m., **1.** Titan, qui portait le Ciel sur ses épaules || **2.** montagne de Mauritanie.

atomus, *a, um*, non divisé || subst. f., **atomus,** *i*, atome, corpuscule.

atque (**ac** devant les consonnes), et en plus de cela,
I. conjonction copulative, **1.** [ajoute un second terme qui enchérit] et en outre, et même || **2.** [simple copule] et.
II. particule de comparaison après *æque, æquus, alius, aliter, contra, contrarius, idem, item, juxta, par, pariter, perinde, pro eo, proinde, secus, sic, similis, similiter, simul:* à, de, comme, que.

atqui, conjonction marquant une opposition atténuée, **1.** et pourtant; eh bien, pourtant || **2.** eh bien, alors (dans ces conditions).

atramentum, *i*, n. *(ater)*, **1.** noir en liquide, **2.** noir en couleur.

atratus, *a, um (ater)*, rendu noir, noirci || en habit de deuil.

Atrebates, *um*, m., peuple de la Gaule septentrionale || **-bas,** *atis*, m., Atrébate.

Atreus, *ei*, m., Atrée [fils de Pélops, roi de Mycènes, qui pour se venger de son frère Thyeste tua ses deux enfants et les lui fit servir dans un festin].

Atrida et **Atrides,** *æ*, m., fils d'Atrée; pl. *Atridæ, arum*, m., les Atrides [Agamemnon et Ménélas].

atriensis, *e (atrium)*, de l'atrium || **-sis,** *is*, m., concierge, intendant.

atriolum, *i*, n. *(atrium)*, petit vestibule.

atrium, *ii*, n., atrium, salle d'entrée || [poét.] la maison elle-même || salle d'entrée dans la demeure des dieux || portique d'un temple.

atrocitas, *atis*, f. *(atrox)*, **1.** atrocité, horreur, cruauté, monstruosité || **2.** caractère farouche, rudesse, dureté, violence.

atrociter *(atrox)*, **1.** d'une manière atroce, cruelle || **2.** d'une manière dure, farouche.

atrox, *ocis (ater)*, **1.** atroce, cruel, affreux || **2.** farouche, dur, inflexible, opiniâtre.

Attalicus, *a, um*, **1.** du roi Attale || **2.** [fig.] somptueux, riche.

Attalus, *i*, m., Attale [roi de Pergame, célèbre par ses richesses].

attamen, mais cependant.

attent-, attenu-, atter-, attest-, attex-, v. *adt-.*

Attica, *æ*, f., l'Attique.

Attice, à la manière des Attiques.

Atticus, *a, um*, **1.** de l'Attique, d'Athènes || **2.** **Atticus,** *i*, m., Atticus [surnom de T. Pomponius, l'ami intime de Cicéron].

Attius, c. *Accius.*

atto-, attr-, attu-, v. *adt-.*

aucella ou **aucilla,** *æ*, f., roi des cailles, râle.

auceps, *aucupis*, m. *(avis, capio)*, oiseleur || [fig.] qui est à l'affût de, qui épie.

auctio, *onis*, f. *(augeo)*, enchère, vente publique, encan.

auctionarius, *a, um (auctio)*, relatif aux enchères.

auctionor, *ari, atus sum (auctio)*, intr., faire une vente à l'encan.

auctito, *are* (fréq. de *augeo*), tr., augmenter (accroître) sans cesse.

aucto, *are (augeo)*, tr., augmenter.

auctor, *oris*, m. *(augeo)*, celui qui augmente, qui fait avancer (progresser).
I. celui qui augmente la confiance, **1.** garant, répondant: *rei*, répondant d'une chose || garant d'une vente [responsabilité du vendeur au regard de l'acheteur], [d'où] vendeur || **2.** [en gén.] garant, qui confirme, autorité, source: *audieras ex bono auctore*, tu tenais le renseignement de bonne

source || **3.** modèle, maître, autorité || **4.** garant, source historique.
II. celui qui pousse à agir : **1.** conseiller, instigateur, promoteur : *auctore Pompeio*, à l'instigation de Pompée || **2.** promoteur, créateur, initiateur, fondateur, auteur || **3.** auteur, celui qui fait (compose) un ouvrage, écrivain.

auctoramentum, *i*, n. *(auctoro)*, émoluments, salaire.

auctoratus, *a, um*, part. de *auctoro*.

auctoritas, *atis*, f. *(auctor)*.
I. 1. [en gén.] garantie, autorité [qui impose la confiance] || **2.** autorité, influence, prestige, importance de qqn || **3.** autorité, exemple, modèle.
II. 1. conseil, impulsion, instigation || **2.** volonté [du sénat, des magistrats, du peuple, etc.] || [en part.] décision du sénat.

auctoro, *are, avi, atum (auctor)*, tr., *auctorari* ou *se auctorare*, se louer, s'engager.

1. auctus, *a, um*, **1.** part. de *augeo* || **2.** adj., accru, grandi.

2. auctus, *us*, m. *(augeo)*, accroissement, augmentation.

aucupatorius, *a, um (aucupor)*, qui sert à la chasse aux oiseaux.

aucupatus, *a, um*, part. de *aucupo* et *aucupor*.

aucupium, *ii*, n. *(auceps)*, **1.** chasse aux oiseaux || **2.** [fig.] chasse, poursuite de qqch.

aucupor, *ari, atus sum (auceps)*, tr., **1.** [au pr.] chasser aux oiseaux || **2.** [au fig.] être à la chasse (à l'affût) de, épier, guetter.

audacia, *æ*, f. *(audax)*, audace, hardiesse, témérité.

audaciter, c. *audacter*.

audacter *(audax)*, avec audace, hardiment.

audax, *acis (audeo)*, [adj. souvent pris subst.] audacieux, hardi.

audens, *entis*, part. prés. de *audeo* pris adj., qui ose, audacieux, hardi : *audentes fortuna juvat*, la fortune seconde les audacieux.

audenter *(audens)*, hardiment.

audentia, *æ*, f. *(audens)*, hardiesse, audace.

audeo, *audere, ausus sum*, tr., oser.

audiens, *entis*, part. prés. de *audio* pris adj., avec compl. au dat., obéissant : *dicto audiens*, obéissant à la parole, aux paroles, aux ordres ; *alicui dicto audiens*, obéissant aux ordres, aux volontés de qqn.

audientia, *æ*, f. *(audio)*, action de prêter l'oreille : *audientiam facere*, faire faire silence.

audio, *ire, ivi* et *ii, itum*, tr., **1.** entendre, percevoir par les oreilles, ouïr || **2.** entendre dire, entendre parler de, connaître (savoir) par ouï-dire || *ex aliquo, ab aliquo audire*, entendre (apprendre) de qqn, par qqn, de la bouche de qqn || **3.** écouter : *alicujus verba audire*, écouter les paroles de qqn avec attention || [en part.] écouter les leçons d'un maître, être disciple de || **4.** apprendre, recevoir la nouvelle de || **5.** écouter, suivre les vues de qqn || **6.** écouter, exaucer : *di immortales meas preces audiverunt*, les dieux ont écouté mes prières || **7.** *bene, male audire*, avoir une bonne, une mauvaise réputation || *bene, male audire ab aliquo*, être bien, être mal apprécié par qqn.

auditio, *onis*, f. *(audio)*, **1.** action d'entendre, audition || **2.** ce qu'on entend dire, bruit, rumeur.

auditiuncula, *æ*, f., petit cours.

auditor, *oris*, m. *(audio)*, celui qui écoute, auditeur : *alicujus auditor*, élève (disciple) de qqn.

auditorium, *ii*, n. *(auditor)*, **1.** lieu (salle) où l'on s'assemble pour écouter || **2.** assemblée d'auditeurs.

1. auditus, *a, um*, part. de *audio* employé qqf. c. adj., connu.

2. auditus, *us*, m. *(audio)*, **1.** le sens de l'ouïe, faculté d'entendre || **2.** action d'entendre || action d'apprendre par ouï-dire.

aufero, *auferre, abstuli, ablatum*, tr., **1.** emporter || **2.** emporter, entraîner [au loin] || [réfléchi ou passif] : *aufer te hinc*, ôte-toi d'ici ; *conversis fugax aufertur habenis*, ayant tourné bride, il s'éloigne en fuyant || **3.** enlever, arracher : *vitam alicui*, enlever la vie à qqn || [poét.] emporter, détruire || **4.** obtenir : *responsum ab aliquo*, emporter une réponse de qqn.

Aufidus, *i*, m., l'Aufide [fleuve d'Apulie].

aufugio, *ere, fugi*, intr., fuir, se sauver.

augeo, *ere, auxi, auctum*, tr., **1.** faire croître, accroître, augmenter : *aucto exercitu*, l'armée étant accrue || **2.** [fig.] augmenter, développer [rendre plus fort, plus intense, etc.] : *suspicionem augere*, augmenter un soupçon || grandir, grossir par la parole : *rem augere laudando*, faire valoir une chose en la vantant || **3.** *aliquem augere*, rehausser qqn, l'aider à se développer, l'honorer, l'enrichir, etc. || *aliquem (aliquid) ali-*

qua re, faire croître qqn (qqch.) par qqch., rehausser par qqch.

augesco, *ere*, intr. (inchoatif de *augeo*), commencer à croître, croître, grandir.

augmen, *inis*, n. *(augeo)*, augmentation.

augmentum, *i*, n. *(augeo)*, augmentation.

augur, *uris*, m., **1.** augure [membre d'un collège de prêtres, qui prédit l'avenir par l'observation principalement du vol, de la nourriture ou du chant des oiseaux] || **2.** [en gén.]: ***a)*** quiconque prédit l'avenir ; ***b)*** interprète.

augurale, *is*, n. *(auguralis)*, **1.** augural [partie droite de la tente du général, où il prend les auspices] || **2.** le bâton augural.

auguralis, *e (augur)*, augural, relatif aux augures : *auguralis vir*, personnage qui a été augure.

auguratio, *onis*, f. *(auguro)*, action de prendre les augures.

augurato, [n. du part. de *auguro* à l'abl. absol.], après avoir pris les augures, avec l'approbation des dieux.

1. auguratus, *a, um*, part. de *auguro* et de *auguror*.

2. auguratus, *us*, m., dignité, fonction d'augure.

augurium, *ii*, n. *(augur)*, **1.** observation et interprétation des signes [surtout du vol des oiseaux], augure : *augurium agere ; capere*, prendre l'augure (les augures) || **2.** science augurale || **3.** le présage, le signe qui s'offre à l'augure || **4.** [en gén.] prédiction, prophétie || pressentiment, prévision.

augurius, *a, um*, c. *auguralis*.

auguro, *are, avi, atum (augur)*, tr., **1.** prendre les augures || [pass.] être consacré par les augures || **2.** prédire, pressentir, conjecturer.

auguror, *ari, atus sum (augur)*, tr., **1.** prédire d'après les augures || **2.** [en gén.]: ***a)*** prédire, annoncer, présager ; ***b)*** conjecturer, penser, juger : *quantum ego auguror*, autant que, pour moi, je le puis conjecturer.

Augusta, *æ*, f., titre des impératrices de Rome ; qqf. de la mère, des filles ou des sœurs de l'empereur.

Augustalis, *e*, d'Auguste : *ludi Augustales*, jeux en l'honneur d'Auguste || **Augustales,** *ium*, m., prêtres d'Auguste.

auguste, selon le rite, religieusement.

1. augustus, *a, um*, saint, consacré || majestueux, vénérable, auguste.

2. Augustus, *i*, m., **1.** surnom d'Octave qui devint sous le nom d'Auguste le premier empereur des Romains || **2.** titre des empereurs.

3. Augustus, *a, um*, d'Auguste.

1. aula, *æ*, f., **1.** cour d'une maison || **2.** cour, palais || cour d'un prince, puissance d'un prince.

2. aula, *æ*, f., marmite (arch. p. *olla*).

aulæum, *i*, n., rideau, [et en part.] rideau de théâtre : *tollitur*, on lève le rideau [à la fin de la pièce ; le contraire chez nous] ; *mittitur*, le rideau tombe [la représentation commence] || [plus tard l'usage changea et les choses se passèrent comme chez nous].

Aulerci, *orum*, m., Aulerques [peuple de la Gaule Lyonnaise].

aulicus, *a, um (aula)*, de la Cour, du palais, du prince || **-lici,** *orum*, m., esclaves de la Cour.

Aulis, *idis*, f., petit port de Béotie où eut lieu le sacrifice d'Iphigénie || acc. *Aulida*, et *Aulim*.

aulœdus, *i*, m., joueur de flûte.

aulula, *æ*, f., dimin. de *aula*, petite marmite.

Aulularia, *æ*, f., l'Aululaire [comédie de Plaute].

Aulus, *i*, m., prénom romain, écrit en abrégé *A.*

aura, *æ*, f., **1.** souffle léger, brise || **2.** [en gén.] souffle, vent || [fig.] exhalaison || rayonnement : *auri*, rayonnement de l'or || **3.** l'air, les airs, les hauteurs de l'air, le ciel || **4.** [fig.] souffle : *popularis aura*, la faveur populaire.

auraria, *æ*, f. *(aurarius)*, mine d'or.

aurarius, *a, um (aurum)*, d'or.

auratus, *a, um (auro)*, doré || orné d'or || de couleur d'or.

aureolus, *a, um* (dimin. de *aureus*), **1.** d'or || **2.** couvert [ou] orné d'or, doré || **3.** [fig.] qui vaut de l'or, précieux.

aureus, *a, um (aurum)*, **1.** d'or : *simulacra aurea*, statues d'or || **2.** doré, orné d'or, garni d'or || **3.** de couleur d'or || **4.** [fig.] d'or, beau, splendide : *aurea Venus*, la rayonnante Vénus ; *aurea ætas*, l'âge d'or ; *aurea mediocritas*, la médiocrité bienheureuse || subst. m., **aureus,** *i*, pièce d'or = *nummus aureus*.

auricomus, *a, um (aurum, coma)*, à la chevelure d'or.

auricula, *æ*, f., dimin. de *auris*, **1.** oreille [considérée dans sa partie externe] ; le lobe de l'oreille || **2.** [poét.]

petite oreille, oreille délicate || **3.** oreille, ouïe.

aurifer, *era, erum (aurum, fero),* qui produit de l'or, aurifère: *aurifera arbor,* arbre aux pommes d'or [dans le jardin des Hespérides] || qui contient de l'or.

aurifex, *icis,* m. *(aurum, facio),* orfèvre.

aurifodina, *æ,* f. *(aurum, fodina),* mine d'or.

auriga, *æ,* m., **1.** cocher, conducteur de char || **2.** palefrenier || **3.** [poét.] pilote.

aurigarius, *ii,* m. *(auriga),* cocher du cirque.

aurigatio, *onis,* f. *(aurigo),* action de conduire un char || course, promenade.

Aurigena, *æ,* m. *(aurum, geno),* né d'une pluie d'or [Persée].

auriger, *era, erum (aurum, gero),* c. *aurifer.*

aurigo, *are, avi, atum (auriga),* intr., conduire un char || [fig.] guider, gouverner.

auris, *is,* f., **1.** oreille: *aliquid auribus accipere,* recueillir qqch. au moyen des oreilles, écouter qqch. || **2.** oreille attentive, attention: *alicui aures suas dare,* prêter à qqn une oreille complaisante; *aures erigere,* dresser l'oreille (être attentif) || **3.** orillon d'une charrue.

auritulus, *i,* m. (dimin. de *auritus*) = âne.

auritus, *a, um (auris),* **1.** qui a de longues oreilles || **2.** qui entend, attentif || **3.** fait en forme d'oreille.

1. aurora, *æ,* f., **1.** l'aurore || **2.** le Levant, les contrées orientales.

2. Aurora, *æ,* f., Aurore [épouse de Tithon, déesse de l'aurore].

aurum, *i,* n., **1.** or || **2.** objets faits en or; vaisselle d'or: *libare auro,* faire des libations avec des coupes d'or || **3.** monnaie d'or, or monnayé, or || **4.** [fig.] or, argent, richesse: *auri sacra fames,* soif maudite de l'or || l'éclat, la couleur de l'or || l'âge d'or.

Aurunca, *æ,* f., Suessa en Campanie || **-cus,** *a, um,* d'Aurunca || **-ci,** *orum,* m., les Aurunces.

auscultatio, *onis,* f. *(ausculto),* action d'écouter, d'espionner.

auscultator, *oris,* m. *(ausculto),* auditeur.

ausculto, *are, avi, atum (auris),* tr. et intr., **1.** écouter avec attention || **2.** [avec le dat.] obéir: *mihi ausculta,* écoute-moi, obéis-moi.

Ausonia, *æ,* f., Ausonie [ancien nom d'une partie de l'Italie] et [poét.] l'Italie.

Ausonidæ, *dum,* m., Ausoniens, habitants de l'Ausonie.

Ausonis, *idis,* f., Ausonienne, Italienne.

Ausonius, *a, um,* Ausonien, d'Ausonie, Romain, Italien.

auspex, *icis,* m. *(avis, specio),* **1.** celui qui prédit d'après le vol, le chant, la manière de manger des oiseaux, augure, devin || **2.** [fig.] chef, protecteur, guide: *dis auspicibus,* avec la protection divine.

auspicato (n. du part. de *auspicor,* à l'abl. absol.), les auspices étant pris, avec de bons auspices.

auspicatus, *a, um* (part. de *auspico* pris adj.), consacré par les auspices.

auspicium, *ii,* n. *(avis, specio),* **1.** observation des oiseaux [vol, mouvements, appétit, chant], auspice: *optimis auspiciis,* avec d'excellents auspices || [en gén.] présage || **2.** auspices d'un magistrat: *auspiciis Tiberii,* sous les auspices (le commandement en chef) de Tibère.

auspico, *are, avi, atum,* arch. c. *auspicor.*

auspicor, *ari, atus sum (auspex),* tr., **1.** prendre, consulter les auspices || **2.** commencer, inaugurer.

auster, *tri,* m., le vent du midi, l'auster: *auster humidus,* l'auster qui amène la pluie || [en part.] le sud, le midi: *in austri partibus,* dans les régions méridionales.

austere *(austerus),* sévèrement, rudement.

austeritas, *atis,* f. *(austerus),* **1.** saveur âpre: *vini austeritas,* la saveur âpre du vin || **2.** [fig.] sévérité, gravité, sérieux.

austerus, *a, um,* **1.** âpre, aigre || [en parl. des odeurs] fort || [en parl. des couleurs] sombre, épais || **2.** [fig.] sévère, rude, austère.

australis, *e (auster),* du midi, méridional, austral.

austrinus, *a, um (auster),* du midi.

ausum, *i,* n. *(ausus, audeo),* entreprise hardie, acte de courage || crime, forfait.

ausus, *a, um,* part. de *audeo.*

aut, conj., **1.** ou, ou bien [lien entre des mots ou des propos] || **2.** ou sinon, ou sans cela, ou autrement || **3.** *aut... aut* avec valeur disjonctive (= de deux choses l'une, ou bien... ou bien).

autem, conj., marque en général une opposition très faible: **1.** [légère opposition] mais, tandis que: *adulescentes... senes autem,* les jeunes gens... tandis que les vieillards || **2.** [balancement] d'autre part, et d'autre part, quant à: *Treveri autem*, les Trévires, eux (quant aux Trévires) || **3.** [entrée dans un développement après une digression ou parenthèse] or, eh bien || **4.** [addition] et, et puis, mais aussi, mais en outre.

autographus, *a, um*, autographe.

automaton (-um), *i*, n., automate.

Automedon, *ontis*, m., célèbre écuyer qui conduisait le char d'Achille || [fig.] conducteur de char.

autumnalis, *e (autumnus)*, d'automne.

autumnitas, *atis*, f. *(autumnus)*, temps de l'automne.

1. autumnus, *a, um*, automnal, d'automne.

2. autumnus, *i*, m., automne.

autumo, *are, avi, atum*, tr., **1.** dire, [av. prop. inf.] affirmer que || nommer, appeler || **2.** penser, estimer.

auxi, pf. de *augeo*.

auxiliaris, *e (auxilium)*, **1.** qui secourt, déesse secourable || **2.** auxiliaire || subst. m., *auxiliaris, is*, un soldat des troupes auxiliaires, et surtout au pl., *auxiliares, ium*, m., les troupes auxiliaires.

auxiliarius, *a, um (auxilium)*, c. *auxiliaris*.

auxiliator, *oris*, m. *(auxilior)*, qui aide, qui secourt, soutien.

auxiliatus, *a, um*, part. de *auxilior*.

auxilior, *ari, atus sum (auxilium)*, intr., **1.** aider, porter secours || **2.** soulager, guérir [avec le datif]: *morbis auxiliari*, guérir des maladies.

auxilium, *ii*, n. *(augeo)*, **1.** secours, aide, assistance: *auxilio esse alicui*, secourir qqn, donner son appui à qqn; *auxilio alicui venire, mittere*, venir, envoyer au secours de qqn || **2.** pl. *auxilia*, troupes de secours, troupes auxiliaires || **3.** moyen de secours, ressource.

avare *(avarus)*, avec avidité, avec cupidité.

Avaricum, *i*, n., capitale des Bituriges [auj. Bourges] || **-censis,** *e*, d'Avaricum.

avaritia, *æ*, f. *(avarus)*, **1.** vif désir, convoitise, avidité || **2.** [en part.] avidité d'argent, cupidité || avarice.

avarities, *ei*, f., c. le précédent.

avarus, *a, um (aveo)*, **1.** qui désire vivement, avide: *laudis avarus*, avide de gloire || **2.** [en part.] avide de fortune, d'argent, cupide: *homo avarissimus*, le plus cupide des êtres.

ave ou **have, 1.** [formule de salutation] bonjour, salut || **2.** [sur les tombeaux] salut, adieu.

aveho, *ere, vexi, vectum*, tr., emmener, transporter de (loin de) || [pass. avec sens réfléchi] s'en aller, se retirer [à cheval, en voiture, etc.].

avello, *ere, vulsi (volsi)* et *velli, vulsum (volsum)*, tr., **1.** arracher, détacher || [avec *ex*], [avec *ab*], [avec *de*], arracher de (à); [avec abl., poét.] || [avec dat.] enlever à, arracher à || **2.** [fig.] arracher, séparer: *ab errore aliquem*, arracher qqn à l'erreur.

avena, *æ*, f., **1.** avoine [considérée comme mauvaise herbe] || pl., *steriles avenæ*, la folle avoine || **2.** chaume, tuyau de paille d'avoine || [poét.] chalumeau, flûte pastorale || pl., chalumeaux réunis = flûte de Pan.

avenaceus, *a, um (avena)*, d'avoine.

avenarius, *a, um (avena)*, relatif à l'avoine.

avens, *tis*, part. prés. de *aveo*.

Aventinus mons ou absol. **Aventinus,** *i*, m.; **Aventinum,** *i*, n., le mont Aventin [une des sept collines de Rome] || **-us,** *a, um*, de l'Aventin.

aveo, *ere*, tr., désirer vivement.

Averna, *orum*, n., c. *Avernus 2*.

1. Avernus, *a, um*, de l'Averne.

2. Avernus, *i*, m., Averne [lac de Campanie où les poètes placent une entrée des Enfers] || [poét.] = les Enfers || **-us,** *a, um* ou **-alis,** *e*, de l'Averne, des Enfers.

averrunco, *are*, tr., détourner (un malheur) || [absol.] *di averruncent!*, que les dieux nous épargnent ce malheur!

aversatio, *onis*, f. *(aversor)*, éloignement, dégoût.

aversatus, *a, um*, part. de *aversor*.

aversio, *onis*, f. *(averto)*, action de détourner.

1. aversor, *ari, atus sum* (fréq. de *averto*), tr., se détourner de || [fig.] dédaigner, repousser.

2. aversor, *oris*, m. *(avertere)*, celui qui détourne à son profit: *pecuniæ publicæ*, qui détourne les deniers publics.

aversus, *a, um*, part. de *averto* pris adj., **1.** détourné, qui est du côté opposé, placé derrière || *aversum*, n. pris subst., le côté opposé: *per aversa urbis*, par les derrières de la ville || **2.** [fig.] détourné, hostile, qui a de la répugnance (de l'éloignement) pour: *aversus a Musis*, ennemi des Muses.

averto (avorto), *ere, i, sum*, tr., **1.** détourner: *flumina*, détourner des cours d'eau || *ab aliqua re oculos avertere*, détourner ses regards de qqch. || *se avertere*, ou pass. *averti*, se détourner, se tourner d'un autre côté || [poét., pris absol.] *avertere*, se détourner || **2.** [fig.] détourner l'esprit, l'attention, etc. || **3.** détourner, éloigner, écarter || **4.** dérober, soustraire : *pecuniam publicam*, détourner les deniers publics.

aveto, c. *ave.*

avexi, pf. de *aveho.*

1. avia, *æ*, f. *(avus)*, grand-mère [paternelle ou maternelle].

2. avia, *orum*, n. *(avius)*, lieux où il n'y a pas de chemins frayés, lieux impraticables.

aviarius, *a, um (avis)*, relatif aux oiseaux || **aviarium,** *ii*, n., ***a)*** poulailler, colombier, volière ; ***b)*** bocages [où nichent les oiseaux].

avicula, *æ*, f. *(avis)*, petit oiseau, oiselet.

avide *(avidus)*, avidement.

aviditas, *atis*, f. *(avidus)*, **1.** avidité, désir ardent : *legendi aviditas*, passion de la lecture || **2.** [en part.] cupidité, convoitise.

avidus, *a, um (aveo)*, **1.** qui désire vivement, impatient, avide : *avida in novas res ingenia*, esprits avides de nouveauté || **2.** [en part.] ***a)*** âpre au gain, avare, cupide || subst. m., un avare ; ***b)*** affamé, gourmand, vorace, glouton.

avis, *is*, f., **1.** oiseau || **2.** [fig.] = présage, auspice : *secundis avibus*, avec de bons présages || [proverbe] : *avis alba*, un merle blanc [une chose rare].

avitus, *a, um (avus)*, appartenant au grand-père, qui vient des aïeux, ancestral.

avius, *a, um (a, via)*, **1.** où il n'y a point de chemin frayé ; impraticable, inaccessible || **2.** [en parl. des pers.] errant, égaré.

avocamentum, *i*, n. *(avoco)*, distraction, diversion, délassement, détente, repos.

avocatio, *onis*, f. *(avoco)*, action de détourner, de distraire, diversion.

avoco, *are, avi, atum*, tr., **1.** appeler de, faire venir de || **2.** [fig.] détourner, écarter, éloigner.

avolo, *are, avi, atum*, intr., **1.** s'envoler loin de || **2.** [fig.], partir précipitamment.

avulsi, pf. de *avello.*

avulsio (avol-), *onis*, f. *(avello)*, action d'arracher, de détacher.

avulsus, *a, um*, part. de *avello.*

avunculus, *i*, m. *(avus)*, oncle maternel.

avus, *i*, m., aïeul, grand-père || pl., les aïeux.

1. axis, *is*, m., **1.** axe, essieu || **2.** char || **3.** monde || [d'où] pôle, [et en part.] pôle Nord || **4.** la voûte du ciel, le ciel.

2. axis, *is*, m., ais, planche.

Axona, *æ*, m., Aisne, rivière de la Gaule belgique.

B, b, f., n. indécl., deuxième lettre de l'alphabet romain.

Babylon, *onis,* f., acc. *ona,* Babylone [ancienne capitale de la Chaldée, sur l'Euphrate] **-nii,** *orum,* m., les Babyloniens.

Babylonia, *æ,* f., **1.** la Babylonie [contrée d'Assyrie] || **2.** Babylone.

baca (qqf. **bacca**), *æ,* f., **1.** baie; [en gén.] fruit rond de n'importe quel arbre, fruit || [en part.] olive || **2.** [fig.] perle.

bacatus, *a, um (baca),* fait avec des perles.

bacca, v. *baca.*

baccar, *aris,* n., et **baccaris,** *is,* f., baccar [plante dont on tirait un parfum].

Baccha, *æ,* et **Bacche,** *es,* f., pl. **Bacchæ,** *arum,* Bacchante; Bacchantes [femmes qui célébraient les mystères de Bacchus nommés Bacchanales].

bacchabundus, *a, um (bacchor),* qui se livre à tous les excès de la débauche.

Bacchanal, *alis,* n., **1.** lieu de réunion des femmes qui célèbrent les mystères de Bacchus || **2.** surt. au pl. **Bacchanalia,** *ium* (qqf. *iorum*), n., Bacchanales, fêtes de Bacchus.

bacchatus, *a, um,* part. de *bacchor.*

Bacche, *es,* c. *Baccha.*

Baccheius, *a, um,* de Bacchus.

Baccheus, *a, um,* **1.** de Bacchus || **2.** des Bacchantes.

Bacchius, *a, um,* de Bacchus.

bacchor, *ari, atus sum (Bacchus),* intr., **1.** avoir le délire inspiré par Bacchus, être dans les transports bacchiques || **2.** [poét.] [sens passif] être parcouru (foulé) par les Bacchantes || **3.** [fig.] être dans les transports, dans le délire || se démener, s'agiter || **4.** errer en s'agitant, s'ébattre || se déchaîner || **5.** part. prés. [pris subst.] *Bacchantes, ium* (poét. *um*) = *Bacchæ,* Bacchantes.

Bacchus, *i,* m., Bacchus [dieu du Vin].

bacillum, *i,* n. (dimin. de *baculum*), baguette || verge [portée par les licteurs].

Bactra, *orum,* n., Bactres [capitale de la Bactriane].

Bactri, *orum,* m., Bactriens, habitants de Bactres ou de la Bactriane.

Bactria ou **Bactriana,** *æ,* la Bactriane.

Bactrianus, *a, um,* de la Bactriane || **-i,** *orum,* m., c. *Bactri.*

Bactrius, *a, um,* c. *Bactrianus.*

Bactros (-us), *i,* m., fleuve de la Bactriane.

baculum, *i,* n., bâton || sceptre.

Bætica, *æ,* f., la Bétique.

Baiæ, *arum,* f., **1.** Baïes [ville d'eaux de Campanie] || **2.** bains, thermes || **-anus,** *a, um,* de Baïes.

bajulus, *i,* m., porteur, portefaix.

balæna (ball-), *æ,* f., baleine [cétacé].

balans, *tis,* part. de *balo* || subst. f., brebis.

balanus, *i,* f., **1.** gland || châtaigne, datte || **2.** arbrisseau odoriférant || **3.** moule de mer.

balatus, *us,* m. *(balo),* bêlement.
balbe *(balbus),* en balbutiant, en bégayant.
balbus, *a, um,* bègue, qui bégaie.
balbutio (-buttio), *ire, ivi (balbus),* intr. et tr.
I. intr., **1.** bégayer, balbutier, articuler mal || **2.** parler obscurément.
II. tr., dire en balbutiant.
Baleares insulæ et **Baleares,** *ium,* f., îles Baléares [qui fournissaient des frondeurs réputés] || **-aricus,** *a, um,* et **-aris,** *e,* des îles Baléares.
balena, c. *balæna.*
Baliares, etc., c. *Balea-.*
balin-, v. *baln-.*
ballæna, c. *balæna.*
ballista ou **balista,** *æ,* f. **1.** baliste [machine à lancer des projectiles] || **2.** trait lancé par la baliste.
balneæ, *arum,* f., bains.
balnearius, *a, um,* de bain || **-ria,** *orum,* n., bains, local de bains.
balneator, *oris,* m., baigneur, maître de bain.
balneolæ, *arum,* f., **-eolum,** *i,* n., petit bain.
balneum, *i,* n., bain, salle de bains || pl., bains publics.
balo, *are, avi, atum,* intr., bêler.
balsaminus, *a, um,* balsamique.
balsamum, *i,* n., **1.** baumier [arbrisseau] || **2.** suc du baumier, baume; [surt. au pl.] *balsama.*
balteus, *i,* m., baudrier, ceinturon.
baptisterium, *ii,* n., piscine [pour se baigner et nager].
barathrum, *i,* n., gouffre où l'on précipitait les condamnés à Athènes; gouffre, abîme || les Enfers.
barba, *æ,* f., **1.** barbe: *barbam submittere,* laisser croître sa barbe || **2.** [fig.] jeunes branches, feuilles tendres, duvet || *barba Jovis,* la joubarbe [plante].
barbare, 1. de façon barbare [= de pays étranger par rapport aux Grecs] || **2.** d'une façon barbare, grossière.
barbari, *orum,* m., les barbares, v. *barbarus.*
barbaria, *æ,* f., **1.** pays barbare [pour les Grecs, = l'Italie] || [plus souv.] pays étranger, nation étrangère [= tous les pays en dehors de la Grèce et de l'Italie] || **2.** barbarie, manque de culture; mœurs barbares, incultes, sauvages || langage barbare (vicieux).
barbaricus, *a, um,* barbare, étranger.
barbaries, c. *barbaria.*
barbarus, *a, um,* **1.** barbare, étranger [= Latin, pour les Grecs] || **2.** barbare, étranger [= tous les pays sauf les Grecs et les Romains] || **3.** barbare, inculte, sauvage || **4.** [en parl. du langage] barbare, incorrect.
barbasculus, *i,* m., peu cultivé, quelque peu barbare (illettré).
barbatulus, *i,* m. *(barbatus),* ayant une barbe naissante.
barbatus, *a, um (barba),* barbu, qui a de la barbe, qui porte barbe || ancien, du vieux temps [époque où on ne se rasait pas] || [subst. m.] bouc.
barbitos, *i,* m., instrument de musique à plusieurs cordes, luth || [fig.] chant.
barbula, *æ,* f., petite barbe.
Barcani, *orum,* m., Barcaniens [peuple de l'Hyrcanie].
Barcas, *æ,* m., chef d'une famille puissante de Carthage qui compta parmi ses membres Hannibal et Hasdrubal; dirigeant le parti militaire hostile aux Romains, elle avait comme adversaire la famille des Hannon || **-cinus,** *a, um,* de Barcas, de la famille de Barcas || **-cini,** *orum,* m., les Barcas.
barditus, *us,* m., bardit [chant de guerre des Germains].
1. bardus, *a, um,* lourd, stupide.
2. bardus, *i,* m., barde, chanteur et poète chez les Gaulois.
baro, *onis,* m., balourd, lourdaud.
basilica, *æ,* f., basilique [grand édifice avec portiques intérieurs et extérieurs; servant de tribunal, de bourse de commerce, de lieu de promenade; garni de boutiques extérieurement].

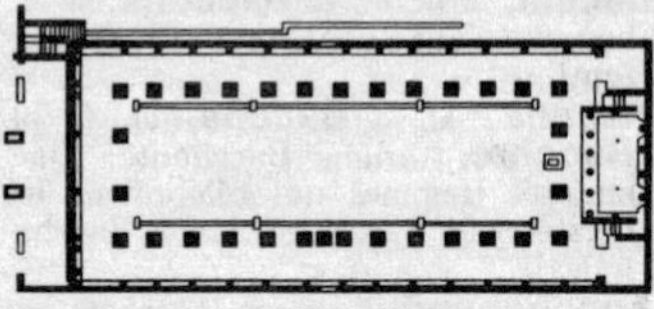

BASILICA (plan)

basis, *is,* f., **1.** base, piédestal || **2.** base [d'une colonne, d'un triangle].
Batavi, *orum,* m., Bataves [auj. Hollandais].
batillum, *i,* n., pelle à braise.
battuo (batuo), *ere,* **1.** tr., battre, frapper || **2.** intr., faire des armes, s'escrimer.
beate, heureusement, à souhait.
beatus, *a, um* (part. de *beare*), **1.** bienheureux, heureux: *beata vita,* la

vie heureuse, le bonheur, la félicité || *sedes beatæ*, le bienheureux séjour [= les Champs Élysées] || **2.** comblé de tous les biens, riche, opulent.

Belga, *æ*, et **Belgæ,** *arum*, m., Belge, Belges, habitants de la Gaule belgique || **-icus,** *a, um*, des Belges, belge.

bellator, *oris*, m. *(bello)*, guerrier, homme de guerre, combattant || adj., belliqueux, de guerre, fougueux.

bellatrix, *icis*, f. (f. de *bellator*), guerrière || adj., belliqueuse, de guerre.

belle *(bellus)*, joliment, bien, délicieusement : *belle se habere*, se bien porter.

bellicosus, *a, um (bellicus)*, belliqueux, guerrier, vaillant.

bellicum, *i*, n. *(bellicus)*, signal de l'appel aux armes [sonné par la trompette], signal du combat.

bellicus, *a, um (bellum)*, **1.** de guerre, à la guerre : *res bellicæ*, les faits de la vie guerrière || **2.** [poét.] guerrier, valeureux : *bellica virgo*, la vierge guerrière [Pallas].

belligero, *are, avi, atum (belliger)*, intr., faire la guerre à, lutter contre *(cum aliquo)*.

Belliocassi ou **Velliocassi** ou **Veliocasses,** peuple de la Gaule (Vexin).

bellipotens, *entis (bellum, potens)*, puissant dans la guerre || subst. m., le dieu des combats [Mars].

bello, *are, avi, atum (bellum)*, intr., faire la guerre, lutter, combattre || [pass. imp.] *bellatum (est) cum Gallis*, on combattit contre les Gaulois.

Bellona, *æ*, f., Bellone [déesse de la Guerre et sœur de Mars].

Bellovaci, *orum*, m., peuple de la Belgique [habitants du Beauvaisis et plus tard de Beauvais].

bellua, v. *belu-*.

bellum, *i*, n., guerre [au pr. et au fig.] : *vel belli vel domi*, soit en temps de guerre, soit en temps de paix ; *bellis Punicis*, pendant les guerres puniques ; *in civili bello*, pendant la guerre civile || *Bellum*, la Guerre [divinité].

bellus, *a, um*, **1.** joli, charmant, élégant, aimable, délicat || **2.** en bon état, en bonne santé || **3.** *bellum (bellissimum) est* avec inf., il est bien (très bien) de.

belua (bellua), *æ*, f., gros animal || bête [en gén.] || brute.

beluosus, *a, um (belua)*, peuplé de monstres.

Belus, *i*, m., premier roi des Assyriens.

Benacus, *i*, m., le lac Bénacus [en Italie ; lac de Garde].

bene (compar. *melius*, superl. *optime*), **1.** bien [au sens le plus général du mot] ; joint à des verbes, à des adj. et à des adv. || **2.** [tournures particulières] : *bene agis*, tu agis bien (c'est bien) || *bene audio*, v. *audio* || *bene est*, cela va bien, tout va bien || *bene sit tibi*, bonne chance.

bene dico, *cere, xi, ctum*, **1.** intr., dire du bien de qqn, *alicui* || **2.** tr., louer, célébrer.

benedictus, *a, um*, part. de *bene dico*.

bene facio (benefacio), intr., faire du bien, rendre service : *alicui bene facere*, faire du bien à qqn, l'obliger.

benefactum, *i*, n. [d'ordin. au pl.] bonne action, service, bienfait.

beneficentia, *æ*, f. *(beneficus)*, disposition à faire le bien, bienfaisance.

beneficiarius, *a, um (beneficium)*, **1.** qui provient d'un bienfait (d'un don) || **2.** m. pris subst., *beneficiarii*, soldats exempts des corvées militaires, attachés à la personne du chef.

beneficium, *ii*, n. *(bene, facio)*, **1.** bienfait, service, faveur : *accipere beneficium*, recevoir un bienfait ; *dare*, accorder un bienfait || *beneficium erga aliquem, in aliquem*, bienfait (service) à l'égard de qqn || *meo beneficio*, grâce à moi || **2.** [officiel.] faveur, distinction : *beneficium populi Romani*, la faveur du peuple romain [= le consulat].

beneficus, *a, um (bene facio)*, bienfaisant, obligeant, disposé à rendre service ; *beneficentior, beneficentissimus*.

benevole *(benevolus)*, avec bienveillance.

benevolens ou **benivolens,** *tis*, qui veut du bien, favorable, *alicui*, à qqn.

benevolentia (beniv-), *æ*, f., bienveillance, disposition à vouloir du bien (à obliger), dévouement.

benevolus (beniv-), *a, um (bene, volo)*, bienveillant, dévoué ; le compar. et le superl. sont pris à *benevolens*.

benif-, v. *benef-*.

benigne, *benignius, benignissime (benignus)*, **1.** avec bonté, bienveillance || **2.** avec bienfaisance, obligeamment.

benignitas, *atis*, f. *(benignus)*, **1.** bonté, bienveillance || **2.** obligeance, bienfaisance, générosité.

benignus, *a, um* (*bene* et rac. *gen*, *gignere*), **1.** bon, bienveillant, amical || **2.** bienfaisant, libéral, généreux || [avec gén.] prodigue de.

beniv-, v. *benev-*.

beo, *are, avi, atum*, tr., rendre heureux.

bestia, *æ*, f., [en gén.] bête [opposée à l'homme] || [en part.] pl., bêtes destinées à combattre les gladiateurs ou les criminels.

bestiarius, *a, um (bestia)*, de bête féroce: *bestiarius ludus*, jeu où combattent hommes et bêtes sauvages || m. pris subst., bestiaire, gladiateur combattant contre les bêtes féroces.

bestiola, *æ*, f. *(bestia)*, petite bête, insecte.

bibitus, *a, um*, part. de *bibo*.

bibliopola, *æ*, m., libraire.

bibliotheca, *æ*, f., bibliothèque [salle] || bibliothèque [meuble].

bibo, *ere, bibi (bibitum)*, tr., boire.

Bibracte, *is*, n., Bibracte [ville de la Gaule, chez les Éduens (auj. Autun)].

Bibrax, *actis*, f., ville de la Gaule, chez les Rèmes.

bibulus, *a, um (bibo)*, qui boit volontiers.

biceps, *cipitis (bis, caput)*, qui a deux têtes || [poét.] *Parnassus*, le Parnasse à la double cime.

bicolor, *oris*, de deux couleurs.

bicornis, *e (bis, cornu)*, qui a deux cornes || à deux bras, à deux embouchures || à double cime.

bidens, *tis (bis, dens)*, **1.** adj., qui a deux dents || **2.** subst. m., hoyau || subst. f., brebis de deux ans [propre à être sacrifiée] || toute victime âgée de deux ans || brebis [en gén].

biduum, *i*, n. *(bis, dies)*, espace de deux jours.

biennium, *ii*, n. *(bis, annus)*, espace de deux ans.

bifariam, en deux directions, en deux parties.

bifer, *era, erum (bis, fero)*, qui produit deux fois dans l'année [arbre].

bifidatus, et **bifidus,** *a, um*, fendu ou partagé en deux, séparé ou divisé en deux parties.

biforis, *e*, qui a deux ouvertures.

biformatus, *a, um*, à double forme || et **biformis,** *e, Janus biformis*, Janus au double visage.

bifrons, *ontis (bis, frons)*, qui a deux fronts, deux visages.

bifurcum, *i*, n., chose fourchue; bifurcation.

bifurcus, *a, um*, fourchu.

biga, *æ*, f., **-gæ,** *arum (bijuga)*, char à deux chevaux.

bigatus, *a, um (bigæ), bigatum argentum*, pièce de monnaie dont l'empreinte est un char attelé de deux chevaux || *bigati, orum*, m. pl. [s.-ent. *nummi*], pièces de cette monnaie.

bijugis, *e*, et **bijugus,** *a, um (bis, jugum)*, **1.** attelé de deux chevaux || subst. **bijugi,** *orum*, m., char attelé de deux chevaux || **2.** qui concerne les chars, les jeux du cirque: *bijugo certamine*, dans une course de chars.

bilibra, *æ*, f. *(bis, libra)*, poids de deux livres.

bilibris, *e (bis, libra)*, qui a le poids ou qui contient la mesure de deux livres.

bilinguis, *e (bis, lingua)*, qui a deux langues || [fig.] qui parle deux langues || de mauvaise foi, perfide, hypocrite.

bilis, *is*, f., bile || [fig.] mauvaise humeur, colère, emportement, indignation.

bilix, *icis (bis, licium)*, à double tissu, à doubles mailles.

bimaris, *e (bis, mare)*, baigné par deux mers.

bimembris, *e (bis, membrum)*, à deux membres || qui a une double nature.

bimestris ou **bimenstris,** *e (bis, mensis)*, de deux mois.

bimus, *a, um*, de deux ans, qui a deux ans.

bini, *æ, a (bis)*, **1.** [distributif] chaque fois deux || **2.** [avec des noms usités seulement au pl.]: *bina castra, binæ litteræ*, deux camps, deux lettres || **3.** deux objets formant paire, couple.

binoctium, *ii*, n. *(bis, nox)*, espace de deux nuits.

binominis, *e (bis, nomen)*, qui est pourvu de deux noms.

bipalmis, *e (bis, palmus)*, qui a deux palmes [de large ou de long].

bipartio (bipertio), *ire, ivi, itum*, partager en deux.

bipartito ou **bipertito,** en deux parts.

bipartitus, part. de *bipartio*.

bipatens, *entis (bis, pateo)*, qui s'ouvre en deux, à deux battants.

bipennifer, *era, erum (bipennis, fero)*, armé d'une hache à deux tranchants.

1. bipennis, *e (bis, penna)*, qui a deux ailes || qui a deux tranchants.

2. bipennis, *is*, f., hache à deux tranchants.

bipes, *edis (bis, pes)*, qui a deux pieds, bipède || subst. m., bipède, animal à deux pieds.

biremis, *e (bis, remus)*, qui a deux rangs de rames || subst. f., birème, navire à deux rangs de rames.

bis, deux fois || [multiplicatif avec les distributifs]: *bis deni (æ, a)*, deux fois dix || [poét.] avec n. cardinaux: *bis centum*, deux cents.

bisquini, et mieux **bis quini,** *æ, a,* [poét.] deux fois cinq = dix.

bisulcus, *a, um (bis, sulcus),* fendu en deux, fourchu.

Bithynia, *æ*, f., Bithynie [contrée de l'Asie Mineure, sur le Pont] || **-nicus,** *a, um* ou **-nus,** *a, um*, de Bithynie.

Biton, *onis*, m., Biton [Argien qui, avec son frère Cléobis, l'attelage faisant défaut, traîna le char de sa mère Cydippe jusqu'au temple de Junon].

bitumen, *inis*, n., bitume.

Bituriges, *um*, m., Bituriges [peuple de la Gaule centrale, entre Loire et Garonne (Berrichons)].

bivium, *ii,* n. *(bis, via),* lieu où deux chemins aboutissent.

bivius, *a, um (bis, via),* qui présente deux chemins.

blande *(blandus)*, d'une manière flatteuse, en caressant, en cajolant; avec douceur.

blandimentum, *i,* n. et ordin. **-menta,** *orum,* n. *(blandior),* **1.** caresses, flatterie || [fig.] agréments, douceurs, charmes || **2.** assaisonnement, condiments.

blandior, *iri, itus sum (blandus)*, intr., flatter, caresser, cajoler, charmer [*alicui*, qqn].

blanditia, *æ*, f. *(blandus)*, **1.** caresse, flatterie; *minæ, blanditiæ*, les menaces, les flatteries || **2.** attraits, séductions.

blanditus, *a, um*, part. de *blandior.*

blandus, *a, um,* **1.** caressant, câlin, flatteur || **2.** attrayant, séduisant.

blateratus, *a, um*, part. de *blatero.*

blatero (blatt-), *are, avi, atum*, intr., babiller, bavarder || tr., laisser échapper en bavardant.

blatta, *æ*, f., blatte.

boa (bova, boas), *æ*, f., le serpent boa.

boarius (bov-), *a, um (bos),* qui concerne les bœufs.

Bœoti, v. *Bœotia.*

Bœotia, *æ*, f., Béotie [province de la Grèce] || **-ticus,** ou **-tius,** ou **-tus,** *a, um*, de Béotie, Béotien. || **-ti,** ou **-tii,** *orum*, m., Béotiens [passaient parmi les Grecs pour être d'esprit lourd].

Boihemum, *i*, n., pays des Boïens en Germanie [Bohême].

Boii ou **Boi,** *orum*, m., Boïens [peuple celtique].

boletus, *i*, m., bolet [champignon].

bombus, *i*, m., bourdonnement des abeilles || bruit résonnant, retentissant, grondant.

bona, *orum*, n. *(bonum),* **1.** les biens, les avantages || [philos.]: *bona, mala*, les biens, les maux || qualités, vertus || bonnes choses, prospérité, bonheur || **2.** biens, avoir: *bona vendere*, vendre des biens.

Bona Dea (Diva), f., la Bonne Déesse [déesse de la Fécondité, de l'Abondance; honorée par les femmes romaines].

boni, *orum*, m., v. *bonus.*

bonitas, *atis*, f. *(bonus)*, bonté, bonne qualité: *agrorum*, la bonté des terres; *ingenii*, bon naturel || bonté, bienveillance, affabilité || honnêteté, vertu.

bonum, *i* (n. de *bonus* pris subst., v. *bona*), [en gén.] bien: *summum bonum*, le souverain bien || *bonum publicum*, le bien public, le bien de l'État.

bonus, *a, um*, compar. *melior*, superl. *optimus*, **1.** [en parl. des pers.] bon [au sens le plus général du mot]: *boni cives*, les bons citoyens = patriotes, respectueux des lois || *boni, improbi*, les bons, les méchants || *homo bonus, optimus*, brave homme, excellent homme || [en parl. des dieux]: *(o) di boni!* grands dieux! bons dieux! *Jovis Optimi Maximi templum*, le temple de Jupiter très bon, très grand || bon, bienveillant: *alicui* ou *in aliquem*, bon pour qqn || **2.** [en parl. des choses] bon, de bonne qualité: *bonus ager*, bon champ, champ fertile; *optima navis*, très bon vaisseau || *bono genere natus*, issu d'une bonne famille, bien né; *optimo ingenio*, avec d'excellentes dispositions naturelles (très bien doué) || *in bonam partem aliquid accipere*, prendre qqch. en bonne part || heureux, favorable || **3.** n. pris subst., v. *bonum* et *bona.*

boo, *are, avi*, intr., mugir, retentir.

boreas, *æ*, m., borée, aquilon, vent du nord || le septentrion.

boreus, *a, um*, boréal, septentrional.

bos, *bovis*, m., f.; pl. *boves, boum, bobus* et *bubus*, bœuf; vache.

Bosphoranus (-reus), (-ricus), (-rius), *a, um*, du Bosphore; **-ani,** *orum*, m., habitants du Bosphore.

Bosphorus (ros), *i*, m., Bosphore [nom de deux détroits communiquant avec le Pont-Euxin: le Bosphore de Thrace et le Bosphore Cimmérien].

Bospor-, c. *Bosphor-*.
botularius, *ii*, m. *(botulus)*, faiseur de boudins.
botulus, *i*, m., boudin, saucisson.
bovillus, *a, um (bos)*, de bœuf.
braca, *æ*, f., plus souvent **bracæ,** *arum*, f., braies [chausses plus ou moins larges serrées par le bas].
bracatus, *a, um (braca)*, qui porte des braies.
bracch-, v. *brach-*.
brachiolum, *i*, n., petit bras, bras mignon.
brachium (bracch-), *ii*, n., **1.** bras || **2.** tentacule || **3.** [poét.] antenne de navire || **4.** [langue militaire] ligne de communication; [en part.] les Longs Murs [entre Athènes et Le Pirée].
bractea (bratt-), *æ*, f., feuille de métal.
branchia, *æ*, plus souvent **-iæ,** *arum*, f., branchies, ouïes de poisson.
brassica, *æ*, f., chou [légume].
Brennus, *i*, m., **1.** chef gaulois qui s'empara de Rome || **2.** un autre qui envahit la Grèce.
brevi, abl. n. de *brevis*, employé adv., v. *brevis 2: brevi tempore*.
breviarius, *a, um (brevis)*, abrégé || subst. n., abrégé, sommaire.
breviatus, *a, um*, part. de *brevio*.
breviloquens, *entis (brevis, loquor)*, qui parle en peu de mots, concis, serré.
breviloquentia, *æ*, f., brièveté, concision, laconisme.
brevio, *are, avi, atum (brevis)*, tr., abréger, raccourcir.
brevis, *e*, **1.** court [quant à l'espace]: *breviore itinere*, par un chemin plus court || *brevia vada*, bas-fonds v. *brevia* || court [en hauteur] || [en parl. d'écrits, de discours] court, bref || [en parl. des écrivains ou des orateurs] bref, concis || **2.** court [quant au temps]: *breve tempus*, court espace de temps; *brevi tempore*: ***a)*** sous peu, dans peu de temps; ***b)*** pendant peu de temps, en peu de temps || [en parl. des choses elles-mêmes] court, bref, passager.
brevitas, *atis*, f. *(brevis)*, brièveté.
breviter, *brevius, brevissime*, brièvement.
Briareus, *ei* ou *eos*, m., Briarée ou Égéon (géant qui avait cent bras].
Brigantes, *um*, m., Brigantes [peuple de la Bretagne].
Britanni, *orum*, m., Bretons, habitants de la Bretagne [Angleterre].
Britannia, *æ*, f., Bretagne [Angleterre] || **-icus,** *a, um*, de Bretagne.
Britannicus, *i*, m., fils de Claude et de Messaline, empoisonné par Néron.
Britannus, *a, um*, de Bretagne.
Bructeri, *orum*, m., Bructères [peuple de la Germanie] || **-us,** *a, um*, Bructère.
bruma, *æ*, f., le solstice d'hiver || l'hiver.
brumalis, *e (bruma)*, qui se rapporte au solstice d'hiver || d'hiver.
Brundisium (Brundusium), *ii*, n., ville de Calabre avec un port autrefois célèbre, point de départ de la navigation vers la Grèce et l'Orient (Brindes) || **-isinus,** *a, um*, de Brundisium || **-isini,** *orum*, m., habitants de Brundisium.
Bruttii (Britt-), *orum*, m. pl., les habitants du Bruttium || **-ttius,** *a, um*, du Bruttium.
brutum, *i*, n. [surt. au pl.], bête brute.
1. brutus, *a, um*, **1.** lourd, pesant || **2.** qui n'a pas la raison || **3.** [fig.] stupide, déraisonnable.
2. Brutus, *i*, m., surnom romain; not.: L. Junius Brutus, premier consul de Rome || M. Junius Brutus, un des chefs de la conjuration contre César.
bubo, *onis*, m., f., hibou, chat-huant.
bubulcus, *i*, m. *(bos)*, bouvier, vacher.
bubulus, *a, um (bos)*, de bœuf, de vache.
bubus, dat. et abl. pl. de *bos*.
bucca, *æ*, f., bouche || [pl.] joues.
buccula (bucula), *æ*, f. *(bucca)*, **1.** petite bouche || **2.** [fig.] bosse du bouclier.
Bucephalas, *æ*, m., Bucéphale [nom du cheval d'Alexandre le Grand].
bucina, *æ*, f., cornet de bouvier || trompette || veille [annoncée par la trompette]. **bucinator,** *oris*, m. *(bucino)*, trompette, celui qui sonne de la trompette.
bucino, *are, avi, atum (bucina)*, intr., sonner de la trompette, sonner du cor.
bucolica, *orum* et *on*, n., poésies pastorales, églogues, idylles.
bucolicus, *a, um*, pastoral, bucolique, qui concerne les bœufs ou les pâtres.
bucula, *æ*, f. (dimin. de *bos*), génisse.
buculus, *i*, m., jeune bœuf, bouvillon.
bufo, *onis*, m., crapaud.
bulbosus, *a, um (bulbus)*, bulbeux, tubéreux.
bulbus, *i*, m., bulbe, oignon de plante.
bulla, *æ*, f., **1.** bulle d'eau || **2.** tête de

clou pour l'ornement des portes || **3.** bouton de baudrier || **4.** bulle [petite boule d'or, que les jeunes nobles portaient au cou jusqu'à l'âge de dix-sept ans] || **5.** bulle que les triomphateurs portaient sur leur poitrine || **6.** bulle suspendue au cou d'animaux favoris.

bullio, *ire, ivi* et *ii, itum (bulla),* intr., bouillonner, bouillir.

bullitus, *a, um,* part. de *bullio.*

bullo, *are (bulla),* intr., bouillonner, bouillir.

bullula, *æ,* f. *(bulla),* petite bulle.

bumammus, *a, um,* [en parl. de raisin] à gros grains.

Bura *æ* et **Buris,** *is,* f., ville d'Achaïe.

Buri, *orum,* m., peuple de la Germanie.

Burrus, *i,* m., Burrus [qui fut avec Sénèque gouverneur de Néron].

Busiris, *is* ou *idis,* m., roi d'Égypte qui immolait les étrangers à Jupiter et fut tué par Hercule.

bustuarius, *a, um (bustum),* qui est relatif aux bûchers, aux tombeaux.

bustum, *i,* n. *(buro, comburo),* bûcher || tombeau, sépulture || monument funèbre.

Buthrotum, *i,* n., Buthrote [ville maritime d'Épire] || **-ius,** *a, um,* de Buthrote.

butyrum, *i,* n., beurre.

buxetum, *i,* n. *(buxus),* lieu planté de buis.

buxeus, *a, um (buxus),* de la couleur du buis, jaune.

buxosus, *a, um (buxus),* qui ressemble au buis.

buxum, *i,* n., et **buxus,** *i,* ou *us,* f., **1.** buis || **2.** [objets en buis]: flûte || toupie, sabot || peigne || tablettes à écrire.

Byrsa, *æ,* f., citadelle de Carthage, bâtie par Didon.

Byzantium (-tion), *ii,* n., Byzance [postérieurement Constantinople, ville sur le Bosphore de Thrace] || **-tius,** *a, um,* de Byzance, byzantin || **Byzantii,** *orum,* m., habitants de Byzance.

C

C, c, f., n., troisième lettre de l'alphabet latin || abréviation de Gaius; quand il est retourné Ɔ, il signifie Gaia || sur les tablettes de vote des juges, il signifie *condemno*, d'où son nom de *littera tristis* par opposition à *A (absolvo)* appelé *littera salutaris* || signe numérique *C* = cent.

caballinus, *a, um (caballus)*, de cheval.

caballus, *i*, m., bidet.

cachinnatio, *onis*, f. *(cachinno)*, action de rire aux éclats, fou rire.

cachinno, *are, avi (cachinnus)*, intr., rire aux éclats.

cachinnus, *i*, m., rire bruyant, éclat de rire: *cachinnum alicujus commovere*, faire rire qqn aux éclats.

cacumen, *inis*, n., sommet, extrémité, pointe, cime.

cacumino, *are, avi, atum (cacumen)*, tr., rendre pointu, terminer en pointe.

Cacus, *i*, m., brigand qui vomissait des flammes, tué par Hercule.

cadaver, *eris*, n., corps mort, cadavre.

Cadmeis, *idis*, adj. f., de Cadmus; de Thèbes || subst. f., fille de Cadmus (Sémélé, Ino ou Agavé).

Cadmeius (-eus), *a, um*, de Cadmus, de Thèbes || **-mea,** *æ*, f., la Cadmée [citadelle de Thèbes].

Cadmus, *i*, m., fils d'Agénor, frère d'Europe, fondateur de la Cadmée.

cado, *ere, cecidi, casum*, intr., **1.** [en parl. des choses et des êtres animés] tomber, choir || *ex equo, de equo*, tomber de cheval || **2.** tomber, succomber, mourir: *ab aliquo cadere*, tomber sous les coups de qqn || **3.** [fig.] *in judicio cadere*, perdre son procès || **4.** [fig.] tomber, disparaître || **5.** arriver [surtout avec un adverbe ou un adjectif attribut], aboutir à || **6.** tomber, venir à, s'exposer à: *sub imperium alicujus*, tomber sous la domination, sous le pouvoir de qqn; s'exposer à || coïncider || **7.** tomber sur [*in aliquem, in aliquid*], se rapporter à, cadrer, convenir, s'appliquer bien à qqn || tomber sur, sous, dans: *sub aspectum, sub oculos*, tomber sous la vue, sous les yeux.

caduceus, *i*, m., caducée [verge que portaient Mercure et les envoyés, les hérauts, etc.].

caducifer, *era, erum (caduceus, fero)*, qui porte un caducée [Mercure].

caducus, *a, um (cado)*, qui tombe, [ou] qui est tombé, [ou] qui tombera || [fig.] caduc, périssable, fragile.

Cadurci, *orum*, m., peuple d'Aquitaine, auj. Cahors || sing. *Cadurcus*, un Cadurque.

cadus, *i*, m., récipient de terre dans lequel on conserve le vin, qqf. l'huile, le miel, etc., cruche, jarre; [par ext.] tonneau, baril || vase en airain; urne funéraire.

cæcatus, *a, um*, part. de *cæco*.

Cæcilius, *ii*, m., Cæcilius Statius [poète comique de Rome, contemporain d'Ennius] || nom d'une *gens* à laquelle appartenait la famille des Métellus.

cæcitas, *atis*, f. *(cæcus)*, cécité || [fig.] aveuglement.

cæco, *are, avi, atum (cæcus),* tr., **1.** aveugler, priver de la vue, éblouir || **2.** [fig.] obscurcir, rendre obscur, inintelligible.

Cæcubus ager, plaine du Latium, célèbre par ses vins || **-us,** *a, um,* de Cécube || **-um,** *i,* subst. n., vin de Cécube.

cæcus, *a, um,* **1.** aveugle || m. pris subst., un aveugle || **2.** [fig.] aveuglé: *cæcus cupiditate,* aveuglé par la passion || **3.** privé de lumière, obscur, sombre || **4.** qu'on ne voit pas, secret, caché, dissimulé: *vallum cæcum,* trous de loup [pieux dissimulés en terre] || **5.** incertain, douteux, indistinct.

cædes, *is,* f. *(cædo),* action de couper, d'abattre: **1.** meurtre, massacre, carnage || **2.** sang versé || **3.** corps massacrés.

cædo, *cædere, cecidi, cæsum,* tr., **1.** frapper, battre || **2.** abattre: *arbores, silvas,* abattre des arbres, des forêts || **3.** briser, fendre, saper || [en part.] tailler || **4.** abattre, tuer, massacrer, tailler en pièces || **5.** égorger [des animaux] || immoler, sacrifier.

cælator, *oris,* m. *(cælo),* graveur, ciseleur.

cælatura, *æ,* f. *(cælo),* ciselure, art de ciseler, [ou] ouvrage de ciselure.

cælatus, *a, um,* part. de *cælo.*

cælebs, *ibis,* adj., célibataire.

cæles (inus. au nominatif), *itis,* adj., du ciel, céleste || subst. [surtout usité au pluriel] habitant du ciel, dieu.

cælestis, *e (cælum),* du ciel, céleste || d'origine céleste, qui se rapporte aux dieux d'en haut || [fig.] divin, excellent, merveilleux || **cælestis,** *is,* subst. m., ordin. au pl., habitant du ciel, dieu || **cælestia,** *ium,* n., pl., choses célestes.

cælibatus, *us,* m. *(cælebs),* célibat.

cælicolæ, *arum,* et [plus souvent] *um,* m. *(cælum, colo),* habitants du ciel, dieux.

cælifer, *era, erum (cælum, fero),* qui porte le ciel.

cælites, *um,* v. *cæles.*

Cælius, *ii,* m., **1.** (*mons* exprimé ou s.-ent.): le Cælius [une des sept collines de Rome] || **2.** L. Cælius Antipater, historien et juriste du temps des Gracques || **3.** M. Cælius Rufus, ami et correspondant de Cicéron qui plaida pour lui.

cælo, *are, avi, atum (cælum 1),* tr., **1.** graver, ciseler, buriner || **2.** orner.

1. cælum, *i,* n., ciseau, burin, instrument du ciseleur, du graveur.

2. cælum, *i,* n., ciel: **1.** ciel, voûte céleste || phénomènes célestes, signes du ciel: *e cælo ictus,* frappé de la foudre || **2.** air du ciel, air, atmosphère || climat, atmosphère d'une contrée.

cæmentum, *i,* n., moellon, pierre brute.

cænum (ce-, rar. **coe-),** *i,* n., boue, fange, ordure || ordure [terme d'injure].

cæpa (cepa), *æ,* f., oignon.

cæpetum, *i,* n. *(cæpa),* carré d'oignons.

Cæpio, *onis,* m., surnom des Servilius || au pl. *Cæpiones.*

Cære, n. ind., et **Cæres,** *itis (-etis),* f., Céré [ville d'Étrurie, antérieurement nommée Agylla, auj. Cervetri] || **Cæres,** *etis (-itis),* adj., de Céré || **-ites,** *itum,* m., habitants de Céré.

cærimonia (cære-), *æ,* f., **1.** vénération, respect religieux || **2.** manifestation de la vénération, culte || cérémonie [surtout au pl.].

cærula, *orum,* n. *(cærulus),* **1.** la mer (les plaines azurées) || **2.** l'azur du ciel || l'azur des sommets des montagnes.

cæruleus, *a, um,* bleu, bleu sombre || foncé, sombre, noirâtre || subst. n. **cæruleum,** azur, couleur bleue.

cærulus, *a, um,* c. *cæruleus.*

Cæsar, *aris,* m., nom de famille dans la *gens Julia,* dont le personnage le plus important fut Jules César, le vainqueur des Gaules || titre porté par les empereurs || **-reus,** *a, um,* ou **-rinus,** *a, um,* ou **-rianus,** *a, um,* de César.

Cæsarianus, v. *Cæsar.*

cæsariatus, *a, um (cæsaries),* chevelu.

cæsaries, *ei,* f., chevelure.

Cæsarinus, v. *Cæsar.*

Cæsario, *onis,* m., Césarion [fils de César et de Cléopâtre].

Cæsia silva, *æ,* f., forêt de Germanie.

cæsim, adv. *(cædo),* **1.** en tranchant, de taille || **2.** [rhét.] par incises.

cæsius, *a, um,* tirant sur le vert, pers.

cæspes ou **cespes,** *itis,* m., **1.** motte de gazon || **2.** hutte || autel de gazon || **3.** [poét.] terre couverte de gazon, sol.

cæstus, *us,* m. *(cædo),* ceste, gantelet, ou bandes de cuir garnies de plomb.

cæsura, *æ,* f. *(cædo),* **1.** action de couper, coupe || **2.** coupure, endroit où une chose est coupée.

cæsus, *a, um,* part. de *cædo*; m. pris subst.: tué, victime.

Caieta, *æ,* et **-ete,** *es,* f., Caiète,

1. nourrice d'Énée || **2.** ville et port du Latium [auj. Gaète].

Caius, *i*, m., prénom romain, v. *Gaius* || désigne en particulier Caligula.

Calaber, *bri*, m., habitant de la Calabrie || **-ber,** *bra, brum*, de Calabrie.

Calabria, *æ*, f., la Calabrie [province méridionale de l'Italie].

calamister, *tri*, m. *(calamus)*, fer à friser || [fig.] faux ornements du style, afféterie.

calamistratus, *a, um*, frisé au fer.

calamitas, *tis*, f. *(calamus)*, tout fléau qui endommage la moisson sur pied || [fig.] calamité, malheur, désastre.

calamitose *(calamitosus)*, malheureusement.

calamitosus, *a, um (calamitas)*, **1.** qui fait du dégât, des ravages, ruineux, désastreux, pernicieux, funeste || **2.** exposé à la grêle, au ravage || malheureux, accablé par le malheur.

calamus, *i*, m., canne, roseau || roseau à écrire || chalumeau, flûte; flèche || canne à pêche || chaume [de plantes].

calathus, *i*, m., panier, corbeille || coupe.

Calatia, *æ*, f., ville de la Campanie || **-ini,** *orum*, m., habitants de Calatia.

calcar, *aris*, n. *(calx 1)*, éperon.

calcatus, *a, um*, part. de *calco* || adj., commun, rebattu.

calceamen (-ciamen), *ini*, et **calceamentum (-ciamentum),** *i*, n., chaussure, soulier.

1. calceatus ou **calciatus,** *a, um*, part. de *calceo*.

2. calceatus (-ciatus), *us*, m., chaussure.

calceo (-cio), *are, avi, atum (calceus)*, tr., chausser: *commode calceatus*, bien chaussé.

calceolus, *i*, m., dimin. de *calceus*.

calceus, *i*, m. *(calx 1)*, chaussure, soulier.

Calchas, *antis*, m., Calchas [devin grec au siège de Troie].

Calchedon, *onis*, f., ville sur le Bosphore, vis-à-vis de Byzance || **-donius,** *a, um*, de Chalcédoine; **-donii,** *orum*, m., Chalcédoniens.

calcitro, *are, avi, atum (calx 1)*, intr., ruer, regimber || [fig.] se montrer récalcitrant.

calco, *are, avi, atum (calx 1)*, tr., **1.** fouler, marcher sur qqch. || **2.** piétiner, comprimer en foulant || faire entrer en foulant || **3.** [fig.] fouler aux pieds.

calculosus, *a, um (calculus)*, caillouteux, plein de cailloux.

calculus, *i*, m. (dimin. de *calx 2)*, petite pierre: **1.** caillou || caillou pour voter; [d'où] vote, suffrage || caillou blanc [pour marquer les jours heureux] || **2.** caillou, pion [d'une espèce de jeu de dames ou d'échecs] || **3.** caillou de la table à calculer.

calda, *æ*, f. *(calida)*, eau chaude.

caldarius, et **calidarius,** *a, um (calidus)*, relatif à la chaleur || chaud, chauffé || subst. n., **caldarium,** *ii*, étuve, chaudière, chaudron.

caldus, sync. de *calidus*.

Caledonia, *æ*, f., Calédonie [partie septentrionale de la Bretagne].

calefacio, *facere, feci, factum (calens, facio)*, tr., échauffer, chauffer, faire chauffer || [poét.] échauffer, émouvoir, enflammer, exciter || passif, v. *calefio*.

calefacto, *are (calefacio)*, tr., chauffer souvent ou fortement.

calefactus, *a, um*, part. de *calefacto*.

calefio, *fieri, factus sum*, pass. de *calefacio*, devenir chaud, être chauffé.

calendæ (kal), *arum*, f., calendes [premier jour du mois chez les Romains].

calens, *entis*, part.-adj. de *caleo*, chaud, brûlant.

caleo, *ere, ui, iturus*, intr., **1.** être chaud, être brûlant || **2.** [fig.] être échauffé, être agité || être dans tout son feu, en pleine activité.

Cales, acc. *es*, dat.-abl. *ibus*, f., Calès [ville de Campanie renommée pour la qualité de ses vins, auj. Calvi].

calesco, *ere (caleo)*, intr., s'échauffer.

Caletes, *um* et **-ti,** *orum*, m., peuple de la Gaule, du pays de Caux.

calida, *æ*, f., c. *calda*.

calidum, *i*, n. *(calidus)*, chaleur || vin coupé d'eau chaude.

calidus, *a, um (caleo)*, chaud || [fig.] ardent, bouillant, emporté, inconsidéré, téméraire.

caliga, *æ*, f. *(calx)*, calige [sorte de soulier, chaussure de soldat romain].

caligatus, *a, um (caliga)*, qui porte le soulier de soldat.

caliginosus, *a, um (caligo 1)*, sombre, ténébreux.

1. caligo, *inis*, f., **1.** tout état sombre de l'atmosphère || obscurité, ténèbres || brouillard, vapeur épaisse, nuage || **2.** [fig., métaph. diverses]: ténèbres [= époque troublée] || nuit, détresse || brouillards de l'intelligence, ignorance.

2. caligo, *are, avi, atum*, intr., **1.** être sombre, obscur, couvert de ténèbres, enveloppé de brouillard || **2.** [fig.] avoir la vue obscurcie, être ébloui, être aveuglé.

Caligula, *æ*, m., Caïus, surnommé Caligula, empereur romain.

calix, *icis*, m., coupe, vase à boire.

callens, *tis*, part. prés. de *calleo* || pris adj., habile, connaisseur.

calleo, *ere, ui (callum)*, intr. et tr., **I.** intr., avoir la peau dure || avoir des callosités, des durillons.
II. [fig.] intr. et tr., **1.** intr., être endurci || être rompu à, être façonné, être au courant || **2.** tr., être expert en qqch., savoir à fond || [avec inf.] savoir parfaitement.

callide *(callidus)*, à la façon de qqn qui s'y connaît; habilement, adroitement.

calliditas, *atis*, f. *(callidus)*, habileté, savoir-faire, finesse.

callidus, *a, um (calleo)*, qui s'y connaît: [en mauv. part] rusé, roué, madré; [en bonne part] qui a le savoir-faire, l'expérience, habile.

Callimachus, *i*, m., Callimaque [poète élégiaque de Cyrène].

Calliope, *es*, f., Calliope [muse de l'Éloquence et de la Poésie héroïque].

Callirhoe (-roe), *es*, f., Callirhoé [fille d'Achéloüs].

callis, *is*, m. et f., sentier.

Callisto, *us*, f., Callisto [fille de Lycaon, changée en ourse par Junon].

Callistratus, *i*, m., Callistrate [orateur athénien].

callosus, *a, um (callum)*, calleux, qui a des durillons || dur, épais.

callum, *i*, n., cal, peau épaisse et dure || callosité, durillon || [fig.] rudesse, insensibilité.

calo, *onis*, m., valet d'armée || palefrenier, valet.

calor, *oris*, m., chaleur || [fig.] ardeur, zèle, impétuosité.

calorificus, *a, um (calor, facio)*, qui échauffe.

Calpurnius, *ii*, m., nom d'une famille romaine où se trouvaient les surnoms de *Piso, Bestia, Bibulus*, etc. || **-nius** (ou **-nianus),** *a, um*, de la famille Calpurnia, de Calpurnius.

caltha (calta), *æ*, f., souci [plante].

calumnia, *æ*, f., tromperie: **1.** accusation fausse, calomnieuse, chicane en justice || **2.** emploi abusif de la loi, supercherie, manœuvres, cabale.

calumniator, *oris*, m. *(calumnior)*, chicaneur, celui qui fait un emploi abusif de la loi || faux accusateur.

calumnior, *ari, atus sum (calumnia)*, tr., **1.** intenter de fausses accusations devant les tribunaux || **2.** [en gén.] accuser faussement, élever des chicanes, se livrer à des manœuvres, à des intrigues.

calva, *æ*, f., crâne, boîte osseuse du cerveau.

calveo, *ere (calvus)*, intr., être chauve.

calvesco, *ere (calveo)*, intr., devenir chauve.

calvitium, *ii*, n., calvitie.

1. calvus, *a, um*, chauve, sans cheveux || [fig.] lisse.

2. Calvus, *i*, m., surnom, en part. des Licinius; [not.] Licinius Calvus [poète et orateur romain, ami de Catulle].

1. calx, *calcis*, f., talon.

2. calx, *calcis*, f., chaux || [fig.] extrémité de la carrière marquée primit. par de la chaux || [en gén.] fin, terme.

Calydon, *onis*, f., Calydon [vieille ville d'Étolie, célèbre par l'énorme sanglier qui ravageait ses campagnes et qui fut tué par Méléagre] || **-onius,** *a, um*, de Calydon: *Calydonius heros*, le héros calydonien [Méléagre].

Calypso, *us*, f., Calypso [nymphe qui retint sept ans Ulysse dans son île].

calyx, *ycis*, m., calice des fleurs || écorce [de fruits] || coque d'œuf || coquille, écaille.

Cambyses, *is (-æ)*, m., Cambyse [mari de Mandane et père du premier Cyrus] || le fils du premier Cyrus.

camella, *æ*, f. (dimin. de *camera*), écuelle, bol.

camelus, *i*, m., chameau.

Camena, *æ*, f., surtout au pl. **-næ,** *arum*, Camènes [nymphes aux chants prophétiques, plus tard identifiées avec les Muses]; Muses.

camera (-ara), *æ*, f., toit recourbé, voûte, plafond voûté.

camerarius (cama-), *a, um*, qui forme le berceau.

cameratus, *a, um*, part. de *camero*.

camero, *are, atum (camera)*, tr., construire en forme de voûte.

Camilla, *æ*, f., Camille [reine des Volsques, qui vint au secours de Turnus pour combattre Énée et les Troyens].

Camillus, *i*, m., surnom des Furius; Camille [célèbre dictateur qui sauva Rome des Gaulois].

caminatus, *a, um*, part. de *camino*.

camino, *are, atum (caminus),* tr., construire en forme de four.

caminus, *i,* m., **1.** fourneau, fournaise || [poét.] forge [de Vulcain et des Cyclopes sous l'Etna] || **2.** cheminée, âtre || **3.** foyer, feu [d'une cheminée].

Campania, *æ,* f., la Campanie [province d'Italie] || **-nus (-nicus),** *a, um,* de Campanie || subst. m., **-ni,** *orum,* les Campaniens.

campester, *tris, tre,* **1.** de plaine, uni, plat || **2.** [v. *campus 2*] qui a rapport au Champ de Mars, du Champ de Mars.

campestria, *ium,* n., lieux plats, plaines.

campus, *i,* m., **1.** plaine, plaine cultivée, champs || plaine, rase campagne || *campi Elysii,* Champs Élyséens, Champs Élysées || **2.** place [dans la ville de Rome] || [surtout] *campus Martius,* ou absol. *campus,* le Champ de Mars [lieu des comices]; [lieu de promenade, de jeu, d'exercices militaires] || **3.** [fig.] champ libre, large espace (carrière, théâtre).

camur, *a, um,* recourbé, tourné en dedans.

canalis, *is,* m., tube, tuyau, conduit d'eau ; canal || [en part.] à Rome, sur le forum, caniveau qui se déversait dans la *Cloaca Maxima.*

cancellatim *(cancellatus),* en forme de treillis.

cancellatus, *a, um (cancello),* qui a l'aspect d'un treillis.

cancellus, *i,* m., surtout pl. cancelli, *orum,* barreaux, treillis, balustrade || [fig.] bornes, limites.

cancer, *cancri,* m., **1.** cancre, crabe, écrevisse || le Cancer, signe du zodiaque || [poét.] le sud || **2.** chaleur violente.

candefacio, *ere, feci, factum (candeo, facio),* tr., **1.** blanchir [un objet] || **2.** chauffer à blanc || passif **candefio,** *ieri, factus sum,* devenir chaud, être chauffé.

candela, *æ,* f. (candeo), chandelle, cierge [de suif, de cire ou de poix].

candelabrum, *i,* n. *(candela),* candélabre.

candens, part.-adj. *(candeo),* **1.** blanc brillant || **2.** ardent.

candeo, *ere, ui,* intr., être d'une blancheur éclatante || être blanc par suite de la chaleur, brûler, être embrasé || être brillant.

candesco, *ere, dui (candeo),* intr., blanchir, devenir d'un blanc éclatant || se chauffer à blanc, s'embraser.

candico, *are,* intr., blanchir, devenir blanc, tirer sur le blanc.

candidatorius, *a, um (candidatus),* relatif à la candidature.

1. candidatus, *a, um,* vêtu de blanc.

2. candidatus, *i,* m., candidat [vêtu d'une toge blanche] || [en gén.] prétendant, aspirant à.

candide *(candidus),* **1.** de couleur blanche || **2.** avec candeur, de bonne foi, simplement.

candidulus, *a, um,* diminutif de *candidus.*

candidum, *i,* n. *(candidus),* **1.** couleur blanche || **2.** le blanc de l'œuf.

candidus, *a, um (candeo),* **1.** blanc éclatant, blanc éblouissant || **2.** d'une lumière claire (éclatante, éblouissante) || d'une blancheur éclatante, d'une beauté radieuse || **3.** [fig.] radieux, heureux, favorable || clair, franc, loyal.

candor, *oris,* m. *(candeo),* blancheur éclatante || éclat, beauté || [fig.] clarté, limpidité || bonne foi, franchise, innocence, candeur.

caneo, *ere, ui (canus),* intr., être blanc.

Canephoros, *i,* f. pl. *Canephoræ,* Canéphores (porteuses de corbeilles) [jeunes filles athéniennes qui portaient sur leur tête dans les cérémonies sacrées des corbeilles enguirlandées de fleurs et remplies d'objets consacrés au culte].

canesco, *ere, nui (caneo),* intr., blanchir || [fig.] vieillir.

cani, *orum,* m. *(canus),* cheveux blancs, vieillesse.

canicula, *æ,* f., dimin. de *canis,* petite chienne || la Canicule [constellation].

caninus, *a, um (canis),* de chien, canine || [fig.] agressif.

canis, *is,* m., f., **1.** chien, chienne || [fig.] chien [terme injurieux] || limier, agent || **2.** la Canicule [constellation].

canistra, *orum,* n., paniers, corbeilles.

canities, *iei,* f. *(canus),* blancheur || blancheur des cheveux, de la barbe = vieillesse.

1. canna, *æ,* f., **1.** canne, jonc mince plus petit que le roseau || **2.** roseau, flûte pastorale.

2. Canna, *æ,* m., fleuve voisin de Cannes, en Apulie.

cannabis, *is,* f., chanvre.

Cannæ, *arum,* f., Cannes [village d'Apulie, célèbre par la victoire qu'Hannibal y remporta sur les Romains] || **-ensis,** *e,* de Cannes.

cano, *canere, cecini, cantum,* **I.** intr., **1.** [en parl. d'hommes] chanter

|| **2.** pour désigner le chant de la corneille, du corbeau, du coq, des grenouilles || **3.** [instruments] résonner, retentir || **4.** jouer de [avec abl.]: *fidibus*, jouer de la lyre.
II. tr., **1.** chanter, commémorer, célébrer || chanter = écrire en vers, exposer en vers: *arma virumque cano...*, je chante les combats et le héros... || **2.** prédire, prophétiser [avec prop. inf.] || **3.** jouer d'un instrument, faire résonner (retentir) || **4.** [poét.] sonner = annoncer.

canor, *oris*, m. *(cano)*, son, son mélodieux, ensemble de sons harmonieux.

canorus, *a, um (canor)*, **1.** sonore, mélodieux, harmonieux || **2.** à la voix harmonieuse (bien timbrée).

Cantabri, *orum*, m., les Cantabres [peuple de la Tarraconnaise, près des Pyrénées et sur l'océan]; sing. *Cantaber*.

Cantabria, *æ*, f., le pays des Cantabres || **-icus,** *a, um*, du pays des Cantabres.

cantator, *oris*, m. *(canto)*, musicien, chanteur.

cantatus, *a, um*, part. de *canto*.

canterius, *ii*, m., cheval hongre || [en part.] cheval de main ou cheval monté.

cantharis, *idis*, f., cantharide [insecte venimeux] || charançon.

cantharus, *i*, m., coupe à anses.

canthus, *i*, m., cercle de fer, bande qui entoure la roue.

canticum, *i*, n. *(cano)*, chant, chanson || [au théâtre] morceau chanté avec accompagnement de flûte par un chanteur debout à côté du musicien, tandis que l'acteur en scène exécute la mimique || récitatif.

cantilena, *æ*, f., chant, chanson || air rebattu, refrain, rabâchage.

cantio, *onis*, f. *(cano)*, chant, chanson || incantation, enchantement, charme.

cantito, *are, avi, atum (cano)*, tr., chanter souvent.

Cantium, *ii*, n., partie de la Bretagne [auj. le pays de Kent].

cantiuncula, *æ*, f. *(cantio)*, petite chanson.

canto, *are, avi, atum* (fréq. de *cano*),
I. intr., **1.** chanter [en parl. des pers., des oiseaux] || [instruments] retentir, résonner || **2.** jouer de [avec abl.].
II. tr., **1.** chanter || **2.** chanter, célébrer || **3.** déclamer || **4.** chanter, raconter, prêcher, avoir sans cesse à la bouche || **5.** chanter, exposer en vers || **6.** prononcer des paroles magiques, frapper d'incantation.

cantor, *oris*, m. *(cano)*, **1.** chanteur, musicien || [fig.] qui répète, qui rabâche || panégyriste || **2.** le chanteur [v. *canticum*] dans une pièce de théâtre || l'acteur qui harangue le public et à la fin de la pièce crie «*plaudite*», applaudissez.

cantrix, *icis*, f. *(cantor)*, chanteuse.

cantus, *us*, m. *(cano)*, chant [de l'homme et des oiseaux] || son (accents) d'un instrument || enchantement, charme, cérémonie magique.

canui, pf. de *caneo*.

Canuleius, *i*, m., tribun de la plèbe, qui fit voter une loi permettant le mariage entre patriciens et plébéiens.

canus, *a, um*, blanc, d'un blanc brillant, argenté [en parl. des choses] || dont le poil, le duvet est blanc [en parl. des animaux, des fruits] || [fig.] vieux, vénérable.

Canusium, *ii*, n., ville d'Apulie, auj. Canossa || **-sinus,** *a, um*, de Canusium.

capax, *acis (capio)*, capable, qui peut contenir, qui contient, spacieux, ample, étendu || [fig.] insatiable.

capeduncula, *æ*, f., petit vase à anse.

capella, *æ*, f., dimin. de *capra*, petite chèvre; [ordin.] chèvre.

Capena, *æ*, f., Capène [ville d'Étrurie sur le Tibre] || **-nas,** *atis*, adj., de Capène; **-nates,** *ium*, m., les habitants de Capène || **-penus,** *a, um*, de Capène.

caper, *pri*, m., bouc.

capesso, *ere, ivi, iturus (capio)*, tr., **1.** prendre [avec de l'empressement], saisir || **2.** tendre vers un lieu, chercher à atteindre || **3.** se saisir de, embrasser, entreprendre; *pericula*, affronter les dangers; *pugnam*, engager la lutte.

Caphareus (-phereus), *ei*, ou *eos*, m., Capharée [promontoire de l'Eubée, où se brisa la flotte des Grecs, en revenant de Troie] || **-reus,** *a, um*, de Capharée.

capiens, *tis*, part. prés. de *capio*.

capillamentum, *i*, n. *(capillus)*, chevelure || faux cheveux, perruque.

capillatus, *a, um (capillus)*, qui a des cheveux || fin, délié, comme un cheveu.

capillus, *i*, m., cheveu, chevelure: [sing. collectif] *capillus promissus*, cheveux longs || poil de la barbe || poil des animaux.

1. capio, *ere, cepi, captum*, tr.,

I. 1. prendre, saisir || occuper, atteindre || **2.** [fig.] *misericordiam*, prendre pitié || *fugam*, prendre la fuite || *consulatum*, gagner, obtenir le consulat || **3.** choisir || **4.** s'emparer de, s'approprier, dérober || capturer, faire prisonnier qqn ; [d'où le part. pris subst.] **captus,** *i*, = *captivus*, prisonnier || [fig.] prendre qqn, le surprendre, avoir raison de lui, le battre || prendre, captiver, gagner || **5.** [au pass.] être pris (saisi) par qqch. || être séduit, charmé || être gagné, entraîné, abusé || **6.** obtenir, recueillir, recevoir, éprouver, encourir.

II. 1. contenir, renfermer || **2.** renfermer dans sa capacité, comporter.

2. capio, *onis*, f. *(capere)*, action de prendre possession || [en part.] *usus capio*, v. *usucapio*.

capistro, *are, atum (capistrum)*, tr., mettre une muselière, un licou.

capistrum, *i*, n. *(capio)*, muselière, licol, bâillon.

capital, *alis*, n. *(capitalis)*, crime capital || *capital est* avec inf., c'est un crime capital de.

capitalis, *e (caput)*, **1.** qui concerne la tête, capital, qui entraîne la mort (peine de mort), ou seulement la mort civile || **2.** [fig.] mortel, fatal, funeste || **3.** capital, qui tient la tête, qui est le principal.

capitaliter *(capitalis)*, en menaçant la vie.

1. capito, *onis*, m. *(caput)*, qui a une grosse tête.

2. Capito, *onis*, m., surnom des Ateius, des Fonteius.

1. Capitolinus, *a, um*, Capitolin, du Capitole : v. *clivus* ; *Juppiter Capitolinus*, Jupiter Capitolin ; *ludi Capitolini*, jeux Capitolins [célébrés en l'honneur de Jupiter] || **-lini,** *orum*, m., prêtres chargés de la célébration des jeux Capitolins.

2. Capitolinus, *i*, m., surnom des Quinctius, des Manlius ; not. M. Manlius Capitolinus [les Gaulois escaladant le Capitole pendant la nuit, Manlius, chef de la garnison romaine, réveillé par les cris des oies sacrées, renversa les assaillants du haut des murailles et sauva le Capitole, d'où son surnom].

Capitolium, *ii*, n. *(caput)*, le Capitole [une des sept collines de Rome sur laquelle était bâti le temple de Jupiter Capitolin].

capitulatim *(capitulum)*, sommairement.

capitulatus, *a, um (capitulum)*, qui a une petite tête.

capitulum, *i*, n. *(caput)*, petite tête, tête.

Cappadocia, *æ*, f., la Cappadoce [province centrale de l'Asie Mineure].

Cappadox, *ocis*, m., rivière d'Asie, qui donne son nom à la Cappadoce || **Cappadox,** *ocis*, adj. m., f., de Cappadoce ; **Cappadoces**, Cappadociens.

capra, *æ*, f. *(caper)*, chèvre || la Chèvre [constellation] || *Capræ palus*, le marais de la Chèvre [endroit où Romulus disparut et où s'éleva plus tard le Cirque Flaminius].

caprea, *æ*, f. *(capra)*, chèvre sauvage.

Capreæ, *arum*, f., Caprée [île de la mer Tyrrhénienne, auj. Capri] || **-eensis,** ou **-ensis,** *e*, de Caprée.

capreolus, *i*, m., **1.** jeune chevreuil || **2.** chevron, support.

Capricornus, *i*, m. *(caper, cornu)*, le Capricorne [signe du zodiaque].

caprificus, *i*, f. *(caper, ficus)*, figuier sauvage || figue sauvage.

caprigenus, *a, um (capra, geno)*, de chèvre.

Caprineus, *i*, m., nom donné à Tibère, parce qu'il affectionnait l'île de Caprée.

caprinus, *a, um (caper)*, de chèvre.

capripes, *edis (capra, pes)*, qui a des pieds de chèvre.

1. capsa, *æ*, f., boîte à livres, à papiers.

2. Capsa, *æ*, f., ville de Numidie || **-senses,** *ium*, et **-sitani,** *orum*, m., habitants de Capsa.

capsarius, *ii*, m. *(capsa)*, esclave qui porte la boîte de livres des enfants qui vont à l'école.

capsula, *æ*, f. *(capsa)*, petite boîte, coffret.

captatio, *onis*, f. *(capto)*, action de chercher à saisir, à surprendre || recherche.

captator, *oris*, m. *(capto)*, celui qui cherche à saisir, à surprendre qqch. || captateur de testaments.

captio, *onis*, f. *(capio)*, tromperie, duperie, piège || raisonnement captieux, sophisme.

captiose, d'une manière captieuse.

captiosus, *a, um (captio)*, trompeur || captieux, sophistique.

captiuncula, *æ*, f. *(captio)*, petite finesse, ruse, subtilité.

captiva, *æ*, f. *(captivus)*, captive.

captivitas, *atis*, f. *(captivus)*, captivité, état de captif, de vaincu || ensemble de captifs || action de réduire en captivité.

captivus, *a, um (captus),* **1.** captif, prisonnier || **2.** [poét.] de captif || **3. captivus,** *i,* m., prisonnier de guerre.

capto, *are, avi, atum,* tr. (fréq. de *capio*), **1.** chercher à saisir, à prendre, à attraper || chercher à gagner, à exciter || **2.** chercher à prendre (surprendre) qqn par ruse || **3.** capter: *testamenta,* capter des testaments; *captare aliquem,* circonvenir qqn pour capter son héritage.

captura, *æ,* f. *(capio),* **1.** action de prendre || la prise || **2.** gain, profit.

1. captus, *a, um,* part. de *capio.*

2. captus, *us,* m., **1.** faculté de prendre; capacité [physique ou morale] || **2.** action de prendre, prise, acquisition.

Capua, *æ,* f., Capoue [ville de Campanie; l'armée d'Hannibal, victorieuse à Cannes, s'y amollit dans les « délices de Capoue »].

capudo, *inis,* f., vase pour les sacrifices, cruche.

capulator, *oris,* m. *(capulo),* celui qui transvase le vin ou l'huile, tonnelier.

capulo, *are (capula),* tr., transvaser.

capulus, *i,* m. *(capio),* **1.** bière, cercueil || **2.** manche [de charrue] || poignée, garde [d'une épée].

capus, *i,* m., chapon.

caput, *itis,* n., **1.** tête [d'homme ou d'animal] || *capita conferre,* rapprocher les têtes = se rapprocher pour conférer, se concerter || **2.** [fig.] tête, extrémité, pointe, cime, source || [fig.] source, origine, point de départ || **3.** tête = la personne entière, personne, individu, homme || *capite censeri,* n'être recensé que pour sa personne; les *capite censi* n'appartiennent à aucune des cinq classes établies par Servius Tullius; ils ne paient pas de cens et ne font pas de service militaire || **4.** tête = vie, existence: *pœna capitis,* peine de mort; *reus capitis,* accusé d'un crime capital || **5.** tête, personnage principal || **6.** [en parl. de choses] partie principale, capitale; point capital, essentiel || **7.** [en parl. d'écrits] point capital, chapitre, paragraphe || **8.** lieu principal, capitale || **9.** [en parl. d'argent] somme capitale, somme principale.

Capys, *yos (yis),* acc. *yn*; abl. *ye,* Capys [fils d'Assaracus et père d'Anchise] || un des compagnons d'Énée.

Car, *is,* m., **1.** nom du héros éponyme de la Carie, qui inventa la science de tirer des augures du vol des oiseaux || **2.** Carien, v. *Cares.*

carabus, *i,* m., crabe, écrevisse de mer.

Caralis, *is,* et **-les,** *ium,* f., ville capitale de la Sardaigne [auj. Cagliari] || **-litanus,** *a, um,* de Caralis || **-tani,** *orum,* m., les habitants de Caralis.

carbaseus (-sinus), *a, um,* de lin fin, de toile très fine.

carbasus, *i,* f. (pl. **-sa,** *orum,* n.), espèce de lin très fin; [d'où] vêtement de lin || voile de navire.

1. carbo, *onis,* m., charbon.

2. Carbo, *onis,* m., Carbon [surnom des Papirius].

carbunculosus, *a, um (carbunculus),* plein de pierrailles rougeâtres.

carbunculus, *i,* m. *(carbo),* petit charbon || escarboucle [pierre précieuse] || carboucle [sorte de sable rougeâtre].

carcer, *eris,* m., **1.** prison, cachot: *in carcerem conjicere aliquem,* jeter qqn en prison || ce que renferme une prison, prisonniers || **2.** l'enceinte, d'où partent les chars dans une course [au pl. en prose] || [fig.] point de départ.

carchesium, *ii,* n., **1.** hune || **2.** coupe à anses.

carcinoma, *atis,* dat. - abl. pl. *-matis,* n., cancer [maladie].

cardiacus, *a, um,* d'estomac: *cardiacus morbus,* maladie d'estomac || **cardiacus,** *i,* m., malade de l'estomac.

cardinalis, *e (cardo),* qui concerne les gonds.

cardo, *inis,* m., **1.** gond, pivot || **2.** [fig.] point sur lequel tout roule, point capital, conjoncture critique.

carduus, *i,* m., chardon || artichaut.

care *(carus),* adv., cher, à haut prix.

careo, *ere, ui, iturus,* intr., construit avec l'abl., **1.** être exempt de, libre de, être sans, ne pas avoir || **2.** se tenir éloigné de: *foro, senatu,* ne pas paraître au forum, au sénat || **3.** être privé de, sentir le manque de.

Cares, *um,* m., Cariens, habitants de la Carie || sing., v. *Car.*

carex, *icis,* f., laîche ou carex [plante].

Caria, *æ,* f., la Carie [province de l'Asie Mineure].

carica, *æ,* f., espèce de figue sèche [venant de Carie] || figue (en gén.).

caries, acc. *em,* abl. *e* [seuls cas], f., pourriture || carie || état ruineux [d'un mur, d'un bâtiment] || mauvais goût [de fruits vieillis].

carina, *æ,* f., **1.** les deux parties

creuses qui forment la coque de la noix || **2.** carène d'un vaisseau || navire.

Carinæ, *arum*, les Carènes, quartier de Rome.

cariosus, *a, um (caries)*, carié, pourri || [fig.] gâté.

caritas, *atis*, f. *(carus)*, **1.** cherté, haut prix : *annonæ*, cherté du blé || **2.** amour, affection, tendresse || [avec gén. obj.] *patriæ*, l'amour de la patrie || [avec gén. subj.] *hominum*, l'amour que témoignent les hommes.

carmen, *inis*, n. *(cano)*, **1.** chant, air, son de la voix ou des instruments || **2.** composition en vers, vers, poésie || réponse d'un oracle, prophétie, prédiction || paroles magiques, enchantements || formule [religieuse ou judiciaire] || sentences morales [en vers].

Carmenta, *æ*, f., ou **Carmentis,** *is*, f., mère d'Évandre, réputée prophétesse || **-mentalis,** *e*, de Carmenta || **-mentalia,** *ium*, n., fêtes de Carmenta.

Carneades, *is*, m., Carnéade [philosophe grec] || **-deus,** et **-dius,** *a, um*, de Carnéade.

carnifex (arch. **carnu-**), *icis*, m. *(caro 2, facio)*, le bourreau public [esclave exécuteur des hautes œuvres] || [fig.] bourreau, homme qui torture || [injure] bourreau, pendard.

carnificatus, *a, um*, part. de *carnifico*.

carnificina (arch. **carnu-**), æ, f. *(carnifex)*, lieu de torture || office de bourreau || torture, tourment [au prés. et fig.]

carnifico, *are (carnifex)*, tr., **1.** exécuter [un condamné].

carnivorus, *a, um*, qui se nourrit de chair.

carnosus, *a, um (caro 2)*, charnu.

Carnutes, *um*, m., ou **Carnuti,** *orum*, m., les Carnutes [peuple de la Gaule].

1. caro, *ere*, tr., carder

2. caro, *carnis*, f., **1.** chair, viande || **2.** [métaphor.] chair, pulpe des fruits || **3.** [en part.] la chair [par opposition à l'esprit].

Carpathos (-us), *i*, f., île de la mer Égée || **-thius,** *a, um*, de Carpathos; *Carpathium mare*, mer de Carpathos.

carpentum, *i*, n., char, carrosse || char d'armée [chez les Gaulois].

carpo, *ere, carpsi, carptum*, tr., **1.** arracher détacher, cueillir || **2.** diviser par morceaux, lacérer, déchirer || [fig.] diviser || **3.** [fig.] cueillir, recueillir, détacher || [poét.] cueillir, prendre, goûter || [poét.] parcourir || **4.** [fig.] déchirer par de mauvais propos || **5.** [t. milit.] par des attaques répétées tourmenter, affaiblir l'ennemi ; harceler || [poét.] enlever peu à peu, affaiblir.

carpsi, pf. de *carpo*.

carptim *(carpo)*, en choisissant, par morceaux || séparément, en plusieurs reprises.

carptus, *a, um*, part. de *carpo*.

carruca (-cha), *æ*, f., carrosse.

carrus, *i*, m., chariot, fourgon.

Carseoli, *orum*, m., ville du Latium || **-seolanus,** *a, um*, de Carseoli.

Carthaginiensis (Kar-), *e*, Carthaginois || **-thaginienses,** *ium*, m., les Carthaginois.

Carthago (Kar-), *inis*, f., Carthage || **Carthago** *(Nova)*, f., Carthagène.

cartilagineus, *a, um*, et **cartilaginosus,** *a, um*, cartilagineux.

cartilago, *inis*, f., cartilage || pulpe, chair des fruits.

carui, pf. de *careo*.

caruncula, *æ*, f. (dimin. de *caro*), petit morceau de chair.

1. carus, *a, um*, **1.** cher, coûteux, précieux || **2.** cher, aimé, estimé.

2. Carus, *i*, m., surnom du poète Lucrèce.

Caryatis, *idis*, f., Caryatide [épithète de Diane] || **caryatides,** *um*, f., [fig.] caryatides, statues de femmes qui supportent une corniche.

caryon, *ii*, n., noix.

caryota, *æ*, f., et **caryotis,** *idis*, f., variété de datte.

casa, *æ*, f., cabane, chaumière || baraque [de soldats].

Casca, *æ*, m., surnom dans la gens Servilia.

cascus, *a, um*, ancien, des anciens temps.

caseum, *i*, n., et plus souv. **caseus,** *i*, m., fromage.

casia, *æ*, f., cannelier || daphné [plante].

Caspium mare, n., la mer Caspienne || **Caspius,** *a, um*, de la mer Caspienne.

Cassandra, *æ*, f., Cassandre [fille de Priam, prophétesse dont les prédictions ne trouvaient jamais créance].

cassida, *æ*, f. *(cassis 1)*, casque de métal.

1. Cassiope, *es*, f., Cassiopée [mère d'Andromède, transformée en constellation].

2. Cassiope, *es*, f., ville de l'île de Corcyre.

1. cassis, *idis*, f., casque en métal [des cavaliers].

2. cassis, *is*, m., et **casses,** *ium*, m., rets, filet de chasse || toile d'araignée || [fig.] embûches.

cassita, *æ*, f. *(cassis 1)*, alouette huppée.

Cassius, *ii*, m., nom romain ; C. Cassius, meurtrier de César.

cassus, *a, um*, **1.** vide || [avec abl.] dépourvu de, privé de || **2.** [fig.] chimérique, inutile || *in cassum* [locution adv.], vainement ; *in cassum cadere*, n'aboutir à rien.

Castalia, *æ*, f., Castalie [fontaine de Béotie consacrée aux Muses].

castanea, *æ*, f., châtaignier || châtaigne.

castaneus, *a, um*, de châtaignier.

caste *(castus)*, **1.** honnêtement, vertueusement || purement, chastement || **2.** religieusement, purement.

castellanus, *a, um (castellum)*, de château fort || **castellani,** *orum*, m., garnison, habitants d'un château fort.

castellatim, par places fortes.

castellum, *i*, n. *(castrum)*, **1.** château fort, redoute || [fig.] asile, repaire || **2.** hameau, ferme dans les montagnes.

castigabilis, *e (castigo)*, répréhensible, punissable.

castigatio, *onis*, f. *(castigo)*, blâme, réprimande || châtiment.

castigator, *oris*, m. *(castigo)*, critique, qui blâme.

castigatorius, *a, um (castigator)*, d'un critique, d'une personne qui réprimande.

castigatus, *a, um*, **1.** part. de *castigo* || **2.** adj. [fig.], contenu, strict.

castigo, *are, avi, atum*, tr., **1.** reprendre, réprimander || punir || **2.** [fig.] amender, corriger || **3.** contenir, réprimer.

castimonia, *æ*, f. *(castus)*, continence || pureté des mœurs, moralité.

castitas, *atis*, f. *(castus)*, pureté, chasteté.

1. castor, *oris*, m., castor.

2. Castor, *oris*, m., Castor [fils de Léda, frère de Pollux].

castoreum, *i*, n., et **castorea,** *orum*, n., castoréum, médicament tiré du castor.

castra, *orum*, n., **1.** camp : *castra ponere*, camper ; *castra movere*, lever le camp, décamper || *castra habere contra aliquem*, faire campagne contre qqn || **2.** [fig.] campement, journée de marche || service en campagne.

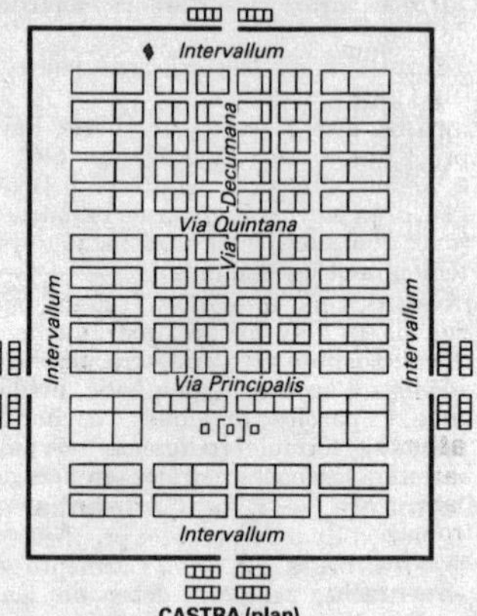

CASTRA (plan)

castrensis, *e (castra)*, relatif au camp, à l'armée.

castrum, *i*, n., fort, place forte ; v. *castra*.

castus, *a, um*, **1.** pur, intègre, vertueux, irréprochable || fidèle à sa parole, loyal || **2.** chaste, pur || **3.** pieux, religieux, saint.

casurus, *a, um*, part. fut. de *cado*.

casus, *us*, m. *(cado)*, action de tomber : **1.** chute, fin || **2.** arrivée fortuite de qqch., cas (chances) || **3.** ce qui arrive, accident, conjoncture, circonstance, occasion || hasard || abl. *casu* [employé comme adv.], par hasard, accidentellement || **4.** accident fâcheux, malheur.

catadromus, *i*, m., corde raide (de funambule).

cataphracta, *æ*, f., et **cataphracte,** *es*, f., cotte de mailles [pour hommes et pour chevaux].

cataphractus, *a, um*, bardé de fer || [fig.] cuirassé, couvert comme d'une armure.

cataplus, *i*, m., retour d'un navire au port, débarquement.

catapulta, *æ*, f., **1.** catapulte || **2.** projectile lancé par une catapulte.

catapultarius, *a, um*, lancé par une catapulte.

cataracta, *æ*, f., et **cataractes,** *æ*, m., cataracte || [fig.] réservoir, écluse || sorte de herse, qui défend la porte d'une citadelle ou l'accès d'un pont.

catasta, *æ*, f., estrade où sont exposés les esclaves mis en vente.

cate *(catus)*, adv., avec finesse || avec art.

cateia, *æ*, f., arme de jet des Gaulois qui, comme le boomerang, revient au départ.

1. catella, *æ*, f. *(catula)*, petite chienne.

2. catella, *æ*, f. *(catena)*, petite chaîne, chaînette, collier.

catellus, *i*, m. *(catulus)*, petit chien.

catena, *æ*, f., chaîne : *in catenas conjicere*, jeter dans les fers || [fig.] contrainte, lien, barrière.

catenarius, *a, um (catena)*, enchaîné.

cateno, *are, atum (catena)*, tr., enchaîner.

caterva, *æ*, f., **1.** corps de troupes, bataillon, bande guerrière, troupe de barbares || escadron || **2.** [en gén.] troupe, foule || troupe d'acteurs ou de chanteurs.

catervatim *(caterva)*, par troupes, par bandes.

cathedra, *æ*, f., **1.** chaise à dossier, siège || chaise à porteurs || **2.** chaire de professeur.

Catilina, *æ*, m., L. Sergius Catilina [prit la tête d'une conspiration que réprima Cicéron alors consul].

catillus, *i*, m. (dimin. de *catinus)*, petit plat, petite assiette.

Catina, *æ*, f., Catane [ville de Sicile] || **Catinensis,** *e*, de Catane.

catinum, *i*, n., et **catinus,** *i*, m., plat en terre || creuset.

Cato, *onis*, m., Caton [surnom des Porcii] ; not. : **1.** M. Porcius Caton [le célèbre censeur appelé aussi *Cato Major*, Caton l'Ancien] || [fig.] *Catones*, des Catons = des modèles de vertu comme Caton l'Ancien || **2.** Caton le Jeune ou d'Utique [arrière-petit-fils du précédent, prit parti pour Pompée contre César dans la guerre civile ; après la défaite de Pharsale passa en Afrique ; là encore les Pompéiens ayant été battus, il s'enferma dans Utique où il se tua pour ne pas survivre à la liberté].

Catonianus, *a, um*, de Caton.

Catoninus, *i*, m., partisan ou admirateur de Caton [d'Utique].

catulinus, *a, um (catulus)*, de chien || **catulina,** *æ*, f., viande de chien.

Catullus, *i*, m., Catulle, poète élégiaque.

catulus, *i*, m., petit chien || petit d'un animal quelconque.

catus, *a, um*, aigu, avisé, fin, habile.

Caucasus, *i*, m., le Caucase || **Caucasius,** et **Caucaseus,** *a, um*, du Caucase || **Caucasiæ Portæ,** f., Portes Caucasiennes [défilé du Caucase].

cauda, *æ*, f., queue.

caudex, *icis*, m., souche, tronc d'arbre || [fig.] homme stupide, bûche.

Caudium, *ii*, n., ville du Samnium || **-inus,** *a, um*, de Caudium ; *Furculæ Caudinæ*, les Fourches Caudines || **Caudini,** *orum*, m., habitants de Caudium.

caulæ (-llæ), *arum*, f., **1.** cavités, ouvertures || **2.** barrière d'un parc de moutons.

cauliculus, *i*, m., petite tige || petit chou.

caulis, *is*, m., tige des plantes || chou.

caulodes, *is*, qui a une grosse tige.

cauneæ, *arum*, f., figues sèches.

caupo (copo), *onis*, m., cabaretier.

caupona (copona), *æ*, f., **1.** cabaretière || **2.** auberge, taverne.

cauponius, *a, um*, d'auberge.

cauponula, *æ*, f. *(caupona)*, gargote.

Caurus, *i*, m., et **Corus,** *i*, m., vent du nord-ouest.

causa (caussa), *æ*, f.,

I. 1. cause, raison, motif : *eadem de causa*, pour la même raison || *ex aliis causis*, pour d'autres raisons ; *ob eam ipsam causam quod*, précisément pour la raison que... ; *propter hanc causam quod*, pour cette raison que... || *cum causa*, avec raison || *non sine causa*, non sans raison || *quid est causæ, cur*, quel motif y a-t-il pour que || *ea causa, ut = idcirco, ideo ut* || **2.** motif allégué, raison invoquée, excuse, prétexte || **causa** [jouant le rôle de prép., placé après son régime au gén.] à cause de, en vue de : *honoris causa*, pour honorer, par honneur ; *vestra reique publicæ causa*, à cause de vous et de l'État, dans votre intérêt comme dans l'intérêt général || [qqf.] à cause de, par l'effet de.

II. affaire où sont en cause des intérêts : **1.** affaire judiciaire, procès, cause : *causam accipere, aggredi, amplecti, attingere, defendere*, se charger d'une cause, la prendre en mains, la défendre || **2.** cause, affaire, question, cas, situation, position, rapports entre personnes, liaison : *causam amicitiæ habere cum aliquo*, avoir des relations d'amitié avec qqn || cause, parti : *causa nobilitatis*, la cause de la noblesse.

causarius, *a, um*, **1.** malade, infirme || **2.** invalide.

causatus, *a, um*, part. de *causor*.

causidicus, *i*, m. *(causa, dico)*, avocat de profession [avec idée péjorative].

causor, *ari, atus sum (causa)*, tr., prétexter, alléguer.

causticus, *a, um*, qui brûle, caustique.

causula, *æ*, f. *(causa)*, petit procès.

caute *(cautus)*, avec précaution, prudemment.

cautela, *æ*, f. *(cautus)*, défiance, précaution.

cautes, *is*, f., et **cotes,** *is*, f., roche, écueil.

cautio, *onis*, f. *(caveo)*, **1.** action de se tenir sur ses gardes, précaution || **2.** caution, garantie.

cautor, *oris*, m. *(caveo)*, celui qui garantit.

1. cautus, *a, um*, part. de *caveo*.

2. cautus, pris adj., **1.** entouré de garanties, sûr, qui est en sécurité || **2.** qui se tient sur ses gardes, défiant, circonspect, prudent.

cavædium, *ii*, n. *(cavus, ædes)*, cour intérieure d'une maison.

cavatus, *a, um*, **1.** part. de *cavo* || **2.** pris adj., creux: *rupes cavata*, caverne.

cavea, *æ*, f. *(cavus)*, **1.** cavité || **2.** enceinte où sont enfermés des animaux || **3.** partie du théâtre ou de l'amphithéâtre réservée aux spectateurs, bancs, *cavea prima, ultima*, le premier rang, le fond du théâtre || [fig.] le théâtre, les spectateurs.

caveatus, *a, um (cavea)*, **1.** emprisonné, enfermé || **2.** disposé en amphitéâtre [en parl. d'une ville].

caveo, *ere, cavi, cautum*, intr. et tr., **1.** être sur ses gardes, prendre garde: *ab aliquo*, se défier de qqn || [avec acc.] se garder de, éviter: *inimicitias*, se précautionner contre les haines; *cave canem*, prends garde au chien || avec *ne* + subj. ou subj. seul: prendre garde de ou que || **2.** avoir soin de, veiller sur [avec dat.] || [avec *ut*] avoir soin que, prendre ses mesures pour que, disposer que, stipuler que || **3.** [t. de droit] prendre toutes les précautions utiles, comme jurisconsulte, au nom du client; veiller à ses intérêts au point de vue du droit || *sibi cavere*, prendre ses sûretés || donner des sûretés, des garanties à autrui au moyen de qqch.: *obsidibus cavere inter se*, échanger des otages pour se donner une garantie mutuelle.

caverna, *æ*, f. *(cavus)*, cavité, ouverture.

cavillatio, *onis*, f. *(cavillor)*, badinage, enjouement.

cavillator, *oris*, m. *(cavillor)*, badin, plaisant.

cavillatus, *a, um*, part. de *cavillor* et de *cavillo*.

cavillor, *ari, atus sum*, tr. et intr., **1.** plaisanter, dire en plaisantant, se moquer de || *cavillari rem*, plaisanter sur qqch.; [avec prop. inf.] dire en plaisantant que || **2.** user de sophismes.

cavo, *are, avi, atum (cavus)*, tr., **1.** creuser || **2.** faire en creusant: *naves ex arboribus*, creuser des navires dans des arbres.

cavum, *i*, n. *(cavus)*, trou [seul. au pl.].

1. cavus, *a, um*, **1.** creux, creusé, profond || **2.** [fig.] vide, vain, sans consistance.

2. cavus, *i*, m., trou, ouverture.

Caystros (-us), *i*, m., fleuve d'Ionie || **Caystrius ales** = le cygne.

Cea, *æ*, f., Céa ou Céos, île de la mer Égée || **Ceus,** *a, um*, de Céa || **Cei,** *orum*, m., les Céens.

Cebenna, *æ*, f., ou **Cebennici montes,** m., les Cévennes.

1. cecidi, pf. de *cado*.

2. cecidi, pf. de *cædo*.

Cecropides, *æ*, m., descendant de Cécrops || *Cecropidæ, arum*, m., les Athéniens.

Cecropis, *idis*, f., descendante de Cécrops.

Cecropius, *a. um*, d'Athènes ou de l'Attique: *apes Cecropiæ*, les abeilles de l'Hymette.

Cecrops, *opis*, m., Cécrops [premier roi d'Athènes].

1. cedo, *ere, cessi, cessum*,
I. intr., **1.** aller, marcher, s'avancer || **2.** s'en aller, se retirer || *alicui*, se retirer, céder, plier devant qqn || *loco cedere*, abandonner sa position, lâcher pied; *patria*, quitter sa patrie || [fig.] céder, ne pas résister: *fortunæ*, céder à la fortune, s'incliner devant la nécessité; *tempori*, céder aux circonstances || céder le pas, se reconnaître inférieur: *alicui aliqua re*, le céder à qqn en qqch. || s'en aller, disparaître: *horæ cedunt*, les heures passent || **3.** aller, arriver, échoir || *in aliquid*, se changer en qqch., tourner en qqch. || [avec un adverbe de manière] aller, arriver, se passer: *prospere cedere*, avoir un heureux résultat; *cedere* seul = *bene cedere*, réussir.

II. tr., céder, concéder || [avec *ut*] concéder que, accorder que.

2. cedo, 1. donne, montre, présente : *cedo mihi*, montre-moi || **2.** dis, parle [avec acc.] : *unum cedo auctorem tui facti*, cite un seul garant de ton acte.

cedrus, *i*, f., cèdre || bois, huile de cèdre.

celatus, *a, um*, part. de *celo*.

celeber, *bris, bre*, nombreux, en grand nombre, **1.** [en parl. de lieux] : très fréquenté, très peuplé || **2.** [en parl. de fêtes] : célébré (fêté) par une foule nombreuse || **3.** cité souvent et par un grand nombre de personnes, très répandu : *clara res est, tota Sicilia celeberrima atque notissima*, le fait est patent, répandu et connu au plus haut point dans toute la Sicile || [d'où] fêté, célébré, en vogue, célèbre, illustre.

celebratio, *onis*, f. *(celebro)*, affluence || réunion nombreuse || célébration, solennité : *celebratio ludorum*, célébration des jeux.

celebratus, *a, um*, part. de *celebro* pris adj., **1.** fréquenté || **2.** fêté par une foule nombreuse || **3.** cité souvent et par beaucoup de personnes, publié, répandu || **4.** honoré, vanté, fameux.

celebritas, *atis*, f. *(celeber)*, **1.** fréquentation nombreuse d'un lieu || **2.** célébration solennelle (en foule) d'un jour de fête : *ludorum celebritas*, la pompe des jeux || **3.** diffusion parmi un grand nombre de personnes, fait d'être mentionné souvent par une foule || **4.** grande affluence || **5.** fréquence.

celebro, *are, avi, atum (celeber)*, tr., **1.** fréquenter en grand nombre un lieu ou une personne, s'empresser autour de || **2.** assister en foule à une fête, fêter (célébrer) en grand nombre, solennellement || **3.** répandre parmi un grand nombre de personnes, publier, faire connaître || glorifier, célébrer : *aliquem celebrare*, chanter qqn || **4.** employer souvent, pratiquer : *artes*, pratiquer des arts.

celer, *eris, ere*, **1.** prompt, rapide, leste || **2.** [fig.] prompt, vif : *mens, qua nihil est celerius*, l'esprit, que rien ne surpasse en promptitude ; [avec inf.] *celer irasci*, prompt à la colère || **3.** hâtif.

celeratus, *a, um*, part. de *celero*.

celeritas, *atis*, f. *(celer)*, célérité, rapidité, agilité.

celeriter *(celer)*, promptement, rapidement.

celero, *are, avi, atum (celer)*, **1.** tr., faire vite, accélérer, hâter, exécuter promptement : *celerare fugam*, fuir précipitamment || **2.** intr., se hâter.

cella, *æ*, f., **1.** endroit où l'on garde qqch., grenier, magasin : *cella vinaria, olearia, penaria*, cellier à vin, à huile, garde-manger || **2.** petite chambre, chambrette || **3.** partie du temple, où se trouvait la statue du dieu, sanctuaire || **4.** alvéole des ruches, cellule.

celo, *are, avi, atum*, tr., **1.** tenir secret, tenir caché, ne pas dévoiler, cacher || **2.** *celabar*, on se cachait de moi || **3.** cacher qqch. à qqn, *celare aliquem aliquam rem* || *celare aliquem de aliqua re*, tenir qqn dans l'ignorance touchant qqch.

celox, *ocis*, m. et f., navire léger.

1. celsus, *a, um*, **1.** élevé, haut, grand || **2.** qui se redresse, fier, noble, plein d'assurance.

2. Celsus, *i*, m., Celse [médecin célèbre et écrivain encyclopédiste].

Celtæ, *arum*, m., les Celtes [en part., les habitants de la Gaule centrale].

Celtiber, *eri*, m., Celtibérien || **Celtiberi,** *orum*, m., les Celtibériens [peuple d'Espagne] || **Celtiberia,** *æ*, f., Celtibérie || **Celtibericus,** *a, um*, Celtibérien.

Celticus, *a, um*, qui a rapport aux Celtes.

cena, *æ*, f., dîner [repas principal vers 3 ou 4 heures après midi] : *dare cenam alicui*, offrir à dîner à qqn ; *inter cenam*, à table || service : *cena prima, altera*, le premier, le second service.

cenaculum, *i*, n., **1.** salle à manger || **2.** étage supérieur [où se trouvait la salle à manger], chambres placées à cet étage.

cenatio, *onis*, f. *(ceno)*, salle à manger.

cenatus, *a, um*, part. de *ceno*, qui a dîné.

cenito, *are, avi*, fréq. de *ceno*, intr., dîner souvent.

ceno, *are, avi, atum (cena)*, **1.** intr., dîner || **2.** tr., manger à dîner, dîner de qqch.

censeo, *ere, sui, sum*, tr.,

I. estimer, évaluer, recenser.

II. juger, être d'avis, **1.** estimer [opinion, point de vue de qqn en général] : *quid censetis ?* quel est votre avis ? || **2.** trouver bon, conseiller : *tibi hoc censeo*, voici ce que je te conseille || **3.** [en parl. du sénat] décider, ordonner, prescrire || *censere ut* [ou avec subj. seul], conseiller de, décider que.

censio, *onis*, f. *(censeo)*, évaluation || dénombrement, recensement.

censor, *oris*, m. *(censor)*, **1.** censeur || **2.** [fig.] censeur, critique.

censorius, *a, um (censor)*, de censeur, relatif aux censeurs: *censoriæ tabulæ*, registres des censeurs || *homo censorius*, ancien censeur.

censui, pf. de *censeo*.

censura, *æ*, f. *(censor)*, **1.** censure, dignité de censeur: *censuram petere, gerere*, briguer, exercer la censure || **2.** examen, jugement, critique.

1. census, *a, um*, part. de *censeo*.

2. census, *us*, m., **1.** cens, recensement [quinquennal des citoyens, des fortunes, qui permet de déterminer les classes, les centuries, l'impôt]: *censum habere, agere*, faire le recensement; *aliquem censu prohibere, excludere*, ne pas admettre qqn sur la liste des citoyens || [en part.] *census equitum*, revue des chevaliers || **2.** rôle, liste des censeurs; registre du cens || **3.** cens, quantité recensée, fortune, facultés.

centaureum, *i*, n., ou **centaurium,** *ii*, n., centaurée [plante].

Centauri, *orum*, m., les Centaures [monstres mythologiques, moitié hommes et moitié chevaux].

centeni, *æ, a*, **1.** [distributif] cent à chacun, cent chaque fois || **2.** [poét.] cent [nombre cardinal].

centenus, *a, um (centum)*, au nombre de cent.

centesima, *æ*, f., le centième || **centesimæ,** *arum*, f., [en parl. d'intérêt] un pour cent (par mois).

centesimus, *a, um (centum)*, **1.** centième || **2.** centuple.

centiceps, *cipitis (centum, caput)*, qui a cent têtes.

centiens, et **centies,** cent fois.

centimanus, *us*, m. *(centum, manus)*, qui a cent mains.

centipes, *pedis (centum, pes)*, qui a cent pieds ou un grand nombre de pieds.

cento, *onis*, m., pièce d'étoffe rapiécée, morceau d'étoffe.

centrum, *i*, n., **1.** la branche fixe du compas autour de laquelle l'autre pivote || **2.** centre du cercle || **3.** nœud, nodosité [dans le bois, le marbre].

centum, indécl., cent || [fig.] un grand nombre.

centumgeminus, *a, um*, centuple, multiplié par cent: *Briareus*, Briarée aux cent bras.

centumvir, *viri*, m., centumvir, membre d'un tribunal qui jugeait des affaires privées, surtout celles d'héritage.

centumviralis, *e (centumvir)*, des centumvirs.

centuplex, *icis (centum, plico)*, centuple.

centuplicato, à un prix centuple.

centuria, *æ*, f., **1.** contenance de 200 arpents || **2.** centurie, compagnie de 200 hommes || **3.** centurie, une des 193 classes dans lesquelles Servius Tullius répartit le peuple romain.

centuriatim *(centuria)*, par centuries.

1. centuriatus, *a, um*, part. de *centurio*, **1.** partagé en lots de 200 arpents || **2.** formé par centuries || **3.** par centuries: *comitia centuriata*, comices par centuries.

2. centuriatus, *us*, m., division par centuries.

3. centuriatus, *us*, m., grade de centurion.

1. centurio, *are, avi, atum (centuria)*, tr., former en centuries.

2. centurio, *onis*, m. *(centuria)*, centurion, commandant d'une centurie militaire.

Centuripa, *orum*, n., ou **Centuripæ,** *arum*, f., Centuripes [ville au pied de l'Etna] || **-ripinus,** *a, um*, de Centuripes || **-ripini,** *orum*, m., les habitants de Centuripes.

cenula, *æ*, f. (dimin. de *cena*), petit repas.

Ceos, *i*, f., c. *Cea*.

Cephallania, *æ*, f., ou **Cephallenia,** *æ*, f., Céphallénie [île de la mer Ionienne] || **-ienes,** *um*, m., habitants de Céphallénie.

Cephenes, *um*, m., Céphènes [peuple de l'Éthiopie] || **Cephenus,** *a, um*, Céphène.

Cephenia, *æ*, f., pays des Céphènes.

1. Cepheus, *a, um*, et **Cepheius,** *a, um*, issu de Céphée, de Céphée.

2. Cepheus, *ei* ou *eos*, m., Céphée [roi de l'Éthiopie].

Cephisia, *æ*, f., lieu de l'Attique, près du Céphise.

Cephisius, *ii*, m., fils du Céphise = Narcisse.

Cephisus ou **Cephissus,** *i*, m., Céphise [fleuve de Béotie] || **Cephissias,** *adis*, f. et **Cephisis,** *idis*, f., du Céphise.

cera, *æ*, f., **1.** cire || cire à cacheter || **2.** tablette à écrire, page: *extrema cera*, le bas de la page || **3.** pl., statues en cire || portraits en cire || **4.** [poét.]

cellules des abeilles || **5.** peinture encaustique.

cerarium, *ii*, n. *(cerarius)*, impôt pour la cire [droit du sceau].

cerastes, *æ*, m., céraste : **1.** vipère à corne || **2.** ver qui ronge les arbres.

cerasum, *i*, n., cerise.

cerasus, *i*, f., **1.** cerisier || **2.** cerise.

ceratus, *a, um*, part. de *cero*, enduit de cire : *cerata tabella*, bulletin de vote des juges.

Ceraunia, *orum*, n., ou **Ceraunii montes,** monts Cérauniens [en Épire].

Cerberus (-os), *i*, m., Cerbère [le chien à trois têtes gardien des Enfers] || **-bereus,** *a, um*, de Cerbère.

Cercopes, *um*, m., les Cercopes [métamorphosés en singes par Jupiter].

cercopithecus, *i*, m., singe à longue queue.

cercurus, *i*, m., et **cercyrus,** *i*, m., **1.** navire léger || **2.** poisson de mer.

Cercyo, *onis*, m., Cercyon [brigand tué par Thésée] || **-oneus,** *a, um*, de Cercyon.

cerdo, *onis*, m., artisan, gagne-petit.

1. Cerealia (Cerialia), *ium*, n., fêtes de Cérès.

2. cerealia, *ium*, n., céréales.

1. cerealis, *e*, relatif au blé, au pain : *cerealia arma*, les ustensiles pour faire le pain.

2. Cerealis, *e*, de Cérès || **Cerealis,** *is*, m., nom d'homme.

cerebellum, *i*, n. *(cerebrum)*, petite cervelle.

cerebrosus, *a, um (cerebrum)*, emporté, violent || rétif.

cerebrum, *i*, n., cerveau || tête, cervelle, esprit.

ceremonia, v. *cærimonia*.

Ceres, *eris*, f., **1.** Cérès [déesse de l'Agriculture] || **2.** [fig.] moisson, blé, pain.

1. cereus, *a, um (cera)*, de cire, en cire || couleur de cire, blond || [fig.] flexible, maniable.

2. cereus, *i*, m., cierge, bougie de cire.

cerinus, *a, um*, couleur de cire, jaune.

cerno, *ere, crevi, cretum*, tr., **1.** distinguer, discerner [avec les sens et surtout avec les yeux] || **2.** distinguer avec l'intelligence, comprendre : *verum cernere*, discerner le vrai || *in aliqua re* ou *aliqua re cerni*, être reconnu (se reconnaître) à qqch. || **3.** trancher, décider : *armis, ferro cernere*, décider par les armes.

cernulo, *are (cernulus)*, tr., culbuter.

1. cernuus, *a, um*, qui se courbe ou tombe en avant.

2. cernuus, *i*, m., saltimbanque, bateleur.

ceroma, *atis*, n., onguent à l'usage des lutteurs || salle de lutte, lutte.

ceromaticus, *a, um*, frotté de *ceroma*.

cerosus, *a, um (cera)*, riche en cire.

cerritus, *a, um*, dément, possédé.

certamen, *inis*, n. *(certo)*, **1.** action de se mesurer avec un adversaire, lutte, joute || **2.** combat, bataille, engagement || **3.** lutte, conflit, rivalité : *certamen honoris*, lutte pour les magistratures.

certatim *(certo)*, à l'envi, à qui mieux mieux.

certatio, *onis*, f. *(certo)*, combat || [en part.] lutte dans les jeux, au gymnase || [fig.] lutte, débat.

certatus, *a, um*, part. de *certo*, disputé par les armes || contesté, qui est l'objet d'un conflit.

certe *(certus)*, **1.** certainement, de façon certaine, sûrement, sans doute || **2.** du moins, en tout cas || *sed certe*, ce qui est certain, c'est que.

1. certo *(certus)*, certainement, sûrement, avec certitude.

2. certo, *are, avi, atum*,

I. intr., chercher à obtenir l'avantage sur qqn en luttant, lutter, combattre : *pugnis*, lutter avec les poings ; *cum aliquo de aliqua re*, contre qqn sur qqch. || [avec intr. indir.] lutter pour savoir || [poét., avec dat.] tenir tête à || [poét., avec inf.] lutter pour, tâcher de.

II. tr., débattre une chose.

certus, *a, um (cerno)*, **1.** [en parl. de choses] décidé, résolu || *certa res est* avec inf., c'est une chose décidée que de... ; *certum est* avec inf., même sens || *mihi certum est* avec inf., je suis bien décidé à || [en parl. de pers., avec inf. ou avec gén.] décidé à || **2.** fixé, déterminé, précis : *certo die*, à un jour fixé, *certa dies*, date déterminée || [n. pris subst.] : *nihil certi*, rien de fixe, de précis || [sens analogue à *quidam*] déterminé, à part, particulier || **3.** certain, sûr : *certus amicus*, ami sûr || **4.** qui n'est pas douteux, sûr, positif, réel || *certum habeo*, ou *pro certo habeo*, je tiens pour certain, j'ai la certitude ; *pro certo affirmare*, affirmer comme certain ; *pro certo ponere*, donner comme certain || **5.** [en parl. de pers.] avéré, authentique || **6.** certain de qqch., sûr de qqch. || au courant de, instruit de : *certiorem facere aliquem*, informer qqn, *alicujus rei*, de qqch., ou *de aliqua re* || [avec prop. inf.] informer que || [avec idée d'ordre, d'exhortation] : [avec *ut* ou subj. seul] *certiorem facere ut*, ordonner de.

cerula, *æ*, f., dimin. de *cera*, petit morceau de cire.

cerussa, *æ*, f., céruse.

cerva, *æ*, f. *(cervus)*, biche, femelle du cerf.

cervicula, *æ*, f., dimin. de *cervix*, petit cou, petite nuque.

cervix, *icis*, f., [presque touj. au pl.] nuque, cou || tête, épaules.

cervus, *i*, m., **1.** cerf || **2.** chevaux de frise.

cesp-, v. *cæsp-*.

cessatio, *onis*, f. *(cesso)*, **1.** retard, lenteur, retardement || **2.** arrêt de l'activité, repos, cessation.

cessator, *oris*, m. *(cesso)*, retardataire, fainéant.

cessatus, *a, um*, part. de *cesso*.

cessi, pf. de *cedo*.

cessim *(cedo)*, en reculant, en cédant.

cessio, *onis*, f. *(cedo)*, action de céder, cession [en t. de droit].

cesso, *are, avi, atum* (fréquent. de *cedo*), intr., **1.** tarder, se montrer lent, lambiner, ne pas avancer, ne pas agir || [avec inf.] tarder à faire qqch. || [fig.] tarder à venir, ne pas être présent || **2.** suspendre son activité, s'interrompre, se reposer || [avec *ab*] s'arrêter de || **3.** être oisif, ne rien faire || [poét.] consacrer ses loisirs à qqch., s'adonner à : *cessare alicui rei = vacare alicui rei* || être au repos : *cessat terra*, la terre est au repos, reste en jachère.

cessus, *a, um*, part. de *cedo*.

cestros, *i*, m., style, burin.

cestrosphendone, *es*, f., machine pour lancer des traits.

cestus, *us*, m., v. *cæstus*.

cetaria, *æ*, f., et **cetarium,** *ii*, n., vivier.

cete, n. pl., cétacés : *immania cete*, les monstrueuses baleines ; v. *cetus*.

cetera (acc. pl. n., pris adv.), quant au reste, du reste.

cetero *(ceterus)*, adv., du reste, d'ailleurs || le reste du temps.

ceteroqui et **ceteroquin,** adv., au surplus, d'ailleurs.

ceterum, n. pris adv., pour le reste || du reste, d'ailleurs || mais.

ceterus, *a, um* [employé surtout au pl. *ceteri, æ, a* ; le nomin. m. *ceterus* inusité], tout le reste de || [acc. n. sing. pris subst.] *ceterum*, le reste || pl. m., *ceteri*, les autres, tous les autres || *ad cetera*, sous tous les autres rapports.

Cethegus, *i*, m., surnom des Cornelii || not. C. Cornelius Cethegus [complice de Catilina, qui fut arrêté sur l'ordre de Cicéron et étranglé dans la prison du Tullianum avec d'autres conjurés] || **Cethegi,** *orum*, m., des Cethegus [= des Romains de l'ancien temps].

cetra et **cætra,** *æ*, f., petit bouclier de cuir.

cetratus ou **cætratus,** *a, um*, armé du bouclier nommé *cetra* || **cetrati,** *orum*, m., soldats munis de ce bouclier.

cetus, *i*, m., cétacé, monstre marin || poisson de mer, marée.

ceu, 1. comme, ainsi que || **2.** comme si [avec subj.].

Chæronea, *æ*, f., Chéronée [ville de Béotie].

chalcaspides, *um*, m., soldats armés d'un bouclier d'airain.

chalceus, *a, um*, d'airain.

Chalcidensis, *e*, et **Chalcidicensis,** *e*, de Chalcis || **-denses,** *ium*, m., habitants de Chalcis.

Chalcidicus, *a, um*, de Chalcis, d'Eubée || de Cumes [colonie eubéenne].

Chalcis, *idis* ou *idos*, f., Chalcis [capitale de l'Eubée].

Chaldæa, *æ*, f., la Chaldée || **Chaldæi,** *orum*, m., habitants de la Chaldée, Chaldéens [célèbres de toute antiquité pour leur science astronomique et astrologique] || [fig.] astrologues || **-dæus** ou **-daicus,** *a, um*, Chaldéen.

Chalybes, *um*, m., Chalybes [peuple du Pont, réputé pour ses mines et la fabrication de l'acier].

chalybs, *ybis*, m., acier || [fig.] objet en acier.

Chaon, *onis*, m., Chaon [fils de Priam].

Chaones, *um*, m., habitants de la Chaonie || **Chaonia,** *æ*, f., Chaonie [région de l'Épire] || **Chaonis,** *idis*, f., de Chaonie || **Chaonius,** *a, um*, de Chaonie, d'Épire.

chaos, *i*, n., le chaos, masse confuse dont fut formé l'univers || le Chaos personnifié || le vide infini, les Enfers.

character, *eris*, m., **1.** fer à marquer les bestiaux || marque au fer || **2.** [fig.] caractère, particularité d'un style.

Charis, *itos*, f., nom grec des Grâces.

Charites, *um,* f., les Charites, les Grâces.

Charon, *ontis,* m., Charon [le nocher des Enfers].

charta, *æ,* f., **1.** feuille de papyrus préparée pour recevoir l'écriture, papier || **2.** [fig.] écrit, livre, volume || **3.** feuille de métal.

chartarius, *a, um (charta),* qui concerne le papier.

chartula, *æ,* f. *(charta),* petit papier, petit écrit.

Charybdis, *is,* f., Charybde [gouffre de la mer de Sicile, vis-à-vis de Scylla; les légendes grecques en faisaient deux monstres hurlants qui dévoraient les navigateurs] || [fig.] gouffre, abîme, monstre dévorant.

chasma, *atis,* n., **1.** gouffre du sol || **2.** espèce de météore.

Chauci, *orum,* m., **Chauchi,** *orum,* m., et **Cayci,** *orum,* m., les Chauques [peuple germain] || **Chaucius,** *ii,* m., le vainqueur des Chauques.

chele, *es,* f., pince de l'écrevisse || au pl. *Chelæ, arum,* les pinces du Scorpion, la Balance.

chelydrus, *i,* m., serpent venimeux.

cheragra, *æ,* f., et **chiragra,** *æ,* f., goutte des mains.

Cherronesus, *i,* f., et **Chersonesus,** *i,* f., la Chersonèse de Thrace || **Chersonesus,** *i,* f., et **Cherronesus Taurica,** la Chersonèse Taurique.

Chersonesus, v. *Cherronesus.*

Cherusci, *orum,* m., les Chérusques [peuple germain].

Chilo et **Chilon,** *onis,* m., Chilon [l'un des sept sages de la Grèce].

Chimæra, *æ,* f., la Chimère [monstre fabuleux qui fut tué par Bellérophon].

Chios et **Chius,** *ii,* f., Chios [île de la mer Égée].

chiragricus, *a, um,* qui a la goutte aux mains.

chirographum, *i,* n., [qqf. **chirographus,** *i,* m., et **chirographon,** *i,* n.] **1.** l'écriture, la main de quelqu'un || **2.** ce qu'on écrit de sa propre main || **3.** engagement signé, reçu, obligation, reconnaissance.

Chiron et **Chiro,** *onis,* m., le centaure Chiron [qui instruisit entre autres héros Hercule et Achille].

chirurgia, *æ,* f., chirurgie.

Chium, *ii,* n., vin de Chios.

Chius, *a, um,* de Chios; v. *Chios.*

chlamydatus, *a, um (chlamys),* vêtu d'une chlamyde.

chlamys, *ydis,* f., chlamyde [manteau grec]; [en part.] manteau militaire.

Chœrilus, *i,* m., poète grec, contemporain d'Alexandre.

choragus, *i,* m., chorège, directeur de théâtre, régisseur || [fig.] celui qui préside à un repas, l'amphitryon.

chorda, *æ,* f., corde d'un instrument de musique.

chorea, *æ,* f., danse en chœur.

choreus, *i,* m., chorée ou trochée.

chorographia, *æ,* f., topographie.

chorus, *i,* m., **1.** danse en rond, en chœur || **2.** troupe qui danse en chantant, chœur || [en part.] le chœur dans la tragédie || **3.** troupe [en gén.], cortège, foule.

Chrestus (-os), v. *Christus.*

christianus, *i,* m., chrétien.

Christus, *i,* m., le Christ.

chronicus, *a, um,* relatif à la chronologie: *chronici libri,* et *chronica, orum,* n., chroniques, ouvrages de chronologie.

chrysallis, *idis,* f., chrysalide.

chrysanthemon, *i,* n., chrysanthème.

Chrysas et **Chrysa,** *æ,* m., fleuve de Sicile.

chryselectrus, *i,* m., ambre jaune.

Chrysippus, *i,* m., Chrysippe [philosophe stoïcien].

chrysolithos, *i,* m., et **chrysolithus,** *i,* f., topaze.

Cia, *æ,* f., c. *Cea.*

Ciani, *orum,* m., habitants de Cios.

cibaria, *orum,* n. *(cibus),* aliments, nourriture, vivres || vivres du soldat, ration: *dimidiati mensis cibaria,* ration de la quinzaine || indemnité de vivres allouée aux magistrats provinciaux.

cibarium, *ii,* n. *(cibus),* nourriture || farine grossière.

cibarius, *a, um (cibus),* **1.** qui concerne la nourriture: *cibaria uva,* raisin de table || **2.** commun, grossier [en parl. des aliments]: *panis cibarius,* pain grossier.

cibo, *are, avi, atum (cibus),* tr., nourrir.

ciborium, *ii,* n., coupe.

cibus, *i,* m., **1.** nourriture, aliment [de l'homme, des animaux ou des plantes], mets, repas; pl. *cibi* = espèces de nourriture || **2.** suc des aliments, sève.

Cibyra, *æ,* f., Cibyre [ville de Cilicie et de Pamphilie] || **-ata,** *æ,* m. et f., de Cibyre [Cilicie]: *Cibyratæ fratres,* frères de Cibyre || **-atæ,** *arum,* m., habitants de Cibyre || **-aticus,** *a, um,* de Cibyre.

cicada, *æ,* f., cigale.

cicatricosus, *a, um (cicatrix),* couvert de cicatrices.

cicatricula, *æ,* f. *(cicatrix),* petite cicatrice.

cicatrix, *icis,* f., **1.** cicatrice, marque que laisse une plaie || **2.** écorchure faite à un arbre || **3.** égratignure, crevasse, partie mutilée || **4.** reprise [à un soulier].

cicer, *eris,* n., pois chiche.

Cicero, *onis,* m., M. Tullius Cicéron, l'orateur || Quintus Cicéron, son frère || Marcus, son fils || Quintus, son neveu || [fig.] **Cicerones,** des Cicérons.

Ciceronianus, *a, um,* de Cicéron, cicéronien.

cichoreum, *i,* et **cichorium,** *ii,* n., chicorée.

cicinum oleum, n., huile de ricin.

ciconia, *æ,* f., cigogne.

cicur, *uris,* adj., apprivoisé, privé, domestique: *cicurum bestiarum (genera),* (les espèces) d'animaux domestiques.

cicuta, *æ,* f., ciguë || chalumeau, flûte en tuyaux de ciguë.

cieo, *ciere, civi, citum,* tr., **1.** mettre en mouvement || pousser, faire aller, faire venir, appeler (au combat, aux armes) || faire venir, appeler [au secours] || remuer, ébranler, agiter || [t. milit.] maintenir en mouvement, animer || **2.** donner le branle à, provoquer, produire, exciter: *motus ciere,* exciter (provoquer) des mouvements || **3.** faire sortir des sons, émettre des sons: *mugitus,* pousser des mugissements || appeler, nommer.

Cilicia, *æ,* f., Cilicie [région de l'Asie Mineure].

Ciliciensis, *e,* et **Cilicius,** *a, um,* de Cilicie.

cilicium, *ii,* n. (Cilicius), pièce d'étoffe en poil de chèvre [de Cilicie].

cilium, *ii,* n., paupière || les cils.

Cilix, *icis,* adj. m., de Cilicie, cilicien || **Cilices,** *um,* m., Ciliciens, habitants de la Cilicie.

Cimber, *bri,* m., **1.** Tillius Cimber [un des meurtriers de César] || **2.** un Cimbre, v. *Cimbri.*

Cimbri, *orum,* m., Cimbres [peuple de la Germanie].

Cimbricus, *a, um,* des Cimbres.

cimex, *icis,* m., punaise.

Cimmerii, *orum,* m., Cimmériens: **1.** peuple de Scythie || **2.** peuple fabuleux enveloppé de ténèbres.

Cimon et **Cimo,** *onis,* Cimon [général athénien].

1. cincinnatus, *a, um,* celui dont les cheveux sont bouclés || [fig.] *cincinnata stella,* comète.

2. Cincinnatus, *i,* m., L. Quinctius Cincinnatus [le dictateur].

cincinnus, *i,* m., boucle de cheveux || [fig.] *poetæ cincinni,* les frisures [ornements artificiels] chez un poète.

Cincius, *ii,* m., L. Cincius Alimentus [historien latin].

cinctura, *æ,* f. *(cingo),* ceinture.

1. cinctus, *a, um,* part. de *cingo.*

2. cinctus, *us,* m., **1.** action ou manière de se ceindre || **2.** ceinture d'un vêtement.

Cineas, *æ,* m., ambassadeur qui vint apporter au sénat romain les propositions de paix de Pyrrhus, roi d'Épire, propositions rejetées après l'énergique intervention du vieil Appius Claudius Cæcus.

cinerarius, *a, um (cinis),* qui a rapport aux cendres || semblable à de la cendre || **cinerarius,** *ii,* coiffeur.

cinereus, *a, um (cinis),* cendré.

Cingetorix, *igis,* m., chef des Trévires || chef breton.

cingo, *ere, cinxi, cinctum,* tr., **1.** ceindre, entourer || [en parl. d'armes, passif sens réfléchi] avec abl.: *cingi gladio, armis, ferro, ense, etc.,* se ceindre d'un glaive, d'une épée, se couvrir de ses armes || [absol.] s'armer || **2.** retrousser, relever par une ceinture; [fig.] *alte cinctus,* homme résolu || **3.** entourer, environner: *urbem mœnibus,* faire à une ville une ceinture de murailles || [t. milit.] protéger, couvrir: *murum cingere,* garnir le rempart [de défenseurs].

cingulum, *i,* n. *(cingo),* ceinture.

cinis, *eris,* m., **1.** cendre || cendre [de ville], ruine || **2.** cendres des morts, restes brûlés || [fig.] ***a)*** mort, défunt; ***b)*** la mort.

Cinna, *æ,* m., **1.** L. Cornelius Cinna [consul avec Marius] || **2.** conspirateur gracié par Auguste.

cinnabar, *aris,* n., et **-baris,** *is,* f., cinabre [couleur d'un rouge vif].

cinnamomum, *i,* n., **cinnamum,** *i,* n., cannelier, cannelle.

Cinnanus, *a, um,* de Cinna.

cinxi, pf. de *cingo.*

cippus, *i,* m., **1.** cippe, colonne funéraire || [fig.] cippes, pieux dans les trous de loups.

1. circa,

I. adv., autour, tout autour, à l'entour.

II. prép. avec acc., **1.** autour de : *circa urbem*, autour de la ville || dans le voisinage de, dans les parages de || [fig.] à propos de, par rapport à, à l'égard de, au sujet de || vers : *circa finem*, vers la fin || **2.** à la ronde, de tous côtés, d'un endroit à un autre successivement || **3.** [sens temporel] : aux environs de, vers || **4.** [avec nombres] environ.

2. Circa, *æ*, f., c. *Circe.*

Circæus, *a, um*, **1.** de Circé || **2.** de Circeii : *Circæa terra*, terre de Circé = promontoire de Circeii.

Circe, *es*, f., Circé [magicienne célèbre qui transforma en pourceaux les compagnons d'Ulysse, mais ne put vaincre le héros lui-même].

Circeii, *orum*, m., ville et promontoire du Latium où se serait établie Circé || **-eiensis,** *e*, de Circeii || **-eienses,** *ium*, m., habitants de Circeii.

circenses, *ium*, m. *(circensis)*, jeux du cirque : *panem et circenses*, [le peuple désire seulement] du pain et des jeux.

circensis, *e (circus)*, du cirque : *ludi circenses*, jeux du cirque [dans le *Circus Maximus*].

circinatio, *onis*, f. *(circino)*, action de décrire un cercle, [ou] cercle décrit.

circinatus, *a, um*, part. de *circino.*

circino, *are, avi, atum (circinus)*, tr., arrondir, former en cercle || parcourir en formant un cercle.

circinus, *i*, m., compas.

circiter, **1.** adv., ***a)*** à l'entour ; ***b)*** environ, à peu près || **2.** prép. av. acc., ***a)*** dans le voisinage de ; ***b)*** vers, environ, à peu près : *circiter meridiem*, autour de midi.

circlus, sync. pour *circulus.*

circueo, v. *circumeo.*

circuitio, et **circumitio,** *onis*, f., **1.** ronde, patrouille || tour, pourtour, espace circulaire || **2.** circonlocution, procédé détourné.

1. circuitus, *a, um*, part. de *circueo.*

2. circuitus, *us*, m., **1.** action de faire le tour, marche circulaire || détour || **2.** circuit, tour, enceinte.

circuivi, pf. de *circueo.*

circulator, *oris*, m. *(circulor)*, charlatan.

circulatorius, *a, um (circulator)*, de charlatan.

circulatus, *a, um*, part. de *circulor.*

circulor, *ari, atus sum (circulus)*, intr., former groupe || faire le charlatan.

circulus, *i*, m. *(circus)*, **1.** cercle || zone du ciel || révolution d'un astre || **2.** objet de forme circulaire || **3.** cercle, assemblée, réunion.

circum,

I. adv., autour, à l'entour.

II. prép. avec. acc., **1.** autour de || **2.** à la ronde, dans des endroits divers successivement : *concursare circum tabernas*, courir de taverne en taverne, faire le tour des tavernes || **3.** à proximité de, dans le voisinage de : *circum hæc loca*, près de ces lieux (dans le voisinage) || **4.** auprès de [qqn], dans l'entourage de [qqn].

1. circumactus, *a, um*, part. de *circumago.*

2. circumactus, *us*, m., action de tourner || révolution [astron.].

circumaggero, *are, atum*, tr., amasser autour.

circumago, *ere, egi, actum*, tr., **1.** mener (pousser) tout autour, faire faire le tour || *se circumagere* ou *circumagi*, se porter tout autour, effectuer un circuit || **2.** faire tourner, retourner : *circumagit aciem*, il fait faire volte-face à son armée || *se circumagere* ou *circumagi*, se tourner, se retourner || **3.** [fig.] *se circumagere* ou *circumagi*, accomplir une révolution || **4.** *circumagi*, être poussé de côté et d'autre, se laisser mener || [en parl. d'un esclave] être affranchi [parce que le maître, en signe d'affranchissement, le faisait tourner sur lui-même].

circumaro, *are, avi*, tr., entourer en labourant.

circumcido, *ere, cidi, cisum (circum, cædo)*, tr., **1.** couper autour, tailler, rogner || **2.** [fig.] supprimer, réduire, diminuer || [rhét.] élaguer, retrancher.

circumcise, avec concision.

circumcisus, *a, um*, **1.** part. de *circumcido* || **2.** pris adj., abrupt, escarpé, à pic || [fig.] raccourci, court, concis.

circumcludo, *ere, si, sum*, tr., enclore de toutes parts.

circumcolo, *ere*, tr., habiter autour, le long de.

circumcurro, *ere*, intr., faire le tour, le pourtour.

circumcurso, *are, avi, atum* (fréq. de *circumcurro*), **1.** intr., courir autour || courir de côté et d'autre, à la ronde || **2.** tr., courir autour de (*aliquem*, de qqn).

circumdatus, *a, um*, part. de *circumdo.*

circumdedi, pf. de *circumdo.*

circumdo, *are, dedi, datum,* tr., placer autour || [avec dat.] établir, construire, disposer [qqch.] autour de || *aliquid (aliquem) aliqua re,* entourer qqch. [qqn] de qqch. || [avec deux acc.] même sens.

circumduco, *ere, duxi, ductum,* tr. **1.** conduire autour || **2.** entourer, faire un cercle autour || **3.** conduire en cercle (par un mouvement tournant), conduire par un détour || **4.** conduire partout à la ronde [avec deux acc.] || **5.** [emplois figurés]: *aliquem,* duper, attraper, circonvenir qqn || [rhét.] développer qqch.

circumductio, *onis,* f. *(circumduco),* action de conduire autour.

1. circumductus, *a, um,* part. de *circumduco.*

2. circumductus, *us,* m., pourtour, contour.

circumduxi, pf. de *circumduco.*

circumegi, pf. de *circumago.*

circumeo et **circueo,** *ire, ii (ivi), circumitum* et *circuitum,* intr. et tr., **1.** aller autour (en faisant un cercle), tourner autour, faire le tour || **2.** ***a)*** intr., faire un mouvement tournant, un détour; ***b)*** tr., contourner, tourner [pour prendre à revers] || **3.** aller à la ronde, aller successivement d'un endroit à un autre ou d'une personne à une autre; ***a)*** intr., circuler; ***b)*** tr., parcourir || **4.** [fig.] exprimer avec des détours || circonvenir, duper.

circumequito, *are, avi, atum,* tr., chevaucher autour de, faire à cheval le tour de.

circumerro, *are,* **1.** intr., errer autour || **2.** tr., circuler autour de (*aliquem,* de qqn).

circumfero, *ferre, tuli, latum,* tr., **1.** porter autour, mouvoir circulairement || [pass. sens réfléchi] *circumferri,* se mouvoir autour || **2.** porter à la ronde, faire passer de l'un à l'autre, faire circuler: *tabulas,* faire passer de main en main un registre || [fig.] colporter, faire connaître partout, publier en tout lieu.

circumflecto, *ere, flexi, flectum,* tr., décrire autour [en parl. des chars dans l'arène].

1. circumflexus, *a, um,* part. de *circumflecto.*

2. circumflexus, abl. *u,* m., ligne circulaire, circonférence.

circumflo, *are,* **1.** intr., souffler autour || **2.** [fig.] *circumflari,* être battu de tous côtés par.

circumfluens, *tis,* **1.** part. de *circumfluo* || **2.** pris adj., surabondant.

circumfluo, *ere, fluxi, fluxum,* intr., et tr., couler autour:

I. intr., **1.** couler tout autour, déborder || **2.** [fig.] être largement pourvu de, regorger de: *omnibus copiis,* regorger de richesses de toute espèce || [rhét.] *circumfluens oratio,* éloquence débordante.

II. tr., baigner, environner.

circumfluus, *a, um,* qui coule autour || entouré d'eau.

circumfodio, *fodere, fodi, fossum,* tr., creuser autour.

circumforaneus, *a, um (circum, forum),* qui est à l'entour du forum || qui court les marchés, forain.

circumfossus, *a, um,* part. de *circumfodio.*

circumfulgeo, *ere, fulsi,* tr., briller autour.

circumfundo, *ere, fudi, fusum,* tr., répandre autour: **1.** [surtout au pass. réfléchi] *circumfundi,* se répandre autour, *alicui rei,* de qqch. || **2.** [en parl. des pers.] *se circumfundere,* surtout *circumfundi,* se répandre tout autour, se presser || [en parl. d'une seule pers.]: *circumfundi alicui,* embrasser qqn, enlacer qqn || **3.** [t. milit.]: déployer || **4.** entourer, cerner, envelopper || [surtout au pass.]: *circumfusus libris,* entouré de livres.

circumfusus, *a, um,* part. de *circumfundo.*

circumgesto, *are,* tr., colporter: *epistulam,* faire circuler une lettre.

circumgredior, *gredi, gressus sum (circum, gradior),* tr., faire le tour de || faire un mouvement tournant || [fig.] attaquer de tous côtés, investir.

circumgressus, *a, um,* part. de *circumgredior.*

circumicio, v. *circumjicio.*

circumiens, *euntis,* part. prés. de *circumeo.*

circumitio, v. *circuitio.*

1. circumitus, *a, um,* part. de *circumeo.*

2. circumitus, *us,* m., v. *circuitus.*

circumjaceo, *ere,* intr., être placé auprès, autour, voisiner.

1. circumjectus, *a, um,* **1.** part. de *circumjicio* || **2.** pris subst., *circumjecta, orum,* n., le pays d'alentour.

2. circumjectus, *us,* m., **1.** action d'envelopper, d'entourer || **2.** enceinte, pourtour.

circumjicio, *ere, jeci, jectum (circum,*

jacio), tr., **1.** placer autour || *alicui rei*, placer autour de qqch. || **2.** envelopper.

circumlatus, *a, um*, part. de *circumfero*.

circumligatus, *a, um*, part. de *circumligo*.

circumligo, *are, avi, atum*, tr., lier autour || *aliquid (aliquem) aliqua re*, entourer qqch. (qqn) de qqch.

circumlinio, *ire*, et **circumlino,** *ere, litum*, tr., oindre, enduire autour || *aliquid alicui rei*, appliquer qqch. sur le pourtour de qqch.

circumlitio, *onis*, f. *(circumlino)*, action d'oindre, d'enduire, de vernir.

circumlitus, *a, um*, part. de *circumlino*.

circumlocutio, *onis*, f., circonlocution, périphrase.

circumluo, *ere*, tr., baigner autour.

circumluvio, *onis*, f., circonluvion [désagrégration du sol par l'eau et formation d'îlot].

circummissus, *a, um*, part. de *circummitto*.

circummitto, *ere, misi, missum*, tr., **1.** faire faire un mouvement tournant || **2.** envoyer partout à la ronde.

circummulcens, *tis*, qui caresse de tous les côtés.

circummunio, *ire, ivi, itum*, tr., entourer d'une clôture, enclore || entourer d'ouvrages, bloquer.

circummunitio, *onis*, f., circonvallation, ouvrages de circonvallation.

circummunitus, *a, um*, part. de *circummunio*.

circumnavigo, *are, avi*, tr., naviguer autour.

circumpadanus, *a, um (circum, Padus)*, qui avoisine le Pô || qui vient des bords du Pô.

circumplaudo, *ere, si*, tr., applaudir autour.

circumplector, *plecti, plexus sum*, tr., embrasser || ceindre, entourer.

1. circumplexus, *a, um*, part. de *circumplector*.

2. circumplexus, abl. *u*, m., action d'envelopper.

circumplicatus, *a, um*, part. de *circumplico*.

circumplico, *are, avi, atum*, tr., **1.** envelopper de ses replis: *circumplicatus aliqua re*, enlacé de (par) qqch. || **2.** *aliquid alicui rei*, rouler qqch. autour de qqch.

circumpono, *ere, posui, positum*, tr., mettre autour.

circumpositus, *a, um*, part. de *circumpono*.

circumrado, *ere, si, sum*, tr., racler, gratter autour.

circumrasio, *onis*, f., action de racler autour.

circumrasus, *a, um*, part. de *circumrado*.

circumretio, *ire, ivi, itum*, tr., entourer de filets || [fig.] prendre comme dans un filet.

circumretitus, *a, um*, part. de *circumretio*.

circumrodo, *ere, si, sum*, tr., ronger autour.

circumsæpio, *ire, psi, ptum*, tr., entourer: *armatis corpus circumsæpsit*, il s'entoura de gardes.

circumsæptus, *a, um*, part. de *circumsæpio*.

circumscindo, *ere*, tr., déchirer autour.

circumscribo, *ere, scripsi, scriptum*, tr., tracer un cercle autour, **1.** [au pr.]: *virgula aliquem*, avec une baguette tracer un cercle autour de qqn || **2.** [fig.] enclore, borner, limiter qqch., circonscrire qqch. || **3.** limiter, restreindre || **4.** envelopper, circonvenir, tromper || **5.** écarter, éliminer [d'un procès, d'une discussion].

circumscripte *(circumscriptus)*, avec des limites précises.

circumscriptio, *onis*, f. *(circumscribo)*, **1.** cercle tracé || **2.** espace limité: *temporis*, espace de temps || **3.** tromperie, duperie.

circumscriptor, *oris*, m., trompeur, dupeur.

circumscriptus, *a, um*, part. de *circumscribo* || pris adj., circonscrit, délimité.

circumseco, *are, sectum*, tr., couper autour.

circumsectus, *a, um*, part. de *circumseco*.

circumsedeo, *ere, sedi, sessum*, tr., être assis autour || entourer || assiéger, bloquer || [fig.] assiéger, circonvenir.

circumsessio, *onis*, f. *(circumsedeo)*, siège, investissement.

circumsessus, *a, um*, part. de *circumsedeo*.

circumsido, *ere*, tr., établir un blocus autour.

circumsilio, *ire (circum, salio)*, **1.** intr., sauter tout autour || **2.** tr., assaillir de toutes parts.

circumsisto, *ere, steti*, **1.** intr., s'arrêter autour, auprès || se tenir auprès, autour || **2.** tr., entourer || [en part.] entourer pour attaquer || [fig.] envelopper, envahir.

circumsono, *are, ui, atum,* **1.** intr., retentir autour, retentir de || **2.** tr., retentir autour de, faire retentir autour de.

circumsonus, *a, um,* qui retentit autour.

circumspecte *(circumspectus),* avec circonspection, avec prudence || soigneusement.

circumspectio, *onis,* f. *(circumspicio),* action de regarder autour || [fig.] attention prudente.

circumspecto, *are, avi, atum* (fréq. de *circumspicio*), **1.** intr., regarder fréquemment autour de soi || [fig.] être attentif, hésitant || **2.** tr., examiner avec défiance, inquiétude || guetter, épier.

1. circumspectus, *a, um,* **1.** part. de *circumspicio* || **2.** pris adj., ***a)*** circonspect, prudent; ***b)*** discret, réservé.

2. circumspectus, *us,* m., action de regarder autour || possibilité de voir tout autour.

circumspergo, *ere (circum, spargo),* tr., asperger.

circumspicio, *ere, spexi, spectum (circum, specio),* tr., **1.** regarder autour de soi || *se circumspicere,* se contempler, s'observer || **2.** parcourir des yeux, embrasser du regard || examiner par la pensée || regarder attentivement, examiner avec soin, avec circonspection || **3.** chercher.

circumstantia, *æ,* f. *(circumsto),* **1.** action d'entourer || **2.** situation, circonstances.

circumsto, *are, steti,* **1.** intr., se tenir autour, être autour || **2.** tr., entourer, investir || [fig.] menacer.

circumstrepitus, *a, um,* part. de *circumstrepo.*

circumstrepo, *ere, ui, itum,* **1.** intr., faire du bruit autour || **2.** tr., signifier autour avec bruit, assaillir avec des cris, dénoncer à grand bruit.

circumstructus, *a, um,* part. de *circumstruo.*

circumstruo, *ere, structum,* tr., construire autour.

circumsutus, *a, um (circum, suo),* cousu autour, doublé.

circumtextus, *a, um (circum, texo),* bordé.

circumtono, *are, ui,* tr., tonner autour.

circumtonsus, *a, um,* tondu || [fig.] trop élagué, artificiel.

circumvado, *ere, vasi,* tr., attaquer de tous côtés, envahir, s'emparer de.

circumvagus, *a, um,* qui erre autour.

circumvallatus, *a, um,* part. de *circumvallo.*

circumvallo, *are, avi, atum,* tr., faire des lignes de circonvallation, cerner, bloquer.

circumvectio, *onis,* f. *(circum, veho),* transport de marchandises [à la ronde].

circumvector, *ari, atus sum,* tr., se transporter autour, aller autour, longer || parcourir successivement || [fig.] exposer dans le détail.

circumvectus, *a, um,* part. de *circumvehor.*

circumvehor, *vehi, vectus sum,* **1.** [absol.] se porter autour, faire le tour || **2.** [avec acc.], faire le tour de || côtoyer.

circumvenio, *ire, veni, ventum,* tr., venir autour: **1.** entourer || **2.** envelopper, cerner, investir || **3.** [fig.] assiéger qqn, tendre des filets autour de qqn, serrer, opprimer.

circumventus, *a, um,* part. de *circumvenio.*

circumversio, *onis,* f. *(circumverto),* action de retourner [la main].

circumversus, *a, um,* de *circumverto.*

circumverto, *ere, ti, sum,* tr., faire tourner || [fig.] duper, tromper.

circumvolatus, *a, um,* part. de *circumvolo.*

circumvolito, *are, avi,* tr., voltiger autour.

circumvolo, *are, avi, atum,* tr., voler autour.

circumvolutus, *a, um,* part. de *circumvolvo.*

circumvolvo, *volvere, vi, volutum,* tr., rouler autour [employé seul. au réfléchi *circumvolvi* ou *se circumvolvere*].

circus, *i,* m., **1.** cercle || **2.** cirque, [en part.] le grand cirque à Rome || [fig.] les spectateurs du cirque.

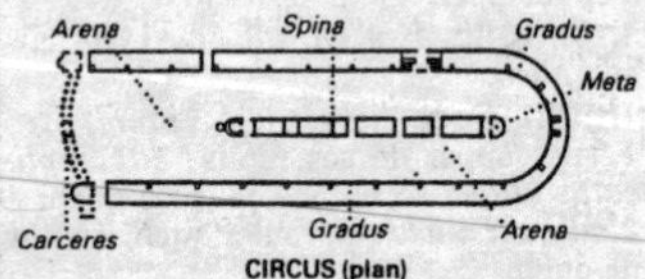

CIRCUS (plan)

ciris, *is*, f., l'aigrette [oiseau].

cirratus, *a, um (cirrus)*, bouclé || **cirrati,** *orum*, m., têtes bouclées [en parl. d'enfants].

cirrus, *i*, m., boucle de cheveux || huppe, aigrette des oiseaux || frange des vêtements.

Cirta, *æ*, f., Cirta [ville de Numidie auj. Constantine] || **-tenses,** *ium*, m., habitants de Cirta.

cis, prép. avec l'acc., **1.** en deçà || **2.** avant [en parl. du temps]: *cis dies paucos*, d'ici peu de jours.

Cisalpinus, *a, um*, cisalpin, qui est en deçà des Alpes.

cisium, *ii*, n., cabriolet.

cismontanus, *a, um*, qui habite en deçà des montagnes.

Cisrhenanus, *a, um*, cisrhénan, situé en deçà du Rhin.

cista, *æ*, f., corbeille, coffre.

cisterna, *æ*, f. *(cista)*, citerne.

cisterninus, *a, um (cisterna)*, de citerne.

cistophoros, *i*, m., cistophore [pièce de monnaie asiatique qui portait l'empreinte de la corbeille sacrée de Bacchus].

citatim *(citatus)*, à la hâte, avec précipitation.

citatus, *a, um*, **1.** part. de *cito* || **2.** pris adj., lancé, ayant une marche rapide, d'une allure vive: *equo citato*, à bride abattue.

citerior, n. *citerius*, gén. *citerioris*, **1.** qui est plus en deçà, citérieur [opp. à *ulterior*]: *Gallia citerior*, Gaule citérieure (cisalpine) || **2.** plus rapproché || [en parl. du temps] *citeriora*, les faits plus récents.

citerius, adv., plus en deçà.

Cithæron, *onis*, m., Cithéron [mont de Béotie où paissaient de nombreux troupeaux; théâtre des orgies des Bacchantes].

cithara, *æ*, f., cithare.

citharista, *æ*, m., joueur de cithare.

citharœdus, *i*, m., citharède [chanteur qui s'accompagne de la cithare].

citimus, *a, um*, le plus rapproché: *stella citima terris*, étoile la plus rapprochée de la terre.

1. cito, adv. *(citus)*, **1.** vite || aisément || **2.** *citius*, plutôt || *citius quam* = *potius quam*.

2. cito, *are, avi, atum* (fréq. de *cieo*), tr., **1.** mettre en mouvement (souvent, fortement) || [fig.] provoquer (un mouvement de l'âme, une passion) || **2.** faire venir, appeler || **3.** [surtout] appeler, convoquer [les juges], appeler les citoyens pour l'enrôlement militaire || citer en justice || appeler les parties [devant le tribunal] || [fig.] invoquer [comme témoin, garant, etc.] || **4.** proclamer.

citra, adv. et prép., **1.** adv., en deçà || **2.** prép. avec acc., en deçà de: *citra Rhenum*, en deçà du Rhin || [poét.] sans aller jusqu'à || [poét.] avant.

citrea, *æ*, f. *(citreus)*, citronnier.

citreum, *i*, n., citron.

citreus, *a, um (citrus)*, de citronnier.

citro, adv., employé seulement avec *ultro*: *ultro citro, ultro citroque, ultro et citro*; [m. à m.] en allant au-delà et en revenant en deçà = çà et là, d'un côté et d'un autre; [avec idée de réciprocité] réciproquement, mutuellement.

citrum, *i*, n., bois de thuya.

citrus, *i*, f., citronnier || thuya.

citus, *a, um*, **1.** part. de *cieo* || **2.** pris adj., prompt, rapide || [rôle d'adverbe]: vite.

Cius ou **Cios,** *ii*, f., ville de Bithynie.

civi, pf. de *cieo*.

civicus, *a, um (civis)*, relatif à la cité ou au citoyen, civique, civil.

1. civilis, *e (civis)*, de citoyen, civil: **1.** *civile bellum*, guerre civile || *jus civile*, [en gén.] droit civil, droit commun à tous les citoyens d'une cité, [en part.] droit civil = droit privé || **2.** qui concerne l'ensemble des citoyens, la vie politique, l'État: *civilia officia*, les devoirs de la vie civile; *civilia munera*, charges, fonctions civiles || **3.** qui convient à des citoyens, digne de citoyens || **4.** populaire, affable, doux, bienveillant.

2. Civilis, *is*, m., Civilis [chef batave qui souleva ses compatriotes contre les Romains en 70 apr. J.-C.].

civilitas, *atis*, f. *(civilis)*, sociabilité, courtoisie, bonté.

civiliter *(civilis)*, **1.** en citoyen, en bon citoyen || **2.** avec modération, avec douceur.

civis, *is*, m., citoyen, concitoyen: *omnes cives tui*, tous tes concitoyens || = sujet: *imperare corpori, ut rex civibus suis*, commander au corps, comme un roi à ses sujets || [au fém.] *(civis) Romana*, citoyenne romaine.

civitas, *atis*, f. *(civis)*, **1.** ensemble des citoyens qui constituent une ville, un État; cité, État || **2.** droits des citoyens, droit de cité: *aliquem civitate donare*, gratifier qqn du droit de cité; *dare* *civitatem alicui*, accorder le droit de cité à qqn.

clades, *is*, f., **1.** désastre [de toute espèce], fléau, calamité || [fig.] fléau destructeur [en parl. de qqn] || **2.** [en part.] désastre militaire, défaite: *alicui cladem afferre, inferre*, faire subir un désastre à qqn; *cladem accipere*, essuyer un désastre.

cladis, *is*, f., c. *clades*.

clam, **1.** adv., à la dérobée, en cachette || **2.** prép., à l'insu de: ***a)*** avec abl.: *clam vobis*, à votre insu; ***b)*** avec acc.

clamator, *oris*, m. *(clamo)*, criard, braillard.

clamatus, *a, um*, part. de *clamo*.

clamito, *are, avi, atum (clamo)*, intr., **1.** crier souvent, crier fort; ***a)*** avec l'exclamation au style direct; ***b)*** avec l'exclamation à l'acc.; ***c)*** avec prop. infin. || **2.** demander à grands cris || **3.** [nom de chose sujet] crier = proclamer, montrer clairement.

clamo, *are, avi, atum*,

I. intr., **1.** [absol.] crier, pousser des cris || **2.** crier ***a)*** av. l'exclamation au style direct; ***b)*** av. acc. de l'exclamation; ***c)*** av. prop. infin. || **3.** demander à grands cris.

II. tr., **1.** appeler à grands cris || **2.** proclamer: [av. deux acc.] *aliquem insanum*, crier que qqn est un fou.

clamor, *oris*, m. *(clamo)*, [en gén.] cri de l'homme ou des animaux || [en part.] ***a)*** cri de guerre; ***b)*** acclamation; ***c)*** cri hostile, huée.

clamosus, *a, um (clamor)*, **1.** criard || **2.** qui retentit de cris.

clanculum, dimin. de *clam*, **1.** adv., en cachette || **2.** prép. av. acc., à l'insu de.

clandestinus, *a, um*, qui se fait en cachette || qui agit en secret.

clangor, *oris*, m. *(clango)*, cri de certains oiseaux || son de la trompette.

clare *(clarus)*, **1.** clairement, distinctement || **2.** brillamment.

clareo, *ere (clarus)*, intr., briller, luire.

claresco, *ere, clarui (clareo)*, intr., **1.** devenir clair, briller || [fig.] devenir illustre, s'illustrer || **2.** [poét.] devenir distinct.

clarigatio, *onis*, f. *(clarigo)*, **1.** action de réclamer de l'ennemi ce qu'il a pris injustement, sommation solennelle || **2.** droit de représailles.

clarigo, *are, atum*, intr., réclamer à l'ennemi ce qu'il a pris injustement.

claritas, *atis*, f. *(clarus)*, **1.** clarté, éclat, netteté lumineuse || éclat, sonorité [de la voix] || **2.** [fig.] ***a)*** clarté, éclat [de l'éloquence]; ***b)*** illustration, célébrité.

claritudo, *inis*, f. *(clarus)*, clarté, éclat || [fig.] illustration, distinction.

claro, *are, avi, atum (clarus)*, tr., **1.** rendre clair, lumineux || **2.** [fig.] éclaircir, élucider || illustrer.

Claros, *i*, f., ville d'Ionie, fameuse par un temple d'Apollon || **Clarius,** *a, um*, de Claros || **Clarius,** *ii*, m., Apollon.

clarus, *a, um*, **1.** clair, brillant, éclatant || **2.** [fig.] clair, net, intelligible, manifeste || **3.** brillant, en vue, considéré, distingué, illustre, ***a)*** [en parl. des pers.]: *clari viri*, hommes en vue; ***b)*** [en parl. des choses]: *oppidum clarum*, ville illustre; *clarissima victoria*, la victoire la plus brillante.

classiarii, *orum*, m. *(classis)*, matelots, soldats de marine.

classiarius, *a, um (classis)*, de la flotte.

classicula, *æ (classis)*, flottille.

classicum, *i*, n. *(classicus)*, signal donné par la trompette; sonnerie de la trompette [indice du commandement] || [poét.] trompette guerrière.

classicus, *a, um (classis)*, **1.** de la première classe; *classicus* pris subst., citoyen de la première classe || **2.** de la flotte, naval: *classici milites*, les soldats de la flotte || *classici, orum*, m. pris subst., soldats de marine ou matelots.

classis, *is*, f., **1.** division du peuple romain, classe || **2.** division [en gén.], classe, groupe, catégorie; [en part.] pl., contingents [militaires] || **3.** flotte: *ædificare et ornare classes*, construire et équiper des flottes || [poét.] vaisseau.

Clastidium, *ii*, n., ville de la Gaule Cisalpine.

clatri, *orum*, m., barreaux.

clatro, *are (clatri)*, tr., fermer avec des barreaux.

claudeo, *ere (claudus)*, intr., boiter, clocher.

claudicatio, *onis*, f. *(claudico)*, action de boiter, claudication.

claudico, *are, avi, atum (claudus)*, intr., **1.** boiter || **2.** vaciller, être inégal || **3.** clocher, faiblir, être inférieur.

Claudius, *ii*, m., nom de famille rom.; not.: **1.** Appius Claudius Cæcus [qui fit construire la voie Appienne] || **2.** M. Claudius Marcellus [général célèbre qui lutta avec avantage contre Hannibal; il prit par surprise après trois ans de siège la ville de Syracuse défendue par Archimède] || **3.** l'empereur Claude.

1. claudo, *ere, clausi, clausum,* et **cludo,** *clusi...,* tr., **1.** fermer, clore || **2.** fermer une route, un passage, un pays || **3.** finir, clore : *agmen claudere,* fermer la marche || **4.** couper, barrer, arrêter || enfermer, encercler.

2. claudo, *ere, clausurus (claudus),* intr., boiter, clocher.

claudus, *a, um,* **1.** boiteux || [navire] désemparé || **2.** [fig.] qui cloche, défectueux.

clausi, pf. de *claudo.*

claustra, *orum,* n. *(claudo),* **1.** fermeture d'une porte, verrous || fermeture d'un port ; chaîne || **2.** barrière, clôture.

clausula, *æ,* f. *(claudo),* fin, conclusion : *epistulæ,* fin d'une lettre.

clausum, *i,* n. *(clausus),* **1.** endroit fermé || **2.** fermeture.

clausus, *a, um,* part. de *claudo* || pris adj. [fig.], fermé, clos, ne laissant pas voir ses sentiments.

clava, *æ,* f. *(clavus),* massue || bâton [autour duquel les éphores spartiates enroulaient leur message], scytale || massue d'Hercule.

1. claviger, *era, erum (clava, gero),* qui porte une massue.

2. claviger, *eri,* m. *(clavis, gero),* le porteur de clefs [épith. de Janus].

clavis, *is,* f., clef || barre de fermeture, verrou.

clavus, *i,* m., **1.** clou : *clavo clavus ejicitur* [prov.] un clou chasse l'autre || **2.** barre, gouvernail || **3.** bande de pourpre cousue à la tunique, large [laticlave] pour les sénateurs, étroite [angusticlave] pour les chevaliers.

clemens, *entis,* **1.** doux, clément, bon, indulgent || modéré, calme : *clemens in disputando,* modéré dans la discussion ; *clementior sententia* || **2.** [poét., en parl. de l'air, de la température, de la mer, etc.] doux, calme, paisible.

clementer *(clemens),* avec clémence, avec douceur, avec bonté, avec indulgence || avec calme : *aliquid clementer ferre,* supporter qqch. avec calme (patiemment).

clementia, *æ,* f. *(clemens),* clémence, bonté, douceur.

Cleobis, *is,* m., v. *Biton.*

Cleopatra, *æ,* f., Cléopâtre [reine d'Égypte, fut cause de la guerre entre Octave et Antoine, assista à la bataille navale d'Actium, mais prit la fuite avec sa flotte décidant ainsi de la défaite d'Antoine ; prise à Alexandrie, se donna la mort par une piqûre d'aspic pour n'être pas menée à Rome dans le triomphe du vainqueur].

clepo, *pere, psi,* tr., dérober.

clepsydra, *æ,* f., clepsydre, horloge d'eau || temps marqué par l'écoulement de l'eau d'une clepsydre.

clibanus, *i,* m., tourtière.

cliens, *entis,* m., client [protégé d'un *patronus*] || client, sorte de vassal [en parl. des individus ou des peuples chez les Gaulois et les Germains].

clientela, *æ,* f. *(cliens),* **1.** état, condition de client [individu ou peuple] || **2.** au pl., clients ; vassaux.

Clio, *us,* f., muse de l'Histoire.

1. clipeatus, *a, um,* part. de *clipeo.*

2. clipeatus, *i,* m., soldat pesamment armé.

clipeo, *are, atum (clipeus),* tr., armer d'un bouclier.

clipeum, *i,* n., c. *clipeus.*

clipeus (clupeus), *i,* m., **1.** bouclier [ordinairement en métal] || [fig.] défense, protection || **2.** écusson sur lequel les dieux ou les grands hommes sont représentés en buste || **3.** le disque du soleil.

clitellæ, *arum,* f., bât.

clitellarius, *a, um (clitellæ),* qui porte un bât, [bête] de somme.

Cliternum, *i,* n., ville des Èques || **-erninus,** *a, um,* de Cliternum || **-ernini,** *orum,* m., habitants de Cliternum.

Clitumnus, *i,* m., le Clitumne [rivière de l'Ombrie].

Clitus, *i,* m., général et ami d'Alexandre qui le tua dans un banquet.

clivosus, *a, um (clivus),* qui s'élève en pente, montueux.

clivus, *i,* m., pente, montée || *clivus Capitolinus,* ou absol. *clivus,* le chemin du Capitole [et] la colline du Capitole.

cloaca, *æ,* f., égout || *cloaca maxima,* le grand égout [à Rome].

Clodianus, *a, um,* de Clodius.

clodico, c. *claudico.*

1. Clodius, *a, um,* de Clodius.

2. Clodius, *ii,* m., P. Clodius Pulcher [tribun de la plèbe, ennemi de Cicéron, tué par Milon].

Clœlia, *æ,* f., jeune fille romaine.

cludo, *ere,* c. *claudo.*

clueo, *ere,* intr., s'entendre dire, avoir la réputation de || être illustre || être, exister.

clunis, *is,* m. et f., ordin. pl. **clunes,** *ium,* fesse, croupe.

clupeus, v. *clipeus.*

clusi, pf. de *cludo.*

Clusium, *ii*, n., ville d'Étrurie || **Clusinus,** *a, um*, de Clusium || **-sini,** *orum*, m., les habitants de Clusium || **Clusini fontes,** m., les eaux de Clusium.

clusus, *a, um*, part. de *cludo.*

Clytæmnestra, *æ*, f., Clytemnestre [femme d'Agamemnon].

Cnæus ou **Cneus,** *i*, m., prénom romain [en abrégé *Cn.*] prononcé *Gnæus.*

Cnidius ou **Gnidius,** *a, um*, de Gnide || **-dii,** *orum*, m., les habitants de Gnide.

Cnidus ou **Gnidus,** *i*, f., Gnide [ville de Carie où Vénus avait un temple].

Cnos, v. *Gnoss-.*

coacervatus, *a, um*, part. de *coacervo.*

coacervo, *are, avi, atum (cum, acervus)*, tr., mettre en tas, entasser, accumuler.

coacesco, *ere, acui*, intr., s'aigrir.

coacta, *orum*, n. *(cogo)*, laines ou crins foulés, feutre.

coactio, *onis*, f. *(cogo)*, encaissement [d'argent].

coacto, *are*, fréq. de *cogo*, forcer.

coactor, *oris*, m. *(cogo)*, celui qui rassemble || collecteur d'impôts || commis de recette || celui qui force, qui contraint.

1. coactus, *a, um*, part. de *cogo* || pris adj. au fig., contraint, cherché, non naturel.

2. coactus, abl. *u*, m., impulsion.

coædificatus, *a, um*, part. de *coædifico.*

coædifico, *are, avi, atum (cum, ædifico)*, tr., couvrir d'un ensemble de maisons.

coæquatus, *a, um*, part. de *coæquo.*

coæquo, *are, avi, atum (cum, æquo)*, tr., **1.** rendre égal, de même plan, égaliser, aplanir les montagnes || **2.** égaler, mettre sur le même pied.

coagmentatio, *onis*, f. *(coagmento)*, assemblage, réunion de parties ensemble.

coagmentatus, *a, um*, part. de *coagmento.*

coagmento, *are, avi, atum (coagmentum)*, tr., unir ensemble, assembler: *opus coagmentare, dissolvere*, former un ouvrage [par assemblage des parties], le dissoudre.

coagmentum, *i*, n. *(cogo)*, jointure, assemblage; [employé surtout au pl.].

coagulatio, *onis*, f. *(coagulo)*, coagulation.

coagulatus, *a, um*, part. de *coagulo.*

coagulo, *are, avi, atum (coagulum)*, tr., coaguler, figer, épaissir [un liquide].

coagulum, *i*, n. *(cogo)*, **1.** présure || [fig.] ce qui réunit, ce qui rassemble || **2.** lait caillé.

coalesco, *escere, coalui, coalitum (cum, alesco)*, intr., **1.** s'unir, se lier || **2.** se développer, prendre racine.

coangusto, *are, avi, atum*, tr., rétrécir, resserrer, mettre à l'étroit.

coarguo, *ere, gui, gutum (cum, arguo)*, tr., **1.** montrer clairement, démontrer de façon irréfutable: *alicujus errorem*, démontrer l'erreur de qqn || [avec prop. inf.] démontrer que || **2.** démontrer comme faux, comme inacceptable || **3.** démontrer la culpabilité de qqn *(coarguere aliquem).*

coartatio, *onis*, f. *(coarto)*, action de serrer, de réunir.

coartatus, *a, um*, part. de *coarto.*

coarto, *are, avi, atum (cum, arto)*, tr., serrer, presser, resserrer || abréger, réduire || resserrer, condenser [dans un exposé].

coassamentum, *i*, n., et **coassatio,** *onis*, f., assemblage de planches, plancher.

coccinatus, *a, um (coccinus)*, vêtu d'écarlate.

coccinus, *a, um (coccum)*, d'écarlate || **coccina,** *orum*, n., vêtements d'écarlate.

coccum, *i*, n., kermès [espèce de cochenille qui donne une teinture écarlate] || écarlate [couleur] || étoffe teinte en écarlate.

coccyx, *ygis*, m., coucou [oiseau].

cochlea (coclea), *æ*, f., escargot || *cochlea nuda*, limace || coquille d'escargot.

cochlear, et **cochleare,** *is*, n., cuiller.

coclea-, v. *cochl-.*

1. cocles, *itis*, m., borgne.

2. Cocles, *itis*, m., Horatius Coclès [guerrier légendaire qui défendit seul contre les troupes de Porséna l'entrée du pont Sublicius sur le Tibre, pendant que ses compagnons le détruisaient derrière lui; il rentra sain et sauf à Rome à la nage].

coctilis, *e (coquo)*, cuit, de briques.

coctura, *æ*, f. *(coquo)*, cuisson || fusion

|| [fig.] temps convenable à la maturation des fruits.

coctus, *a, um*, part. de *coquo*.

Cocytus (-os), *i*, m., fleuve des Enfers || **-cytius,** *a, um*, du Cocyte.

codex, *icis*, m., **1.** tablette à écrire, livre, registre, écrit || **2.** c. *caudex*.

codicillus, *i*, m., dimin. de *codex*, **1.** petit tronc || **2.** *codicilli, orum*, m., tablettes à écrire || lettre, billet || mémoire, requête || diplôme, titre de nomination à un emploi || codicille [jurispr.].

coegi, pf. de *cogo*.

cœlebs et ses dérivés, c. *cælebs*.

Cœle Syria, f., Cœlé Syrie [partie de la Syrie].

cœlum, *etc*., v. *cælum, etc*.

coemo, *emere, emi, emptum*, tr., réunir en achetant, acheter en bloc, en masse.

coemptio, *onis*, f. *(coemo)*, **1.** achat réciproque ou commun, coemption || **2.** mariage par coemption [jurispr.].

coemptus, *a, um*, part. de *coemo*.

coeo, *coire, oii* (rar. *coivi*), *coitum* (*cum* et *eo*),

I. intr., **1.** aller ensemble, se réunir, se joindre || **2.** se réunir, se rapprocher, former un tout [un groupe, un corps] || s'épaissir, se condenser || **3.** [poét.] en venir aux mains, combattre || **4.** s'unir, s'associer, faire alliance: *nuptiis, conubio*, s'unir par le mariage.

II. tr., *coire societatem (cum aliquo)*, contracter (former, conclure) une alliance, une association (avec qqn.).

cœpi, *isse, isti*, v. *cœpio*.

cœpio, *cœpere, cœptum*,

I. [verbe de la période archaïque] commencer.

II. [les formes employées à la période classique sont celles du pf. et du supin]: *cœpisse, cœpi, cœptum*, j'ai commencé, **1.** avec acc.: *cœpturi bellum*, prêts à commencer la guerre || **2.** avec inf.: *ut cœpi dicere*, comme j'ai commencé à le dire || **3.** pf. passif: *est id quidem cœptum*, oui, cette mesure a été entreprise || **4.** [pris intrans.] commencer, débuter.

cœptatus, *a, um*, part. de *cœpto*.

cœpto, *are, avi, atum*, fréq. de *cœpio*, **1.** tr., commencer, entreprendre || **2.** intr., être au début.

cœptum, *i*, n. *(cœptus)*, entreprise, projet.

1. cœptus, *a, um*, part. de *cœpio*.

2. cœptus, *us*, m., début, essai.

coerceo, *ere, cui, citum (cum* et *arceo)*, tr., enfermer complètement: **1.** enfermer, resserrer, contenir || **2.** empêcher de s'étendre librement, contenir, maintenir || **3.** [fig.] contenir, tenir en bride, réprimer: *cupiditates*, réprimer les passions || réprimer, châtier, corriger, faire rentrer dans le devoir.

coercitio, *onis*, f. *(coerceo)*, **1.** contrainte, répression || **2.** punition, châtiment.

coercitus, *a, um*, part. de *coerceo*.

cœtus, *us*, m., **1.** jonction, assemblage, rencontre || **2.** réunion, assemblée, troupe || [fig.] mouvements séditieux, intrigues.

cogitabilis, *e (cogito)*, concevable.

cogitate *(cogitatus)*, avec réflexion.

cogitatio, *onis*, f. *(cogito)*, action de penser: **1.** acte de penser, de se représenter; pensée, imagination: *percipere aliquid cogitatione*, percevoir qqch. par la pensée || [avec prop. inf.] la pensée que || avec interr. ind. || **2.** acte de réfléchir, de méditer; réflexion, méditation || **3.** le résultat de la pensée (de la réflexion): *mandare litteris cogitationes suas*, consigner par écrit ses pensées; *graves cogitationes*, réflexions sérieuses || **4.** action de projeter (méditer), idée, dessein, projet.

cogitatum, *i*, n. *(cogitatus)*, **1.** pensée, réflexion || [surtout au pl.]: *cogitata præclare eloqui*, exprimer ses pensées de façon brillante || **2.** projet.

cogitatus, *a, um*, part. de *cogito*.

cogito, *are, avi, atum* (de *cum* et *agito*), remuer dans son esprit: **1.** penser, songer, se représenter par l'esprit: ***a)*** *de aliquo, de aliqua re*, songer à qqn, à qqch.; ***b)*** [avec acc.] *Scipionem, Catonem cogitare*, évoquer par la pensée Scipion, Caton || [avec prop. inf.] songer que || **2.** méditer, projeter: *cogitatum facinus*, crime projeté; *cogitata injuria*, injustice préméditée || avec inf., se proposer de || avec *ut (ne)*, se proposer par la pensée de (de ne pas) || **3.** avoir des pensées (des intentions) bonnes, mauvaises à l'égard de qqn.

cognatio, *onis*, f. *(cognatus)*, **1.** lien du sang, parenté de naissance: *cognatio, affinitas*, parenté naturelle, parenté par alliance || [fig.] les parents || **2.** parité de race, d'espèce [en parl. d'animaux, de plantes] || **3.** rapport, affinité, similitude: *cognatio studiorum*, la communauté des goûts.

cognatus, *a, um (cum, gnatus = natus* de *nascor)*, **1.** uni par le sang || subst.

cognatus, i, m., parent [aussi bien du côté du père que du côté de la mère]; f. *cognata*, parente || **2.** apparenté, qui a un rapport naturel, *alicui rei*, avec qqch.

cognitio, *onis*, f. *(cognosco)*, **1.** action d'apprendre à connaître, de faire la connaissance de [d'une pers., d'une chose], étude: *cognitionis amor*, le désir d'apprendre || connaissance || **2.** [droit] enquête, instruction, connaissance d'une affaire: *alicujus rei* ou *de aliqua re*, enquête sur qqch.

cognitor, *oris*, m. *(cognosco)*, **1.** celui qui connaît qqn, témoin d'identité, garant, répondant || **2.** représentant [d'un plaideur, demandeur ou défendeur], mandataire || [en gén.] représentant, défendeur.

cognitus, *a, um*, part. de *cognosco* || pris adj., connu, reconnu.

cognomen, *inis*, n. *(cum, nomen)*, surnom [ajouté à celui de la *gens*]; ex. *Barbatus, Brutus, Calvus, Cicero* || surnom individuel; ex. *Africanus, Asiaticus*, etc.

cognomentum, *i*, n., c. *cognomen*, surnom.

cognominatus, *a, um*, part. de *cognomino*.

cognominis, *e (cognomen)*, qui porte le même nom, homonyme.

cognomino, *are, avi, atum (cognomen)*, tr., surnommer.

cognoscens, *entis*, part.-adj. de *cognosco*.

cognosco, *ere, gnovi, gnitum (cum* et *gnosco = nosco)*, tr., **1.** apprendre à connaître, prendre connaissance de, faire connaissance avec, étudier; au pf. *cognovi, cognovisse*, connaître, savoir: *ab aliquo*, apprendre de qqn, tenir des renseignements de qqn; *ex aliqua re, ex aliquo*, apprendre d'après qqch., d'après qqn || [avec prop. inf.] apprendre que || [avec intr. indir.] || [abl. absolu]: *hac re cognita, his rebus cognitis*, à cette nouvelle || [avec *de*] être informé de || [pass. impers.] *ab eo cognoscitur*, par lui on est informé || **2.** reconnaître [qqn, qqch., que l'on connaît]: *et signum et manum suam cognovit*, il reconnut et son cachet et son écriture || **3.** [droit] connaître d'une affaire, l'instruire: ***a)*** [absol.] *Verres cognoscebat*, Verrès instruisait l'affaire; ***b)*** *alicujus causam*, instruire, étudier la cause de qqn; ***c)*** [avec *de*] *de hereditate cognoscere*, instruire une affaire d'héritage.

cogo, *ere, coegi, coactum (cum, ago)*, tr., pousser ensemble, **1.** assembler, réunir, rassembler: *copias*, réunir les troupes || *senatum*, rassembler le sénat || recueillir, faire rentrer || assembler en un tout, condenser, épaissir || **2.** [fig.] rassembler, concentrer, condenser, resserrer || [philos.] conclure (c. *colligo* § 7) || **3.** pousser de force qq. part || [fig.] contraindre, forcer: *si res cogat*, si les circonstances l'exigeaient || [avec inf. ou avec *ut* et subj.] contraindre à || *ad aliquid*, forcer à qqch. || souvent *coactus* = contraint, forcé, sous l'empire de la contrainte.

cohærens, *entis*, part.-adj. de *cohæreo.*

cohærentia, *æ*, f. *(cohæreo)*, connexion, cohésion.

cohæreo, *ere, hæsi, hæsum*, intr., être attaché ensemble: **1.** [pr. et fig.] être lié, attaché: *cum aliqua re*, être attaché à qqch.; *non cohærentia inter se dicere*, tenir des propos sans liaison entre eux (sans suite) || **2.** être attaché dans toutes ses parties solidement, avoir de la cohésion: *vix cohærebat oratio*, c'est à peine si son discours se tenait.

cohæresco, *ere, hæsi* (inchoat. de *cohæreo)*, intr., s'attacher ensemble.

coheres, *edis*, m. f., cohéritier, cohéritière.

cohibeo, *ere, bui, bitum (cum, habeo)*, tr., tenir ensemble, **1.** contenir, renfermer || **2.** maintenir: *aliquem in vinculis*, retenir qqn dans les fers || **3.** retenir, contenir, empêcher || *manus, oculos, animum ab aliqua re*, maintenir ses mains, ses regards, ses pensées écartés de qqch.

cohibitus, *a, um*, part. de *cohibeo* || pris adj., ramassé [style], concis.

cohonesto, *are, avi, atum (cum, honesto)*, tr., donner de l'honneur à, rehausser, rendre plus beau.

cohorresco, *ere, horrui (cum, horresco)*, intr., se mettre à frissonner de tout son corps, éprouver des frissons [pr. et fig.].

cohors, *tis*, f., **1.** enclos, cour de ferme, basse-cour || **2.** troupe, cortège || **3.** [en part.] ***a)*** la cohorte, dixième partie de la légion; ***b)*** troupe auxiliaire; ***c)*** état-major, suite d'un magistrat dans les provinces.

cohortatio, *onis*, f. *(cohortor)*, exhortation, harangue par laquelle on exhorte.

cohortatus, *a, um*, part. de *cohortor.*

cohorticula, *æ*, f. *(cohors)*, petite cohorte.

cohortor, *ari, atus sum (cum, hortor),* tr., exhorter vivement, encourager : *ad aliquam rem,* à qqch. || [avec *ut* et subj.] exhorter à || [avec *ne* et subj.] exhorter à ne pas.

coiens, *euntis,* part. prés. de *coeo.*

coitio, *onis,* f. *(coeo),* coalition, complot : *coitionem facere,* faire une cabale.

1. coitus, *a, um,* part. de *coeo.*

2. coitus, *us,* m. *(coeo),* action de se joindre, de se réunir, accouplement.

coivi, pf. de *coeo.*

colaphus, *i,* m., coup de poing.

colatus, *a, um,* part. de *colo 1.*

Colchi, *orum,* m., habitants de la Colchide || **Colchus,** *i,* m., un Colchidien.

Colchis, *idis* et *idos,* f., Colchide [région de l'Asie Mineure où, suivant la légende, se trouvait la Toison d'or] || **Colchis,** *idis,* f., femme de Colchide = Médée.

Colchus, *a, um,* de Colchide, de Médée [originaire de la Colchide].

collabefactus, *a, um,* part. de *collabefio.*

collabefio, *fieri, factus sum,* pass. de l'inus. *collabefacio,* s'effondrer || [fig.] être renversé, ruiné.

collabor, *labi, lapsus sum (cum, labor),* intr., tomber avec ou en même temps ou d'un bloc, s'écrouler : *ferro collapsus,* s'affaissant sous le fer [sous le coup].

collaceratus, *a, um (cum, laceratus),* tout déchiré.

collacrimatio (conl-), *onis,* f. *(collacrimo),* action de fondre en larmes.

collacrimo (conl-), *are, avi, atum,* **1.** intr., fondre en larmes || **2.** tr., déplorer.

collapsus, *a, um,* part. de *collabor.*

Collatini, *orum,* m., habitants de la Collatie, Collatins.

1. Collatinus, *i,* m., Collatin [surnom d'un Tarquin, neveu de Tarquin le Superbe ; pour venger la mort de sa femme, Lucrèce, se mit avec Brutus à la tête du peuple pour chasser les Tarquins ; il fut nommé consul avec lui, 510 av. J.-C.].

2. Collatinus, *a, um,* de Collatie.

collatio (conl-), *onis,* f. *(confero),* **1.** rencontre, choc || **2.** contribution, souscription || [en part.] offrande faite aux empereurs || **3.** comparaison, rapprochement, confrontation.

collatro, *are (cum, latro),* tr., aboyer contre [fig.].

collatus, *a, um,* part. de *confero.*

collaudatio (conl-), *onis,* f. *(collaudo),* action de faire l'éloge, panégyrique.

collaudo (conl-), *are, avi, atum,* tr., combler de louanges.

collecta (conl-), *æ,* f., écot, quote-part.

collectaneus, *a, um (colligo 2),* de recueil, recueilli : *dicta collectanea,* choix de sentences.

collecticius (conl-), *a, um (collectus),* ramassé çà et là [sans choix].

collectio (conl-), *onis,* f. *(colligo 2),* action de rassembler, de recueillir.

1. collectus (conl-), *a, um,* part. de *colligo 2* || pris adj., ramassé, réduit.

2. collectus, *us,* m., amas.

collega (conl-), *æ,* m. *(cum, lego),* **1.** collègue [dans une magistrature] || **2.** collègue [en gén.], compagnon, camarade, confrère.

collegi, pf. de *colligo 2.*

collegium (conl-), *ii,* n. *(collega),* **1.** action d'être collègue || **2.** collège [des magistrats, des prêtres, etc.] || **3.** association.

collibeo (conlub-), *ere, ui,* plaire [avec dat.].

collibertus (conl-), *i,* m., affranchi d'un même maître, compagnon d'affranchissement.

collibet (conl-), ou **-lubet,** *ere, uit* et *itum est,* imp., il plaît, il vient à l'esprit.

collido (conl-), *ere, isi, isum (cum, lædo),* tr., **1.** frapper contre : *collidere manus,* battre des mains || **2.** briser contre || écraser || **3.** [fig.] heurter, mettre aux prises.

colligatio (conl-), *onis,* f. *(colligare),* liaison || [fig.] lien.

colligatus, *a, um,* part. de *colligo 1.*

1. colligo (conl-), *are, avi, atum (cum, ligo),* tr., lier ensemble : **1.** attacher ensemble, réunir || **2.** [fig.] ***a)*** rassembler ; ***b)*** entraver, enrayer.

2. colligo (conl-), *ere, legi, lectum (cum, lego),* tr., cueillir ensemble : **1.** recueillir, réunir, ramasser, rassembler || *naufragium,* recueillir les débris d'un naufrage || **2.** rassembler : *milites,* rassembler des soldats || **3.** ramasser, relever : *togam,* retrousser sa toge || **4.** contracter, resserrer : *equos,* retenir les chevaux, les arrêter || **5.** [fig.] recueillir pour soi, réunir pour soi, acquérir, gagner : *benevolentiam,* la bienveillance || *conligere se,* se recueillir, recueillir ses forces, se ressaisir, reprendre ses esprits || **6.** conclure logiquement.

collineatus, *a, um,* part. de *collineo.*

collineo (conl-) et **-linio,** *are, avi, atum (cum, linea),* **1.** tr., diriger en visant: *conlineare sagittam aliquo,* viser un but avec une flèche || **2.** intr., trouver la direction juste.

1. collinus, *a, um (collis),* de colline, de coteau.

2. Collinus, *a, um,* relatif à un quartier de Rome appelé la *Collina regio* || **Collina porta,** f., la porte Colline.

colliquefactus (conl-), *a, um (cum, liquefio),* fondu || dissous.

collis, *is,* m., colline, coteau.

collisi, pf. de *collido.*

1. collisus, *a, um,* part. de *collido.*

2. collisus, *us,* m., rencontre, choc.

collocatio (conl-), *onis,* f. *(colloco),* arrangement, installation, disposition || action de donner en mariage.

collocatus, *a, um,* part. de *colloco.*

colloco (conl-), *are, avi, atum (cum, loco),* tr., donner sa place à qqch., **1.** placer, établir: *suo quidque in loco,* mettre chaque objet à sa place convenable, ranger || **2.** [fig.] placer, établir || **3.** mettre en place, régler, arranger: *rem militarem,* régler les affaires militaires || **4.** placer, mettre à un rang déterminé || mettre en possession: *aliquem in patrimonio suo,* mettre qqn en possession de ses biens || **5.** donner une fille en mariage: *aliquam in matrimonium, aliquam nuptum* || **6.** placer de l'argent (sur qqch.): *collocare pecuniam,* faire un placement d'argent || *bene apud aliquem munera,* bien placer sur qqn ses dons.

collocutio (conl-), *onis,* f. *(colloquor),* entretien.

colloquium (conl-), *ii,* n. *(colloquor),* **1.** colloque, entrevue || **2.** conversation, entretien.

colloquor (conl-), *qui, cutus sum (cum, loquor),* **1.** intr., s'entretenir avec: *conloqui cum aliquo,* s'entretenir avec qqn [*de aliqua re,* sur qqch.] || **2.** tr. [acc. de la pers.] *colloqui aliquem,* parler à qqn, converser avec qqn.

colluceo (conl-), *ere (cum, luceo),* intr., briller de toutes parts, resplendir.

colluctatio, *onis,* f. *(colluctor),* lutte corps à corps.

colluctor, *ari, atus sum (cum, luctor),* intr., lutter avec ou contre, s'affronter corps à corps.

colludo (conl-), *ludere, lusi, lusum (cum, ludo),* intr., **1.** jouer ensemble: *paribus colludere,* jouer avec ceux de son âge || **2.** s'entendre frauduleusement, *cum aliquo,* avec qqn.

collum, *i,* n., cou: *invadere alicui in collum,* sauter au cou de qqn || tige [d'une fleur] || cou, goulot [d'une bouteille].

colluo, *ere, ui, utum (cum, luo),* laver, nettoyer à fond || [fig.] humecter, rafraîchir.

collusio (conl-), *onis,* f. *(colludo),* collusion, entente frauduleuse.

collusor (conl-), *oris,* m. *(colludo),* compagnon de jeu.

collustratus, *a, um,* part. de *collustro.*

collustro (conl-), *are, avi, atum (cum lustro),* tr., **1.** éclairer vivement, illuminer || **2.** parcourir du regard [avec ou sans *oculis*] || *animo,* passer en revue par la pensée.

collutus, *a, um,* part. de *colluo.*

colluvio (conl-), *onis,* f. *(colluo),* mélange impur, confusion, trouble, chaos.

collybus (-lubus), *i,* m., droit sur le change de la monnaie || change.

collyrium, *ii,* n., [en gén.] sorte d'onguent || [en part.] collyre.

1. colo, *are, avi, atum (colum),* tr., filtrer.

2. colo, *ere, colui, cultum,* tr., **1.** cultiver, soigner || [fig.]: *corpora,* soigner, parer son corps || soigner, traiter: *aliquem arte, opulenter,* traiter qqn durement, royalement || **2.** habiter: *urbem,* habiter la ville [Rome] || **3.** cultiver, pratiquer, entretenir: *virtutem, justitiam,* pratiquer la vertu, la justice || **4.** honorer, pratiquer avec respect: *sacra privata colere,* accomplir les sacrifices domestiques || honorer qqn.

colona, *æ,* f. *(colonus),* cultivatrice, paysanne.

Colonæ, *arum,* f., Colones [ville de la Troade].

Coloneus, *a, um,* de Colone [près d'Athènes]: *Œdipus Coloneus,* Œdipe à Colone [tragédie de Sophocle].

colonia, *æ,* f. *(colonus),* colonie || les colons: *coloniam mittere in locum aliquem,* envoyer qq. part une colonie.

Colonicus, *a, um (colonus),* **1.** de ferme, de métairie || **2.** de colonie.

colonus, *i,* m. *(colo),* **1.** cultivateur, paysan || fermier, métayer || **2.** colon, habitant d'une colonie || [poét.] habitant.

Colophon, *onis,* f., Colophon [ville d'Ionie qui disputait à Salamine, à

Smyrne, etc., l'honneur d'avoir vu naître Homère] || **-onius,** *a, um,* de Colophon || **-onii,** *orum,* m., habitants de Colophon.

color, *oris,* m., **1.** couleur [en gén.] || **2.** couleur du visage, teint || **3.** [fig.] [en part.] couleur du style, coloris || couleur éclatante du style, éclat || apparence, semblant, excuse, défaite.

coloratus, *a, um.,* part. de *coloro* || pris adj., coloré, nuancé || au teint coloré [indice de bonne santé] || [en part.] rouge, bruni, hâlé, basané.

coloro, *are, avi, atum (color),* tr., colorer, donner une couleur || [en part.] brunir, hâler || [fig.] *eloquentia se colorat,* l'éloquence prend les couleurs de la santé, prend de la force.

colossus (-os), *i,* m., colosse, statue colossale.

coluber, *bri,* m., couleuvre, serpent [en gén.].

colubra, *æ,* f. *(coluber),* couleuvre femelle || [au pl.] serpents [qui forment la chevelure des Furies].

colubrifer, *era, erum (coluber, fero),* qui porte des serpents.

colui, pf. de *colo.*

colum, *i,* n., tamis || *colum nivarium,* passoire contenant de la neige dans laquelle on filtre le vin pour le rafraîchir.

columba, *æ,* f. *(columbus),* colombe, pigeon.

columbarium, *ii,* n. *(columba),* **1.** pigeonnier, colombier || **2.** niche pour urnes funéraires.

columbinus, *a, um (columba),* **1.** de pigeon : *pulli columbini,* pigeonneaux || **2.** couleur de pigeon.

columbulus, *i,* m. *(columbus),* petit pigeon.

columbus, *i,* m., pigeon mâle || pl. [fig.], tourtereaux.

1. columella, *æ,* f. (dimin. de *columna),* petite colonne.

2. Columella, *æ,* m., Columelle [auteur d'un traité d'agriculture].

columen, *inis,* n., **1.** cime, sommet || faîte, comble [d'un toit] || **2.** poutre de support du toit || pilier, soutien : *rei publicæ,* colonne de l'État.

columna, *æ,* f. *(columen),* **1.** colonne || *rostrata,* colonne rostrale [en mémoire de la victoire navale de Duilius, ornée d'éperons de navires] || *columnæ,* les colonnes des portiques [où les libraires affichaient les nouveautés] || **2.** [fig.] appui, soutien || **3.** objets en forme de colonne : [colonne d'eau], [colonne de feu].

colurnus, *a, um (corulus, corylus),* de coudrier.

colus, *us,* f., **colus,** *i,* f., quenouille.

coma, *æ,* f., chevelure, crinière, toison.

comans, *tis,* **1.** part. prés. de *como* || **2.** pris adj., chevelu, pourvu d'une chevelure ou d'une crinière || bien fourni [en poils, en herbe, etc.].

Comata Gallia, f., la Gaule Chevelue.

comatus, *a, um,* part. de *como.*

1. combibo, *ere, bibi, bibitum,* **1.** intr., boire avec d'autres || **2.** tr., boire, absorber, s'imbiber, se pénétrer de, s'imprégner de.

2. combibo, *onis,* m., compagnon de beuverie.

comburo, *urere, ussi, ustum,* tr., brûler entièrement, détruire par le feu || brûler vif qqn || [fig.] ruiner.

combussi, pf. de *comburo.*

combustus, *a, um,* part. de *comburo.*

comedo, *edere* ou *esse, edis* ou *comes, edit* ou *comest, edi, esum* ou *estum,* tr., manger || [fig.] manger, dévorer, ronger, dissiper.

comes, *itis,* m. et f. *(cum, eo),* **1.** compagnon [ou] compagne de voyage ; compagnon, compagne || [fig.] associé || **2.** [en part.] pédagogue, gouverneur d'un enfant || personne de la suite, de l'escorte.

comestus, *a, um,* part. de *comedo.*

cometes, *æ,* m., comète.

comice *(comicus),* comiquement, à la manière de la comédie.

comicus, *a, um,* de comédie || **comicus,** *i,* m., poète comique.

cominus, v. *comminus.*

comis, *e,* doux, gentil, affable, bienveillant, obligeant.

comissabundus, *a, um,* en partie de plaisir, en cortège joyeux.

comissatio, *onis,* f. *(comissor),* partie de plaisir, orgie.

comissator, *oris,* m. *(comissor),* celui qui aime les parties de plaisir.

comitas, *atis,* f. *(comis),* douceur, affabilité, bonté, bienveillance.

1. comitatus, *a, um,* part. de *comitor* et de *comito.*

2. comitatus, *us,* m., **1.** accompagnement, cortège, suite : *magno comitatu,* avec une nombreuse escorte || **2.** troupe de voyageurs, caravane || suite d'un prince, cour, courtisans.

comiter *(comis),* gentiment, avec bienveillance, obligeance || avec bonne grâce || avec joie, avec entrain.

comitia, *orum*, n. *(comitium)*, comices, assemblée générale du peuple romain [pour voter].

comitialis, *e (comitia)*, relatif aux comices: *dies comitiales*, jours comitiaux [pendant lesquels les comices peuvent être convoqués] || *comitialis morbus*, épilepsie [on ajournait les comices quand qqn y tombait d'épilepsie] || **comitialis,** *is*, m., épileptique.

comitiatus, *us*, m., assemblée du peuple en comices.

comitium, *ii*, n. *(coeo)*, comitium, endroit où se tenaient les comices || partie du forum près de la tribune, où le préteur siégeait pour rendre la justice || lieu où se tient l'assemblée du peuple à Sparte.

comito, *are, avi, atum (comes)*, tr., accompagner.

comitor, *ari, atus sum (comes)*, tr., **1.** accompagner || [en part.] suivre le convoi funèbre de qqn || **2.** accompagner, être lié à qqch. [avec dat.].

commaculatus, *a, um*, part. de *commaculo.*

commaculo, *are, avi, atum*, tr., souiller, tacher.

commanipularis, *e*, qui est du même manipule, camarade de guerre.

commeatus, *us*, m. *(commeo)*, **1.** permission d'aller et de venir; [d'où] congé militaire, permission || **2.** convoi || **3.** approvisionnement, vivres: *commeatu nostros prohibere*, empêcher les nôtres de se ravitailler || approvisionnements [en dehors du blé].

commemini, *isse*, **1.** intr., se ressouvenir || **2.** tr., se remettre en mémoire: *aliquem, aliquid*, se rappeler qqn, qqch.

commemorabilis, *e (commemoro)*, mémorable.

commemoratio, *onis*, f. *(commemoro)*, action de rappeler, de mentionner || évocation: *commemoratio posteritatis*, la pensée des générations à venir.

commemoratus, *a, um*, part. de *commemoro.*

commemoro, *are, avi, atum*, tr., **1.** se rappeler, évoquer: *commemorabam te... fuisse*, je me rappelais que tu avais été...; *commemoro quid agerim*, je me rappelle ce que j'ai fait || **2.** rappeler à autrui: *beneficia*, rappeler les services rendus || **3.** signaler à la pensée, mentionner || [avec *de*] parler de, faire mention de.

commendabilis, *e (commendo)*, recommandable, *aliqua re*, par qqch.

commendaticius, *a, um (commendatus)*, de recommandation, destiné à recommander.

commendatio, *onis*, f. *(commendo)*, action de recommander, recommandation: *amicorum*, recommandation faite par les amis; *sui*, recommandation que l'on fait de soi-même || ce qui recommande, ce qui fait valoir.

commendatrix, *icis*, f. *(commendator)*, celle qui recommande.

commendatus, *a, um*, **1.** part. de *commendo* || **2.** adj., recommandé, qui se recommande, agréable, aimable.

commendo, *are, avi, atum (cum, mando)*, tr., **1.** confier, *alicui rem*, qqch. à qqn || **2.** recommander || **3.** faire valoir.

commensus, *a, um*, part. de *commetior.*

commentariolum, *i*, n., petit écrit, petit mémoire.

commentarius, *ii*, m., et **commentarium,** *ii*, n., **1.** [en gén.] mémorial, recueil de notes, mémoire, aide-mémoire || **2.** [en part.] recueil de notes, journal, registre, archives de magistrats || *commentarii Cæsaris*, les commentaires de César || brouillon, projet de discours || procès-verbaux d'une assemblée, d'un tribunal || cahier de notes [d'un élève].

commentatio, *onis*, f. *(commentor 1)*, examen réfléchi, préparation [d'un travail], méditation || pl., exercices préparatoires || *mortis*, préparation à la mort.

commentatus, *a, um*, part. de *commentor.*

commenticius, *a, um (commentus)*, **1.** inventé, imaginé || **2.** imaginaire, de pure imagination, idéale || **3.** faux, mensonger.

1. commentor, *ari, atus sum* (fréq. de *comminiscor*), tr., appliquer sa pensée à qqch.: **1.** méditer, réfléchir à, ***a)*** *aliquid*, songer à qqch.; ***b)*** *de aliqua re*, méditer sur qqch. || **2.** faire des exercices, étudier, s'exercer || [avec acc.] préparer qqch. par la méditation: *causam*, préparer une plaidoirie || **3.** composer, rédiger.

2. commentor, *oris*, m., inventeur.

commentum, *i*, n. *(commentus)*, **1.** fiction, chose imaginée, imagination || **2.** plan, projet.

commentus, *a, um*, part. de *comminiscor.*

commeo, *are, avi, atum*, intr., aller d'un endroit à un autre, aller et venir, circuler.

commercatus, *a, um*, part. de *commercor*.

commercium, *ii*, n. *(cum, merx)*,
I. pr., **1.** trafic, commerce, négoce : *alicujus*, commerce de qqn (fait par qqn) ; *alicujus rei*, commerce de qqch. || **2.** possibilité (droit) de trafiquer, d'acheter || **3.** article de commerce, objets du trafic, marchandises || **4.** lieu où se fait le commerce, place de commerce.
II. [fig.] rapports, relations, commerce : *habere commercium cum aliquo*, avoir commerce avec qqn ; *epistularum*, échange de lettres, commerce épistolaire.

commercor, *ari, atus sum*, tr., acheter en masse.

commereo, *ere, ui*, et **commereor,** *eri, ritus sum*, tr., mériter [en mauvaise part] || se rendre coupable de.

commeritus, *a, um*, part. de *commereor* et de *commereo*.

commetior, *metiri, mensus sum*, tr., **1.** mesurer, arpenter|| **2.** confronter.

commigratio, *onis*, f. *(commigro)*, passage d'un lieu à un autre.

commigro, *are, avi, atum*, intr., passer d'un lieu dans un autre.

commilitium, *ii*, n. *(cum, miles)*, fraternité d'armes [service militaire fait en commun].

commilito, *onis*, m., compagnon d'armes.

comminatio, *onis*, f. *(comminor)*, démonstration menaçante, menace || démonstration [en t. de guerre].

comminatus, *a, um*, part. de *comminor*.

comminiscor, *minisci, mentus sum*, tr. *(cum, miniscor* inus., cf. *memini)*, imaginer, forger.

comminor, *ari, atus sum*, intr., adresser des menaces : *alicui*, menacer qqn || [avec l'acc. de la chose] : *comminari necem alicui*, menacer qqn de mort.

comminuo, *uere, ui, utum*, tr., **1.** mettre en pièces, briser, broyer : *statuam comminuunt*, ils mettent en pièces la statue || **2.** [fig.] affaiblir, écraser, réduire à l'impuissance, venir à bout de.

comminus, adv. *(cum, manus)*, sous la main, de près : *comminus, eminus petere*, assaillir de près, de loin || tout droit, tout de suite.

comminutus, *a, um*, part. de *comminuo*.

commisceo, *miscere, miscui, mixtum* ou *mistum*, tr., **1.** mêler avec : *commixtus aliqua re*, mêlé de qqch. || **2.** [fig.] unir, allier, confondre : *rem cum re*, une chose avec une autre || **3.** [en part.] *commixtus ex aliqua re*, ou *aliqua re*, formé de qqch., constitué par qqch.

commiseratio, *onis*, f. *(commiseror)*, action d'exciter la pitié ; pathétique.

commiseror, *ari, atus sum*, **1.** tr., plaindre, déplorer || **2.** intr., [rhét.] exciter la compassion, recourir au pathétique.

commisi, pf. de *committo*.

commissio, *onis*, f. *(committo)*, action de mettre en contact, de commencer : *ab ipsa commissione ludorum*, dès l'ouverture des jeux || [en part.] représentation [au théâtre || au cirque] || pièce de concours, morceau d'apparat.

commissum, *i*, n. *(commissus)*, **1.** entreprise || **2.** faute commise, délit, crime || **3.** secret.

commissura, *æ*, f. *(committo)*, joint, jointure, points de jonction ; *colorum*, art de fondre les couleurs [ne pas laisser voir la transition].

commissus, *a, um*, part. de *committo*.

committo, *ere, misi, missum*, tr., mettre plusieurs choses ensemble, **1.** unir, assembler || **2.** mettre aux prises, faire combattre ensemble || confronter, comparer || **3.** mettre [pour ainsi dire] qqch. en chantier, donner à exécuter, [d'où] entreprendre, commencer : *prœlium*, engager le combat *(cum aliquo*, avec qqn) || **4.** mettre à exécution un acte coupable, commettre, se rendre coupable de : *scelus*, commettre un crime || [absol.] se rendre coupable : *committere contra legem*, commettre une infraction à la loi || *committere ut* [et surtout *non committere ut*], se mettre dans le cas que, s'exposer à ce que || **5.** faire se produire, laisser se réaliser qqch., [d'où] se mettre dans le cas de, encourir [une peine] : *pœnam, multam*, encourir une peine, une amende || **6.** laisser aller (abandonner) qqn, qqch., risquer, hasarder, s'aventurer ; *se prœlio, se pugnæ*, se risquer à une bataille || confier : *alicui salutem, fortunas, liberos*, confier à qqn son salut, ses biens, ses enfants || [absol.] s'en remettre, *alicui... ut*, à qqn... du soin de.

commixtus, *a, um*, part. de *commisceo*.

commodatus, *a, um*, part. de *commodo.*

commode *(commodus),* **1.** dans la mesure convenable, appropriée au but; convenable, bien: *commodius*, mieux || **2.** dans de bonnes conditions: *commodissime,* dans les meilleures conditions.

commoditas, *atis,* f. *(commodus),* **1.** mesure convenable, juste proportion, adaptation au but, convenance || **2.** avantage, commodité, opportunité.

commodo, *are, avi, atum (commodus),* tr., **1.** disposer convenablement || **2.** [fig.] *aliquid alicui,* mettre à la disposition de qqn qqch., prêter à qqn qqch. [qui sera rendu] || **3.** appliquer à propos, approprier || **4.** [absol.] se montrer complaisant, rendre service (*alicui,* à qqn): *alicui omnibus in rebus* ou *omnibus rebus,* obliger qqn en toutes choses.

1. commodum, adv. *(commodus),* à propos, tout juste, précisément.

2. commodum, *i,* n. *(commodus),* **1.** commodité: *commodo tuo,* comme cela t'arrange; *commodo valetudinis tuæ,* si ta santé le permet || **2.** avantage, profit || [en part.] avantages attachés à une fonction, appointements, pension || **3.** [rare] objet prêté, prêt.

commodus, *a, um* (*cum, modus,* qui est de mesure), **1.** convenable, approprié: *commodissima belli ratio,* la meilleure tactique || *commodum (commodius, commodissimum) est,* il est convenable, commode, opportun, avantageux || **2.** accommodant, bienveillant.

commonefacio, *ere, feci, factum (commoneo, facio),* tr., faire souvent souvenir; rappeler [*aliquem alicujus rei* ou av. interr. ind.].

commonefio, *fieri, factus sum,* pass. de *commonefacio: alicujus rei,* être rappelé au souvenir de qqch.

commoneo, *ere, ui, itum,* tr., **1.** faire souvenir: *aliquem alicujus rei,* faire souvenir qqn de qqch. || *aliquem de aliqua re,* rappeler qqn au souvenir de qqch. || [avec prop. inf.] faire souvenir que || **2.** avertir || [avec *ut*] avertir de, conseiller de.

commonitio, *onis,* f. *(commoneo),* action de rappeler, rappel.

commonitus, *a, um,* part. de *commoneo.*

commonstratus, *a, um,* part. de *commonstro.*

commonstro, *are, avi, atum,* tr., montrer: *commonstrare viam (alicui),* indiquer le chemin (à qqn).

commoratio, *onis,* f. *(commoror),* **1.** action de séjourner, séjour || **2.** retard.

commordeo, *ere,* tr., mordre || [fig.] déchirer.

commorior, *mori, mortuus sum,* intr., mourir avec *(alicui).*

commoror, *ari, atus sum,* **1.** intr., s'arrêter, s'attarder || [fig.] *in aliqua re,* insister sur qqch. || **2.** tr., arrêter, retenir.

commorsus, *a, um,* part. de *commordeo.*

commortuus, *a, um,* part. de *commorior.*

commotio, *onis,* f. *(commoveo),* **1.** action d'agiter || [fig.] émotion, ébranlement des sens, de l'âme.

commotiuncula, *æ,* f., petit mouvement [de fièvre].

commotus, *a, um,* **1.** part. de *commoveo* || **2.** pris adj. ***a)*** vif, animé, emporté; ***b)*** ému, agité.

commoveo, *ere, movi, motum,* tr., **1.** mettre en branle, remuer, déplacer || *se commovere,* se mettre en mouvement, faire un mouvement || *commovere sacra,* porter les objets sacrés en procession || **2.** [fig.] agiter, remuer: *se commovere contra rem publicam,* se mettre en mouvement [agir] contre l'État || [au pass.] être agité, indisposé || **3.** émouvoir, impressionner: *judices,* émouvoir les juges || troubler || engager, décider || donner le branle à, exciter, éveiller: *misericordiam alicui,* exciter la pitié chez qqn; *invidiam in aliquem,* provoquer la haine contre qqn; *bellum,* susciter une guerre.

commune, *is,* n. de *communis* pris subst., **1.** ce qui est commun, bien commun || **2.** communauté, ensemble d'un pays || **3.** *in commune,* pour l'usage général: ***a)*** *in commune conferre,* mettre en commun; ***b)*** en général (c. *communiter*); ***c)*** [exclamation] part à deux! partageons!

communicatio, *onis,* f. *(communico),* action de communiquer, de faire part (*alicujus rei,* de qqch.).

communicatus, *a, um,* part. de *communico.*

communico, *are, avi, atum (communis),* tr., mettre ou avoir en commun, **1.** mettre en commun, partager || [absol.] *cum aliquo de aliqua re,* entretenir qqn de qqch. || mettre en commun avec, ajouter || **2.** recevoir en commun, prendre sa part de.

1. communio, *ire, ivi,* ou *ii, itum (cum, munio),* tr., **1.** fortifier: *communire tumulum,* fortifier une colline || **2.** construire un fort, un ouvrage, etc.: *communit castella,* il construit des redoutes.

2. communio, *onis,* f. *(communis),* communauté, mise en commun, caractère commun.

communis, *e,* **1.** commun, qui appartient à plusieurs ou à tous: *communis libertas, salus,* la liberté commune, le salut commun || *in commune,* v. *commune* || **2.** accessible à tous, affable, ouvert, avenant.

communitas, *atis,* f. *(communis),* communauté, état (caractère) commun|| instinct social, esprit de société || affabilité.

communiter *(communis),* **1.** en commun, ensemble || **2.** en général.

communitio, *onis,* f. *(communio 1),* action de construire un chemin.

communitus, *a, um,* part. de *communio.*

commurmuror, *ari, atus sum,* intr., murmurer à part soi.

commutabilis, *e (commuto),* changeant, sujet au changement.

commutatio, *onis,* f. *(commuto),* mutation, changement.

commutatus, *a, um,* part. de *commuto.*

commuto, *are, avi, atum,* tr., **1.** changer entièrement: *commutatis verbis atque sententiis,* en changeant complètement les mots et les phrases || **2.** échanger: *rem cum aliqua re, rem re,* échanger une chose contre une autre.

como, *comere, compsi, comptum (cum, emo),* tr., **1.** arranger, disposer ensemble || **2.** arranger, disposer ses cheveux || **3.** [en gén.] mettre en ordre, parer, orner.

comœdia, *æ,* f., **1.** comédie, le genre comique || **2.** comédie, pièce de théâtre.

comœdus, *i,* m., comédien, acteur comique.

comosus, *a, um (coma),* chevelu, qui a de longs cheveux || chevelu, feuillu.

compactio, *onis,* f. *(compingo),* assemblage, liaison.

compactum (-pectum), *i,* n., pacte, contrat.

compactus, *a, um,* part. de *compingo.*

compages, *is,* f. *(compingo),* assemblage, jointure; construction formée d'un assemblage de pièces.

compago, *inis,* f., c. *compages.*

compar, *paris,* **1.** adj., égal, pareil || **2.** subst., m. et f., compagnon, camarade.

comparabilis, *e (comparo),* comparable, qui peut être mis en parallèle.

1. comparatio, *onis,* f. *(comparo 1),* comparaison: *rei cum aliqua re,* comparaison d'une chose avec une autre || arrangement préalable.

2. comparatio, *onis,* f. *(comparo 2),* **1.** préparation: *novi belli,* préparation d'une nouvelle guerre || **2.** action de se procurer, acquisition.

comparativus, *a, um (comparo 1),* qui compare, qui sert à comparer.

comparatus, *a, um,* part. de *comparo 1* et *2.*

compareo, *ere, ui,* intr., **1.** se montrer, apparaître, se manifester || **2.** être présent.

1. comparo, *are, avi, atum (compar),* tr., **1.** accoupler, apparier || [d'où] accoupler pour la lutte, opposer comme antagoniste || **2.** [fig.] apparier, mettre sur le même pied, sur le même plan, assimiler (*aliquem cum aliquo, alicui,* qqn avec qqn) || **3.** comparer: *aliquem alicui, rem rei,* comparer qqn à qqn, une chose à une autre || surtout *aliquem cum aliquo, rem cum re,* || *res inter se,* comparer des choses entre elles || **4.** [en part.] en parl. des magistrats] *comparare inter se,* régler à l'amiable, distribuer d'un commun accord.

2. comparo, *are, avi, atum (cum, paro),* tr., **1.** procurer (faire avoir), ménager, préparer: *exercitum comparare,* recruter une armée; *sibi auctoritatem,* se ménager (acquérir) de l'influence || préparer, disposer: *his rebus comparatis,* ces dispositions prises || *se comparare,* se préparer: *ad omnes casus,* se préparer à toutes les éventualités || [absol.] faire la préparation nécessaire || **2.** [avec *ut*] disposer, régler || [surtout au pass.].

compasco, *pascere, pastum,* **1.** intr., faire paître en commun || **2.** tr. nourrir.

compascuus, *a, um,* qui concerne le pâturage en commun.

compastus, *a, um,* part. de *compasco.*

compedio, *ire, ivi, itum (compes),* tr., attacher ensemble, lier || entraver: *servi compediti,* et absol. *compediti,* esclaves qui portent des entraves.

compeditus, *a, um,* part. de *compedio.*

compegi, pf. de *compingo.*

compellatio, *onis*, f. *(compello 1)*, **1.** action d'adresser la parole || **2.** apostrophe violente, attaque en paroles ou par écrit.

1. compello, *are, avi, atum*, tr., **1.** adresser la parole à qqn, apostropher qqn *(aliquem)* || *nomine* ou *nominatim*, appeler par son nom || **2.** s'en prendre à, attaquer, gourmander || **3.** accuser en justice.

2. compello, *ere, puli, pulsum*, tr., **1.** pousser ensemble (en masse, en bloc) : *pecore compulso*, le bétail ayant été rassemblé || chasser en bloc, refouler || **2.** [fig.] presser, acculer, réduire : *angustiis rei frumentariæ compulsus*, réduit par la difficulté des approvisionnements || pousser à, réduire à, forcer à [avec *ut* et subj. ou avec inf.].

compendiarius, *a, um (compendium)*, abrégé, plus court.

compendium, *ii*, n. *(cum, pendo)*, **1.** gain provenant de l'épargne, profit || **2.** gain provenant d'une économie de temps, accourcissement, abréviation ; économie, raccourci.

compensatio, *onis*, f. *(compenso)*, échange, compensation, équilibre.

compensatus, *a, um*, part. de *compenso.*

compenso, *are, avi, atum*, tr., mettre en balance, contrebalancer *(rem cum aliqua re, rem re)*, une chose avec une autre || *aliquid rem compensat*, qqch. compense une chose.

comperendinatus, *us*, m. *(comperendino)*, renvoi (remise) au troisième jour pour le prononcé d'un jugement.

comperendino, *are, avi, atum*, tr. (cf. *perendie*) [t. de droit] : renvoyer au surlendemain pour le prononcé d'un jugement.

comperio, *ire, peri, pertum* (cf. *peritus*), tr., découvrir, apprendre : *aliquid per exploratores comperire, ex captivis*, apprendre qqch. par des éclaireurs, par des captifs || part. *compertus, a, um*, reconnu, assuré, certain : *pro re comperta habere aliquid*, tenir qqch. pour certain ; *si compertum est*, si c'est une chose sûre || *compertum habeo*, je sais de science certaine que [avec prop. infin.] ou *pro comperto habeo* || le part. *compertus* a qqf. le sens de *convictus*, convaincu de.

compertus, *a, um*, part. de *comperio.*

compes, *edis*, f. ; ordin. **compedes**, *um, ibus*, pl., entraves, liens pour les pieds || [fig.] chaîne, lien, entrave, empêchement.

compesco, *ere, cui*, tr., retenir, arrêter.

competitor, *oris*, m. *(competo)*, compétiteur, concurrent.

competitrix, *icis*, f. *(competitor)*, concurrente, celle qui brigue en même temps.

competo, *ere, petivi* et *petii, petitum (cum, peto)*, intr., **1.** se rencontrer au même point, coïncider || **2.** répondre à, s'accorder avec || être propre à, être en état convenable *ad rem*, à (pour) une chose.

compilatio, *onis*, f. *(compilo)*, pillage, dépouillement.

compilatus, *a, um*, part. de *compilo.*

compilo, *are (cum, pilo)*, tr., dépouiller, piller.

compingo, *ere, pegi, pactum (cum* et *pango)*, tr., **1.** fabriquer par assemblage ; [d'où] *compactus, a, um*, bien assemblé, où toutes les parties se tiennent || **2.** pousser en un point, bloquer, enfermer.

Compitalia, *ium* et *iorum*, n. *(compitalis)*, Compitales [fêtes en l'honneur des Lares des carrefours].

Compitalicius, *a, um*, des Compitales.

compitalis, *e (compitum)*, de carrefour : *Compitales Lares*, les Lares des carrefours.

compitum, *i*, n., et ordin. au pl. **compita,** *orum (competo)*, carrefour, croisement de routes ou de rues.

complaceo, *ere, cui* et *citus sum*, intr., plaire en même temps, concurremment.

complanatus, *a, um*, part. de *complano.*

complano, *are, avi, atum*, tr., aplanir, détruire : *complanare domum*, raser une maison.

complector, *plecti, plexus sum (cum* et *plecto)*, tr., **1.** embrasser, entourer : *aliquid manibus*, étreindre qqch. avec les mains ; *aliquem*, serrer qqn dans ses bras || **2.** embrasser, entourer de ses soins, de son amitié, etc. : *aliquem*, faire accueil à qqn ; *aliquem beneficio*, obliger qqn || **3.** embrasser, saisir (par l'intelligence, par la mémoire) || **4.** embrasser (comprendre) dans un exposé, dans un discours, etc. : *omnia alicujus facta oratione complecti*, présenter dans un exposé tous les actes de qqn.

complementum, *i*, n. *(compleo)*, ce qui complète, complément.

compleo, *ere, plevi, pletum* (cf. *ple-*

nus), tr., **1.** remplir: *fossam*, combler un fossé || *fossas sarmentis*, remplir les fossés de fascines; *Dianam floribus*, couvrir de fleurs la statue de Diane; *naves sagittariis*, garnir d'archers les navires || **2.** compléter [un effectif]: *legiones*, compléter les légions (leur donner l'effectif complet) || **3.** remplir un espace de lumière, de bruit, etc. || **4.** remplir d'un sentiment: *milites bona spe*, remplir les soldats d'un bon espoir || **5.** remplir, achever, parfaire: *centum et septem annos*, vivre cent sept ans.

completus, *a, um*, part. de *compleo* || pris adj., achevé, complet.

complexio, *onis*, f. *(complector)*, embrassement, assemblement, assemblage, union || [en part.]: *verborum complexio*, assemblage de mots.

1. complexus, *a, um*, part. de *complector*.

2. complexus, *us*, m. *(complector)*, **1.** action d'embrasser, d'entourer; embrassement, étreinte || étreinte des bras, enlacement: *de matris complexu aliquem avellere*, enlever qqn des bras de sa mère || **2.** lien affectueux: *complexus gentis humanæ*, le lien qui embrasse la race humaine || enchaînement des mots dans le style.

complicatus, complicitus, *a, um*, part. de *complico*.

complico, *are, avi* ou *ui, atum* ou *itum*, tr., rouler, enrouler, plier en roulant: *epistulam*, plier (fermer) une lettre.

complodo, *ere, osi, osum (cum, plaudo)*, tr., frapper deux objets l'un contre l'autre.

comploratio, *onis*, f. *(comploro)*, action de se lamenter ***a)*** ensemble; ***b)*** profondément.

1. comploratus, *a, um*, part. de *comploro*.

2. comploratus, *us*, m., c. *comploratio*.

comploro, *are, avi, atum*, **1.** intr., se lamenter ensemble || **2.** tr., déplorer, se lamenter sur.

complosus, *a, um*, part. de *complodo*.

compluit, *ere*, imp., il pleut.

complures, n. *complura* (rar. *compluria*), *ium*, **1.** adj., assez nombreux, plusieurs: *complures nostri milites*, bon nombre de nos soldats || **2.** subst., *complures*, un bon nombre de personnes || *e vobis complures*, plusieurs d'entre vous.

compluvium, *ii*, n. *(cum, pluvia)*, trou carré au centre du toit de l'*atrium*, par où passait la pluie recueillie en dessous dans l'*impluvium*.

compono (conp-), *ere, posui, positum*, tr., **1.** placer ensemble || réunir || **2.** mettre ensemble = mettre aux prises, accoupler (apparier) pour le combat: *aliquem cum aliquo*, mettre aux prises qqn avec qqn || **3.** comparer, rapprocher, mettre en parallèle: *alicujus dicta cum factis componere*, rapprocher les paroles de qqn de ses actes; *si parva licet componere magnis*, si l'on peut comparer les petites choses aux grandes || **4.** faire (composer) par une union de parties || [surtout] composer un livre, faire (écrire) un ouvrage || *res gestas componere*, écrire l'histoire || **5.** serrer, carguer les voiles || mettre en tas de côté, déposer [les armes] || serrer en réserve [des provisions] || recueillir les cendres, les ossements d'un mort, [d'où] mettre le mort dans le tombeau, ensevelir || serrer, arranger ses membres pour dormir || **6.** mettre en accord, régler, terminer [un différend]: *bellum*, terminer une guerre par un traité, conclure la paix || apaiser, pacifier, faire l'accord || **7.** mettre en ordre, disposer, arranger: *signa*, mettre en place des statues || [rhét.] *verba*, bien ranger les mots, bien les agencer. || **8.** arranger [= donner une forme déterminée, disposer d'une façon particulière, en vue d'un but déterminé]: *iter componere*, régler un voyage; *vultu composito*, en composant son visage || **9.** arranger avec qqn, concerter || pass. imp.: *ut compositum cum Marcio erat*, selon le plan concerté avec Coriolan || [d'où]: *composito, ex composito*, selon les conventions || [en part.]: *componere pacem (cum aliquo)*, régler, arranger, conclure la paix (avec qqn) || **10.** combiner, inventer, fabriquer.

comportatus, *a, um*, part. de *comporto*.

comporto, *are, avi, atum*, tr., transporter dans le même lieu, amasser, réunir: *comportare arma in templum*, faire un dépôt d'armes dans le temple.

compos, *potis*, adj. *(cum, potis)*, **1.** qui est maître de: *compos animi*, maître de soi || **2.** qui a obtenu, qui est en possession [d'un bien moral ou matériel]: *compos libertatis*, qui a recouvré la liberté; *compos voti*, dont le vœu s'est réalisé.

composite *(compositus)*, avec ordre, d'une façon bien réglée || [rhét.] avec des phrases bien agencées, d'une belle ordonnance.

compositio, *onis*, f. *(compono)*,

1. action d'apparier (de mettre aux prises des gladiateurs) || **2.** préparation, composition : [de parfums, de remèdes] || **3.** composition d'un ouvrage || **4.** accommodement d'un différend, réconciliation, accord || **5.** disposition, arrangement || **6.** [rhét.] agencement des mots dans la phrase.

compositor, *oris,* m. *(compono),* celui qui met en ordre || qui compose.

compositus, *a, um,*
I. part. de *compono.*
II. pris adj., **1.** disposé convenablement, préparé, apprêté : *composita oratio,* discours fait avec art || **2.** en bon ordre : *composita oratio,* discours bien agencé || **3.** disposé pour : *compositus ad carmen,* disposé pour la poésie || **4.** disposé, arrangé dans une forme déterminée, [d'où] calme.

composui, pf. de *compono.*

compotatio, *onis,* f. *(cum, poto),* action de boire ensemble.

compotor, *oris,* m., compagnon de bouteille.

compransor, *oris,* m., compagnon de table.

comprecatio, *onis,* f. *(comprecor),* prière collective.

comprecatus, *a, um,* part. de *comprecor.*

comprecor, *ari, atus sum,* tr. et intr., prier.

comprehendo (comprendo), *ere, di, sum,* tr., **1.** saisir ensemble : ***a)*** unir, lier ; ***b)*** embrasser, enfermer || **2.** saisir, prendre || prendre par la main [en suppliant] || prendre, appréhender, se saisir de, s'emparer de : *aliis comprehensis collibus,* s'étant emparé d'autres collines || surprendre, prendre sur le fait [un coupable] || **3.** embrasser [par des mots, dans une formule, etc.] : *rem verbis pluribus,* exprimer une chose en plus de mots ; *numero aliquid comprehendere,* exprimer qqch. par des chiffres, supputer || **4.** saisir par l'intelligence, embrasser par la pensée *(aliquid animo, mente, cogitatione).*

comprehensibilis, *e (comprehendo),* perceptible aux yeux.

comprehensio (comprensio), *onis,* f. *(comprehendo),* **1.** action de saisir ensemble || **2.** action de saisir avec la main || arrestation || **3.** [réth.] phrase, période.

comprehensus (-prensus), *a, um,* part. de *comprehendo.*

comprendo, comprensio, v. *compreh-.*

compresse *(compressus),* d'une manière serrée, concise.

compressi, pf. de *comprimo.*

compressio, *onis,* f. *(comprimo),* compression, action de comprimer || resserrement.

1. compressus, *a, um,* part. de *comprimo.*

2. compressus, abl. *u,* m., **1.** action de comprimer, pression || **2.** action de serrer, replier (les ailes).

comprimo, *ere, pressi, pressum (cum* et *premo),* tr., **1.** comprimer, serrer, presser : *compressis ordinibus,* serrant les rangs || **2.** tenir enfermé : *frumentum ; annonam,* accaparer le blé || tenir caché : *famam captæ Carthaginis compresserunt,* ils étouffèrent la nouvelle de la prise de Carthage || **3.** arrêter.

comprobatio, *onis,* f. *(comprobo),* approbation.

comprobator, *oris,* m. *(comprobo),* approbateur.

comprobatus, *a, um,* part. de *comprobo.*

comprobo, *are, avi, atum,* tr., **1.** approuver entièrement, reconnaître pour vrai, pour juste : *alicujus sententiam,* approuver pleinement l'avis de qqn || **2.** confirmer, faire reconnaître pour vrai, pour valable.

compromissum, *i,* n. *(compromitto),* compromis.

compromitto, *mittere, misi, missum,* tr., s'engager mutuellement à s'en remettre sur une question à l'arbitrage d'un tiers, en déposant une caution entre ses mains.

compsi, pf. de *como.*

compte *(comptus),* d'une manière soignée || d'une manière ornée.

comptus, *a, um,* **1.** part. de *como* || **2.** pris adj., orné, paré, élégant.

compuli, pf. de *compello 2.*

compulsus, *a, um,* part. de *compello 2.*

compunctus, *a, um,* part. de *compungo.*

compungo, *ere, punxi, punctum,* tr., piquer de toutes parts : *compunctus notis Thræciis,* tatoué à la manière des Thraces.

computatio, *onis,* f. *(computo),* **1.** calcul, compte, supputation || **2.** manie de calculer, parcimonie.

computator, *oris,* m., calculateur.

computo, *are, avi, atum,* tr., calculer, compter, supputer || calculer, être avare.

computresco, *ere, trui,* intr., pourrir entièrement, se corrompre.

Comum, *i*, n., Côme [ville de la Transpadane, patrie de Pline l'Ancien et de Pline le Jeune].

conamen, *inis*, n. *(conor)*, élan, effort.

conatio, *onis*, f. *(conor)*, effort, essai.

conatum, *i*, n. *(conor)*, effort, entreprise [surtout au pl.].

conatus, *us*, m. *(conor)*, effort [physique, moral, intellectuel], entreprise, tentative || poussée instinctive.

concalefacio (concalf-), *facere, feci, factum*, tr., échauffer entièrement || au pass., *concalefio: concalfieri*, s'échauffer.

concalefactus, *a, um*, part. de *concalefacio*.

concalefio, pass. de *concalefacio*.

concalesco, *ere, calui*, intr., s'échauffer entièrement.

concalfacio, concalfio, v. *concalef-*.

concallesco, *ere, callui*, intr., **1.** devenir calleux, prendre du cal || **2.** ***a)*** devenir habile || ***b)*** devenir insensible, s'émousser.

concameratus, *a, um*, part. de *concamero*.

concamero, *are, avi, atum*, tr., voûter.

concavus, *a, um*, creux et rond, concave.

concedo, *cedere, cessi, cessum*.

I. intr., **1.** s'en aller, se retirer, s'éloigner || **2.** [fig.] venir à : *in voluntariam deditionem*, en venir à une reddition volontaire || *in sententiam alicujus*, se ranger à l'avis de qqn || **3.** [avec dat.] se retirer devant, céder la place à, céder à [*alicui, alicui rei*] || déférer à, se ranger à l'avis de, adhérer à : *alicujus postulationi*, déférer à la demande de qqn || le céder à, s'incliner devant : *concedere nemini studio*, ne le céder à personne en dévouement || céder à, concéder à, faire une concession à.

II. tr., **1.** abandonner *(aliquid, alicui)* qqch. à qqn ; accorder || **2.** [avec inf. ou *ut* et subj.] concéder de, permettre de || **3.** admettre [une opinion], convenir de, convenir que [avec prop. inf.] || **4.** renoncer à, faire abandon, sacrifier || *aliquem alicui*, renoncer à punir qqn, lui pardonner pour l'amour de qqn || **5.** pardonner, excuser : *omnibus omnia peccata*, pardonner à tous tous les méfaits.

concelebratus, *a, um*, part. de *concelebro*.

concelebro, *are, avi, atum*, tr., **1.** fréquenter, assister en grand nombre à || [fig.] pratiquer avec ardeur, cultiver assidûment || **2.** célébrer, fêter, honorer [avec idée d'empressement, de foule, etc.] || **3.** divulguer, répandre.

concenatio, *onis*, f. *(cum, cenare)*, action de manger ensemble, banquet.

concentio, *onis*, f. *(concino)*, action de chanter ensemble.

concenturio, *are*, tr., assembler par centuries || [fig.] grouper, assembler.

concentus, *us*, m. *(concino)*, **1.** accord de voix ou d'instruments, concert || **2.** [fig.] accord, union, harmonie.

concepi, pf. de *concipio*.

conceptaculum, *i*, n. *(concipio)*, lieu où une chose est contenue, réservoir, réceptacle, récipient.

conceptio, *onis*, f. *(concipio)*, **1.** action de contenir, de renfermer || **2.** action de recevoir.

1. conceptus, *a, um*, part. de *concipio*.

2. conceptus, *us*, m., **1.** action de contenir || ce qui est contenu || **2.** action de recevoir.

concerpo, *pere, psi, ptum (cum, carpo)*, tr., déchirer, mettre en pièces || [fig.] déchirer qqn, médire de lui.

concerptus, *a, um*, part. de *concerpo*.

concertatio, *onis*, f. *(concerto)*, dispute, conflit || [en part.] discussion, débat philosophique ou littéraire.

concertator, *oris*, m. *(concerto)*, rival.

concertatorius, *a, um (concerto)*, batailleur.

concertatus, *a, um*, part. de *concerto*.

concerto, *are, avi, atum*, intr., **1.** combattre : *concertare prœlio*, livrer bataille || **2.** se quereller, être en conflit, lutter (*cum aliquo de aliqua re*, avec qqn à propos de qqch.).

concessio, *onis*, f. *(concedo)*, action d'accorder, de concéder, concession.

concesso, *are, avi, atum*, intr., cesser, s'arrêter.

concessum, *i*, n. *(concessus 1)*, chose permise.

1. concessus, *a, um*, part. de *concedo* || pris adj., permis, licite.

2. concessus, *us*, m., [usité ordinairement à l'abl.], concession, permission, consentement : *concessu omnium*, de l'assentiment unanime.

concha, *æ*, f., **1.** coquillage || **2.** [en part.] coquillage d'où l'on tire la pourpre || **3.** conque marine, trompette des Tritons.

conchatus, *a, um (concha)*, qui est en forme de coquille.

conchyliatus, *a, um*, teint en pourpre

|| **conchyliati,** *orum,* m., gens habillés de pourpre.

conchylium, *ii,* n., [en gén.] coquillage || [en part.] ***a)*** huître ; ***b)*** le pourpre, coquillage d'où l'on tire la pourpre || [fig.] pourpre [teinture].

1. concido, *ere, idi (cum, cado),* intr., tomber ensemble, d'un bloc, **1.** tomber, s'écrouler, s'effondrer || tomber, succomber|| [moralement] être renversé, être démonté, démoralisé || **2.** tomber, s'écrouler (= perdre sa force, son autorité, sa considération, etc.).

2. concido, *ere, cidi, cisum (cum, cædo),* tr., **1.** couper en morceaux, tailler en pièces, couper || [fig.] hacher, morceler || **2.** tailler en pièces, massacrer || **3.** abattre, terrasser || **4.** rompre (rouer, déchirer) de coups : *aliquem virgis,* déchirer qqn à coups de verges.

concieo, *ere, citum,* et, plus ordin., **concio,** *ire, ivi, itum,* tr., **1.** assembler || **2.** mettre en mouvement, exciter, soulever || lancer dans un mouvement rapide || **3.** mettre en branle, exciter, soulever, ameuter, passionner : *immani concitus ira,* transporté d'une formidable colère || provoquer : *bellum,* soulever une guerre.

conciliabulum, *i,* n. *(concilio),* lieu d'assemblée, de réunion, place, marché.

conciliatio, *onis,* f. *(concilio),* **1.** association, union || **2.** bienveillance, action de se concilier la faveur || **3.** inclinaison, penchant : *naturæ conciliationes,* instincts || **4.** action de se procurer ; acquisition.

conciliator, *oris,* m. *(concilio),* celui qui procure.

conciliatrix, *icis,* f. *(conciliator),* **1.** qui gagne les bonnes grâces || **2.** qui procure.

1. conciliatus, *a, um,* part. de *concilio* || pris adj., **1.** dans les bonnes grâces de qqn *(alicui),* aimé de qqn, cher à qqn || **2.** favorable, bien disposé.

2. conciliatus, *us,* m., union, liaison.

concilio, *are, avi, atum (concilium),* tr., **1.** [au pr.] assembler, unir, associer || **2.** concilier, unir par les sentiments, gagner, rendre bienveillant : *aliquem aliqua re,* gagner qqn par qqch. || *legiones sibi pecunia,* se concilier les légions par de l'argent || rapprocher : *natura hominem conciliat homini,* la nature fait sympathiser l'homme avec l'homme || **3.** se ménager, se procurer || **4.** ménager, procurer : *alicui regnum,* ménager (procurer) le trône à qqn.

concilium, *ii,* n. (*cum* et le verbe arch. *calare,* appeler, convoquer), **1.** union, réunion, assemblage || **2.** réunion, assemblée : *deorum, pastorum,* assemblée des dieux, des bergers || [en part.] assemblée délibérante, conseil : *concilium advocare, convocare,* convoquer une assemblée ; *concilio habito,* ayant tenu un conseil.

concinens, *tis,* part. prés. de *concino.*

concinnatus, *a, um,* part. de *concinno.*

concinne *(concinnus),* **1.** artistement, avec un agencement élégant || de façon bien agencée, appropriée, avenante || **2.** avec une construction symétrique.

concinnitas, *atis,* f. *(concinnus),* symétrie, arrangement symétrique [des mots, des membres de phrase] ; [employé absol. ou avec *sententiarum, verborum*].

concinniter *(concinnus),* artistement.

concinnitudo, *inis,* f. = *concinnitas.*

concinno, *are, avi, atum (concinnus),* tr., **1.** ajuster, agencer || **2.** préparer, produire, susciter.

concinnus, *a, um,* **1.** bien proportionné, régulier || **2.** disposé symétriquement, avec parallélisme || agencé par rapport à qqch., à qqn ; approprié, ajusté.

concino, *ere, cinui (cum, cano),* **1.** intr., chanter ou jouer ensemble [voix, instruments] || [fig.] être d'accord, s'accorder || **2.** tr., produire des sons ensemble, chanter, jouer dans un chœur || chanter, célébrer : *Cæsarem,* chanter César.

1. concio, *ire,* v. *concieo.*

2. concio, *onis,* v. *contio.*

concipio, *ere, cepi, ceptum (cum, capio),* tr.,

I. [pr.], **1.** prendre entièrement, contenir || **2.** prendre sur soi, absorber : *flammam, ignem,* prendre feu, s'enflammer || [en parl. de la terre] : *concipere fruges, semina,* recevoir dans son sein les céréales, les semences || [en part.] concevoir || **3.** pass. *concipi,* se former, naître.

II. [fig.], **1.** admettre (recevoir) dans sa pensée *(mente, animo),* concevoir || comprendre || **2.** prendre sur soi, se charger de, contracter : *scelus in se concipere,* se rendre coupable d'un crime ; *hoc scelere concepto,* ce crime ayant été commis || **3.** concevoir l'idée (la résolution) de || **4.** assembler les mots en formule.

concisura, *æ,* f. *(concido),* entaille || division.

concisus, *a, um,* **1.** part. de *concido* || **2.** pris adj., concis, court, serré.

concitamentum, *i,* n. *(concito),* moyen d'excitation.

concitate *(concitatus),* vivement, rapidement || avec animation.

concitatio, *onis,* f. *(concito),* **1.** mouvement rapide || **2.** mouvement violent, excitation de l'âme || **3.** sédition, soulèvement.

concitator, *oris,* m. *(concito),* celui qui excite.

concitatrix, *icis,* f. *(concitator),* celle qui excite.

concitatus, *a, um,* part. de *concito* || pris adj., **1.** prompt, rapide || **2.** emporté, irrité || **3.** véhément.

concito, *are, avi, atum* (fréq. de *concieo, concio*), tr., **1.** pousser vivement, lancer d'un mouvement rapide; *equum calcaribus,* presser un cheval de l'éperon || *se concitare,* se lancer, s'élancer || **2.** [fig.] exciter, soulever, enflammer: *animi quodam impetu concitatus,* emporté par certaine ardeur naturelle || **3.** exciter, susciter: *bellum,* susciter la guerre; *invidiam,* exciter la haine.

concitor, *oris,* m., celui qui excite.

1. concitus, *a, um,* part. de *concieo* || pris adj., **1.** rapide, impétueux, déchaîné || **2.** excité, ému, troublé.

2. concitus, *a, um,* part. de *concio.*

conciuncula, v. *contiuncula.*

conclamatio, *onis,* f. *(conclamo),* cri, clameur d'une foule || acclamations.

conclamatus, *a, um,* part. de *conclamo.*

conclamo, *are, avi, atum,*
I. intr., **1.** crier ensemble [avec acc. de l'objet de l'exclamation]: *victoriam conclamant,* ils crient «victoire!» || approuver à grands cris, *aliquid,* qqch. || [avec prop. inf.] proclamer que || [avec *ut,* ou avec le subj. seul] demander à grands cris que || **2.** [en parl. d'une seule pers.] crier à haute voix.
II. tr., **1.** crier le nom d'un mort: *suos conclamare,* dire aux siens le dernier adieu || **2.** appeler à grands cris des personnes *(homines)* || acclamer.

conclave, *is,* n. *(cum, clavis),* **1.** [en gén.] chambre, pièce fermant à clef || **2.** [en part.] ***a)*** chambre à coucher; ***b)*** salle à manger.

concludo, *ere, clusi, clusum (cum* et *cludo = claudo),* tr., **1.** enfermer, enclore, fermer: *in angustum locum,* enfermer dans un lieu étroit || **2.** enfermer, resserrer || **3.** clore, finir: *epistulam,* finir une lettre || **4.** [rhét.] enfermer dans une phrase bien arrondie: *concludere sententias,* enfermer les pensées dans une forme périodique; *concludere versum,* faire un vers régulier || [terminaison d'un mot] *verba similiter conclusa,* mots de même terminaison || **5.** [logique] conclure: *argumentatum,* conclure un argument || [avec prop. inf.] conclure que.

concluse *(conclusus),* en phrases périodiques.

conclusio, *onis,* f. *(concludo),* **1.** action de fermer, [d'où, t. milit.] blocus || **2.** achèvement, fin || conclusion [d'un syllogisme, d'un raisonnement].

conclusiuncula, *æ,* f. (dimin. de *conclusio*), petit argument.

conclusus, *a, um,* part. de *concludo.*

concoctus, *a, um,* part. de *concoquo.*

concolor, *oris,* adj., de même couleur.

concoquo, *coquere, coxi, coctum,* tr., **1.** faire cuire ensemble || **2.** digérer, élaborer: *cibus facillimus ad concoquendum,* nourriture très digestible || [absol.] faire la digestion || **3.** [fig.] ***a)*** digérer [une disgrâce], endurer, supporter; ***b)*** méditer mûrement, approfondir.

concordatus, *a, um,* part. de *concordo.*

1. concordia, *æ,* f. *(concors),* concorde, accord, entente, harmonie.

2. Concordia, *æ,* f., la Concorde [déesse].

concorditer *(concors),* en bonne intelligence, de bon accord.

concordo, *are, avi, atum (concors),* intr., s'accorder, vivre en bonne intelligence || [fig.] être d'accord [en parl. des choses].

concorporatus, *a, um,* part. de *concorporo.*

concorporo, *are,* tr., incorporer.

concors, *cordis (cum, cor),* uni de cœur, qui est d'accord, qui a des sentiments concordants avec qqn.

concoxi, pf. de *concoquo.*

concredidi, pf. de *concredo.*

concreditus, *a, um,* part. de *concredo.*

concredo, *ere, idi, itum,* tr., confier (*rem alicui,* qqch. à qqn).

concrematus, *a, um,* part. de *concremo.*

concremo, *are, avi, atum,* tr., faire brûler entièrement, réduire en cendres.

concrepo, *are, ui, itum,* **1.** intr., faire du bruit, bruire: *(multitudo) armis* *concrepat*, (la multitude) fait retentir ses armes || **2.** tr., faire retentir.

concresco, *crescere, crevi, cretum*, intr., **1.** croître ensemble par agglomération (agrégation), s'accroître || **2.** se former par condensation, s'épaissir, se durcir: *aqua concrescit nive*, l'eau se condense en neige.

concretio, *onis*, f. *(concretus)*, agrégation, assemblage.

concretus, *a, um*, part.-adj. de *concresco*, épais, condensé, compact.

concrispatus, *a, um*, part. de *concrispo* || pris adj., frisé, bouclé.

concrispo, *are*, tr., usité seulement au part. prés. et passé, friser, faire onduler.

concubia nox, f. *(cum, cumbo)*, une des divisions de la nuit chez les Romains, moment du premier sommeil: *concubia nocte*, avant le milieu de la nuit.

concucurri, de *concurro*.

conculco, *are, avi, atum (cum, calco)*, tr., **1.** fouler avec les pieds, écraser || **2.** [fig.] fouler aux pieds, opprimer, maltraiter; tenir pour rien, mépriser.

concupisco, *ere, pivi* ou *pii, pitum (cum, cupio)*, tr., convoiter, désirer ardemment.

concupitus, *a, um*, part. de *concupisco*.

concurro, *ere, curri (*qqf. *cucurri), cursum*, intr., **1.** courir de manière à se rassembler sur un point: *ad arma concurrere*, courir aux armes || **2.** se rencontrer, se joindre || **3.** se rencontrer, se heurter, s'entrechoquer: *concurrunt equites inter se*, les cavaliers se heurtent || *cum aliquo*, en venir aux mains avec qqn || [pass. impers.]: *utrimque concurritur*, on s'attaque de part et d'autre.

concursatio, *onis*, f. *(concurso)*, **1.** action d'accourir ensemble, affluence || **2.** course ici et là, allées et venues || **3.** attaque d'escarmouche, harcèlement.

concursator, *oris*, adj. *(concurso)*, propre aux escarmouches.

concursio, *onis*, f. *(concurro)*, rencontre.

concurso, *are, avi, atum*, **1.** int., courir çà et là; [pass. imp.] *concursari jubet*, il ordonne qu'on se démène || voyager à la ronde, faire une tournée || courir sur un point et sur un autre, escarmoucher, harceler la colonne || **2.** tr., visiter à la ronde: *omnes fere domos*, parcourir presque toutes les maisons.

concursus, *us*, m. *(concurro)*, **1.** course en masse vers un point [sing. ou pl.] || **2.** rencontre, assemblage || rencontre, choc.

concussi, pf. de *concutio*.

concussio, *onis*, f. *(concutio)*, agitation, secousse.

1. concussus, *a, um*, part. de *concutio*.

2. concussus, *us*, m. *(concutio)*, secousse, ébranlement.

concutio, *ere, cussi, cussum (cum, quatio)*, tr., **1.** agiter, secouer || **2.** [fig.] faire chanceler, ébranler || disloquer, renverser, ruiner, abattre || **3.** ébranler l'âme, troubler || **4.** exciter, soulever.

condecens, *tis*, part. prés. de *condecet* || adj., convenable.

condecet, *ere* [mêmes constr. que *decet*], convenir: *me, te condecet aliquid*, qqch. me, te convient.

condecoratus, *a, um*, part. de *condecoro*.

condecoro, *are, avi, atum*, tr., orner brillamment, décorer.

condemnatio, *onis*, f. *(condemno)*, condamnation.

condemnator, *oris*, m., celui qui fait condamner.

condemnatus, *a, um*, part. de *condemno*.

condemno, *are, avi, atum (cum* et *damno)*, intr., **1.** condamner: *aliquem lege aliqua*, condamner qqn en vertu d'une loi || *aliquem ambitus*, condamner qqn pour brigue; *de pecuniis repetundis*, pour concussion || *capitis*, condamner à mort; *ad metalla, ad bestias*, condamner aux mines, aux bêtes || **2.** déclarer coupable || condamner qqch. || **3.** faire condamner.

condenso, *are, avi, atum*, tr., rendre compact.

condensus, *a, um*, **1.** compact, dense || **2.** garni, couvert de.

condicio, *onis*, f. *(condico)*, **1.** condition, situation, état, sort, qualité, manière d'être [d'une pers. ou d'une chose]: *servorum*, la condition des esclaves; *iniqua pugnandi condicio*, conditions de combat désavantageuses || **2.** condition, disposition, stipulation, engagement, clause; *condiciones dedendæ urbis*, les clauses de la reddition de la ville || *ea condicione ut*, subj. à condition que || **3.** [en parl. de mariage] parti: *condicionem filiæ quærere*, chercher un parti pour sa fille.

condico, *cere, xi, ctum*, , tr., **1.** fixer

en accord, convenir de || **2.** notifier, assigner || [en part.] s'annoncer, s'inviter à dîner chez qqn, *condicere alicui.*

condictus, *a, um,* part. de *condico.*

condidi, pf. de *condo.*

condigne, dignement, convenablement.

condignus, *a, um,* tout à fait digne.

condimentum, *i,* n. *(condio),* ce qui sert à assaisonner, assaisonnement.

condio, *ire, ivi,* ou *ii, itum,* tr., **1.** confire, mariner || embaumer || **2.** assaisonner, accommoder, aromatiser || **3.** [fig.] relever, assaisonner, rendre agréable, tempérer.

condiscipulatus, *us,* m., état de condisciple, camaraderie d'école.

condiscipulus, *i,* m., condisciple.

condisco, *discere, didici,* **1.** intr., [rare] apprendre avec qqn || **2.** tr., apprendre à fond.

conditio, *onis,* f. *(condio),* préparation [pour faire des conserves] || assaisonnement, préparation des aliments.

conditivum, *i,* n. *(condo),* tombeau.

conditor, *oris,* m. *(condo),* fondateur: *oppidi,* fondateur d'une ville || auteur, créateur.

conditorium, *ii,* n. *(condo),* magasin, dépôt || cercueil, bière || sépulcre, tombeau.

conditura, *æ,* f. *(condio),* manière de confire, de mariner, de conserver des provisions || assaisonnement, accommodement.

1. conditus, *a, um,* part. de *condo.*

2. conditus, *a, um,* part. de *condio* || adj., assaisonné, relevé.

condo, *ere, didi, ditum (cum, do),* tr., **1.** fonder, établir: *urbem,* fonder une ville; *post Romam conditam,* après la fondation de Rome || rédiger, composer: *leges,* rédiger des lois; *carmen,* composer une poésie || [poét.] décrire, chanter || **2.** mettre de côté, garder en sûreté, mettre en réserve: *fructus,* serrer des fruits || remettre au fourreau: *condere gladium,* rengainer son glaive || enfermer qqn: *in carcerem,* en prison; *in vincula,* jeter qqn dans les fers || ensevelir: *in sepulcro conditus,* enfermé dans un tombeau || **3.** éloigner des regards, cacher: *sol se condit in undas,* le soleil se cache dans les ondes || enfoncer une épée: *alicui in pectore ensem,* enfoncer son épée dans la poitrine de qqn (ou *in pectus*) || achever un certain laps de temps.

condocefacio, *facere, feci, factum (cum, doceo, facio),* tr., dresser, façonner.

condocefactus, *a, um,* part. de *condocefacio.*

condoleo, *ere,* intr., souffrir vivement.

condolesco, *ere, dolui,* intr., prendre mal, éprouver un malaise, une souffrance.

condonatio, *onis,* f. *(condono),* donation.

condonatus, *a, um,* part. de *condono.*

condono, *are, avi, atum,* tr., **1.** donner sans réserve; faire donation, faire cadeau *aliquid alicui,* de qqch. à qqn || [en part.] abandonner, livrer (à la merci); adjuger, sacrifier || **2.** immoler, sacrifier [par renonciation]; faire l'abandon de || **3.** faire remise à qqn de qqch.: *crimen alicui,* faire remise à un accusé de ce dont on l'accuse; *alicui aliquem,* faire grâce à qqn en faveur de qqn.

condormio, *ire,* intr., dormir profondément.

conduco, *ere, duxi, ductum,*
I. tr., **1.** conduire ensemble (en masse, en bloc), rassembler || **2.** prendre à bail (à louage, à solde), louer: *domum,* louer une maison; *homines,* prendre des hommes à solde, les soudoyer || d'où **conducti**, *orum,* m., gens à gages, mercenaires || **3.** [opposé à *locare*] se charger d'une construction (d'une entreprise) contre rémunération, prendre à ferme, prendre en adjudication.
II. intr., contribuer utilement à qqch., être utile, être avantageux: *ad rem conducere,* être utile pour qqch. || [avec prop. inf.] il est utile que.

conducticius, *a, um (conduco),* loué, pris à gages.

conductio, *onis,* f. *(conduco),* **1.** [rhét.] réunion d'arguments, récapitulation || **2.** location, fermage, bail.

conductor, *oris,* m. *(conduco),* **1.** locataire, fermier || **2.** entrepreneur, adjudicataire.

conductum, *i,* n. *(conductus),* location, maison louée.

conductus, *a, um,* part. de *conduco.*

conduplico, *are, avi,* tr., doubler.

conecto (non *connecto*), *ere, nexui, nexum (cum* et *necto),* tr., attacher (lier) ensemble [pr. et fig.] || former par liaison.

conexio, *onis,* f. *(conecto),* liaison, enchaînement.

conexum, *i,* n. *(conecto),* enchaînement (connexion) logique.

1. conexus, *a, um*, part. de *conecto* || pris adj., qui forme une continuité.

2. conexus, *us*, m. *(conecto)*, liaison.

confectio, *onis*, f. *(conficio)*, **1.** action de faire entièrement, confection; achèvement, terminaison: *confectio libri*, composition d'un ouvrage; *annalium*, rédaction d'annales || **2.** action d'effectuer, de réaliser, recouvrement || **3.** action de réduire.

confector, *oris*, m. *(conficio)*, **1.** celui qui fait jusqu'au bout, qui achève: *belli*, celui qui met fin à la guerre || **2.** destructeur.

confectus, *a, um*, part. de *conficio*.

conferbui, pf. de *confervesco*.

confercio, *ire, fersi, fertum (cum, facio)*, tr., entasser en bourrant, accumuler, serrer.

confero, *conferre, contuli, collatum (conlatum)*, tr., **1.** apporter ensemble, apporter de tous côtés, amasser, réunir: *arma conferre*, apporter en un même point (livrer) les armes; *jubet sarcinas conferri (*ou *in unum locum conferri)*, il ordonne de réunir [en un seul endroit] les bagages || *in unum conferre vires suas*, rallier ses troupes, les concentrer || **2.** apporter comme contribution: *ad honores alicujus pecunias*, contribuer de son argent à rendre des honneurs à qqn || **3.** rapprocher, placer tout près: *capita*, s'entretenir à l'écart, tenir une conférence || [idée d'hostilité]: *arma, manum, gradum, pedem, signa conferre*, en venir aux mains, engager le combat || **4.** échanger des propos: *sermonem cum aliquo*, s'entretenir avec qqn || **5.** rapprocher, mettre en parallèle: *aliquem cum aliquo aliqua re*, comparer qqn à qqn sous le rapport de qqch. || [avec dat.]: *parva magnis*, comparer de petites choses aux grandes || **6.** porter en un point, transporter || *se conferre*: ***a)*** se transporter, se réfugier; ***b)*** se porter (se tourner) vers une chose, se consacrer à: *ad poetas, ad geometras, ad musicos*, se consacrer à la poésie, à la géométrie, à la musique; *in salutem rei publicæ*, se dévouer au salut de l'État || **7.** reporter: *aliquid in longiorem diem*, reporter qqch. à une date plus éloignée || **8.** conférer: ***a)*** [officiel.] conférer (des honneurs) à qqn: *in aliquem honores maximos*, conférer à qqn les plus grands honneurs; ***b)*** soumettre au jugement de qqn *(ad arbitrium alicujus)* || **9.** consacrer, employer, appliquer à: *aliquid in rem* ou *ad rem*, qqch. à qqch. || **10.** faire porter sur, imputer à: *in aliquem culpam*, rejeter la faute sur qqn || **11.** dispenser, prodiguer.

confersi, pf. de *confercio*.

confertim *(confertus)*, en troupe serrée.

confertus, *a, um*, part. de *confercio* || pris adj., **1.** entassé, serré: *conferta legio*, légion en formation compacte; *confertissima acie*, en formation de combat très serrée || **2.** absolument plein: *confertus cibo*, gorgé de nourriture.

confervesco, *cere, ferbui*, intr., s'échauffer en totalité || [fig.] s'enflammer.

confessio, *onis*, f. *(confiteor)*, **1.** aveu, confession: *alicujus rei*, aveu de qqch.; *alicujus*, l'aveu de qqn || **2.** action de convenir de, reconnaissance.

confessus, *a, um*, part. de *confiteor*, **1.** qui avoue [sa faute, sa culpabilité] || **2.** [sens passif] avoué || n. pris subst.: *in confesso esse*, être incontesté; *ex confesso*, manifestement, incontestablement || pl. n. *confessa*, choses évidentes, incontestables.

confestim *(festino)*, à l'instant même, tout de suite, sur l'heure.

conficiens, *tis*, part. prés. de *conficio* || adj., qui effectue, qui accomplit; [fig.] *civitas conficientissima litterarum*, cité paperassière.

conficio, *ere, feci, fectum (cum* et *facio)*, **1.** faire intégralement, faire: *sacra conficere*, célébrer des sacrifices; *facinus*, perpétrer un crime || achever: *duobus bellis confectis*, deux guerres étant achevées; *confecta frumentatione*, les approvisionnements de blé étant terminés; *iter reliquum*, effectuer le reste du trajet; *ante primam confectam vigiliam*, avant l'achèvement de la première veille || **2.** venir à bout de, réaliser, constituer: *frumentum*, réunir une quantité de blé déterminée; *hortos alicui*, procurer à qqn des jardins; *armata milia centum*, mettre sur pied (réunir) cent mille hommes armés || **3.** réduire, élaborer, façonner || [fig.] réduire, consommer: *patrimonium*, dissiper son patrimoine || **4.** venir à bout de qqn, faire périr, réduire, subjuguer: *confecta Britannia*, la Bretagne étant réduite || **5.** affaiblir, accabler, épuiser [physiq. et moral.]: *meus me mœror conficit*, mon chagrin m'accable || [souvent au pass.]: *confici angore, curis*, être accablé par l'angoisse, par les soucis.

confictio, *onis*, f. *(confingo)*, action de forger de toutes pièces.

confictus, *a, um*, part. de *confingo*.

confidens, *tis,* **1.** part. prés. de *confido* || **2.** pris adj., hardi, résolu || audacieux, insolent, outrecuidant.

confidenter *(confidens),* **1.** hardiment, résolument, sans crainte || **2.** audacieusement, effrontément.

confidentia, *æ,* f. *(confido),* **1.** confiance, ferme espérance || **2.** assurance, confiance en soi || **3.** audace, effronterie, outrecuidance.

confido, *ere, fisus sum,* intr., se fier à, mettre sa confiance dans : [dat.] *equitatui,* avoir confiance dans la cavalerie ; *sibi confidere,* avoir confiance en soi-même || [abl.] *confidere aliquo,* avoir confiance en qqn ; *natura loci,* avoir confiance dans la nature d'une position || [absol.] avoir confiance || [avec prop. inf.] avoir la ferme conviction que, espérer fermement que.

configo, *ere, xi, xum,* tr., **1.** clouer ensemble || **2.** percer de coups.

configuratus, *a, um,* part. de *configuro.*

configuro, *are, avi, atum,* tr., donner une forme, façonner.

confingo, *ere, finxi, fictum,* tr., **1.** façonner, fabriquer || **2.** forger de toutes pièces, imaginer, feindre.

confinis, *e (cum, finis),* **1.** qui confine, contigu, voisin : *confines Senonibus,* voisins des Sénons || **2.** [fig.] qui a du rapport avec, qui touche à.

confinium, *ii,* n. *(confinis),* **1.** limite commune à des champs, à des territoires || **2.** proximité, voisinage.

confio, *fieri,* autre passif de *conficio* [employé seul. à l'inf. ou à la 3e pers. sing. et plur.]: être fait, se produire, avoir lieu.

confirmatio, *onis,* f. *(confirmo),* **1.** action de consolider, d'étayer || **2.** action d'affermir, de redresser, encouragements || **3.** affirmation.

confirmator, *oris,* m. *(confirmo),* celui qui garantit, garant.

confirmatus, *a, um,* part. de *confirmo* || pris adj., **1.** encouragé, affermi || **2.** confirmé, assuré.

confirmo, *are, avi, atum,* tr., **1.** affermir, consolider [un travail ; la santé, les forces]: *plane confirmatus,* tout à fait rétabli, en pleine force || affermir [le courage, les esprits, etc.] || affermir dans le devoir (dans la fidélité) || [fig.] fortifier, consolider : *pacem et amicitiam cum proximis civitatibus,* consolider les relations pacifiques et amicales avec les États voisins || **2.** confirmer, corroborer, prouver : *exemplis confirmare,* prouver par des exemples || **3.** affirmer, assurer, garantir || [avec prop. inf.] certifier que.

confiscatus, *a, um,* part. de *confisco.*

confisco, *are, avi, atum (cum* et *fiscus),* tr., **1.** garder dans une caisse : *pecuniam confiscatam habere,* garder de l'argent en réserve dans sa cassette || **2.** faire entrer dans la cassette impériale, confisquer || frapper qqn de confiscation.

confisio, *onis,* f. *(confido),* confiance.

confisus, *a, um,* part. de *confido.*

confiteor, *eri, fessus sum (cum* et *fateor),* tr., **1.** avouer : *peccatum suum,* avouer sa faute ; *habes confitentem reum,* tu as un accusé qui avoue ; *se miserum,* s'avouer malheureux || [avec prop. inf.] avouer que || *aliquid de aliqua re,* convenir de qqch. touchant qqch. ; *confiteri de aliqua re,* faire un aveu touchant qqch. || **2.** [poét.] faire connaître, révéler, manifester, laisser voir, trahir.

confixus, *a, um,* part. de *configo.*

conflagratio, *onis,* f. *(conflagro),* conflagration || éruption.

conflagratus, *a, um,* part. de *conflagro.*

conflagro, *are, avi, atum,* **1.** intr., être tout en feu, se consumer par le feu || [fig.] être la proie de || **2.** tr. [t. rare] consumer.

conflatus, *a, um,* part. de *conflo.*

conflictatio, *onis,* f. *(conflicto),* action de heurter contre, choc || choc de deux armées || querelle, dispute.

conflictatus, *a, um,* part. de *conflicto.*

conflictio, *onis,* f. *(confligo),* **1.** choc, heurt || **2.** lutte || débat, conflit.

conflicto, *are, avi, atum (confligo),* **1.** intr., se heurter contre : *cum aliqua re,* lutter contre qqch. || **2.** tr., bouleverser : *rem publicam conflictare,* déchirer l'État || [surtout au pass.] être maltraité, être tourmenté, subir les assauts de : *gravi pestilentia conflictati,* mis à mal par une grave épidémie.

conflictor, *ari, atus sum,* intr., se heurter contre, lutter contre (*cum aliqua re, cum aliquo,* contre qqch., contre qqn).

1. conflictus, *a, um,* part. de *confligo.*

2. conflictus, *us,* m. *(confligo)* [seul. à l'abl.]: choc, heurt.

confligo, *ere, flixi, flictum,* **1.** tr., heurter ensemble, faire se rencontrer || [fig.] mettre aux prises, confronter : *rem cum re,* une chose avec une autre || **2.** intr., se heurter, se choquer : *naves inter se conflixerunt,* les navires s'entrechoquèrent || venir aux prises, lutter, combattre : *cum aliquo*, livrer bataille à qqn ; *adversus classem*, lutter contre une flotte || [absol.] en venir aux mains, se battre.

conflo, *are, avi, atum*, tr., **1.** exciter (aviver) par le souffle || [fig.] exciter : *alicui invidiam conflare*, exciter la haine contre qqn ; *seditionem*, exciter une sédition || **2.** fondre un métal en lingot, fondre : *falces in ensem*, fondre les faux pour en faire des épées || **3.** [fig.] former par mélange || former par assemblage, par combinaison [de pièces et de morceaux] : *ex perditis conflata manus*, une troupe formée d'un ramassis de gens sans foi ni loi || fabriquer, machiner, combiner : *negotium alicui*, susciter à qqn des embarras.

confluens, *tis*, m., confluent [de deux rivières] || ou **confluentes,** *ium*, m.

confluo, *ere, fluxi*, intr., **1.** couler ensemble, joindre ses eaux, confluer || **2.** [fig.] arriver en masse, affluer, se rencontrer en foule sur un point.

confluxi, pf. de *confluo*.

confodio, *fodere, fodi, fossum*, tr., **1.** bêcher, creuser, fouiller || **2.** percer de coups || [fig.] accabler || critiquer.

conformatio, *onis*, f. *(conformo)*, conformation, forme, disposition || [fig.] *conformatio vocis*, adaptation de la voix ; *verborum*, arrangement des mots.

conformatus, *a, um*, part. de *conformo*.

conformo, *are, avi, atum*, tr., **1.** donner une forme, façonner || **2.** former, adapter, composer, modeler.

confossus, *a, um*, part. de *confodio*.

confractus, *a, um*, part. de *confringo*.

confragosus, *a, um (confringo)*, âpre, inégal, raboteux, rude || *confragosum, i*, n., et *confragosa, orum*, n., endroits, régions difficiles.

confregi, pf. de *confringo*.

confremo, *ere, ui*, intr., frémir ensemble, murmurer.

confricatus, *a, um*, part. de *confrico*.

confrico, *are, atum*, tr., frotter.

confringo, *fringere, fregi, fractum (cum, frango)*, **1.** briser || **2.** [fig.] abattre, rompre, détruire.

confugio, *fugere, fugi*, intr., se réfugier : *in naves*, se réfugier sur des vaisseaux ; *ad aliquem*, chercher un refuge auprès de qqn || [fig.] avoir recours : *ad clementiam alicujus*, recourir à la clémence de qqn ; *illuc confugere* avec prop. inf. ou avec *ut* subj., avoir recours à ceci, savoir que...

confugium, *ii*, n., refuge, asile.

confundo, *ere, fudi, fusum*, tr., verser ensemble, **1.** mêler, mélanger || **2.** [fig.] mélanger, unir || *rem cum re*, mêler une chose à une autre || [dat. poét.] *rusticus urbano confusus*, le paysan mêlé au citadin || part. *confusus, a, um*, formé par mélange || **3.** mettre pêle-mêle ensemble || brouiller, rendre méconnaissable || troubler l'esprit || brouiller (fatiguer l'esprit, la mémoire, etc.) || **4.** [pass.] se répandre (être répandu) dans un ensemble, pénétrer.

confusaneus, *a, um (confusus)*, confus.

confuse, sans ordre, pêle-mêle.

confusio, *onis*, f. *(confundo)*, **1.** action de mêler, de fondre, mélange, combinaison || **2.** confusion, désordre || confusion, rougeur || trouble [des sentiments, de l'esprit].

confusus, *a, um*, part. de *confundo* || pris adj., **1.** mélangé || **2.** sans ordre, confus : *oratio confusa*, discours plein de confusion || **3.** troublé [moralement] || troublé (bouleversé) ou [en parl. du visage] défiguré.

confutatus, *a, um*, part. de *confuto*.

confuto, *are, avi, atum*, tr., **1.** [arch.] arrêter le bouillonnement d'un liquide || **2.** arrêter, abattre : *dolorem*, la douleur || [en part.] contenir un adversaire, réduire au silence ; confondre, réfuter, convaincre : *aliquem*, confondre qqn ; *argumentum*, réfuter un argument.

congelatus, *a, um*, part. de *congelo*.

congelo, *are, avi, atum*, **1.** tr., geler, faire geler || durcir, rendre dur : *in lapidem aliquid*, pétrifier qqch. || **2.** intr., se geler, se glacer || s'engourdir.

congeminatus, *a, um*, part. de *congemino*.

congemino, *are, avi, atum*, tr., redoubler.

congemo, *ere, ui*, **1.** intr., gémir ensemble [ou] profondément || **2.** tr., pleurer, déplorer.

congeneratus, *a, um*, part. de *congenero*.

congenitus, *a, um*, né avec.

conger, ou **gonger,** *gri*, m., congre [poisson de mer].

congeries, *ei*, f. *(congero)*, **1.** amas || **2.** le Chaos.

congero, *ere, gessi, gestum*, tr., porter ensemble, **1.** amasser, entasser, amonceler, accumuler : *alicui munera conge-*

rere, charger qqn de présents; *congestis telis*, sous une grêle de traits || former par accumulation; [absol.] *congerere* = *congerere nidum*, faire son nid || **2.** [fig.] rassembler [des noms dans une énumération] || accumuler sur qqn [bienfaits, honneurs, injures, etc.] *(ad aliquem* ou *in aliquem, alicui).*

congesticius, *a, um (congestus)*, fait d'amoncellement, rapporté.

1. congestus, *a, um*, part. de *congero.*

2. congestus, *us*, m., action d'apporter ensemble || emtassement, accumulation.

congiarium, *ii*, n. *(congiarius)*, distribution de vin, d'huile, etc., faite au peuple || distribution d'argent || don, présent.

congiarius, *a, um (congius)*, qui contient un conge.

congius, *ii*, m., conge [mesure pour les liquides = 6 *sextarii* = 3 litres 1/4].

conglaciatus, *a, um*, part. de *conglacio.*

conglacio, *are, atum*, **1.** intr., se congeler || **2.** tr., geler, faire geler.

conglobatio, *onis*, f. *(conglobo)*, **1.** accumulation en forme de globe, agglomération || **2.** rassemblement en corps.

conglobatus, *a, um*, part. de *conglobo.*

conglobo, *are, avi, atum*, tr., mettre en boule, **1.** [pass.] se mettre en boule, s'arrondir, se ramasser || **2.** [fig.] rassembler, attrouper [des soldats].

conglomeratus, *a, um*, part. de *conglomero.*

conglomero, *are, avi, atum*, tr., mettre en peloton || [fig.] entasser, accumuler.

conglutinatio, *onis*, f. *(conglutino)*, action de coller ensemble || [fig.] *verborum*, assemblage harmonieux des mots.

conglutinatus, *a, um*, part. de *conglutino.*

conglutino, *are, avi, atum*, tr., **1.** coller ensemble, lier ensemble: *vulnus*, fermer une blessure || **2.** [fig.] former par liaison étroite des éléments, constituer en un tout compact || lier étroitement les éléments d'un tout, cimenter, souder.

congratulatio, *onis*, f., congratulation, félicitation.

congratulor, *ari, atus sum*, intr., **1.** présenter ses félicitations, féliciter || **2.** se féliciter.

congredior, *gredi, gressus sum*, **I.** intr., **1.** rencontrer en marche; avoir une entrevue avec qqn: *cum aliquo* || [absol.] *cum erimus congressi*, quand nous nous serons rencontrés || **2.** [sens hostile] combattre: *armis congredi*, combattre les armes à la main || *alicui*, se mesurer avec qqn || *contra aliquem*, marcher en armes contre qqn || [fig.] se mesurer (combattre) en paroles (*cum aliquo*, avec qqn).
II. tr., *congredi aliquem*, aborder qqn.

congregabilis, *e (congrego)*, fait pour le groupement, pour la société.

congregatio, *onis*, f. *(congrego)*, **1.** action de se réunir en troupe || **2.** réunion d'hommes, société || propension à se réunir, esprit de société || **3.** [en gén.] réunion.

congregatus, *a, um*, part. de *congrego.*

congrego, *are, avi, atum (cum* et *grex)*, tr., rassembler en troupeau, **1.** rassembler: *oves*, rassembler des brebis || [pass.] se rassembler: *apium examina congregantur*, les essaims d'abeilles se rassemblent || **2.** rassembler [des hommes]: *in unum locum*, en un même endroit || [réfléchi] *se congregare* ou *congregari*, se rassembler: *pares cum paribus congregantur*, qui se ressemble s'assemble || **3.** [part.] *congregatus*: ***a)*** formé par rassemblement; ***b)*** dont les éléments sont solidement liés || **4.** rassembler [des choses].

congressio, *onis*, f. *(congredior)*, **1.** action de se rencontrer, rencontre [opp. *digressio*, séparation] || **2.** action d'aborder qqn, abord, commerce, entrevue, réunion || **3.** combat.

1. congressus, *a, um*, part. de *congredior.*

2. congressus, *us*, m. *(congredior)*, **1.** action de se rencontrer, rencontre [opp. à *digressus*, séparation] || **2.** entrevue, réunion, commerce || **3.** combat.

congruens, *entis*, part. prés. de *congruo* || pris adj., qui s'accorde avec, **1.** convenable, juste, conforme || s'accordant, d'accord: *vita congruens cum disciplina*, vie conforme à la doctrine; *congruens actio menti*, action oratoire en accord avec les pensées || *congruens est, congruens videtur*, avec inf., il est, il paraît convenable de || pl. n. pris subst., *congruentia*, des choses concordantes || **2.** à l'unisson.

congruenter *(congruens)*, d'une

manière convenable, conformément à (*ad rem* ou *rei*, à qqch.).

congruentia, *æ*, f. *(congruens)*, accord, proportion, conformité.

congruo, *ere, grui*, **1.** se rencontrer étant en mouvement: *guttæ inter se congruunt*, les gouttes tombant se rencontrent, se réunissent || **2.** [fig.] être d'accord, concorder (*cum aliqua re, ad rem*, avec qqch.) || [absol.] être en harmonie || *congruere naturæ*, être en accord avec la nature; *gestus cum sententiis congruens*, geste répondant aux pensées; [avec *inter se*] s'accorder ensemble; [avec *in unum*] former un accord unanime || *de aliqua re*, être d'accord au sujet d'une chose || **3.** [emploi impers.]: *congruit ut* et subj., il est logique que... || *forte congruerat ut* et subj., une coïncidence fortuite avait fait que.

conicio, *ere*, c. *conjicio*.

conifer et **coniger,** *era, erum (conum, fero, gero)*, qui porte des fruits en cône.

conisus, *a, um*, part. de *conitor*.

conitor (mieux que *connitor*), *coniti, conisus (conixus) sum*, intr., **1.** faire des efforts ensemble || faire un effort total, tendre tous ses ressorts: *toto conixus corpore*, se raidissant de tout son corps || [avec inf.] s'efforcer de || [avec *ut* et subj.] || [avec *ad* et gérond.] || **2.** [en part.] se raidir [pour monter, s'élever] || **3.** [poét.] se raidir pour mettre bas.

coniveo, *ere, nivi* ou *nixi*, intr., **1.** se fermer || **2.** [surtout en parl. des yeux]: *oculis somno coniventibus*, les yeux se fermant dans le sommeil || [en parl. des pers. elles-mêmes] fermer les yeux || **3.** [fig.] laisser faire avec indulgence: *in aliqua re*, fermer les yeux sur qqch.

conjeci, pf. de *conjicio*.

conjectarius, *a, um*, conjectural.

conjectatio, *onis*, f. *(conjecto)*, action de conjecturer, de présumer.

conjectatus, *a, um*, part. de *conjecto*.

conjectio, *onis*, f. *(conjicio)*, **1.** action de jeter, de lancer (des traits) || **2.** explication conjecturale, interprétation.

conjecto, *are, avi, atum* (fréq. de *conjicio*), tr., **1.** [au propre] jeter || **2.** conjecturer (*aliquid*, qqch.) || *rem aliqua re*, conjecturer une chose par (d'après) une autre, ou *de aliqua re*; ou *ex aliqua re* || [avec prop. inf.] conjecturer que || [absol.] faire des conjectures, *de aliqua re*, sur qqch. || **3.** pronostiquer, présager.

conjector, *oris*, m. *(conjicio)*, **1.** qui interprète, qui explique || **2.** [en part.] interprète de signes (de songes), devin.

conjectura, *æ*, f. *(conjicio)*, **1.** conjecture: *conjecturam facere de aliquo (ex aliquo)*, faire une conjecture sur qqn (d'après qqn); *ex aliqua re alicujus rei conjecturam facere*, faire d'après qqch. des conjectures sur qqch. || **2.** interprétation [des songes], prédiction.

1. conjectus, *a, um*, part. de *conjicio*.

2. conjectus, *us*, m. *(conjicio)*, **1.** action de jeter ensemble, d'amonceler || **2.** action de lancer: *ad conjectum teli venire*, venir à la distance d'où l'on peut lancer un trait [ou] à laquelle un trait peut porter = à la portée du trait || **3.** [fig.] action de jeter, de diriger les regards, *in aliquem*, sur qqn.

conjicio (conicio ou **coicio),** *ere, jeci, jectum (cum* et *jacio)*, tr., **1.** jeter ensemble: *lapides in nostros*, faire pleuvoir sur les nôtres une grêle de pierres || jeter en tas (en masse) sur un point, réunir en un point: *nomina in urnam*, jeter (réunir) les noms dans une urne; *sarcinas in medium*, jeter les bagages en tas au milieu || **2.** jeter, diriger: *oculos in aliquem*, jeter les yeux sur qqn || **3.** jeter, pousser, lancer: *aliquem in vincula, in carcerem, in catenas*, jeter qqn dans les fers, en prison, dans les chaînes; *hostem in fugam*, mettre l'ennemi en fuite || *se conjicere in*, se jeter au milieu de || **4.** jeter, pousser, faire entrer, faire aller: *aliquem in metum*, jeter qqn dans l'effroi || *culpam in aliquem*, faire retomber une faute sur qqn || **5.** combiner dans l'esprit, conjecturer || interpréter des signes, deviner, présager.

conjugalis, *e (conjux)*, conjugal.

conjugatus, *a, um*, part. de *conjugo* || adj., apparenté, de la même famille.

conjugialis, *e (conjugium)*, qui concerne le mariage.

conjugium, *ii*, n. *(conjungo)*, **1.** union, union conjugale, mariage || **2.** [poét.] époux, épouse.

conjugo, *are, avi, atum*, tr., unir.

conjuncte *(conjungo)*, **1.** conjointement [avec], ensemble, à la fois || **2.** dans une étroite union [intimité] || *-tius*; *-issime*.

conjunctim, adv., en commun, conjointement.

conjunctio, *onis*, f. *(conjungo)*, **1.** union, liaison: *vicinitatis*, liens de voisinage || **2.** liens du mariage, union conjugale || **3.** liaison avec qqn, relations amicales || liens de parenté.

conjunctus, *a, um*, part. de *conjungo* || pris adj., **1.** lié, connexe, concordant : *naturæ*, d'accord avec la nature || **2.** uni par les liens de l'amitié, du sang, etc. : *conjunctissimo animo cum aliquo vivere*, vivre en relations très cordiales avec qqn ; *ut inter nos conjunctiores simus*, pour resserrer encore les liens de notre amitié réciproque || [absol.] : *conjunctus*, parent ; ami || **3.** uni par le mariage.

conjungo, *ere, junxi, junctum*, tr., **1.** lier ensemble, joindre, unir : [constr. avec *cum*, avec dat., avec *inter se*] || [absol.] : *se conjungere* ou *conjungi*, se joindre, se réunir, faire corps || [pass.] être formé par liaison, par union || mettre en commun : *bellum conjungunt*, ils font la guerre en commun || maintenir lié, maintenir une continuité dans qqch. || **2.** unir par les liens de l'amitié, de la famille, etc. : *aliquem sibi*, s'attacher qqn || constituer [par un lien] : *necessitudinem cum aliquo*, lier des relations cordiales avec qqn, se lier intimement avec qqn || [en part.] unir par le mariage, marier.

conjuratio, *onis*, f. *(conjuro)*, **1.** conjuration, alliance [de peuples contre Rome] || **2.** conspiration, complot : *conjurationem facere contra rem publicam*, former une conspiration contre l'État || **3.** conjuration = les conjurés.

conjuratus, *a, um*, part. de *conjuro*, lié par serment, conjuré || pl. pris subst., *conjurati*, conjurés.

conjuro, *are, avi, atum*, intr., **1.** jurer ensemble ; [t. milit.] prêter le serment en masse [non individuellement] || **2.** se lier par serment, se liguer || [avec prop. inf.] s'engager à faire... || **3.** conspirer, former un complot : *de interficiendo Pompeio*, comploter le meurtre de Pompée || [avec inf.] comploter de || [avec *ut* subj.] ; [avec *quo* subj.].

conjux, *ugis (conjungo)*, surtout f., épouse || m., époux || pl. [poét.], les deux époux.

conl-, v. *coll-*.

conm-, v. *comm-*.

connect-, connit-, conniv-, v. *conec-, conit-, coniv-*.

connub-, v. *conub-*.

Conon, *onis*, m., général athénien.

conor, *ari, atus sum*, tr., **1.** [absol.] se préparer || **2.** se préparer à qqch., entreprendre qqch. : *magnum opus conamur*, c'est une œuvre importante que j'entreprends || [av. inf.] entreprendre de || [avec *si* subj.] faire des tentatives pour le cas où.

conquassatio, *onis*, f. *(conquasso)*, ébranlement.

conquassatus, *a, um*, part. de *conquasso*.

conquasso, *are, avi, atum*, tr., **1.** secouer fortement || briser, casser || **2.** [fig.] ébranler, bouleverser.

conqueror, *eri, questus sum*, tr., se plaindre vivement de, déplorer ; *ad aliquem aliquid*, porter une plainte devant qqn || [avec prop. inf.] se plaindre que || [avec *quod*] se plaindre de ce que.

conquestio, *onis*, f. *(conqueror)*, **1.** action de se plaindre vivement, de déplorer || **2.** action de formuler une plainte, un reproche || **3.** [rhét.] partie de la péroraison où l'on sollicite la compassion des juges.

1. conquestus, *a, um*, part. de *conqueror*.

2. conquestus, m. (seul. à l'ablatif, *conquestu*), plainte.

conquiesco, *ere, quievi, quietum*, intr., se reposer [pr. et fig.] || *ex laboribus*, se reposer des fatigues ; *in studiis*, trouver le repos dans les études.

conquiro, *ere, quisivi, quisitum (cum* et *quæro)*, tr., chercher de tous côtés, rassembler en prenant de côté et d'autre : *omne argentum*, rechercher toute l'argenterie || lever, recruter [des soldats] || *aliquem investigare et conquirere*, suivre à la trace et rechercher partout qqn.

conquisite *(conquisitus)*, avec recherche, avec soin.

conquisitio, *onis*, f. *(conquiro)*, action de rechercher, de rassembler || [en part.] enrôlement, levée de troupes.

conquisitor, *oris*, m. *(conquiro)*, enrôleur, recruteur.

conquisitus, *a, um*, part. de *conquiro* || adj., recherché, choisi soigneusement, précieux.

conquisivi, pf. de *conquiro*.

conr-, v. *corr-*.

consæpio (consep-) *ire, sæpsi, sæptum*, tr., enclore.

consæptum, *i*, n. *(consæptus)*, enclos, enceinte.

consæptus, *a, um*, part. de *consæpio*.

consalutatio, *onis*, f. *(consaluto)*, action de saluer ensemble || échange de salut entre deux corps de troupe.

consalutatus, *a, um,* part. de *consaluto.*

consaluto, *are, avi, atum,* tr., saluer ensemble, saluer, échanger un salut.

consanesco, *ere, sanui,* intr., revenir à la santé, se guérir.

consanguineus, *a, um,* **1.** né du même sang, fraternel, de frères || **2.** m. pris subst., parent, [en part.] frère.

consanguinitas, *atis,* f., consanguinité || [en gén.] parenté, communauté d'origine.

consanui, pf. de *consanesco.*

consarcinatus, *a, um,* part. de *consarcino.*

consarcino, *are, avi, atum,* tr., coudre ensemble || [fig.] ourdir.

consario, *ire,* tr., sarcler entièrement.

consaucio, *are, avi, atum,* tr., blesser grièvement.

consceleratus, *a, um,* part. de *conscelero* || adj., scélérat, criminel.

conscelero, *are, avi, atum,* tr., souiller par un crime.

conscendo, *ere, scendi, scensum (cum* et *scando),* monter, s'élever, s'embarquer.

conscensus, *a, um,* part. de *conscendo.*

conscensio, *onis,* f., action de monter dans: *conscensio in naves,* embarquement.

conscidi, pf. de *conscindo.*

conscientia, *æ,* f. *(conscio),* **1.** connaissance de qqch. partagée avec qqn, connaissance en commun, confidence, complicité || **2.** claire connaissance qu'on a au fond de soi-même, sentiment intime || **3.** [sens moral] sentiment intime de qqch., claire connaissance intérieure: *bene actæ vitæ,* la conscience d'avoir bien rempli sa vie || **4.** sentiment, conscience [avec idée de bien, de mal]: *recta, bona,* bonne conscience; *mala,* mauvaise conscience || [absol.] bonne conscience || [absol.] mauvaise conscience: *angor conscientiæ,* les tourments qu'inflige la conscience || [d'où] remords.

conscindo, *ere, scidi, scissum,* tr., mettre en pièces, déchirer.

conscio, *scire, scivi, scitum,* tr., avoir la connaissance de || (cf. *conscius 2*) *nil conscire sibi,* n'avoir rien sur la conscience.

conscisco, *ere, scivi* et *scii, scitum,* tr., **1.** [t. officiel] décider [en commun], arrêter || **2.** *sibi consciscere,* décider pour soi, se résoudre à: *mortem,* se donner la mort || [sans *sibi*] s'infliger.

conscissus, *a, um,* part. de *conscindo.*

conscitus, *a, um,* part. de *conscisco.*

conscius, *a, um (cum* et *scio),* **1.** ayant connaissance de qqch. avec qqn, partageant la connaissance de, confident || [d'où] qui participe à, complice: *conscium esse alicui alicujus rei,* être complice avec qqn de qqch. || **2.** ayant la connaissance intime de, conscient de [avec dat. du pron.] || [avec prop. inf.] avoir conscience de, que.

conscribo, *ere, scripsi, scriptum,* tr., consigner par écrit, **1.** inscrire sur une liste, enrôler: *legiones, exercitum,* enrôler des légions, une armée || **2.** composer, rédiger: *librum, legem, epistulam,* écrire un livre, rédiger une loi, une lettre || [absol.] écrire: *alicui (ad aliquem) de aliqua re,* écrire à qqn, sur qqch.

conscriptio, *onis,* f. *(conscribo),* rédaction.

conscriptus, *a, um,* part. de *conscribo* || *patres conscripti,* pères conscrits, sénateurs.

conseco, *secare, secui, sectum,* tr., mettre en petits morceaux, hacher.

consecratio, *onis,* f. *(consecro),* **1.** action de consacrer aux dieux || **2.** action de dévouer aux dieux l'infracteur d'une loi || **3.** apothéose des empereurs romains.

consecratus, *a, um,* part. de *consecro* || adj., voir *consecro* fin du § 1.

consecro, *are, avi, atum (cum* et *sacer),* tr., **1.** consacrer, frapper d'une consécration religieuse: *alicujus domum, bona,* consacrer aux dieux la maison, les biens de qqn, en faire des objets sacrés [donc interdits à l'usage profane] || [avec dat.] consacrer à || *consecratus, a, um* = consacré, saint, enlevé à l'usage profane || **2.** dévouer aux dieux infernaux || **3.** consacrer, reconnaître comme ayant un caractère sacré (divin) || [apothéose des empereurs] diviniser || **4.** [fig.] = immortaliser || **5.** part. *consecratus, a, um,* qqf. = imputé (attribué) [comme qqch. de divin].

consectarius, *a, um (consector),* conséquent, logique.

consectatio, *onis,* f. *(consector),* poursuite, recherche.

consectatrix, *icis,* f., celle qui poursuit.

consectatus, *a, um*, part. de *consector.*

consectio, *onis*, f. *(consecare)*, coupe [des arbres].

consector, *ari, atus sum* (fréq. de *consequor*), tr., **1.** s'attacher aux pas de qqn || suivre constamment || **2.** [fig.] poursuivre, rechercher || **3.** [idée d'hostilité]: *aliquem clamoribus, sibilis*, poursuivre qqn de cris, de sifflets; *hostes*, poursuivre, traquer l'ennemi.

consectus, *a, um*, part. de *conseco.*

consecui, pf. de *conseco.*

consecutio, *onis*, f. *(consequor)*, suite, conséquence.

consecutus ou **consequutus,** *a, um*, part. de *consequor.*

consedi, pf. de *consido.*

consenesco, *ere, senui*, intr., **1.** vieillir, arriver à un âge avancé || **2.** [fig.] vieillir, languir || s'user, dépérir, se consumer, s'épuiser.

consensio, *onis*, f. *(consentire)*, **1.** conformité dans les sentiments, accord: *de aliqua re*, accord sur qqch. || **2.** [mauv. part] conspiration, complot, conjuration.

1. consensus, *a, um*, part. de *consentio.*

2. consensus, *us*, m. *(consentire)*, **1.** accord || **2.** [mauv. part] conspiration, complot.

consentaneus, *a, um (consentire)*, d'accord avec, conforme à: *cum aliqua re* ou *alicui rei*, conforme à qqch. || [absol.] qui convient, qui est conséquent (logique) || *consentaneum est*, il est logique, raisonnable, il est dans l'ordre, il convient [avec inf. ou avec prop. inf. ou avec *ut* subj.].

consentio, *ire, sensi, sensum*,
I. intr., **1.** être de même sentiment, être d'accord: *cum aliquo*, être d'accord avec qqn || *alicui, alicui rei*, être d'accord avec qqn, avec qqch. || [avec prop. inf.] s'accorder à dire que, reconnaître unanimement que || *consensum est ut*, il y eut accord pour décider que || **2.** s'entendre, conspirer, comploter ***a)*** [absol.]; ***b)*** [avec *cum*] s'entendre avec || *ad aliquid*, pour qqch.; ***c)*** [avec inf.] comploter de || **3.** [en parl. de choses] être d'accord; [surtout au part. prés.] *consentiens*, d'accord, unanime.
II. tr., décider en accord.

consenui, pf. de *consenesco.*

consepio, -septum, v. *consæp-.*

consequens, *entis*, part. prés. de *consequor* || pris adj., ce qui suit || pl. n. *consequentia*, les conséquences logiques || *consequens est* avec prop. inf., il s'ensuit logiquement que || *consequens est* avec *ut* subj., il est raisonnable, logique que.

consequentia, *æ*, f. *(consequor)*, suite, succession.

consequor, *sequi, secutus sum*,
I. tr., **1.** venir après, suivre: *aliquem*, suivre qqn; *aliquem vestigiis*, suivre qqn à la trace || poursuivre [l'ennemi] || **2.** suivre [chronologiquement] || **3.** poursuivre, rechercher qqch. || **4.** suivre comme conséquence, donner lieu || **5.** atteindre, rejoindre, rattraper [qqn] || atteindre un lieu || atteindre, obtenir, acquérir [qqch.]: *aliquid ab aliquo*, obtenir qqch. de qqn; *aliquid ex aliqua re*, retirer qqch. de qqch. || *hoc consequi ut* subj., obtenir ce résultat que || atteindre, égaler [qqn] ou [qqch.] || atteindre, embrasser (par la mémoire).
II. intr., venir ensuite, succéder || [conséquence logique] s'ensuivre || *ex eo illud consequitur ut*, de là il s'ensuit que.

1. consero, *ere, sevi, situm*, tr., planter, ensemencer.

2. consero, *ere, serui, sertum*, tr., **1.** attacher ensemble, réunir, joindre || **2.** [en part.] *conserere manum* ou *manus*, en venir aux mains: *cum aliquo*, avec qqn; *inter se*, entre eux || *conserere pugnam, prœlium, certamen*, engager le combat, livrer bataille || *conserta acies*, combat de près, mêlée; *conserta navis*, un navire accroché par abordage || **3.** former qqch. en attachant des parties entre elles || *sermonem conserere*, converser, s'entretenir.

conserte *(consertus)*, avec enchaînement.

consertus, *a, um*, part. de *consero 2.*

conserui, pf. de *consero 2.*

conserva, *æ*, f., compagne d'esclavage.

conservans, *antis*, part. de *conservo* || adj., conservateur (*alicujus rei*, de qqch.).

conservatio, *onis*, f. *(conservo)*, action de conserver, conservation.

conservator, *oris*, m. *(conservo)*, conservateur, sauveur.

conservatrix, *icis*, f. *(conservator)*, celle qui conserve, qui sauve.

conservatus, *a, um*, part. de *conservo.*

conservo, *are, avi, atum*, tr., **1.** conserver: *cives incolumes*, conserver les citoyens sains et saufs, épargner || **2.** observer fidèlement, respecter.

consessor, *oris,* m. *(consido),* celui qui est assis auprès, voisin.

consessus, *us,* m. *(consido),* foule assise, réunion, assemblée [dans les tribunaux, au théâtre, etc.].

consevi, pf. de *consero 1.*

considerate *(consideratus),* avec réflexion.

consideratio, *onis,* f. *(considero),* action de considérer.

consideratus, *a, um,* **1.** part. de *considero* || **2.** adj., réfléchi, pesé, prudent || circonspect, prudent.

considero, *are, avi, atum (cum* et *sidus ?),* tr., examiner (considérer) attentivement || *considerare ut* subj., veiller avec circonspection à ce que || [avec *ne*] prendre bien garde d'éviter que || [avec *de*] porter ses réflexions, son examen sur.

consido, *ere, sedi, sessum,* intr., **1.** s'asseoir || siéger [en parlant des juges] || **2.** [milit.] prendre position, se poster, camper : *in insidiis,* se poster en embuscade, s'embusquer || **3.** se fixer, s'installer, s'établir [qq. part pour un certain temps] || **4.** s'abaisser, s'affaisser : *terra consedit,* la terre s'affaissa || [fig.] s'apaiser.

consignate *(consignatus),* avec justesse, avec précision.

consignatus, *a, um,* part. de *consigno.*

consigno, *are, avi, atum,* tr., **1.** sceller, revêtir d'un sceau || **2.** consigner, mentionner avec les caractères de l'authenticité.

consiliarius, *ii,* m., conseiller || [en part.] juge, assesseur || interprète.

consiliator, *oris,* m. *(consilior),* conseiller.

consilior, *ari, atus sum (consilium),* intr., **1.** tenir conseil, délibérer || **2.** [avec dat.] délibérer au profit de, conseiller.

consilium, *ii,* n. *(consulo),*

I. 1. délibération, consultation || **2.** [sens abstrait et concret à la fois] consultation et assemblée consultative, conseil [juges, magistrats, sénat, etc.] || [en gén.] toute commission consultative || **3.** résolution, plan, mesure, dessein, projet : *consilium inire* ou *capere,* prendre une résolution [de faire qqch. ; avec gérondif ou avec inf. ou avec *ut* subj.] ; *ex aliqua re consilium capere* ou *trahere,* prendre une résolution en s'inspirant de qqch. || *consilio,* à dessein, avec intention ; *consilio deorum immortalium,* par la volonté des dieux immortels || *hoc (eo) consilio ut* subj., avec l'intention de || [en part.] plan de guerre, stratagème.

II. conseil, avis : *consilio alicujus parere,* suivre les conseils de qqn ; *contra meum consilium,* contre mon avis ; *ex consilio tuo* ou *consilio tuo,* d'après tes avis.

III. sagesse dans les délibérations, les résolutions, les conseils ; réflexion, prudence, habileté : *casu magis quam consilio,* par un effet du hasard plutôt que de la réflexion.

consimilis, *e,* entièrement semblable à [avec gén. ou avec dat.] || *consimilia, ium,* n., choses semblables.

consimiliter, d'une manière entièrement semblable.

consistens, *tis,* part. prés. de *consisto.*

consisto, *ere, stiti,* intr., **1.** se mettre, se placer, se poser || se présenter, se produire ; [d'où] *consistere* seul, comparaître comme accusateur || [milit.] se placer, prendre position : *in arido,* prendre pied sur la terre ferme ; *in orbem consistere,* se former en carré || [au pf.] *constiti,* je me trouve placé (établi) [presque synonyme de *sum*] || **2.** s'arrêter || faire halte : *a fuga,* s'arrêter dans sa fuite || s'arrêter avec qqn *(cum aliquo)* pour causer || séjourner qq. temps dans un lieu || se fixer, s'établir dans un lieu || [en parl. de choses] s'arrêter, rester immobile || [fig.] s'arrêter, être suspendu, cesser || **3.** se tenir || [avec *ex*] être composé de, résulter de || [avec *in*] [fig.] consister dans || se fonder (reposer) sur : *in eo salus consistit,* sur lui se fonde le salut || [fig.] se maintenir, rester ferme, en parfait équilibre : *mente, animo consistere,* garder son esprit calme, en équilibre, d'aplomb.

consitio, *onis,* f. *(consero 1),* action de planter, plantation.

consitor, *oris,* m. *(consero 1),* planteur.

consitura, *æ,* f. *(consero 1),* plantation, ensemencement.

consitus, *a, um,* part. de *consero 1.*

consobrina, *æ,* f., cousine germaine.

consobrinus, *i,* m., cousin germain || cousin.

consocer, *eri,* m., le père du gendre ou de la bru.

consociatio, *onis,* f. *(consocio),* action de s'associer : *hominum,* la société.

consociatus, *a, um,* **1.** part. de *conso-*

cio || **2.** pris adj., associé, uni intimement.

consocio, *are, avi, atum*, tr., associer, joindre, unir : *rem inter se consociant*, ils se partagent le pouvoir.

consolabilis, *e (consolor)*, **1.** consolable, qui peut être consolé || **2.** consolant.

consolatio, *onis*, f. *(consolor)*, **1.** consolation : *litterarum tuarum*, la consolation que m'apporte ta lettre || consolation, discours ou écrit destiné à consoler || [titre d'un traité] : *in Consolatione*, dans ma *Consolation* || **2.** soulagement, encouragement.

consolator, *oris*, m. *(consolor)*, consolateur.

consolatorius, *a, um (consolor)*, de consolation.

consolatus, *a, um*, part. de *consolor*.

consolor, *ari, atus sum*, tr., **1.** rassurer, réconforter, consoler (*aliquem*, qqn) : *de aliqua re*, touchant qqch. ; *in aliqua re*, à propos de qqch., dans qqch. || **2.** adoucir, soulager [le malheur, la douleur, etc.] || compenser, faire oublier.

consonans, *tis*, **1.** part. prés. de *consono* || **2.** subst. f., consonne.

consono, *are, sonui*, intr., **1.** produire un son ensemble || renvoyer le son, retentir || être en harmonie ensemble || **2.** [fig.] être en accord, en harmonie : *secum, sibi*, avec soi-même.

consonus, *a, um*, **1.** qui sonne ou retentit ensemble, qui est d'accord, harmonieux || **2.** conforme, convenable.

consopio, *ire, ivi, itum*, tr., assoupir, étourdir.

consopitus, *a, um*, part. de *consopio*.

consors, *sortis*, **1.** participant par communauté de lot, partageant avec, possédant conjointement : *alicujus rei, in aliqua re*, copartageant d'une chose, dans une chose ; *alicujus* ou *cum aliquo*, collègue de qqn, partageant avec qqn || [poét.] qui est en commun || **2.** en communauté de biens, propriétaire indivis || **3.** [poét.] [subst.] frère, sœur ; [adj.] fraternel.

consortio, *onis*, f. *(consors)*, association, communauté.

consortium, *ii*, n. *(consors)*, participation, communauté.

conspar-, v. *consper-*.

1. conspectus, *a, um*, part. de *conspicio* || pris adj., **1.** visible, apparent || **2.** qui attire les regards, remarquable.

2. conspectus, *us*, m. *(conspicio)*, **1.** action de voir, vue, regard : *in conspectum alicui se dare*, s'offrir à la vue de qqn || vue de l'esprit, examen || vue d'ensemble, coup d'œil d'ensemble || **2.** apparition, présence || aspect.

conspergo, *ere, spersi, spersum (cum, spargo)*, tr., arroser, asperger || parsemer, émailler.

conspersus, *a, um*, part. de *conspergo*.

conspexi, pf. de *conspicio*.

conspicatus, *a, um*, part. de *conspicor*.

conspiciendus, *a, um*, **1.** verbal de *conspicio* || **2.** pris adj., digne d'être remarqué, remarquable.

conspicio, *ere, spexi, spectum (cum, specio)*, tr., **1.** apercevoir || remarquer || **2.** regarder, contempler || [en part., au pass.] être regardé, attirer les regards (l'attention).

conspicor, *ari, atus sum*, tr., apercevoir, remarquer.

conspicuus, *a, um (conspicio)*, **1.** qui s'offre à la vue, visible || **2.** qui attire les regards, remarquable.

conspiratio, *onis*, f. *(conspiro)*, accord [de sons] || [fig.] ***a)*** accord, union ; ***b)*** conspiration, complot.

1. conspiratus, *a, um*, part. de *conspiro* : ***a)*** en accord : *milites conspirati...*, d'un commun accord les soldats... ; ***b)*** ayant conspiré, s'étant conjuré, [d'où] *conspirati, orum*, m., les conjurés.

2. conspiratus, abl. *u*, m., accord, harmonie.

conspiro, *are, avi, atum*, intr., ***a)*** s'accorder, être d'accord ; ***b)*** conspirer, comploter.

conspissatus, *a, um*, part. de *conspisso*.

conspisso, *are, atum*, tr., condenser, épaissir [employé surt. au part. *conspissatus*].

consponsor, *oris*, m., celui qui est caution avec d'autres.

conspuo, *ere, ui, utum*, tr., salir de crachats, de bave.

consputatus, *a, um*, part. de *consputo*.

consputo, *are, avi, atum*, fréq. de *conspuo*, tr., couvrir de crachats.

consputus, *a, um*, part. de *conspuo*.

constans, *antis*, part. prés. de *consto* || pris adj., **1.** qui se tient fermement, consistant || *constans œtas*, âge mûr ; *constans pax*, paix inaltérable || **2.** ferme moralement, constant avec soi-même, conséquent, qui ne se dément pas || **3.** dont toutes les parties s'accordent, où tout se tient harmonieusement.

constanter *(constans)*, **1.** d'une manière continue, invariable || **2.** avec constance, fermeté || **3.** en accord, d'une manière concordante, unanimement.

constantĭa, *æ*, f. *(constans)*, **1.** permanence, continuité, invariabilité || **2.** fermeté du caractère ou des principes, constance || **3.** esprit de suite, accord, concordance, conformité.

consternatio, *onis*, f. *(consterno 1)*, bouleversement, affolement || agitation, mutinerie.

consternatus, *a, um*, part. de *consterno 1.*

1. consterno, *are, avi, atum*, tr., effaroucher, épouvanter, bouleverser.

2. consterno, *ere, stravi, stratum*, tr., couvrir, joncher.

constipo, *are, avi, atum*, tr., presser, serrer.

constiti, pf. de *consto.*

constituo, *ere, stitui, stitutum (cum* et *statuo)*, tr., **1.** placer debout, dresser || placer, établir || faire faire halte: *signa constituere* || élever, construire, fonder || **2.** fixer (établir) qqn à un endroit déterminé || [avec un attribut] *aliquem regem*, établir qqn comme roi || **3.** établir, instituer: *alicui legem, jus*, instituer pour qqn une loi, une jurisprudence || constituer, organiser, fonder: *civitates*, fonder les États || [pass.] être constitué solidement: *corpus bene constitutum*, bonne constitution physique || [en part.] *constitui ex = constare ex*, résulter de, être formé de || **4.** décider, fixer, établir: *præmia, pœnas*, établir des récompenses, des châtiments; *diem*, fixer un jour || *cum aliquo*, décider, fixer avec qqn || **5.** définir, établir, préciser une idée || **6.** se déterminer à faire qqch., prendre une résolution: *constituere ut* subj., décider de, décider que || [absol.] *de aliquo, de aliqua re*, prendre une résolution sur qqn, sur qqch.

constitutio, *onis*, f. *(constituo)*, **1.** [en gén.] état, condition, situation: *corporis*, complexion || **2.** [en part.] ***a)*** définition; ***b)*** arrangement, disposition, organisation; ***c)*** disposition légale, constitution, institution.

constitutum, *i*, n. *(constitutus)*, **1.** chose convenue, convention || **2.** loi, règle.

constitutus, *a, um*, part. de *constituo.*

consto, *are, stiti, staturus*, intr., **1.** se tenir arrêté || **2.** se maintenir, être constitué, exister, subsister || [avec abl.] être constitué par (avec) || [avec *ex*] résulter de, être composé de || [avec *in* abl.] reposer sur, dépendre de || [avec abl. ou gén. de prix] être (se tenir) à tel prix, coûter: *parvo*, coûter peu; *minoris, pluris*, coûter moins, plus || **3.** se tenir solidement, se maintenir fermement dans ses éléments constitutifs, être d'aplomb (en équilibre) || *mente vix constare*, garder à peine l'équilibre de sa raison || *auri ratio constat*, le compte de l'or est juste || **4.** être d'accord avec, s'accorder avec: [avec dat.]: *sibi*, être d'accord avec soi-même || [avec *cum*] *res cum re*, une chose s'accorde avec une autre || **5.** emploi impers. **constat:** [avec prop. inf.] c'est un fait établi (reconnu, constant) que: *alicui*, c'est un fait établi pour qqn; *inter omnes*, pour tout le monde (tout le monde reconnaît que) || [avec interr. ind.]: *mihi constat quid agam*, je vois nettement ce que je dois faire.

constratum, *i*, n. *(constratus)*, plancher.

constratus, *a, um*, part. de *consterno*, *constrata navis*, navire ponté.

constravi, pf. de *consterno 2.*

constrepo, *ere, ui, itum*, intr., faire du vacarme.

constrictus, *a, um*, part. de *constringo.*

constringo, *ere, strinxi, strictum*, tr., lier ensemble étroitement, lier, enchaîner || [rhét.] *constricta narratio*, narration succincte || [fig.] enchaîner, contenir, réprimer.

constructio, *onis*, f. *(construo)*, **1.** construction; [fig.] structure || **2.** assemblage de matériaux pour construire || [rhét.] assemblage, arrangement des mots dans la phrase.

constructus, *a, um*, part. de *construo.*

construo, *ere, struxi, structum*, tr., **1.** entasser par couches (avec ordre), ranger || **2.** bâtir, édifier.

consuefacio, *facere, feci, factum*, tr., accoutumer.

consuesco, *ere, suevi, suetum*, **1.** tr., accoutumer || **2.** intr., s'accoutumer, prendre l'habitude [le pf. *consuevi* = j'ai l'habitude] || [avec inf.] s'habituer à || [avec dat., abl.] s'habituer à.

consuete *(consuetus)*, suivant l'habitude, comme de coutume.

consuetudo, *inis*, f. *(consuesco)*, **1.** habitude, coutume, usage: *Germanorum consuetudo est... resistere*, l'habitude des Germains est de résister (ou *consuetudo est ut* subj.) || *hominum immolandorum*, l'habitude des sacrifices humains || *ex consuetudine sua...*, d'après leurs habitudes... ; *pro mea consuetudine*, suivant mon habitude ; *consuetudine sua...*, suivant sa coutume... ; *prœter consuetudinem*, contre l'habitude *(contra consuetudinem)* || **2.** usage courant de la langue, langue courante || **3.** liaison, intimité || rapports, relations.

consuetus, *a, um*, **1.** part. de *consuesco* || **2.** pris adj., habituel, accoutumé.

consuevi, pf. de *consuesco*.

consul, *ulis*, m., **1.** consul : *Mario consule*, sous le consulat de Marius ; *L. Pisone A. Gabinio consulibus*, sous le consulat de L. Pison et A. Gabinius || [abréviations]: sing. *Cos.* ; pl. *Coss.* || **2.** proconsul.

consularis, *e (consul)*, de consul, consulaire : *œtas consularis*, âge minimum pour être consul (43 ans au temps de Cicéron) || *homo (vir) consularis*, ou absol. *consularis, is*, m., consulaire, ancien consul.

consulariter, d'une manière digne d'un consul.

consulatus, *us*, m. *(consul)*, consulat, dignité (fonction) de consul : *consulatum petere*, briguer le consulat ; *gerere consulatum*, exercer le consulat.

consulo, *sulere, sului, sultum*,
I. intr., **1.** délibérer ensemble ou délibérer avec soi-même, se consulter, réfléchir || *de aliquo, de aliqua re*, sur qqn, sur qqch. || **2.** prendre une résolution, des mesures || [en part.] prendre une résolution (une mesure) fâcheuse, funeste, cruelle, etc., *de aliquo, in aliquem*, contre qqn || **3.** prendre des mesures pour qqn (qqch.), *alicui (alicui rei)* ; avoir soin de qqn (qqch.), pourvoir à, veiller à, s'occuper de || [avec *ut* subj.] veiller à ce que, pourvoir à ce que, [avec *ne*] veiller à ce que ne pas.
II. tr., **1.** délibérer sur qqch., examiner qqch. *(rem)* || **2.** consulter qqn sur qqch. *(aliquem, aliquid)* || **3.** consulter sur qqch. *(aliquid)* || **4.** [formule]: *boni consulere aliquid*, estimer comme bon qqch., trouver bon, agréer, être satisfait de.

consultatio, *onis*, f. *(consulto)*, **1.** action de délibérer, point soumis à une délibération, question, problème || **2.** question posée à qqn ; [en part.] question posée à un juriste.

consultator, *oris*, m. *(consulto)*, consultant, celui qui demande conseil à un juriste.

consultatus, *a, um*, part. de *consulto*.

consulte *(consultus)*, avec examen, avec réflexion.

1. consulto *(consultus)*, exprès, à dessein, de propos délibéré.

2. consulto, *are, avi, atum*, fréq. de *consulo*, **1.** intr., délibérer mûrement [ou] souvent : *de bello*, débattre la question de la guerre || **2.** tr., ***a)*** délibérer fréquemment (*rem*, sur qqch.) ; ***b)*** consulter, interroger.

consultor, *oris*, m. *(consulo)*, **1.** conseiller || **2.** celui qui consulte, qui demande conseil.

consultrix, *icis*, f., celle qui pourvoit.

consultum, *i*, n. *(consulo)*, **1.** résolution, mesure prise, plan || [en part.] décret du sénat *(senatus consultum)* || **2.** réponse d'un oracle.

consultus, *a, um*, part. de *consulo* || pris adj., **1.** [en parl. des choses] réfléchi, étudié, pesé || **2.** [en parl. de pers.] qui est avisé dans, versé dans : *juris atque eloquentiœ*, versé dans le droit et dans l'art de la parole || **3.** m. pris subst., **consultus,** *i*, jurisconsulte.

consului, pf. de *consulo*.

consummatio, *onis*, f. *(consummo)*, **1.** action de faire la somme || **2.** ensemble, accumulation || **3.** accomplissement, achèvement.

consummatus, *a, um*, **1.** part. de *consummo* || **2.** adj., achevé, accompli, parfait.

consummo, *are, avi, atum (cum, summa)*, tr., **1.** additionner, faire la somme || former un total de || **2.** accomplir, achever (*rem*, une chose) || [absol.] finir son temps de service || [fig.] parfaire, porter à la perfection.

consumo, *ere, sumpsi, sumptum*, tr., absorber entièrement (faire disparaître) qqch. en s'en servant : **1.** employer, dépenser : *pecuniam in aliqua re*, dépenser de l'argent à qqch. ; *in his rebus dies decem consumit*, il emploie dix jours à cela || **2.** consommer, épuiser || dissiper || passer le temps [avec idée de dépense complète] || mener à bout, épuiser || **3.** venir à bout de, consumer, détruire || [pass.] être consumé, détruit [par le feu] || faire périr || [pass.] être exténué, usé par qqch., succomber.

consumptio, *onis*, f. *(consumo)*, **1.** action d'employer, emploi || **2.** action d'épuiser, épuisement.

consumptor, *oris*, m. *(consumo)*, destructeur.

consumptus, *a, um,* part. de *consumo.*

consuo, *ere, ui, utum,* tr., coudre ensemble, coudre || [fig.] *consuere os alicui,* fermer la bouche à qqn.

consurgo, *ere, surrexi, surrectum,* intr., se lever ensemble, [ou] d'un seul mouvement, d'un bloc; se mettre debout || [fig.] se lever, se mettre en mouvement, se déchaîner: *in arma, ad bellum,* se lever pour prendre les armes, pour faire la guerre.

consurrectio, *onis,* f. *(consurgo),* action de se lever ensemble.

consurrexi, pf. de *consurgo.*

consutus, *a, um,* part. de *consuo.*

contabesco, *tabescere, tabui,* intr., [fig.] se dessécher, se consumer, dépérir.

contabulatio, *onis,* f. *(contabulo),* plancher, étage.

contabulatus, *a, um,* part. de *contabulo.*

contabulo, *are, avi, atum,* tr., **1.** garnir de planches, planchéier, munir de planchers: *turres contabulantur,* on munit de planchers (d'étages) les tours || **2.** couvrir.

1. contactus, *a, um,* part. de *contingo 1.*

2. contactus, *us,* m. [en gén.] contact, attouchement || [en part.] contact contagieux, contagion.

contagio, *onis,* f. *(cum, tango),* **1.** contact || [fig.] relation, rapport || **2.** contagion, infection: *contagio pestifera,* épidémie de peste || [fig.] contagion, influence pernicieuse.

contagium, *ii,* n., et chez les poètes **contagia,** *orum,* n., contact, contagion, influence.

contaminatus, *a, um,* **1.** part. de *contamino* || **2.** adj., souillé, impur.

contamino, *are, avi, atum,* tr., **1.** mélanger, mêler, fondre ensemble || **2.** souiller par contact || [fig.] corrompre, souiller.

contectus, *a, um,* part. de *contego.*

contego, *ere, texi, tectum,* tr., couvrir [pour protéger, pour cacher] || [fig.] cacher, dissimuler.

contemnendus, *a, um,* méprisable, négligeable, sans valeur.

contemno, *temnere, tempsi, temptum,* tr., tenir pour négligeable, mépriser || ravaler en paroles.

contemplatio, *onis,* f. *(contemplor),* action de regarder attentivement, contemplation || [fig.] contemplation intellectuelle, examen approfondi.

contemplator, *oris,* m. *(contemplor),* celui qui contemple, contemplateur, observateur.

1. contemplatus, *a, um,* part. de *contemplor.*

2. contemplatus, *abl. u,* m., contemplation.

contemplor, *ari, atus sum (cum, templum),* tr., regarder attentivement, contempler || [avec prop. inf.] considérer que.

contemporaneus, *a, um (cum, tempus),* contemporain [avec dat.].

contempsi, pf. de *contemno.*

contemptim *(contemptus),* avec mépris || *-tius.*

contemptio, *onis,* f. *(contemno),* mépris: *venire in contemptionem alicui,* encourir le mépris de qqn.

contemptor, *oris,* m. *(contemno),* qui méprise, contempteur.

contemptrix, *icis,* f. *(contemptor),* celle qui méprise.

1. contemptus, *a, um,* **1.** part. de *contemno* || **2.** adj., dont on ne tient pas compte, méprisable.

2. contemptus, *us,* m., **1.** action de mépriser, mépris || **2.** fait d'être méprisé: *contemptui esse alicui,* être objet de mépris pour qqn.

contendo, *ere, tendi, tentum,*
I. tr., **1.** tendre [avec force]: *nervos,* tendre les muscles (fig. = faire effort) || lancer [un trait, un javelot] || **2.** chercher à atteindre, à obtenir qqch., prétendre à || *contendere ab aliquo,* solliciter qqn avec insistance (*ut* ou *ne*), de (ou) de ne pas || [avec inf.] prétendre (faire qqch.) || **3.** soutenir énergiquement, affirmer, prétendre, *aliquid,* qqch. || [surtout avec prop. inf.] soutenir que || **4.** comparer: *rem cum re,* comparer une chose avec une autre; [poét.] *rem rei, aliquem alicui,* comparer une chose à une chose, qqn à qqn.
II. intr., **1.** bander les ressorts, tendre son énergie, faire effort, se raidir: *lateribus, voce,* faire effort des poumons, de la voix || *remis contendit ut...,* il tente à force de rames de... || **2.** marcher vivement, faire diligence: *in Italiam magnis itineribus contendit,* il se porte vivement en Italie par grandes étapes || *Bibracte ire contendit,* il se hâte d'aller à Bibracte || **3.** se mesurer, lutter, rivaliser, *cum aliquo, cum aliqua re,* avec qqn, avec qqch.; *ingenio cum aliquo,* rivaliser de talent avec qqn; *de aliqua re cum aliquo,* lutter avec qqn pour qqch. || *prœlio,*

armis, se mesurer dans un combat (les armes à la main) || lutter pour les magistratures, pour les honneurs, etc., *de honore, de dignitate*, etc. || discuter : *cum aliquo de mittendis legatis*, discuter avec qqn pour l'envoi d'une ambassade || [poét.] rivaliser, lutter avec qqn, *alicui*.

contente *(contendo)*, avec effort, en s'efforçant, en forçant l'allure || avec fougue.

contentio, *onis*, f. *(contendo)*, **1.** action de tendre [ou] d'être tendu avec effort, tension, contention, effort || [en part.] ***a)*** élévation de la voix [dans le registre élevé] ; ***b)*** [ou] effort de la voix, ton animé = éloquence soutenue, style oratoire [opp. à *sermo*, conversation, style familier] ; ***c)*** [ou] éloquence animée, passionnée || **2.** pesanteur, gravité || **3.** lutte, rivalité, conflit, *de aliqua re* ou *alicujus rei*, pour qqch. || **4.** comparaison.

contentiosus, *a, um (contentio)*, qui respire la lutte ; de discussion.

1. contentus, *a, um*, part. de *contendo* || pris adj., **1.** tendu || **2.** appliqué fortement : *in aliqua re, alicui rei* || *contento cursu*, à vive allure.

2. contentus, *a, um*, part. de *contineo* || pris adj. : content de, satisfait de [*aliqua re*] : *parvo*, content de peu || *eo contentus quod*, content de ce fait que, de ce que || [qqf. avec inf. ou la prop. inf.] || *eo contentus si*, content si.

conterminus, *a, um*, contigu, limitrophe [avec dat., abl., gén.].

contero, *ere, trivi, tritum*, tr., **1.** broyer, piler || **2.** user par le frottement, par l'usage || **3.** accabler, épuiser, détruire || réduire en poudre, anéantir || **4.** user, consumer.

conterreo, *ere, ui, itum*, tr., frapper de terreur, épouvanter.

conterritus, *a, um*, part. de *conterreo*.

contestatio, *onis*, f. *(contestor)*, attestation, affirmation fondée sur des témoignages.

contestor, *ari, atus sum*, tr., **1.** prendre à témoin, invoquer || **2.** commencer un débat judiciaire, en produisant les témoins || **3.** [fig.] *contestatus, a, um*, attesté, éprouvé.

contexo, *ere, texui, textum*, tr., **1.** entrelacer, ourdir || **2.** unir, relier, rattacher : (*rem cum re*, une chose à une autre) || continuer, prolonger || **3.** former par assemblage, par entrelacement || *crimen*, ourdir une accusation.

contexte *(contextus)*, d'une façon bien enchaînée.

contextim *(contextus)*, en formant un tissu.

1. contextus, *a, um*, part. de *contexo*.

2. contextus, *us*, m., **1.** assemblage || **2.** réunion, enchaînement || contexture d'un discours.

conticesco, *ere, ticui*, intr., se taire || [fig.] devenir muet, cesser.

contignatio, *onis*, f. *(contigno)*, plancher || étage.

contigi, pf. de *contingo*.

contignatus, *a, um*, part. de *contigno*, formé d'ais, de planches.

contigno, *are, atum*, tr., couvrir d'un plancher.

contiguus, *a, um (contingo)*, **1.** qui touche, qui atteint || **2.** qui touche, contigu (*alicui rei*, à qqch.) || **3.** à portée de [dat.].

continctus, *a, um*, part. de *contingo*.

1. continens, *entis*, part. prés. de *contineo* || pris adj., **1.** joint à, attenant à (*alicui rei, cum aliqua re*, à qqch.) || pl. n. *continentia*, lieux avoisinants || **2.** qui se tient, continu : *terra continens*, continent || *continentibus diebus*, les jours suivants || **3.** continent, sobre, tempérant.

2. continens, *tis*, f., le (un) continent.

continenter *(continens)*, **1.** en se touchant || de suite, sans interruption, continuellement || **2.** sobrement, avec tempérance.

continentia, *æ*, f. *(contineo)*, maîtrise de soi-même, modération, retenue.

contineo, *ere, tinui, tentum (cum* et *teneo)*, tr., **1.** maintenir uni : *capillum*, maintenir des cheveux réunis || maintenir en état, conserver || **2.** embrasser, enfermer || maintenir dans un lieu : *in castris, castris, intra castra*, maintenir au camp, à l'intérieur du camp || **3.** maintenir, retenir : [dans le devoir] *in officio, in fide* || **4.** renfermer en soi, contenir || [d'où le passif] *contineri aliqua re*, consister dans qqch. || **5.** contenir, réprimer, réfréner [qqn ou les passions de qqn] || *non contineri ne, non contineri quin, quominus*, ne pas être empêché de || contenir, réprimer [le rire, la douleur, etc.] || *sese continere*, se contraindre || tenir éloigné de qqn, de qqch. [*ab aliquo, ab aliqua re*].

1. contingo, *ere, tigi, tactum (cum* et *tango)*,

I. tr., **1.** toucher, atteindre : *terram osculo*, baiser la terre ; *Italiam*, aborder l'Italie || [en part.] infecter, contaminer || 2. toucher, être en rapport (relation) avec || concerner, regarder.

II. intr., 1. arriver [*alicui*, à qqn], échoir, tomber en partage || 2. [avec inf. ou *ut* et subj.] être donné à qqn de.

2. contingo (-guo), *ere*, tr., baigner de, imprégner de.

continuatio, *onis*, f. *(continuo)*, continuation, succession ininterrompue, continuité.

continuatus, *a, um*, 1. part. de *continuo* || 2. adj., continu, continuel, ininterrompu.

continui, pf. de *contineo*.

1. continuo *(continuus)*, adv., 1. incontinent, à l'instant || immédiatement après || 2. [lien logique]: *non continuo*, il ne s'ensuit pas que, ce n'est pas une raison pour que || 3. continuellement, sans interruption.

2. continuo, *are, avi, atum (continuus)*, tr., 1. faire suivre immédiatement, joindre de manière à former un tout sans interruption || [surt. au pass.]: être attenant, se rejoindre || 2. faire succéder [dans le temps] sans interruption || faire durer sans discontinuité.

continuus, *a, um (contineo)*, continu, 1. [dans l'espace] *continui montes*, chaîne de montagnes || 2. [dans le temps] consécutif, coup sur coup.

contio et à tort **concio,** *onis*, f. (sync. de *conventio*), 1. assemblée du peuple convoquée et présidée par un magistrat [dans laquelle on ne vote jamais]: *habere contionem*, présider l'assemblée du peuple || assemblée des soldats || 2. harangue, discours public : *contiones habere*, prononcer des discours politiques, des harangues || discours [en gén.].

contionabundus, *a, um (contionor)*, qui harangue.

contionalis, *e (contio)*, relatif à l'assemblée du peuple.

contionarius, *a, um (contio)*, relatif aux assemblées du peuple.

contionator, *oris*, m. *(contionor)*, harangueur qui flatte le peuple, démagogue.

contionor, *ari, atus sum (contio)*, intr., 1. être assemblé || 2. haranguer, prononcer une harangue || 3. [en gén.] dire publiquement, proclamer.

contiuncula, *æ*, f. *(contio)*, petite assemblée du peuple || petite harangue au peuple.

contorqueo, *ere, torsi, tortum*, tr., 1. tourner, faire tourner (tournoyer) || [en part.] brandir, lancer || 2. [fig.] tourner qqn dans tel ou tel sens || lancer avec force.

contorsi, pf. de *contorqueo*.

contortio, *onis*, f. *(contorqueo)*, entortillement de l'expression.

contortulus, *a, um* (dim. de *contortus*), qq. peu entortillé.

contortus, *a, um*, 1. part. de *contorqueo* || 2. adj., entortillé, compliqué, enveloppé || impétueux, véhément || *contorta, orum*, n., passages véhéments.

contra, adv. et prép.

I. adv., 1. en face, vis-à-vis || 2. au contraire, contrairement, au rebours || 3. contrairement à ce que, au contraire de ce que, *contra ac* ou *atque, contra quam*.

II. prép. avec acc., 1. en face de, vis-à-vis de, contre || 2. contre, en sens contraire de || contre (en luttant contre).

contractio, *onis*, f. *(contraho)*, 1. action de contracter, contraction || 2. action de serrer, d'abréger.

contractius *(contractus)*, adv., plus à l'étroit.

contracto, c. *contrecto*.

contractus, *a, um*, part. de *contraho* || adj., replié, fermé || resserré, étroit, mince || modéré, restreint.

contradico (contra dico), *ere, dixi, dictum*, intr., contredire: *alicui, alicui rei*, parler contre qqn, contre qqch.

contradictio, *onis*, f., action de contredire, objection, réplique.

contradictus, *a, um*, part. de *contradico*; *contradictum judicium*, jugement contradictoire.

contraho, *ere, traxi, tractum*, tr., 1. tirer (faire venir) ensemble, rassembler || contracter: *æs alienum*, contracter des dettes; *morbum*, contracter une maladie; *contrahere alicui cum aliquo bellum*, attirer à qqn une guerre avec qqn || 2. resserrer, contracter: *membra*, contracter les membres || réduire, diminuer: *castra*, rétrécir son camp || [en part.]: *animos contrahere*, serrer le cœur || 3. avoir un lien (des rapports) d'affaire [avec qqn], engager une affaire [avec qqn]: *rem (negotia) cum aliquo*, faire des affaires avec qqn.

contrarie *(contrarius)*, d'une manière contraire.

contrario, adv., v. *contrarius 3*.

contrarius, *a, um (contra)*, 1. qui est en face, du côté opposé || 2. opposé, contraire; [avec dat.] opposé à || *in* *contrarium*, dans le sens contraire || **3.** contraire, opposé : *in contrarias partes disputare*, soutenir le pour et le contre ; *ex contraria parte*, du point de vue opposé || contraire à qqch. [*alicui rei* ou *alicujus rei*] ; [avec *inter se*] *orationes inter se contrariæ*, discours qui se combattent || [avec *ac*, *atque*] contraire de (ce que) || *ex contrario*, contrairement, au contraire *(contrario)* || **4.** [logique] qui est en contradiction (*alicui rei*, avec une chose) || *contraria*, les contradictions || **5.** défavorable, ennemi, hostile, nuisible.

contrectatio, *onis*, f. *(contrecto)*, attouchement.

contrectatus, *a, um*, part. de *contrecto.*

contrecto, *are, avi, atum (cum, tracto)*, tr., [en gén.] toucher, manier.

contremisco, *ere, tremui*, **1.** intr., commencer à trembler || [fig.] chanceler, vaciller || **2.** tr., trembler devant, redouter.

contremo, *ere*, intr., trembler tout entier.

contribuo, *ere, bui, butum*, tr., **1.** apporter sa part en commun, ajouter pour sa part || **2.** ajouter (annexer) de manière à incorporer || [avec *in* acc.] incorporer dans.

contributus, *a, um*, part. de *contribuo.*

contristo, *are, avi, atum (cum, tristis)*, tr., attrister || [fig.] attrister, assombrir.

contritus, *a, um*, part. de *contero* || adj., usé, banal.

contrivi, pf. de *contero.*

controversia, *æ*, f. *(controversus)*, **1.** [en gén.] controverse, discussion [entre deux antagonistes, entre deux parties] || **2.** [en part.] ***a)*** point litigieux, litige [discussion juridique] ; ***b)*** débat judiciaire, procès ; ***c)*** controverse, déclamation [sorte d'exercice pratiqué à l'école du rhéteur].

controversiosus, *a, um (controversia)*, litigieux || contestable.

controversus, *a, um (contra, versus)*, controversé, discuté, mis en question, douteux, litigieux.

contrucidatus, *a, um*, part. de *contrucido.*

contrucido, *are, avi, atum*, tr., **1.** massacrer, égorger ensemble, en bloc || **2.** accabler de coups [une seule pers.].

contrudo, *ere, usi, usum*, tr., **1.** pousser avec force || pousser ensemble || **2.** entasser, refouler.

contrusi, pf. de *contrudo.*

contrusus, *a, um*, part. de *contrudo.*

contubernalis, *is*, m. *(cum, taberna)*, **1.** camarade de tente, caramade [entre soldats] || attaché à la personne d'un général || **2.** [en gén.] camarade, compagnon.

contubernium, *ii*, n. *(cum taberna)*, **1.** camaraderie entre soldats qui logent sous la même tente || vie commune d'un jeune homme avec un général auquel il est attaché || **2.** intimité, liaison d'amitié || **3.** tente commune || logement commun || logement d'esclaves.

contudi, pf. de *contundo.*

contueor, *eri, tuitus sum*, tr., observer, regarder, considérer.

contuitus, *a, um*, part. de *contueor.*

contuli, pf. de *confero.*

contumacia, *æ*, f. *(contumax)*, **1.** opiniâtreté, esprit d'indépendance ; obstination, fierté || **2.** [fig.] entêtement || dispositions rebelles.

contumaciter *(contumax)*, avec fierté, sans ménagements || avec obstination, opiniâtreté || *-cius.*

contumax, *acis*, **1.** opiniâtre, obstiné, fier || constant, ferme, qui tient bon || **2.** [fig.] rétif || récalcitrant, rebelle.

contumelia, *æ*, f., **1.** parole outrageante, outrage, affront || **2.** [fig.] injures.

contumeliose *(contumeliosus)*, outrageusement, injurieusement.

contumeliosus, *a, um (contumelia)*, outrageant, injurieux.

contumulo, *are*, tr., **1.** faire en forme d'éminence || **2.** couvrir d'un tertre, enterrer.

contundo, *ere, tudi, tusum*, tr., **1.** écraser, broyer, piler || **2.** briser, meurtrir de coups, assommer || **3.** [fig.] abattre.

contuo, contuor, c. *contueor.*

conturbatio, *onis*, f. *(conturbo)*, **1.** trouble, affolement || **2.** dérangement.

conturbatus, *a, um*, part. de *conturbo* || pris adj., troublé, abattu.

conturbo, *are, avi, atum*, tr., [en gén.] mettre en désordre, troubler, altérer || [fig.] troubler, effrayer, inquiéter.

conturmalis, *is*, m., qui est du même escadron, frère d'armes.

conturmo, *are*, tr. *(cum, turma)*, mettre en escadron.

contus, *i*, m., **1.** perche à ramer || **2.** épieu.

contusio, *onis*, f. *(contundo)*, action d'écraser, de meurtrir.

contusus, *a, um*, part. de *contundo.*

conubium, *ii*, n. *(cum, nubo)*, **1.** mariage [dans sa plénitude légale] || **2.** droit de mariage.

conus, *i*, m., cône || [fig.] sommet d'un casque.

convalesco, *ere, valui*, intr., **1.** prendre des forces, croître, grandir: *convalescere ex morbo*, ou absol. *convalescere*, se rétablir || *convalescentes, ium*, m., convalescents || **2.** [fig.] *convaluit*, il est devenu puissant.

convallis, *is*, f., vallée encaissée.

convectio, *onis*, f. *(conveho)*, transport.

convecto, *are*, tr. (fréq. de *conveho)*, charrier, transporter en masse, en bloc.

convector, *oris*, m. *(conveho)*, compagnon de voyage.

convectus, *a, um*, part. de *conveho.*

conveho, *ere, vexi, vectum*, tr., **1.** [en gén.] transporter par charroi, charrier, apporter || **2.** [en part.] rentrer [la récolte].

convelatus, *a, um*, part. de *convelo.*

convello, *ere, velli (*qqf. *vulsi), vulsum (volsum)*, tr., arracher totalement, d'un bloc, **1.** arracher: *signa convelli jussit*, il ordonna d'arracher les étendards = de se mettre en marche || **2.** [médec.] *convulsus, a, um*, qui a des spasmes; *convulsa, orum*, n., convulsions || **3.** [fig.] démolir, détruire: *leges*, saper les lois.

convelo, *are*, tr., couvrir d'un voile.

convena, *æ (convenio)*, surtout pl. *convenæ, arum*, m., étrangers venus de partout, fugitifs, aventuriers.

conveni, pf. de *convenio.*

conveniens, *tis*, part. prés. de *convenio* || adj., **1.** qui est en bon accord, qui vit en bonne intelligence || [en parl. de choses] en harmonie || **2.** qui est d'accord avec, conforme à (*alicui rei* ou *ad rem*, à qqch.) || **3.** convenable, séant.

convenienter *(conveniens)*, conformément: *convenienter cum natura*, ou *convenienter naturæ*, d'une manière conforme à la nature.

convenientia, *æ*, f. *(conveniens)*, accord parfait, harmonie.

convenio, *ire, veni, ventum*, intr. et tr.,

I. intr., **1.** venir ensemble, se rassembler || venir à un rassemblement, à une convocation || [*ex*] venir de, [*in* acc., ou *ad*] pour se rassembler dans, vers: *ad signa*, rejoindre ses enseignes (= son corps) || [avec *ad* = ensuite de]: *ad clamorem hominum*, se réunir aux cris poussés par les Gaulois || **2.** convenir, s'adapter || *convenit* impers., [avec inf.] il convient de (que), il est logique de (que) || [avec prop. inf.] il convient que || **3.** convenir à plusieurs, être l'objet d'un accord, d'une convention, être agréé || **4.** *convenit* impers., il y a accord [avec prop. inf.] || [avec *ut*] convenir que || *convenit alicui cum aliquo, inter aliquos de aliqua re*, il y a accord de qqn avec qqn, entre des personnes sur une question.

II. tr., rencontrer qqn, joindre qqn *(aliquem)*.

conventicius, *a, um (convenio)*, de rencontre || **conventicium,** *ii*, n., jeton de présence, argent donné à ceux qui assistent à l'assemblée du peuple chez les Grecs.

conventiculum, *i*, n., dim. de *conventus*, **1.** petite réunion, petit groupement || **2.** lieu de réunion.

conventio, *onis*, f. *(convenio)*, **1.** assemblée du peuple || **2.** convention, pacte.

conventum, *i*, n. *(convenio)*, convention, pacte, accord, traité.

1. conventus, *a, um*, part. de *convenio.*

2. conventus, *us*, m., **1.** [en gén.] assemblée, réunion || assemblée (congrès) d'États || **2.** [en part.] ***a)*** assises [tenues par les gouverneurs de province], session judiciaire; ***b)*** communauté formée par les citoyens romains établis dans une ville de province; colonie romaine || **3.** [rare] accord: *ex conventu*, d'après la convention.

converbero, *are, atus*, tr., frapper avec violence || [fig.] flageller, stigmatiser.

converri, pf. de *converro.*

converro, *ere, verri, versum*, tr., enlever, nettoyer en balayant || rafler.

conversatio, *onis*, f. *(conversor)*, **1.** action de tourner et retourner qqch., usage fréquent de qqch. || **2.** commerce, intimité, fréquentation.

conversatus, *a, um*, part. de *conversor.*

conversio, *onis*, f. *(converto)*, **1.** action de tourner, mouvement circulaire, révolution || **2.** changement, mutation, métamorphose || traduction.

converso, *are*, tr. *(converto)*, tourner en tous sens.

conversor, *ari, atus sum*, intr., **1.** se

tenir habituellement dans un lieu || **2.** vivre avec: *conversari alicui, cum aliquo,* ou absol. *conversari,* vivre en compagnie de qqn.

conversus, *a, um,* part. de *converto* et de *converro.*

converto (-vorto), *ere, verti (vorti), versum (vorsum),* tr. ou intr., **I.** tr., **1.** tourner entièrement, retourner, faire retourner: *itinere converso,* revenant sur leurs pas; *sese convertere,* tourner le dos, prendre la fuite || [fig.] retourner = changer complètement, métamorphoser || faire passer d'une langue dans une autre, traduire: *aliquid e Græco in Latinum convertere,* traduire qqch. du grec en latin || **2.** tourner, faire tourner || attirer. **II.** intr., **1.** se retourner, revenir || **2.** se changer.

convestio, *ire, ivi, itum,* tr., couvrir d'un vêtement || [fig.] couvrir, envelopper.

convestitus, *a, um,* part. de *convestio.*

convexi, pf. de *conveho.*

convexio, *onis,* f. *(convexus),* c. *convexitas.*

convexitas, *atis,* f. *(convexus),* convexité, forme circulaire, voûte arrondie || concavité.

convexo, *are, avi, atum,* tr., opprimer (maltraiter, tourmenter) profondément.

convexus, *a, um (conveho),* **1.** convexe, arrondi, de forme circulaire || **2.** courbé, incliné || **3.** [poét.] **convexum**, *i,* n., et le plus souvent **convexa**, *orum,* n., concavité, creux.

convici, pf. de *convinco.*

conviciator, *oris,* m. *(convicior),* celui qui injurie, insulteur.

convicior, *ari, atus sum (convicium),* intr., injurier, insulter bruyamment, invectiver.

convicium, *ii,* n. *(cum, vox),* **1.** éclat de voix, clameur, vacarme, criailleries || cris [de certains animaux] || **2.** [en part.] cri marquant la désapprobation; vives réclamations || invectives, cris injurieux.

convictio, *onis,* f. *(convivo),* action de vivre avec, intimité.

convictor, *oris,* m. *(convivo),* convive, compagnon de table.

1. convictus, *a, um,* part. de *convinco.*

2. convictus, *us,* m. *(convivo),* **1.** commerce, vie commune, société || **2.** banquet, festin.

convinco, *ere, vici, victum,* tr., vaincre entièrement: **1.** confondre un adversaire || **2.** convaincre [= prouver la culpabilité] || *convinci* avec inf., être convaincu d'avoir fait qqch. || **3.** démontrer victorieusement [une erreur, une faute, etc.]: *falsa,* dénoncer le faux; *avaritiam alicujus,* convaincre qqn de cupidité || [avec prop. inf.] prouver victorieusement [contre qqn] que.

conviso, *ere,* tr., examiner attentivement, fouiller du regard || [fig.] visiter.

conviva, *æ,* m. f. *(convivo),* convive.

convivalis, *e (conviva),* de repas.

convivator, *oris,* m. *(convivor),* celui qui donne un repas, hôte, amphitryon.

convivatus, *a, um,* part. de *convivor.*

convivialis, *e,* c. *convivalis.*

convivium, *ii,* n. *(cum, vivo),* **1.** repas, festin || **2.** réunion de convives.

convivo, *ere, vixi, victum,* intr., vivre avec, ensemble: *alicui,* vivre avec qqn || manger ensemble: *cum aliquo,* manger en compagnie de qqn.

convivor, *ari, atus sum,* intr., donner ou prendre un repas.

convocatio, *onis,* f. *(convoco),* appel, convocation.

convocatus, *a, um,* part. de *convoco.*

convoco, *are, avi, atum,* tr., appeler, convoquer, réunir.

convolo, *are, avi, atum,* intr., (voler) accourir ensemble.

convolutor, *ari,* passif, se rouler avec.

convolutus, *a, um,* part. de *convolvo.*

convolvo, *ere, volvi, volutum,* tr., rouler autour, rouler, envelopper || *convolutus, a, um* avec abl., entouré de, enveloppé de || [fig.] envelopper, s'étendre à.

convomo, *ere,* tr., vomir sur.

convulneratus, *a, um,* part. de *convulnero.*

convulnero, *are, avi, atum,* tr., blesser profondément || [fig.] déchirer.

convulsio, *onis,* f. *(convello)* [médec.] convulsion.

convulsus, *a, um,* part. de *convello.*

cooperculum, *i,* n., couvercle.

cooperio, *ire, perui, pertum,* tr., couvrir entièrement: *aliquem lapidibus,* lapider qqn; *coopertus telis,* accablé de traits.

coopertus, *a, um,* part. de *cooperio.*

cooptatio, *onis,* f. *(coopto),* élection pour compléter un corps, un collège.

cooptatus, *a, um,* part. de *coopto.*

coopto, *are, avi, atum,* tr., choisir

pour compléter un corps, un collège; agréger, s'associer, nommer.

coorior, *oriri, ortus sum*, intr., **1.** naître, apparaître: *coortum est bellum*, la guerre éclata || **2.** [en parl. des phénomènes naturels] || **3.** se lever pour combattre, s'élever contre.

coortus, *a, um*, part. de *coorior*.

copa, *æ*, f. *(copo)*, cabaretière.

cophinus, *i*, m., corbeille.

1. copia, *æ*, f., **1.** abondance || **2.** abondance de biens, richesse || pl. *copiæ, arum*, ressources de tout genre, richesse, fortune || **3.** [milit.] troupe, forces militaires [surtout au pl.] || **4.** [rhét.] abondance [des idées ou des mots], richesse du génie, richesse du style || **5.** faculté [d'obtenir qqch.]: *alicui alicujus rei copiam facere*, mettre qqch. à la disposition de qqn || *pro rei copia, ex copia rerum, ex copia*, d'après la situation, étant donné la situation || *pro copia*, suivant ses facultés, son pouvoir, ses ressources || *copia est* [avec inf.], il y a possibilité de.

2. Copia, *æ*, f., l'Abondance [déesse].

copiose *(copiosus)*, avec abondance.

copiosus, *a, um (copia)*, **1.** qui abonde, bien pourvu: *aliqua re*, abondamment pourvu de qqch.

copis, *idis*, f., sabre à large lame, yatagan.

copo, copona, v. *caup-*.

coprea, *æ*, m., bouffon.

copula, *æ (cum, apio*, cf. *apiscor)*, **1.** tout ce qui sert à attacher, lien, chaîne || laisse || crampon, grappin || **2.** [fig.] lien moral, union.

copulatio, *onis*, f. *(copulo)*, action de réunir, agglomération, assemblage.

copulatus, *a, um*, part. de *copulo* || pris adj., uni, associé, lié.

copulo, *are, avi, atum (copula)*, tr., lier ensemble, attacher || unir, associer || former d'une façon solide, établir fermement.

coqua, *æ*, f. *(coquus)*, cuisinière.

coquibilis (coci-), *e (coquo)*, facile à digérer.

coquina (coci-), *æ*, f. *(coquinus)*, **1.** cuisine || **2.** art du cuisinier.

coquinaris, *e*, et **coquinarius,** *a, um*, de cuisine, relatif à la cuisine.

coquino (coci-), *are, avi, atum (coquus)*, **1.** intr., faire la cuisine || **2.** tr., préparer comme mets.

coquinus (coci-), *a, um (coquus)*, de cuisine, de cuisinier.

coquo, *ere, coxi, coctum*, **1.** cuire, faire cuire || [absol.] faire la cuisine || pl. n. *cocta*, aliments cuits || **2.** brûler, fondre [chaux, métal, etc.] || **3.** mûrir, faire mûrir || [qqf.] dessécher, brûler || **4.** digérer || **5.** [fig.] méditer, préparer mûrement (cf. mijoter) || faire sécher (d'ennui), tourmenter.

coquus ou **cocus,** *i*, m. *(coquo)*, cuisinier.

cor, *cordis*, n., **1.** cœur [viscère] || **2.** [fig.]: ***a)*** [poét.] la personne; ***b)*** cœur [siège du sentiment]; ***c)*** [expression] *cordi esse alicui*, être agréable à qqn, lui tenir au cœur; *cordi est alicui* avec inf., qqn a à cœur de, tient absolument à || *cordi habere*, même sens; ***d)*** intelligence, esprit, bon sens.

corallium (cur-), *ii*, n., corail.

coram, adv. et prép., **1.** adv., en face, devant, en présence: *coram cum aliquo loqui*, parler à qqn de vive voix || publiquement, ouvertement || **2.** prép. avec abl.: *coram aliquo*, en présence de qqn, devant qqn.

corbis, *is*, m. et f., corbeille.

corbita, *æ*, f. *(corbis)*, navire de transport.

Corbulo, *onis*, m., Corbulon [général romain].

corcodilus, *i*, m., c. *crocodilus*.

Corcyra, *æ*, f., île sur la côte de l'Épire || **-cyræus,** *a, um*, de Corcyre || **-cyræi,** *orum*, m., habitants de Corcyre.

Corduba, *æ*, f., Cordoue, patrie des deux Sénèque et de Lucain || **-ensis,** *e*, de Cordoue.

Corinthiacus, *a, um*, de Corinthe.

Corinthiensis, *e*, de Corinthe.

Corinthius, *a, um*, de Corinthe || **-thii,** *orum*, m., les habitants de Corinthe.

Corinthus, *i*, f., Corinthe [sur l'isthme de ce nom].

Coriolanus, *i*, m., Coriolan [surnom de C. Marcius, vainqueur de Corioles; exilé chez les Volsques, il fit avec eux la guerre à sa patrie et ne céda qu'aux prières de sa mère Véturie].

Corioli, *orum*, m., ville du Latium chez les Volsques || **Coriolanus,** *a, um*, de Corioles || **-ani,** *orum*, m., habitants de Corioles.

corium, *ii*, n., **1.** peau (cuir, robe) des animaux || **2.** peau de l'homme || **3.** enveloppe, peau [des arbres et des fruits] || **4.** courroie, lanière, fouet.

Cornelia, *æ*, f., nom de femme; [en part.] Cornélie, mère des Gracques.

Cornelianus, *a, um*, relatif à un Cornélius ou à la famille Cornélia.

1. Cornelius, *ii*, m., nom d'une *gens* ayant de nombreux rameaux, v. *Dolabella, Scipio, Sylla*, etc.

2. Cornelius, *a, um*, de Cornélius: *Cornelia gens*, la famille Cornélia.

corneolus, *a, um*, dimin. de *corneus*, qui est de la nature de la corne.

1. corneus, *a, um (cornu)*, de corne, fait en corne, en forme de corne || corné, qui a l'apparence de la corne || [fig.] dur comme de la corne.

2. corneus, *a, um (cornus)*, de cornouiller.

cornicen, *inis*, m. *(cornu, cano)*, sonneur de cor, de trompe.

cornicula, *æ*, f., dimin. de *cornix*, petite corneille.

cornicularius, *ii*, m. *(corniculum)*, corniculaire, qui porte le *corniculum* [soldat attaché à un officier].

corniculum, *i*, n. (dimin. de *cornu*), petite corne, antenne d'insecte, de papillon || aigrette en métal [récompense militaire].

corniger, *era, erum (cornu, gero)*, cornu.

cornipes, *edis (cornu, pes)*, qui a des pieds de corne.

cornix, *icis*, f., corneille [oiseau].

cornu, gén. *cornus* et *cornu*, n., **1.** corne des animaux || **2.** corne du pied des animaux || bec des oiseaux || défense de l'éléphant, ivoire || antenne || pointe d'un casque || cornes du croissant de la lune || bras d'un fleuve || cor, trompe || arc || entonnoir || extrémité d'un lieu || aile d'une armée || **3.** [fig.] corne, en tant que symbole de la force ou de l'abondance = courage, énergie || v. *cornu copia.*

cornu copia, *æ*, f. [mieux que *cornucopia*] corne d'abondance.

1. cornum, *i*, n., c. *cornu.*

2. cornum, *i*, n., cornouille || bois de cornouille = javelot.

1. cornus, *us*, m., c. *cornu.*

2. cornus, *i*, f., cornouiller || [fig.] javelot, lance.

cornutus, *a, um (cornu)*, qui a des cornes.

corolla, *æ*, f., dimin. de *corona*, petite couronne, feston de fleurs, guirlande.

corollarium, *ii*, n. *(corolla)*, petite couronne || [fig.] pourboire, gratification.

corona, *æ*, f., **1.** couronne: *sub corona vendere*, vendre des prisonniers de guerre [on les exposait en vente couronnés de fleurs] || **2.** [fig.] ***a)*** cercle, assemblée, réunion; ***b)*** cordon de troupes; ***c)*** ligne de soldats qui défendent une enceinte; ***d)*** larmier, corniche.

1. coronarius, *a, um*, dont on fait des couronnes || en forme de couronne || [en part.] *coronarium aurum*, or coronaire [présent fait à un général victorieux par les provinces].

2. coronarius, *ii*, m., celui qui fait ou vend des couronnes.

coronatus, *a, um*, part. de *corono.*

Coronea, *æ*, f., Coronée [ville de Béotie, célèbre par la victoire d'Agésilas sur les Athéniens et leurs alliés] || **-onensis,** *e*, de Coronée.

corono, *are, avi, atum (corona)*, tr., couronner, orner de couronnes || [fig.] entourer, ceindre.

corporalis, *e (corpus)*, relatif au corps, du corps.

corporatus, *a, um*, part. de *corporo.*

corporeus, *a, um (corpus)*, corporel, matériel || qui se rattache au corps || charnu, de chair.

corporo, *are, avi, atum (corpus)*, tr., donner un corps: *corporari*, prendre un corps, se former.

corpulentus, *a, um (corpus)*, gros, gras, bien en chair.

corpus, *oris*, n., **1.** corps [en gén.]: *corporis dolores*, douleurs physiques || **2.** chair du corps || [fig.] la substance, l'essentiel de l'éloquence || **3.** personne, individu: *nostra corpora*, nos personnes; *liberum corpus*, une personne libre || **4.** cadavre || tronc [opp. à la tête] || **5.** [fig.] corps, ensemble, tout: [ossature d'un vaisseau]; [ensemble de fortifications]: [corps (ensemble) de l'État] || corps d'ouvrage.

corpusculum, *i*, n., dimin. de *corpus*, **1.** corpuscule, atome || **2.** corps faible, chétif.

correctio, *onis*, f. *(corrigo)*, action de redresser, de corriger, de réformer || réprimande, rappel à l'ordre.

corrector, *oris*, m. *(corrigo)*, celui qui redresse, qui corrige, qui améliore, qui réforme || [absol.] celui qui fait la morale, censeur.

correctus, *a, um*, **1.** part. de *corrigo* || **2.** adj., corrigé, amélioré.

correpo, *ere, psi (cum, repo)*, intr., se glisser, s'introduire furtivement dans.

correptio, *onis*, f. *(corripio)*, action de prendre, de saisir.

correptor, *oris*, m. *(corripio)*, celui qui critique, censeur.

correptus, *a, um*, part. de *corripio.*

correxi, pf. de *corrigo.*

corrigo, *ere, rexi, rectum (cum, rego)*,

tr., **1.** redresser || **2.** [fig.] redresser, améliorer, réformer, corriger.

corripio, *ere, ripui, reptum (cum* et *rapio),* tr., **1.** saisir : *corpus,* s'arracher à ; *se corripere,* s'élancer || [poét.] *gradum,* presser le pas || **2.** [fig.] se saisir de, s'emparer de, faire main basse sur || se saisir de qqn en accusateur, se faire accusateur de qqn || déchirer qqn en paroles, le blâmer de façon mordante || **3.** resserrer || réduire en resserrant, raccourcir.

corrivatus, *a, um,* part. de *corrivo.*

corrivo, *are, atum (cum, rivus),* tr., amener [des eaux] dans le même lieu.

corroboro, *are, avi, atum,* tr., fortifier dans toutes ses parties, rendre fort, renforcer || *corroborare se,* prendre de la force.

corrodo, *ere, si, sum (cum, rodo),* tr., ronger.

corrogatus, *a, um,* part. de *corrogo.*

corrogo, *are, avi, atum (cum, rogo),* tr., **1.** inviter ensemble, à la fois || **2.** quêter partout, solliciter de partout.

corrosi, pf. de *corrodo.*

corrosus, *a, um,* part. de *corrodo.*

corrotundatus, *a, um,* part. de *corrotundo.*

corrotundo, *are, avi, atum,* tr., arrondir.

corrugatus, *a, um,* part. de *corrugo.*

corrugo, *are, avi, atum (cum, rugo),* tr., rider, froncer.

corrumpo, *ere, rupi, ruptum (cum* et *rumpo),* tr., mettre en pièces complètement, **1.** détruire, anéantir || **2.** [fig.] gâter, détériorer, falsifier || corrompre : *homo corruptus,* homme corrompu, débauché || [en part.] corrompre, gagner qqn : *aliquem pecunia,* corrompre qqn à prix d'argent.

corruo, *ere, rui (cum* et *ruo),*
I. intr., **1.** s'écrouler, crouler || **2.** [fig.] s'écrouler, échouer.
II. tr., **1.** ramasser, entasser || **2.** abattre, faire tomber.

corrupi, pf. de *corrumpo.*

corrupte *(corruptus),* d'une manière vicieuse.

corruptela, *æ,* f. *(corrumpo),* ce qui gâte, ce qui corrompt || séduction, corruption, dépravation.

corruptio, *onis,* f. *(corrumpo),* altération.

corruptor, *oris,* m. *(corrumpo),* celui qui corrompt, corrupteur.

corruptrix, *icis,* f. *(corruptor),* corruptrice.

corruptus, *a, um,* part. de *corrumpo* ; pris adj., mêmes sens que le part.

cortex, *icis,* m. et f., enveloppe, ce qui recouvre : écorce, coquille d'œuf || [absol.] liège.

cortina, *æ,* f., **1.** chaudière, cuve || le trépied d'Apollon ; [poét.] l'oracle même || **2.** [fig.] cercle d'auditeurs, auditoire.

corusco, *are, avi, atum,* **1.** intr., heurter de la tête || s'agiter || briller, étinceler || **2.** tr., agiter, brandir, darder, secouer.

coruscus, *a, um,* **1.** agité, tremblant || **2.** brillant, étincelant.

corvus, *i,* m., corbeau || croc, harpon.

Corybantes, *um,* m., prêtres de Cybèle || **-tius,** *a, um,* des Corybantes.

Corycius, *a, um,* de Corycus.

1. corycus, *i,* m., sac plein dont se servaient les athlètes pour s'entraîner au pugilat.

2. Corycus, *i,* m., ville et montagne de Cilicie.

coryletum, *i,* n. *(corylus),* coudraie, lieu planté de coudriers.

corylus, *i,* f., coudrier, noisetier.

corymbifer, *era, erum (corymbus, fero),* couronné de grappes de lierre.

corymbus, *i,* m., grappe de lierre.

coryphæus, *i,* m., coryphée || [fig.] chef, porte-parole.

corytos (-us), *i,* m., carquois.

1. cos, abrév. de *consul, consule.*

2. cos, *cotis,* f., pierre dure, pierre à polir || pierre à aiguiser.

cosmœ, *orum,* m., sorte d'archontes chez les Crétois.

coss, abréviation de *consules* et *consulibus.*

costa, *æ,* f., côte || [fig.] côté, flanc.

cotes, v. *cautes.*

cothurnatus, *a, um (cothurnus),* chaussé du cothurne || *cothurnati, orum,* m., acteurs tragiques || tragique, imposant.

cothurnus, *i,* m., **1.** cothurne, chaussure montante : ***a)*** à l'usage des chasseurs ; ***b)*** à l'usage des acteurs tragiques || **2.** [fig.] tragédie || sujet tragique || style élevé, sublime || peinture de grand style || majesté, prestige.

coticula, *æ,* f., dimin. de *cos,* pierre de touche || petit mortier de pierre.

cotoneus ou **cotonius,** *a, um,* de cognassier : *cotoneum malum* ou absol. *cotoneum, i,* n., coing.

cottidiano, adv., c. *cottidie.*

cottidianus, *a, um,* quotidien, de tous

les jours, journalier || familier, habituel, commun.

cottidie *(quot, dies)*, adv., tous les jours, chaque jour.

coturnix, *icis*, f., caille.

Cous, *a, um*, de l'île de Cos || **Coum,** *i*, n., vin de Cos.

covinnarius, *ii*, m. *(covinnus)*, conducteur d'un char armé de faux.

covinnus, *i*, m., char de guerre armé de faux.

coxa, *æ*, f., os de la hanche ; hanche, cuisse.

coxi, pf. de *coquo*.

crabro, *onis*, m., frelon.

crambe, *es*, f., espèce de chou.

crapula, *æ*, f., indigestion de vin [mal de tête, nausées], ivresse.

cras, adv., demain.

crasse *(crassus)*, **1.** d'une manière épaisse || **2.** grossièrement || confusément.

crassesco, *ere (crassus)*, intr., engraisser || épaissir, prendre de la consistance.

crassitudo, *inis*, f. *(crassus)*, épaisseur || consistance.

1. crassus, *a, um*, **1.** épais || **2.** dense, gras || **3.** [fig.] grossier, lourd, stupide.

2. Crassus, *i*, m., surnom de la famille Licinia ; [en part.] L. Licinius Crassus, l'orateur mis en scène par Cicéron dans son *de Oratore* || M. Licinius Crassus, le triumvir, qui périt dans une campagne malheureuse contre les Parthes.

crastino, adv. *(crastinus)*, demain.

crastinus, *a, um (cras)*, **1.** de demain : *crastino die*, demain || *in crastinum*, à demain, pour demain.

crater, *eris*, acc. *em* ou *a*, m., cratère, grand vase où l'on mêlait le vin avec l'eau || vase à huile || bassin d'une fontaine || cratère d'un volcan || gouffre, ouverture volcanique de la terre.

cratera, *æ*, f., c. *crater*.

cratis, *is*, f., claie, treillis || [en part.] ***a)*** herse de labour ; ***b)*** claie, instrument de supplice ; ***c)*** [seulement au pluriel] claies, fascines.

creatio, *onis*, f. *(creo)*, création, élection, nomination.

creator, *oris*, m. *(creo)*, créateur, fondateur || [poét.] père.

creatrix, *icis*, f. *(creator)*, créatrice || mère.

creatus, *a, um*, part. de *creo*.

creber, *bra, brum (cresco)*, serré, dru, épais, nombreux || plein de, abondant en || qui revient souvent, qui se répète.

crebresco, *cere, crebrui* et *-bui (creber)*, intr., se répéter à brefs intervalles, se propager, se répandre de plus en plus, s'intensifier.

crebritas, *atis*, f. *(creber)*, qualité de ce qui est dru, serré, abondant, nombreux ; fréquence.

crebro *(creber)*, d'une manière serrée || souvent.

crebui, pf. de *crebesco*.

credibilis, *e (credo)*, croyable, vraisemblable : *credibile est* avec prop. inf., ou avec *ut* et subj., il est croyable que.

credibiliter *(credibilis)*, d'une manière croyable, vraisemblable.

creditor, *oris*, m. *(credo)*, créancier.

creditum, *i*, n. *(creditus)*, prêt, [d'où] chose due, dette.

credidi, pf. de *credo*.

creditus, *a, um*, part. de *credo*.

credo, *ere, didi, ditum*,
I. tr., **1.** confier en prêt : *aliquid (alicui)*, prêter qqch. (à qqn) || **2.** confier || **3.** tenir pour vrai qqch., croire qqch. || [poét.] croire qqn [seul. au pass.] *credemur*, on me croira || **4.** croire, penser : ***a)*** [avec prop. inf.] croire que || [pass. imp.] : *credendum est, creditur, creditum est*, etc., on doit croire, on croit, on a cru que || [pass. pers.] : *Catilina creditur... fecisse*, on croit que Catilina a fait... ; ***b)*** [avec 2 acc.] tenir qqn pour ; ***c)*** *credo* formant parenthèse, je crois, je pense, j'imagine, [souvent ironique].
II. intr., **1.** avoir confiance, se fier : *alicui*, avoir confiance en qqn || **2.** [en part.] ajouter foi, croire || [formant parenthèse] *mihi crede, mihi credite*, crois-moi, croyez-moi.

credulitas, *atis*, f. *(credulus)*, crédulité.

credulus, *a, um (credo)*, **1.** crédule || **2.** cru facilement.

crematio, *onis*, f. *(cremo)*, action de brûler.

crematus, *a, um*, part. de *cremo*.

cremo, *are, avi, atum*, tr., brûler, détruire par le feu.

Cremona, *æ*, Crémone [ville de la Cisalpine] || **-nensis,** *e*, de Crémone || **-nenses,** *ium*, les habitants de Crémone.

creo, *are, avi, atum (cresco)*, **1.** créer, engendrer, procréer || [poét.] *creatus* av. abl., né de, fils de || [en part.] créer, choisir, nommer [un magistrat, un chef, etc.] || **2.** causer, faire naître, produire.

crepida, *æ*, f., sandale.

crepidatus, *a, um (crepida)*, qui est en sandales.

crepido, *inis*, f., **1.** base, socle, piédestal, soubassement || **2.** avancée, saillie d'un rocher, d'un mur, bord du rivage.

crepidula, *æ*, f., dimin. de *crepida*, petite sandale.

crepitaculum, *i*, n. *(crepito)*, crécelle, sistre.

crepito, *are, avi, atum (crepo)*, intr., faire entendre un bruit sec et répété, crépiter, cliqueter, pétiller.

crepitus, *us*, m. *(crepo)*, bruit sec, craquement, crépitement.

crepo, *are, ui, itum*, **1.** intr., rendre un son sec, craquer, craqueter, claquer, pétiller, retentir || **2.** tr., faire sonner, faire retentir || [fig.] répéter sans cesse, avoir toujours à la bouche.

crepundia, *orum*, n. *(crepo)*, jouets d'enfants, hochets || signes de reconnaissance suspendus au cou des enfants.

crepusculum, *i*, n., crépuscule || [fig.] obscurité.

cresco, *ere, crevi, cretum* (inch. de *creo*), intr., **1.** venir à l'existence, naître || [poét.] *cretus, a, um*, avec abl. ou *ab*, né de, issu de, provenant de || **2.** croître, grandir, s'élever, s'accroître || **3.** croître, s'augmenter || **4.** grandir en considération, en puissance.

Cresius, *a, um*, de Crète.

Cressa, *æ*, f., Crétoise; *Cressa genus*, Crétoise quant à la race = Crétoise de race.

1. creta, *æ*, f., craie, argile.

2. Creta, *æ*, f., la Crète || **-tæus,** *a, um*, **-ticus**, *a, um*, et **-tensis,** *e*, de Crète || **-tenses,** *ium*, m., les Crétois.

cretaceus, *a, um (creta)*, crayeux.

cretatus, *a, um (creta)*, blanchi avec de la craie.

creterra, c. *cratera*.

Cretes, *um*, m., les Crétois.

creteus, *a, um (creta)*, de craie, d'argile.

Cretis, *idis*, f., c. *Cressa*.

cretosus, *a, um (creta)*, abondant en craie.

cretula, *æ*, f., dimin. de *creta*, craie || argile à cacheter.

cretus, *a, um*, part. de *cerno* et de *cresco*.

Creusa, *æ*, f., femme d'Énée.

crevi, pf. de *cresco* et de *cerno*.

cribarius, *a, um (cribrum)*, passé au tamis, au crible.

cribratus, *a, um*, part. de *cribro*.

cribro, *are, avi, atum (cribrum)*, tr., cribler, tamiser, sasser.

cribrum, *i*, n. *(cerno)*, crible, sas, tamis.

crimen, *inis*, n., **1.** accusation, chef d'accusation, grief: *crimina alicujus*, accusations portées par qqn; *in aliquem*, accusation contre qqn; *esse in crimine*, être l'objet d'une accusation; *res crimini est alicui*, une chose est un sujet d'accusation contre qqn, fait accuser qqn || *meum (tuum) crimen* = l'accusation portée soit par moi (toi), soit contre moi (toi) || **2.** crime.

criminatio, *onis*, f. *(criminor)*, accusation.

criminator, *oris*, m. *(criminor)*, accusateur malveillant, calomniateur.

criminatus, *a, um*, part. de *crimino* et de *criminor*.

criminor, *ari, atus sum (crimen)*, tr., accuser, avec prop. inf. ou avec *quod* subj. || *criminari aliquid*, invectiver contre qqn.

criminose *(criminosus)*, en accusateur.

criminosus, *a, um (crimen)*, d'accusateur, qui comporte des accusations, des imputations; médisant, agressif.

crinale, *is*, n., aiguille à cheveux, peigne.

crinalis, *e (crinis)*, qui a rapport aux cheveux.

crinis, *is*, m., cheveu, chevelure.

crinitus, *a, um (crinis)*, qui a beaucoup de cheveux, qui a une longue chevelure.

crispans, *tis*, part. prés. de *crispo*.

crispatus, *a, um*, part. de *crispo*.

Crispinus, *i*, m., surnom romain.

crispo, *are, avi, atum (crispus)*, tr., **1.** friser, boucler || [fig.] faire onduler, froncer, rider || **2.** agiter, brandir.

1. crispus, *a, um*, **1.** crépu, frisé || [fig.] élégant || **2.** onduleux, tors.

2. Crispus, *i*, m., surnom de l'historien Salluste.

crista, *æ*, f., **1.** crête [d'un oiseau] || **2.** touffe || aigrette, panache.

cristatus, *a, um (crista)*, qui a une crête || [casque] surmonté d'une aigrette || qui a un casque muni d'une aigrette.

Critias, *æ*, m., un des trente tyrans d'Athènes.

criticus, *i*, m., critique.

croceus, *a, um (crocus)*, **1.** de safran || **2.** de couleur safran, jaune, doré.

crocinus, *a, um*, de safran || de couleur safran.

crocodilus, *i*, m., crocodile.

crocus, *i*, m., safran || couleur ou parfum de safran.

Crœsus, *i*, m., Crésus [roi de Lydie, célèbre par ses richesses].

crotalum, *i*, n., castagnette, crotale.

Croto, Croton, *onis*, et **Crotona,** *æ*, f., Crotone [ville de la Grande-Grèce] || **Crotoniates,** *æ*, m., habitants de Crotone: *Crotoniates Milo*, Milon de Crotone [le célèbre athlète] || **-niatæ,** *arum*, m., les habitants de Crotone || **Crotoniensis,** *e*, de Crotone.

cruciabiliter *(cruciabilis)*, au milieu des tourments, cruellement.

cruciamentum, *i*, n. *(crucio)*, tourment, souffrance.

1. **cruciatus,** *a, um*, part. de *crucio*.

2. **cruciatus,** *us*, m. *(crucio)*, **1.** torture, supplice || [fig.] tourments, souffrance || **2.** pl., instruments de torture.

crucifigo ou mieux **cruci figo,** *ere, fixi, fixum*, tr., mettre en croix, crucifier.

crucifixus, *a, um*, part. de *crucifigo*.

crucio, *are, avi, atum (crux)*, tr., **1.** [en gén.] faire périr dans les tortures, supplicier || **2.** [fig.] torturer, tourmenter.

crudelis, *e (crudus)*, dur, cruel, inhumain.

crudelitas, *atis*, f. *(crudelis)*, dureté, cruauté, inhumanité.

crudeliter, durement, cruellement.

crudesco, *ere, dui (crudus)*, intr., [fig.] devenir violent, cruel.

cruditas, *atis*, f. *(crudus)*, indigestion.

crudus, *a, um (cruor)*, encore rouge, **1.** saignant, cru, non cuit || [fruit] vert || brut, non travaillé [cuir] || qui n'a pas digéré [ou] qui digère difficilement || **2.** [fig.] encore vert, frais, récent || **3.** [fig.] dur, insensible, cruel.

cruentatus, *a, um*, part. de *cruento*.

cruente, d'une manière sanglante, cruellement.

cruento, *are, avi, atum (cruentus)*, tr., ensanglanter, souiller de sang || [fig.] blesser, déchirer.

cruentus, *a, um (cruor)*, **1.** sanglant, ensanglanté, inondé de sang || de couleur rouge sang || **2.** sanguinaire, cruel.

crumena ou **crumina,** *æ*, f., bourse, gibecière.

cruor, *oris*, m., sang rouge, sang qui coule || [fig.] meurtre, carnage.

crus, *cruris*, n., jambe.

crusta, *æ*, f., ce qui enveloppe ou recouvre: croûte, écaille || lames, feuille, revêtement || bas-relief, ornement ciselé.

crustatus, *a, um*, part. de *crusta*.

crusto, *are, avi, atum (crusta)*, tr., revêtir, incruster.

crustularius, *ii*, m. *(crustulum)*, pâtissier, confiseur.

crustulum, *i*, n. *(crustum)*, gâteau, bonbon, friandise.

crustum, *i*, n., gâteau.

crux, *ucis*, f., croix, gibet: *tollere in crucem aliquem*, faire mettre en croix qqn || *abi in malam crucem!* va au diable! va te faire pendre!

crypta, *æ*, f., galerie souterraine, caveau, crypte.

crystallinus, *a, um*, de cristal, en cristal || **crystallinum,** *i*, n., vase de cristal.

crystallus, *i*, m. et f., **1.** la glace || **2.** cristal de roche || objet en cristal; pl. n. **crystalla,** vases de cristal.

cubans, *tis*, part. prés. de *cubo*.

cubicularis, *e (cubiculum)*, relatif à la chambre à coucher.

cubicularius, *a, um (cubiculum)*, de chambre à coucher.

cubicularius, *ii*, m., valet de chambre.

cubiculatus, *a, um (cubiculum)*, pourvu de chambres à coucher.

cubiculum, *i*, n. *(cubo)*, chambre à coucher || loge de l'empereur dans le Cirque.

cubile, *is*, n. *(cubo)*, **1.** couche, lit || chambre à coucher, chambre [en gén.] || **2.** nid, niche, tanière, gîte des animaux || **3.** [fig.] domicile, demeure.

cubitalis, *e (cubitum)*, haut d'une coudée.

cubito, *are, avi, atum*, intr., être souvent couché, avoir l'habitude de se coucher.

cubitum, *i*, n. *(cubo)*, coude || coudée.

1. **cubitus,** *i*, m. *(cubo)*, **1.** cubitus [anatomie] || coude || **2.** coude, inflexion, courbure || **3.** coudée, mesure de longueur.

2. **cubitus,** *us*, m. *(cubo)*, **1.** action d'être couché, de dormir || **2.** lit, couche.

cubo, *are, ui, itum*, intr., **1.** être couché, être étendu || **2.** [en part.] ***a)*** être au lit, dormir; ***b)*** être à table; ***c)*** être malade, être alité.

cucullus, *i*, m., cape, capuchon.

cuculus, *i*, m., coucou.

cucumis, *mis* et *meris*, m., concombre.

cucurbita, *æ*, f., courge.

cucurbitinus, et **-tivus,** *a, um*, en forme de courge.

cucurri, pf. de *curro*.

cudo, *ere, di, sum*, tr., **1.** battre, frapper || [en part.] battre au fléau || **2.** travailler au marteau, forger.

cujas, *atis*, ou **cujatis** *(quojatis), is*, de quel pays.

cujus, *a, um*, **1.** [relatif] à qui appartenant, de qui, dont: *is, cuja res est*, celui à qui l'affaire appartient || **2.** [interrog.]: *cujum pecus?* à qui le troupeau?

culcita, *æ*, f., matelas, coussin.

culeum, *i*, n., et **culeus,** ou **culleus,** *i*, m., sac de cuir; [en part. sac dans lequel on cousait les parricides].

culex, *icis*, m. et f., cousin, moustique || *Culex*, titre d'un poème attribué à Virgile.

culina, *æ*, f., cuisine || foyer portatif || table, mets.

culmen, *inis*, n., **1.** faîte, sommet || **2.** apogée, le plus haut point.

culmus, *i*, m., tuyau de blé, chaume || toit de chaume.

culpa, *æ*, f., **1.** faute, culpabilité: *in culpa esse*, être coupable || **2.** [poét., sens concret] le mal.

culpatus, *a, um*, part. de *culpo*.

culpo, *are, avi, atum (culpa)*, tr., regarder comme fautif, blâmer || [fig.] rejeter la faute sur qqch. ou sur qqn, accuser || [avec prop. inf.] accuser qqn de.

culte *(cultus)*, avec soin, avec élégance.

culter, *tri*, m., **1.** coutre de charrue || **2.** couteau.

cultio, *onis*, f. *(colo)*, action de cultiver, culture.

cultor, *oris*, m. *(colo)*, **1.** celui qui cultive, qui soigne: *vitis*, vigneron || [absol.] paysan, cultivateur || **2.** habitant || **3.** [fig.] partisan || celui qui honore, qui révère, adorateur.

cultrix, *icis*, f. *(cultor)*, celle qui cultive || celle qui habite.

cultura, *æ*, f. *(colo)*, **1.** [en gén.] culture || **2.** [en part. et absol.] l'agriculture || **3.** [fig.] ***a)*** culture [de l'esprit, de l'âme]; ***b)*** action de cultiver qqn, de lui faire sa cour.

1. cultus, *a, um*, part. de *colo* || pris adj., **1.** cultivé || pl. n. **culta,** *orum*, cultures || **2.** soigné, paré, orné.

2. cultus, *us*, m. *(colo)*, **1.** action de cultiver, de soigner, conditions d'existence || **2.** pratique, culture || action d'honorer [parents, patrie, dieux, etc.]; [en part.] *deorum*, culte des dieux, honneurs rendus aux dieux || **3.** manière dont on est cultivé, état de civilisation, état de culture, genre de vie.

1. cum, prép. [gouvernant l'abl.], avec, **1.** avec, en compagnie de, parmi || *secum*, avec soi, en soi, tout seul || **2.** [simultanéité] dès, aussitôt || **3.** [manière] avec || **4.** [conséquence] avec pour résultat, pour.

2. cum (quom), conj.; souvent en corrélation avec *tum, tunc, nunc*, etc., **I.** ind., quand, lorsque, au moment où || *cum primum*, aussitôt que || *cum interea, cum interim*, quand cependant.

II. subj., **1.** [notion causale]: du moment que, vu que, étant donné que, puisque: *cum præsertim* ou *præsertim cum*, étant donné surtout que; *quippe cum*, puisque || **2.** [notion adversative-concessive] quoique, quand pourtant || *cum interea, cum interim*, quoique cependant, tandis que cependant, alors que cependant || **3.** [qualification d'un moment, enchaînement des événements] à un moment où, à une époque où; comme, alors que, après que (équivalant au participe en français).

III. tours particuliers, **1.** *cum maxime*, quand (alors que) précisément || [emploi adverbial]: *nunc cum maxime*, précisément en ce moment, maintenant plus que jamais; [dans le passé] *cum maxime*, alors surtout, ou *tum maxime*, ou *tum cum maxime*, ou *tunc cum maxime* || **2.** *cum... tum* [employés comme adv. de corrélation], d'une part... d'autre part.

cumprimis et **cum primis** = *in primis*, parmi les premiers, au premier rang.

cumque (cunque, comque), adv., en toutes circonstances || d'ordinaire joint aux relatifs, auxquels il donne une idée d'indétermination: *quicumque, qualiscumque*, etc.; *ubicumque*, etc.

cumulate *(cumulatus)*, en comblant la mesure, pleinement, abondamment.

cumulatim *(cumulatus)*, en tas, par monceaux.

cumulatus, *a, um*, part. de *cumulo* || pris adj., **1.** augmenté, agrandi, multiplié || **2.** qui est à son comble, plein, parfait.

cumulo, *are, avi, atum (cumulus)*, tr., **1.** entasser, accumuler || **2.** augmenter en entassant, grossir || **3.** remplir en accumulant || *aliquem muneribus*, combler qqn de présents; *omni laude* *cumulatus*, pourvu de toutes les qualités.

cumulus, *i*, m., **1.** amas, amoncellement || **2.** surplus, surcroît || couronnement, comble, apogée.

cunabula, *orum*, n. *(cunæ)*, **1.** berceau d'enfant || gîte, nid d'oiseau || **2.** ***a)*** lieu de naissance; ***b)*** première enfance, naissance, origine.

cunæ, *arum*, f., berceau || nid d'oiseau || première enfance.

cunctabundus, *a, um (cunctor)*, qui hésite.

cunctans, *tis*, part. prés. de *cunctor* || adj., **1.** qui tarde, qui hésite || **2.** irrésolu, indécis, circonspect.

cunctanter *(cunctans)*, en tardant, lentement, avec hésitation.

cunctatio, *onis*, f. *(cunctor)*, retard, lenteur, hésitation.

1. cunctator, *oris*, m. *(cunctor)*, temporiseur, qui aime à prendre son temps, circonspect, hésitant.

2. Cunctator, *oris*, m., le Temporiseur [surnom de Q. Fabius Maximus].

cunctatus, *a, um*, part. de *cunctor* || adj., lent à se résoudre, circonspect.

cunctor, *ari, atus sum*, intr., temporiser, tarder, hésiter, balancer || séjourner, s'arrêter.

cunctus, *a, um*, tout entier, tout ensemble, tout: *cuncta Gallia*, toute la Gaule.

cuneatim *(cuneatus)*, en forme de coin, de triangle.

cuneatus, *a, um*, part. de *cuneo* || adj., qui a la forme d'un coin, cunéiforme.

cuneo, *are, avi, atum (cuneus)*, tr., serrer (maintenir) avec un coin.

cuneus, *i*, m., **1.** coin [à fendre, ou à caler] || *cunei*, les chevilles, les jointures dans un vaisseau || **2.** ***a)*** formation de bataille en forme de coin, de triangle; ***b)*** section de bancs au théâtre.

cuniculus, *i*, m., **1.** lapin || **2.** ***a)*** [en gén.] galerie souterraine, canal souterrain, conduit, tuyau; ***b)*** [en part.] galerie de mine, mine, sape.

cupa ou **cuppa,** *æ*, f., grand vase en bois, tonneau.

cuped-, v. *cupped-*.

cupide *(cupidus)*, avidement, passionnément || avec empressement || avec passion, avec partialité.

cupiditas, *atis*, f. *(cupidus)*, désir, envie, ardeur || désir violent, passionné, passion || convoitise, cupidité || partialité.

1. cupido, *inis*, f. *(cupio)*, **1.** [poét.] désir, envie || **2.** désir passionné, passion || cupidité, convoitise || ambition démesurée.

2. Cupido, *inis*, m., Cupidon [dieu de l'Amour, fils de Vénus].

cupidus, *a, um (cupio)*, **1.** qui désire, qui souhaite, qui aime: *te audiendi cupidus*, désireux de t'entendre || avec inf. [poét.], désireux de || **2.** [en mauvaise part] avide, passionné || partial, aveuglé par la passion || cupide.

cupiens, *tis*, part. prés. de *cupio* || adj., désireux de, avide de [avec gén.].

cupio, *ere, ivi* ou *ii, itum*, tr., **1.** désirer, souhaiter, convoiter || [avec inf.] désirer faire qqch. || [avec prop. inf.] désirer que || [avec *ut* ou subj. seul] désirer que || **2.** [absol.] avoir de l'attachement, vouloir du bien, être bien disposé; *alicui*, pour qqn ou *alicujus causa*, en faveur de qqn.

cupitor, *oris*, m. *(cupio)*, celui qui désire.

cupitus, *a, um*, part. de *cupio*.

cuppedia, *æ*, f., gourmandise || pl. *cuppediæ, arum*, friandises, mets friands.

cupressetum, *i*, n. *(cupressus)*, lieu planté de cyprès.

cupresseus, *a, um (cupressus)*, de bois de cyprès, de cyprès.

cupressifer, *era, erum (cupressus, fero)*, planté de cyprès.

cupressinus, *a, um (cupressus)*, de cyprès.

cupressus, *i*, f., cyprès || [fig.] coffret de cyprès.

cur, adv. interrogatif, **1.** [direct] pourquoi? || **2.** [indirect, avec subj.]: *duæ sunt causæ cur, non fuit causa cur, quæ causa est cur, quid est causæ cur*, il y a deux raisons, il n'y avait pas de raison, quelle raison y a-t-il pour que; *quid est cur*, quelle raison y a-t-il pour que.

cura, *æ*, f., **1.** soin, conduite, direction, administration || *res curæ est mihi*, je prends soin de qqch., je m'en occupe, je m'y intéresse; *mihi erit curæ explorare...*, je m'occuperai de scruter...; *curæ aliquid habeo = res est curæ mihi* || *curæ est alicui de aliqua re*, qqn prend soin de qqch. || **2.** [en part.] administration d'une chose publique || [médecine] traitement || [agriculture] soin, culture || **3.** [sens concret] travail, ouvrage de l'esprit || **4.** souci, sollicitude, inquiétude.

curans, *tis*, part. prés. de *curo*.

curate *(curatus)*, avec soin, avec empressement.

curatio, *onis*, f. *(curo)*, **1.** action de s'occuper de, soin || **2.** [en part.] ***a)*** administration, charge, office ; ***b)*** cure, traitement d'une maladie.

curator, *oris*, m. *(curo)*, celui qui a le soin (la charge, l'office) de : *curator annonæ*, commissaire chargé de l'approvisionnement en blé.

curatus, *a, um*, part. de *curo* || adj., bien soigné, fait avec soin.

curculio, *onis*, m., ver du blé, charançon.

Curetes, *um*, m., Curètes [prêtres crétois qui veillèrent sur l'enfance de Jupiter].

curia, *æ*, f., **1.** curie [une des divisions du peuple romain] || **2.** curie [lieu où le sénat s'assemblait], assemblée du sénat, sénat [primit. *curia Hostilia*, plus tard *curia Pompeia*] || **3.** lieu de réunion d'une assemblée [en gén.].

curialis, *is*, m., ***a)*** celui qui est de la même curie ou du même bourg ; ***b)*** [sous l'empire] personne de la cour, courtisan, serviteur du palais.

Curiatii, *orum*, m., les Curiaces [trois guerriers albains qui combattirent les Horaces, trois guerriers romains].

curiatim *(curia)*, par curies.

curiatus, *a, um (curia)*, de curie, qui a trait à la curie : *comitia curiata*, assemblée du peuple par curies.

curio, *onis*, f. *(curia)*, curion [prêtre d'une curie].

curiose *(curiosus)*, avec soin, avec intérêt, avec attention || avec curiosité || avec recherche, affectation.

curiositas, *atis*, f. *(curiosus)*, désir de connaître, curiosité, soin que l'on apporte à s'informer.

curiosus, *a, um (cura)*, **1.** qui a du soin, soigneux : *ad investigandum curiosior*, plus scrupuleux dans ses recherches || **2.** soigneux à l'excès, minutieux || **3.** avide de savoir, curieux || curieux, indiscret || vétilleux || [pris subst.] espion.

Curius, *ii*, m., nom romain ; [en part.] M. Curius Dentatus, vainqueur des Samnites et de Pyrrhus, type de la frugalité et des vertus antiques || [fig.] **Curii,** *orum*, m., des hommes comme Curius.

curo, *are, avi, atum (cura)*, tr., **1.** avoir soin de, soigner, s'occuper de, veiller à || *corpus* ou *se curare*, prendre soin de soi = manger, se réconforter || [construit avec un acc. et l'adj. verbal] faire faire qqch., veiller à l'exécution de qqch. : *pontem faciendum curat*, il fait faire un pont || [avec *ut* subj., ou avec subj. seul] prendre soin que || [avec inf.] se donner la peine de, se soucier de, se préoccuper de (le plus souvent *non curo*) || **2.** [absol.] s'occuper, donner des soins, faire le nécessaire || [t. milit.] exercer le commandement || **3.** s'occuper d'une chose officielle, administrer || **4.** [médecine] soigner, traiter, guérir || **5.** [commerce] faire payer, payer [une somme], régler.

curriculum, *i*, n. *(curro)*, **1.** course || **2.** [en part.] lutte à la course || **3.** endroit où l'on court, carrière, lice, hippodrome || [fig.] *curriculum vitæ* ou *vivendi*, la carrière de la vie || **4.** char employé dans les jeux de cirque, char de course || char de guerre.

curro, *ere, cucurri, cursum*, intr., courir, parcourir, se précipiter, avoir une allure rapide.

currus, *us*, m. *(curro)*, **1.** char, char de triomphe || [fig.] triomphe || **2.** [poét.] ***a)*** attelage d'un char ; ***b)*** train de la charrue.

cursim *(curro)*, en courant, à la course, rapidement.

cursito, *are, avi, atum*, intr., fréq. de *curso*, courir çà et là.

curso, *are, avi, atum*, fréq. de *curro*, intr., courir souvent, courir çà et là.

1. cursor, *oris*, m. *(curro)*, coureur || conducteur de char || courrier, messager || coureur, esclave qui précède la litière ou la voiture du maître.

2. Cursor, *oris*, m., surnom de L. Papirius.

cursus, *us*, m. *(curro)*, **1.** action de courir, course || course, voyage, parcours || direction || *stellarum*, cours des étoiles ; cours d'un fleuve || circulation du sang || course, marche des navires || **2.** cours, marche : *cursus rerum*, le cours des choses ; *cursum vitæ conficere*, achever le cours de son existence || *cursus* ou *cursus honorum*, carrière politique || [rhét.] marche, allure du style.

curto, *are, avi, atum (curtus)*, tr., accourcir, retrancher.

curtus, *a, um*, écourté, tronqué.

curulis, *e*, **1.** de char, relatif au char || **2.** curule, qui donne droit à la chaise curule : *curulis ædilitas*, édilité curule.

curvamen, *inis*, n. *(curvo)*, courbure.

curvatura, *æ*, f. *(curvo)*, courbure.

curvatus, *a, um*, part. de *curvo*.

curvo, *are, avi, atum (curvus)*, tr.,

1. courber, plier, voûter || [au passif] s'infléchir || 2. fléchir, émouvoir.

curvus, *a, um,* 1. courbe, courbé, recourbé, plié || creux, profond || 2. qui n'est pas droit, mauvais, de travers.

cuspidatus, *a, um,* part. de *cuspido.*

cuspido, *are, atum (cuspis),* tr., rendre pointu, faire en pointe.

cuspis, *idis,* f., 1. pointe || 2. tout objet pointu: [épieu, javelot]; [broche à rôtir]; [aiguillon d'abeille]; [dard du scorpion].

custodia, *æ,* f. *(custos),* 1. action de garder, garde, conservation || 2. garde, sentinelles, corps de garde || 3. lieu où l'on monte la garde, poste || 4. prison || 5. prisonnier, détenu.

custodio, *ire, ivi,* ou *ii, itum (custos),* tr., 1. [en gén.] garder, conserver, protéger, défendre || 2. *a)* surveiller, tenir l'œil sur; *b)* tenir secret; *c)* tenir en prison.

custodite *(custoditus),* avec circonspection, en se surveillant.

custoditus, *a, um,* part. de *custodio.*

custos, *odis,* m. et f., 1. [en gén.] garde, gardienne, protecteur, protectrice; [absol.] *custodes,* chiens de garde || 2. [en part.] *a)* surveillant [d'un jeune homme], pédagogue; *b) custos corporis,* garde du corps; *c)* contrôleur, surveillant chargé dans les comices d'empêcher la fraude des suffrages.

cuticula, *æ,* f., dimin. de *cutis,* peau: *cuticulam curare,* soigner sa petite personne.

cutis, *is,* f., 1. peau: *curare cutem,* soigner sa personne || 2. [en gén.] enveloppe || 3. [fig.] vernis, apparence.

cyaneus, *a, um,* bleu foncé, bleu azuré.

cyanus, *i,* m., bluet, barbeau [plante].

cyathus, *i,* m., cyathe, coupe, gobelet; [servant] *a)* à boire; *b)* à puiser le vin dans le cratère pour remplir les coupes; *c)* mesure pour les liquides ou qqf. les solides [douzième partie du *sextarius*].

cybæa, *æ,* f., ou **cybæa navis,** vaisseau de transport.

Cybele, *es* et **Cybela,** *æ,* f., Cybèle [mère des dieux] || **-leius,** *a, um,* de Cybèle.

Cyclades, *um,* f. pl., Cyclades [îles de la mer Égée || au sing. *Cyclas* [une des Cyclades].

cyclamen, *inis,* n., **cyclaminos,** *i,* f., et **cyclaminum,** *i,* n., cyclamen [plante].

1. cyclas, *adis,* f., sorte de robe blanche traînante et arrondie par le bas, à l'usage des femmes.

2. Cyclas, v. *Cyclades.*

cyclicus, *a, um,* cyclique, du cycle épique.

Cyclopeus, et **Cyclopius,** *a, um,* des Cyclopes.

Cyclops, *opis,* m., Cyclope.

cycneus ou **cygneus,** *a, um,* de cygne.

cycnus ou **cygnus,** *i,* m., cygne [oiseau].

cygnus, etc., v. *cycnus.*

cylindrus, *i,* m., cylindre || cylindre, rouleau servant à aplanir le sol.

Cyllene, *es* et **Cyllena,** *æ,* f., Cyllène [montagne d'Arcadie, sur laquelle naquit Mercure].

Cylleneus, *a, um,* c. *Cyllenius.*

Cyllenis, *idis,* f., de Mercure.

Cyllenius, *a, um,* de Cyllène, du mont Cyllène, de Mercure || subst. m., Mercure.

cymba (cumba), *æ,* f., barque, canot, esquif, nacelle.

cymbalum, *i,* n., cymbale [instrument de musique]; [surt. au pl.].

cymbium, *ii,* n., gondole, vase en forme de nacelle.

Cynici, *orum,* m. pl., Cyniques [philosophes de la secte d'Antisthène qui affectaient un profond mépris pour toutes les conventions sociales].

cynicus, *a, um,* cynique.

cynocephalus, *i,* m., cynocéphale ou babouin.

Cynoscephalæ, *arum,* f. pl., Cynoscéphales [hauteurs de Thessalie, célèbres par la défaite que le général Flamininus fit essuyer à Philippe, roi de Macédoine (197 av. J.-C.).

Cynthia, *æ,* f., Cynthie [surnom de Diane, honorée sur le mont Cynthus].

Cynthius, *ii,* m., Apollon [honoré sur le mont Cynthus].

Cynthus, *i,* m., montagne de l'île de Délos.

cyparissus, *i,* f., cyprès [arbre].

Cyprius, *a, um,* de Chypre || *Cyprii,* m. pl., habitants de Chypre.

Cyprus (-os), *i,* f., Chypre [île de la mer Égée, où l'on honorait Vénus].

Cyrus, *i,* m., Cyrus [fils de Cambyse et de Mandane, roi de Perse] || Cyrus le jeune [frère d'Artaxerxès Mnémon].

Cythera, *orum,* n. pl., Cythère [île de la mer Égée, consacrée à Vénus].

Cythere, *es,* f., **Cytherea** et **Cythe-**

D, d, n., indécl. [4e lettre de l'alphabet romain] || *D.*, abréviation du prénom *Decimus* || pour dater une lettre *D.* représente *dabam* ou *dies*: *D. a. d. VI Kalendas Decembres* [*dabam ante diem sextum*, etc.], je remets cette lettre le sixième jour avant les calendes de décembre || employé comme chiffre, *D* signifie cinq cents.

dactylus, *i, m.*, datte || [métrique] dactyle [composé d'une longue et deux brèves].

Dædaleus, -leus et **-lius,** *a, um,* de Dédale.

1. dædalus, *a, um,* **1.** industrieux, ingénieux || [avec gén.] qui sait faire artistement qqch. || **2.** artistement fait, artistement ouvragé.

2. Dædalus, *i*, m., Dédale [légendaire architecte et statuaire d'Athènes, constructeur du labyrinthe de Crète; enfermé dans ce labyrinthe, il fabriqua pour s'en échapper des ailes avec de la cire et des plumes d'oiseaux, v. *Icarus*].

Dalmatia, *æ*, f., Dalmatie [province située le long de l'Adriatique].

dama ou **damma,** *æ*, m. et f., daim.

damnatio, *onis*, f. *(damno)*, condamnation.

damnatorius, *a, um (damno)*, de condamnation.

damnatus, *a, um,* part. de *damno* || adj., condamné, rejeté, réprouvé.

damno, *are, avi, atum (damnum)*, **1.** condamner en justice, déclarer coupable; *aliquem*, qqn; *damnati, orum*, les condamnés || *damnare rem*, condamner une chose, la rejeter comme injuste; passif *damnari* (avec *quod* et subj.), être condamné pour; (avec gén. ou *de*), être condamné pour || *damnare capitis* = condamner à la perte de sa personnalité civile [perte du droit de cité ou exil], condamner à mort || *ad mortem*, condamner à mort || **2.** condamner, blâmer, critiquer || **3.** [expression]: *damnare aliquem votis*, condamner qqn à l'exécution de ses vœux, c.-à-d. les exaucer.

damnose *(damnosus)*, d'une manière dommageable.

damnosus, *a, um (damnum)*, [en parl. de pers. et de choses] qui cause du tort, dommageable, nuisible, funeste.

damnum, *i*, n., **1.** détriment, dommage, tort, préjudice: *damnum facere; contrahere; accipere; pati*, éprouver du dommage || **2.** perte de troupes à la guerre || amende, peine pécuniaire.

Damocles, *is*, m., Damoclès [courtisan de Denys le Tyran].

Damon, *onis*, m., Pythagoricien [ami de Pythias].

Danai, *orum* et *um*, m., les Grecs.

Danubius, *ii*, m. et **Danuvius,** *ii*, m., Danube [fleuve de Germanie].

daps [inus. au nom.], *dapis*, f. et ordin. au pl. **dapes**, *um*, **1.** sacrifice offert aux dieux, banquet sacré || **2.** repas, banquet, festin, mets.

Dardanides, *æ*, m., fils ou descendant de Dardanus [par ex., Énée] || **-idæ,** *arum* et *um*, m., Troyens.

Dardanis, *idis*, f., Troyenne.

Dardanius, *a, um*, de Dardanus, de Troie, Troyen : *Dardanius dux*, Énée.

1. Dardanus, *a, um*, de Dardanus, Troyen || subst. m., = Énée.

2. Dardanus, *i*, m., fondateur de Troie.

Darius, *ii*, m., nom de plusieurs rois de Perse dont les plus célèbres sont Darius, fils d'Hystaspe, et Darius Codoman, détrôné par Alexandre.

datio, *onis*, f. *(do)*, **1.** action de donner || **2.** droit de faire abandon de ses biens.

Datis, acc. *in*, m., général des Perses, vaincu par Miltiade à Marathon.

datum, *i*, n., surtout au pl. *data*, dons, présents.

datus, *a, um*, part. de *do*.

Daunius, *a, um*, de Daunie, d'Apulie || d'Italie.

Daunus, *i*, m., aïeul de Turnus, roi d'Apulie.

de, prép. gouvernant l'abl., marque séparation, éloignement d'un objet avec lequel il y avait contact, union, association (*ex* = de l'intérieur de).

I. [sens local] de, **1.** [avec les verbes marquant éloignement, départ, etc., et en part. avec les composés de *de* et de *ex*] || **2.** [point d'où se détache, où se rattache qqn ou qqch.] || **3.** [point d'où part une action] : du haut de.

II. [sens temporel], **1.** au cours de || **2.** immédiatement après.

III. [rapports divers], **1.** en détachant d'un tout [sens partitif], parmi || **2.** en tirant de, en prenant sur : *de publico*, aux frais de l'État || **3.** d'après, par suite de, ensuite de || **4.** [origine, matière] : de, en || **5.** en ce qui concerne, relativement à, au sujet de, sur || **6.** [avec des adj. n. pour former des expressions adverbiales] : *de integro*, de nouveau, sur nouveaux frais ; *de improviso*, à l'improviste.

dea, *æ*, f. [dat. pl. *deabus*], déesse.

dealbatus, *a, um*, part. de *dealbo*.

dealbo, *are, avi, atum (de, albus)*, tr., blanchir, crépir.

deambulo, *are, avi, atum*, intr., se promener.

dearmo, *are, avi, atum*, tr., désarmer.

debellator, *oris*, m. *(debello)*, vainqueur.

debellatus, *a, um*, part. de *debello*.

debello, *are, avi, atum*, intr. et tr., **1.** intr., terminer la guerre par un combat || [abl. absolu du part. au neutre] *debellato*, la guerre étant terminée || **2.** tr., réduire, soumettre par les armes.

debens, *tis*, part. prés. de *debeo* || subst. m., *debentes, ium*, débiteurs.

debeo, *ere, bui, bitum (de* et *habeo)*, tr., tenir qqch. de qqn, [donc] lui en être redevable || **1.** devoir, être débiteur : *pecuniam alicui*, devoir de l'argent à qqn || [absol.] *ii qui debent*, les débiteurs || *debere alicui*, être débiteur de qqn || **2.** [fig.] devoir, être obligé à : *gratiam alicui debere*, devoir de la reconnaissance à qqn || [poét.] devoir = être destiné [par le destin, par la nature, etc.] à || **3.** [fig.] devoir, être redevable de.

debilis, *e (de, habilis)*, impotent, infirme, débile || [fig.] faible, impuissant.

debilitas, *atis*, f. *(debilis)*, faiblesse, débilité, infirmité.

debilitatio, *onis*, f. *(debilito)*, affaiblissement || découragement.

debilito, *are, avi, atum (debilis)*, tr., blesser, estropier, mutiler || affaiblir, paralyser.

debitio, *onis*, f. *(debeo)*, action de devoir.

debitor, *oris*, m. *(debeo)*, débiteur.

debitum, *i*, n. *(debitus)*, dette d'argent : *debitum alicui solvere*, s'acquitter d'une dette envers qqn.

debitus, *a, um*, part. de *debeo*.

debui, pf. de *debeo*.

decanto, *are, avi, atum*, tr., chanter sans discontinuer, exécuter en chantant || répéter une même chose, rebattre, rabâcher.

decedo, *ere, cessi, cessum*, intr. **1.** s'éloigner de, s'en aller ; [avec *de, ex*, ou abl. seul] || *de via* ou *via decedere alicui*, ou simpl. *decedere alicui*, s'écarter devant qqn, faire place à qqn || [milit.] s'en aller, abandonner une position || [t. officiel] quitter le gouvernement d'une province ou quitter la province où l'on a exercé une fonction officielle ; *decedere de provincia ; provincia ; e provincia* || **2.** s'en aller, disparaître : *de vita*, ou *decedere* seul, mourir || *invidia decesserat*, la jalousie avait disparu || **3.** [fig.] renoncer à, se départir de : *de suo jure*, ou *jure suo*, renoncer à son droit || **4.** s'en aller (d'un tout), se retrancher de.

Decelea (-ia), *æ*, f., Décélie [bourg de l'Attique].

decem, ind., dix.

December, *bris*, m. *(decem)*, décembre [le dixième mois de l'année romaine à compter du mois de mars] || adj., du mois de décembre : *Kalendæ Decembres*, calendes de décembre.

decempeda, *æ*, f. *(decem, pes)*, perche de dix pieds [servant de mesure].

decempedator, *oris*, m. *(decempeda)*, arpenteur.

decemplex, *icis*, décuple.

decemprimi ou **decem primi,** *orum*, m., les dix premiers décurions.

decemscalmus, *a, um*, qui a dix rames.

decemvir, *iri*, m., un décemvir.

decemviralis, *e (decemvir)*, décemviral, de décemvir.

decemviratus, *us*, m. *(decemvir)*, décemvirat, dignité et fonction de décemvir.

decemviri, *orum* et *um*, m., décemvirs [commission de dix magistrats nommée l'an 304 de Rome pour rédiger un code de lois, auteurs de la loi des Douze Tables]|| toute commission de dix personnes nommée légalement.

decens, *tis (decet)*, pris adj., convenable, séant, décent, bienséant || bien proportionné, harmonieux, bien fait: *decens Venus*, la belle Vénus.

decenter *(decens)*, convenablement, avec bienséance.

decentia, *æ*, f. *(decens)*, convenance.

deceo, v.*decet*.

deceptus, *a, um*, part. de *decipio*.

decerno, *ere, crevi, cretum*, tr., **1.** décider, trancher [une chose douteuse, par les armes, par la discussion]: *certamen ferro decernitur*, la lutte se tranche par le fer || chercher la décision d'une affaire, combattre (*pro aliquo*, pour qqn) || **2.** décider, juger, régler [avec prop. inf.], décréter que; [avec *ut* subj, ou avec subj. seul] décréter que = ordonner que || **3.** décider pour soi-même, se résoudre à [avec inf., ou avec *ut* subj.].

decerpo, *ere, cerpsi, cerptum (de* et *carpo)*, tr., **1.** détacher en cueillant, cueillir || **2.** [fig.] détacher de, retrancher de [avec *ex* ou *de*] || recueillir.

decerptus, *a, um*, part. de *decerpo*.

decertatio, *onis*, f. *(decerto)*, combat décisif.

decertatus, *a, um*, v. *decerto*.

decerto, *are, avi, atum*, intr. (rarement tr.) décider par un combat, trancher une querelle en combattant: *prœlio, pugna, armis*, ou *decertare* seul, livrer une bataille décisive [ou simpl.] livrer bataille, combattre; *cum aliquo*, contre qqn.

decessio, *onis*, f. *(decedo)*, **1.** action de s'éloigner, départ || **2.** déperdition, soustraction [opp. à *accessio*, augmentation] de qqch. || diminution, décroissance.

decessor, *oris*, m. *(decedo)*, le sortant, le prédécesseur, magistrat qui sort de charge, c.-à-d. quitter une province après avoir fait son temps.

decessus, *us*, m. *(decedo)*, **1.** départ || sortie de charge [d'un magistrat] || décès, mort || **2.** action de se retirer, de s'en aller.

decet, *decere, decuit* (cf. *decor, decus*), convenir, être convenable, être séant || [3 constructions: avec un sujet nom de chose et un compl. nom de personne à l'acc.; avec un inf. et un acc. nom de pers.; impers.]: **1.** *aliquem res decet*, une chose va bien à qqn || **2.** *oratorem irasci minime decet*, il ne sied pas du tout à l'orateur de se mettre en colère || **3.** *facis ut te decet*, tu agis selon ton devoir || [avec dat.]: *ita nobis decet*, c'est notre devoir.

1. decido, *ere, cidi (de* et *cado)*, intr. **1.** tomber de, tomber || **2.** [poét.] tomber, succomber, périr || **3.** [fig.] tomber, déchoir, tomber dans, en venir à || être en décadence || essuyer un échec.

2. decido, *ere, cidi, cisum (de* et *cædo)*, tr., **1.** détacher en coupant, couper, retrancher || **2.** trancher, décider, régler, terminer || [absol.]: *cum aliquo decidere*, s'arranger avec qqn; *de aliqua re*, conclure un arrangement au sujet de qqch. || [verbe seul] s'accommoder, transiger.

deciduus, *a, um (decido)*, qui tombe, tombé.

deciens et **decies** *(decem)*, dix fois.

decima (decu-), *æ*, f., **1.** (s.-ent. *pars*), ***a)*** dîme offerte aux dieux || le tribut de la dîme; ***b)*** libéralité faite au peuple en argent ou en nature || **2.** [s.-ent. *hora*] la dixième heure.

decimana (decu-) mulier et absol. **-mana,** *æ*, f., femme d'un percepteur de la dîme.

1. decimanus (decu-), *a, um (decimus)*, **1.** donné en paiement de la dîme || sujet à la dîme || **2.** appartenant à la dixième légion: *decumani, orum*, m., les soldats de la 10e légion; *decumana porta*, la porte décumane [près de laquelle étaient campées les dixièmes cohortes des légions].

2. decimanus (decu-), *i*, m., **1.** fermier, percepteur de la dîme || **2.** soldat de la 10e légion.

decimatus, *a, um*, part. de *decimo*.

decimo (decu-), *are (decimus)*, tr.,

decimer, punir [ordin. de mort] une personne sur dix.

decimum (decu-), **1.** adv., pour la dixième fois || **2.** n. pris subst., le décuple.

1. decimus (decu-), *a, um,* dixième.

2. Decimus, *i,* m., prénom romain, écrit en abrégé *D.*

decipio, *pere, cepi, ceptum (de, capio),* tr., attraper, tromper, abuser.

decisio, *onis,* f. *(decido 2),* action de trancher une question débattue, solution, arrangement, accommodement, transaction.

decisus, *a, um,* part. de *decido 2.*

Decius, *ii,* m. et **Decii,** *orum,* m., Décius, les Décius [nom de trois illustres Romains qui se dévouèrent pour la patrie] || Décius Magius, citoyen de Capoue.

declamatio, *onis,* f. *(declamo),* déclamation, **1.** exercice de la parole || sujet traité comme exercice [dans les écoles des rhéteurs] || **2.** discours banal, propos rebattus || protestation bruyante || style déclamatoire.

declamator, *oris,* m. *(declamo),* déclamateur, celui qui s'exerce à la parole.

declamatorius, *a, um (declamo),* qui a rapport à la déclamation.

declamatus, *a, um,* part. de *declamo.*

declamito, *are, avi, atum,* fréq. de *declamo,* **1.** intr., s'exercer avec ardeur à la déclamation, faire de fréquents exercices de parole || **2.** tr., *causas,* s'exercer à prononcer des plaidoiries.

declamo, *are, avi, atum,* **1.** intr., déclamer, s'exercer à la parole || criailler, invectiver || **2.** qqf. tr., déclamer qqch.

declaratio, *onis,* f. *(declaro),* action de montrer, manifestation.

declaratus, *a, um,* part. de *declaro.*

declaro, *are, avi, atum,* tr., montrer, faire voir clairement || proclamer, nommer || annoncer officiellement || [au fig.] exprimer, signifier, traduire.

declinatio, *onis,* f. *(declino),* **1.** action de détourner, inflexion, flexion || **2.** [fig.] action de se détourner de, d'éviter, de fuir; aversion, répugnance pour qqch.

declinatus, *a, um,* part. de *declino.*

declino, *are, avi, atum,*
I. tr., **1.** détourner, incliner || **2.** [fig.] faire dévier, infléchir: *ætate declinata,* dans un âge avancé, sur son déclin || rejeter sur, imputer || **3.** [fig.] éviter en s'écartant, esquiver, parer.
II. intr., **1.** se détourner: *de via,* se détourner de la route || **2.** [fig.] s'écarter, s'éloigner, éviter || s'écarter du droit chemin.

declivis, *e (de* et *clivus),* **1.** qui est en pente [pente vue d'en haut; *acclivis,* pente vue d'en bas] || n. pris subst.: *per declive,* sur la pente; *declivia,* les pentes d'une colline || **2.** [fig.] sur son déclin.

declivitas, *atis,* f. *(declivis),* pente.

decoctor, *oris,* m. *(decoquo),* dissipateur, homme ruiné, banqueroutier.

decoctus, *a, um,* part. de *decoquo*; adj., mijoté.

decollatus, *a, um,* part. de *decollo.*

decollo, *are, avi, atum (de, collum),* tr., décoller, décapiter.

decolor, *oris,* qui a perdu sa couleur naturelle, décoloré, terni, noirci || [fig.] corrompu, gâté.

decoloratio, *onis,* f. *(decoloro),* altération de la couleur.

decoloratus, *a, um,* part. de *decoloro* || adj., altéré, troublé.

decoloro, *are, avi, atum (decolor),* tr., altérer la couleur.

decoquo (decoco), *ere, coxi, coctum,* tr., **1.** réduire par la cuisson, *aliquid,* qqch. || séparer par fusion || séparer, retrancher || [absol.] dissiper sa fortune, se ruiner, faire banqueroute || **2.** faire cuire entièrement || mûrir entièrement.

decor, *oris,* m. *(decet),* **1.** ce qui convient, ce qui est séant || **2.** parure, ornement, charme || **3.** [en part.] beauté corporelle, grâce, charme.

decoratus, *a, um,* part. de *decoro.*

decore *(decorus),* convenablement, dignement.

decoro, *are, avi, atum,* tr., décorer, orner, parer || honorer, rehausser.

decorticatio, *onis,* f. *(decortico),* décortication, action d'enlever l'écorce.

decortico, *are, avi, atum (de, cortex),* tr., enlever l'écorce, écorcer.

decorus, *a, um (decor),* **1.** qui convient, qui sied: *decorum est* avec inf. ou prop. inf., il convient de ou que || n. pris subst., **decorum,** ce qui convient, la convenance, les bienséances || **2.** orné, paré || beau, élégant || pl. n. **decora,** ornements, honneurs.

decoxi, pf. de *decoquo.*

decrepitus, *a, um (de, crepo),* décrépit.

decresco, *ere, crevi, cretum,* intr., décroître, diminuer, se rapetisser.

decretorius, *a, um (decerno),* décisif, définitif.

decretum, *i*, n. *(decerno)*, **1.** décision, décret || **2.** principe, dogme [en philos.].

decretus, *a, um*, part. de *decerno*.

decrevi, pf. de *decerno* et de *decresco*.

decubui, pf. de *decumbo*.

decucurri, pf. de *decurro*.

decuma, v. *decim-*.

decumbo, *ere, cubui*, intr., **1.** se coucher, se mettre au lit || se mettre sur un lit, à table || **2.** se laisser tomber à terre [en parl. du gladiateur qui s'avoue vaincu et attend la mort].

decumo, -mus, v. *decim-*.

decuria, *æ*, f. *(decem)*, décurie, **1.** réunion de dix, dizaine || **2.** [t. officiel] division par corps, corporation, confrérie, décurie de juges [au temps de., d'après la loi Aurelia, il y avait trois décuries de juges : sénateurs, chevaliers, tribuns du trésor].

decuriatio, *onis*, f. *(decurio 1)*, division par décuries.

1. decuriatus, *a, um*, part. de *decurio*.

2. decuriatus, *us*, m., c. *decuriatio*.

1. decurio, *are, avi, atum (decuria)*, tr., **1.** distribuer par décuries || **2.** enrôler par décuries = former des factions.

2. decurio, *onis*, m., décurion, officier qui primitivement commandait dix cavaliers || décurion, sénateur dans les villes municipales ou dans les colonies.

decurro, *ere, curri* (qqf. *cucurri*), *cursum*, intr. et tr.,
I. intr., **1.** descendre en courant, se précipiter || **2.** faire des manœuvres et évolutions militaires || **3.** faire une traversée || **4.** se précipiter, descendre [en parl. d'un cours d'eau] || **5.** s'en aller en courant || **6.** venir à, aboutir à || recourir à.
II. tr., parcourir d'un bout à l'autre un espace.

decursio, *onis*, f. *(decurro)*, **1.** action de descendre à la course : incursion de cavalerie || **2.** évolution (manœuvre) militaire, revue.

1. decursus, *a, um*, part. de *decurro*.

2. decursus, *us*, m., **1.** action de descendre à la course, descente au pas de course || descente rapide, chute [en parl. de torrent] || **2.** action de parcourir jusqu'au bout, d'achever une course || [fig.] *decursus honorum*, le parcours entier de la carrière des charges || **3.** [milit.] évolution, exercice, manœuvre, défilé, parade.

decurtans, *tis*, part. prés. de *decurto*.

decurtatus, *a, um*, part. de *decurto*.

decurto, *are, atum*, tr., [n'existe qu'au part. prés. et au part. passé] raccourcir : *decurtatus*, mutilé.

decus, *oris*, n. *(decet)*, tout ce qui sied, tout ce qui va bien, ornement, parure, gloire, illustration.

decussatus, *a, um*, part. de *decusso*.

decussis, *is*, m., dizaine || sautoir.

decusso, *are, avi, atum (decussis)*, tr., croiser en forme d'x, croiser en sautoir.

decussus, *a, um*, part. de *decutio*.

decutio, *ere, cussi, cussum (de, quatio)*, tr., **1.** abattre en secouant, en frappant || **2.** faire tomber de, enlever à [avec *ex* ou avec abl.].

dedecet, *ere, cuit* [pour la constr. v. le verbe *decet*], ne pas convenir, être malséant.

dedecoro, *are, avi, atum*, tr., défigurer, déformer, enlaidir || [fig.] déshonorer, flétrir, souiller.

dedecorus, *a, um*, déshonorant, honteux.

dedecus, *oris*, n., déshonneur, honte, ignominie, infamie, indignité : *dedecori esse alicui*, être un objet de honte pour qqn || action déshonorante.

1. dedi, pf. de *do*.

2. dedi, inf. prés. pass. de *dedo*.

dedicatio, *onis*, f. *(dedico)*, consécration, dédicace, inauguration.

dedicatus, *a, um*, part. de *dedico*.

dedico, *are, avi, atum*, tr., **1.** déclarer, révéler || **2.** dédier, consacrer [avec acc. de l'objet consacré] || [avec acc. du nom de la divinité] : *Junonem dedicare*, consacrer un temple à Junon || *librum alicui*, dédier un livre à qqn || inaugurer.

dedignatio, *onis*, f. *(dedignor)*, dédain, refus dédaigneux.

dedignatus, *a, um*, part. de *dedignor*.

dedignor, *ari, atus sum*, tr., décliner qqch. ou qqn comme indigne, dédaigner, refuser.

dedisco, *ere, didici*, tr., désapprendre, oublier ce qu'on a appris : *aliquid*, désapprendre qqch. ; *loqui*, ne plus savoir parler.

dediticius, *a, um (deditus)*, rendu à discrétion, à merci ; soumis sans condition.

deditio, *onis*, f. *(dedo)*, capitulation, reddition, soumission.

deditus, *a, um*, **1.** part. de *dedo* || **2.** adj. ***a)*** dévoué à *(alicui, alicui rei*, à qqn, à qqch.) ; ***b)*** livré à.

dedo, *ere, dedidi, ditum*, tr., **1.** livrer, remettre || [milit.] donner sans condition : *se dedere*, se soumettre ; *sese* *dedere*, ou pass. *dedi*, se rendre, capituler || **2.** [fig.] livrer, abandonner || *se dedere alicui, alicui rei*, se consacrer, se dévouer à qqn, à qqch.; *se dedere ad scribendum*, s'adonner au travail de la composition || *dedita opera*, avec intention, à dessein.

dedoceo, *ere, cui, ctum*, tr., faire oublier ce qu'on a appris, faire désapprendre.

dedoleo, *ere, ui*, intr., cesser de s'affliger, mettre fin à sa douleur.

deduco, *ere, duxi, ductum*, tr., **1.** emmener d'en haut, faire descendre || **2.** emmener d'un lieu dans un autre || [en part.] accompagner qqn, lui faire la conduite, l'escorter || emmener || détourner || **3.** allonger, étendre, déployer; [en part.] *filum*, étirer les brins de la laine pour en faire le fil || **4.** [en part.] *navem, naves*, mettre un navire, les navires à flot || emmener une colonie: *coloniam in locum aliquem*, conduire une colonie qq. part || emmener, amener devant le tribunal || **5.** retrancher, soustraire, déduire: *addendo deducendoque*, par des additions et des soustractions || **6.** [fig.] détourner de, faire revenir de: *aliquem de sententia*, faire changer qqn d'avis || amener à: *res huc deducitur ut...*, on aboutit à cette solution que... || [en part.] faire changer qqn d'idée, l'amener à un autre parti, le séduire, le gagner || **7.** tirer de, dériver de.

deductio, *onis*, f. *(deduco)*, action d'emmener, de détourner || action d'emmener une colonie || déduction, retranchement; *sine ulla deductione*, intégralement.

deductor, *oris*, m. *(deduco)*, celui qui accompagne, qui escorte un candidat.

deductus, *a, um*, part. de *deduco* || adj., abaissé, simple.

deduxi, pf. de *deduco*.

deerro, *are, avi, atum*, intr., s'écarter du droit chemin, se fourvoyer, se perdre.

defæcatus, *a, um*, part. de *defæco*.

defæco (-feco), *are, avi, atum (de, fæx)*, tr., **1.** séparer de la lie, tirer au clair || **2.** clarifier, purifier, éclaircir.

defamatus, *a, um (de, fama)*, décrié.

defatigatio (defe-), *onis*, f., fatigue, lassitude, épuisement.

defatigatus, *a, um*, part. de *defatigo*.

defatigo (defe-), *are, avi, atum*, tr., fatiguer, lasser, épuiser || pass. *defatigari*, se lasser.

defatiscor, v. *defet-*.

defeci, pf. de *deficio*.

defectio, *onis*, f. *(deficio)*, **1.** défection, désertion d'un parti || éclipse || **2.** [fig.] ***a)*** action de s'écarter de *(ab aliqua re*, de qqch.); ***b)*** cessation, disparition, épuisement; *animi*, découragement; [absol.] faiblesse, défaillance.

defector, *oris*, m. *(deficio)*, celui qui fait défection, traître, déserteur.

1. defectus, *a, um*, part. de *deficio* || adj., épuisé, affaibli.

2. defectus, *us*, m., **1.** disparition || **2.** défection.

defendo, *ere, fendi, fensum*, tr., **1.** écarter, éloigner, repousser, tenir loin || [poét.] *aliquid alicui*, préserver qqn de qqch. || **2.** défendre, protéger, *aliquem*, qqn || *ab aliquo (ab aliqua re) aliquem*, défendre qqn contre qqn (qqch.); *aliquem contra aliquem*, défendre qqn contre qqn || [absol.] opposer une défense, une résistance || **3.** [en part.] soutenir par la parole || [avec prop. inf.] soutenir que, affirmer pour sa défense que.

defensio, *onis*, f. *(defendo)*, **1.** action de repousser, d'écarter || **2.** défense, protection || moyen de défense dans un procès.

defensito, *are, avi*, fréq. de *defenso*, défendre souvent.

defenso, *are, avi, atum*, fréq. de *defendo*, tr., défendre vigoureusement.

defensor, *oris*, m. *(defendo)*, **1.** celui qui empêche, qui repousse [un danger] || **2.** défenseur, protecteur [opp. à *accusator*].

defensus, *a, um*, part. de *defendo*.

deferbui, pf. de *defervesco*.

defero, *deferre, detuli, delatum*, tr., **1.** porter d'un lieu élevé dans un autre plus bas || emporter d'un endroit à un autre || *aliquid ad ærarium, in ærarium*, porter qqch. au trésor public, aux archives || emporter dans un endroit, jeter qq. part [surtout en t. de marine] || [pass. réfléchi] se porter || **2.** [fig.] présenter, déférer, accorder || *palmam Crasso*, décerner la palme à Crassus || **3.** porter à la connaissance, annoncer, révéler || [avec prop. inf.] rapporter à qqn que || rendre compte; *rem ad consilium*, soumettre une affaire au conseil de guerre || **4.** [en part.] dénoncer, porter plainte en justice: *nomen alicujus*, accuser qqn || *aliquem deferre*, dénoncer qqn.

defervesco, *ere, ferbui* ou *fervi*, intr., **1.** cesser de bouillir, de fermenter || cesser de bouillonner || **2.** [fig.] s'apaiser, se calmer.

defessus, *a, um,* part. de *defetiscor.*

defetig-, v. *defatig-.*

defetiscor ou **defatiscor,** *fetisci, fessus sum,* intr. *(de, fatiscor),* **1.** se fatiguer || **2.** [surt. employé aux temps du pf.] être las, fatigué, épuisé ; [avec inf.] ne plus pouvoir || *defessus aliqua re,* fatigué d'une chose, par une chose.

deficiens, *tis,* part. prés. de *deficio* || adj., défectif.

deficio, *ere, feci, fectum (de* et *facio),* intr. et tr.,

I. intr., **1.** se séparer de, se détacher de : *ab aliqua re* ; *ab aliquo,* se détacher d'une chose, de qqn ; *ad Pœnos,* passer du côté des Carthaginois || [absol.] faire défection || **2.** cesser, faire faute, manquer ; [absol.] *memoria deficit,* la mémoire fait défaut || *animo deficere,* ou *deficere* seul, perdre courage.

II. tr., abandonner, quitter, manquer à : *eum sanguis viresque deficiunt,* le sang et les forces l'abandonnent || part. *defectus,* abattu, affaibli, découragé.

defigo, *ere, fixi, fixum,* tr., **1.** planter, ficher, enfoncer || **2.** [fig.] consacrer || **3.** rendre immobile, fixer, clouer, figer.

definio, *ire, ivi* ou *ii, itum,* tr., **1.** délimiter, borner || [fig.] définir : *verbum,* définir un terme || **2.** établir, déterminer, fixer || **3.** limiter, arrêter, borner.

definite *(definitus),* d'une manière déterminée, précise, distincte.

definitio, *onis,* f. *(definio),* définition || indication précise, détermination.

definitus, *a, um,* part. de *definio* || adj., précis, défini, déterminé.

defit, *defieri,* passif de *deficio,* **1.** s'affaiblir, défaillir || **2.** manquer, faire défaut.

defixi, pf. de *defigo.*

defixus, *a, um,* part. de *defigo.*

deflagratio, *onis,* f. *(deflagro),* combustion, incendie.

deflagratus, *a, um,* part. de *deflagro.*

deflagro, *are, avi, atum,*

I. intr., **1.** brûler (se consumer) entièrement || [fig.] périr, être détruit || **2.** s'éteindre, se calmer, s'apaiser.

II. tr., brûler, consumer.

deflecto, *ere, xi, xum.*

I. tr., abaisser en ployant, courber, fléchir || faire dévier, détourner || [fig.] *aliquem de via,* détourner qqn du chemin ; *virtutes in vitia,* changer en vices ses vertus.

II. intr., se détourner, s'écarter : *via,* se détourner de son chemin.

defleo, *ere, evi, etum,* tr., **1.** [absol.] pleurer abondamment || **2.** avec acc., pleurer qqn, qqch.

defletus, *a, um,* part. de *defleo.*

deflevi, pf. de *defleo.*

deflexi, pf. de *deflecto.*

deflexus, *a, um,* part. de *deflecto.*

defloreo, *ere,* et **defloresco,** *ere, rui,* intr., défleurir, perdre sa fleur, se flétrir.

defluo, *ere, fluxi,* intr., **1.** couler d'en haut, découler || suivre le courant || **2.** [fig.] descendre doucement, glisser || découler, provenir de || s'éloigner (s'écarter) insensiblement de (*ab aliqua re ad aliquam rem,* d'une chose pour arriver à une autre) || **3.** cesser de couler || [fig.] se perdre, disparaître, s'évanouir, se terminer.

defluvium, *ii,* n. *(defluo),* écoulement || chute.

defluxi, pf. de *defluo.*

defodio, *ere, fodi, fossum,* tr., **1.** creuser, fouir || **2.** enterrer, enfouir.

defore, inf. fut. de *desum.*

deformatio, *onis,* f. *(deformo 2),* action de défigurer, altération || [fig.] dégradation.

deformatus, *a, um,* part. de *deformo 1* et *2.*

deformis, *e (de, forma),* **1.** défiguré, difforme, laid, hideux || **2.** sans forme, sans consistance.

deformitas, *atis,* f. *(deformis),* difformité, laideur || [fig.] déshonneur, honte, infamie, indignité.

deformiter *(deformis),* disgracieusement, désagréablement || honteusement, ignoblement.

1. deformo, *are, avi, atum,* tr., **1.** donner une forme, façonner || **2.** dessiner, représenter || [fig.] décrire, représenter qqch., qqn.

2. deformo, *are, avi, atum,* tr., déformer, défigurer, enlaidir, rendre difforme || [fig.] altérer, dégrader, avilir, flétrir, souiller.

defossus, *a, um,* part. de *defodio.*

defractus, *a, um,* part. de *defringo.*

defraudo *ou* **defrudo,** *are, avi, atum,* tr., enlever par tromperie || frustrer, tromper ; *aliquem aliqua re,* faire tort de qqch. à qqn.

defregi, pf. de *defringo.*

defremo, *ere, ui,* intr., cesser de frémir, s'apaiser.

defrenatus, *a, um (de, frenum),* déchaîné, effréné.

defricatus, *a, um,* part. de *defrico.*

defrico, *care, cui, ctum* et *catum*, tr., **1.** enlever en frottant || **2.** polir ou nettoyer en frottant || frictionner.

defrictus, *a, um*, part. de *defrico*.

defringo, *ere, fregi, fractum*, tr., arracher en rompant, rompre, briser, casser.

defrudo, v. *defraudo*.

defrutum, *i*, n., vin cuit, sorte de raisiné.

defugio, *ere, fugi*, tr., éviter par la fuite, fuir, esquiver qqch. || s'enfuir.

defui, pf. de *desum*.

defunctus, *a, um*, part. de *defungor*.

defungor, *fungi, functus sum*, intr., **1.** s'acquitter de, exécuter, accomplir: *defunctus honoribus*, ayant parcouru la carrière des magistratures || **2.** s'acquitter d'une dette, payer || [d'où] être quitte de, en avoir fini avec: *defunctus periculis*, quitte de tout danger || *vita defungi*, mourir; [absol.] *defunctus* = *mortuus*, mort; *defuncti*, les morts.

degener, *eris (de, genus)*, adj., dégénéré, qui dégénère, abâtardi || dégénéré, bas, indigne, vil.

degeneratus, *a, um*, part. de *degenero*.

degenero, *are, avi, atum*, intr. et tr., **1.** intr., dégénérer, s'abâtardir || [fig.] dégénérer de qqn, de qqch., *ab aliquo, ab aliqua re* || **2.** tr., abâtardir, altérer, ruiner || déshonorer par sa dégénération [qqn, qqch.] || part. n. *degeneratum*, la dégénération, l'indignité.

degi, pf. de *dego*.

dego, *ere, degi (de, ago)*, tr., passer, employer, consumer [le temps]: *ætatem (vitam)*, passer sa vie; *vita degitur*, la vie se passe || [absol.] vivre.

degravatus, *a, um*, part. de *degravo*.

degravo, *are, atum*, tr., charger, surcharger || [fig.] accabler.

degredior, *gredi, gressus sum (de, gradior)*, intr., descendre de, s'éloigner d'un lieu élevé || mettre pied à terre.

degressus, *a, um*, part. de *degredior*.

degustatus, *a, um*, part. de *degusto*.

degressio, degressor, v. *digr-*.

degusto, *are, avi, atum*, tr., goûter: **1.** déguster || **2.** atteindre légèrement, effleurer || **3.** [fig.] goûter, essayer.

dehinc, adv., **1.** à partir d'ici, de là || ensuite de quoi, par conséquent || **2.** à partir de ce moment, désormais || ensuite, après quoi || **3.** *primum... dehinc*, d'abord... ensuite.

dehisco, *ere*, intr., s'ouvrir, s'entr'ouvrir, se fendre.

dehonestamentum, *i*, n. *(dehonesto)*, ce qui défigure, rend difforme || [fig.] déshonneur, flétrissure, ignominie.

dehonestatus, *a, um*, part. de *dehonesto*.

dehonesto, *are, avi, atum*, tr., déshonorer, dégrader, flétrir.

dehortor, *ari, atus sum*, tr., dissuader: *aliquem*, dissuader qqn [de faire qqch.] || [avec inf.] défendre à qqn de faire qqch.

Deianira, *æ*, f., Déjanire [femme d'Hercule].

dein, c. *deinde*.

deinceps (*dein* et *capio*), à la suite, à son tour, en continuant.

deinde, adv. *(de* et *inde*), ensuite || *primum... deinde*, d'abord... ensuite.

dejeci, pf. de *dejicio*.

1. dejectus, *a, um*, **1.** part. de *dejicio* || **2.** adj.: ***a)*** bas, en contrebas; ***b)*** abattu, découragé.

2. dejectus, *us*, m., **1.** action de jeter à bas, abatis d'arbres || **2.** forte pente.

dejicio ou **deicio,** *ere, jeci, jectum (de* et *jacio)*, tr., **1.** jeter à bas, précipiter: *equo dejectus*, jeté à bas de son cheval || renverser, abattre: *crinibus dejectis*, avec les cheveux épars || tuer || jeter des noms dans l'urne || **2.** [t. milit.] déloger l'ennemi, le culbuter || **3.** [droit] chasser d'une propriété || **4.** [marine] *dejici*, être entraîné [loin de sa route], jeté vers un point déterminé || **5.** [fig.] abaisser || détourner: *oculos*, détourner les yeux; *aliquem de sententia*, détourner qqn d'une idée || rejeter, repousser || [en part.] écarter d'une charge: *dejicere aliquem*, faire échouer qqn dans une candidature || jeter à bas de: *spe dejecti*, déchus de leur espoir.

delabor, *labi, lapsus sum*, intr., **1.** tomber de || **2.** [fig.] descendre vers, tomber à, dans; en venir à: *delabi eo ut* et subj., en venir à.

delapsus, *a, um*, part. de *delabor*.

delatio, *onis*, f. *(defero)*, **1.** dénonciation, rapport, accusation || **2.** délation.

delator, *oris*, m. *(defero)*, délateur, dénonciateur, accusateur.

delatus, *a, um*, part. de *defero*.

delectabilis, *e (delecto)*, agréable, délectable, qui plaît, charmant.

delectamentum, *i*, n. *(delecto)*, charme, amusement.

delectatio, *onis*, f. *(delecto)*, plaisir, amusement.

delectatus, *a, um*, part. de *delecto*.

delecto, *are, avi, atum* (cf. *deliciæ*), tr., charmer, faire plaisir à || *delectari aliqua re*, se plaire à qqch., trouver du charme dans qqch.; *in aliqua re delectari*, se plaire dans qqch. || *delectat aliquem* et inf.: il est plaisant à qqn de.

1. delectus, *a, um*, part. de *deligo*.

2. delectus, ou **dilectus,** *us*, m., **1.** discernement, choix, triage; *sine delectu*, sans choix, au hasard || **2.** levée de troupes: *delectum habere*, lever des troupes, recruter des soldats || **3.** troupes levées, recrues.

delegatus, *a, um*, part. de *delego*.

delegi, pf. de *deligo 2*.

delego, *are, avi, atum*, tr., **1.** déléguer, confier, s'en remettre à qqn de || **2.** mettre sur le compte de, imputer à, attribuer à, *aliquid alicui*, qqch. à qqn || **3.** renvoyer.

delenimentum, *i*, n. *(delenio)*, tout ce qui calme, adoucissement, apaisement || attrait, charme, appât, séduction.

delenitus, *a, um*, part. de *delenio*.

delenio, ou **delinio,** *ire, ivi* ou *ii, itum*, tr., gagner, séduire, charmer || adoucir, calmer.

delenitor, *oris*, m. *(delenio)*, celui qui adoucit, qui charme.

delenitus, *a, um*, part. de *delenio*.

deleo, *ere, evi, etum* (cf. *aboleo*), tr., **1.** effacer, biffer || **2.** détruire, anéantir.

deletrix, *ici*, f. *(deleo)*, destructrice.

deletus, *a, um*, part. de *deleo*.

delevi, pf. de *deleo*.

Delia, *æ*, f. *(Delos)*, la Délienne = Diane [née dans l'île de Délos].

Deliacus, *a, um*, de Délos.

delibamentum, *i*, n. *(delibo)*, libation.

delibatus, *a, um*, part. de *delibo*.

deliberabundus, *a, um (delibero)*, qui délibère.

deliberatio, *onis*, f. *(delibero)*, délibération, consultation || examen.

deliberator, *oris*, m. *(delibero)*, celui qui se consulte.

deliberatus, *a, um*, part. de *delibero* || adj., tranché, décidé.

delibero, *are, avi, atum (de* et *libra* [étymol. des anciens] faire une pesée dans sa pensée) intr. et tr.,

I. intr., **1.** réfléchir mûrement, délibérer: *de aliqua re*, délibérer sur qqch.; *cum aliquo de aliqua re*, délibérer avec qqn au sujet de qqch. || **2.** consulter un oracle || **3.** prendre une décision [avec inf.] || [surtout au parf. pass.] : *mihi deliberatum est*, je suis résolu à.

II. tr., **1.** *re deliberata*, l'affaire ayant été délibérée, après mûre réflexion || **2.** *deliberata morte*, sa mort étant résolue.

delibo, *are, avi, atum*, **1.** enlever un peu de qqch., prélever || **2.** prélever, emprunter, détacher || butiner || **3.** [fig.] *aliquid de aliqua re*, enlever qqch. à une chose.

delibratus, *a, um*, part. de *delibro*.

delibro, *are, atum (liber)*, tr., écorcer.

delibuo, *ere, bui, butum*, tr., oindre [employé surtout au part.] : *delibutus*, imprégné.

delicate *(delicatus)*, délicatement || avec douceur, délicatesse || nonchalamment, mollement.

delicatus, *a, um (deliciæ)*, **1.** qui charme les sens, attrayant, délicieux, délicat, élégant || **2.** [poét.] doux, tendre, fin || **3.** habitué aux raffinements, voluptueux, efféminé || choyé, gâté || de goût difficile, exigeant.

deliciæ, *arum*, f. *(lacio, laqueus)*, **1.** délices, jouissances, volupté, douceurs, agrément || **2.** objet d'affection, amour, délices.

deliciolæ, *arum*, f., délices.

delicium, *ii*, n., c. *deliciæ*.

delictum, *i*, n. *(delictus)*, délit, faute.

delictus, *a, um*, part. de *delinquo*.

deligatus, *a, um*, part. de *deligo 1*.

1. deligo, *are, avi, atum*, tr., attacher, lier, amarrer.

2. deligo, *ere, legi, lectum (de, legere)*, tr., **1.** choisir, élire || **2.** lever des troupes, recruter || **3.** mettre à part, à l'écart, séparer.

delinio, v. *delenio*.

delinquo, *ere, liqui, lictum*, intr., **1.** faire défaut, faire faute, manquer || **2.** manquer moralement, faillir, être en faute: [avec l'acc. de relation] *si quid delinquam*, si je commets une faute.

deliquesco, *ere, licui*, intr., se fondre, se liquéfier || s'amollir.

deliratio, *onis*, f. *(deliro)*, action de sortir du sillon, écart || [fig.] délire, extravagance, démence.

deliro, *are, avi, atum (de, lira)*, intr., s'écarter du sillon, de la ligne droite || [fig.] délirer, extravaguer.

delirus, *a, um (deliro)*, qui délire, qui extravague, extravagant.

delitesco (-tisco), *ere, litui*, intr., se cacher, se tenir caché || [fig.] *in alicujus auctoritate*, s'abriter sous l'autorité de qqn.

Delius, *a, um*, de Délos, d'Apollon ou de Diane || *Delius*, m., le Délien = Apollon.

Delos, *i*, f., Délos [île de la mer Égée, lieu de naissance d'Apollon et de Diane].

Delphi, *orum*, m. pl. Delphes [v. de Phocide ; nombril de la terre, suivant la croyance des anciens ; célèbre par le temple et l'oracle d'Apollon].

Delphica mensa ou **Delphica,** *æ*, f., table delphique en forme de trépied.

Delphicus, *a, um*, de Delphes || subst. m., le Delphien = Apollon.

delphin, *inis*, m., dauphin.

delphinus, *i*, m., dauphin.

delubrum, *i*, n. *(de, luo)* temple, sanctuaire.

deludo, *ere, si, sum*, tr., se jouer de, abuser, tromper.

delumbatus, *a, um*, part. de *delumbo.*

delumbo, *are, avi, atum (de, lumbus)*, tr., éreinter, briser les reins || [fig.] affaiblir.

deluo, *ere (de, luo)*, tr., laver, nettoyer.

delusi, pf. de *deludo.*

delusus, *a, um*, part. de *deludo.*

Demades, *is*, m., acc. *en*, Démade [orateur athénien, adversaire de Démosthène].

demandatus, *a, um*, part. de *demando.*

demando, *are, avi, atum*, tr., confier.

demens, *tis (de, mens)*, privé de raison, insensé, fou furieux.

demensus, *a, um*, part. de *demetior.*

dementer, follement.

dementia, *æ*, f. *(demens)*, démence, folie, extravagance.

demereo, *ere, ui, itum*, tr., *aliquid*, gagner, mériter qqch. || *aliquem*, gagner qqn, s'attirer les bonnes grâces de qqn.

demereor, *eri*, tr., gagner qqn [par des services].

demergo, *ere, si, sum*, tr., enfoncer, plonger : *demergere navem*, couler à fond un navire || *ære alieno demersus*, écrasé sous le poids des dettes.

demeritus, *a, um*, part. de *demereo.*

demersi, pf. de *demergo.*

demersus, *a, um*, part. de *demergo.*

demessui, pf. de *demeto 2.*

demessus, *a, um*, part. de *demeto 2.*

demetior, *metiri, mensus sum*, tr., mesurer.

1. demeto ou **dimeto,** *are, avi, atum*, tr. (pass. *dimetatus*), et plutôt **demetor** ou **dimetor,** *ari, atus sum*, tr., délimiter.

2. demeto, *ere, messui, messum*, tr., abattre en coupant, moissonner || cueillir || couper, trancher.

Demetrius, *ii*, m., nom de plusieurs rois de Macédoine et de Syrie [Démétrius Poliorcète, Démétrius Soter, Démétrius Nicanor, etc.].

demigratio, *onis*, f., émigration, départ.

demigro, *are, avi, atum*, intr., déloger, changer de séjour, se transporter (aller s'établir) ailleurs ; *in locum; ad aliquem*, se retirer dans un lieu, chez qqn.

deminuo, *ere, ui, utum*, tr., **1.** enlever, retrancher, *aliquid de aliqua re*, qqch. de (à) qqch. || **2.** diminuer, amoindrir, affaiblir || *capite deminuti*, qui ont perdu leurs droits de citoyens.

deminutio, *onis*, f. *(deminuo)*, **1.** action d'enlever, de retrancher, prélèvement || **2.** diminution, amoindrissement, atteinte portée à, affaiblissement, déchéance.

deminutus, *a, um*, part. de *deminuo.*

demiratus, *a, um*, part. de *demiror.*

demiror, *ari, atus sum*, tr., s'étonner, être surpris, admirer : [avec prop. inf.] s'étonner que || [avec intr. indir.] se demander avec curiosité, être curieux de savoir.

demisi, pf. de *demitto.*

demisse *(demissus)*, **1.** vers le bas, en bas || **2.** [fig.] d'une façon humble || bassement.

demissio, *onis*, f. *(demitto)*, **1.** abaissement || **2.** affaissement.

demissus, *a, um*,

I. part. de *demitto.*

II. adj., **1.** abaissé : *demisso capite*, tête basse || *demissa loca*, terrains bas || *demissa voce*, à voix basse || **2.** [fig.] qui s'abaisse, modeste, timide || **3.** affaissé, abattu || **4.** de condition effacée, modeste || **5.** [poét.] descendant de, provenant de, originaire de.

demitigo, *are*, tr., adoucir.

demitto, *ere, misi, missum*, tr. **1.** faire (laisser) tomber, faire (laisser) descendre : *se demittere*, descendre || laisser pendre, laisser tomber : *barbam*, laisser pousser sa barbe ; *tunicis demissis*, avec une tunique descendant jusqu'à terre || abaisser || enfoncer || **2.** [fig.] laisser tomber, laisser s'affaisser : *animos demittunt*, ils se laissent abattre ; *se animo demittere*, se laisser décourager || abaisser || enfoncer, graver.

demiurgus, *i*, m., démiurge [premier magistrat dans certaines villes de Grèce].

demo, *ere, dempsi, demptum (de, emo),* tr., ôter, enlever, retrancher.

Democritus, *i,* m., Démocrite [philosophe d'Abdère] .

demolior, *iri, itus sum,* tr., **1.** mettre à bas, faire descendre, abattre, démolir || **2.** [fig.] détruire, renverser.

demolitio, *onis,* f. *(demolior),* action de mettre à bas, de descendre [une statue de son socle] || démolition.

demolitus, *a, um,* part. de *demolior.*

demonstratio, *onis,* f. *(demonstro),* démonstration, description.

demonstrativus, *a, um (demonstro),* qui sert à indiquer, à montrer || [rhét.] *genus demonstrativum,* le genre démonstratif [celui qui a pour objet l'éloge ou le blâme].

demonstrator, *oris,* m. *(demonstro),* celui qui montre, qui démontre, qui décrit.

demonstratus, *a, um,* part. de *demonstro.*

demonstro, *are, avi, atum,* tr., **1.** montrer, faire voir, désigner, indiquer || **2.** montrer, exposer, décrire, mentionner || [av. prop. inf.] montrer que, faire connaître que.

Demophon, *ontis,* m., Démophon [devin de l'armée d'Alexandre].

demoratus, *a, um,* part. de *demoror.*

demorior, *mori, mortuus sum,* intr., **1.** quitter un groupe par la mort, faire un vide en mourant || **2.** aller mourant, dépérir.

demoror, *ari, atus sum,* intr. et tr., **1.** intr., demeurer, rester, s'arrêter || **2.** tr., retarder, retenir, arrêter || attendre.

demorsus, *a, um,* part. de *demordeo.*

demortuus, *a, um,* part. de *demorior.*

Demosthenes, *is,* m., Démosthène [le célèbre orateur grec].

demotus, *a, um,* part. de *demoveo.*

demoveo, *ere, movi, motum,* tr., déplacer, écarter de [avec abl. seul ou avec *de, ex*] || [fig.] éloigner de, détourner de.

dempsi, pf. de *demo.*

demptus, *a, um,* part. de *demo.*

demugitus, *a, um (de* et *mugio),* rempli de mugissements.

demulceo, *ere, lsi, lctum,* tr., caresser || [fig.] charmer.

demum, adv., précisément, tout juste, seulement : *id demum,* cela seulement ; *tum demum,* alors seulement.

demurmuro, *are,* tr., murmurer, proférer à voix basse.

demutatio, *onis,* f. *(demuto),* changement.

demutatus, *a, um,* part. de *demuto.*

demuto, *are, avi, atum,* tr., changer.

denarius, *a, um (deni),* de dix : **1.** qui contient le nombre dix || **2. denarius,** *ii,* m., gén. pl. *denarium* et *-orum,* denier [pièce de monnaie d'argent qui, à l'origine, valait dix as] || [en gén.] pièce de monnaie.

denarro, *are, avi, atum,* tr., raconter d'un bout à l'autre, dans le détail.

denego, *are, avi, atum,* tr., **1.** nier fortement, dire que non || **2.** dénier, refuser.

deni, *æ, a,* pl., **1.** [distributif] chacun dix || **2.** [poét.] = *decem.*

denique, 1. et puis après, enfin || **2.** en fin de compte, finalement || **3.** en somme, bref || **4.** bref, pour tout dire d'un mot || **5.** *tum denique,* alors enfin, seulement.

denomino, *are, avi, atum,* tr., dénommer, nommer.

denotatus, *a, um,* part. de *denoto.*

denoto, *are, avi, atum,* tr., indiquer par un signe, désigner, faire connaître.

dens, *tis,* m., dent [de l'homme et des animaux] || tout ce qui sert à mordre, à entamer, à saisir : *dens aratri,* soc de la charrue || [fig.] dent, morsure.

densatus, *a, um,* part. de *denso.*

dense *(densus),* d'une manière épaisse, serrée, en masse compacte || fréquemment.

denseo, *ere, etum (densus),* tr., rendre dense, compact ; condenser, épaissir, serrer.

densetus, *a, um,* part. de *denseo.*

densitas, *atis,* f. *(densus),* épaisseur, consistance, grand nombre, fréquence.

denso, *are, avi, atum,* tr., c. *denseo.*

densus, *a, um,* **1.** épais, serré, pressé, compact || **2.** fréquent, non clairsemé.

dentalia, *ium,* n. pl. *(dens),* sep.

1. dentatus, *a, um (dens),* qui a des dents || qui a de grandes dents || dentelé.

2. Dentatus, *i,* m., M' Curius Dentatus [vainqueur de Pyrrhus ; cité comme type des vieilles vertus romaines].

denubo, *ere, nupsi, nuptum,* intr., sortir voilée de la maison paternelle pour se marier, se marier [en parl. d'une femme].

denudatus, *a, um,* part. de *denudo.*

denudo, *are, avi, atum,* tr., **1.** mettre à nu, découvrir || [fig.] dévoiler, révéler || **2.** dépouiller de, priver de [avec abl.].

denuntiatio, *onis,* f. *(denuntio),* annonce, notification: *belli,* déclaration de guerre.

denuntiatus, *a, um,* part. de *denuntio.*

denuntio, *are, avi, atum,* tr., **1.** porter à la connaissance: *bellum,* notifier une déclaration de guerre || [t. judic.] citer: *domino denuntiatum est,* citation fut faite au maître || [avec prop. inf.] notifier que, signifier que || avec *ut (ne)* [idée d'ordre] signifier de, ordonner de (de ne pas) || **2.** [en gén.] annoncer, déclarer || [avec prop. inf.] déclarer que.

denuo, adv. *(de novo),* **1.** sur nouveaux frais || **2.** de nouveau, pour la seconde fois || derechef, encore une fois.

deonero, *are, avi, atum,* tr., décharger || [fig.] ôter un poids.

deorsum *(de, vorsum),* en bas, vers le bas.

deorsus, c. *deorsum.*

depaciscor, v. *depec-.*

depactus, *a, um,* part. de *depaciscor.*

depasco, *pascere, pavi, pastum,* tr., **1.** enlever en paissant, faire brouter || **2.** paître, brouter || **3.** [fig.] réduire, élaguer.

depascor, *pasci, pastus sum,* tr., manger, dévorer.

depastus, *a, um,* part. de *depasco* et de *depascor.*

depavi, pf. de *depasco.*

depeciscor ou **depaciscor,** *isci, pectus* et *pactus sum,* tr., **1.** [absol.] stipuler, faire un accord || **2.** [avec acc.] stipuler qqch.

depecto, *ere, pexum,* tr., détacher (séparer) en peignant.

depectus, *a, um,* part. de *depeciscor.*

depeculator, *oris,* m. *(depeculor)* déprédateur, voleur.

depeculatus, *a, um,* part. de *depeculor.*

depeculor, *ari, atus sum (de, peculium),* tr., dépouiller qqn de son avoir, voler: *aliquem,* piller qqn || [fig.] enlever, ravir.

depello, *ere, puli, pulsum,* tr., **1.** chasser, écarter, repousser: *ab aliquo, ab aliqua re aliquid depellere,* écarter qqch. de qqn, de qqch.; [fig.] *depulsus loco; gradu,* à qui on a fait lâcher pied = battu || **2.** [fig.] écarter de, détacher de: *de spe depulsus,* frustré dans ses espérances || **3.** repousser qqch.

dependeo, *ere,* intr., **1.** être suspendu à, pendre de || **2.** [fig.] dépendre de [avec *ab* ou *ex*].

dependo, *ere, di, sum,* tr., **1.** payer, compter en paiement || [fig.] donner en paiement || **2.** dépenser, employer (son temps, sa peine).

depensus, *a, um,* part. de *dependo.*

deperditus, *a, um,* part. de *deperdo* || adj. perdu, dépravé.

deperdo, *ere, didi, ditum,* tr., **1.** perdre au point d'anéantir; [au part.] perdu, anéanti || **2.** perdre complètement, sans rémission || **3.** perdre de (une partie de): *sui nihil,* ne rien perdre de ses biens.

depereo, *ire, ii,* intr., **1.** s'abîmer, se perdre; périr, mourir || **2.** tr., aimer à en mourir.

deperiturus, *a, um,* part. fut. de *depereo.*

depexus, *a, um,* part. de *depecto.*

depictus, *a, um,* part. de *depingo.*

depingo, *ere, pinxi, pictum,* tr., **1.** peindre, représenter en peinture || [fig.] dépeindre, décrire || **2.** orner.

deplango, *ere, nxi, nctum,* tr., pleurer, déplorer.

deploratus, *a, um,* part. de *deploro.*

deploro, *are, avi, atum,* **1.** intr., pleurer, gémir, se lamenter || **2.** tr., ***a)*** déplorer; ***b)*** déplorer qqch. comme perdu, [d'où] renoncer à, désespérer de: *deploratus a medicis,* abandonné par les médecins.

depono, *ere, posui, positum,* tr., **1.** déposer, mettre à terre || *exercitum in terram,* débarquer une armée || **2.** mettre de côté, en dépôt, en sûreté || **3.** mettre à terre; [on déposait à terre les malades désespérés pour qu'ils rendissent leur dernier soupir à la terre (*Terra parens,* la Terre Mère), d'où] *depositus, a, um,* étendu à terre, dans un état désespéré; expirant, mourant || défunt, mort || **4.** [fig.] renoncer, abandonner, quitter: *imperium,* déposer le pouvoir.

depoposci, pf. de *deposco.*

depopulatio, *onis,* f. *(depopulor),* dévastation, ravage.

depopulator, *oris,* m., dévastateur.

depopulatus, *a, um,* part. de *depopulor.*

depopulor, *ari, atus sum,* tr., piller, ravager, saccager, dévaster, désoler.

deportatus, *a, um,* part. de *deporto.*

deporto, *are, avi, atum,* tr., **1.** emporter d'un endroit à un autre *(ex loco in locum),* emporter, transporter || [en parl. d'un fleuve] charrier || ramener avec soi [une armée, du butin, etc.]

|| **2.** rapporter, remporter: *triumphum*, remporter le triomphe || **3.** déporter.

deposco, *ere, poposci*, tr., **1.** demander avec instance, exiger, réclamer, revendiquer || **2.** réclamer qqn pour un châtiment: *aliquem ad mortem*; *morti*, exiger la mort de qqn; *aliquem ad pœnam*; *in pœnam*, exiger la punition de qqn || *deposcere aliquem*, réclamer le châtiment de qqn || **3.** réclamer pour adversaire, défier, provoquer.

depositum, *i*, n. *(depositus)*, dépôt, consignation.

depositus, *a, um*, part. de *depono* || adj., v. *depono 3.*

deposui, pf. de *depono*.

deprædatio, *onis*, f. *(deprædor)*, déprédation, pillage, dépouillement.

deprædatus, *a, um*, part. de *deprædor*.

deprædor, *ari, atus sum*, tr., piller, dépouiller.

depravate *(depravatus)*, de travers, mal.

depravatio, *onis*, f. *(depravo)*, torsion, contorsion || [fig.] dépravation, corruption, altération.

depravatus, *a, um*, part. de *depravo*.

depravo, *are, avi, atum (de, pravus)*, tr., tordre, contourner, mettre de travers, rendre tordu, contrefait, difforme || [fig.] dépraver, gâter, corrompre.

deprecabundus, *a, um (deprecor)*, suppliant.

deprecatio, *onis*, f. *(deprecor)*, **1.** action de détourner par des prières || **2.** action de solliciter instamment || **3.** imprécation religieuse, malédiction.

deprecator, *oris*, m. *(deprecor)*, **1.** celui qui par ses prières détourne ou conjure un malheur || **2.** celui qui intercède, intercesseur, protecteur.

deprecatus, *a, um*, part. de *deprecor*.

deprecor, *ari, atus sum*, tr., **1.** chercher à détourner par des prières || [avec *ne*] prier que ne pas || **2.** intercéder, demander pardon, excuse || **3.** demander avec instance || *aliquem ab aliquo*, demander à qqn son indulgence (sa clémence) en faveur de qqn.

deprehendo et **deprendo,** *ere, di, sum.*, tr., **1.** surprendre, saisir, intercepter || **2.** prendre sur le fait: *in manifesto scelere deprehendi*, être pris en flagrant délit || prendre à l'improviste || **3.** [fig., pass.] être pris, être attrapé, n'avoir point d'échappatoire || **4.** saisir, découvrir qqch. || [avec prop. inf.] découvrir que.

deprehensio, *onis*, f. *(deprehendo)*, action de prendre sur le fait.

deprehensus (deprensus), *a, um*, part. de *deprehendo*.

depressi, pf. de *deprimo*.

depressus, *a, um*, **1.** part. de *deprimo* || **2.** adj. ***a)*** qui s'enfonce profondément; ***b)*** abaissé,

deprimo, *ere, pressi, pressum (de* et *premo)*, tr., **1.** presser de haut en bas, abaisser, enfoncer || *navem*, couler bas un navire || **2.** [fig.] rabaisser || *vocem*, baisser la voix || étouffer, arrêter.

deprœlians, *tis (de, prœlium)*, [poét.] qui combat.

depromo, *ere, mpsi, mptum*, tr., tirer de, prendre dans.

depromptus, *a, um*, part. de *depromo*.

depropero, *are*, **1.** intr., se hâter || **2.** tr., se hâter de faire, hâter, presser.

depso, *ere, sui, stum*, tr., broyer, pétrir.

depugno, *are, avi, atum*, intr., lutter dans un combat décisif, combattre à mort (*cum aliquo*, avec qqn).

depuli, pf. de *depello*.

depulsio, *onis*, f. *(depello)*, action de chasser, d'éloigner.

depulsor, *oris*, m. *(depello)*, celui qui chasse, qui repousse.

depulsus, *a, um*, part. de *depello*.

depurgo, *are, atum*, tr., nettoyer.

deputatus, *a, um*, part. de *deputo*.

deputo, *are, avi, atum*, tr., **1.** tailler, émonder, élaguer || **2.** évaluer, estimer.

derado, *ere, rasi, rasum*, tr., **1.** ratisser, racler, enlever en raclant || **2.** raser || effacer.

derasus, *a, um*, part. de *derado*.

derectus, v. *dir-*.

derelictio, *onis*, f. *(derelinquo)*, abandon.

1. derelictus, *a, um*, part. de *derelinquo*.

2. derelictus, *us*, m., abandon.

derelinquo, *ere, liqui, lictum*, tr., **1.** abandonner complètement, délaisser [qqch., qqn] || **2.** laisser après soi.

derepente, tout à coup, soudain.

derepo, *ere, repsi*, intr., descendre en rampant.

dereptus, *a, um*, part. de *deripio*.

derideo, *ere, risi, risum*, tr., rire de, se moquer de, bafouer, railler.

deridiculum, *i*, n. *(deridiculus)*, moquerie || ridicule.

deridiculus, *a, um*, ridicule, qui fait rire, risible.

derigesco (dir-), *ere, rigui,* intr.: [seul. au parf.] se glacer [en parl. du sang].

derigo, v. *dir-.*

deripio, *ere, ripui, reptum (de, rapio),* tr., arracher, ôter, enlever, retrancher.

derisor, *oris,* m. *(derideo),* moqueur, railleur || bouffon, parasite.

1. derisus, *a, um,* part. de *derideo.*

2. derisus, *us,* m., moquerie, raillerie.

derivatio, *onis,* f. *(derivo),* action de détourner les eaux.

derivatus, *a, um,* part. de *derivo.*

derivo, *are, avi, atum (de, rivus),* tr., détourner un cours d'eau, faire dériver || détourner.

derogatio, *onis,* f. *(derogo),* dérogation [à une loi].

derogo, *are, avi, atum,* tr., **1.** abroger une ou plusieurs dispositions d'une loi, déroger à une loi || **2.** [fig.] ôter, retrancher: *fidem alicui, alicui rei,* ôter tout crédit à qqn, à qqch.

derosus, *a, um (de, rodo),* rongé.

deruo, *ere, ui,* tr., précipiter, faire tomber.

deruptus, *a, um (de* et *rumpo),* **1.** détaché par rupture, rompu || **2.** c. *abruptus,* escarpé, à pic || subst. n. pl. *derupta*: précipices.

desævio, *ire, ii, itum,* intr., **1.** sévir avec violence, exercer sa fureur [pr. et fig.] || **2.** cesser de sévir, s'apaiser, se calmer.

descendo, *ere, scendi, scensum (de* et *scando),* intr., **1.** descendre; (*de, ab, ex* ou abl. seul) descendre de || [en part.]: *descendere in forum, ad forum,* ou *descendere* seul, descendre au forum || **2.** [t. mil.] quitter la position qu'on occupait pour en venir aux mains, en venir à, s'engager dans: *in certamem*; *in aciem,* en venir au combat, engager la lutte || [fig.] s'engager dans, *in causam,* dans un parti || se laisser aller à qqch., condescendre à: *ad ludum,* se laisser aller à jouer || en venir à, se résigner à, se résoudre à || **3.** pénétrer.

descensio, *onis,* f. *(descendo),* action de descendre, descente.

descensus, *us,* m., action de descendre, descente || chemin qui descend.

descisco, *ere, scivi* ou *scii, scitum,* intr., se détacher de, se séparer de qqn ou du parti de qqn: *a populo Romano,* se détacher du peuple romain || [absol.] faire défection || [fig.] s'écarter de, renoncer à, se départir de: *a veritate,* s'écarter de la vérité.

describo, *ere, scripsi, scriptum,* tr., **1.** transcrire, copier || **2.** décrire, dessiner, tracer || **3.** décrire, exposer || [avec prop. inf.] exposer que, raconter que || désigner qqn, faire allusion à qqn, parler de qqn || **4.** délimiter, déterminer: *populum in tribus tres,* répartir (distribuer) le peuple en trois tribus || définir, préciser, fixer.

descriptio, *onis,* f. *(describo),* **1.** reproduction, copie || **2.** dessin, tracé: *ædificandi,* tracé de construction, plan || **3.** description || **4.** délimitation, détermination: *magistratuum,* la fixation des fonctions des magistrats || définition.

descriptus, *a, um,* part. de *describo* || qqf. adj., fixé, réglé.

deseco, *are, cui, ctum,* tr., séparer en coupant, couper.

desectus, *a, um,* part. de *deseco.*

desedi, pf. de *desideo.*

desero, *ere, serui, sertum,* tr., se séparer de, abandonner, délaisser, déserter || [absol.] déserter || abandonner, négliger, manquer à.

desertor, *oris,* m. *(desero),* **1.** celui qui abandonne, qui délaisse || **2.** déserteur.

desertum, *i,* n., et ordin. **deserta,** *orum,* n. pl. *(desertus),* désert, solitude.

desertus, *a, um,* part. de *desero* || adj., désert, inculte, sauvage.

deservio, *ire,* intr., servir avec zèle, se dévouer à, se consacrer à || [fig.] être destiné à, consacré à.

deses, *idis (desideo),* oisif, inoccupé.

desideo, *ere, sedi,* intr., rester assis ou séjourner d'une manière inactive || rester oisif.

desiderabilis, *e (desidero),* désirable, souhaitable.

desideratio, *onis,* f. *(desidero),* désir.

desideratus, *a, um,* part. de *desidero* || qqf. adj., désiré, attendu.

desiderium, *ii,* n. *(desidero),* **1.** désir [de qqch. qu'on a eu, connu et qui fait défaut]: *me desiderium tenet urbis, meorum,* je suis impatient de revoir la ville, les miens || regret || personne qui est l'objet des regrets || **2.** désir, besoin || **3.** prière, demande, requête.

desidero, *are, avi, atum,* tr., **1.** désirer, aspirer après || *ab aliquo aliquid,* attendre de qqn qqch., réclamer de qqn qqch. || [avec prop. inf.] désirer que || regretter l'absence de, éprouver le manque de, regretter || **2.** [en part.] regretter (déplorer) la perte de.

desidia, *æ,* f. *(desideo),* croupissement, paresse || repos [de la terre].

desidiosus, *a, um (desidia),* oisif, inoccupé, paresseux.

desido, *ere, sedi,* intr., **1.** s'affaisser, s'abaisser || **2.** s'enfoncer, aller au fond.

designatio, *onis,* f., indication, désignation || disposition, plan.

designator (dissignator), *oris,* m., employé qui assignait les places au théâtre || ordonnateur des pompes funèbres || inspecteur dans les jeux publics.

designatus, *a, um,* part. de *designo.*

designo, *are, avi, atum,* tr., **1.** marquer (d'une manière distinctive), représenter, dessiner || **2.** indiquer, désigner || faire allusion à qqn (sans le nommer) || **3.** désigner.

desii, pf. de *desino.*

desilio, *silire, silui, sultum (de, salio),* intr., sauter à bas de, descendre en sautant (avec *de, ex* ou *ab*); *ad pedes desiluerunt,* ils mirent pied à terre.

desino, *ere, sii, situm,* **1.** tr., cesser, mettre un terme à || *mirari desino,* je cesse d'admirer || **2.** intr., ***a)*** cesser, en finir; ***b)*** cesser, se terminer || *desinere in piscem,* se terminer en poisson.

desipiens, *entis,* part. de *desipio* || adj., fou.

desipio, *ere (de, sapio),* intr., être dépourvu de sens, avoir perdu l'esprit, extravaguer.

desisto, *sistere, stiti, stitum,* intr., s'abstenir, renoncer à, discontinuer de: *sententia; de sententia,* changer d'avis || [poét.] *pugnæ,* cesser le combat || [avec inf.] cesser de.

desitus, *a, um,* part. de *desino.*

desolatus, *a, um,* part. de *desolo.*

desolo, *are, avi, atum,* tr., dépeupler, ravager, désoler || [au part. *desolatus, a, um*] déserté, abandonné.

despecto, *are,* fréq. de *despicio,* regarder d'en haut || dominer [en parl. d'un lieu élevé] || regarder avec mépris, mépriser.

1. despectus, *a, um,* part. de *despicio* || adj., méprisable.

2. despectus, *us,* m., **1.** vue d'en haut, vue plongeante || pl., points de vue || **2.** [au dat. seul.] mépris: *despectui esse alicui,* être méprisé de qqn.

desperanter, avec désespoir, en désespéré.

desperatio, *onis,* f. *(despero),* action de désespérer, désespoir.

desperatus, *a, um,* **1.** part. de *despero* || **2.** adj., dont on désespère, désespéré || **3.** subst. *desperatus, i,* m., un malade condamné.

despero, *are, avi, atum,* tr. et intr., **1.** tr., désespérer de, ne pas compter ou ne plus compter sur || **2.** intr., désespérer, perdre toute espérance: *sibi,* désespérer de soi; *saluti,* de son salut.

despexi, pf. de *despicio.*

despicatio, *onis,* f. *(despicor),* mépris, dédain.

1. despicatus, *a, um,* part. de *despicor* || adj., méprisé.

2. despicatus, *us,* m. *(despicor),* [ne se trouve qu'au dat. sing.], mépris, dédain: *habere aliquem despicatui,* mépriser qqn.

despiciendus, *a, um,* pris adj., méprisable.

despiciens, *tis,* part. prés. pris adj., avec gén.: *sui,* ayant du mépris de soi.

despicientia, *æ,* f., c. *despicatio.*

despicio, *ere, spexi, spectum (de, specio).*

I. tr., **1.** regarder d'en haut || **2.** regarder de haut, mépriser, dédaigner.

II. intr., **1.** regarder d'en haut, abaisser ses regards sur || **2.** détourner les yeux, regarder ailleurs.

despoliatus, *a, um,* part. de *despolio.*

despolio, *are, avi, atum,* tr., dépouiller, piller, spolier.

despondeo, *dere, di, sum,* tr., **1.** promettre, accorder, garantir: *aliquid alicui,* réserver qqch à qqn || **2.** promettre en mariage, fiancer || **3.** abandonner, renoncer à.

desponsatus, *a, um,* part. de *desponso.*

desponso, *are, atum,* tr., fiancer.

desponsus, *a, um,* part. de *despondeo.*

despumatus, *a, um,* part. de *despumo.*

despumo, *are, avi, atum,* **1.** tr., ***a)*** écumer, enlever l'écume de qqch. || cuver [son vin] ; ***b)*** répandre comme une écume || **2.** intr., jeter son écume, cesser d'écumer.

desquamatus, *a, um,* part. de *desquamo* || subst. n. pl. *desquamata,* excoriations, écorchures.

desquamo, *are, avi, atum,* tr., écailler, ôter les écailles || écorcer.

destillo (dist-), *are, avi, atum,* intr., dégoutter, tomber goutte à goutte.

destinata, *æ,* f. *(destino),* fiancée.

destinate *(destino),* obstinément.

destinatio, *onis,* f. *(destino),* fixation,

détermination ; résolution, projet arrêté.

destinatus, *a, um,* **1.** part. de *destino* || **2.** adj., fixé, résolu || ferme, obstiné || **3.** subst. f., v. *destinata* || subst. n., *destinatum, i,* projet, but fixé || **4.** [locution adverbiale] : *ex destinato* ou *destinato,* à dessein, de propos délibéré.

destino, *are, avi, atum,* tr., **1.** fixer, assujettir || [fig.] *operi destinatus,* occupé à travailler || **2.** affecter à, destiner à || [avec 2 acc.] fixer, désigner: *Africam alicui provinciam,* destiner l'Afrique comme province à qqn || **3.** arrêter, décider || [av. inf.] décider de || fixer qqch. comme but, viser || **4.** fixer son dévolu sur, acheter, acquérir: *aliquid sibi destinare,* se réserver qqch.

destituo, *ere, tui, tutum (de, statuo),* tr., **1.** placer debout à part, dresser isolément || faire tenir debout à l'écart les soldats punis || **2.** [fig.] abandonner, laisser (planter) là qqn || [pass.]: *destitutus a spe* ou *spe,* ayant perdu tout espoir || **3.** mettre à part, supprimer : *destituere honorem,* supprimer un honneur || **4.** décevoir, tromper: *spem destituere,* tromper l'espoir de qqn.

destitutio, *onis,* f. *(destituo),* **1.** action d'abandonner, abandon || **2.** manque de parole, trahison.

destitutus, *a, um,* part. de *destituo.*

destrictus, *a, um,* part. de *destringo* || adj., décidé, menaçant.

destringo, *ere, strinxi, strictum,* tr., v. *stringo,* **1.** enlever en serrant, couper, cueillir || **2.** dégainer l'épée || **3.** nettoyer en frottant, frotter [avec la strigile] || **4.** [fig.] ***a)*** effleurer, raser; ***b)*** atteindre, entamer.

destructio, *onis,* f. *(destruo),* destruction, ruine.

destructus, *a, um,* part. de *destruo.*

destruo, *ere, xi, ctum,* tr., démolir, détruire, renverser, abattre.

desubito, tout à coup, soudain.

desudo, *are, avi, atum,* intr., suer beaucoup, suer || [fig.] suer sang et eau, se fatiguer *(in aliqua re,* à faire qqch.).

desuefactus, *a, um,* part. de *desuefio.*

desuefio, *fieri, factus sum,* se déshabituer, perdre l'habitude.

desuesco, *suescere, suevi, suetum,* tr., ***a)*** se déshabituer de, perdre l'habitude de || pass. *desuetus,* dont on a perdu l'habitude; ***b)*** désaccoutumer, faire perdre l'habitude || pass. *desuetus,* qui a perdu l'habitude, déshabitué.

desuetudo, *inis,* f. *(desuesco),* désaccoutumance, perte d'une habitude.

desuetus, *a, um,* v. *desuesco* ***a*** *et* ***b***.

desuevi, pf. de *desuesco.*

desultor, *oris,* m. *(desilio),* cavalier qui saute d'un cheval sur un autre.

desultorius, *a, um (desultor),* [cheval] qui sert à la voltige || subst. m., écuyer de cirque.

desum, *deesse, defui,* intr., **1.** manquer: *nihil deest mihi,* rien ne me manque || **2.** manquer à, faire défaut, ne pas participer à, ne pas donner son concours ou son assistance à qqn ou à qqch: *amico deesse,* laisser sans assistance un ami; *non deero officio,* je ne manquerai pas à mon devoir.

desumo, *ere, sumpsi, sumptum,* tr., prendre pour soi, choisir, se charger de.

desuper, adv., d'en haut, de dessus, de haut en bas.

desurgo, *ere,* intr., se lever.

detectus, *a, um,* part. de *detego.*

detego, *ere, texi, tectum,* tr., découvrir, mettre à découvert, à nu [pr. et fig.].

detendo, *ere, tensum,* tr., détendre, plier.

detensus, *a, um,* part. de *detendo.*

detentus, *a, um,* part. de *detineo.*

detergeo, *ere, rsi, rsum,* tr., enlever en essuyant, essuyer [la sueur, les larmes] || nettoyer en essuyant, essuyer, nettoyer, curer || balayer, faire disparaître.

deterior, *ius,* gén. *oris,* (compar. de l'inus. *deter,* superl. *deterrimus),* **1.** pire, plus mauvais: *res deterior,* situation plus mauvaise || **2.** inférieur.

deterius, *adv. (deterior),* pis, plus mal.

determinatio, *onis,* f. *(determino),* fixation d'une limite, fin, extrémité.

determino, *are, avi, atum,* tr., **1.** marquer des limites, borner, limiter || **2.** régler || **3.** tracer, dessiner.

detero, *ere, trivi, tritum,* tr., **1.** user par le frottement || écraser, broyer, piler || **2.** [fig.] affaiblir, diminuer || **3.** part. *detritus, a, um,* usé, rebattu, banal.

deterreo, *ere, ui, itum,* tr., détourner [en effrayant], écarter [avec *de* ou l'abl. seul] || [avec inf. ou avec *ne* subj.], détourner de || *non deterrere quin* ou *quominus,* ne pas empêcher de || détourner, empêcher qqch.

deterrimus, *a, um,* superl. de l'inus. *deter,* le pire, le plus mauvais; très mauvais, de qualité très inférieure.

deterritus, *a, um*, part. de *deterreo.*

detersus, *a, um*, part. de *detergo.*

detestabilis, *e (detestor)*, détestable, abominable.

detestatio, *onis*, f. *(detestor)*, imprécation, malédiction.

detestatus, *a, um*, part. de *detestor* || adj. [sens pass.] détesté, maudit.

detestor, *ari, atus sum*, tr., **1.** détourner en prenant les dieux à témoin, écarter avec des imprécations || écarter avec horreur || écarter, détourner || **2.** prononcer des imprécations contre, maudire || détester, exécrer, avoir en horreur.

detexi, pf. de *detego.*

detexo, *ere, texui, textum*, tr., **1.** tisser complètement, achever un tissu || **2.** tresser || **3.** achever.

detextus, *a, um*, part. de *detexo.*

detineo, *ere, tinui, tentum (de teneo)*, tr., **1.** tenir éloigné, retenir, arrêter, empêcher || **2.** retenir, tenir occupé.

detondeo, *ere, di, sum*, tr., tondre ras.

detono, *are, ui*, intr., **1.** tonner fortement || [fig.] tonner, éclater || **2.** cesser de tonner, s'apaiser, se calmer.

detonsus, *a, um*, part. de *detondeo.*

detorqueo, *ere, torsi, tortum*, tr., **1.** détourner, écarter || [fig.] [gram.] dériver [un nom] de || **2.** déformer, défigurer.

detorsi, pf. de *detorqueo.*

detortus, *a, um*, part. de *detorqueo.*

detractio, *onis*, f. *(detraho)*, retranchement, suppression, vol.

detractor, *oris*, m. *(detraho)*, celui qui déprécie, qui rabaisse, détracteur.

detractus, *a, um*, part. de *detraho.*

detraho, *ere, traxi, tractum*, tr., **1.** tirer à bas de ou tirer de, enlever de || **2.** enlever: *veste detracta*, le vêtement étant enlevé || *torquem alicui*, enlever à qqn son collier || **3.** tirer d'un point à un autre: *aliquem in judicium*, traîner qqn en justice || **4.** enlever qqch. à une chose, prélever sur, retrancher à: *de aliqua re, ex aliqua re* || **5.** [fig.] ***a)*** faire descendre d'un point à un autre, abaisser; ***b)*** enlever à, retrancher à: [avec *de*], [avec *ex*], [*aliquid alicui*].

detraxi, pf. de *detraho.*

detrectatio, *onis*, f. *(detrecto)*, refus.

detrectator, *oris*, m. *(detrecto)*, détracteur.

detrecto, *are, avi, atum (de, tracto)*, tr., **1.** écarter, rejeter, repousser, refuser || **2.** abaisser qqn ou qqch., ravaler, déprécier.

detrimentosus, *a, um (detrimentum)*, désavantageux, préjudiciable.

detrimentum, *i*, n. *(detero)*, détriment, perte, dommage, préjudice: *detrimentum afferre, inferre, importare*, causer du préjudice; *detrimentum accipere, capere, facere*, essuyer une perte, subir un dommage || désastre, défaite.

detritus, *a, um*, part. de *detero.*

detrivi, pf. de *detero.*

detrudo, *ere, trusi, trusum*, tr., **1.** pousser de haut en bas, précipiter, enfoncer || [fig.] précipiter, plonger || **2.** chasser d'une position, déloger [pr. et fig.] || repousser, renvoyer || reculer une date, différer.

detrunco, *are, avi, atum*, tr., retrancher du tronc, tailler || [fig.] couper, mutiler, décapiter.

detrusus, *a, um*, part. de *detrudo.*

detuli, pf. de *defero.*

detumesco, *ere, mui*, intr., cesser de s'enfler, s'abaisser || [fig.] cesser d'être fier.

deturbatus, *a, um*, part. de *deturbo.*

deturbo, *are, avi, atum*, tr., **1.** jeter à bas, abattre, renverser || **2.** déloger violemment, débusquer || chasser, expulser, évincer, déchoir.

deturpo, *are*, tr., rendre laid, défigurer || flétrir.

Deucalion, *onis*, m., Deucalion [roi de Thessalie, qui fut sauvé du déluge avec sa femme Pyrrha].

deunx, *cis*, m. *(de, uncia)*, les 11/12 de la livre romaine ou d'un tout qcq. divisible.

deuro, *ere, ussi, ustum*, tr., brûler entièrement || brûler, faire périr.

deus, *i*, m., **1.** Dieu, Divinité || *di boni!*, grands dieux! dieux bons! *di immortales!*, dieux immortels! ou *pro di immortales!*, *per deos immortales*, par les dieux immortels || *di meliora ferant, velint*, ou simpl. *di meliora*, que les dieux nous assistent! aux dieux ne plaise! les dieux nous en préservent || **2.** [fig., en parl. de qqn] un dieu.

deustus, *a, um*, part. de *deuro.*

deuterius, *a, um*, secondaire.

deutor, *uti, usus sum*, intr., en user mal avec qqn [abl.].

devasto, *are, atum*, tr., **1.** ravager, piller || **2.** détruire, faire périr.

devectus, *a, um*, part. de *deveho.*

deveho, *ere, vexi, vectum*, tr., **1.** emmener, transporter, charrier (*frumentum*, le blé) || **2.** [pass. à sens réfléchi] se transporter || [en part.] *devehi*, descendre en bateau.

devello, *ere, velli, vulsum*, tr., arracher || mettre en pièces.

develo, *are*, tr., dévoiler, mettre à découvert.

deveneror, *ari, atus sum*, tr., honorer, vénérer.

devenio, *ire, veni, ventum*, intr., **1.** venir en descendant, tomber dans, arriver à || [poét.] arriver || **2.** [fig.] en venir à, recourir à (*ad rem*, à qqch.).

devenustatus, *a, um*, part. de *devenusto*.

devenusto, *are, avi, atum*, tr., enlaidir, flétrir.

deversito, *are (deverto)*, intr., prendre gîte qq. part ; [fig.] s'arrêter.

1. deversor (-vorsor), *ari, atus sum*, intr., loger en voyage, prendre gîte, descendre qq. part, chez qqn : *in aliquo loco, in domo* ou *domi alicujus, apud aliquem*.

2. deversor, *oris*, m., celui qui s'arrête, qui loge dans une hôtellerie, hôte.

deversoriolum, *i*, n. *(deversorium)*, petite auberge.

deversorium (devor-), *ii*, n., lieu où l'on s'arrête pour loger ou pour se reposer, hôtellerie, auberge || asile ; repaire.

deversorius (devors-), *a, um*, où l'on peut s'arrêter, loger.

deversus, *a, um*, part. de *deverto*.

deverticulum (devort-), *i*, n. *(deverto)*, **1.** chemin écarté, détourné || [fig.] détour || **2.** auberge, hôtellerie || **3.** échappatoire, moyen détourné.

deverto (devorto), *ere, ti, sum*, **1.** tr., ***a)*** détourner ; ***b)*** [au pass.] se détourner de son chemin, aller chez qqn ou qq. part, aller loger, descendre chez qqn || [fig. et poét.] avoir recours à || **2.** intr., *via devertere*, se détourner de son chemin ; *ad cauponem*, descendre chez un aubergiste ; *in* (ou *ad*) *villam*, descendre dans une maison de campagne || [fig.] faire une digression.

devexi, pl. de *deveho*.

devexus, *a, um (deveho)*, qui penche, qui va en pente, incliné, qui descend ; pl. n. *declivia et devexa*, les parties en pente et escarpées d'une colline || *devexus Orion*, Orion à son coucher || qui incline à.

devici, pf. de *devinco*.

devictus, *a, um*, part. de *devinco*.

devincio, *ire, vinxi, vinctum*, tr., lier, attacher, enchaîner || [fig.] *animos voluptate*, tenir les esprits sous le charme.

devinco, *ere, vici, victum*, tr., vaincre complètement, soumettre.

devinctus, *a, um*, part. de *devincio* || adj., attaché (*alicui, alicui rei*, à qqn, à qqch.).

devinxi, pf. de *devincio*.

devitatio, *onis*, f. *(devito)*, action d'éviter, d'esquiver.

devitatus, *a, um*, part. de *devito*.

devito, *are, avi, atum*, tr., éviter, échapper à.

devius, *a, um (de, via)*, **1.** hors de la route, écarté, détourné || qui habite à l'écart, qui sort de la route, qui s'égare || **2.** [fig.] qui s'écarte du droit chemin, qui s'égare, qui est dans l'erreur.

devocatus, *a, um*, part. de *devoco*.

devoco, *are, avi, atum*, tr., rappeler ; faire descendre, faire venir, inviter.

devolo, *are, avi, atum*, intr., descendre en volant, s'abattre, fondre sur || [fig.] descendre en hâte, s'élancer de, voler vers.

devolutus, *a, um*, part. de *devolvo*..

devolvo, *ere, volvi, volutum*, tr., faire rouler de haut en bas, entraîner en roulant, précipiter || [pass.] rouler, tomber en roulant || dérouler, dévider [la laine].

devoratus, *a, um*, part. de *devoro*.

devoro, *are, avi, atum*, tr., **1.** avaler, engloutir [des aliments] || **2.** dévorer, absorber || *verba*, manger ses mots dans la prononciation || *libros*, dévorer (lire avidement) des livres || **3.** [fig.] avaler sans goûter, engloutir || *devoravi nomen*, j'ai avalé le nom (je l'ai oublié).

devortium, *ii*, n. *(devorto)*, détour.

devorto, v. *deverto*.

devotio, *onis*, f. *(devoveo)*, dévouement, **1.** action de se dévouer ; vœu par lequel on s'engage, on se dévoue, sacrifice de la vie || **2.** imprécation, malédiction || **3.** enchantements, sortilèges.

devotus, *a, um*, **1.** part. de *devoveo* || **2.** adj. ***a)*** dévoué, zélé (*alicui*, pour qqn) || subst. m., *devoti*, des gens dévoués ; ***b)*** adonné à.

devoveo, *ere, vovi, votum*, tr., **1.** vouer, dédier, consacrer ; *se devovere*, se dévouer, s'offrir en sacrifice [fig.] **2.** dévouer aux dieux infernaux, maudire (*aliquem*, qqn) || **3.** soumettre à des enchantements, à des sortilèges, ensorceler.

devulsus, *a, um*, part. de *devello*.

dexter, *tra, trum* ou *tera, terum*, **1.** qui est à droite, droit : *dextera manu*, de la main droite; pl. n. *dextera (-tra), orum,* ce qui est à droite, le côté droit || *dexterior, dextimus* || **2.** [fig.] adroit || propice, favorable.

dextera ou **dextra,** *æ*, f., **1.** main droite: *jungere dextras*, joindre les mains [signe d'amitié]; *fallere dextras*, tromper les serrements de mains [les engagements loyaux]; || [fig.] = aide, secours: *dextram tendere, porrigere*, tendre une main secourable || *dextræ* [poét.] = des bras, des troupes || **2.** [locutions adv.] *a dextra; dextra; ad dextram*, à droite, du côté droit.

dextere et **dextre,** adroitement.

dexterior, *ius*, compar. de *dexter*, qui est à droite [en parl. de deux].

dexteritas, *atis*, f. *(dexter)*, dextérité, adresse, habileté.

dextimus, *a, um*, superl. de *dexter*, qui est le plus à droite.

1. dextra, v. *dextera.*

2. dextra [prép. avec acc.; très rare], à droite de.

dextrorsum (-sus), à droite [avec mouv.] , du côté droit, vers la droite.

diadema, *atis*, n., diadème, bandeau royal.

diadematus, *a, um*, qui porte un diadème.

diæta, *æ*, f., **1.** régime, diète || [fig.] = traitement bénin || **2.** corps de logis, pièce, chambre, appartement, pavillon.

dialectica, *orum*, n., études de dialectique || **dialectica,** *æ*, f., ou **dialectice,** *es*, f., dialectique.

dialectice, **1.** adv., suivant l'art de la dialectique, en dialecticien || **2.** v. *dialectica.*

dialecticus, *a, um*, qui concerne la dialectique; habile dans la dialectique || subst. m., dialecticien, logicien || subst. f. et pl. n., v. *dialectica.*

1. Dialis, *e*, **1.** de Jupiter: *flamen Dialis*, ou m. *Dialis*, prêtre de Jupiter || **2.** du prêtre de Jupiter: *apex dialis*, bonnet du flamine.

2. dialis, *e (dies)*, d'un jour [qui ne dure qu'un jour].

dialogus, *i*, m., dialogue, entretien.

Diana, *æ*, f., Diane [fille de Jupiter et de Latone, sœur d'Apollon, déesse de la lune, déesse de la chasse] || [poét.] la lune.

Dianius, *a, um*, de Diane.

diaria, *orum*, n. pl., ration journalière.

diarium, *ii*, n., journal, relation jour par jour.

diatriba, *æ*, f., **1.** entretien, discussion || **2.** académie, école, secte.

dica, *æ*, f., procès, action en justice: *dicam scribere alicui*, intenter à qqn une action || *dicas sortiri*, tirer au sort les juges des actions judiciaires.

dicacitas, *atis*, f. *(dicax)*, tour d'esprit railleur, causticité, raillerie.

dicatio, *onis*, f. *(dico 1)*, déclaration [qu'on veut être citoyen d'une ville].

dicatus, *a, um*, part. de *dico 1.*

dicax, *acis (dico 2)*, adj., railleur, malin, mordant.

(**dicio,** inus. au nomin.), *onis*, f. *(dico)*, puissance, empire, domination, autorité: *suæ dicionis facere*, ou *dicioni suæ subjicere*, ou *in dicionem redigere*, soumettre.

dicis (gén. de l'inusité *dix* se rattachant à *dico 2), dicis causa*, pour la forme, par manière d'acquit.

1. dico, *are, avi, atum*, tr., proclamer solennellement qu'une chose sera: **1.** dédier, consacrer [à une divinité] || **2.** [fig.] vouer, consacrer: *se alicui in servitutem*, se donner comme esclave à qqn.

2. dico, *ere, dixi, dictum*, tr., montrer par la parole: **1.** dire, prononcer || **2.** dire, exprimer par les mots: *bene dicta*, belles paroles; *ii, quos paulo ante diximus*, ceux dont nous avons parlé tout à l'heure || *dico*, je parle de = c'est-à-dire, à savoir [pour se reprendre et corriger un mot] || *ne dicam*, pour ne pas dire; *ut ita dicam* ou *sic dixerim*, pour ainsi dire; *plura ne dicam*, pour n'en pas dire davantage; *ut plura non dicam*, sans en dire plus; *diceres*, on aurait dit; *incredibile est dictu*, c'est incroyable à dire || *ut dixi, ut diximus, ut supra diximus, quemadmodum supra dixi*, comme je l'ai dit, comme nous l'avons dit plus haut, comme je l'ai dit plus haut; *ut dictum est, ut ante dictum est*, comme on l'a dit précédemment; *ut dicitur*, comme on dit || [démonstratif neutre sujet] : *hoc, illud dicitur* et prop. inf., on dit ceci, à savoir que || [pass. pers. avec inf.]: *ex Marte natus Anteros dicitur*, Antéros est, dit-on, fils de Mars || avec *ut, ne* subj. [idée d'ordre, de recommandation], dire de, dire de ne pas || **3.** ***a)*** dire, prononcer, plaider: *causam*, plaider une cause; *orationem*, prononcer un discours || [absol.]: *de aliqua re ad aliquem*, plaider sur une affaire devant qqn; *pro aliquo, contra aliquem*, plaider pour qqn, contre qqn; ***b)*** [absol.] parler en orateur: *magistri dicendi*, maîtres d'éloquence; ***c)*** [style]: *genera dicendi*, genres de style || **4.** [en parl. de témoins] dire, déposer, déclarer ||

5. appeler, donner un nom, une désignation || **6.** dire, célébrer, chanter, raconter || **7.** nommer, désigner en prononçant le nom : *consules dicere,* nommer les consuls ; *prior dictus,* nommé le premier || **8.** fixer, établir : *dies colloquio dictus est,* on fixa le jour de l'entrevue ; *ut erat dictum,* comme il avait été convenu ; *ut dixerat,* comme il l'avait fixé || **9.** affirmer [opp. à *negare*].

dicrotum, *i,* n., navire à deux rangs de rames.

dictamnus, *i,* f., et **-num,** *i,* n., dictame [plante].

dictata, *orum,* n. *(dicto),* texte dicté, leçons || règles, instructions.

dictator, *oris,* m. *(dicto),* dictateur [magistrature extraordinaire] || le premier magistrat de certaines villes d'Italie.

dictatorius, *a, um,* de dictateur.

dictatura, *æ,* f. *(dictator),* dictature, dignité du dictateur.

dictatus, *a, um,* part. de *dicto.*

dictio, *onis,* f. *(dico 2),* **1.** action de dire, d'exprimer, de prononcer : *dictio causæ,* plaidoirie ; *multæ dictio,* fixation d'une amende || **2.** emploi de la parole, discours, conversation, propos || **3.** mode d'expression || **4.** prédiction, réponse d'un oracle.

dictito, *are, avi, atum* (fréq. de *dicto*), tr., aller répétant, avoir toujours à la bouche, dire et redire || plaider souvent des causes.

dicto, *are, avi, atum* (fréq. de *dico*), tr., **1.** dire en répétant, dicter : *aliquid alicui,* dicter qqch. à qqn || dicter à un secrétaire ce qu'on compose, [d'où] composer : *versus, carmina,* faire des vers || **2.** dicter, prescrire, ordonner, recommander, conseiller || **3.** dire souvent, couramment.

dictum, *i,* n. *(dictus),* **1.** parole, mot : *facete dicta,* mots d'esprit || **2.** [en part.] ***a)*** bon mot, mot d'esprit ; ***b)*** sentence, précepte, proverbe ; ***c)*** ordre, [ou] avis.

dictus, *a, um,* part. de *dico 2.*

didici, pf. de *disco.*

dididi, pf. de *dido 1.*

diditus, *a, um,* part. de *dido.*

1. dido, *ere, dididi, diditum (dis, do),* tr., distribuer, répandre.

2. Dido, *us* et *onis,* f., Didon [épouse de Sichée, fonda Carthage].

diduco, *ducere, duxi, ductum (dis, duco),* tr., **1.** conduire en différentes directions, séparer, partager, écarter, [ou] étendre, dilater, allonger || **2.** [en part.] étendre, déployer, développer : *copias,* déployer des troupes.

diductio, *onis,* f. *(diduco),* **1.** séparation des syllabes || **2.** expansion.

diductus, *a, um,* part. de *diduco.*

diecula, *æ,* f., dim. de *dies,* petite journée || délai.

dies, *ei,* m. et f. (au pl. toujours m.), **1.** le jour civil de vingt-quatre heures : *postero die, altero die, postridie ejus diei,* le lendemain ; *post diem tertium ejus diei,* le surlendemain || **2.** jour, date fixée : *ad certam diem,* à un jour fixé ; *ad diem,* au jour fixé || **3.** le jour [opposé à la nuit] : *dies noctesque ; diem noctemque,* jour et nuit ; *nocte et die ; diem noctem ; diem ac noctem,* pendant un jour et une nuit || **4.** jour [de la naissance, de la mort, de fièvre, etc.] || **5.** jour, événement mémorable || **6.** jour, journée, emploi de la journée || **7.** journée de marche || **8.** temps, délai : *diem ad deliberandum sumere,* prendre le temps de délibérer || [en gén.] temps, durée || **9.** lumière du jour, jour.

Diespiter, *tris,* m., Jupiter.

diffamatus, *a, um,* part. de *diffamo.*

diffamo, *are, avi, atum (dis, fama),* tr., **1.** divulguer || **2.** diffamer, décrier.

differens, *tis,* part. prés. de *differo.*

differentia, *æ,* f. *(differo),* différence.

differo, *differre, distuli, dilatum (dis* et *fero),* tr. et intr.

I. tr., **1.** porter en sens divers, disperser, disséminer : *ignem distulit ventus,* le vent répandit le feu de tous côtés || transplanter des arbres en les espaçant || **2.** répandre des bruits || décrier || **3.** différer, remettre : *aliquid in tempus aliud,* remettre qqch. à un autre moment || [absol.] différer, remettre à plus tard.

II. intr. (sans pf. ni supin), différer, être différent : *ab aliquo, ab aliqua re,* différer de qqn, de qqch. || *alicui rei,* différer de qqch.

differtus, *a, um (dis, farcio),* plein de, rempli de [avec abl.].

difficilis, *e (dis, facilis),* **1.** difficile, malaisé, pénible : *res difficiles ad eloquendum,* choses difficiles à exprimer ; *quod difficilius dictu est,* ce qui est plus difficile à dire || **2.** difficile, chagrin, morose, peu traitable.

difficiliter, difficilement || *-ilius ; -illime.*

difficultas, *atis,* f., **1.** difficulté, obstacle, embarras : *temporis,* circonstances difficiles || manque, besoin : *rei frumen-*

tariæ, disette de blé || **2.** humeur difficile, caractère insupportable.

difficulter, *(difficilis)*, difficilement, péniblement, avec peine.

diffidens, *tis*, part. prés. de *diffido* || adj., défiant.

diffidenter *(diffidens)*, avec défiance, avec timidité.

diffidentia, *æ*, f. *(diffido)*, défiance, défaut de confiance.

diffidi, pf. de *diffindo*.

diffido, *ere, fisus sum (dis, fido)*, intr., ne pas se fier à, se défier de [*alicui, alicui rei*, de qqn, de qqch.] || [avec prop. inf.] désespérer de || [absol.] avoir perdu toute espérance, désespérer.

diffindo, *findere, fidi, fissum*, tr., **1.** fendre, séparer en deux, partager, diviser || **2.** *diffindere diem*, couper une journée = suspendre, ajourner [une affaire, une présentation de loi, un jugement] || [fig.] *diem somno*, couper le jour par un somme, faire la sieste.

diffingo, *ere*, tr., transformer, refaire, changer.

diffissus, *a, um*, part. de *diffindo*.

diffisus, *a, um*, part. de *diffundo*.

diffiteor, *eri (dis, fateor)*, tr., nier, disconvenir, ne pas avouer.

diffluo, *ere, fluxi, fluxum (dis* et *fluo)*, intr., **1.** couler de côté et d'autre, se répandre en coulant || [poét.] *sudore diffluentes*, ruisselants de sueur || **2.** [fig.] se liquéfier, se dissoudre, se relâcher, s'amollir.

diffudi, part. de *diffundo*.

diffugio, *ere, fugi (dis, fugio)*, intr., fuir çà et là, fuir en désordre, se disperser en fuyant || se disperser, se diviser, se dissiper || *diffugere nives*, les neiges ont disparu.

diffugium, *ii*, n. *(diffugio)* [ne se trouve qu'au pl.], fuite de côté et d'autre, dispersion.

diffundo, *ere, fudi, fusum (dis* et *fundo)*, tr., **1.** étendre en versant, répandre : *sanguis per venas in omne corpus diffunditur*, le sang se répand par les veines dans tout le corps || disperser, dissiper || **2.** [fig.] étendre, porter au loin || **3.** dilater, épanouir ; *diffundi, contrahi*, s'épanouir, se resserrer (se contracter).

diffuse *(diffusus)*, d'une manière diffuse.

diffusus, *a, um*, **1.** part. de *diffundo* || **2.** adj., étendu || dispersé, épars || répandu.

digero, *ere, gessi, gestum (dis* et *gero)*, tr., porter de différents côtés : ***a)*** diviser, séparer : *nubes congregantur, digeruntur*, les nuages se condensent, se désagrègent ; ***b)*** distribuer, répartir || transplanter et disposer les plantes.

digestio, *onis*, f. *(digero)*, distribution, répartition, classement, arrangement, ordre.

digestus, *a, um*, part. de *digero*.

digitulus, *i*, m. *(digitus)*, petit doigt, doigt.

digitus, *i*, m., **1.** doigt de la main : *attingere aliquid extremis digitis*, effleurer qqch. du bout des doigts || **2.** doigt du pied : *erigi in digitos*, se dresser sur la pointe des pieds || **3.** le doigt [16e partie du pied romain].

digladior, *ari, atus sum*, intr. *(dis, gladius)*, combattre.

dignatio, *onis*, f. *(dignor)*, **1.** action de juger digne, estime (égards) qu'on témoigne || **2.** estime dont on est entouré, considération dont on jouit.

dignatus, *a, um*, part. de *digno* et de *dignor*.

digne *(dignus)*, dignement, convenablement, justement.

dignitas, *atis*, f. *(dignus)*, **1.** fait d'être digne, de mériter, mérite || **2.** considération, estime, prestige, dignité || [en part.] considération sociale, rang, dignité dans l'État || [de là] charge publique, emploi, dignité || **3.** sentiment de dignité, honorabilité || **4.** [par extension] beauté majestueuse, noble, imposante.

digno, *are, avi, atum (dignus)*, tr., juger digne : *aliquem aliqua re* || [employé surtout au pass.] être jugé digne de [avec abl.].

dignor, *ari, atus sum*, tr., **1.** juger digne ; [avec 2 acc.] *aliquem filium*, reconnaître qqn pour son fils || **2.** trouver convenable, vouloir bien, vouloir de.

dignosco (din-), *ere, ovi, otum (dis, nosco)*, tr., discerner, distinguer.

dignus, *a, um (decnos, decet)*, digne de, qui mérite [en bonne ou mauv. part.], **1.** *summa laude*, digne de la plus grande estime ; *audacia odio digna*, audace qui mérite la haine || [avec supin en *-u*] : *nihil dignum dictu*, rien qui mérite d'être mentionné || [avec *qui* subj.] : *dignus qui imperet*, digne de commander || **2.** avec inf. [poét.] || **3.** [pris absol.] digne, méritant : *diligere non dignos*, donner son affection à des gens indignes || *dignum est*, il est digne, il convient, il est juste (approprié) [avec prop. inf.].

digredior, *gredi, gressus sum (dis,*

gradior), intr., **1.** s'éloigner, s'écarter, s'en aller: *ab aliquo*, de qqn; *ex aliquo loco*, d'un lieu || **2.** [fig.] *a causa*, faire une digression.

digressio, *onis*, f. *(digredior)*, **1.** action de s'éloigner, départ || **2.** [fig.] action de s'écarter du droit chemin; [rhét.] digression.

1. digressus, *a, um*, part. de *digredior*.

2. digressus, *us*, m., action de s'éloigner, départ || digression, épisode.

dijudicatio, *onis*, f. *(dijudico)*, jugement qui tranche.

dijudicatus, *a, um*, part. de *dijudico*.

dijudico, *are, avi, atum (dis, judico)*, tr., **1.** séparer par un jugement, décider, trancher || **2.** discerner, distinguer: *vera et falsa; vera a falsis*, distinguer le vrai du faux.

dilabor, *labi, lapsus sum*, intr., **1.** s'écouler de côté et d'autre, se dissiper; *dilabitur humor*, le liquide s'échappe || **2.** se disperser: *dilabi ab signis*, abandonner les drapeaux || **3.** tomber par morceaux, s'en aller par pièces || **4.** [fig.] périr, s'évanouir.

dilacero, *are, avi, atum (dis, lacero)*, tr., déchirer, mettre en pièces.

dilanio, *are, avi, atum (dis, lanio)*, tr., déchirer, mettre en pièces.

dilapsus, *a, um*, part. de *dilabor*.

dilargior, *iri, itus sum (dis, largior)*, tr., prodiguer, distribuer en largesses, *aliquid alicui*, qqch. à qqn.

dilargitus, *a, um*, part. de *dilargior*.

dilatans, *tis*, part. prés. de *dilato*.

dilatatus, *a, um*, part. de *dilato*.

dilatio, *onis*, f. *(differo)*, délai, remise, ajournement, sursis.

dilato, *are, avi, atum (dis, latus)*, tr., élargir, étendre; *manum dilatare*, ouvrir la main || [fig.] *orationem*, allonger un discours.

dilatus, *a, um*, part. de *differo*.

dilaudo, *are (dis, laudo)*, tr., louer partout, vanter.

1. dilectus, *a, um*, part. de *diligo* || adj., chéri.

2. dilectus, *us*, v. *del-*.

dilexi, pf. de *diligo*.

diligens, *entis*, part. prés. de *diligo* || pris adj., **1.** attentif, scrupuleux, exact, consciencieux || **2.** [en part.] attentif, soigneux [de son bien], regardant.

diligenter *(diligens)*, attentivement, scrupuleusement, consciencieusement, ponctuellement.

diligentia, *æ*, f. *(diligens)*, attention, exactitude, soin scrupuleux, conscience || [en part.] soin de son bien, esprit d'économie, d'épargne.

diligo, *ere, lexi, lectum (dis* et *lego)*, tr., prendre de côté et d'autre, choisir, [d'où] distinguer, estimer, honorer, aimer.

dilorico, *are, atum (dis, lorico)*, tr., déchirer [un vêtement qui couvre la poitrine].

diluceo, *ere (dis, luceo)*, intr., être clair, évident || *satis dilucet* et prop. inf., il est bien clair que.

dilucesco, *ere, luxi (diluceo)*, intr., paraître [en parl. du jour] || *dilucescit*, impers., il commence à faire jour.

dilucide *(dilucidus)*, avec éclat || [fig.] d'une manière claire, limpide.

dilucidus, *a, um (dis, lucidus)*, clair, lumineux, brillant || [fig.] clair, net.

diluculat *(diluculum)*, impers., le jour commence à poindre.

diluculum, *i*, n., pointe du jour.

diluo, *ere, lui, lutum (dis, luo)*, tr., **1.** détremper, délayer, désagréger || **2.** dissoudre, dissiper || [absol.] se disculper.

dilutus, *a, um*, **1.** part. de *diluo* || **2.** adj., dilué, délayé, trempé || clair: *rubor dilutus*, rouge clair || affaibli, faible, atténué.

diluvies, *ei*, f. *(diluo)*, inondation, débordement, déluge.

diluvium, *ii*, n. *(diluo)*, c. *diluvies* || [fig.] destruction, dévastation, cataclysme.

dimachæ, *arum*, m., soldats qui combattent à pied et à cheval.

dimano, *are, avi, atum*, intr., se répandre, s'étendre.

dimensio, *onis*, f. *(dimetior)*, mesurage || mesure métrique.

dimensus, *a, um*, part. de *dimetior*.

dimetior, *metiri, mensus sum (dis* et *metior)*, tr., mesurer en tous sens || emploi passif, *dimensus, a, um*, mesuré || [fig.] mesurer, calculer.

dimeto, *are* et dépon. **dimetor,** *ari*, tr., v. *dem-*.

dimicatio, *onis*, f. *(dimico)*, combat, bataille, [fig.] lutte, combat.

dimico, *are, avi, atum (dis, mico)*, intr., combattre, lutter.

dimidia, *æ*, f. *(dimidius)*, s.-ent. *pars*, moitié.

dimidio, *are, atum (dimidius)*, tr., partager en deux, diviser par moitié; [employé surtout au part. passif] réduit à la moitié: *dimidiatus mensis*, demi-mois.

dimidium, *ii*, n. *(dimidius)*, la moitié: *dimidio plus*, moitié plus; *dimidio minor*, moitié moins grand.

dimidius, *a, um (dis, medius)*, demi: *dimidia pars terrœ*, la moitié de la terre || v. *dimidia, dimidium.*

diminuo (dimm-), *ere (dis, minuo)*, tr., mettre en morceaux, briser.

dimisi, pf. de *dimitto.*

dimissio, *onis*, f. *(dimitto)*, envoi, expédition || envoi en congé, licenciement.

dimissus, *a, um*, part. de *dimitto.*

dimitto, *mittere, misi, missum (dis* et *mitto)*, tr., **1.** envoyer de côté et d'autre, envoyer dans tous les sens || **2.** disperser une multitude: ***a)*** dissoudre, congédier: *senatu dimisso*, l'assemblée du sénat étant dissoute = après la séance du sénat; [absol.] *dimittere*, lever la séance; ***b)*** licencier une armée; ***c)*** envoyer en congé; ***d)*** disperser (morceler) une troupe en petits détachements || **3.** [en gén.] renvoyer, faire partir ou laisser partir: *aliquem incolumem*, renvoyer qqn sain et sauf; *equos*, mettre pied à terre || **4.** renoncer à, abandonner || *tributa alicui*, faire remise à qqn des impôts.

dimotus, *a, um*, part. de *dimoveo.*

dimoveo, *ere, movi, motum (dis, moveo)*, tr., **1.** écarter de côté et d'autre, partager, diviser, fendre || **2.** écarter, éloigner, détourner [pr. et fig.].

dinosco, etc., v. *dignosco*, etc.

dinumeratio, *onis*, f. *(dinumero)*, dénombrement, calcul, compte.

dinumero, *are, avi, atum (dis numero)*, tr., **1.** compter, nombrer, faire le dénombrement, calculer || **2.** compter [de l'argent], payer.

Dio et **Dion,** *onis*, m. Dion [tyran de Syracuse, disciple de Platon].

diœcesis, *is*, f., étendue d'un gouvernement, circonscription, département.

diœcetes, *æ*, m., intendant.

Diogenes, *is*, acc. *em* et *en*, m., philosophe cynique.

Dionysia, *orum*, n., Dionysiaques [fêtes de Bacchus].

Dionysius, *ii*, m., **1.** Denys l'Ancien, ou Denys le Tyran [roi de Syracuse] || **2.** Denys le Jeune [fils du précédent].

Dionysus ou **-os,** *i*, m., Dionysos [nom grec de Bacchus].

Dioscuri, *orum* et *Dioscuridœ, arum* ou **Dioscurides,** *um*, m., les Dioscures [nom de Castor et de Pollux].

diploma, *atis*, n., [en gén.] pièce officielle authentique: ***a)*** lettres de grâce; ***b)*** sauf-conduit; ***c)*** permis officiel d'user des services de poste impériaux: ***d)*** diplôme, brevet.

1. Diræ, *arum*, f. *(dirus)*, les Furies [déesses].

2. diræ, *arum (dirus)*, f., **1.** mauvais présage || **2.** exécrations, imprécations.

directe *(directus)*, dans l'ordre direct, naturel.

directo *(directus)*, en ligne droite || directement, sans détour.

directus (derectus), *a, um*, part. de *dirigo* || pris adj., **1.** qui est en ligne droite || [fig.] *directiores ictus*, coups plus directs || **2.** à angle droit [horizontalement ou verticalement]; *locus directus*, lieu escarpé, à pic || **3.** [fig.] droit, direct, sans détour.

diremi, pf. de *dirimo.*

1. diremptus, *a, um*, part. de *dirimo.*

2. diremptus, *us*, m. *(dirimo)*, séparation.

direptio, *onis*, f. *(diripio)*, pillage.

direptor, *oris*, m. *(diripio)*, celui qui pille, pillard, brigand.

direptus, *a, um*, part. de *diripio.*

direxi, pf. de *dirigo.*

diribeo, *ere, bitum (dis, habeo)*, tr., trier, compter, dénombrer.

diribitio, *onis*, f., compte, relevé [des votes] .

diribitor, *oris*, m., scrutateur, celui qui compte les bulletins des votants.

diribitorium, *ii*, n., local où l'on fit d'abord le dépouillement des bulletins de vote, puis, plus tard, les distributions au peuple et le paiement de la solde militaire.

dirigo (derigo), *ere, rexi, rectum (rego)*, tr., **1.** mettre en ligne droite, aligner || *aciem*, ranger l'armée en ligne de bataille || **2.** donner une direction déterminée, diriger: *cursum ad litora*, diriger sa course vers le rivage; *equum in aliquem*, diriger son cheval contre qqn; [poét.] *hastam alicui*, diriger sa lance contre qqn || **3.** disposer, ordonner, régler.

dirimo, *ere, emi, emptum (dis, emo)*, tr., **1.** partager, séparer || **2.** désunir, rompre, discontinuer; *tempus*, ajourner || [absol.] interrompre l'activité.

diripio, *ere, ripui, reptum (dis, rapio)*, tr., **1.** tirer dans des sens divers, mettre en pièces, déchirer, bouleverser || **2.** mettre à sac, piller || **3.** arracher.

diritas, *atis*, f. *(dirus)*, **1.** caractère sinistre, funeste de qqch. || **2.** humeur farouche, cruauté, barbarie.

dirumpo et **disrumpo,** *ere, rupi, ruptum*, tr., **1.** briser en morceaux, faire éclater || [fig.] rompre, détruire, briser || **2.** [au passif] crever [de jalousie, de rire, etc.]: *dirumpor dolore*, j'étouffe de dépit.

diruo, *ere, ui, utum (dis, ruo)*, tr., démolir, renverser, détruire || *homo dirutus*, homme ruiné, qui a fait banqueroute.

dirupi, pf. de *dirumpo*.

diruptio, *onis*, f. *(dirumpo)*, fracture, brisement.

diruptus, *a, um*, part. de *dirumpo* || adj., *homo diruptus dirutusque*, homme usé et ruiné.

dirus, *a, um*, **1.** sinistre, de mauvais augure, effrayant, terrible, funeste: *nihil dirius*, rien de plus funeste || pl. n. **dira,** *orum*, présages funestes || subst. f., **Dira,** une Furie, v. **Diræ,** *arum* || **2.** cruel, barbare, redoutable.

dirutus, *a, um*, part. de *diruo*.

1. dis, m. f., *dite*, n. (gén. *ditis*, dat. *diti*, abl. *diti*), [poét.] riche, opulent, abondant.

2. Dis ou **Ditis,** *Ditis*, m., Pluton [dieu des Enfers].

discedo, *ere, cessi, cessum*, intr., **1.** s'en aller de côté et d'autre, se séparer, se diviser || **2.** se séparer: *ab amicis*, se séparer de ses amis (rompre avec...) || [en gén.] s'éloigner de: *ex hibernis*, quitter le cantonnement || se retirer du combat [vainqueur ou vaincu] || *a signis*, quitter les enseignes = fuir || s'en aller du tribunal: *superior discedit*, il sort victorieux du procès || **3.** s'écarter de, manquer à || || se porter vers une opinion: *in alicujus sententiam*, se ranger à l'avis de qqn.

discens, *tis*, part. prés. de *disco* || pris subst., *discentes*, élèves.

disceptatio, *onis*, f. *(discepto)*, débat, discussion, contestation.

disceptator, *oris*, m. *(discepto)*, arbitre, juge.

disceptatrix, *icis*, f. *(disceptator)*, celle qui décide, arbitre, juge.

discepto, *are, avi, atum (dis, capto)*, tr., **1.** juger, décider [avec acc.] || **2.** [employé surtout absol.] : ***a)*** prononcer, décider; ***b)*** débattre, discuter [en justice ou en gén.] || [pass. imp.]: *de aliqua re disceptatur armis*, on a recours aux armes pour débattre une question.

discerno, *ere, crevi, cretum*, tr., **1.** séparer || **2.** discerner, distinguer: *alba et atra*, distinguer le blanc du noir; *a falso aliquid*, distinguer qqch. du faux || reconnaître: *discernere suos*, reconnaître les siens, ses soldats.

discerpo, *ere, cerpsi, cerptum (dis, carpo)*, tr., **1.** déchirer, mettre en pièces (*aliquem*, qqn) || déchirer en paroles || partager, diviser || **2.** dissiper, disperser.

discerptus, *a, um*, part. de *discerpo*.

discessi, pf. de *discedo*.

discessio, *onis*, f. *(discedo)*, départ, éloignement || vote par déplacement dans le sénat, en passant du côté de celui dont on adopte l'avis: *fit discessio*, on vote.

discessus, *us*, m. *(discedo)*, **1.** séparation, division || **2.** départ, éloignement: *discessus e vita*, trépas || exil || retraite [d'une troupe].

discidi, pl. de *discindo*.

discidium, *ii*, n. *(discindo)*, déchirement, division || séparation.

discido, *ere (dis, cædo)*, tr., séparer.

discinctus, *a, um*, part. de *discingo*.

discindo, *ere, scidi, scissum*, tr., déchirer, fendre, couper, séparer || [fig.] rompre.

discingo, *ere, cinxi, cinctum*, tr., **1.** ôter le ceinturon, désarmer, dépouiller: *discinctus*, la ceinture détachée, à son aise || **2.** [fig.] affaiblir, énerver, réduire à rien.

disciplina, *æ*, f. *(discipulus)*, **1.** action d'apprendre, de s'instruire: *in disciplinam conveniunt*, ils vont ensemble chercher l'instruction || **2.** enseignement: *dicendi*, leçons d'éloquence || méthode: *bellica disciplina*, méthodes de la guerre || système, doctrine [philosophique] || **3.** formation, discipline, école: *Cyri vita et disciplina*, la vie et l'éducation de Cyrus [Cyropédie] || formation (éducation) militaire || [en part.] *disciplina militaris*, la discipline militaire || organisation politique, constitution: *rei publicæ*; *civitatis*, régime politique.

discipula, *æ*, f. *(discipulus)*, écolière, élève.

discipulus, *i*, m., disciple, élève.

discissus, *a, um*, part. de *discindo*.

discludo, *ere, clusi, clusum (dis, claudo)*, tr., enfermer à part, séparer.

disclusus, *a, um*, part. de *discludo*.

disco, *discere, didici*, tr., apprendre: *litteras Græcas*, apprendre le grec || *aliquid ab aliquo, apud aliquem, ex aliquo*, apprendre qqch. de qqn, par qqn; *discere saltare*, apprendre à danser; *discere fidibus*, apprendre à jouer de la lyre || [avec prop. inf.] apprendre que || apprendre par message || [absol.] apprendre, s'instruire.

discobolos, *i*, m., discobole.

discolor, *oris*, de diverses couleurs || d'une couleur différente de || [fig.] différent.

disconveniens, *tis*, part. prés. de *disconvenio*.

disconvenio, *ire*, intr., ne pas s'accorder || impers. *disconvenit*, il y a désaccord.

1. discordia, *æ*, f. *(discors)*, discorde, désaccord, désunion, mésintelligence.

2. Discordia, *æ*, f., la Discorde [déesse, fille de l'Érèbe et de la Nuit].

discordo, *are (discors)*, intr., **1.** être en désaccord, en mésintelligence, en discordance *(secum*, avec soi-même) || **2.** être différent.

discors, *cordis (dis, cor)*, qui est en désaccord, en mésintelligence || discordant.

discrepans, *tis*, part. prés. de *discrepo*.

discrepantia, *æ*, f. *(discrepo)*, désaccord.

discrepatio, *onis*, f. *(discrepo)*, dissentiment.

discrepo, *are, avi*, intr., **1.** rendre un son différent, discordant, ne pas être d'accord || **2.** [fig.] ne pas s'accorder, différer, être différent de : *in aliqua re; de aliqua re*, différer en qqch. ; *cum aliqua re; ab aliqua re*, différer de qqch. ; *sibi discrepare*, être en désaccord avec soi-même || **3.** impers. *discrepat*, il y a dissentiment || [avec prop. inf.] il n'est pas concordant que.

discretus, *a, um*, part. de *discerno*.

discrevi, pf. de *discerno*.

discribo, *ere, scripsi, scriptum*, tr., **1.** assigner ici une chose, là une autre || **2.** répartir, distribuer [en classes, etc.).

discrimen, *minis*, n. *(discerno)*, ce qui sépare : **1.** ligne de démarcation, point de séparation || **2.** [fig.] différence, distinction || **3.** moment où il s'agit de décider, décision, détermination || moment décisif : *discrimen ultimum belli*, le moment décisif de la guerre || **4.** position critique.

discriminatus, *a, um*, part. de *discrimino*.

discrimino, *are, avi, atum (discrimen)*, tr., mettre à part, séparer, diviser.

discriptio, *onis*, f. *(discribo)*, **1.** [en parl. de plusieurs objets] répartition en des endroits précis, assignation d'une place à l'un, d'une place à l'autre, classement, distribution || **2.** arrangement des diverses parties d'un tout, organisation, économie ; *civitatis*, la constitution de la cité.

discrucio, *are, avi, atum*, tr., [s'emploie ordin. au pass.], écarteler sur une croix, torturer, tourmenter cruellement.

discucurri, pf. de *discurro*.

discumbo, *ere, cubitum, cubui*, intr., **1.** se coucher, se mettre au lit || **2.** se coucher pour manger, prendre place à table : *discumbitur*, on se met à table.

discurro, *currere, curri*, qqf. *cucurri, cursum*, **1.** intr., courir de différents côtés : *discurritur in muros*, on accourt sur les remparts || [fig.] *fama discurrit*, le bruit se répand || **2.** tr., parcourir.

discursatio, *onis*, f., course en sens divers.

discurso, *are, avi, atum (discurro)*, intr., aller et venir, courir çà et là.

1. discursus, part. de *discurro 2*.

2. discursus, *us*, m., action de courir çà et là, de se répandre de différents côtés || démarche, agitation || allée et venue.

discus, *i*, m., disque, palet.

discussio, *onis*, f. *(discutio)*, secousse, ébranlement.

discussus, *a, um*, part. de *discutio*.

discutio, *ere, cussi, cussum (dis, quatio)*, tr., **1.** fendre (briser) en frappant, fracasser, fendre || **2.** écarter : *discussa est caligo*, le brouillard est dissipé.

diserte *(disertus)*, **1.** clairement, expressément || **2.** éloquemment.

disertus, *a, um (dissero 2)*, **1.** bien ordonné, habilement disposé, clair et expressif || **2.** [en part.] habile à parler, parleur habile.

disjeci, pf. de *disjicio*.

disjecto, *are (disjicio)*, tr., jeter çà et là, disperser.

disjectus, *a, um*, part. de *disjicio*.

disjicio (disicio), *ere, jeci, jectum (dis, jacio)*, tr., **1.** jeter çà et là, disperser, séparer || **2.** renverser, détruire || [fig.] rompre.

disjunctio (dij-), *onis*, f. *(disjungo)*, séparation : *disjunctionem facere*, rompre avec qqn.

disjunctus (dij-), *a, um*, part. de *disjungo* || pris adj., **1.** éloigné || **2.** séparé, distinct : *nihil est ab ea cogitatione dijunctius*, rien n'est plus éloigné de cette pensée.

disjungo (dij-), *ere, junxi, junctum*, tr., **1.** séparer, disjoindre || **2.** séparer, distinguer, mettre à part.

dispalatus, *a, um*, part. de *dispalor*.

dispalor, *ari, atus*, intr., errer çà et là.

dispando, *ere, di, pansum*, tr., étendre || écarteler.

dispansus, *a, um*, part. de *dispando.*

dispar, *aris*, dissemblable, différent, inégal : *alicui* ou *alicui rei*, différent de qqn ou de qqch.

disparatus, *a, um*, part. de *disparo.*

disparilis, *e*, c. *dispar.*

disparilitas, *atis*, f. *(disparilis)*, dissemblance.

disparo, *are, avi, atum*, tr., séparer, diviser.

dispartio, dispartior, v. *dispert-.*

dispectus, *a, um*, part. de *dispicio.*

dispello, *ere, puli, pulsum*, tr., [s'emploie ordin. au pf. et au part.], disperser, dissiper || [avec *ab*], chasser loin de.

dispendium, *ii*, n. *(dispendo)*, dépense, frais || dommage, perte.

dispensatio, *onis*, f. *(dispenso)*, distribution, répartition, partage : *annonæ*, distribution de vivres || administration, gestion || office d'administrateur, d'intendant, d'économe.

dispensator, *oris*, m. *(dispenso)*, administrateur, intendant.

dispensatus, *a, um*, part. de *dispenso.*

dispenso, *are, avi, atum (dispendo)*, tr., **1.** partager, distribuer [de l'argent] || **2.** administrer, gouverner, régler [ses affaires, des finances] || **3.** distribuer, partager, répartir [pr. et fig.] || régler, disposer, ordonner.

disperditus, *a, um*, part. de *disperdo.*

disperdo, *ere, didi, ditum*, tr., perdre complètement, perdre, détruire, anéantir.

dispereo, *ire, perii*, intr., disparaître en lambeaux, périr entièrement, être détruit, perdu [sert de passif à *disperdo*].

dispergo, *ere, spersi, spersum (dis, spargo)*, tr., répandre çà et là, jeter de côté et d'autre || [fig.] *rumorem*, ou absol. *dispergere*, semer un bruit.

disperse et **dispersim,** çà et là, en plusieurs endroits.

dispersus, *a, um*, part. de *dispergo.*

dispertio, *ire, ivi* et *ii, itum (dis, partio)*, tr., distribuer, partager, répartir.

dispertior, *iri*, tr., diviser.

dispertitus, *a, um*, part. de *dispertio.*

dispicio, *ere, spexi, spectum (dis, specio)*, intr. et tr.,
I. intr., voir distinctement.
II. tr., **1.** bien voir, distinguer || **2.** considérer, examiner.

displicentia, *æ*, f. *(displiceo)*, dégoût, déplaisir, mécontentement.

displiceo, *ere, cui, citum (dis, placeo)*, intr., déplaire : *sibi displicere*, ne pas se sentir bien || [au moral] *displiceo mihi*, je suis mécontent de moi || [avec prop. inf.] désapprouver que.

displodo, *ere, plosum*, tr., écarter, étendre (distendre), ouvrir avec bruit.

displosus, *a, um*, part. de *displodo.*

dispono, *ere, posui, positum*, tr., **1.** placer en séparant ; disposer, distribuer, mettre en ordre : *in quincuncem*, disposer en quinconce || **2.** arranger, régler, ordonner : *diem*, régler l'emploi de la journée.

disposite *(dispositus)*, avec ordre, régulièrement.

dispositio, *onis*, f. *(dispono)*, disposition, arrangement.

dispositor, *oris*, m. *(dispono)*, ordonnateur.

dispositus, *a, um*, part. de *dispono* || adj., bien ordonné.

disposui, pf. de *dispono.*

dispuli, pf. de *dispello.*

dispulsus, *a, um*, part. de *dispello.*

dispunctus, *a, um*, part. de *dispungo.*

dispungo, *ere, xi, ctum*, tr., **1.** régler, mettre en balance || **2.** distinguer, séparer.

disputabilis, *e (disputo)*, qui est susceptible d'une discussion.

disputatio, *onis*, f. *(disputo)*, action d'examiner une question dans ses différents points en pesant le pour et le contre, discussion, dissertation.

disputatiuncula, *æ*, f., dim. de *disputatio*, petite discussion.

disputator, *oris*, m. *(disputo)*, argumentateur, dialecticien.

disputatus, *a, um*, part. de *disputo* || subst. pl. n. : *disputata*, avis.

disputo, *are, avi, atum*, tr. et intr.,
I. tr., **1.** mettre au net un compte après examen et discussion : régler : *rationem cum aliquo*, régler un compte avec qqn || **2.** [fig.] ***a)*** examiner point par point une question en pesant le pour et le contre, discuter, examiner ; ***b)*** exposer point par point, traiter || [avec prop. inf.] soutenir que.
II. intr., discuter, disserter, raisonner, faire une dissertation.

disquisitio, *onis*, f. *(disquiro)*, recherche, enquête.

disrumpo, v. *dirumpo.*

dissæp-, v. *dissep-*.

disseco, *are, cui, ctum*, tr., couper, trancher.

dissectus, *a, um*, part. de *disseco*.

disseminatus, *a, um*, part. de *dissemino*.

dissemino, *are, avi, atum*, tr., disséminer, propager, répandre.

dissensio, *onis*, f. *(dissentio)*, dissentiment, divergence de sentiments, d'opinions || dissension, discorde, division.

dissensus, *us*, m., divergence de sentiments, dissentiment.

dissentio, *ire, sensi, sensum*, intr., être d'un avis différent, ne pas s'entendre : *ab aliquo, cum aliquo*, ne pas être d'accord avec qqn ; *a more dissentire*, s'éloigner d'un usage || [avec nom de chose comme sujet] s'écarter de, différer de, n'être pas d'accord avec.

dissepio (dissæpio), *ire, psi, ptum*, tr., séparer.

disseptum (dissæp-), *i*, n. *(disseptus)*, séparation, clôture, ce qui enclôt.

disseptus (dissæp-), *a, um*, part. de *dissepio*.

1. dissero, *ere, sevi, situm*, tr., semer en différents endroits, placer çà et là.

2. dissero, *ere, serui, sertum*, tr., enchaîner à la file des idées, des raisonnements ; exposer avec enchaînement || [avec prop. inf.] soutenir (en argumentant) que, exposer avec raisonnement que || [absol.] disserter, raisonner : *ratio disserendi*, la dialectique.

disserto, *are, avi, atum (dissero)*, tr., discuter, disserter sur, exposer, traiter.

disserui, pf. de *dissero 2*.

dissevi, pf. de *dissero 1*.

dissideo, *ere, sedi, sessum (dis, sedeo)*, intr., **1.** être séparé, éloigné || **2.** ne pas s'entendre, être désuni, divisé, être en désaccord : *ab aliquo, cum aliquo, alicui*, ne pas s'accorder, être en opposition, en dissentiment avec qqn.

dissignator, *oris*, m. *(dissigno)*, ordonnateur, celui qui assigne les places au théâtre || ordonnateur des pompes funèbres.

dissigno, *are, avi, atum (dis, signo)*, tr., distinguer par un signe, une empreinte, signaler de manière distincte || régler, ordonner, disposer.

dissilio, *ire, silui, sultum (dis, salio)*, intr., sauter de côté et d'autre, se briser en morceaux, se fendre, s'écarter, s'entrouvrir, crever || [fig.] *dissilire risu*, crever de rire.

dissimilis, *e*, dissemblable, différent : *alicujus, alicui*, différent de qqn.

dissimiliter, différemment, diversement.

dissimilitudo, *inis*, f. *(dissimilis)*, dissemblance, différence.

dissimulanter *(dissimulo)*, en dissimulant, avec dissimulation, secrètement.

dissimulantia, *æ*, f. *(dissimulo)*, art de dérober sa pensée.

dissimulatio, *onis*, f. *(dissimulo)*, dissimulation, déguisement, feinte.

dissimulator, *oris*, m. *(dissimulo)*, celui qui dissimule, qui cache.

dissimulatus, *a, um*, part. de *dissimulo*.

dissimulo, *are, avi, atum (dis, simulo)*, tr., dissimuler, cacher.

dissipabilis, *e (dissipo)*, qui se dissipe, qui s'évapore aisément.

dissipatio, *onis*, f. *(dissipo)*, dispersion || dissolution, anéantissement, destruction || dissipation, dépense, gaspillage.

dissipatus, *a, um*, part. de *dissipo*.

dissipo, *are, avi, atum*, tr., **1.** répandre çà et là, disperser || mettre en déroute || **2.** mettre en pièces, détruire, anéantir || **3.** répandre [fig.] : *famam*, répandre un bruit.

dissitus, *a, um*, part. de *dissero 1*.

dissociabilis, *e (dissocio)*, qu'on ne peut réunir, incompatible.

dissociatio, *onis*, f. *(dissocio)*, séparation || antipathie, répugnance.

dissociatus, *a, um*, part. de *dissocio*.

dissocio, *are, avi, atum*, tr., séparer || [fig.] désunir, diviser.

dissolubilis, *e (dissolvo)*, séparable, divisible.

dissolute *(dissolutus)*, sans particule de liaison || avec insouciance, indifférence || avec faiblesse.

dissolutio, *onis*, f. *(dissolvo)*, **1.** dissolution, séparation || **2.** [fig.] destruction, ruine, anéantissement || réfutation || absence de liaison [entre les mots], suppression de la coordination || faiblesse, manque d'énergie.

dissolutus, *a, um*, **1.** part. de *dissolvo* || **2.** adj., détaché, insouciant || indolent, mou || relâché, dépravé.

dissolvo, *ere, solvi, solutum*, tr., **1.** dissoudre, séparer, désunir : *glaciem*, fondre la glace || **2.** payer, s'acquitter de : *æs alienum*, payer ses dettes ; *pœnam*, subir une peine ; *aliquid alicui*, payer qqch. à qqn || [pass.] *dissolvi*, se libérer, se dégager || **3.** [fig.] désunir, désagréger, détruire || dénouer, relâcher.

dissonus, *a, um,* dissonant, discordant || qui diffère, différent.

dissors, *tis,* qui n'entre point en partage.

dissuadeo, *ere, suasi, suasum,* dissuader, parler pour détourner de, **1.** tr., *legem,* combattre une loi || **2.** [absol.] parler contre, être opposant, faire opposition (*de aliqua re,* à propos de qqch.) || **3.** [en gén.] déconseiller de qqch., détourner de qqch.

dissuasio, *onis,* f. *(dissuadeo),* action de dissuader, de parler contre, de détourner.

dissuasor, *oris,* m. *(dissuadeo),* celui qui dissuade, qui parle contre, qui détourne.

dissulto, *are,* intr. *(dissilio),* sauter çà et là, se briser en morceaux, éclater || [poét.] tressaillir, être ébranlé || s'éloigner (s'écarter) en bondissant, rebondir, rejaillir.

dissuo, *ere, sutum,* tr., découdre || [fig.] *amicitias,* dénouer une amitié.

dissutus, *a, um,* part. de *dissuo.*

distantia, *æ,* f. *(disto),* distance, éloignement || différence.

distendo, *ere, di, tum,* tr., **1.** étendre, déployer || **2.** tendre, gonfler, remplir || **3.** torturer, tourmenter.

1. distentus, *a, um,* part. de *distendo* || adj., gonflé, plein.

2. distentus, *a, um,* part. de *distineo* || adj., occupé de plusieurs choses.

disterminatus, *a, um,* part. de *distermino.*

distermino, *are, avi, atum,* tr., borner, délimiter, séparer.

distill-, v. *destill-.*

distincte *(distinctus 1),* séparément, d'une manière distincte, avec netteté.

distinctio, *onis,* f. *(distinguo),* action de distinguer, de faire la différence, distinction || différence, caractère distinctif || appellation distincte, désignation.

1. distinctus, *a, um,* part. de *distinguo*|| adj., varié || distinct, séparé || orné, nuancé, rehaussé.

2. distinctus, abl. *u,* m., différence.

distineo, *ere, tinui, tentum (dis, teneo),* tr., **1.** tenir séparé, séparer, tenir éloigné : *aliquem domo,* retenir qqn loin de sa patrie || **2.** [fig.] déchirer, partager || **3.** tenir occupé, empêcher.

distinguo, *ere, stinxi, stinctum,* tr., **1.** séparer, diviser || **2.** [fig.] distinguer, différencier || **3.** nuancer, diversifier [le style].

disto, *are (dis, sto),* intr., **1.** être éloigné : *haud multum distanti tempore,* quelque temps après || *tam distantibus in locis,* dans des lieux si éloignés, si divers || **2.** être différent : *a cultu bestiarum,* différer de la vie des bêtes || [impers.] *distat,* il y a une différence.

distorqueo, *ere, torsi, tortum,* tr., **1.** tourner de côté et d'autre, contourner, tordre || **2.** torturer, tourmenter.

distortio, *onis,* f., distorsion.

distortus, *a, um,* **1.** part. de *distorqueo* || **2.** adj., tordu, contrefait, difforme || entortillé [en parl. du style].

distractio, *onis,* f. *(distraho),* **1.** action de tirer en sens divers, déchirement || division, séparation || **2.** désaccord.

distractus, *a, um,* part. de *distraho* || adj., divisé || occupé.

distraho, *ere, traxi, tractum,* tr.,
I. tirer en sens divers, **1.** rompre (diviser) en morceaux un tout, déchirer, rompre, séparer, diviser : *vallum,* détruire un retranchement || **2.** vendre en détail || **3.** [fig.] partager, désunir, dissoudre : *in contrarias sententias distrahi,* être tiraillé entre deux avis opposés.
II. tirer loin de, **1.** détacher de || *ab aliqua re distrahi,* être arraché à qqch. || **2.** séparer || *cum aliquo distrahi,* rompre avec qqn.

distribuo, *ere, bui, butum,* tr., distribuer, répartir, partager.

distribute *(distributus),* avec ordre, avec méthode.

distributio, *onis,* f. *(distribuo),* division || [rhét.] distribution.

distributus, *a, um,* part. de *distribuo.*

districtus, *a, um,* **1.** part. de *distringo* || **2.** adj., ***a)*** enchaîné, empêché, *aliqua re* ou *ab aliqua re* par qqch. ; ***b)*** partagé, hésitant.

distringo, *ere, strinxi, strictum (dis, stringo),* tr., **1.** lier d'un côté et d'un autre, maintenir écarté ou étendu || **2.** maintenir à l'écart, maintenir éloigné || retenir, arrêter, empêcher || fatiguer : *Jovem votis,* fatiguer Jupiter de ses vœux.

distuli, pf. de *differo.*

disturbatio, *onis,* f. *(disturbo),* démolition, ruine.

disturbatus, *a, um,* part. de *disturbo.*

disturbo, *are, avi, atum,* tr., **1.** disperser violemment || **2.** démolir || **3.** [fig.] bouleverser, détruire.

ditatus, *a, um,* part. de *dito.*

ditesco, *ere,* intr. *(dis 1),* s'enrichir.

dithyrambus, *i,* m., dithyrambe [poème en l'honneur de Bacchus].

ditior, ditissimus, comp. et superl. de *dis*, qui servent à *dives*.

ditis, gén. de *dis*.

dito, *are, avi, atum (dis 1)*, tr., enrichir.

diu,
I. pendant le jour [toujours joint à *noctu*].
II. adv., **1.** longtemps, pendant longtemps || **2.** depuis longtemps, surtout avec *jam*: *jam diu*.

diurnum, *i*, n. *(diurnus)*, **1.** ration journalière d'un esclave || **2.** journal, relation des faits journaliers.

diurnus, *a, um*, **1.** de jour, diurne [opp. *nocturnus*, de nuit] || **2.** journalier, de chaque jour: *diurna acta*; *diurni commentarii*, éphémérides, journaux; *diurnus cibus, victus*, ration d'un jour.

dius, *a, um*, arch. et poét., c. *divus*, [fig.] divin, semblable aux dieux || divin, divinement beau (grand, etc.).

diutinus, *a, um (diu)*, qui dure longtemps, de longue durée, long.

diutule, *(diu)*, qq. peu de temps.

diuturnitas, *atis*, f. *(diuturnus)*, longueur de temps, longue durée.

diuturnus, *a, um (diu)*, qui dure longtemps, durable.

diva, *æ*, f. *(divus)*, déesse.

divaricatus, *a, um*, part. de *divarico*.

divarico, *are, avi, atum*, tr., écarter les jambes à qqn: *in statua aliquem divaricare*, placer qqn à cheval sur une statue.

divello, *vellere, velli (vulsi), vulsum*, tr., **1.** tirer en sens divers, déchirer, mettre en pièces || [fig.] *divelli dolore*, être déchiré par la douleur || **2.** séparer de: *aliquem ab aliquo*, séparer qqn de qqn; *rem ab aliqua re*, séparer une chose d'une autre.

divenditus, *a, um*, part. de *divendo*.

divendo, *ere, itum*, tr., vendre [en divisant, en détail].

diverberatus, *a, um*, part. de *diverbero*.

diverbero, *are, atum*, tr., séparer en frappant, fendre.

diverbium, *ii*, n., dialogue [dans une pièce de théâtre].

diverse (-vorse) *(diversus)*, en sens opposés || en s'écartant, à l'écart.

diversitas, *atis*, f. *(diversus)*, divergence, contradiction || diversité, variété, différence.

diversor, diversorium, *etc.*, v. *dev-*.

diversus (divorsus), *a, um*, part.-adj. de *diverto*, **1.** tourné un dans un sens, un dans un autre; allant dans des directions opposées ou diverses; *diversis itineribus*, par des chemins séparés les uns des autres || éloigné, distant, opposé || [moralement] sollicité en sens divers, hésitant || **2.** à l'opposé d'un point, opposé: *diversis a flumine regionibus*, dans des directions opposées à celle du fleuve = perpendiculairement au fleuve || opposé || *in diversum*, dans le sens opposé, contraire; *ex diverso*, du point de vue opposé, à l'opposé, du côté opposé.

dives, *vitis*, riche, opulent || *divitior, divitissimus* || *ditior, ditissimus*.

divexo, *are, avi, atum*, tr., ravager, saccager || persécuter, tourmenter.

Diviciacus, *i*, m., **1.** noble Éduen, ami de César || **2.** roi des Suessions.

divido, *ere, visi, visum*, tr., **1.** diviser, partager: *Gallia est divisa in partes tres*, la Gaule est divisée en trois parties || [en part.] partager en deux || [poét.] mettre en morceaux, rompre || **2.** distribuer, répartir; *prædam militibus*, distribuer le butin aux soldats; *aliquid cum aliquo*, partager qqch. avec qqn || **3.** séparer: *flumen Rhenus agrum Helvetium a Germanis dividit*, le Rhin sépare l'Helvétie des Germains || distinguer || nuancer, trancher.

dividuus, *a, um (divido)*, **1.** divisible, réductible en parties || **2.** divisé, séparé, partagé.

divinatio, *onis*, f. *(divino)*, **1.** divination, art de prédire || *animi*, pressentiment || **2.** débat judiciaire préalable, en vue de déterminer qui sera l'accusateur.

divinatus, *a, um*, part. de *divino*.

divine *(divinus)*, divinement; excellemment, parfaitement || en devinant.

divinitas, *atis*, f. *(divinus)*, **1.** divinité, nature divine || **2.** excellence, perfection.

divinitus *(divinus)*, **1.** de la part des dieux, venant des dieux, par un effet de la volonté divine || **2.** par une inspiration divine || **3.** divinement, merveilleusement.

divino, *are, avi, atum (divinus)*, tr., deviner, présager, prévoir, prophétiser qqch. || [avec prop. inf.] présager que.

divinum, *i*, n. *(divinus)*, le divin || sacrifice divin.

1. divinus, *a, um (divus)*, **1.** divin, de Dieu, des dieux || **2.** qui devine, prophétique || **3.** divin, extraordinaire, merveilleux, excellent, admirable || **4.** divin [en parl. des empereurs]: *divina domus*, la maison impériale, la famille des Césars.

2. divinus, *i*, m., devin.

divisi, pf. de *divido*.

divisio, *onis*, f. *(divido)*, partage, répartition, distribution.

divisor, *oris*, m. *(divido)*, celui qui partage || distributeur d'argent au nom d'un candidat, courtier d'élection.

1. divisus, *a, um*, part. de *divido* || adj., séparé, divisé.

2. divisus, dat. sing. *ui*, m., partage: *facilis divisui*, facile à partager.

Divitiacus, v. *Diviciacus*.

divitiæ, *arum*, f., biens, richesses.

divolsus, part. de *divello*.

divorsus, v. *diversus*.

divortium, *ii*, n., **1.** divorce || **2.** séparation.

divulgatus, *a, um*, **1.** part. de *divulgo* || **2.** adj., commun, banal, vulgarisé.

divulgo, *are, avi, atum (dis, vulgo)*, tr., divulguer, publier, rendre public || [avec prop. inf.] répandre le bruit que.

divulsi, pf. de *divello*.

divulsio, *onis*, f. *(divello)*, action d'arracher, de séparer, de diviser.

divulsus, *a, um*, part. de *divello*.

divum, *i*, n. pris subst. *(divus)*, l'air, le ciel.

1. divus, *a, um*, divin.

2. divus, *i*, m., dieu, divinité; *divi*, les dieux || titre donné, après leur mort, aux empereurs divinisés; et d'abord à Jules César (*divus Julius*, le divin Jules).

dixi, pf. de *dico*.

do, *dare, dedi, datum*, tr. [deux racines confondues, *da* donner et *dha* placer, v. *condere, abdere*, etc.].

I. [en gén.] donner : *dare, recipere merita*, rendre, recevoir des services; *par ratio acceptorum et datorum*, compte égal (balance exacte) du reçu et du donné || octroyer, concéder, accorder || confier, remettre: *dare litteras ad aliquem* = remettre au courrier une lettre pour qqn, [donc] écrire à qqn; [de là] *litteræ Corcyræ datæ*, lettre (confiée) écrite à Corcyre; [le courrier ou la pers. chargée de la lettre la livre au destinataire, *reddit*] || *pœnas dare*, v. *pœna* || présenter, fournir, offrir || *operam dare*, v. *opera* || *tempus, locus, fors se dat*, le moment, l'occasion, le hasard se présente || [avec adj. verbal] confier: *librum Cossinio ad te perferendum dedi*, j'ai confié à Cossinius la mission de te porter le livre.

II. [sens part.], **1.** *nomen*, donner son nom, s'enrôler pour le service militaire || *manus*, tendre les mains pour qu'on les enchaîne, s'avouer vaincu || **2.** accorder, faire une concession || **3.** placer, mettre: *præceps ad terram datus*, jeté à terre la tête la première; *sese in fugam*, ou *fugæ*, prendre la fuite || *se dare in rem*, se jeter dans une chose || **4.** apporter, causer: *alicui damnum, malum*, causer du dommage, du mal à qqn || **5.** accorder, concéder (*aliquid alicui*, qqch. à qqn) || **6.** *se dare alicui, alicui rei*, se donner, se dévouer, se consacrer à qqn, à qqch. || **7.** exposer, dire: *da mihi*, dis-moi || [poét.] *datur (= narratur, dicitur, fertur, etc.)*, on expose, on raconte, on dit, on rapporte, etc. || **8.** *fabulam dare*, v. *fabula* || **9.** *verba (alicui)*, payer de mots, donner le change, tromper || **10.** [avec deux datifs] imputer: *alicui aliquid laudi, crimini, vitio*, imputer à qqn qqch. à louange, à accusation, à défaut = faire à qqn un mérite, un grief, un crime de qqch. || **11.** donner [un banquet, un repas] || **12.** constructions: [avec *ut* subj.] donner la faveur de, accorder de, permettre de || [avec inf.] *dare bibere*, donner à boire.

doceo, *ere, cui, ctum*, tr., enseigner, instruire, montrer, faire voir, **1.** *rem*, enseigner (faire connaître) qqch.; *canere*, enseigner à chanter || [av. prop. inf.] enseigner que || [en part., av. prop. inf.] faire connaître que, informer || **2.** *aliquem*, instruire qqn || [avec deux acc.] *docere aliquem litteras*, apprendre à lire à qqn; [pass.] *doceri rem*, être instruit (informé) de qqch. || *aliquem de aliqua re*, instruire qqn de qqch.; [pass.] *doceri de aliqua re*, être instruit de qqch. || **3.** *fabulam*, répéter ou représenter une pièce || **4.** [rhét.] instruire (l'auditoire, les juges) || **5.** [absol.] tenir école, donner des leçons.

docilis, *e (doceo)*, disposé à s'instruire, qui apprend aisément || docile, qu'on manie aisément.

docilitas, *atis*, f. *(docilis)*, aptitude (facilité) à apprendre.

docte *(doctus)*, savamment, doctement.

doctiuscule *(doctus)*, d'une manière qq. peu savante.

doctor, *oris*, m. *(doceo)*, maître, celui qui enseigne.

doctrina, *æ*, f. *(doceo)*, **1.** enseignement, formation théorique [opp. souvent à *natura*, dons naturels, ou à *usus*, pratique], éducation, culture || **2.** art, science, doctrine, théorie, méthode.

doctus, *a, um,* **1.** part. de *doceo* || **2.** adj., qui a appris, qui sait, instruit, docte, savant, habile || **3.** *docti,* m. pl., les savants || les connaisseurs, les critiques compétents || les doctes.

documentum, *i,* n. *(doceo),* exemple, modèle, leçon, enseignement, démonstration : *esse alicui documento,* servir de leçon à qqn || [avec gén.] exemple, échantillon.

dodrans, *antis,* m., les 9/12 ou 3/4 d'un tout.

Dolabella, *æ,* m., nom d'une branche des *Cornelii,* not. P. Cornélius Dolabella [gendre de Cicéron].

dolabra, *æ,* f., dolabre [outil à deux faces, servant à la fois de hache et de pioche ou de pic] , hache.

dolatus, *a, um,* part. de *dolo.*

dolendus, *a, um,* adj. verbal de *doleo* || pl. n. *dolenda,* événements douloureux.

dolens, *tis,* part. prés. de *doleo* || adj., qui cause de la douleur.

dolenter *(dolens),* avec douleur, avec peine || d'une manière pathétique, attendrissante.

doleo, *ere, ui, itum,* intr. et tr.,
I. intr., **1.** éprouver de la douleur [physique], souffrir || **2.** [la partie douloureuse étant sujet]: *pes dolet,* le pied est douloureux, fait mal || **3.** [impers.] *mihi dolet,* j'ai mal ; *cui dolet, meminit,* celui qui pâtit se souvient || **4.** être affligé : *de aliquo,* s'affliger au sujet de qqn || [acc. adverbial] *dolere quod,* s'affliger de ce que.
II. tr., s'affliger de, déplorer, se plaindre.

doliolum, *i,* n., petit dolium, tonnelet.

doliturus, *a, um,* part. fut. de *doleo.*

dolium, *ii,* n., grand vaisseau de terre ou de bois où l'on serrait le vin, l'huile, le blé, etc. ; jarre, tonne, tonneau.

dolo, *are, avi, atum,* tr., travailler avec la dolabre, dégrossir, façonner [une pièce de bois], équarrir.

dolo ou **dolon,** *onis,* m., **1.** dolon [bâton armé d'un fer très court] || poignard || aiguillon de la mouche || **2.** la plus petite voile, voile de proue.

Dolon, *onis,* m., Dolon [espion troyen, qui fut pris et tué par Ulysse et Diomède].

dolor, *oris,* m. *(doleo),* **1.** douleur physique, souffrance || *vulneris,* douleur d'une blessure || **2.** douleur morale, peine, tourment, affliction, chagrin : *dolorem alicui afferre; commovere; facere,* causer de la douleur à qqn ; *dolorem accipere ; percipere ; suscipere ; capere,* éprouver, ressentir de la douleur || ressentiment || dépit d'un échec || **3.** [rhét.] ***a)*** émotion, sensibilité ; ***b)*** expression passionnée, pathétique.

dolose *(dolosus),* artificieusement, avec fourberie.

dolosus, *a, um (dolus),* rusé, astucieux, fourbe, trompeur.

dolus, *i,* m., adresse, ruse ; *dolo malo,* frauduleusement || fourberie, tromperie.

domabilis, *e (domo),* domptable, qu'on peut dompter.

domestici, *orum,* m. *(domesticus),* les membres d'une famille, tous ceux qui sont attachés à une maison [amis, clients, affranchis].

domesticus, *a, um (domus),* **1.** de la maison : *domesticus vestitus,* vêtement d'intérieur, porté chez soi || **2.** de la famille, du foyer, domestique ; *res domesticæ,* patrimoine || de chez soi, personnel || **3.** qui tient aux foyers, à la patrie : *domesticum bellum,* guerre à l'intérieur du pays.

domicilium, *ii,* n. *(domus),* domicile, habitation, demeure [pr. et fig.].

domina, *æ,* f. *(dominus),* **1.** maîtresse de maison || **2.** maîtresse, souveraine [pr. et fig.] || **3.** nom donné à l'impératrice.

dominans, *tis,* part. prés. de *dominor* || adj., prédominant || subst. m., le maître.

dominatio, *onis,* f. *(dominor),* domination, souveraineté, pouvoir absolu.

dominator, *oris,* m. *(dominor),* maître, souverain.

dominatrix, *icis,* f. *(dominator),* maîtresse, souveraine.

1. dominatus, *a, um,* part. de *dominor.*

2. dominatus, *us,* m., c. *dominatio.*

dominium, *ii,* n. *(dominus),* propriété, droit de propriété || banquet solennel, festin || pl., dominations = maîtres, tyrans [fig.].

dominor, *ari, atus sum (dominus),* intr., être maître, dominer, commander, régner [pr. et fig.] (*in aliqua re,* dans (sur) qqch.) || être prédominant, jouer un rôle prépondérant || *inter populos,* avoir l'hégémonie parmi les peuples.

dominus, *i,* m. *(domus),* **1.** maître [de maison], possesseur, propriétaire || **2.** chef, souverain, arbitre, maître [pr. et fig.] || l'organisateur (de jeux) ||

3. Seigneur [nom donné aux empereurs après Auguste et Tibère].

1. Domitianus, *a, um,* de Domitius.

2. Domitianus, *i,* m., Domitien [empereur romain].

Domitius, *ii,* m., nom d'une famille romaine.

domito, *are,* fréq. de *domo,* tr., dompter, soumettre.

domitor, *oris,* m. *(domo),* dompteur, celui qui dompte, qui réduit, qui dresse [les animaux] || vainqueur, celui qui triomphe de.

domitrix, *icis,* f., celle qui dompte.

domitura, *æ,* f. *(domo),* action de dompter, de dresser.

1. domitus, *a, um,* part. de *domo.*

2. domitus, abl. *u,* m., c. *domitura.*

domo, *are, ui, itum,* tr., **1.** dompter, dresser, apprivoiser [les animaux] || **2.** vaincre, réduire, subjuguer [pr. et fig.].

domui, pf. de *domo.*

domus, *us* (locatif *domi*), f., **1.** maison, demeure, logis, habitation: *domi,* à la maison; *domi nostræ,* chez nous || *domum Pomponii venire* (ou *in domum*), aller chez Pomponius || [question *unde*] *domo,* de sa maison, de chez soi || **2.** [poét.] édifice [de toute espèce] || **3.** patrie: *domi,* dans son pays; *domo emigrare,* quitter son pays; *domum revertuntur,* ils rentrent dans leur pays || **4.** famille, maison.

donaria, *orum,* n. pl., endroit du temple où l'on déposait les offrandes, trésor || temple, sanctuaire, autel.

donatio, *onis,* f. *(dono),* action de donner, don.

donativum, *i,* n. *(dono),* largesse faite par l'empereur aux soldats.

1. donatus, *a, um,* part. de *dono.*

2. Donatus, *i,* m., *Ælius Donatus,* Donat [célèbre grammairien, précepteur de saint Jérôme, commentateur de Térence, IVe s. ap. J.-C.].

donec, conj.

I. indic., **1.** jusqu'à ce que; [qqf. en corrélation avec *usque eo*] : *usque eo..., donec...,* jusqu'au moment où... || jusqu'à ce qu'enfin || **2.** aussi longtemps que, tant que.

II. subj., **1.** [nuance consécutive restrictive] jusqu'à ce que pourtant enfin || de sorte que à la fin || **2.** [qqf. nuance participiale, comme *dum*]: tandis que.

donicum, conj., anc. forme pour *donec.*

dono, *are, avi, atum (donum),* tr., **1.** faire don, donner || **2.** sacrifier || **3.** tenir quitte de || **4.** gratifier de: *aliquem civitate,* accorder le droit de cité à qqn.

donum, *i,* n. *(dare),* don, présent: *ultima dona,* les derniers devoirs, les funérailles || offrande faite aux dieux.

Dores, *um,* m., Doriens, habitants de la Doride.

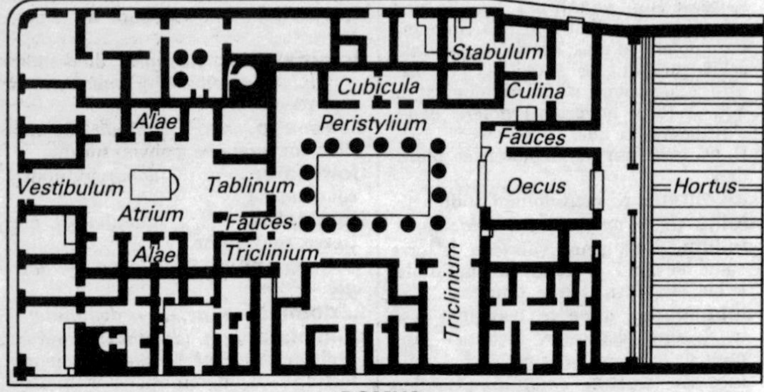

DOMUS

Dorice, à la manière des Doriens.

Doricus, *a, um,* dorien || = grec.

Doris, *idis,* f., la Doride [contrée de la Grèce].

dormio, *ire, ivi* et *ii, itum,* intr., dormir.

dormito, *are, avi, atum (dormio),* intr., **1.** avoir envie de dormir, s'endormir, sommeiller || **2.** être inactif.

dormitorium, *ii,* n. *(dormitorius),* chambre à coucher.

dormitorius, *a, um (dormito),* où l'on dort.

dorsum, *i,* n., **1.** dos de l'homme et des animaux || **2.** croupe, arête [d'une montagne].

doryphorus (-os), *i,* m., doryphore [soldat armé d'une lance].

dos, *dotis,* f. *(do),* **1.** dot: *doti dicere,* donner en dot, ou *dare in dotem,* ou *conferre in dotem* || **2.** qualités, mérites de qqch. ou de qqn.

Dossennus ou **Dossenus,** *i,* m., personnage traditionnel de l'atellane, bossu, glouton, filou.

dotalis, *e (dos),* de dot, donné ou apporté en dot, dotal.

dotatus, *a, um,* part. de *doto* || adj., bien doté, bien doué.

doto, *are, avi, atum (dos),* tr., doter (*aliquem aliqua re,* qqn de qqch.).

drachma, *æ,* f., drachme [unité de poids chez les Athéniens, = environ 3 g 1/2] || drachme [monnaie athénienne, = un denier romain].

1. draco, *onis,* m., **1.** dragon [serpent fabuleux]; [gardien de trésor] || **2.** le dragon [constellation].

2. Draco, *onis,* m. Dracon [législateur d'Athènes].

draconigena, *æ,* m. f., né d'un dragon: [en part.] épithète désignant la ville de Thèbes.

Drances, *is,* m., l'un des conseillers de Latinus dans l'*Énéide.*

dromas, *adis,* m., dromadaire [animal].

druidæ, *arum,* et **druides,** *um,* m., druides [prêtres des anciens Gaulois].

Drusus, *i,* m., surnom d'une branche de la gens *Livia* || surnom de qqes *Claudii*; not. *Claudius Drusus Nero,* frère de Tibère, père de Germanicus et de l'empereur Claude.

Dryades, *um,* f., les Dryades [nymphes des forêts].

dubie *(dubius),* d'une manière douteuse, incertaine: *non dubie,* certainement.

Dubis, *is,* m., le Dubis [rivière des Séquanais, auj. le Doubs].

dubitabilis, *e (dubito),* douteux.

dubitanter, avec doute, en hésitant.

dubitatio, *onis,* f. *(dubito),* **1.** action de douter, doute: *dubitationem tollere, expellere; eximere,* dissiper, lever les doutes: *alicujus rei dubitatio,* l'incertitude sur qqch. || **2.** examen dubitatif, hésitation || **3.** hésitation, irrésolution, lenteur; *sine dubitatione,* ou *sine ulla dubitatione; nulla interposita dubitatione,* sans hésitation, sans retard.

dubitatus, *a, um,* v. *dubito* II.

dubito, *are, avi, atum (dubius),*

I. intr., **1.** balancer entre deux choses, hésiter, être indécis, douter: *de aliqua re,* au sujet de qqch. || **2.** douter si, que || [avec *ne... an* ou *utrum... an*] douter si... ou si || [avec *an* = si... ne... pas, s'il n'est pas vrai que] || ne pas douter que, peut-on douter que, etc.: *non dubitare, quid dubitas, quid est quod dubites, etc.,* [avec *quin* subj.], [avec prop. inf.] || **3.** hésiter à, *dubitare* avec inf. ou *quin* || *non dubitare* avec inf., ne pas hésiter à || **4.** [en parl. de choses]: *si fortuna dubitabit,* si la fortune hésite.

II. tr., inusité à l'actif, mais s'emploie qqf. au passif: *res minime dubitanda,* chose qui n'admet pas le doute; *dubitatus, a, um,* dont on doute.

dubium, *ii,* n. *(dubius),* **1.** doute: *in dubium vocari,* être mis en doute; *sine dubio; procul dubio,* sans doute || **2.** hésitation || **3.** situation critique: *in dubio esse,* être en danger; *in dubium devocare; revocare,* mettre dans une situation incertaine.

dubius, *a, um (duo),* **1.** balançant d'un côté et d'un autre, incertain, indécis, hésitant, partagé || **2.** [tour négatif] *haud (non) dubius,* ne doutant pas que, [avec prop. inf., ou avec *quin* subj.] || **3.** [en parl. de choses] douteux, incertain: pl. n., *dubia,* les choses douteuses || *dubium est uter nostrum sit...,* il y a doute sur le point de savoir qui de nous deux est... || *non dubium est quin* subj., il n'est pas douteux que || *non dubium est* avec prop. inf., il n'est pas douteux que || **4.** douteux, critique, dangereux: *tempora dubia,* circonstances critiques; *in dubiis,* dans les moments critiques.

ducatus, *us,* m. (dux), fonction de général, commandement militaire.

ducenarius, *a, um (duceni),* qui renferme deux cents; qui concerne deux cents.

duceni, *æ, a,* pl., distributif, deux cents chacun, chaque fois deux cents.

ducentesima, *æ,* f. *(ducenti),* la deux-centième partie, un demi pour cent.

ducenti, *æ, a,* pl. *(duo, centum),* au nombre de deux cents.

ducenties ou **-iens,** deux cents fois || [nombre indéterminé] mille fois.

duco, *ere, duxi, ductum,* tr.

I. tirer: **1.** tirer hors de: *vagina ferrum,* tirer l'épée du fourreau || **2.** attirer,

tirer à soi : *colorem; formam*, prendre une couleur, une forme ; *cicatricem*, se cicatriser || [fig.]: *duci oratione*, être gagné, séduit par un discours || **3.** faire rentrer, tirer en dedans de soi : *aerem spiritu; animam spiritu*, respirer l'air || **4.** tirer en long, en large, mener || **5.** étirer, étendre : *ætatem in litteris*, passer sa vie dans les lettres || prolonger : *vitam*, prolonger sa vie || traîner en longueur || **6.** [fig.] tirer de, faire découler de [avec *ex* ou *ab*] || **7.** compter || [d'où]: *aliquem in numero hostium*, compter qqn au nombre des ennemis || *magni, parvi, pluris, pro nihilo*, estimer beaucoup, peu, davantage, comme rien || regarder comme, estimer, croire, penser : *victorem duci*, être regardé comme (passer pour) vainqueur ; [avec prop. inf.] croire que.

II. conduire : **1.** *aquam per fundum alicujus*, conduire (faire passer) l'eau sur la propriété de qqn || **2.** [t. officiel]: *aliquem in carcerem; ad mortem*, conduire qqn en prison, à la mort || [absol.] emmener qqn, se saisir de lui, le traîner en prison || **3.** [t. milit.] conduire une armée, la mener dans telle ou telle direction || marcher, se diriger || conduire, commander [une armée] || **4.** emmener comme femme chez soi, épouser || **5.** conduire, mener, diriger || **6.** conduire, ordonner, régler : *ludos*, organiser des jeux.

ducto, *are, avi, atum*, fréq. de *duco*, tr., conduire (guider, mener) de côté et d'autre || conduire habituellement || [en part.] commander une armée.

ductor, *oris*, m. *(duco)*, **1.** conducteur, guide || **2.** chef, général d'armée, commandant de navire, de flotte.

1. ductus, *a, um*, part. de *duco*.

2. ductus, *us*, m., **1.** action d'amener, conduite : *ductus aquarum*, la conduite des eaux || **2.** administration, gouvernement, commandement || **3.** tracement, tracé, trait.

dudum, adv., **1.** il y a quelque temps que, depuis qq. temps : *quamdudum...*, combien il y a de temps que... || *jam dudum*, depuis longtemps || **2.** naguère, tout à l'heure, récemment.

duellum, *i*, n. (arch. pour *bellum*), guerre, combat.

Duilius ou **Duillius,** *ii*, m., Duilius [consul romain, qui le premier vainquit les Carthaginois sur mer].

dulce, n. pris adv. *(dulcis)*, agréablement, avec agrément, doucement.

dulcedo, *inis*, f. *(dulcis)*, douceur, saveur douce || [fig.] douceur, agrément, charme, attrait, plaisir.

dulcesco, *ere (dulcis)*, intr., s'adoucir, devenir doux.

dulciculus, *a, um*, dim. de *dulcis*, quelque peu doux [au goût].

dulcis, *e*, doux, dont la saveur est douce, agréable || [fig.] doux, suave, agréable, chéri [en parl. des choses et des pers.].

dulciter *(dulcis)*, agréablement || *dulcius; -cissime.*

dulcitudo, *inis*, f. *(dulcis)*, douceur, qualité de ce qui est doux au goût.

dum, adv. et conj.,

I. adv. enclitique, **1.** joint à *non, nullus, haud, vix, etc.*, il signifie « encore » : *nondum*, pas encore ; *vixdum*, à peine encore ; *nihildum*, encore rien ; *necdum*, et pas encore || **2.** [après l'impératif] donc, voyons, seulement.

II. conj., **1.** avec ind. : ***a)*** [ind. présent] dans le même temps que, pendant que, [qqf. en corrélation avec *interea, interim*]; ***b)*** jusqu'au moment où, jusqu'à ce que ; ***c)*** pendant tout le temps que, tant que ; ***d)*** tandis que [explicatif] || **2.** avec subj. ***a)*** [st. ind.]; ***b)*** [nuance consécutive et finale]: le temps suffisant, nécessaire pour que, un temps assez long pour que ; [en part. après *exspectare*] *exspecta, dum Atticum conveniam*, attends que je joigne Atticus [avec le subj.] *dum, dum modo*, pourvu que : *oderint, dum metuant*, qu'ils haïssent, pourvu qu'ils craignent.

dumetum, *i*, n. *(dumus)*, ronceraie, buissons || arbrisseaux.

dummodo ou **dum modo,** conj. avec subj., pourvu que || *dummodo ne*, pourvu que ne pas.

dumosus, *a, um (dumus)*, couvert de ronces, de broussailles, de buissons.

dumtaxat ou **dunt-,** adv., juste en se bornant à, pas au-delà, seulement, ne que.

dumus, *i*, m., buisson, hallier.

duntaxat, v. *dumtaxat*.

duo, *æ, o*, deux || souvent *duo*, accus, au lieu de *duos*.

duodeciens ou **-cies** *(duodecim)*, douze fois.

duodecim, ind. *(duo, decem)*, douze || *duodecim* (s.-ent. *tabulæ*), les XII Tables.

duodecimus, *a, um*, douzième.

duodeni, *æ, a (duodecim)*, **1.** [distrib.] chacun douze || gén. pl. *duodenum* || **2.** [poét.] = *duodecim*, douze.

duodeviginti, ind., dix-huit.

duplex, *icis (duo, plico),* **1.** double || replié en deux || **2.** partagé en deux || **3.** [au plur.] les deux = *uterque: duplices oculi,* les deux yeux || **4.** [fig.] ***a)*** fourbe, rusé : *duplex Ulysses,* l'artificieux Ulysse ; ***b)*** = à double sens.

duplicarius, *ii,* m. *(duplex),* soldat qui a double ration.

duplicatus, *a, um,* part. de *duplico.*

dupliciter *(duplex),* doublement, de deux manières.

duplico, *are, avi, atum (duplex),* tr., **1.** doubler || **2.** accroître, augmenter, grossir || **3.** courber en deux, ployer.

duplum, *i,* n. *(duplus),* le double, deux fois autant.

duplus, *a, um (duo),* double, deux fois aussi considérable.

dupondius, *ii,* m., somme de deux as.

durabilis, *e (duro),* durable.

duracinus, *a, um,* qui a la peau dure.

duramen, *inis,* n. *(duro),* durcissement.

duramentum, *i,* n. *(duro),* le vieux bois de la vigne || [fig.] affermissement.

duratus, *a, um,* part. de *duro.*

dure *(durus),* **1.** rudement, lourdement, sans grâce, sans élégance || **2.** avec dureté, rigoureusement, sévèrement.

duresco, *ere, rui (durus),* intr., durcir, s'endurcir, devenir dur.

duriter *(durus),* durement.

duritia, *æ,* f. *(durus),* **1.** dureté, rudesse [des corps] || **2.** [fig.] vie dure, laborieuse, pénible || dureté d'âme, fermeté || insensibilité || sévérité, rigueur.

durities, *ei,* f. [forme rare] c. *duritia.*

duriusculus, *a, um* (dim. de *durus*), assez dur [à l'oreille] || un peu dur, un peu rude.

duro, *are, avi, atum (durus),* tr. et intr. **I.** tr., **1.** durcir || rendre solide, assujettir || **2.** endurcir, fortifier || **3.** rendre dur, insensible || [pass.] s'endurcir, s'invétérer || **4.** [poét.] endurer, souffrir. **II.** intr., **1.** se durcir || **2.** patienter, persévérer : *durate,* prenez patience || tenir bon, résister || **3.** durer, subsister || *durant colles,* les collines continuent, se prolongent sans interruption || **4.** être dur, cruel.

durui, pf. de *duresco.*

durus, *a, um,* **1.** dur [au toucher], ferme, rude, âpre || **2.** âpre [au goût, à l'oreille] || **3.** grossier, sans art || **4.** dur à la fatigue, à la peine, etc. : *duri Spartiatæ,* les durs Spartiates || qui ne se plie pas : *ad studia,* rebelle aux études || **5.** dur, sévère, cruel, endurci, insensible || impudent : *os durum,* impudence || **6.** dur, difficile, pénible, rigoureux [en parl. des choses] : *annona fit durior,* les cours deviennent plus durs, les vivres enchérissent || pl. n. *dura* [poét.] choses difficiles, peines, fatigues, etc.

duumvir (duovir), *iri,* m. *(duo, vir),* duumvir, membre d'une commission de deux personnes [ordin. employé au pluriel, *duoviri*].

dux, *ducis,* m. et f. *(duco),* **1.** conducteur, guide || **2.** chef, général || **3.** chef du troupeau, qui marche à la tête.

duxi, pf. de *duco.*

dynastes, *æ,* m., prince, seigneur, petit souverain.

Dyrrachium, *ii,* n., ville maritime d'Épire [auj. Durazzo] || **-inus,** *a, um,* de Dyrrachium.

1. E, e, f. n. [cinquième lettre de l'alphabet latin].

2. e, prép., v. *ex*.

ea, adv., par cet endroit; *ea... qua*, par l'endroit... par où.

eadem, adv., par le même chemin || [fig.] par les mêmes voies, en même temps, de même.

eatenus, adv., jusque-là || [en relation avec *quoad*] aussi longtemps que, en tant que.

ebenum, *i*, n., ébène.

ebenus, *i*, f., ébénier [arbre] || ébène.

ebibo, *ere, bibi, bibitum*, tr., boire jusqu'à épuisement, avaler jusqu'au bout, tarir.

eblandior, *iri, itus sum*, tr., obtenir par des caresses.

ebrietas, *atis*, f. *(ebrius)*, ivresse.

ebriositas, *atis*, f. *(ebriosus)*, ivrognerie.

ebriosus, *a, um (ebrius)*, ivrogne, adonné au vin || subst. m., un ivrogne.

ebrius, *a, um* (contraire de *sobrius*), ivre, enivré, pris de vin.

ebulum, *i*, n., hièble [plante].

ebur, *oris*, n., ivoire || [objets en ivoire]: statue, lyre, flûte, fourreau, etc.

eburneolus, *a, um*, dim. de *eburneus*.

eburneus ou **eburnus,** *a, um (ebur)*, d'ivoire.

Ecbatana, *orum*, n., Ecbatane [capitale de la Médie].

ecce, adv., voici, voilà; voilà que, tout à coup.

echidna, *æ*, f., vipère femelle, serpent.

echinus, *i*, m., hérisson || oursin, crustacé épineux.

1. écho, *us*, f., écho [son répercuté].

2. Echo, f., nymphe qui aima Narcisse.

ecquando, est-ce que jamais? || [interr. ind.] si jamais.

ecqui, ecquæ, ou **ecqua, ecquod,** adj. interr., est-ce que quelque?: *ecqui pudor est? ecquæ religio?*, y a-t-il une pudeur? une crainte des dieux?

ecquis, ecquid, pron. interr., est-ce que qqn, qqch.?

ecquo, adv., est-ce que à qq. endroit [mouvem.].

ectypus, *a, um*, qui est en relief, saillant, travaillé en bosse.

ecu-, v. *equ-*.

edacitas, *atis*, f. *(edax)*, voracité.

edax, *acis (edo 1)*, vorace, glouton || [fig.] qui dévore, ronge, consume: *edaces curæ*, soucis rongeurs.

edi, pf. de *edo 1*, ou inf. prés. pass. de *edo 2*.

edico, *ere, dixi, dictum*, tr., dire hautement, proclamer, **1.** [avec *ut* ou *ne*, idée d'ordre] ordonner que, que ne... pas || **2.** [avec la proposition infin.] déclarer (dans un édit) que || **3.** fixer, assigner, ordonner, commander.

edictum, *i*, n. *(edictus)*, ordre || [le plus souv.] déclaration publique, proclamation, ordonnance, édit, règlement; [en part.] édit du préteur [à son entrée en charge].

edictus, *a, um*, part. de *edico*.

edidi, pf. de *edo 2.*

ededici, pf. de *edisco.*

edisco, *ere, didici,* tr., apprendre par cœur.

edissero, *ere, serui, sertum,* tr., exposer en entier, raconter en détail, expliquer à fond, développer.

edisserto, *are, avi, atum (edissero),* tr., exposer (raconter) en détail, développer.

edita, *orum,* n. *(editus),* **1.** ordres || **2.** lieux élevés.

editio, *onis,* f. *(edo 2),* publication [de livres], édition || déclaration, version [d'un historien].

editus, *a, um,* **1.** part. de *edo 2* || **2.** adj., élevé, haut || [fig.] supérieur || v. *edita.*

1. edo, *edere* ou *esse* [*edis* ou *es, edit* ou *est*], *edi, esum,* impf. subj. *ederem* ou *essem,* tr., manger || [fig.] ronger, consumer.

2. edo, *ere, didi, ditum,* tr., **1.** faire sortir: *animam,* rendre l'âme, expirer; *voces,* prononcer des paroles || **2.** mettre au jour, mettre au monde || publier: *librum,* publier un livre || exposer, divulguer || **3.** [en gén.] faire connaître officiellement, notifier à qqn les conditions de paix || **4.** produire, causer: *scelus, facinus,* perpétrer un crime, un forfait.

edoceo, *ere, cui, ctum,* tr., enseigner à fond, instruire (montrer) entièrement: ***a)*** [avec 2 acc.] *rem aliquem,* apprendre une chose à qqn; ***b)*** [avec intr. ind.]; ***c)*** [avec prop. inf.] enseigner que, montrer que.

edomo, *are, ui, itum,* tr., dompter entièrement.

edormio, *ire, ivi, itum,* tr., finir de dormir.

educatio, *onis,* f. *(educo 1),* action d'élever [des animaux et des plantes] || éducation, instruction, formation de l'esprit.

educator, *oris,* m. *(educo 1),* celui qui élève, éducateur, formateur.

educatrix, *icis,* f. *(educator),* celle qui nourrit, qui élève, nourrice, mère.

educatus, *a, um,* part. de *educo 1.*

1. educo, *are, avi, atum,* tr., élever, nourrir, avoir soin de || [en part.] former, instruire.

2. educo, *ere, duxi, ductum,* tr., **1.** faire sortir, mettre dehors, tirer hors: *sortem,* tirer de l'urne une tablette || **2.** assigner en justice: *aliquem in jus,* citer qqn devant le magistrat || **3.** faire sortir [des troupes]: *copias e castris,* ou *castris,* faire sortir les troupes du camp || faire sortir du port des vaisseaux || **4.** élever [un enfant] || **5.** exhausser, élever en l'air || [fig.] *in astra,* élever au ciel, célébrer.

edulis, *e (edo),* bon à manger, qui se mange.

edulium, *ii,* n., et ordin. **edulia,** *orum,* aliments.

eduro, *are,* **1.** tr., endurcir [au travail] || **2.** intr., durer, continuer.

edurus, *a, um,* très dur [au pr.] || [fig.] insensible, cruel.

eduxi, pf. de *educo 2.*

effarcio, v. *effercio.*

effaris, *ari, atur, atus sum,* de l'inusité *effor,* tr., parler, dire || raconter, annoncer, prédire.

effatus, *a, um,* part. de *effari.*

effeci, pf. de *efficio.*

effectio, *onis,* f. *(efficio),* exécution, réalisation.

effector, *oris,* m. *(efficio),* celui qui fait, ouvrier, auteur, producteur.

effectrix, *icis,* f. *(effector),* celle qui fait, auteur de, cause.

1. effectus, *a, um,* part. de *efficio* || adj., fait, exécuté, achevé.

2. effectus, *us,* m., **1.** exécution, réalisation, accomplissement || vertu, force, puissance, efficacité || **2.** résultat, effet: *sine ullo effectu,* sans résultat, vainement.

effeminate, en femme, d'une manière efféminée.

effeminatus, *a, um,* part. de *effemino* || adj., [fig.] mou, efféminé, énervé.

effemino, *are, avi, atum (ex, femina),* tr., efféminer, rendre efféminé, énerver, affaiblir, amollir, rendre lâche.

efferatus, *a, um,* part. de *effero 1* || adj., rendu sauvage; qui rappelle les bêtes sauvages; farouche, sauvage.

efferbui, pf. de *effervesco.*

effercio (effar-), *ire, rsi, rtum (ex, farcio),* tr., remplir, combler, farcir.

1. effero, *are, avi, atum (ex, ferus* ou *fera),* tr., rendre farouche, donner un air farouche, sauvage.

2. effero, *efferre, extuli, elatum (ex* et *fero),* tr., **1.** porter hors de, emporter || porter hors d'un navire, débarquer qqch. || [en part.] emporter un mort, ensevelir || **2.** produire, donner, en parlant de la terre || **3.** lever en haut, élever || [fig.] ***a)*** porter qqch. (qqn) aux nues; ***b)*** élever, soulever || **4.** produire au-dehors, divulguer || exprimer || **5.** *se efferre* ***a)*** se produire au-dehors, se montrer, se manifester; ***b)*** [sens péjor.]

se laisser aller à des transports d'orgueil, se gonfler, s'enorgueillir || [pass.]: *efferri*, être fier || **6.** [pass.] être transporté par une passion, être emporté (soulevé).

effertus, *a, um*, part. de *effercio* || adj., tout plein de [avec abl.].

efferus, *a, um (ex, ferus)*, farouche, sauvage, cruel.

effervens, *tis*, part.-adj. de *efferveo*, bouillant.

efferveo, *ere (ex, ferveo)*, intr., bouillonner || **effervo,** *ere*, intr., déborder en bouillonnant.

effervesco, *ere, bui* et *vi (ex, fervesco)*, intr., s'échauffer, entrer en ébullition || [fig.] bouillonner.

effervo, v. *efferveo*.

effetus, *a, um (ex, fetus)*, qui a mis bas || [fig.] fatigué, épuisé, languissant.

efficacitas, *atis*, f. *(efficax)*, force, vertu, efficacité.

efficaciter, *(efficax)*, d'une manière efficace, avec efficacité, avec succès.

efficax, *acis (efficio)*, agissant, qui réalise || efficace, qui produit de l'effet, qui réussit.

efficiens, *tis*, part.-adj. de *efficio*, qui effectue, qui produit, efficient.

efficio (ecficio), *ere, feci, fectum (ex* et *facio)*, tr., achever, produire, réaliser: *pontem*, exécuter un pont; *aliquid dicendo*, obtenir un effet par la parole || faire avec qqch., tirer de: *unam ex duabus (legionibus)*, de deux légions en faire une || rendre, faire: *aliquem consulem*, faire arriver qqn au consulat || [avec *ut* subj.] obtenir ce résultat que || [avec *ne*] faire que ne pas, avoir soin d'empêcher que.

effigies, *es*, f. *(effingo)*, **1.** représentation, image, portrait, copie [de qqch., qqn] || ombre, spectre, fantôme || **2.** [poét.] représentation plastique, statue, portrait.

effingo, *ere, inxi, ictum (ex, fingo)*, tr., **1.** représenter, reproduire [par la peinture, la sculpture ou la ciselure]; imiter, copier, former, figurer, rendre, dépeindre || **2.** essuyer, éponger.

1. efflagitatus, part. de *efflagito*.

2. efflagitatus, abl. *u*, m. *(efflagito)*, demande pressante, instances.

efflagito, *are, avi, atum (ex, flagito)*, tr., **1.** demander avec instance (*rem*, qqch.) || **2.** prier, presser, solliciter vivement || **3.** *ab aliquo efflagitare ut*, solliciter qqn de.

effligo, *ere, xi, ctum (ex, fligo)*, tr., frapper fortement, battre, broyer, abattre, tuer, assommer.

efflo, *are, avi, atum (ex, flo)*, tr., répandre dehors en soufflant, exhaler.

effloresco, *ere, rui (ex, floresco)*, intr., fleurir || [fig.] s'épanouir, briller, resplendir.

effluo, *ere, fluxi (ex, fluo)*, intr., **1.** couler de, découler, sortir en coulant, s'écouler || **2.** glisser, s'échapper || **3.** s'écouler, disparaître, s'évanouir.

effluvium, *ii*, n. *(effluo)*, écoulement || déversoir.

effluxi, pf. de *effluo*.

effoco, *are (ex, foces* ou *fauces)*, tr., étouffer, suffoquer.

effodio (ecf-), *ere, odi, ossum (ex, fodio)*, tr., **1.** retirer en creusant, déterrer, extraire || *oculum, oculos, alicui*, arracher (crever) un œil, les yeux à qqn || **2.** creuser, fouir || faire en creusant || remuer, bouleverser: *domos*, saccager les maisons.

effractarius, *ii (effringo)*, m., celui qui vole avec effraction.

effractus, *a, um*, part. de *effringo*.

effregi, pf. de *effringo*.

effrenate, *(effrenatus)*, d'une manière effrénée, sans réserve.

effrenatio, *onis (effrenatus)*, f., emportement déréglé, débordement, écart, licence.

effrenatus, *a, um (ex, frenum)*, débridé, délivré du frein || [fig.] qui n'a plus de frein, effréné, désordonné, déréglé, déchaîné.

effrenus, *a, um (ex, frenum)*, qui n'a pas de frein, débridé || [fig.] sans frein, déréglé, débordé.

effringo, *ere, fregi, fractum (ex, frango)*, tr., enlever en brisant, faire sauter || rompre, briser, ouvrir avec effraction, détruire.

effudi, pf. de *effundo*.

effugio, *ere, fugi, fugiturus (ex, fugio)*, **I.** intr., échapper en fuyant, s'enfuir. **II.** tr., **1.** échapper à: *mortem*, échapper à la mort || **2.** [nom de chose sujet]: *nihil te effugiet*, rien ne t'échappera.

effugium, *ii*, n. *(effugio)*, fuite || moyen de fuir, d'échapper.

effulgeo, *ere, fulsi*, intr., briller, éclater, luire, être lumineux.

effultus, *a, um (ex, fulcio)*, appuyé sur, soutenu.

effundo, *ere, fudi, fusum (ex* et *fundo)*, tr., **1.** répandre au-dehors, verser, épancher: *lacrimas*, verser des larmes || *tela*, jeter les traits à profusion; *equo effusus*, désarçonné || *se effundere*, ou pass. *effundi*, se répandre [en parl. d'une foule] || **2.** produire en abondance || **3.** disperser, dissiper, prodiguer || **4.** [fig.] ***a)*** déverser, épancher, exposer librement: *furorem in aliquem*, déverser sur qqn sa folie furieuse; ***b)*** *se effundere* ou pass. *effundi*, se laisser aller, s'abandonner; ***c)*** laisser échapper: *odium* sa haine || [en part.] *extremum spiritum*, exhaler le dernier souffle; ***d)*** laisser aller, lâcher.

effuse *(effusus)*, **1.** en se répandant au large || à la débandade, précipitamment, de tous côtés || **2.** avec abondance, largesse, profusion || d'une manière immodérée, sans retenue.

effusio, *onis*, f. *(effundo)*, action de répandre, épanchement, écoulement || largesses, prodigalité, profusion.

effusus, *a, um*,

I. part. de *effundo*.

II. pris adj., **1.** épandu, vaste, large || **2.** lâché, livre: *effusissimis habenis*, à toute bride || **3.** [fig.] prodigue, large || **4.** qui se donne carrière, sans contrainte, immodéré.

effutio, *ire, ivi* ou *ii, itum (ex, futio)*, tr., répandre au-dehors || parler inconsidérément, dire des riens, bavarder.

effutitus, *a, um*, part. de *effutio*.

egelidus, *a, um*, frais: *egelidum flumen*, eau fraîche du fleuve.

egens, *tis*, part.-adj. de *egeo*, qui manque, dénué, privé de || pauvre, indigent, nécessiteux || *nihil rege egentius*, rien de plus pauvre qu'un roi.

egenus, *a, um (egeo)*, qui manque; privé de [avec gén. ou avec abl.] || [poét.] *in rebus egenis*, dans la détresse.

egeo, *ere, ui*, intr., **1.** [rare] manquer de, être privé de [avec abl.] || **2.** être pauvre dans le besoin || avoir besoin de [avec abl. ou avec gén.].

Egeria, *æ*, f. Égérie [nymphe que Numa feignait de consulter].

1. egero, *is*, fut. ant. de *ago*.

2. egero, *ere, gessi, gestum*, tr., emporter dehors || retirer, enlever || rejeter, évacuer, faire sortir.

egestas, *atis*, f. *(egeo)*, pauvreté, indigence = disette, privation.

egestio, *onis*, f. *(egero)*, action d'emporter, de retirer || [fig.] profusion, gaspillage.

egestus, *a, um*, part. de *egero*.

egi, pf. de *ago*.

egigno, *ere*, tr., produire || [pass.] croître de, sortir de.

ego, *mei, mihi, me*, m. f., moi je: *ego et tu præsumus...*, toi et moi, nous présidons...; *egone ?*, moi? || [pour insister] *egomet, mihimet, memet* (abl.), moi-même || *me consule*, sous mon consulat.

egomet, v. *ego*.

egredior, *eris, edi, essus sum (e, gradior)*,

I. intr., **1.** sortir, sortir de: [avec *e* ou *ex*]; [avec *a* ou *ab*]; [avec l'abl. simpl.] || [en part.] *ex navi*, ou *navi*, ou absol. *egredi* ou *egredi in terram*, débarquer || s'écarter de: *a proposito*, faire une digression || **2.** monter au-dessus, s'élever.

II. tr., passer, surpasser, dépasser, excéder, outrepasser.

egregie, *(egregius)*, d'une manière distinguée, remarquable, très bien, parfaitement.

egregius, *a, um (e, grex)*, choisi, d'élite; distingué, remarquable, supérieur, éminent, excellent; [pl. n.] *egregia tua*, tes mérites éminents || glorieux, honorable.

1. egressus, *a, um*, part. de *egredior*.

2. egressus, *us*, m., action de sortir, sortie || départ || débarquement || sortie, issue: *egressus Istri*, les bouches de l'Ister || [fig.] digression.

egui, pf. de *egeo*.

eheu, interj. de douleur, ah! hélas! *eheu, me miserum*, ah! malheureux que je suis.

eia (heia), interj. qui marque l'étonnement: ah! ah! || allons! courage!

ejaculor, *ari, atus sum*, tr., lancer avec force, projeter.

ejeci, pf. de *ejicio*.

ejectamentum, *i*, n. *(ejecto)*, ce qui est rejeté.

ejectio, *onis*, f., action de jeter au-dehors || expulsion, bannissement.

ejecto, *are, avi, atum (e, jacto)*, tr., rejeter hors, lancer au loin; vomir.

ejectus, *a, um*, part. de *ejicio*.

ejero, *are*, c. *ejuro*.

ejicio, *ere, jeci, jectum (ex* et *jacio)*, tr., **1.** jeter hors de, chasser de: *ex oppido*, de la ville; *de civitate*, de la cité; *domo ejecti*, chassés de leur pays; *aliquem in exsilium*, ou *ejicere* seul., bannir, exiler qqn || démettre, luxer un membre || *se ejicere (ex aliquo loco, in aliquem locum)*, s'élancer, sortir précipitamment, sauter (d'un lieu, dans un lieu) || **2.** [marine] pousser du côté de la terre, faire aborder || [mais au pass.] être jeté à la côte, échouer; *naves in litora* *ejectæ*, navires jetés sur le rivage; [d'où] *ejecti*, des naufragés.

ejulatio, *onis*, f., et **ejulatus,** *us*, m. *(ejulo)*, lamentations, plaintes.

ejulo, *are, avi, atum*, intr., se lamenter, pousser des cris de douleur.

ejuro (ejero), *are, avi, atum*, tr., protester par serment contre, refuser en jurant || résigner [une charge], abdiquer, renoncer à, abandonner, s'éloigner de, désavouer.

ejus, gén. de *is*.

ejuscemodi, gén., c. *ejusmodi*.

ejusdemmodi, gén. *(idem, modus)*, de la même façon, de la même sorte.

ejusmodi, gén. *(is, modus)*, de cette façon, de cette sorte || [en corrél. avec *ut* conséc.] de telle sorte que.

elabor, *labi, lapsus sum*, **1.** intr., ***a)*** glisser hors, s'échapper [avec *ex*]; [avec abl.]; ***b)*** échapper à, éviter, se soustraire à: [avec *ex*]; [avec *de*]; [avec abl.]; [avec dat.]; ***c)*** [fig.] s'échapper, échapper, se dégager; se perdre, s'évanouir, disparaître: *e manibus; de manibus*, glisser entre les mains; *ex tot criminibus*, se tirer de tant d'accusations || **2.** tr., échapper à.

elaboratus, *a, um*, part. de *elaboro*.

elaboro, *are, avi, atum*, **1.** intr., travailler avec soin, s'appliquer fortement: [avec *ut*] travailler à; *in aliqua re*, s'appliquer à qqch., porter son effort sur qqch. || **2.** tr., ***a)*** faire avec application, élaborer, perfectionner; ***b)*** produire par le travail.

Elæa, *æ*, f., Élée [ville d'Éolie].

elamentabilis, *e*, lamentable, plein de lamentations.

elanguesco, *ere, gui*, intr., devenir languissant, s'affaiblir.

elapidatus, *a, um (ex, lapis)*, épierré.

elapsus, *a, um*, part. de *elabor*.

elate *(elatus)*, avec élévation, noblesse; sur un ton élevé, d'un style noble || avec hauteur, orgueil.

Elatea (-ia), *æ*, f., Élatée [ville de Phocide].

elatio, *onis*, f. *(effero)*, action d'élever || [fig.] transport de l'âme || élévation, hauteur, grandeur, noblesse.

elatro, *are*, tr., dire comme en aboyant, hurler.

elatus, *a, um*, **1.** part. de *effero* || **2.** adj., [fig.] [ton] élevé; [style] élevé, relevé || [âme] élevée.

Elaver, *eris*, n., rivière de la Gaule centrale [auj. Allier].

electe *(electus)*, avec choix.

electio, *onis*, f. *(eligo)*, choix.

Electra, *æ*, f., Électre [nom de plus. pers.; not. fille de Clytemnestre et d'Agamemnon, sœur d'Oreste; aida son frère à venger leur père tué par leur mère].

electrum, *i*, n., ambre jaune || electrum [composition de quatre parties d'or pour une partie d'argent] || boule d'ambre.

electus, *a, um*, part. de *eligo* || pris adj., choisi, excellent, supérieur, exquis || *electa*, n. pl., morceaux choisis, choix de morceaux.

elegans, *antis (eligo)*, adj., **1.** [en parl. de pers.] distingué, de bon goût || **2.** [en parl. de choses] délicat, raffiné || **3.** [en part., rhét.] [écrivain ou style] châtié, correct, pur.

eleganter *(elegans)*, avec choix, avec goût, avec distinction.

elegantia, *æ*, f. *(elegans)*, goût, délicatesse, distinction, correction || [rhét.] correction et clarté du style, bonne tenue du style.

elegi, *orum*, m., vers élégiaques, poème élégiaque.

elegia, *æ*, f., élégie [genre de poème].

elementa, *orum*, n., lettres de l'alphabet, l'alphabet || [fig.] les éléments des sciences, rudiments, premières études || les quatre éléments || sing. [rare], *elementum*, un des quatre éléments || [fig.] commencement, principe.

elephantus, *i*, m., éléphant [animal] || [fig.] ivoire.

elephas (-phans), *antis*, m., éléphant [animal].

Eleus, *a, um*, d'Élide, Éléen || **Elei (Elii),** m., habitants d'Élis ou de l'Élide.

Eleusinus, *a, um*, d'Éleusis || *Eleusina Mater*, la déesse d'Éleusis, Cérès.

Eleusis (-sin), *inis*, f., Éleusis [ville de l'Attique, fameuse par ses mystères de Cérès].

elevo, *are, avi, atum*, tr., lever, élever, soulever, exhausser || [fig.] alléger, soulager, affaiblir, amoindrir || rabaisser, ravaler [en paroles].

Elias, *adis*, f., d'Élide [des jeux Olympiques].

elicio, *ere, cui, citum (e, lacio)*, tr., tirer de, faire sortir; attirer: [avec *ex*]; [avec *ab*] || évoquer, décider à sortir, engager, amener à (*ad rem*, à qqch.); [avec *ut* subj.] amener à || [fig.] tirer, arracher, exciter, provoquer, obtenir.

elicitus, *a, um*, part. de *elicio*.

elido, *ere, lisi, lisum (ex* et *lædo)*, tr.,

1. pousser dehors (en frappant), expulser (avec violence) || 2. écraser, briser, broyer, fracasser.

eligo, *ere, egi, ectum (e, lego),* tr., 1. arracher en cueillant, enlever, ôter || 2. choisir, trier, élire.

elimatus, *a, um,* part. de *elimo.*

elimino, *are, atum (e, limen),* tr., faire sortir, mettre dehors, chasser || [fig.] divulguer.

elimo, *are, avi, atum (e, lima),* tr., limer, polir, retoucher, perfectionner.

elinguis, *e (e, lingua),* qui reste muet, qui ne se sert pas de sa langue || sans éloquence.

eliquo, *are, avi, atum,* tr., clarifier, épurer.

Elis, *idis,* f., 1. l'Élide [province du Péloponnèse, où se trouvait Olympie, célèbre par ses jeux] || 2. Élis [capitale de l'Élide].

Elisa (-ssa), *æ,* f. Élise [nom de Didon].

elisi, pf. de *elido.*

elisio, *onis,* f. *(elido),* action d'exprimer un liquide.

elisus, *a, um,* part. de *elido.*

Elius, *a, um,* de l'Élide ou d'Élis; v. *Eleus.*

elocatus, *a, um,* part. de *eloco.*

eloco, *are, avi, atum,* tr., louer, donner à loyer, à bail, affermer.

elogium, *ii,* n., inscription tumulaire, épitaphe || codicille, clause [d'un testament, en part. pour déshériter qqn].

eloquens, *tis,* part.-adj. de *eloquor,* éloquent, qui a le talent de la parole.

eloquenter *(eloquens),* éloquemment.

eloquentia, *æ,* f. *(eloquens),* facilité à s'exprimer; éloquence, talent de la parole.

eloquium, *ii,* n. *(eloquor),* expression de la pensée || talent de la parole, éloquence.

eloquor, *qui, cutus* ou *quutus sum,* 1. intr., parler, s'énoncer, s'expliquer || 2. tr., dire, énoncer, exposer, exprimer.

Elorum (Hel-), *i,* n. et **Elorus (Hel-),** *i,* m., Élore [fleuve de Sicile et ville sur ce fleuve]; [d'où] **-lorius,** *a, um,* d'Élore et **-lorini,** *orum,* m., habitants d'Élore.

elucens, *tis,* p.-adj. de *eluceo,* brillant.

eluceo, *ere, uxi,* intr., 1. luire, briller || 2. [fig.] être éclatant, se montrer brillamment, se révéler, se manifester.

elucesco, *ere, luxi,* inch. de *eluceo,* commencer à luire.

eluctabilis, *e,* qu'on peut surmonter.

eluctor, *ari, atus sum,* 1. intr., sortir avec effort, avec peine || 2. tr., surmonter en luttant: *nives,* se frayer un chemin à travers la neige.

elucubratus, *a, um,* part. de *elucubro.*

elucubro, *are, avi, atum,* tr., faire à force de veilles, travailler avec soin.

elucubror, *ari, atus sum,* c. *elucubro.*

eludo, *ere, si, sum* 1. intr., jouer, se jouer || 2. tr., se jouer de (qqn, qqch.) || [avec idée de moquerie] berner || se railler de (qqch.).

elugeo, *ere, luxi,* 1. tr., être en deuil de, pleurer || 2. intr., porter le deuil le temps convenable, quitter le deuil.

elumbis, *e (e, lumbus),* sans reins, faible, débile, sans vigueur.

eluo, *ere, i, utum,* tr., 1. laver, rincer, nettoyer || 2. [fig.] purifier || effacer, laver.

elusi, pf. de *eludo.*

elusus, *a, um,* part. de *eludo.*

elutus, *a, um,* part. de *eluo* || pris adj., fade, délayé || affaibli.

eluvies, *ei,* f. *(eluo),* eau qui coule, débordée || ravin, fondrière || ruine, perte.

eluvio, *onis,* f. *(eluo),* inondation.

eluxi, pf. de *elucesco,* de *eluceo,* et de *elugeo.*

Elysium, *ii,* n., l'Élysée [séjour des héros et des hommes vertueux après leur mort] || **-us,** *a, um,* de l'Élysée || subst. m. pl., *Elysii,* les Champs Élysées.

em, voilà.

emacitas, *atis,* f. *(emax),* passion d'acheter.

emancipatio, *onis,* f. *(emancipo),* émancipation.

emancipo (-cupo), *are, avi, atum,* tr., émanciper, affranchir de l'autorité paternelle || abandonner la possession de, aliéner.

emano, *are, avi, atum,* intr., couler de, découler, sortir || [fig.] émaner, provenir, tirer son origine, découler [avec *ex*] || se répandre, se divulguer, devenir public || *emanabat* [avec prop. inf.], c'était une chose connue que.

emarcesco, *ere, marcui,* intr., se faner, se flétrir.

Emathia, *æ,* f., Émathie [province de Macédoine] || [par extension] la Macédoine || **-thius,** *a, um,* de Macédoine || **-this,** *idis,* f., d'Émathie; *Emathides,* les Piérides.

emax, *acis (emo),* grand acheteur.

emblema, *atis,* n., travail de marqueterie || ornement en placage sur des vases.

embolium, *ii*, n., intermède.

emendabilis, *e (emendo)*, réparable || qui peut se corriger.

emendate, *(emendatus)*, correctement.

emendatio, *onis*, f. *(emendo)*, action de corriger, correction.

emendator, *oris*, m. *(emendo)*, correcteur, réformateur.

emendatrix, *ici*, f. *(emendator)*, réformatrice.

emendatus, *a, um*, part. de *emendo* || adj., corrigé, réformé, parfait, accompli, sans défauts, pur.

emendico, *are, avi, atum*, tr., mendier.

emendo, *are, avi, atum (e, mendum)*, tr., corriger, effacer les fautes, retoucher, rectifier, réformer, redresser, amender.

emensus, *a, um*, part. de *emetior*.

ementior, *iri, itus sum*, tr., **1.** [absol.] mentir, inventer des choses mensongères || **2.** dire qqch. mensongèrement (*aliquid*, qqch.): [avec prop. inf.] alléguer faussement que || part. *ementitus*, avec sens passif, imaginé faussement.

ementitus, *a, um*, part. de *ementior*.

emercor, *ari, atus sum*, tr., acheter.

emereo, *ere, ui, itum*, tr., **1.** mériter, gagner || [avec l'inf.] mériter de || **2.** *aliquem*, rendre service à qqn, obliger qqn || **3.** achever son service militaire: *emeritis stipendiis*, le service achevé.

emereor, *eri, itus sum*, tr., achever le service militaire; [d'où] **emeritus,** *i*, m., soldat qui a fait son temps, soldat libéré, vétéran.

emergo, *ere, si, sum*, **1.** intr., sortir de, s'élever, apparaître, se montrer, naître [avec *e, ex* ou *a, ab*] || **2.** tr., *se emergere*, se montrer, émerger.

emeritus, *a, um*, **1.** part. de *emereo* et de *emereor* || **2.** adj., [poét.], terminé, achevé.

1. emersus, part. de *emergo*.

2. emersus, *us*, m., action de sortir d'un lieu où l'on était plongé || lever [d'un astre].

emetior, *metiri, mensus sum*, tr., mesurer entièrement, mesurer || parcourir, traverser || *emensus* avec sens passif, parcouru.

emeto, *ere, messum*, tr., moissonner.

emi, pf. de *emo*.

emico, *are, ui, atum*, intr., s'élancer hors, jaillir || [fig.] éclater, briller, se signaler.

emigro, *are, avi, atum*, intr., sortir de, déménager, émigrer: *e domo*, déménager; *domo*, s'expatrier || [fig.] *e vita*, quitter la vie, mourir.

eminens, *tis*, part.-adj. de *emineo*, saillant, proéminent: *eminentes oculi*, yeux à fleur de tête || [fig.] éminent, supérieur, remarquable || subst. pl. m. *eminentes*, hommes distingués || *eminentia, ium*, n., passages remarquables [dans un discours].

eminentia, *æ*, f. *(emineo)*, éminence, hauteur, proéminence, saillie, avance, relief, bosse || [fig.] excellence, supériorité, prééminence.

emineo, *ere, ui*, intr., s'élever audessus de, être saillant || [en peinture] être en relief, proéminent || l'emporter, se distinguer, dominer.

eminus, adv. *(e, manus)*, de loin || à distance.

emisi, pf. de *emitto*.

emissarium, *ii*, n. *(emitto)*, déversoir.

emissarius, *ii*, m. *(emitto)*, émissaire, espion.

emissio, *onis*, f. *(emitto)*, action de lancer || action de lâcher [un animal].

emissus, part. de *emitto*.

emitto, *ere, misi, missum*, tr., envoyer dehors, faire aller dehors ou laisser aller dehors: *e* [ou] *de carcere emitti*, être relâché de prison || *de* [ou] *e manibus emitti*, s'échapper des mains de qqn, échapper à qqn || *scutum manu*, laisser tomber son bouclier || *pila*, lancer les javelots || *vocem*, émettre, prononcer une parole || *animam*, rendre l'âme || [en part.]: *manu emittere aliquem* = *manu mittere*, affranchir un esclave, v. *manumissio* || [fig.] lancer (décocher).

emo, *emere, emi, emptum*, tr., **1.** acheter: *bene*, acheter à bon compte; *male*, acheter cher; *ab aliquo, de aliquo*, acheter à qqn; [avec gén. ou abl. de prix] || **2.** [fig.] acheter, soudoyer.

emollio, *ire, ivi* ou *ii, itum*, tr., amollir, rendre mou, tendre, flasque.

emolumentum, *i*, n., avantage, profit, intérêt, gain, émolument: *emolumento esse alicui*, être utile à qqn, ou *emolumentum esse alicui*.

emorior, *i, mortuus sum*, intr., mourir.

emortuus, *a, um*, part. de *emorior*.

emotus, *a, um*, part. de *emoveo*.

emoveo, *ere, ovi, otum*, tr., ôter d'un

lieu, déplacer, remuer, ébranler || [fig.] chasser, dissiper.

Empedocles, *is*, m., Empédocle [célèbre philosophe d'Agrigente] || **-eus,** *a, um*, d'Empédocle.

empiricus, *i*, m., médecin empirique.

emplastrum, *i*, n., emplâtre.

Emporia, *orum*, m., Empories [région des comptoirs commerciaux des Carthaginois].

emporium, *ii*, n., marché, place de commerce, entrepôt.

emptio, *onis*, f. *(emo)*, achat, marché || objet acheté.

emptito, *are, avi, atum (emo)*, tr., acheter souvent, acheter.

emptor, *oris (emo)*, m., acheteur.

emptus, *a, um*, part de *emo*.

emunctus, *a, um*, part. de *emungo*.

emungo, *ere, nxi, nctum*, tr., moucher || [fig.] part., *emunctus*, subtil, raffiné.

emunio, *ire, ivi* ou *ii, itum*, tr., fortifier [t. de guerre] || consolider, renforcer || rendre praticable.

en, 1. [interj.] voici, voilà || **2.** [particule interr.] *en unquam ?*, est-ce que quelque jour? est-ce que jamais?

enarrabilis, *e (enarro)*, qu'on peut exprimer, décrire.

enarratio, *onis*, f. *(enarro)*, développement, explication, commentaire.

enarrator, *oris*, m. *(enarro)*, qui explique en détail.

enarro, *are, avi, atum*, tr., rapporter avec détails || expliquer, interpréter, commenter.

enascor, *nasci, natus sum*, intr., naître de, naître, s'élever, sortir, pousser.

enato, *are, avi, atum*, intr., se sauver à la nage, échapper au naufrage || [fig.] s'échapper, se tirer d'affaire.

enatus, *a, um*, part. de *enascor*.

enavigo, *are, avi, atum*, **1.** intr., effectuer une traversée, aborder || [fig.] échapper || **2.** tr., traverser.

encaustica, *æ*, f., art de peindre à l'encaustique.

encausticus, *a, um*, encaustique.

encaustum, *i*, n., peinture à l'encaustique.

encaustus, *a, um*, fait à l'encaustique.

Enceladus, *i*, m., Encélade [géant foudroyé par Jupiter, qui l'emprisonna sous l'Etna].

Endymion, *onis*, m., Endymion [aimé de Diane qui le plongea dans un sommeil éternel].

eneco (enico), *are, necui, nectum*, tr., tuer, faire périr || [fig.] épuiser.

enectus, *a, um*, part. de *eneco*.

enervatus, *a, um*, part. de *enervo* || adj., dont on a retiré les nerfs, [d'où au fig.] énervé, efféminé, faible, sans énergie.

enervis, *e (e, nervus)*, sans nerf, languissant, faible, lâche, efféminé.

enervo, *are, avi, atum (e, nervus)*, tr., retirer les nerfs || affaiblir, énerver, épuiser.

enim, adverbe d'affirmation et conjonction,

I. adv., c'est un fait, bien sûr || en fait, en réalité || [pour introduire une objection] *at enim*, v. *at* || *sed enim*, mais de fait.

II. conjonction qui introduit soit la confirmation, soit la cause :

a) confirmation : **1.** en effet, de fait || **2.** [introduit un développement annoncé, voici le fait, voici la chose, eh bien !].

b) cause : c'est que, car.

enimvero, adv. d'affirmation, c'est un fait, oui, que...

enisus (-xus), *a, um*, part. de *enitor*.

eniteo, *ere, tui*, intr., briller, être brillant || [fig.] briller, paraître avec éclat, se distinguer, se signaler.

enitesco, *ere, tui*, intr., commencer à briller.

enitor, *niti, nisus (nixus) sum*,

I. intr., **1.** faire effort pour sortir, pour se dégager || faire effort pour s'élever, pour escalader ; escalader, arriver au sommet || **2.** [avec *ut*] faire effort pour que, [avec *ne*] pour éviter que || [absol.] faire effort : *in aliqua re*, porter ses efforts sur qqch. ; *ad dicendum*, vers l'éloquence.

II. tr., **1.** escalader, franchir avec effort || **2.** accoucher, mettre bas.

enixe *(enixus)*, avec effort, de toutes ses forces, de tout son pouvoir.

enixus, *a, um*, part. de *enitor*.

Ennius, *ii*, m., Ennius [ancien poète latin].

eno, *are, avi, atum*, **1.** intr., se sauver à la nage, aborder || [poét.] s'échapper, arriver en volant || **2.** tr., [poét.] parcourir.

enodate *(enodatus)*, clairement, facilement.

enodatio, *onis*, f. *(enodo)*, explication, éclaircissement, interprétation.

enodatus, *a, um*, part. de *enodo*.

enodis, *e (e, nodus)*, qui est sans

nœuds, qui n'est pas noueux || [fig.] souple, flexible, coulant, facile.

enodo, *are, avi, atum*, tr., enlever les nœuds || [fig.] rendre clair, élucider, expliquer.

enormis, *e (e, norma)*, irrégulier, qui est contre la règle || qui sort des proportions, très grand, très gros, très long, énorme.

enormitas, *atis*, f. *(enormis)*, irrégularité || grandeur ou grosseur démesurée.

enormiter, irrégulièrement, contre les règles || démesurément, énormément, excessivement.

enotatus, *a, um*, part. de *enoto*.

enotesco, *ere, tui*, intr., devenir public.

enoto, *are, avi, atum*, tr., noter, consigner dans des notes.

ensifer (-ger), *era, erum (ensis, fero, gero)*, qui porte une épée.

ensis, *is*, m., épée, glaive.

enubo, *ere, psi, ptum*, intr., se marier hors de sa classe [en parl. d'une femme], se mésallier || se marier [avec qqn d'une autre ville].

enucleate, [rhét.] d'une manière sobre, nette.

enucleatus, *a, um*, part. de *enucleo* || pris adj., [rhét.] style dépouillé, sobre et net.

enucleo, *are, avi, atum (ex, nucleus)*, tr., enlever le noyau || étudier (examiner) qqch. à fond, éplucher.

enumeratio, *onis*, f. *(enumero)*, énumération, dénombrement.

enumero, *are, avi, atum*, tr., compter en entier, supputer sans rien omettre || énumérer, dénombrer, passer en revue, récapituler || exposer en détail.

enunquam, v. *en*.

enuntiatio, *onis*, f. *(enuntio)*, énonciation, exposition, exposé.

enuntiatus, *a, um*, part. de *enuntio*.

enuntio, *are, avi, atum*, tr., énoncer, exprimer par des mots, exposer || dévoiler, découvrir, révéler, divulguer.

enuptio, *onis*, f. *(enubo)*, mésalliance.

enutrio, *ire, ivi (ii), itum*, tr., nourrir complètement, élever [un enfant].

1. eo, adv. (dérivé de *is, ea, id)*, **1.** là [avec mouvement] = *in eum locum, ad eum locum* || **2.** à ce point: *eo rem adducere, ut...*, amener une chose au point que... || *usque eo... ut*, à tel point que.

2. eo, abl. n. de *is*, employé adverbialement. **1.** par cela, à cause de cela || *eoque*, et pour cette raison || *eo... quod*, parce que: *eo... quia*, parce que || *eo... ut*, pour que; *eo... ne*, afin que... ne... pas, en vue d'éviter de || **2.** [avec compar.] d'autant: *eo minus*, d'autant moins; *eo magis*, d'autant plus || *eo minus quod*, d'autant moins que; *eo magis quod*, d'autant plus que.

3. eo, *ire, ivi* ou *ii, itum*, intr., **1.** aller, marcher, s'avancer: *cubitum ire*, aller se coucher || [poét., acc. question *quo*]: *Afros ire*, aller chez les Africains || *pedibus ire*, aller à pied; *equis*, aller à cheval || **2.** [fig.] aller, marcher, s'avancer: *in lacrimas*, recourir aux larmes || [en part.] *pedibus ire* (ou simplement *ire) in sententiam aliquam, in sententiam alicujus*, se ranger à tel ou tel avis, à l'avis de qqn || **3.** aller, se passer, prendre telle ou telle tournure: *incipit res melius ire*, les affaires commencent à mieux aller || **4.** s'en aller, s'écouler.

eodem, adv. (de *idem*), au même endroit, au même point [avec mouvem.] || [fig.] *eodem pertinere*, tendre au même point, aboutir au même résultat.

Eos, f. [usité seulem. au nomin.], l'Aurore.

Eous, *a, um*, **1.** d'Orient, oriental || **2.** subst. m., l'étoile du matin.

Epaminondas, *æ*, m., célèbre général thébain qui battit les Lacédémoniens à Leuctres, puis à Mantinée où il fut tué.

ephebus, *i*, m., éphèbe [adolescent de 16 à 20 ans].

ephemeris, *idis*, f., journal mémorial journalier.

Ephesus, *i*, f., Éphèse [ville d'Ionie, célèbre par son temple de Diane] || **-sius,** *a, um*, d'Éphèse || **-sii,** *orum*, m., Éphésiens, habitants d'Éphèse.

ephippiatus, *a, um*, assis sur une housse.

ephippium, *ii*, n., couverture de cheval.

ephori, *orum*, m., éphores [premiers magistrats de Lacédémone].

Ephyra, *æ*, f., et **re,** *es*, f., Éphyre [ancien nom de Corinthe] || **-ræus (-reus, -reius),** *a, um*, de Corinthe.

Epicharmus, *i*, m., Épicharme [poète comique de Sicile].

Epicurus, *i*, m., Épicure [philosophe grec, fondateur de la doctrine dite Épicurienne] || **-reus (-ius),** *a, um*, d'Épicure, Épicurien || **-rei,** *orum*, m., Épicuriens.

Epidaurum, *i*, n. (**-rus** ou **-ros**), *i*, f., Épidaure [ville de l'Argolide où Esculape était honoré] || **ius,** *a, um*, d'Épidaure; subst. m., l'Épidaurien = Esculape.

epigramma, *atis,* n., inscription || épigramme, petite pièce de vers.

Epipolæ, *arum,* f., Épipoles [quartier de Syracuse].

Epirus (-ros), *i,* f., l'Épire [province occidentale de la Grèce, aujourd'hui l'Albanie] || **-rotes,** *æ,* m., Épirote.

epistola, mieux **epistula,** *æ,* f., **1.** lettre [en tant qu'envoi; *litteræ,* lettre, en tant qu'écrit], courrier || **2.** lettre, missive, dépêche.

epitaphius, *ii,* m., discours funèbre.

epitome, *es,* f., abrégé, extrait, épitomé.

epoto, *are, avi, epotum,* tr., boire tout, vider en buvant || [poét.] absorber, engloutir.

epotus, *a, um,* part. de *epoto.*

epulæ, *arum,* f., **1.** mets, aliments, nourriture || **2.** repas, festin, banquet || [fig.] régal, festin.

epularis, *e (epulæ),* de table, de festin.

epulo, *onis,* m. *(epulum),* épulon [prêtre qui présidait aux festins des sacrifices].

epulor, *ari, atus sum (epulæ),* **1.** intr., manger, faire un repas, faire bonne chère, assister à un festin || **2.** tr., manger qqch.

epulum, *i,* n., repas public donné dans les solennités, repas sacré.

equa, *æ,* f., jument, cavale.

eques, *itis,* m. *(equus),* **1.** cavalier || cavalerie || **2.** chevalier: *equites,* l'ordre des chevaliers.

equester, *tris, tre (equus),* **1.** de cheval ou de cavalier, equestre || de cavaliers, de cavalerie: *equestres copiæ,* troupes de cavalerie || **2.** de chevalier: *equester ordo,* l'ordre équestre des chevaliers.

equidem, adv., certes, sans doute, assurément || il est vrai (oui)... mais *(sed, verum, tamen)* || quant à moi, pour moi.

equinus, *a, um (equus),* de cheval, de jument.

equitatio, *onis,* f. *(equito),* l'équitation.

equitatus, *us,* m. *(equito),* **1.** action d'aller à cheval || **2.** cavalerie || **3.** l'ordre des chevaliers.

equito, *are, avi, atum (eques),* intr., chevaucher, faire des courses à cheval.

equuleus (ecul-), *i,* m., **1.** jeune cheval, poulain || **2.** chevalet de torture.

equus (ecus), *i,* m., **1.** cheval: *equo optime uti,* être excellent cavalier || **2.** cheval [= cavalerie]: *equo merere,* servir dans la cavalerie; *ad equum rescribere,* faire passer dans la cavalerie; *equis virisque,* en faisant donner la cavalerie et l'infanterie; [fig.] *equis viris,* par tous les moyens; *equus publicus, privatus,* cheval fourni par l'État, fourni par le particulier || **3.** cheval des chevaliers **4.** [emplois divers]: ***a)*** les chevaux = les courses de char; ***b)*** le cheval de Troie; ***c)*** Pégase.

eradico, *are, avi, atum (e, radix),* tr., déraciner || [fig.] détruire, exterminer, anéantir.

erado, *ere, si, sum,* tr., **1.** enlever en raclant || effacer, rayer || **2.** retrancher, supprimer, détruire.

eram, impf. de *sum.*

erasi, pf. de *erado.*

erasus, *a, um,* part. de *erado.*

Erato, *us,* f., muse de la poésie légère et muse en général.

Eratosthenes, *is,* m., Eratosthène [savant grec, bibliothécaire d'Alexandrie].

Erebus, *i,* m., les Enfers, l'Érèbe.

erectio, *onis,* f. *(erigo),* action d'élever, de dresser, érection.

erectus, *a, um,* **1.** part. de *erigo* || **2.** adj., élevé, dressé, droit || [fig.] haut, élevé, noble || qui va la tête haute, fier, superbe, qui se rengorge || à l'esprit tendu, attentif || encouragé, le cœur haut, plein de confiance.

erepo, *ere, psi, ptum,* intr., sortir en rampant, en se traînant || monter en rampant || [fig.] s'élever insensiblement.

ereptio, *onis,* f. *(eripio),* spoliation, vol.

ereptor, *oris,* m. *(eripio),* ravisseur, voleur.

ereptus, *a, um,* part. de *eripio.*

Eretria, *æ,* f., Érétrie [ville de l'Eubée, patrie du philosophe Ménédème] || **-trius,** *a, um* ou **-triensis,** *e,* érétrien, d'Érétrie.

erexi, pf. de *erigo.*

erga, prép. acc., à l'égard de, envers, pour.

ergastulum, *i,* n., ergastule [atelier d'esclaves et bâtiment où on les enfermait la nuit après les plus durs travaux; on y enfermait aussi certains condamnés] || pl., esclaves en ergastule, détenus.

1. ergo, prép. avec gén. [touj. après son compl.], à cause de.

2. ergo, conj. de coord., donc, ainsi donc, par conséquent.

Erichthonius, *ii,* m., Érichthon [roi

d'Athènes, inventeur du quadrige et des courses de chars].

ericius, c. *her-*.

Eridanus, *i*, m., l'Éridan ou le Pô [fleuve de l'Italie supérieure].

erigo, *ere, rexi, rectum (ex* et *rego)*, tr., **1.** mettre droit || dresser, mettre debout || ériger, construire || lever: *oculos*, lever les yeux || élever, mettre sur un lieu élevé || **2.** [fig.] dresser, éveiller, rendre attentif: *erigite mentes vestras*, tenez en éveil vos esprits; *erectus*, la tête levée, attentif || **3.** [fig.] redresser, relever: *se erigere*, reprendre courage.

Erigone, *es*, f., Erigone [fille d'Icare, changée en constellation (la Vierge)].

erilis, c. *her-*.

Erinnys (Erinys), *yos*, f., Erinnys [une des Furies].

eripio, *ere, ripui, reptum (ex* et *rapio)*, tr., **1.** tirer hors de, arracher, enlever: *aliquem ex manibus alicujus*, arracher qqn des mains de qqn || *aliquem a morte*, arracher qqn à la mort || *aliquid, aliquem alicui*, enlever qqch., qqn à qqn || **2.** [avec *ne* subj.] soustraire à l'obligation de || **3.** [fig.] enlever, faire disparaître || **4.** [poét.] prendre vivement: *eripe fugam*, hâte-toi de fuir.

ero, *is, it*, fut. de *sum*.

erodo, *ere, si, sum*, tr., ronger, brouter || ronger, corroder.

erogatio, *onis*, f. *(erogo)*, **1.** distribution, dépense, paiement.

erogo, *are, avi, atum*, tr., **1.** faire sortir pour distribuer, payer || [en gén.] dépenser.

erosio, *onis*, f. *(erodo)*, action de ronger, érosion.

erosus, *a, um*, part. de *erodo*.

errabundus, *a, um (erro)*, errant.

errans, *tis*, part.-adj. de *erro*, errant, vagabond.

erraticus, *a, um (erro)*, errant, vagabond.

erratio, *onis*, f. *(erro)*, action d'errer, de s'égarer; détour, chemin plus long.

erratum, *i*, n. *(erro)*, erreur, faute.

1. erratus, *a, um*, part. de *erro*.

2. erratus *us*, m., action de s'égarer.

1. erro, *are, avi, atum*, intr., **1.** errer çà et là, marcher à l'aventure || **2.** s'éloigner du droit chemin, faire fausse route, se fourvoyer, s'égarer || s'écarter de la vérité, être dans l'erreur, se tromper, se méprendre || commettre une faute, faillir, pécher par erreur.

2. erro, *onis*, m. *(erro 1)*, vagabond.

erroneus, *a, um*, errant, vagabond.

error, *oris*, m. *(erro)*, **1.** action d'errer çà et là, course à l'aventure, détour, circuit || [fig.] incertitude, indécision, ignorance || **2.** erreur, illusion, méprise || égarement de l'esprit, délire, aberration, folie || [poét.] moyen de tromper, piège, tromperie.

erubesco, *ere, bui*, intr., rougir, devenir rouge || [fig.] avoir honte, être honteux || [avec inf.] rougir de.

eructo, *are, avi, atum*, tr., rejeter, vomir, rendre par la bouche || exhaler, rejeter.

erudio, *ire, ivi* ou *ii, itum (e, rudis)*, tr., dégrossir, façonner: [d'où] enseigner, instruire, former: *ad rem*, former à qqch. || informer, mettre au courant (*aliquem de aliqua re*, qqn de qqch.).

erudite *(eruditus)*, savamment, en homme instruit.

eruditio, *onis*, f. *(erudio)*, **1.** action d'enseigner, d'instruire || **2.** instruction, savoir, connaissances, science.

eruditus, *a, um*, part. de *erudio* || adj., instruit, formé, dressé, savant habile, érudit, versé dans || *sæcula erudita*, siècles éclairés: *eruditæ aures*, oreilles exercées, délicates.

erumpo, *ere, rupi, ruptum*, tr. et intr., **I.** tr., **1.** faire sortir violemment, pousser hors de, précipiter hors de: *in aliquid, in aliquem iracundiam, iram*, décharger sa colère sur qqch., sur qqn. || **2.** percer, briser.
II. intr., **1.** se précipiter, s'élancer hors de: *ex castris*, faire une brusque sortie hors du camp || **2.** [fig.] éclater, faire éruption (explosion): *risus erumpit*, le rire jaillit || **3.** se jeter [dans qqch.]: *ad minas*, éclater en menaces.

eruo, *ere, rui, rutum*, tr., **1.** tirer en creusant, en fouillant, déterrer, extraire, arracher || **2.** [poét.] détruire de fond en comble || **3.** découvrir, tirer au jour.

erupi, pf. de *erumpo*.

eruptio, *onis*, f. *(erumpo)*, **1.** sortie brusque (soudaine, impétueuse) || [en part., t. milit.] *ex oppido eruptionem facere*, opérer une sortie hors de la ville || **2.** éruption volcanique.

eruptus, *a, um*, part. de *erumpo*.

erus, c. *herus*.

ervum, *i*, n., ers, lentille.

Erymanthus (-thos), *i*, m., Érymanthe [montagne d'Arcadie, où Hercule tua un sanglier monstrueux] || **-theus, -thius,** *a, um*, de l'Érymanthe.

Erythræ, *arum*, f., Érythres [nom de plusieurs villes; not. dans l'Inde, d'où]

Erythræum mare, la mer Érythrée, la mer Rouge, la mer des Indes.

Eryx, *ycis*, m., fils de Vénus, tué par Hercule, enseveli sous le mont Éryx || mont de Sicile où Vénus avait un temple || **-cinus,** *a, um*, du mont Éryx; *Venus Erycina*, Vénus Érycine; *Erycina*, Vénus.

esca, *æ*, f. *(edo 1)*, **1.** nourriture, aliments, pâture || **2.** appât, amorce.

escendo, *ere, di, sum (ex, scando)*, **1.** intr., monter: *in rostra*, monter à la tribune; *in equum*, à cheval || s'avancer dans l'intérieur d'un pays en s'éloignant de la mer || **2.** tr., *equos escendere*, monter à cheval.

escensio, *onis*, f. *(escendo)*, débarquement, descente.

1. escensus, *a, um*, part. de *escendo*.

2. escensus, abl. *u*, m., assaut, escalade.

esculenta, *orum*, n. *(esculentus)*, aliments, mets.

esculentus, *a, um (esca)*, mangeable, bon à manger, comestible.

Esquiliæ (Ex-), *arum*, f., les Esquilies [quartier de Rome situé sur le mont Esquilin].

Esquilinus (Ex-) mons, m., le mont Esquilin [une des collines de Rome] || **-us,** *a, um*, du mont Esquilin: *Esquilina porta* ou *Esquilina* seul, la porte Esquiline.

essedarius, *ii*, m. *(essedum)*, soldat (ou gladiateur) qui combat sur un char.

essedum, *i*, n. (mot gaulois), char de guerre [en usage chez les Belges, les Gaulois, les Bretons] || char, voiture, sorte de cabriolet.

esurio (essurio), *ire, ivi* ou *ii (edo)*, **1.** intr., désirer manger, avoir faim, être affamé || **2.** [fig.] tr., convoiter.

esus, *a, um*, part. de *edo 1*.

et,

I. conj. de coordination, et: **1.** [emploi ordinaire]: *pater et mater*, le père et la mère || **2.** [balancement]: *et... et*, et... et; d'une part..., d'autre part; à la fois... et; aussi bien... que: *et mari et terra*, à la fois sur mer et sur terre || **3.** *et... quidem*, et il y a mieux, et même, allons plus loin || et d'ailleurs, mais aussi || [*et* seul] et même, et de plus, et cela, et qui plus est || **4.** [nuance d'opposition] et pourtant: *et videtis annos*, et pourtant vous voyez mon âge || **5.** [idée temporelle]: *vix... et*, à peine... que (quand) || **6.** [après impératif]: *recognosce et intelleges*, passe en revue et tu constateras || **7.** [dans certaines comparaisons] (cf. *ac, atque*): *æque et; aliter et; aliud et; similiter et*, autant que; autrement que; autre chose que; de même que.

II. adv., aussi: *gere et tu tuum bene*, administre bien, toi aussi, tes affaires; *sed et alii*, mais d'autres aussi || = *etiam*.

etenim, conj., et de fait, et vraiment, le fait est que.

Eteocles, *is* ou *eos*, m., Étéocle [fils d'Œdipe, frère de Polynice qui vint guerroyer contre lui; ils s'entretuèrent dans un combat].

etesiæ, *arum*, m., vents étésiens [qui soufflent à l'époque de la canicule].

ethologus, *i*, m., mime, comédien.

ethos, n., mœurs, caractère.

etiam, conj., **1.** [idée temporelle] encore, indéfiniment **2.** [en gén.] encore, en plus, aussi || [tour fréquent] *non modo (solum)..., sed (verum) etiam*, non seulement..., mais encore || **3.** même, bien plus: *etiam pecudes*, même les animaux || *atque etiam*, et même, et il y a mieux || **4.** [pour confirmer] oui, c'est cela: *aut etiam aut non respondere*, répondre oui ou non || **5.** encore une fois, de nouveau || *etiam atque etiam*, encore et encore, maintes et maintes fois.

etiamdum ou **etiam dum,** adv., encore alors.

etiamnum ou **etiamnunc,** adv., encore maintenant, encore.

etiamsi ou **etiam si,** conj., même si, quand même.

etiam tum, etiam tunc, adv., encore alors, jusque-là [dans le passé].

Etruria, *æ*, f., l'Étrurie [province d'Italie, auj. la Toscane].

Etruscus, *a, um*, Étrusque, d'Étrurie || subst. m. pl., les Étrusques.

etsi, conj. **1.** [subordin.] quoique, bien que || **2.** [coordin.] mais, toutefois, d'ailleurs, et encore.

Euagoras, *æ*, m., Évagoras [roi de Chypre].

Euander (-drus), *i*, m., Évandre [roi d'Arcadie, vint fonder une colonie dans le Latium].

Eubœa, *æ*, f., Eubée [île de la mer Égée].

Euclides, *is*, m., Euclide [mathématicien célèbre d'Alexandrie].

euhœ, interj., évohé [cri des bacchantes].

Eumenes, *is*, m., Eumène [un des généraux d'Alexandre le Grand].

Eumenides, *um*, Euménides, Furies.

Eumolpus, *i*, m., Eumolpe [apporta en

Attique les mystères d'Eleusis et la culture de la vigne] || **-idæ,** *arum*, m., les Eumolpides [famille sacerdotale d'Athènes chargée du culte de Cérès].

eundus, *a, um*, adj. verbal de *eo*, v. *eo*.

euphorbia, *æ*, f. euphorbe.

Euphrates, *æ* ou *is*, m., Euphrate [grand fleuve d'Asie].

Euripides, *is* et *i*, m., Euripide [célèbre poète tragique grec] || **-eus,** *a, um*, d'Euripide.

1. Euripus (-os), *i*, m., Euripe [détroit entre la Béotie et l'Eubée].

2. euripus, *i*, m., détroit || aqueduc, canal, fosse || fossé rempli d'eau qui entourait le cirque à Rome.

Europa, *æ* et **-pe,** *es*, f., **1.** Europe [enlevée par Jupiter métamorphosé en taureau] || **-æus,** *a, um*, d'Europe || **2.** Europe [partie du monde] || **-æus,** *a, um*, européen.

Eurotas, *æ*, m., l'Eurotas [fleuve de Laconie].

eurus, *i*, m., eurus, vent du sud-est || vent en général.

Euryalus, *i*, m., Euryale [jeune Troyen, ami de Nisus].

Eurydice, *es*, f., Eurydice [femme d'Orphée].

Euterpe, *es*, f., Euterpe [muse de la musique].

Euxinus Pontus, *i*, m., le Pont-Euxin (la mer Noire) || **-inus,** *a, um*, du Pont-Euxin.

Euxinus, *i*, m., c. *Euxinus pontus*.

evado, *ere, vasi, vasum*,
I. intr., **1.** sortir de: *ex balneis*, sortir du bain || **2.** s'échapper de, se sauver de, se dégager de: *e periculo* ou *periculo*, se tirer du danger || **3.** arriver à être, aboutir à être, finir par devenir: *oratores evadere*, devenir enfin orateurs || *evadere ut*, aboutir à ce que || *in aliquid*, aboutir à qqch.
II. tr., **1.** venir à bout de franchir, gravir, franchir || **2.** échapper à, éviter.

evagatio, *onis*, f. *(evagor)*, action d'errer.

evagino, *are, avi, atum (e, vagina)*, tr., tirer du fourreau, dégainer.

evagor, *ari, atus sum*, **1.** intr., courir çà et là, se répandre au loin, s'étendre, se propager || **2.** tr., dépasser, franchir, transgresser.

evalesco, *ere, lui*, intr., **1.** prendre de la force, se fortifier || [poét., avec inf.] être capable de, pouvoir || **2.** prévaloir.

evalui, pf. de *evalesco*.

Evander, v. *Euander*.

evanesco, *ere, nui*, intr., s'évanouir, disparaître, se dissiper, se perdre, passer, s'évaporer.

evanidus, *a, um (evanesco)*, qui perd sa force, sa consistance, sa résistance || [fig.] éphémère.

evaporatio, *onis*, f. *(evaporo)*, évaporation.

evaporo, *are, avi, atum*, tr., évaporer, disperser en vapeur.

evasto, *are, avi, atum*, tr., ravager entièrement, dévaster.

evasus, *a, um*, part. de *evado*.

1. evectus, *a, um*, part. de *eveho*.

2. evectus, *us*, m., transport.

eveho, *ere, exi, ectum*, tr., transporter, emporter || [fig.] élever, porter à: *ad consulatum*, élever au consulat || [pass. sens réfléchi]: *evecti in altum*, s'étant portés en pleine mer || [en part.] *evectus* avec acc., qui a dépassé, franchi, surpassé.

evello, *ere, velli (vulsi)*, tr., arracher, enlever, déraciner.

evenio, *ire, veni, ventum*, intr., **1.** avoir une issue, un résultat: *bene et feliciter evenire*, avoir un bon, un heureux résultat || **2.** arriver = se réaliser, s'accomplir || **3.** échoir (*alicui*, à qqn) || **4.** arriver, se produire || impers.: *ut plerumque evenit*, comme il arrive d'ordinaire; *evenit ut*, subj., il arrive que.

eventum, *i*, n. *(evenio)*, [rare au sing.]; ordin. **eventa,** *orum*, n. pl., événements, choses accidentelles || résultats, effets.

eventura, *orum*, n. *(evenio)*, l'avenir.

eventus, *us*, m. *(evenio)*, événement, résultat, issue, dénouement || ce qui est arrivé à qqn, à qqch., le sort de qqn, de qqch., *eventus alicujus, alicujus rei* || résultat heureux, succès.

everbero, *are, avi, atum*, tr. frapper (avec force, avec violence), battre à coups redoublés.

everriculum, *i*, n. *(everro)*, balai.

everro, *ere, ri, rsum*, tr., balayer, nettoyer.

eversio, *onis*, f. *(everto)*, **1.** renversement || **2.** destruction, ruine.

eversor, *oris*, m. *(everto)*, celui qui renverse, destructeur.

eversus, *a, um*, part. de *everro* et de *everto*.

everto, *ere, i, sum*, tr., **1.** mettre sens dessus dessous, retourner, bouleverser: *evertere navem*, faire chavirer un vaisseau || **2.** jeter à bas, renverser, abattre, détruire || **3.** expulser, exproprier: *aliquem agris, ædibus*, chasser (dépouiller) qqn de ses terres, de sa maison.

evestigatus, *a, um (e, vestigo),* découvert, dépisté.

evici, pf. de *evinco.*

evictus, *a, um,* part. de *evinco.*

evidens, *tis (ex, video),* **1.** visible, apparent || **2.** clair, manifeste, évident || **3.** digne de foi.

evidenter *(evidens),* évidemment, clairement.

evigilatus, *a, um,* part. de *evigilo.*

evigilo, *are, avi, atum,*
I. intr., **1.** s'éveiller, se réveiller || **2.** veiller, s'appliquer, travailler sans relâche (*in aliqua re,* à qqch.).
II. tr., **1.** passer [le temps] en veillant || **2.** travailler sans relâche à, faire avec soin, méditer, élaborer, mûrir.

evilesco, *ere, lui,* intr., devenir vil, perdre toute valeur.

evincio, *ire, vinxi, vinctum,* tr., ceindre [la tête] || lier, attacher [en gén.].

evinco, *ere, vici, victum,* tr., **1.** vaincre complètement, triompher de || **2.** *evinci ad miserationem; in lacrimas; in gaudium,* être amené invinciblement à la pitié, aux larmes, à la joie || **3.** [avec *ut* subj.] obtenir que.

evinctus, *a, um,* part. de *evincio.*

evisceratus, *a, um,* part. de *eviscero.*

eviscero, *are, avi, atum (e, viscus),* tr., éventrer || mettre en pièces, déchirer.

evitabilis, *e,* qu'on peut éviter.

evitatio, *onis,* f. *(evito),* action d'éviter, fuite.

evitatus, *a, um,* part. de *evito.*

evito, *are, avi, atum,* tr., éviter, fuir.

evocator, *oris,* m., celui qui fait appel à.

evocatus, *a, um,* part. de *evoco.*

evoco, *are, avi, atum,* tr., **1.** appeler à soi, faire venir || **2.** [officiel] appeler, mander, convoquer || [milit.] appeler pour la guerre; [en part.] rappeler les vétérans sous les drapeaux; [d'où le subst.] *evocati, orum,* m., les vétérans rappelés en service volontaire, les rappelés || faire venir, évoquer des témoins || **3.** [fig.] attirer, provoquer: *iram alicujus,* provoquer la colère de qqn.

evolo, *are, avi, atum,* intr., **1.** s'envoler, sortir en volant || **2.** sortir précipitamment: *evolare ex pœna,* se dérober au châtiment.

evolutio, *onis,* f. *(evolvo),* action de dérouler, de parcourir, de lire: *poetarum evolutio,* lecture des poètes.

evolutus, *a, um,* part. de *evolvo.*

evolvo, *ere, volvi, volutum,* tr. **1.** emporter en roulant || *se evolvere* ou passif *evolvi,* s'en aller en se roulant || **2.** faire sortir (dégager) de qqch. qui enveloppe, qui entoure || **3.** faire rouler loin de, faire dégringoler de || [fig.] précipiter de, déloger de || **4.** dérouler, déployer: *volumen epistularum,* dérouler (compulser) un volume de lettres || lire, feuilleter: *librum,* un livre; *poetas,* lire les poètes || **5.** dérouler, expliquer || développer, exposer: *naturam rerum omnium,* exposer la nature de toutes choses.

evomitus, *a, um,* part. de *evomo.*

evomo, *ere, vomui, vomitum,* tr., rejeter en vomissant, rendre, rejeter.

evulgo, *are, avi, atum,* tr., divulguer, publier.

evulsio, *onis,* f. *(evello),* action d'arracher.

evulsus, *a, um,* part. de *evello.*

ex ou **e,** prép. avec abl.; *ex* et *e* s'emploient devant toutes les consonnes, *e* jamais devant les voyelles; [sens fondamental] provenance de l'intérieur de, hors de [contraire de *in*]:
I. [local], **1.** construit avec les verbes signifiant « sortir, emmener, enlever, chasser, puiser, tirer, etc. » ou avec la même idée au fig., « demander, apprendre, etc. »; par ex. *exire ex navi, ex urbe, e vita,* sortir d'un navire, de la ville, de la vie; *ex loco deducere,* emmener d'un lieu; v. chaque verbe particulier || **2.** [marquant le point d'où part une chose]: *ex equis colloqui,* avoir un entretien à cheval; *ex itinere,* en chemin; *ex loco superiore,* d'un point élevé; [d'où les expressions adverbiales: *ex adverso, ex contrario, e regione, etc.,* v. ces mots].
II. [sens temporel], **1.** [point de départ]: *ex eo tempore,* à partir de ce moment, dès lors; ... *ex eo die,* à partir de ce jour-là || **2.** immédiatement après, au sortir de: *ex consulatu,* aussitôt après le consulat; *diem ex die exspectare,* attendre un jour après un jour = de jour en jour.
III. [rapports divers], **1.** origine, provenance: *omnes ex Gallia naves,* tous les navires en provenance de Gaule || [dans les constructions partitives]: *aliquis, unus, nullus... ex*; [avec le superl.] *acerrimus ex omnibus sensibus,* le plus pénétrant de tous les sens || **2.** [étymologie]: *appellata est ex viro virtus,* on a tiré de *vir,* homme, le mot *virtus,* vertu || **3.** [matière]: *statua ex œre facta,* statue en airain; *ex auro,* en

or || **4.** [cause, source, origine] par suite de, à la suite de : *ex insidiis interire*, ou *insidiis interire*, périr dans un guet-apens || *nasci ex, oriri ex, gigni ex*, naître de, sortir de || *ex quo fit ut; e quo efficitur ut*, d'où il résulte que || **5.** passage d'un état à un autre : *dii ex hominibus facti*, d'hommes devenus dieux, hommes divinisés || **6.** d'après, conformément à : *ex omnium sententia*, de l'avis de tous ; *ex senatus consulto*, d'après un sénatus-consulte ; *ex lege*, d'après la loi ; *ex consuetudine*, d'après la coutume ; *ex usu alicujus*, dans l'intérêt de qqn ; *ex utilitate*, conformément à l'utilité.

exacerbatus, *a, um*, part. de *exacerbo.*

exacerbo, *are, avi, atum*, tr., aigrir qqn, irriter || affecter douloureusement, chagriner.

exactio, *onis*, f. *(exigo)*, **1.** expulsion, bannissement || **2.** action de faire rentrer (impôts, argent, etc.), levée, recouvrement || perception || **3.** action d'exiger l'exécution d'une tâche.

exactor, *oris*, m. *(exigo)*, **1.** celui qui chasse, expulse || **2.** collecteur d'impôts, percepteur || **3.** surveillant, contrôleur très sévère.

exacui, pf. de *exacuo.*

exactus, *a, um*, part. de *exigo* || adj., précis, exact.

exacutus, *a, um*, part. de *exacuo* || adj., aigu, pointu.

exacuo, *ere, i, utum*, tr., rendre aigu, aiguiser, affiler || exciter, stimuler.

exadversum et **exadversus,** **1.** adv., en face, vis-à-vis || **2.** prép. avec acc., en face de.

exædificatio, *onis*, f. *(exædifico)*, édification, construction.

exædificatus, *a, um*, part. de *exædifico.*

exædifico, *are, avi, atum*, tr., bâtir en entier, achever de bâtir, construire, édifier.

exæquatio, *onis*, f. *(exæquo)*, [fig.] égalisation, état d'égalité, égalité.

exæquatus, *a, um*, part. de *exæquo.*

exæquo, *are, avi, atum*, tr., **1.** aplanir, égaliser, rendre uni || **2.** [fig.] rendre égal, mettre sur le même pied, sur la même ligne : *se exæquare cum aliquo*, se mettre au niveau de qqn [d'un inférieur] || **3.** égaler, arriver à être égal à (*aliquem*, qqn).

exæstuo, *are, avi, atum*, intr., **1.** s'élever [ou] s'avancer en bouillonnant || **2.** être très échauffé, être brûlant || [fig.] être agité, transporté || bouillonner.

exaggeratio, *onis*, f. *(exaggero)*, accumulation de terre ; [d'où fig.] élévation d'âme.

exaggeratus, *a, um*, part. de *exaggero* || adj., [fig.] grossi, renforcé.

exaggero, *are, avi, atum*, tr., **1.** rapporter des terres sur, hausser en remblai || **2.** grossir, augmenter en accumulant || amplifier, grossir.

exagitator, *oris*, m. *(exagito)*, celui qui pourchasse, censeur infatigable.

exagitatus, *a, um*, part. de *exagito.*

exagito, *are, avi, atum*, tr., **1.** chasser devant soi, pousser, poursuivre, harceler || **2.** [fig.] traquer, inquiéter, tourmenter, exciter, irriter, exaspérer.

exalbesco, *cere, bui*, intr., devenir blanc, blanchir || devenir pâle (de crainte).

examen, *inis*, n. *(ex, ago)*, **1.** essaim d'abeilles || **2.** troupe [d'hommes ou d'animaux] || **3.** aiguille d'une balance || [fig.] action de peser, examen, contrôle.

examinatus, *a, um*, part. de *examino.*

examino, *are, avi, atum (examen)*, **1.** intr., essaimer || **2.** tr., peser || [fig.] peser, examiner.

exanclo, v. *exantlo.*

exanimatio, *onis*, f. *(examino)*, suffocation || [fig.] saisissement, épouvante.

exanimatus, *a, um*, part. de *exanimo.*

exanimis, *e (ex, anima)*, privé de la vie, mort, inanimé || [fig., poét.] mort de peur, épouvanté, tremblant.

exanimo, *are, avi, atum (ex, anima)*, tr., ôter le souffle, **1.** ***a)*** [au pass.] être essoufflé, épuisé ; ***b)*** [fig.] couper la respiration, suffoquer || **2.** ôter la vie, tuer || [pass.] perdre la vie : *gravi vulnere exanimari*, mourir d'une grave blessure.

exanimus, *a, um*, c. *exanimis.*

exantlo ou **exanclo,** *are, avi, atum*, tr., **1.** puiser tout, vider, tarir || **2.** [fig.] supporter complètement, endurer.

exaratus, *a, um*, part. de *exaro.*

exardesco, *ere, arsi, arsum*, intr., **1.** s'enflammer, s'allumer || **2.** [fig.] [en parl. de pers.] *exarsit iracundia*, il fut transporté de colère || [avec *ad*] s'enflammer pour, se passionner pour.

exaresco, *ere, rui*, intr., se dessécher entièrement || [fig.] s'épuiser, se perdre.

exarmatus, *a, um*, part. de *exarmo.*

exarmo, *are, avi, atum*, tr., **1.** désarmer || **2.** dégréer un navire, le dégarnir de ses agrès.

exaro, *are, avi, atum,* tr., **1.** enlever, déterrer en labourant || **2.** faire sortir en labourant, faire produire à la terre || **3.** tracer [sur la cire], écrire [une lettre].

exarsi, pf. de *exardesco.*

exarui, pf. de *exaresco.*

exasperatus, *a, um,* part. de *exaspero.*

exaspero, *are, avi, atum,* tr., rendre rude, raboteux, inégal || rendre (la voix) rauque, enrouée || [fig.] aigrir, irriter, exaspérer.

exauctoratus, *a, um,* part. de *exauctoro.*

exauctoro, *are, avi, atum,* tr., **1.** donner son congé à un soldat : *se exauctorare,* prendre son congé || **2.** casser, destituer.

exaudio, *ire, ivi, itum,* tr., **1.** entendre distinctement, entendre clairement || **2.** écouter favorablement, exaucer.

exauditus, *a, um,* part. de *exaudio.*

exauguratus, *a, um,* part. de *exauguro.*

exauguro, *are, avi, atum,* tr., rendre profane, ôter le caractère sacré à.

excæcatus, *a, um,* part. de *excæco.*

excæco, *are, avi, atum,* tr., rendre aveugle, aveugler, obstruer.

excalceatus, *a, um,* part. de *excalceo.*

excalceo (-cio), *are, avi, atum,* tr., déchausser, ôter la chaussure || [en part.] ôter le cothurne.

excalfacio, *ere,* tr., chauffer, échauffer || **excalfio,** *fieri, factus,* pass., être chauffé, s'échauffer.

excalfactio, *onis,* f., action d'échauffer.

excalfactorius, *a, um,* qui a la propriété d'échauffer.

excalfio, v. *excalfacio.*

excandescentia, *æ,* f. *(excandesco),* action de prendre feu, de s'emporter.

excandesco, *ere, dui,* intr., **1.** prendre feu, s'enflammer || **2.** [fig.] s'échauffer, s'emporter, s'irriter.

excarnificatus, *a, um,* part. de *excarnifico.*

excarnifico, *are, avi, atum,* tr., déchirer de coups, faire mourir dans les tortures || [fig.] tourmenter, mettre à la torture.

excavatus, *a, um,* part. de *excavo.*

excavo, *are, avi, atum,* tr., creuser, rendre creux.

excedo, *ere, cessi, cessum,*
I. intr., **1.** s'en aller de, se retirer de : [avec *ex* ou avec abl. seul] || **2.** [fig.] sortir : *e vita* ou *vita,* quitter la vie ; ou *excedere* seul || sortir de, disparaître || **3.** [fig.] sortir, s'avancer hors de || aboutir à, en venir à : *res in magnum certamen excessit,* l'incident aboutit à un violent débat || [avec l'idée de s'élever au-delà d'une certaine limite] *eo laudis excedere quo...,* s'élever à un degré de gloire où...
II. tr., **1.** sortir de, quitter : *urbem,* quitter la ville || **2.** [fig.] dépasser : *modum,* dépasser la mesure, les limites.

excellens, *tis,* part. de *excello* || pris adj., supérieur, distingué, éminent.

excellenter, d'une manière supérieure, éminente, remarquable.

excellentia, *æ,* f. *(excello),* supériorité, excellence.

excello, *ere (ex, cello),* intr., être élevé au-dessus, être supérieur, l'emporter, surpasser, exceller : *excellere ceteris, inter omnes ; super ceteros ; præter ceteros,* l'emporter sur tous || *aliqua re* ou *in aliqua re,* en qqch.

excelse *(excelsus),* [inus.] haut, en haut : [fig.] *excelsius,* avec plus d'élévation.

excelsitas, *atis,* f. *(excelsus),* élévation, hauteur.

excelsus, *a, um,* part.-adj. de *excello,* élevé, haut || n. *excelsum,* endroit élevé, haut || [fig.] élevé, grand, noble.

excepi, pf. de *excipio.*

exceptio, *onis,* f. *(excipio),* **1.** limitation, restriction, réserve : *sine ulla exceptione,* sans exception ; *cum exceptione,* avec des restrictions || **2.** condition, stipulation particulière || **3.** [droit] exception, clause restrictive.

exceptiuncula, *æ,* f., petite exception.

excepto, *are,* tr., fréq. de *excipio,* retirer à tout instant || tirer à soi || recueillir (habituellement).

exceptus, *a, um,* part. de *excipio.*

excerno, *ere, crevi, cretum,* tr., séparer, trier || sasser, passer au tamis || cribler, vanner.

excerpo, *ere, psi, ptum (ex, carpo),* tr., **1.** tirer de, extraire, recueillir, faire un choix dans || **2.** séparer, mettre à part, mettre à l'écart.

excerptum, *i,* n. *(excerptus),* extrait, morceau choisi.

excerptus, *a, um,* part. de *excerpo.*

excessi, pf. de *excedo.*

1. excessus, *a, um,* part. de *excedo.*

2. excessus, *us,* m., sortie : *excessus vita ; excessus vitæ,* ou [absol.] *excessus,* mort || digression.

excidium, *ii*, n. *(excido)*, chute || destruction, v. *exscidium*.

1. excido, *ere, cidi (ex* et *cado)*, intr., **1.** tomber de (avec *de*, ou abl. seul) || [en part.] tomber de l'urne, sortir, échoir || **2.** sortir, échapper involontairement : *verbum ex ore alicujus excidit*, un mot échappe à qqn || **3.** [avec *in* acc.] avoir telle chute, telle fin, tomber dans, dégénérer en || **4.** tomber, se perdre, disparaître || [en part.] sortir de la mémoire || **5.** tomber de, être dépossédé de, être privé de.

2. excido, *ere, cidi, cisum (ex* et *cædo)*, tr., **1.** enlever en frappant (taillant, coupant) || détacher, retrancher || **2.** creuser || faire en creusant || **3.** démolir, détruire, raser.

excieo, *ere, ivi* ou *ii, itum*, c. *excio*.

excindo, v. *exscindo*.

excio, *ire, ivi* ou *ii, itum*, tr., attirer hors, appeler, mander, faire venir, convoquer || [en gén.] faire sortir, tirer : *excire lacrimas alicui*, tirer des larmes à qqn ; *excire ex somno, somno*, réveiller ; *excitus*, réveillé || *excita mens*, âme agitée, tourmentée || soulever, exciter, provoquer un tumulte.

excipio, *ere, cepi, ceptum (ex* et *capio)*, tr.,

I. prendre de, tirer de, **1.** retirer de : *aliquem e mari*, retirer qqn de la mer || [fig.] soustraire à || **2.** excepter : *aliquem, aliquid*, faire une exception pour qqn, pour qqch. || **3.** [en part.] excepter = disposer par une clause spéciale : *lex excipit ut...*, la loi stipule expressément que... ; *in fœderibus exceptum est, ne*, dans les traités est stipulée la défense que.

II. 1. recevoir, recueillir : *sanguinem patera*, recueillir du sang dans une coupe || [par l'ouïe] *rumores*, recueillir les bruits || **2.** recevoir sur sa personne : *plagas, vulnera*, recevoir des coups, des blessures || *impetus*, soutenir les assauts || **3.** recevoir, appuyer : *labentem*, recevoir qqn qui tombe || **4.** prendre, surprendre || **5.** recevoir, accueillir : *aliquem clamore*, accueillir qqn par des cris || recevoir chez soi, héberger || **6.** venir immédiatement après || [absol.] suivre immédiatement || **7.** recueillir, continuer, prolonger || **8.** [poét.] être tourné vers, être exposé à.

excisio, *onis*, f. *(excido)*, ruine, destruction.

excisus, *a, um*, part. de *excido 2*.

excitatus, *a, um*, part. de *excito* || adj., violent, intense.

excito, *are, avi, atum*, tr., déplacer de son état ou de sa position, **1.** faire sortir || réveiller : *aliquem e somno*, tirer qqn du sommeil || éveiller, exciter || faire pousser || **2.** faire lever, faire se dresser : *reum, testes*, faire lever un accusé, des témoins || **3.** exciter, animer : *aliquem ad laborem et ad laudem*, exciter (pousser) qqn vers le travail et la gloire || susciter, provoquer, soulever : *risus, plausum*, soulever le rire, les applaudissements.

1. excitus, *a, um*, part. de *excieo*.

2. excitus, *a, um*, part. de *excio*.

excivi, pf. de *excieo* et de *excio*.

exclamatio, *onis*, f., **1.** éclats de voix, cris || **2.** exclamation.

exclamatus, *a, um*, part. de *exclamo*.

exclamo, *are, avi, atum*,

I. intr., élever fortement la voix, crier, s'écrier || se récrier d'admiration.

II. tr., **1.** crier qqch, réciter, déclamer || **2.** s'écrier : [avec prop. inf.] s'écrier que : [avec *ut* subj., idée d'ordre] crier de ; [avec un acc. représentant un vocatif du st. direct] *Ciceronem*, s'écrier « Cicéron ! »

excludo, *ere, si, sum (ex, claudo)*, tr., **1.** ne pas laisser entrer, ne pas admettre, exclure || **2.** faire sortir, chasser, éloigner, repousser, rejeter || **3.** empêcher.

exclusus, *a, um*, part. de *excludo* || adj., *exclusissimus*, laissé tout à fait dehors, à la porte.

excoctus, *a, um*, part. de *excoquo*.

excogitatio, *onis*, f. *(excogito)*, action d'imaginer, invention.

excogitatus, *a, um*, part. de *excogito* || adj., *excogitatissimæ hostiæ*, les victimes les plus fantaisistes.

excogito, *are, avi, atum*, tr., trouver à l'aide de la réflexion, imaginer, inventer.

excolo, *ere, ui, cultum*, **1.** travailler avec soin, bien cultiver || [fig.] donner la culture, polir, perfectionner || **2.** orner, embellir.

excoquo, *ere, coxi, coctum*, tr., **1.** faire sortir par la cuisson || [d'où] épurer par le feu || **2.** faire cuire, faire fondre || **3.** réduire par la cuisson || **4.** brûler, dessécher.

excors, *dis (ex, cor)*, déraisonnable, dénué d'intelligence, de raison.

excresco, *ere, evi, etum*, intr., croître en s'élevant, se développer, s'accroître.

excretus, *a, um*, part. de *excerno*.

excrevi, pf. de *excerno* et de *excresco*.

excruciatus, *a, um*, part. de *excrucio*.

excrucio, *are, avi, atum,* tr., appliquer à la torture, torturer, faire souffrir, martyriser.

excubiæ, *arum,* f. pl. *(excubo),* **1.** garde, action de monter la garde || **2.** le poste, la garde [sens concret].

excubitor, *oris, m. (excubo),* sentinelle, garde.

excubo, *are, ui, itum,* intr., **1.** coucher hors de la maison, passer la nuit dehors || **2.** monter la garde, faire sentinelle || [en gén.] veiller.

excucurri, pf. de *excurro.*

excudo, *ere, di, sum,* tr., **1.** faire sortir en frappant, tirer de || faire éclore (*pullos ex ovis,* des petits) || **2.** façonner, fabriquer || [fig.] produire [un ouvrage d'esprit].

exculcatus, *a, um,* part. de *exculco* || adj., *exculcata verba,* mots vieillis, abandonnés.

exculco, *are, avi, atum (ex, calco),* tr., [litt.] exprimer en foulant avec les pieds, faire sortir de force || combler en foulant.

excultus, *a, um,* part. de *excolo.*

excurro, *ere, curri et cucurri, cursum,* intr., **1.** courir hors, sortir en courant, s'éloigner en hâte || faire une sortie, une incursion || **2.** s'étendre hors, être long ou saillant, se prolonger, s'avancer || [fig.] se donner carrière, se déployer.

excursio, *onis,* f. *(excurro),* **1.** excursion, voyage || **2.** incursion, irruption, sortie || **3.** [fig.] champ libre || digression.

excursor, *oris,* m. *(excurro),* coureur, éclaireur, espion.

excursus, *us,* m., **1.** course, excursion || **2.** courses [militaires], incursion, irruption || **3.** digression.

excusabilis, *e (excuso),* excusable, pardonnable.

excusate, d'une manière excusable.

excusatio, *onis,* f. *(excuso),* **1.** excuse, justification || *excusationem dare alicui,* fournir une excuse à qqn || **2.** excuse, motif d'excuse, prétexte || **3.** défaite, échappatoire.

excusatus, *a, um,* part. de *excuso* || adj., excusé.

excuso, *are, avi, atum (ex* et *causa),* tr., **1.** excuser, justifier, disculper: *aliquem apud aliquem* ou *aliquem alicui,* excuser qqn auprès de qqn; *se excusare de aliqua re,* s'excuser de qqch. || **2.** alléguer comme excuse: *inopiam,* alléguer la pauvreté pour se justifier || **3.** décliner avec excuses, s'excuser de ne pas faire qqch. || [pass.] *excusari,* se dérober en s'excusant (*alicui rei,* à qqch.).

excussi, pf. de *excutio.*

excussus, *a, um,* part. de *excutio.*

excusus, *a, um,* part. de *excudo.*

excutio, *ere, cussi, cussum (ex* et *quatio),* tr., **1.** faire sortir ou tomber en secouant: *equus excussit equitem,* le cheval jeta à terre son cavalier || secouer, agiter || secouer pour explorer, [d'où] *excutere aliquem,* fouiller qqn, secouer ses vêtements || **2.** ***a)*** arracher, faire tomber; ***b)*** scruter, examiner, éplucher: *verbum,* éclaircir le sens d'un mot.

exedo, *ere (ou exesse), edi, esum* (arch. *essum*), tr., manger, dévorer, ronger, consumer: *ægritudo exest animum,* le chagrin ronge l'âme.

exedra (exhedra), *æ.,* f., salle de réunion.

exedrium, *ii,* n., petite salle de réunion.

exemplar, *aris,* n. *(exemplum),* **1.** copie, exemplaire; [fig.] reproduction, portrait || **2.** original, type, exemple, modèle.

exemplum, *i,* n. *(eximo),* **1.** exemplaire, reproduction: *exemplum epistulæ,* copie d'une lettre || **2.** minute, original: *litterarum exemplum componere,* faire la minute d'une lettre; *litteræ... hoc exemplo,* une lettre ainsi conçue... || **3.** type, original, modèle: *exemplum ad imitandum,* exemple à imiter || **4.** exemple: *exempli causa,* à titre d'exemple; *exempli gratia,* par exemple, pour exemple || *ad exemplum,* pour servir d'exemple || **5.** chose exemplaire [servant d'exemple] || exemple, punition.

exemptus, *a, um,* part. de *eximo.*

exeo, *ire, ii* (rar. *ivi), itum,*
I. intr., **1.** sortir de, aller hors de, quitter un lieu: [avec *ex*]; [avec *de*]; [avec abl. seul]; *ab urbe,* s'éloigner d'une ville || *in solitudinem,* se retirer dans un endroit désert; *in terram,* débarquer || **2.** partir, se mettre en marche (en campagne) || **3.** [en parl. de choses] ***a)*** sortir de l'urne; *sors, nomen exit,* un nom sort de l'urne || ***b)*** sortir, pousser, croître, se développer || ***c)*** sortir de la bouche *(ex ore)* || ***d)*** sortir, aboutir || **4.** [fig.] sortir: de la vie, *de vita, e vita* || sortir dans le public, se divulguer || **5.** [idée de fin]: sortir, déboucher [en parl. de fleuves] || se terminer || [temps]: *quinto anno exeunte,* à la fin de la cinquième année.

II. tr., **1.** aller au-delà de, franchir || [fig.] dépasser || **2.** esquiver : *tela*, les coups.

exequiæ, exequor, *etc.*, v. *exs-*.

exerceo, *ere, cui, citum (arceo)*, tr., **I.** [pr.] ne pas laisser en repos, **1.** mettre en mouvement sans relâche, tenir en haleine || **2.** travailler une chose sans relâche.
II. [fig.] **1.** tenir en haleine, travailler, tourmenter, inquiéter || **2.** exercer, former par des exercices : *corpus, memoriam, copias*, exercer le corps, la mémoire, des troupes ; *aliquem in aliqua re*, exercer qqn à, dans qqch. || *se exercere* ou [pass. sens réfléchi] *exerceri*, s'exercer, *aliqua re, in aliqua re*, par qqch., dans qqch. || **3.** exercer, pratiquer : *medicinam*, la médecine || administrer, s'occuper de : *judicium*, conduire les débats, être président du tribunal || exercer, mettre à exécution, faire sentir, manifester ; *legem*, faire exécuter une loi.

exercitatio, *onis*, f. *(exercito)*, exercice [du corps ou de l'esprit] || *alicujus rei*, pratique d'une chose.

exercitatus, *a, um*, part. de *exercito* || adj., **1.** agité, remué || **2.** exercé, dressé, formé, qui a l'habitude.

exercitium, *ii*, n. *(exerceo)*, exercice, pratique || exercice militaire.

exercito, *are, avi, atum*, tr., exercer, souvent.

1. exercitus, *a, um*, part. de *exerceo* || pris adj., **1.** tourmenté, inquiété || **2.** exercé, dressé.

2. exercitus, *us*, m., armée, corps de troupes : *exercitum conscribere, conficere, comparare, colligere, conflare, cogere, contrahere, parare, facere, scribere*, lever une armée || infanterie || [en gén.] troupe, multitude.

exesus, *a, um*, part. de *exedo*.

exhalatio, *onis*, f. *(exhalo)*, exhalaison.

exhalatus, *a, um*, part. de *exhalo*.

exhalo, *are, avi, atum*, **1.** tr., exhaler, rendre [par le souffle] || **2.** intr., s'évaporer, s'exhaler || expirer.

exhaurio, *ire, hausi, haustum*, tr., **1.** vider en puisant, épuiser : *poculum*, vider une coupe || retirer, enlever || [fig.] : *sibi vitam*, s'ôter la vie || **2.** épuiser, ruiner || épuiser, mener à son terme.

exhaustus, *a, um*, part. de *exhaurio*.

exheredatus, *a, um*, part. de *exheredo*.

exheredo, *are, avi, atum (exheres)*, tr., déshériter.

exheres, *edis*, m., f., déshérité, qui n'hérite pas.

exhibeo, *ere, hibui, hibitum (ex* et *habeo)*, tr., **1.** produire au jour, présenter, faire paraître || **2.** montrer, faire preuve de || **3.** causer, effectuer, susciter : *alicui negotium*, susciter à qqn des embarras.

exhibitio, *onis*, f. *(exibeo)*, exhibition, représentation, production.

exhibitus, *a, um*, part. de *exhibeo*.

exhilaro, *are, avi, atum*, tr., réjouir, égayer, récréer.

exhorresco, *ere, rui*, **1.** intr., frissonner : *metu*, frémir d'horreur || **2.** tr., redouter vivement.

exhortatio, *onis*, f. *(exhortor)*, exhortation, encouragement.

exhortatus, *a, um*, part. de *exhortor*.

exhortor, *ari, atus sum*, tr., exhorter, exciter, encourager.

exigo, *ere, egi, actum (ex* et *ago)*, tr., **1.** pousser dehors, chasser, expulser : *post reges exactos*, après l'expulsion des rois ; *domo aliquem*, chasser qqn de la maison || [poét.] plonger une épée au travers du corps de qqn || **2.** mener à terme, achever || *exacta ætate*, après avoir achevé son existence ; *ante exactam hiemen*, avant la fin de l'hiver || **3.** faire rentrer, faire payer, exiger une chose due || **4.** exiger, réclamer : *aliquid ab aliquo*, exiger qqch. de qqn || **5.** mesurer, régler ; [fig.] *se exigere ad aliquem*, se régler sur qqn || [fig.] peser, examiner, juger : *aliquid ad aliquam rem*, juger une chose d'après une autre || délibérer, discuter.

exigue *(exiguus)*, petitement, d'une manière restreinte, chichement, étroitement || brièvement.

exiguitas, *atis*, f. *(exiguus)*, petitesse, exiguïté || petit nombre || pauvreté, disette || brièveté [du temps].

exiguo, abl. pris adv., peu de temps.

exiguum, *i*, n. *(exiguus)*, un peu de, une petite quantité de || faible espace, cercle étroit.

exiguus, *a, um (exigo)*, petit, exigu, de petite taille || peu étendu, court, étroit || peu nombreux, peu considérable || peu intense, faible, mince.

exilis, *e*, menu, mince, délié, grêle, maigre, petit, chétif, faible, pauvre.

exilitas, *atis*, f., ténuité, finesse, petitesse || faiblesse, maigreur.

exiliter, chétivement, faiblement || brièvement.

exilium, v. *exsilium.*

exim, adv., c. *exinde.*

eximie *(eximius),* excellemment, éminemment, d'une manière qui sort de l'ordinaire.

eximius, *a, um (eximo),* privilégié, à part, sortant de l'ordinaire || excellent, éminent, remarquable, rare.

eximo, *ere, emi, emptum (ex* et *emo),* tr., **1.** tirer de, retirer, ôter, enlever: *aliquem servitute,* tirer qqn de la servitude; *aliquem morti, infamiæ,* soustraire qqn à la mort, à l'infamie || **2.** [en parl. du temps] user jusqu'au bout.

exin, adv., c. *exinde.*

exinanio, *ire, ivi, itum,* tr., vider.

exinanitus, *a, um,* part. de *exinanio.*

exinde (exin, exim), après cela, ensuite.

existimatio, *onis,* f. *(existimo),* **1.** opinion, jugement [que porte autrui]: *hominum,* l'opinion publique || **2.** estime, considération, réputation, honneur [dont on jouit auprès d'autrui]: *homo sine existimatione,* homme sans considération; *bona, optima existimatio,* bonne, excellente réputation.

existimator, *oris,* m., connaisseur, appréciateur, critique, juge.

existimo, *are, avi, atum (ex, æstimo),* tr. et intr.,

I. tr., juger, considérer, être d'avis, penser, croire: [avec attribut au compl. direct] *avarum aliquem,* considérer qqn comme avide || [avec prop. inf.] juger que.

II. intr., avoir une opinion, juger: *bene existimare de aliquo,* avoir bonne opinion de qqn.

existo, v. *exsisto.*

exitiabilis, *e,* et **exitialis,** *e (exitium),* funeste, pernicieux, fatal.

exitiosus, *a, um (exitium),* funeste, pernicieux, fatal.

exitium, *ii,* n. *(exeo),* ruine, perte, destruction, renversement, chute: *exitio esse alicui,* causer la perte de qqn.

1. exitus, *a, um,* part. de *exeo.*

2. exitus, *us,* m., **1.** action de sortir, sortie || chemin pour sortir, sortie, issue || **2.** mort, fin || **3.** issue, aboutissement, résultat; fin, terme.

exlex, *egis,* m. f., qui n'est pas soumis à la loi || qui ne connaît pas de frein, débridé.

exolesco, *ere, evi, etum,* intr., **1.** arriver à son plein développement [usité seul. au part. *exoletus,* adulte] || **2.** [fig.] se faner, se passer, dépérir, tomber en désuétude: *dolor exoleverat,* la douleur était calmée (assoupie).

exoletus, *a, um,* v. *exolesco.*

exoneratus, *a, um,* part. de *exonero.*

exonero, *are, avi, atum,* tr., **1.** décharger: *exonerare navem,* décharger un navire || **2.** dégager d'un fardeau, soulager.

exoptatus, *a, um,* part. de *exopto* || adj., vivement désiré.

exopto, *are, avi, atum,* tr., désirer vivement.

exorabilis, *e (exoro),* qu'on peut fléchir par des prières || qu'on peut corrompre, qui se laisse séduire.

exoratus, *a, um,* part. de *exoro.*

exordior, *ordiri, orsus sum,* tr., commencer à ourdir; ourdir, tramer [pr. et fig.] || commencer || [absol.] commencer un discours.

exordium, *ii,* n. *(exordior),* commencement, principe: *rei publicæ exordium,* origine de l'État || commencement d'un discours, exorde, début.

exorior, *oriri, ortus sum,* intr., naître, se lever; sortir, tirer son origine, dériver, découler; paraître, se montrer, commencer: *bellum exortum est,* la guerre éclata.

exornatio, *onis,* f. *(exorno),* ornement, embellissement.

exornator, *oris,* m. *(exorno),* celui qui orne.

exornatus, *a, um,* part.-adj. de *exorno,* orné, paré.

exorno, *are, avi, atum,* tr., **1.** munir, équiper, pourvoir du nécessaire || **2.** orner complètement, parer, embellir.

exoro, *are, avi, atum,* tr., **1.** chercher à fléchir qqn, à obtenir qqch. par des prières || **2.** *aliquem ut,* obtenir de qqn par des prières que: [avec *ne*] obtenir de qqn que ne... pas || vaincre par des prières, fléchir, apaiser.

exorsa, *orum,* n. pl. *(exordior),* préambule, préliminaire || entreprise.

1. exorsus, *a, um,* part. de *exordior.*

2. exorsus, *us,* m., exorde.

1. exortus, *a, um,* part. de *exorior.*

2. exortus, *us,* m., lever, commencement.

exosculatus, *a, um,* part. de *exosculor.*

exosculor, *ari, atus sum,* tr., couvrir de baisers || chérir,

exostra, *æ,* f., **1.** pont qui s'abat sur les murs d'une ville assiégée || **2.** machine qui faisait tourner la scène.

exosus, *a, um (ex, odi),* qui hait, qui déteste.

exotericus, *a, um,* exotérique, fait pour le public.

exoticus, *a, um,* étranger, exotique.

expallesco, *ere, expallui,* usité au pf.

expallui, parf. de *expallesco,* **1.** intr., devenir très pâle || **2.** tr., redouter.

expando, *ere, i, pansum* ou *passum,* tr., étendre, ouvrir, déplier, déployer, étaler.

expansus, *a, um,* part. de *expando.*

expassus, *a, um,* part. de *expando.*

expavesco, *ere, pavi,* **1.** s'effrayer || **2.** tr., redouter.

expedio, *ire, ivi* ou *ii, itum* (cf. *pedica, compes*), tr., débarrasser le pied, le dégager des entraves, **1.** dégager, débarrasser: *se ex* ou *de laqueis,* se dégager des filets || **2.** dégager, apprêter: *arma,* préparer les armes, se préparer au combat || ménager: *ratio expediendæ salutis,* moyen de ménager le salut, de pourvoir à sa sûreté || **3.** débrouiller, arranger, mettre en ordre: *rem,* arranger une affaire || **4.** expliquer, exposer, raconter || **5.** être avantageux, utile, à propos || impers. *expedit.*

expedite *(expeditus),* d'une manière dégagée, librement, facilement, aisément, promptement.

expeditio, *onis,* f. *(expedio),* préparatifs de guerre, expédition, campagne.

expeditus, *a, um,* part. de *expedio* || adj., dégagé, débarrassé, à l'aise || sans bagages, armé à la légère || aisé, facile || prêt, dispos; *expeditus homo,* homme dispos; *expeditus ad cædem,* prêt au meurtre || *expedita victoria,* victoire assurée.

expello, *ere, puli, pulsum,* tr., pousser hors de, repousser, chasser, bannir: [avec *ex*]; [avec abl.]; [avec *de*] || [fig.] *aliquem vita expellere,* chasser de la vie qqn.

expendo, *ere, i, sum,* tr.,**1.** peser avec soin || [fig.] peser, juger, apprécier || **2.** peser de l'argent pour payer, donner de l'argent, débourser, dépenser || [expression] *pecuniam expensam ferre alicui,* porter une somme en compte à qqn (comme avancée, prêtée): v. *acceptum* et *acceptus* || **3.** *expendere scelus,* expier un crime.

expensum, *i,* n. *(expendo),* dépense, déboursés: *expensum ferre alicui,* porter en dépense au compte de qqn.

expensus, *a, um,* part. de *expendo.*

expergefacio, *ere, feci, factum* *(expergo, facio),* tr., éveiller: *se expergefacere,* sortir de son engourdissement.

expergiscor, *gisci, perrectus sum (expergo),* intr., s'éveiller || [fig.] se réveiller, sortir de son engourdissement.

expergitus, *a, um,* part. de *expergo.*

expergo, *gere, gitum,* tr., éveiller || réveiller, exciter.

experiens, *tis,* part. prés. de *experior* || adj., actif, agissant, entreprenant.

experientia, *æ,* f. *(experior),* **1.** essai, épreuve, tentative, expérience || **2.** expérience acquise, pratique.

experimentum, *i,* n. *(experior),* essai, épreuve; preuve par expérience, par les faits.

experior, *iri, pertus sum* (cf. *peritus, periculum),* tr., **1.** éprouver, faire l'essai (l'expérience) de: *vim veneni,* essayer la force d'un poison; *aliquem,* mettre qqn à l'épreuve || **2.** tenter de réaliser qqch. || [avec *ut* et subj.] tenter de || **3.** [aux temps dérivés du pf.] avoir fait l'essai, savoir par expérience: *industriam alicujus expertus,* connaissant par expérience l'activité de qqn.

experrectus, *a, um,* part. de *expergiscor.*

expers, *tis (ex, pars),* qui n'a pas de part à, qui manque de, privé, dénué, dépourvu de: *expers eruditionis,* dépourvu d'instruction; [avec abl.].

expertus, *a, um,* part. de *experior* || adj., éprouvé, qui a fait ses preuves: *expertus belli,* aguerri.

expetendus, *a, um,* adj. verb. de *expeto* pris adj., désirable.

expetens, *tis,* part. de *expeto* || adj., désireux.

expetitus, *a, um,* part. de *expeto.*

expeto, *ere, ivi* ou *ii, itum,* tr., **1.** désirer vivement, souhaiter, convoiter, rechercher: *auxilium ab aliquo,* souhaiter l'assistance de qqn || **2.** chercher à obtenir, réclamer, revendiquer || **3.** chercher à atteindre [un lieu].

expiatio, *onis,* f. *(expio),* expiation.

expiatus, *a, um,* part. de *expio.*

expictus, *a, um,* part. de *expingo.*

expilatio, *onis,* f. *(expilo),* action de piller, pillage.

expilator, *oris,* m. *(expilo),* voleur.

expilo, *are, avi, atum,* tr., voler, piller, dépouiller.

expingo, *ere, pinxi, pictum,* tr., **1.** peindre, représenter || **2.** dépeindre, décrire.

expio, *are, avi, atum,* tr., **1.** purifier par des expiations || **2.** détourner par des cérémonies religieuses || **3.** expier, réparer, racheter || **4.** apaiser, calmer, satisfaire.

expiro, v. *exsp-.*

expiscor, *ari, atus sum,* tr., pêcher, rechercher, fouiller, fureter.

explanate *(explanatus),* d'une manière claire, intelligible.

explanatio, *onis,* f. *(explano),* explication, éclaircissement, interprétation.

explanator, *oris,* m. *(explano),* interprète, commentateur.

explanatus, *a, um,* part. de *explano* || adj., clair, net, distinct, intelligible.

explano, *are, avi, atum (explanus),* tr., **1.** étendre, étaler || **2.** développer, expliquer, éclaircir, exposer.

explaudo, v. *explodo.*

expleo, *ere, plevi, pletum,* tr., **1.** remplir: *fossam aggere explent,* ils comblent le fossé d'un amas de matériaux || **2.** compléter: *numerum nautarum,* l'équipage d'un navire || **3.** remplir, satisfaire: *sitim,* étancher la soif || *aliquem aliqua re,* rassasier qqn de qqch. || remplir une obligation: *amicitiæ munus,* remplir les devoirs de l'amitié || remplir, terminer: *expletum annum habeto,* regarde l'année comme terminée.

expletio, *onis,* f. *(expleo),* satisfaction, contentement.

expletus, *a, um,* part. de *expleo* || adj., accompli, parfait.

explicate *(explicatus),* avec un bon développement.

explicatio, *onis,* f. *(explico),* action de déplier, de dérouler || [fig.] action de débrouiller, de présenter clairement, netteté || *verborum,* explication des termes, étymologie.

explicator, *oris,* m. et **explicatrix,** *icis,* f., celui ou celle qui sait développer, exposer.

1. explicatus, *a, um,* part. de *explico* || adj., bien débrouillé, en bon ordre || bien développé || clair, net.

2. explicatus, *us,* m., **1.** action de déployer, d'étendre || **2.** pl., explications.

explicavi, un des pf. de *explico.*

explicitus, part. de *explico* || adj., aisé à exécuter.

explico, *are, avi, atum,* et *ui, itum,* tr., **1.** déployer, dérouler: *volumen,* dérouler un manuscrit || **2.** étendre, allonger: *se explicare* ou pass. réfléchi *explicari,* se déployer || **3.** [fig.] débrouiller, tirer d'affaire || débrouiller, tirer au clair, mettre en ordre (en état): *negotia,* arranger des affaires || **4.** [rhét.] développer: *alicujus injurias alicui explicare,* exposer à qqn les injustices de qqn.

explodo ou **explaudo,** *ere, si, sum,* tr., **1.** pousser hors, rejeter || **2.** rejeter en battant des mains, mal accueillir, huer, siffler || [fig.] désapprouver, condamner.

explorate *(exploratus),* avec connaissance de cause, en toute sûreté.

exploratio, *onis,* f. *(exploro)* observation, examen.

explorator, *oris,* m. *(exploro)* **1.** celui qui va à la découverte, observateur, explorateur || **2.** éclaireur, espion.

exploratus, *a, um,* **1.** part. de *exploro* || **2.** adj., certain, sûr, assuré || *mihi exploratum est* avec prop. inf., je suis certain que; *exploratum habere,* ou *pro explorato habere* [avec prop. inf.] tenir pour certain que.

exploro, *are, avi, atum,* tr., **1.** observer, examiner, explorer, vérifier, s'assurer de: *omnia explorata habere,* avoir une certitude complète || **2.** épier, guetter, faire une reconnaissance militaire; [abl. n. absolu] *explorato,* après reconnaissance faite || **3.** éprouver, mettre à l'épreuve.

explosus, *a, um,* part. de *explodo.*

expolio, *ire, ivi, itum,* tr., polir entièrement, polir, lisser, donner du lustre || [fig.] orner, embellir, perfectionner.

expolitio, *onis,* f. *(expolio),* action de polir || embellissement, ornement, perfectionnement, le fini.

expolitus, *a, um,* part. de *expolio* || adj., poli, nettoyé, net, propre, bien soigné; orné, embelli.

expono, *ere, posui, positum,* tr., **1.** mettre hors, mettre en vue, étaler, exposer || **2.** déposer sur le rivage, débarquer [avec ou sans *e navibus*; avec ou sans *in terram*] || **3.** exposer à, livrer à la merci de || **4.** exposer par écrit, par la parole: *rem breviter,* exposer un fait brièvement || [absol.] *de aliqua re,* faire un exposé sur une chose, traiter une question || [avec prop. inf.] exposer que.

exporrectus, *a, um,* part. de *exporrigo.*

exporrigo, *ere, rexi, rectum,* tr., **1.** étendre, déployer, allonger.

exportatio, *onis,* f., exportation || déportation, exil.

exportatus, *a, um,* part. de *exporto.*

exporto, *are, avi, atum,* tr., **1.** porter hors, emporter || exporter || **2.** déporter, bannir.

exposco, *poscere, is, poposci, poscitum,* tr., **1.** demander instamment, solliciter vivement || **2.** réclamer, exiger: *aliquem,* demander l'extradition d'un coupable.

expositio, *onis,* f. *(expono),* **1.** exposition d'un enfant, abandon || **2.** exposé d'un sujet, exposition || définition, explication.

expositus, *a, um,* **1.** part. de *expono* || **2.** adj., ouvert || abordable, affable || à la portée de tous, clair, intelligible || commun, banal.

expostulatio, *onis,* f. *(expostulo),* demande pressante, instances || réclamation, plainte.

expostulatus, *a, um,* part. de *expostulo.*

expostulo, *are, avi, atum,* **1.** tr., demander instamment, réclamer || réclamer qqn pour un châtiment || **2.** intr., adresser des réclamations, se plaindre: *cum aliquo de aliqua re,* se plaindre de qqch. à qqn.

exposui, pf. de *expono.*

expressi, pf. de *exprimo.*

expressus, *a, um,* part. de *exprimo* || pris adj., **1.** mis en relief, en saillie || **2.** [en parl. de prononciation] exprimé nettement, bien articulé.

exprimo, *ere, pressi, pressum (ex* et *premo),* tr., **1.** faire sortir en pressant, exprimer || **2.** [en gén.] faire sortir || prononcer, articuler || faire saillir, laisser saillant: *lacertos exercitatio exprimit,* l'exercice fait saillir les muscles || [fig.] faire sortir de force, arracher: *ab aliquo aliquid blanditiis,* arracher qqch. à qqn par des flatteries || **3.** faire monter, exhausser || **4.** représenter, exprimer || traduire: *verbum e verbo,* rendre mot pour mot; *fabellæ ad verbum de Græcis expressæ,* pièces traduites du grec à un mot près (mot pour mot) || reproduire, imiter.

exprobatio, *onis,* f. *(exprobro),* reproche, blâme.

exprobrator, *oris,* m., et **exprobratrix,** *icis,* f., celui ou celle qui fait des reproches.

exprobratus, *a, um,* part. de *exprobro.*

exprobro, *are, avi, atum,* tr., **1.** blâmer [une chose], imputer à crime, reprocher || **2.** se répandre en reproches || rappeler sur un ton de reproche.

expromo, *ere, prompsi (promsi), promptum (promtum),* tr., **1.** tirer, faire sortir: *mæstas voces,* exhaler des plaintes || **2.** [fig.] faire paraître, produire, montrer, manifester || dire, exposer, raconter.

exprompsi, pf. de *expromo.*

expromptus, *a, um,* part. de *expromo* || adj., tout prêt.

expugnabilis, *e,* prenable.

expugnatio, *onis,* f. *(expugno),* action de prendre d'assaut, prise.

expugnator, *oris,* m. *(expugno),* celui qui prend d'assaut.

expugnatus, *a, um,* part. de *expugno.*

expugno, *are, avi, atum,* tr., **1.** prendre d'assaut, vaincre, soumettre, réduire: *oppidum,* emporter une ville d'assaut || **2.** emporter de haute lutte || vaincre, triompher de.

expuli, pf. de *expello.*

expulsio, *onis,* f. *(expello),* expulsion, bannissement, renvoi.

expulsor, *oris,* m. *(expello),* celui qui chasse.

expulsus, *a, um,* part. de *expello.*

expultrix, *ici,* f. *(expulsor),* celle qui chasse.

expunctus, *a, um,* part. de *expungo.*

expungo, *ere, xi, ctum,* tr., effacer, rayer, biffer.

expurgatus, *a, um,* part. de *expurgo.*

expurgo, *are, avi, atum,* tr., **1.** nettoyer, émonder, retrancher, enlever || [fig.] corriger || **2.** [fig.] disculper, justifier.

exquiro, *ere, sivi, situm (ex, quæro),* tr., **1.** chercher à découvrir, rechercher: *verum,* rechercher la vérité || rechercher || **2.** examiner de près, scruter [des comptes, la conduite de qqn] || **3.** demander, s'informer, s'enquérir: *aliquid ab aliquo,* ou *ex aliquo,* demander qqch. à qqn.

exquisite *(exquisitus),* avec beaucoup de soin, avec choix, d'une manière approfondie.

exquisitus, *a, um,* part. de *exquiro* || adj., choisi, recherché, distingué, raffiné, exquis.

exsævio, *ire,* intr., s'apaiser, se calmer.

exsanguis (exan-), *e,* **1.** qui n'a pas de sang || **2.** qui a perdu son sang || **3.** pâle, blême, livide.

exsanio, *are (ex sanies),* tr., faire suppurer; nettoyer une plaie || exprimer le jus de qqch.

exsarcio ou **exsercio,** *ire,* tr., réparer.

exsatiatus, *a, um,* part. de *exsatio.*

exsatio, *are, avi, atum,* tr., c. *exsaturo.*

exsaturabilis, *e*, qu'on peut rassasier.

exsaturatus, *a, um*, part. de *exsaturo.*

exsaturo, *are, avi, atum*, tr., rassasier, assouvir.

exscidi, pf. de *exscindo.*

exscidium, *ii*, n. *(exscindo)*, ruine, destruction.

exscindo, *ere, idi, issum*, tr., détruire, renverser, anéantir.

exscissus, *a, um*, part. de *exscindo.*

exscreatio, *onis*, f., crachement.

exscreo, *are, avi, atum*, **1.** intr., cracher || **2.** tr., rendre en crachant, expectorer.

exscribo, *ere, psi, ptum*, tr., **1.** copier, transcrire || **2.** ressembler à qqn, reproduire les traits de qqn.

exscriptus, *a, um*, part. de *exscribo.*

exsculpo, *ere, psi, ptum*, tr., **1.** enlever en creusant || effacer || **2.** tailler en relief, ciseler, sculpter, graver, inciser.

exsculptus, *a, um*, part. de *exsculpo.*

exseco, *are, secui, sectum*, tr., retrancher en coupant, faire l'ablation de.

exsecrabilis, *e*, **1.** exécrable, abominable || **2.** qui maudit: *exsecrabile carmen*, formule d'imprécation.

exsecratio, *onis*, f., serment [accompagné d'imprécations contre soi en cas de parjure]: *ubi exsecrationes?*, où sont les promesses solennelles? || imprécation, malédiction, exécration.

exsecratus, *a, um*, part. de *exsecror* || adj., maudit, détesté, exécré.

exsecror, *ari, atus sum (ex, sacer)*, tr. et intr., **1.** tr., charger d'imprécations, maudire, vouer à l'exécration: *exsecrari aliquem*, maudire qqn || **2.** intr., lancer des imprécations: *in aliquem*, contre qqn.

exsectio, *onis*, f. *(exseco)*, action de couper, amputation.

exsectus, *a, um*, part. de *exseco.*

exsecutio, *onis*, f. *(exsequor)*, **1.** achèvement, accomplissement, exécution || **2.** exposition, développement.

exsecutor, *oris*, m. *(exsequor)*, celui qui accomplit, qui exécute.

exsecutus, *a, um*, part. de *exsequor.*

exsequens, *tis*, part. prés. de *exsequor.*

exsequiæ, *arum*, f., pl. *(exsequor)*, pompe funèbre, obsèques, funérailles, convoi.

exsequialis, *e (exsequiæ)*, de funérailles.

exsequor, *sequi, secutus sum*, tr., suivre jusqu'au bout, **1.** *funus*, suivre un convoi funèbre || **2.** suivre, s'attacher à, accompagner || **3.** poursuivre, aspirer à: *æternitatem*, vouloir l'éternité || **4.** poursuivre, chercher, punir || **5.** faire jusqu'au bout, exécuter: *mandata, imperia*, exécuter les ordres || **6.** exposer jusqu'au bout, exposer, raconter.

exsero, *ere, serui, sertum*, tr., tirer dehors, sortir [qqch.], mettre à découvert, montrer, produire: *linguam*, tirer la langue, *hæc exserit oratio* et prop. inf., ce récit fait voir que...

exsertus, *a, um*, part. de *exsero.*

exsibilo, *are, avi, atum*, **1.** faire entendre un sifflement || **2.** siffler, huer (*aliquem*, qqn).

exsiccatus, *a, um*, part. de *exsicco* || adj., simple, d'une bonne maigreur.

exsicco, *are, avi, atum*, tr., sécher, dessécher.

exsignatus, *a, um*, part. de *exsigno.*

exsigno, *are, avi, atum*, tr., prendre note de, noter.

exsilio ou **exilio,** *ire, (s) ilui, (s) ultum*, intr. *(ex, salio)*, **1.** sauter hors, s'élancer hors, bondir: *de sella exsiluit*, il bondit de son siège || **2.** s'élancer, s'élever.

exsilium ou **exilium,** *ii*, n. *(exul)*, **1.** exil, bannissement: *ejicere, expellere, pellere aliquem in exsilium*, exiler qqn || **2.** lieu d'exil.

exsisto (existo), *ere, stiti*, intr., **1.** sortir de, s'élever de: *de terra, ex arvis*, sortir de terre, des champs || [fig.] naître de, provenir de: *ex luxuria exsistit avaritia*, du luxe naît l'avidité || s'élever, naître || **2.** se dresser, se manifester, se montrer.

exsolutio, *onis*, f. *(exsolvo)*, libération.

exsolutus, *a, um*, part. de *exsolvo.*

exsolvo, *ere, solvi, solutum*, tr., **1.** délier, dénouer, détacher || **2.** dégager, débarrasser, délivrer: *aliquem curis*, délivrer qqn de ses soucis || **3.** dissoudre, fondre || **4.** ouvrir: *venas*, ouvrir les veines || **5.** payer intégralement, acquitter, s'acquitter de: *pretia et pœnas*, récompenser et punir.

exsomnis, *e (ex, somnus)*, qui veille, toujours éveillé.

exsorbeo, *ere, ui*, tr., boire en entier, avaler, engloutir.

exsors, *tis*, qui n'est pas tiré au sort || qui n'a point de part, exempt, exclu, privé.

exspatior, *ari, atus sum*, intr., s'étendre, se répandre || faire beaucoup de chemin, aller à l'aventure, errer.

exspectatio, *onis,* f. *(exspecto),* attente, désir, curiosité, impatience.

exspectatus, *a, um,* part. de *exspecto* || adj., attendu, désiré.

exspecto (expecto), *are, avi, atum,* tr., **1.** attendre : *adventum alicujus; eventum pugnæ,* attendre l'arrivée de qqn, l'issue du combat || [avec *dum (donec, quoad)*] : *exspectas fortasse, dum dicat,* tu attends peut-être qu'il dise || [avec *ut*] : *nisi forte exspectatis, ut diluam,* à moins que par hasard vous n'attendiez que je réfute || **2.** attendre [avec idée d'espoir ou de crainte] : *aliquid avidissime,* attendre qqch. avec la plus vive impatience; s'attendre à (redouter) || *aliquid ab aliquo; ex aliquo; ab aliqua re; ex aliqua re,* attendre qqch. de qqn, de qqch.

exspes [seul. au nomin.], qui est sans espérance.

exspiratio, *onis,* f. *(exspiro),* exhalaison.

exspiro ou **expiro,** *are, avi, atum,* tr. et intr.,
I. tr., **1.** rendre par le souffle, souffler, exhaler || **2.** laisser échapper, rendre.
II. intr., **1.** s'exhaler, sortir, s'échapper || **2.** rendre le dernier soupir, mourir, expirer.

exsplendesco, *ere, dui,* intr., jeter un vif éclat || [fig.] briller, se distinguer.

exspolio, *are, avi, atum,* tr., dépouiller entièrement, spolier || piller : *urbem,* une ville.

exspuo, *ere, ui, utum,* tr., cracher || rejeter, rendre, vomir.

exsputus, *a, um,* part. de *exspuo.*

exstans, *tis,* part.-adj. de *exsto,* en saillie, proéminent.

exsterno, *are, avi, atum,* tr., mettre hors de soi, consterner.

exstillesco, *ere,* v. *exstillo.*

exstillo, *are,* intr., couler par gouttes || dégoutter, fondre en larmes.

exstimulator, *oris,* m., instigateur.

exstimulo, *are, avi, atum,* tr., piquer fortement || [fig.] aiguillonner, stimuler, exciter, animer.

exstinctio, *onis,* f. *(exstinguo),* extinction, anéantissement.

exstinctor, *oris,* m. *(exstinguo),* celui qui éteint || celui qui détruit.

exstinctus, *a, um,* part. de *exstinguo.*

exstinguo (extinguo), *ere, stinxi, stinctum,* tr., **1.** éteindre : *incendium,* éteindre un incendie || **2.** ôter la vie, faire mourir || **3.** faire disparaître, détruire : *invidiam, infamiam,* effacer la haine, l'infamie.

exstirpatus, *a, um,* part. de *exstirpo.*

exstirpo, *are, avi, atum (ex, stirps),* tr., déraciner, arracher || [fig.] extirper, détruire.

exstiti, pf. de *exsisto.*

exsto (exto), *are,* intr., **1.** se tenir au-dessus, être élevé au-dessus, dépasser || **2.** être visible, se montrer, exister : *ejus nulla exstant scripta,* il ne reste de lui aucun écrit.

exstructio, *onis,* f. *(exstruo),* action de bâtir, construction.

exstructus, *a, um,* part. de *exstruo* || adj., élevé, accumulé, construit, bâti.

exstruo (extruo), *ere, uxi, uctum,* tr., accumuler, élever, dresser : *aggere exstructo,* la terrasse étant construite.

exsudatus, *a, um,* part. de *exsudo.*

exsudo, *are, avi, atum,* **1.** intr., s'évaporer entièrement || **2.** tr., rendre par suintement, dégoutter de || *causas,* suer sang et eau en plaidant.

exsul (exul), *ulis,* m., f. *(ex, solum),* exilé, banni, proscrit.

exsulans, *tis,* part. prés. de *exsulo.*

exsulo (exu-), *are, avi, atum,* intr., être exilé, banni, vivre en exil.

exsultans, *tis,* part.-adj. de *exsulto,* bondissant, sautant.

exsultanter, en sautant de joie.

exsultatio, *onis,* f. *(exsulto),* action de sauter, saut, bond || transport de joie.

exsultim *(exsilio),* en bondissant.

exsulto (exul-), *are, avi, atum,* intr. *(ex, salto),* **1.** sauter, bondir || **2.** [fig.] se donner carrière [en parl. d'un orateur] || être transporté [d'une violente passion] : *Græci exsultant quod,* les Grecs sont enthousiasmés de ce que || être fier, s'enorgueillir.

exsuperabilis, *e (exsupero),* qu'on peut surmonter, vaincre.

exsuperans, *tis,* part.-adj. de *exsupero,* qui surpasse, qui l'emporte, qui excelle.

exsuperantia, *æ,* f. *(exsupero),* supériorité.

exsuperatus, *a, um,* part. de *exsupero.*

exsupero (exu-), *are, avi, atum,* **1.** intr., s'élever, apparaître au-dessus || prévaloir, l'emporter || **2.** tr., surpasser, dépasser, surmonter.

exsurdatus, *a, um,* part. de *exsurdo.*

exsurdo (exurdo), *are, avi, atum (ex, surdus),* tr., assourdir, rendre sourd || émousser, rendre insensible.

exsurgo (exurgo), *ere, surrexi, surrectum,* intr., se lever [quand on est assis ou couché] || sortir [après s'être levé] || [fig.] se relever, recouvrer ses forces, se ranimer.

exsuscito, *are, avi, atum,* tr., éveiller, tirer du sommeil || susciter, allumer = [fig.] provoquer, exciter.

exta, *orum,* n., viscères, entrailles (cœur, poumons, foie, rate) [qui servaient à la divination (haruspices)].

extabesco, *ere (tabes),* intr., usité au pf. *extabui,* se sécher, devenir maigre || disparaître, s'évanouir.

extemplo, adv. *(ex, templum),* sur-le-champ, aussitôt.

extemporalis, *e (ex, tempus),* improvisé.

extendo, *ere, tendi, tensum* et *tentum,* tr., **1.** étendre, allonger, élargir || déployer, développer || faire durer: *ab hora tertia ad noctem pugnam,* prolonger le combat de la troisième heure jusqu'à la nuit || passif *extendi,* s'étendre, se prolonger || **2.** étendre à terre, coucher tout du long || **3.** allonger, agrandir, augmenter: *epistulam,* allonger une lettre, s'étendre dans une lettre || prolonger [le temps]: *consulatum,* prolonger la durée du consulat || **4.** *se extendere,* se déployer; *magnis itineribus,* se lancer dans de longues étapes.

extensus, *a, um,* part. de *extendo.*

1. extento, *are (ex, tento),* tr., essayer, éprouver.

2. extento, *are* (fréq. de *extendo*), tr., étendre.

extentus, *a, um,* part. de *extendo* || adj., étendu: *extenti oculi,* yeux grands ouverts.

extenuatio, *onis,* f. *(extenuo),* action de rendre mince, ténu, de diminuer || atténuation.

extenuatus, *a, um,* part. de *extenuo* || adj., aminci, affaibli, faible.

extenuo, *are, avi, atum,* tr., **1.** rendre mince, menu, ténu, amincir || **2.** affaiblir, rabaisser, diminuer, atténuer.

exter, v. *exterus.*

exterebro, *are, atum,* tr., retirer en creusant.

extergeo, *ere, tersi, tersum,* tr., essuyer, nettoyer.

exterior, *ius,* gén. *oris,* compar. de *exter,* plus en dehors, [ou en parl. de deux] le plus extérieur.

exterius, adv., extérieurement, au-dehors.

exterminatus, part. de *extermino.*

extermino, *are, avi, atum (ex, terminus),* tr., chasser, bannir, exiler; [avec *ex* ou abl. seul], bannir de.

externo, c. *exsterno.*

externus, *a, um (exter),* extérieur, externe, du dehors || étranger, exotique || *externi, orum,* m., les étrangers.

extero, *ere, trivi, tritum,* tr., faire sortir en foulant || faire sortir par frottement || enlever en frottant || user par le frottement || écraser.

exterreo, *ere, ui, itum,* tr., épouvanter.

exterritus, *a, um,* part. de *exterreo.*

extersus, *a, um,* part. de *extergeo.*

exterus, *a, um,* extérieur, externe, du dehors || v. *exterior, extremus* et *extimus.*

extimesco, *ere, mui,* **1.** intr., s'épouvanter; [avec *ne*] craindre que || **2.** tr., redouter.

extimus, *a, um,* superl. de *exter,* placé à l'extrémité, qui est au bout, le plus éloigné.

extispex, *icis,* m. *(exta, specio),* haruspice.

extispicium, *ii,* n. *(extispex),* inspection des entrailles des victimes.

extollo, *ere, extuli,* tr., **1.** lever hors de, élever: *caput,* dresser la tête || *aliquem jacentem,* relever un homme abattu || **2.** [fig.] élever, exalter, vanter: *aliquem ad cælum,* porter qqn aux nues || relever, redresser: *animos,* exalter les cœurs || élever, distinguer, honorer.

extorqueo, *ere, rsi, rtum,* tr., **1.** déboîter, disloquer, démettre [un membre], luxer || **2.** ôter des mains: *alicui ferrum de manibus* ou *e manibus,* arracher une arme des mains de qqn || **3.** obtenir par force: *aliquid ab aliquo,* arracher qqch. à qqn.

extorris, *e (ex, terra),* rejeté hors d'un pays, banni.

extorsi, pf. de *extorqueo.*

extortus, *a, um,* part. de *extorqueo.*

extra (p. *extera,* de *exter*),
I. adv., **1.** au-dehors, à l'extérieur || compar. *exterius,* même sens || **2.** *extra quam*: ***a)*** excepté que, à moins que; [surtout] *extra quam si,* excepté le cas où; ***b)*** à l'exception de: *extra quam qui,* en dehors de ceux qui.
II. prép., avec acc., **1.** en dehors de, hors de: *extra fines egredi,* franchir des limites || **2.** [fig.] *extra jocum,* sans plaisanterie || à l'exception de.

extractus, *a, um,* part. de *extraho.*

extraho, *ere, traxi, tractum,* tr., **1.** tirer de, retirer de || *aliquem domo,* tirer qqn hors d'une maison || **2.** arracher de:

urbem ex periculis, arracher une ville aux dangers || **3.** traîner en longueur, prolonger || épuiser, consumer [en délais].

extraneus, *a, um (extra)*, extérieur, du dehors || subst. m., un étranger.

extraordinarius, *a, um*, supplémentaire [en parl. de troupes], de réserve, d'élite || extraordinaire, inusité.

extraquam, v. *extra*.

extrarius, *a, um (extra)*, extérieur || étranger, qui n'est pas de la famille.

extraxi, pf. de *extraho*.

extremitas, *atis*, f. *(extremus)*, extrémité, bout, fin.

extremus, *a, um*, superl. de *exter (exterus)*, **1.** le plus à l'extérieur, extrême || **2.** dernier : ***a)*** *extrema pars epistolæ*, la fin d'une lettre ; *extremi, orum*, m., les derniers, l'arrière-garde ; ***b)*** [n. sing. pris subst.] : *extremum provinciæ*, l'extrémité de la province ; *ad extremum*, jusqu'à la fin ; ***c)*** [pl. n.] : *extrema agminis*, la fin de la colonne, l'arrière-garde ; ***d)*** [expr. adv.] *ad extremum*, enfin, en dernier lieu || *extremo*, enfin || *extremum*, pour la dernière fois || **3.** le dernier, qui est à l'extrémité, le pire || *ad extremum reservare consilium*, réserver une résolution pour la dernière extrémité || **4.** le plus bas : *extrema mancipia*, les derniers des esclaves || **5.** [désigne la partie extrême d'un seul objet] : *extrema oratio*, la fin d'un discours ; *in extremo ponte*, à l'extrémité du pont ; *extremum agmen*, la fin de l'arrière-garde ; *in extrema India*, au fond de l'Inde.

extricatus, *a, um*, part. de *extrico*.

extrico, *are, avi, atum*, tr., débarrasser, démêler || débrouiller.

extrinsecus *(extrim, secus)*, adv., du dehors, de l'extérieur || au-dehors, à l'extérieur.

extritus, *a, um*, part. de *extero*.

extrivi, pf. de *extero*.

extrudo, *ere, si, sum*, tr., pousser dehors avec violence, chasser de || repousser, contenir.

extrusus, *a, um*, part. de *extrudo*.

extudi, pf. de *extundo*.

extuli, pf. de *effero* et de *extollo*.

extundo, *ere, tudi*, tr., faire sortir en frappant, faire sortir || arracher, obtenir avec effort || faire sortir à grand-peine, produire avec effort || former, façonner || travailler en relief.

exturbatus, *a, um*, part. de *exturbo*.

exturbo, *are, avi, atum*, tr., faire sortir de force, chasser brutalement, expulser ; [avec *ex* ou abl. seul], expulser de.

exuberans, *tis*, part.-adj. de *exubero*.

exubero, *are, avi, atum*, intr., regorger, déborder, être plein, abondant ; abonder.

exulceratio, *onis*, f., ulcération, ulcère || aggravation, action d'irriter.

exulceratus, *a, um*, part. de *exulcero*.

exulcero, *are, avi, atum*, tr., former des ulcères, ulcérer || [fig.] blesser, irriter, exaspérer.

exululatus, *a, um*, part. de *exululo*.

exululo, *are, avi, atum*, **1.** intr., pousser des hurlements, des cris || **2.** tr., appeler avec des cris, des hurlements.

exundatio, *onis*, f., débordement.

exundo, *are, avi, atum*, intr., couler abondamment hors, déborder || être rejeté (sur le rivage) || [fig.] se répandre abondamment.

exuo, *ere, ui, utum*, tr., **1.** tirer de, dégager : *se ex laqueis*, se dégager des mailles d'un filet || **2.** [fig.] débarrasser de, dépouiller de || [t. mil.] : *exuere hostem armis, impedimentis*, forcer l'ennemi à abandonner ses armes, ses bagages || **3.** se débarrasser de, rejeter loin de soi : *togam*, dépouiller la toge || [fig.] *humanitatem*, dépouiller tout sentiment d'humanité ; *patriam*, renier sa patrie.

exuro, *ere, ussi, ustum*, tr., détruire (effacer) par le feu || brûler qqn || incendier [des villages] || dessécher.

exustio, *onis*, f. *(exuro)*, action de brûler, embrasement, incendie.

exustus, *a, um*, part. de *exuro*.

exutus, *a, um*, part. de *exuo*.

exuviæ, *arum*, f. *(exuo)*, ce qu'on a ôté de dessus le corps, vêtements, armes ou ornements || peau [des animaux], dépouille || dépouilles, butin.

F, f, ind., m. ou f. [sixième lettre de l'alphabet latin].

faba, *æ*, f., fève [légume].

fabalis, *e (faba)*, de fèves || *fabalia*, n. pl., tiges de fèves.

fabarius, *a, um (faba)*, qui concerne les fèves.

fabella, *æ*, f. *(fabula)*, récit, anecdote, historiette, conte || pièce de théâtre.

1. faber, *bra, brum*, fait avec art, ingénieux.

2. faber, *bri*, m. [gén. pl. ordin. *fabrum*], ouvrier, artisan: *præfectus fabrum*, chef des ouvriers [attachés à l'armée].

Fabius, *ii*, m., nom d'une célèbre famille romaine *(gens Fabia)*; notamment Q. Fabius Maximus, surnommé Cunctator, qui arrêta les succès d'Hannibal en Italie || *Fabii, orum*, les Fabius, la maison Fabia, les 306 Fabius qui périrent dans la guerre de Véies || Q. Fabius Pictor, historien latin, source fréquente de Tite-Live.

fabre, adv., artistement.

fabrefacio, *ere, feci, factum*, tr., construire avec art: *argentum fabrefactum*, argent travaillé, objets en argent ciselé.

fabrica, *æ*, f. *(faber)*, **1.** métier d'artisan, art; [en part.] architecture || **2.** action de travailler artistement, de façonner, de confectionner, de fabriquer || **3.** [fig.] œuvre d'art, machination, ruse, fourberie || **4.** atelier, fabrique || forge.

fabricatio, *onis*, f. *(fabrico)*, **1.** action de fabriquer, de construire || **2.** structure.

fabricator, *oris*, m. *(fabrico)*, constructeur, ouvrier, artisan [de qqch.].

fabricatus, *a, um*, part. de *fabrico* et *fabricor*.

Fabricius, *ii*, m., nom de fam. romaine; not. Fabricius [consul romain, célèbre par son désintéressement: vainqueur des Samnites, il refusa leurs présents, et plus tard ceux de Pyrrhus].

fabrico, *are, avi, atum*, mieux **fabricor,** *ari, atus sum (fabrica)*, tr., façonner, confectionner, fabriquer.

fabrilis, *e*, d'ouvrier, d'artisan || de forge || **-lia,** *ium*, n., œuvres d'artisan.

fabula, *æ*, f. *(fari)*, **1.** propos de la foule, conversations || **2.** propos familiers, conversations [privées]: *convivales fabulæ*, propos de table || **3.** récit sans garantie historique, récit mythique: *sicut in fabulis*, comme dans les récits légendaires || **4.** pièce de théâtre: *fabulam dare*, faire jouer une pièce de théâtre; *docere fabulam*, faire représenter une pièce [m. à m., la faire apprendre aux acteurs] || **5.** conte, fable, apologue: *lupus in fabula*, c'est le loup de la fable.

fabulator, *oris*, m. *(fabulor)*, conteur, narrateur || fabuliste.

fabulor, *ari, atus sum (fabula)*, tr., parler, causer (*alicui, cum aliquo*, avec qqn) || *aliquid*, raconter qqch. || bavarder.

fabulose, fabuleusement, faussement.

fabulositas, *atis,* f. *(fabulosus),* récit fabuleux, fable, hâblerie.

fabulosus, *a, um (fabula),* qui est matière à beaucoup de fables; fabuleux.

fabulus, *i,* m., petite fève.

facessitus, *a, um,* part. de *facesso.*

facesso, *ere, i, itum* (intens. de *facio*), tr. et intr., **1.** tr., exécuter avec empressement || occasionner, causer: *negotium alicui,* créer des embarras à qqn, inquiéter qqn || **2.** intr., s'en aller, s'éloigner, se retirer: *ex urbe* ou *urbe,* s'éloigner de la ville.

facete *(facetus),* **1.** d'une façon élégante, avec grâce || finement, joliment || **2.** d'une manière plaisante, spirituelle: *aliquid facete dicere,* dire qqch. avec esprit, faire un trait d'esprit.

facetiæ, *arum,* f. *(facetus),* plaisanterie, finesse, esprit, enjouement || plaisanteries, bons mots.

facetus, *a, um,* **1.** élégant || **2.** plaisant, spirituel, enjoué.

facies, *ei,* f., **1.** forme extérieure, aspect général, air [d'une pers.]; [d'une chose] || **2.** figure, physionomie: *qua facie fuit?* quelle était sa figure? || **3.** [poét.] genre, espèce: *quæ scelerum facies?* quel genre de crimes? || **4.** [fig.] spectacle.

facile, adv. *(facilis),* **1.** facilement, aisément, sans peine: *facilius, facillime* || **2.** sans contredit, sans conteste, sans doute || **3.** aisément, volontiers, sans difficulté || **4.** *facile vivere,* vivre sans souci, agréablement.

facilis, *e (facio),* **1.** qui se fait aisément, facile || [suiv. contexte] facile à trouver, à supporter, etc. || *res facilis ad judicandum, ad credendum,* chose facile à juger, à croire; *res factu facilis,* chose facile à faire; *cognitu,* facile à connaître || [avec inf.] *facile est,* il est facile de || *terra facilis pecori,* sol propice à l'élevage des troupeaux || **2.** ***a)*** qui fait facilement, qui a de la facilité (de l'aisance) dans qqch.: *facilis ad dicendum,* qui a de la facilité de parole; ***b)*** qui est prêt à faire, disposé volontiers à, favorable à || **3.** d'humeur facile, traitable, de bonne composition.

facilitas, *atis,* f. *(facilis),* **1.** facilité à faire qqch. || aptitude heureuse à || **2.** facilité de parole || **3.** [surtout] facilité d'abord, de caractère, affabilité, bonté, complaisance.

facinorosus (-erosus), *a, um (facinus),* chargé de crimes.

facinus, *oris,* n. *(facio),* **1.** action, acte, fait [en gén.]: *nefarium; pulcherrimum,* acte criminel; acte admirable || **2.** [surtout en mauvaise part] forfait, crime, attentat: *facinus facere, obire, committere, admittere, patrare,* commettre un crime.

facio, *ere, feci, factum* (pass. *fio,* v. ce mot), tr., faire:

I. réaliser une chose du point de vue matériel et physique comme du point de vue intellectuel et moral.

A) un seul accus., **1.** *pontem,* faire un pont; *castra,* établir un camp || *tragœdias, poema,* des tragédies, des vers; *argentum factum,* argent travaillé, argenterie || **2.** *gradum,* faire un pas; *iter,* faire route; *impetum in hostem,* faire une charge contre l'ennemi; *eruptiones ex oppido,* faire des sorties || **3.** *exercitum,* constituer une armée || **4.** *ignem,* faire du feu || *prædam,* faire du butin (*ab aliquo,* sur qqn) || **5.** *facinus, furtum,* commettre un crime, un vol; *multa egregie,* faire beaucoup de belles actions; *sacrificium,* accomplir un sacrifice || *bellum* = ou provoquer la guerre, ou faire la guerre || *imperata, promissum,* exécuter des ordres, tenir une promesse || ordonner, organiser [des festins, des jeux] || **6.** [expressions]: *quid hoc homine facias?* que faire d'un tel homme? *quid Tulliola mea fiet?* qu'adviendra-t-il de ma chère Tullie? || **7.** *damnum, detrimentum,* subir une perte, un dommage, se détériorer || **8.** provoquer: *alicui timorem, alicui spem, stomachum,* provoquer la crainte, l'espoir, la mauvaise humeur de qqn; *alicui facultatem judicandi,* donner à qqn la faculté de juger || **9.** exercer une profession: *argentariam, naviculariam,* faire de la banque, le métier d'armateur; *mercaturas,* faire du commerce || **10.** [constructions]: [avec *ut* subj.], faire que, faire en sorte que; [avec *ut ne,* avec *ne*] faire en sorte que ne pas, empêcher que || [avec subj. seul]: *fac cogites,* tâche de songer, songe || **11.** [avec prop. inf.] supposer que || imaginer || **12.** faire, représenter [avec prop. inf.] || **13.** [avec compl. d'êtres animés]: ***a)*** faire, procréer || [surtout au passif]: *factus ad dicendum,* fait (né) pour la parole; ***b)*** former, façonner; ***c)*** instituer, créer, élire: *censores,* faire des censeurs.

B) avec attribut, **1.** faire, rendre || **2.** créer, élire: *consulem, prætorem aliquem facere,* nommer qqn consul, préteur || **3.** [avec gén. de prix] estimer: *aliquid magni, nihili, pluris, minimi, plurimi,* estimer qqch. beaucoup, pas du tout, davantage, très peu, au plus haut point || **4.** représenter.

II. pris absol., **1.** *faciendi dicendique sapientia*, la science du faire et du dire || [surtout avec adv.] faire bien, mal, etc.; accomplir un acte bon, mauvais, etc.; *periculose*, accomplir un acte dangereux; *fecit humaniter, quod venit*, il a été aimable à venir; *arroganter faciunt, cum...*, ils montrent de la présomption en...; *facis injuste, si putas...*, tu commets une injustice, si tu crois...; *similiter facit ut si putet*, il se comporte exactement comme s'il croyait... || *alicui bene, male*, etc., se comporter bien, mal, etc., à l'égard de qqn || **2.** *facere ab aliquo* [et surtout] *cum aliquo*, être du parti de qqn, être pour qqn; *contra aliquem*, être contre qqn *(adversus aliquem)* || **3.** faire un sacrifice, sacrifier [*alicui* à une divinité, *aliqua re*, au moyen de qqch.]

factio, *onis*, f. *(facio)*,

I. pouvoir de faire, droit de faire.

II. société de gens groupés, **1.** troupe, corps, corporation, association, parti || **2.** [en mauv. part] faction, ligue || cabale, intrigue || **3.** [en part.] parti politique, faction: *altera factio*, le parti politique opposé || oligarchie || **4.** factions [des cochers dans le cirque, au nombre de quatre, ayant chacune sa couleur].

factiosus, *a, um (factio)*, intrigant, factieux.

factito, *are, avi, atum*, fréq. de *facio*, tr., faire souvent, habituellement || professer: *medicinam*, exercer la médecine.

factum, *i*, n. *(factus)*, fait, action, entreprise, travail, ouvrage: *meum factum*, mes actes, ma conduite; *recte, male facta*, bonnes, mauvaises actions || *facta* [absol.], actions d'éclat, hauts faits, exploits.

factus, *a, um*, part. de *facio*, v. *facio* et *fio*.

facultas, *atis*, f. (c. *facilis*), **1.** faculté, facilité, capacité: *alicui facultatem judicandi facere*, donner à qqn la possibilité de juger; *alicui facultatem dare (offerre), ut*, donner (offrir) la possibilité de; *dum est facultas*, pendant que c'est possible || **2.** [en part.] *facultas dicendi* et *facultas* seul, talent oratoire || **3.** facilité de se procurer, abondance de, provision de: *sine ulla facultate navium*, sans navires à leur disposition || [plur.] ressources: *facultates ingenii, consilii, gratiæ*, ressources de talent, de prudence, de crédit; [en part.] facultés, moyens, richesses.

facunde, éloquemment.

facundia, *æ*, f. *(facundus)*, facilité d'élocution, talent de parole, éloquence.

facundus, *a, um (fari)*, qui s'exprime facilement, qui sait manier la parole, éloquent, disert.

faenum, etc., v. *fen-*.

fæx, *fæcis*, f., **1.** lie, bourbe, vase, dépôt, sédiment, résidu || **2.** [fig.] lie, rebut.

fagineus (-inus), *a, um (fagus)*, de hêtre.

fagus, *i*, f., hêtre.

falarica (phal-), *æ*, f., javelot enduit de filasse et de poix, falarique || javelot.

falcarius, *ii*, n. *(falx)*, ouvrier qui fabrique des faux, des faucilles.

falcatus, *a, um (falx)*, **1.** en forme de faux, courbé, courbe || **2.** armé (muni) d'une faux.

falcifer, *era, erum (falx, fero)*, qui porte une faux.

falcula, *æ*, f. *(falx)*, faucille || petite griffe, serre.

Falerli, *orum*, m., Faleries [ville d'Étrurie, capitale des Falisques].

Falernus, *a, um*, de Falerne [territoire de Campanie, renommé par ses vins].

Falisci, *orum*, m., Falisques [peuple d'Étrurie].

fallacia, *æ*, f. *(fallax)*, tromperie, fourberie, supercherie, ruse.

fallaciter *(fallax)*, d'une manière trompeuse.

fallax, *acis (fallo)*, trompeur, imposteur, perfide, captieux, insidieux.

fallens, *tis*, part. prés. de *fallo*.

fallo, *ere, fefelli, falsum*, tr., **1.** tromper: *aliquem*, tromper qqn; *spem alicujus*, décevoir les espérances de qqn; *fidem hosti datam*, trahir la parole donnée à l'ennemi; *promissum*, manquer à ses promesses || *nisi me forte fallo, nisi me fallit animus*, si je ne me trompe || [pass.] *falli*, se tromper: *nisi fallor*, si je ne me trompe; [d'où] *falsus*, qui est dans l'erreur, abusé || [absol.] tromper, induire en erreur, [dans les serments] manquer à sa parole || [impers.]: *nisi me fallit*, si je ne me trompe; *nec eum fefellit*, et il ne se trompa pas || **2.** échapper à, tromper l'observation, l'attention: *custodes*, tromper l'attention des gardes; [absol.] échapper, rester inconnu || **3.** [tour impers.] *te non fallit* avec prop. inf., tu sais bien que || **4.** [poét.] tromper, faire oublier.

falsarius, *ii*, m. *(falsus)*, faussaire.

falsidicus ou **falsiloquus,** *a, um,* menteur.

falso, *(falsus),* adv., à faux, à tort, faussement, sans raison, sans fondement.

falsum, *i,* n. *(falsus),* le faux, le mensonge.

falsus, *a, um,*
I. part. de *fallo*; v. ce verbe.
II. adj., **1.** faux, falsifié, controuvé: *falsæ litteræ,* écritures falsifiées; *falsi rumores,* faux bruits || *falsus accusator,* accusateur supposé; *falsi testes,* faux témoins || **2.** [sens actif] trompeur, imposteur, menteur.

falx, *falcis,* f., faux, faucille, serpe, serpette à tailler la vigne || faux murale || faux de guerre || faux [armant les chars].

fama, *æ,* f., **1.** bruit colporté, voix publique; [qqf. joint à *nuntius,* nouvelle apportée par messager] || tradition || **2.** opinion publique, jugement de la foule, mauvais propos de la foule, médisance || renommée, réputation: *bona fama,* la bonne renommée.

famelicus, *a, um,* affamé, famélique.

fames, *is,* f., abl. *e,* **1.** faim: *famem depellere,* assouvir sa faim, se rassasier: *famem aliqua re tolerare,* apaiser la faim avec qqch. || famine, disette, manque de vivres || **2.** [fig.] violent désir, passion, avidité: *auri sacra fames,* maudite soif de l'or.

familia, *æ,* f. *(famulus),* **1.** ensemble des esclaves de la maison, le personnel des esclaves || **2.** maison de famille: *pater, mater familias,* le père, la mère de famille (ou *familiæ*) || famille, branche de la *gens* ou qqf. = *gens*: *familiæ,* les familles, les familles nobles; *ex familia vetere,* d'une ancienne famille || **3.** [fig.] corps, secte, école: *gladiatorum,* la troupe des gladiateurs.

1. familiaris, *e,* **1.** qui fait partie des esclaves de la maison || **2.** de la maison, de la famille, domestique: *res domesticæ ac familiares,* les affaires de la maison et de la famille; *alicujus res familiaris,* le patrimoine de qqn || **3.** ami de la maison, familier, intime: *qui familiarior nobis est,* qui nous est plus familier; *familiarissimus meus,* mon ami intime || amical, confidentiel, intime || habituel: *familiare est mihi communicare,* j'ai l'habitude de faire part.

2. familiaris, *is,* m., serviteur, domestique, esclave || ami, un familier.

familiaritas, *atis,* f. *(familiaris),* amitié, liaison, familiarité.

familiariter *(familiaris),* en ami intime, intimement, familièrement.

famosus, *a, um (fama),* connu, fameux || décrié, diffamé, de fâcheuse célébrité || infamant, diffamatoire.

famula, *æ,* f., servante, esclave.

famularis, *e (famulus),* de serviteur, d'esclave.

1. famulatus, *a, um,* part. de *famulor.*

2. famulatus, *us,* m., servitude, esclavage.

famulor, *ari, atus sum (famulus),* intr., servir, être en service.

1. famulus, *a, um,* asservi, soumis, obéissant.

2. famulus, *i,* m., serviteur, esclave || prêtre d'une divinité.

fanaticus, *a, um (fanum),* **1.** inspiré, rempli d'enthousiasme || **2.** exalté, en délire, frénétique.

fandus, *a, um* (de *fari),* **1.** qui peut être dit || **2.** permis, licite: *dei memores fandi atque nefandi,* les dieux qui n'oublient pas la vertu et le crime.

fans, *tis,* part. prés. de *for.*

fanum, *i,* n., lieu consacré || temple.

far, *farris,* n., blé [ordinaire], froment || *far pium,* gâteau sacré.

farcio, *ire, farsi, fartum,* tr., remplir, garnir, fourrer, bourrer || enfoncer, introduire.

fari, inf. prés. de *for.*

farina, *æ,* f. *(far),* farine de blé (froment) || toute espèce de farine, de poudre.

farraceus (-cius), *a, um,* c. *farreus.*

farrago, *inis,* f. *(far),* dragée [mélange de divers grains qu'on laisse croître en herbe pour donner aux bestiaux].

farreus, *a, um (far),* de blé, de froment.

fartum, *i,* n. *(farcio),* farce.

fartus, *a, um,* part. de *farcio.*

fas, n., indécl., **1.** expression de la volonté divine, loi religieuse, droit divin || **2.** [en gén.] ce qui est permis par les lois divines et par les lois naturelles, le juste, le légitime, le licite.

fascia, *æ,* f., bande, bandage, bandelette, ruban || sangle de lit || bandeau royal, diadème.

fasciculus, *i,* m., dimin. de *fascis,* petit paquet, petite botte.

fascino, *are, avi, atum (fascinum),* tr., faire des charmes, des enchantements, enchanter, fasciner, jeter un sort.

fascinum, *i,* n., charme, maléfice.

fasciola, *æ,* f. *(fascia),* bandelette,

ruban || bande [pour envelopper les jambes].

fascis, *is*, m., faisceau, fagot, paquet || paquet, bagage du soldat || *fasces*, faisceaux [de verges, d'où émergeait le fer d'une hache, que les licteurs portaient devant les premiers magistrats de Rome]; *demittere fasces populo*, faire abaisser les faisceaux devant le peuple || [fig.] *fasces alicui submittere*, baisser les faisceaux, s'incliner devant qqn || [fig.] dignités, honneurs, pouvoir, [en part.] le consulat.

fassus, *a, um*, part. de *fateor*.

fasti, *orum*, m. *(fas)*, **1.** = *dies fasti*, v. *fastus* || **2.** fastes, calendrier des Romains [où étaient marqués les jours de fêtes et les jours d'audience] || annales, fastes consulaires.

fastidio, *ire, ivi* ou *ii, itum (fastidium)*, **1.** ***a)*** intr., avoir du dégoût, de la répugnance, être dégoûté; ***b)*** tr., *fastidis omnia*, tout le dégoûte || **2.** [fig.] avoir de l'éloignement, de l'aversion, de la répugnance pour, mépriser: ***a)*** intr., *in recte factis fastidiunt*, les belles actions leur inspirent du dédain; ***b)*** tr., repousser avec dédain: *fastidius*, dédaigné.

fastidiose, avec dégoût, avec dédain.

fastidiosus, *a, um (fastidium)*, **1.** qui éprouve un dégoût, dégoûté || dédaigneux, superbe, délicat || **2.** [poét.] qui produit le dégoût, fatigant.

fastiditus, *a, um*, part. de *fastidio*.

fastidium, *ii*, n. *(fastus 2)*, **1.** dégoût, répugnance || [fig.] *in fastidio esse*, être un objet de dégoût, de dédain || **2.** goût difficile || [fig.] *fastidium delicatissimum*, délicatesse excessive || **3.** dédain, morgue.

fastigate *(fastigatus)*, en pente, en talus.

fastigatus, *a, um*, part. de *fastigo*.

fastigium, *ii*, n. *(fastigo)*, **1.** toit à deux pentes, faîte || **2.** pente || **3.** le sommet en surface, le niveau supérieur: *fastigium aquæ*, le niveau de l'eau || **4.** [fig.] faîte, sommet, point culminant: *in fastigio eloquentiæ*, au faîte de l'éloquence || rang social: *cives ejusdem fastigii*, citoyens de même rang.

fastigo, *are, avi, atum*, **1.** [emploi classique et sans doute primitif] **fastigatus,** *a, um*: ***a)*** élevé en pointe; ***b)*** en forme de faîte; ***c)*** incliné || **2.** pass. *fastigari* ou *se fastigare*, s'élever en pointe.

1. fastus, *a, um (fas): fastus dies, fasti dies*, jours fastes [où l'on pouvait rendre la justice].

2. fastus, *us*, m., orgueil, fierté, morgue.

3. fastus, *uum*, m. pl., c. *fasti*.

fatalis, *e (fatum)*, du destin, du sort; qui contient la destinée, prophétique: *fatales libri*, les livres sibyllins [contenant la destinée de Rome]; *fatalia verba*, les paroles prophétiques || fixé par le destin, fatal: *fatalis mors*, mort naturelle || fatal, funeste, pernicieux, mortel.

fataliter *(fatalis)*, suivant l'ordre du destin, fatalement.

fateor, *fateri, fassus sum*, tr., avouer, reconnaître, accorder que: *se peccasse*, avouer avoir fait une faute || [avec acc.] *verum fateri*, avouer la vérité; *culpam, peccatum*, reconnaître une faute || manifester, déclarer, proclamer, publier.

faticanus (-cinus), *a, um (fatum, cano)*, c. *fatidicus*.

fatidicus, *a, um (fatum, dico)*, qui prédit l'avenir, fatidique, prophétique || subst. m., devin, prophète.

fatifer, *era, erum (fatum, fero)*, qui entraîne la mort, homicide.

fatigatio, *onis*, f. *(fatigo)*, grande fatigue, lassitude, épuisement.

fatigo, *are, avi, atum*, tr., **1.** épuiser, harasser, fatiguer, exténuer || **2.** [fig.] tourmenter, persécuter, inquiéter, obséder, harceler, accabler; *verbis*, gourmander.

fatiloquus, *a, um (fatum, loquor)*, qui prédit l'avenir.

fatisco, *ere*, intr., **1.** se fendre, s'ouvrir || **2.** [fig.] se fatiguer, s'épuiser, succomber à la fatigue.

fatum, *i*, n. *(fari)*, **1.** prédiction, oracle: *fata Sibyllina*, les oracles sibyllins || **2.** le destin, la fatalité || destinée de qqn: *si fatum tibi est convalescere*, s'il est dans ta destinée de te rétablir || arrêt, volonté des dieux || [personnif. poét.] *Fata*, les Parques || **3.** destinée = temps fixé pour la vie: *fato perfunctus, functus*, qui a rempli sa destinée, mort || destin, heure fatale, mort: *fato cedere, fato obire*, mourir || **4.** destin funeste, malheur.

fatus, *a, um*, part. de *for*.

fatuus, *a, um*, **1.** fade, insipide || **2.** [fig.] insensé, extravagant || subst. m. f., fou, bouffon, folle.

fauces, *ium*, f., **1.** gosier, gorge || **2.** passage étroit, gorge, défilé, détroit:

fauces portus, goulet d'un port || bouches, cratère.

Fauni, *orum*, m., Faunes [petits génies champêtres].

Faunus, *i*, m., Faunus [dieu de la fécondité des troupeaux et des champs, confondu avec Pan].

fauste *(faustus)*, heureusement.

Faustulus, *i*, m., berger qui, ayant sauvé Romulus et Rémus, les éleva.

faustus, *a, um (faveo)*, heureux, favorable, prospère: *faustus dies*, jour fortuné.

fautor, *oris*, m. *(faveo)*, celui qui favorise, appui, soutien, défenseur, partisan: *nobilitatis*, partisan de la noblesse || [au théâtre] pl., partisans, amis, cabale.

fautrix, *icis*, f. de *fautor*.

faveo, *ere, favi, fautum*, intr., **1.** être favorable, favoriser, s'intéresser à: *alicui*, favoriser qqn; [pass. impers.] *favetur alicui, alicui rei*, on a de la faveur pour qqn, pour qqch. || [sujet, chose personnifiée]: *ventis faventibus*, les vents étant favorables || **2.** [t. relig.] *linguis* (rar. *lingua*) *favere* = se taire; *favete linguis*, gardez le silence || **3.** marquer son approbation par des cris, des applaudissements; applaudir: *alicui, alicui rei*, qqn, qqch.

favilla, *æ*, f., cendre chaude || cendres à peine refroidies des morts.

favonius, *ii*, m. *(faveo)*, le zéphyr [vent d'Ouest] || pl., les zéphyrs.

favor, *oris*, m. *(faveo)*, **1.** faveur, sympathie || **2.** [en part.] marques de faveur, applaudissements.

favorabilis, *e (favor)*, **1.** qui attire la faveur || **2.** bien venu, aimé, populaire.

favorabiliter *(favorabilis)*, avec faveur, avec succès.

favus, *i*, m., gâteau de miel, rayon.

fax, *facis*, f., torche, flambeau || torche, brandon || torche, attribut de certaines divinités: Déméter, Apollon, Diane, Cupidon, les Furies, etc. || météore igné, étoile tombante, globe de feu, traînée de feu.

febricito, *are, avi, atum (febris)*, intr., être pris de fièvre.

febricula, *æ*, f. *(febris)*, petite fièvre.

febris, *is*, f., fièvre: *febrim habere*, avoir de la fièvre.

februa, *orum*, n. (v. *februum*), fébruales [fêtes de purification en février].

februarius, *ii*, m., février [le mois de l'expiation] || **februarius,** *a, um*, de février.

februo, *are, atum*, tr., purifier, faire des expiations religieuses.

februum, *i*, n., moyen de purification.

fecunde *(fecundus)*, d'une manière féconde.

fecunditas, *atis*, f. *(fecundus)*, fécondité, fertilité.

fecundo, *are, avi, atum (fecundus)*, tr., féconder, fertiliser.

fecundus, *a, um*, **1.** fécond, fertile: *fit terra fecundior*, la terre devient plus fertile || **2.** abondant: *segetes fecundæ*, moissons abondantes || **3.** qui fertilise: *Nilus*, le Nil fécondant.

fefelli, pf. de *fallo*.

fel, *fellis*, n., fiel || [fig.] fiel, amertume || bile, colère.

feles (fæles) et **felis (fælis),** *is*, f., **1.** chat, chatte || **2.** martre, putois.

1. felicitas, *atis*, f. *(felix)*, bonheur, chance.

2. Felicitas, *atis*, f., la Félicité [déesse].

feliciter *(felix)*, heureusement, avec bonheur || [en souhait] bonne chance! bonne réussite!

felis, *is*, f., v. *feles*.

felix, *icis*, **1.** fécond, fertile || **2.** pour qui tout vient heureusement, qui a de la chance, heureux || [poét., avec gén.] heureux sous le rapport de; [avec inf.] heureux pour ce qui est de faire qqch. || **3.** heureux, qui a un heureux résultat || **4.** qui rend heureux; favorable, de bon augure: *o dea... sis felix*, ô déesse... sois propice || bienfaisant: *felix limus*, limon fécond (fécondant) || **5.** *Felix*, l'Heureux [surnom, en part. de Sylla].

femen, [nom. sans ex.], *inis*, n., cuisse [v. *femur*].

femina, *æ*, f., femme || femelle.

femineus, *a, um (femina)*, de femme, féminin || efféminé, mou, faible, délicat.

femininus, *a, um (femina)*, féminin, de femme.

femur, *oris*, n., cuisse.

fenebris (fæn-), *e (fenus)*, qui concerne l'usure, usuraire.

feneratio (fæn-), *onis*, f. *(fenero)*, usure.

fenerator (fæn-), *oris*, m. *(fenero)*, celui qui prête à intérêt || usurier.

fenero (fæn-), *are, avi, atum (fenus)*, tr., prêter à intérêt || [absol.] faire l'usure.

feneror (fæn-), *ari, atus sum (fenus)*, tr., avancer, prêter contre intérêts: *pecuniam binis centesimis*, prêter de l'argent à deux pour cent [par mois]; *beneficium*, spéculer sur un bienfait; [absol.] faire de l'usure.

fenestella, *æ*, f. *(fenestra)*, petite fenêtre.

fenestra, *æ*, f., fenêtre, croisée || pl., meurtrières || trou, ouverture.

fenestro, *are, avi, atum (fenestra)*, tr., munir de fenêtres.

feniculum, *i*, n., fenouil [plante].

fenile (fæn-), *is*, n. *(fenum)*, fenil [lieu où l'on serre le foin].

fenum (fæn-), *i*, n., foin || [prov.] *fenum habet in cornu*, il est enragé [on attachait une poignée de foin aux cornes des bœufs dangereux].

fenus (fæn-), *oris*, n., rapport, produit, intérêt de l'argent, prêté, profit, gain, bénéfice: *pecuniam fenori dare*, prêter de l'argent à intérêt.

fera, *æ*, f. *(ferus)*, bête sauvage.

feraciter *(ferax)*, avec fertilité.

Feralia, *ium*, n., fêtes en l'honneur des dieux mânes.

feralis, *e*, qui a rapport aux dieux mânes || funèbre, qui a rapport aux morts || [fig.] fatal, funèbre, funeste.

ferax, *acis (fero)*, fertile, fécond.

ferbui, pf. de *ferveo*.

ferculum, *i*, n., **1.** plateau [pour porter un service de table] || mets, plats || **2.** brancard [pour porter les dépouilles, les objets sacrés, certains captifs, etc.].

fere, adv., **1.** presque, environ: *nemo fere, nullus fere, nihil fere, numquam fere*, presque personne, presque aucun, presque rien, presque jamais; *tertia fere hora, omnes fere cives, eodem fere tempore*, la troisième heure environ, presque tous les citoyens, vers la même époque || **2.** presque toujours, d'ordinaire, généralement.

ferentarius, *ii*, n. *(fero)*, soldat armé à la légère.

Feretrius, *ii*, m. *(fero)*, Férétrien [surnom de Jupiter, = qui remporte des dépouilles].

feretrum, *i*, n. *(fero)*, brancard [pour porter les dépouilles, les offrandes, les morts].

feriæ, *arum*, f., jours consacrés au repos, fêtes, féries.

feriatus, *a, um*, p.-adj. de *ferior*, qui est en fête || oisif, de loisir.

ferinus, *a, um (fera)*, de bête sauvage || **ferina,** *æ*, f., viande de gros gibier, venaison.

ferio, *ire*, tr., **1.** frapper: *securi feriri*, être frappé de la hache; *mare*, battre la mer avec les rames || immoler, sacrifier: *porcum*, immoler un porc; *fœdus*, conclure un traité [parce qu'on immolait en même temps une victime] || **2.** frapper, atteindre || **3.** frapper, battre la monnaie.

ferior, *ari, atus sum (feriæ)*, intr., être en fête, chômer une fête.

feritas, *atis*, f. *(ferus)*, sauvagerie, barbarie, cruauté || aspect sauvage [d'un lieu].

ferme, adv., **1.** presque, à peu près, environ || **2.** d'ordinaire, communément.

fermento, *are, avi, atum (fermentum)*, tr., faire fermenter, faire entrer en fermentation || au passif: lever, fermenter.

fermentum, *i*, n., **1.** ferment, levain || **2.** orge ou blé fermenté servant à fabriquer la cervoise || **3.** [fig.] colère, dépit.

fero, *ferre, tuli, latum*, tr., **1.** porter: *arma contra aliquem*, porter les armes contre qqn || **2.** [fig.]: *nomen alicujus*, porter le nom de qqn; *alicui opem auxiliumque*, porter à qqn aide et secours; *aliquid præ se ferre*, porter devant soi, étaler, afficher qqch.; *præ se ferre* avec prop. inf., faire voir ostensiblement que, afficher que || **3.** supporter: *impetum*, un choc || *ægre, moleste, acerbe, ferre aliquid*, supporter qqch. avec peine || **4.** porter, présenter: *legem, rogationem*, présenter une loi, une proposition de loi; *ad populum*, présenter au peuple; *ad plebem ferre ut...* proposer au peuple que... || *aliquem judicem ferre*, proposer qqn comme juge || *sententiam, suffragium*, donner son suffrage, voter || **5.** comporter: *ut ætas illa fert*, comme c'est naturel à cet âge; *natura fert ut...* la nature veut que... || **6.** porter sur le livre de comptes: *alicui expensum ferre*, porter comme payé à qqn || **7.** rapporter, raconter, colporter: *patres ita fama ferebant* [avec prop. inf.], les sénateurs répandaient dans leurs propos cette idée que...|| [expressions]: *ferunt* [avec prop. inf.], on rapporte que; *ut ferunt, ut fertur*, comme on rapporte; *Themistocles fertur respondisse...* on dit que Thémistocle répondit... || **8.** obtenir, emporter: *palmam, primas (= primas partes)*, obtenir la palme, le premier rang; *victoriam ex aliquo*, remporter sur qqn la victoire; *repulsam a populo*, recevoir du peuple un échec || *ferre atque agere*, piller, ravager || **9.** porter: *fruges*, produire les moissons || **10.** porter, mettre en mouvement, déplacer: *signa*, porter les enseignes = se mettre en route || [surtout] *se ferre* ou *ferri*, se porter, se mettre en mouvement: *se ferre obviam alicui*, se porter au-devant de qqn; *se obvium alicui rei*, se porter à la rencontre de qqch., braver qqch. || **11.** [fig.] porter, diriger, mener: *laudibus aliquem in cælum*, porter qqn aux nues par des éloges || **12.** [poét.] emporter: *omnia fert ætas*, le temps emporte tout.

ferocia, *æ*, f. *(ferox)*, naturel fougueux, violent, emporté, indomptable, orgueilleux || [en bonne part], noble fierté, fougue.

ferocitas, *atis*, f. *(ferox)*, fougue || noble fierté, vaillance || violence, arrogance, insolence.

ferociter *(ferox)*, avec hardiesse, avec audace || avec dureté, hauteur.

ferox, *ocis (ferus)*, impétueux, hardi, fougueux, intrépide || fier, hautain.

ferramentum, *i*, n. *(ferrum)*, instrument de fer, outil en fer.

ferraria, *æ*, f., v. *ferrarius.*

ferrarius, *a, um (ferrum)*, de fer, qui concerne le fer || **ferraria,** *æ*, f., mine de fer.

ferratus, *a, um (ferrum)*, garni de fer, ferré, armé de fer || subst. m., *ferrati*, soldats bardés de fer.

ferreus, *a, um (ferrum)*, de fer, en fer || [poét.] *ferreus imber*, une pluie, une grêle de traits || [fig.] dur, insensible, sans pitié, inflexible || pesant, lourd: *ferreus somnus*, sommeil de plomb || fort, robuste.

ferrugineus, *a, um (ferrugo)*, couleur de fer, bleu foncé || ferrugineux.

ferrugo, *inis*, f. *(ferrum*, cf. *ærugo)*, rouille [du fer] || couleur de rouille, brun foncé || pourpre foncé, bleu sombre.

ferrum, *i*, n., **1.** le fer || **2.** fer, épée, glaive [et objets en fer]: *ferro proscindere campum*, ouvrir la plaine avec la charrue || *ferro ignique*, par le fer et par le feu.

ferrumen (feru-), *inis*, n. *(ferrum)*, soudure, substance pour souder.

ferrumino (feru-), *are, avi, atum*, tr., souder.

fertilis, *e (fero)*, fertile, productif || qui rend fécond, qui fertilise.

fertilitas, *atis*, f. *(fertilis)*, fertilité || abondance.

ferula, *æ*, f., férule [plante à longue tige, attribut de certains dieux, not. de Bacchus et de ses prêtresses] || férule [pour corriger les enfants, les esclaves] || houssine, sorte de cravache || menue branche, baguette.

ferulaceus, *a, um (ferula)*, semblable à la férule || de férule.

ferum-, v. *ferrum-.*

1. ferus, *a, um*, **1.** sauvage, non apprivoisé ou non cultivé || **2.** sauvage, grossier, farouche, cruel, insensible.

2. ferus, *i*, m., animal.

fervefacio, *ere, feci, factum (ferveo, facio)*, tr., chauffer, échauffer, faire bouillir, faire cuire.

fervens, *tis*, part.-adj. de *ferveo*, bouillonnant de chaleur, échauffé, bouillant || [fig.] emporté, fougeux, impétueux.

ferventer, [fig.] avec chaleur, avec ardeur, avec impétuosité.

ferveo, *ere, ferbui* et **fervo,** *ere, fervi*, intr., **1.** être bouillonnant, bouillir: *aqua fervens*, eau bouillante || **2.** être en effervescence, être agité, animé: *fervet opus*, le travail est animé.

fervesco, *ere (ferveo)*, intr., se mettre à bouillonner, à bouillir.

fervi, pf. de *fervo.*

fervidus, *a, um (ferveo)*, bouillant, bouillonnant; brûlant, ardent; ardent, emporté.

fervo, *ere, fervi*, v. à *ferveo.*

fervor, *oris*, m. *(ferveo)*, **1.** bouillonnement, effervescence, fermentation || **2.** chaleur, ardeur.

Fescennia, *æ*, f., ville d'Étrurie || **-ninus,** *a, um*, fescennin: *Fescennini versus*, vers fescennins.

fessus, *a, um (fatiscor)*, fatigué, las, épuisé: *de via*, fatigué de la route; *bello fessi*, épuisés par la guerre.

festinanter *(festino)*, à la hâte, avec précipitation.

festinatio, *onis*, f. *(festino)*, hâte, empressement, précipitation, impatience.

festinato *(festino)*, à la hâte.

festino, *are, avi, atum* (cf. *confestim)*, **1.** intr., se hâter, se presser, se dépêcher || **2.** tr., presser, accélérer: *fugam*, hâter, presser la fuite || [avec inf.] se hâter de.

festinus, *a, um (festino)*, qui se hâte, prompt.

festive *(festivus)*, **1.** joyeusement || **2.** avec agrément, avec grâce, ingénieusement.

festivitas, *atis*, f. *(festivus)*, **1.** joie d'un jour de fête, gaieté || **2.** enjouement, verve spirituelle || pl. *festivitates*, agréments, ornements.

festiviter *(festivus)*, agréablement.

festivus, *a, um (festus)*, où il y a fête,

gai, amusant, divertissant || [en parl. du style] gai, enjoué, fin, spirituel.

festuca, *æ*, f., **1.** fétu, brin de paille, tige || **2.** baguette, dont le préteur touchait la tête d'un esclave pour l'affranchir.

festum, *i*, n. *(festus)*, jour de fête, fête.

festus, *a, um* (cf. *feriæ)*, de fête, qui est en fête, solennel: *dies festus*, jour de fête; *dies festus ludorum*, jour de fête avec jeux || joyeux, gai.

1. fetialis, *e*, qui concerne les féciaux.

2. fetialis, *is*, m., fécial [les féciaux, collège de 20 prêtres, chargés d'examiner les *casus belli*, de déclarer les guerres suivant des rites précis, de présider aux formalités et à la rédaction des traités].

fetura, *æ*, f. *(fetus)*, reproduction || petits des animaux, produits || pousses de la vigne || [fig.] production de l'esprit.

1. fetus (fœ-), *a, um*, qui porte le fruit de la fécondation || [fig.] ensemencé, fécond, productif, abondant || rempli de, gros de, plein de.

2. fetus (fœ-), *us*, m., **1.** enfantement, couche, ponte || action de produire, production [des plantes] || **2.** portée [des animaux], petits || production de la terre [sens concret] || [fig.] génération.

fiber, *bri*, m., castor.

fibra, *æ*, f., fibre: **1.** fibre [des plantes], filaments || **2.** [des animaux]; [en part.] lobe du foie || le foie || entrailles [en gén.].

fibrinus, *a, um*, de castor.

fibula, *æ*, f., ce qui sert à fixer, **1.** agrafe [pour vêtement, pour cheveux] || **2.** crampon || lien.

ficarius, *a, um (ficus)*, qui concerne les figues, de figues || qui recherche les figues.

ficetum, *i*, n., figuerie, champ de figuiers.

ficte *(fictus)*, d'une manière artificieuse.

ficticius, *a, um (fictus)*, artificiel.

fictile, *is*, n. *(fictilis)*, vase en terre, vaisselle de terre; [surt. au pl.] *fictilia, ium*.

fictilis, *e (fingo)*, fait d'argile, fait avec de la terre [à potier].

fictio, *onis*, f. *(fingo)*, action de façonner, création || [fig.] action de feindre, fiction || supposition, hypothèse.

fictor, *oris*, m. *(fingo)*, **1.** statuaire, sculpteur, modeleur || **2.** [fig.] artisan, auteur || artisan de paroles.

fictrix, *icis*, f. *(fictor)*, celle qui façonne.

fictum, *i*, n. *(fictus)*, mensonge.

fictus, *a, um*, part. de *fingo*.

ficulneus (-culnus), *a, um (ficula)*, de figuier.

ficus, *us* et *i*, f., figuier || figue.

fide, adv., inus., avec fidélité || *-dissime*.

fidelis, *e (fides 1)*, en qui l'on peut avoir confiance, sûr, fidèle, loyal: *amicus*, ami fidèle || solide, ferme, durable, fort: *navis fidelis*, navire solide.

fidelitas, *atis*, f. *(fidelis)*, fidélité, constance.

fideliter *(fidelis)*, d'une manière fidèle, sûre, loyale || fermement, solidement.

fidens, *tis*, part.-adj. de *fido*, qui se fie, qui a confiance || assuré, confiant.

fidenter *(fidens)*, avec assurance.

fidentia, *æ*, f. *(fido)*, assurance, confiance, résolution.

1. fides, *ei*, f. *(fido)*, **1.** foi, confiance: *fidem magnam, parvam, majorem, maximam habere alicui* ou *alicui rei*, avoir une grande, une petite, une plus grande, la plus grande confiance en qqn, en qqch.; *fidem facere*, inspirer confiance; *(alicui) fidem facere* avec prop. inf., faire croire (à qqn) que || **2.** [en part.] crédit: *fides concidit, sublata est*, le crédit est tombé, a disparu || **3.** ce qui produit la confiance, bonne foi, loyauté, droiture, conscience || [en parl. de choses] vérité, authenticité, sincérité: *tabularum fides*, authenticité, autorité des registres || [poét.] réalité, réalisation: *vota fides sequitur*, leurs vœux sont exaucés || **4.** promesse, assurance, parole donnée: *fidem hosti datam fallere*, trahir la parole donnée à l'ennemi; *suam fidem in rem interponere*, engager sa parole pour garantir une chose; *fidem publicam tueri*, observer les engagements de l'État; *fidem suam liberare, exsolvere*, remplir ses engagements; *suam fidem alicui præstare*, tenir parole à qqn || sauvegarde: *fidem publicam alicui dare*, donner à qqn une sauvegarde officielle || [en part.] fidélité envers son général, respect du serment militaire || **5.** protection, patronage, assistance: *in fidem ac potestatem alicujus venire*, se mettre sous la protection et le pouvoir de qqn || [formules]: *fidem vestram obtestatur, judices*, il implore votre assistance, juges; *pro deum (deorum) atque hominum fidem*, j'en atteste les dieux et les hommes, au nom des dieux et des hommes.

2. Fides, *ei*, f., la Bonne Foi [déesse].

3. fides, *ium*, f., lyre: *fidibus canere, discere, docere*, jouer de la lyre, apprendre, enseigner à jouer de la lyre.

fidi, pf. de *findo*.

fidicen, *inis*, m. *(fides, cano)*, joueur de lyre || poète lyrique.

fidicina, *æ*, f. *(fidicen)*, joueuse de lyre.

fidicula, *æ*, f., surt. au pl. **fidiculæ,** *arum*, petite lyre || instrument de torture.

fido, *fidere, fisus sum*, intr., se fier, se confier, avoir confiance [en, dans], compter sur: [avec dat.]; [avec abl.] || croire avec confiance que [avec prop. inf.].

fiducia, *æ*, f., **1.** confiance: *alicujus*, confiance en qqn || **2.** confiance en soi, assurance, hardiesse.

fidus, *a, um*, **1.** à qui (à quoi) on peut se fier, fidèle, sûr || [poét. avec dat. ou *in* acc.] fidèle à || **2.** [en parl. de choses] sûr, assuré, qui ne cache aucun piège.

fiens, *tis*, part. prés. de *fio*.

figlinum, *i*, n., vase en terre, poterie.

figlinus (ou **-gulinus),** *a, um*, de terre, de potier.

figo, *ere, fixi, fixum*, tr., **1.** ficher, enfoncer, planter, fixer || fixer une table d'airain à la muraille pour porter un décret, une loi à la connaissance du public, [d'où] afficher, publier: *tabulas*, afficher des décrets, des édits || **2.** fixer, attacher: *mentem omnem in aliqua re*, attacher toute son intelligence à une chose || **3.** traverser, transpercer: *aliquem telo*, percer qqn d'un trait.

1. figulus, *i*, m. *(fingo)*, celui qui travaille l'argile, potier.

2. Figulus, *i*, m., surnom des Marcius et des Nigidius.

figura, *æ*, f. *(fingo)*, **1.** configuration, structure || **2.** chose façonnée: *fictiles figuræ*, figures d'argile || fantômes.

figuratio, *onis*, f. *(figuro)*, configuration, figure, forme.

filia, *æ*, f., fille || dat.-abl. *filiis* ou *filiabus*.

figuratus, *a, um*, part. de *figuro* || adj. [rhét.] figuré || fictif.

figuro, *are, avi, atum (figura)*, tr., façonner, former.

filicatus (felic-), *a, um (filix)*, orné de figures qui ressemblent à la fougère.

filiola, *æ*, f., fillette, fille en bas âge [ou] fille chérie.

filiolus, *i*, m., fils en bas âge [ou] chéri.

filius, *ii*, m., fils, enfant.

filix (fel-), *icis*, f., fougère [plante].

filum, *i*, n., **1.** fil || **2.** [fig.] contexture, tissu, nature, sorte.

1. fimbria, *æ*, f. [ordin. au pl.], extrémité, bout.

2. Fimbria, *æ*, m., surnom des Flavius; not. C. Flavius Fimbria [l'un des partisans et satellites de Marius].

fimetum, *i*, n. *(finus)*, fosse à fumier, tas de fumier.

fimum, *i*, n., et **fimus,** *i*, m., fumier || [poét.] boue, fange.

findo, *findere, fidi, fissum*, tr., fendre, ouvrir, séparer, diviser.

fingo, *ere, finxi, fictum*, tr., **1.** façonner, pétrir: *ceram*, façonner la cire || **2.** faire en façonnant, fabriquer, modeler || [en part.] sculpter: *Herculem*, faire la statue d'Hercule; *ars fingendi*, la sculpture || **3.** [fig.] modeler: *a mente vultus fingitur*, l'âme façonne l'expression du visage || [en part.] façonner en changeant, en déguisant: *vultum fingere*, composer son visage || **4.** façonner, dresser: *vitem putando*, façonner la vigne en la taillant || **5.** se représenter, imaginer: *aliquid cogitatione, animo*, se représenter qqch. par la pensée; *ea quæ finguntur*, les produits de notre imagination || [avec prop. inf.], imaginer que || **6.** représenter [à autrui], tracer || [avec attribut] représenter qqn, qqch. comme || **7.** inventer faussement, forger de toutes pièces: *crimina in aliquem*, forger des accusations contre qqn; [d'où le part.] *fictus, a, um*, feint, controuvé, faux: *ficti sermones*, propos mensongers; *fictus testis*, faux témoin.

finio, *ire, ivi, itum*,

I. tr. **1.** limiter, délimiter, borner: *populi Romani imperium Rhenus finit*, le Rhin fait la limite de l'empire du peuple romain || **2.** préciser, déterminer || définir || **3.** achever, finir: *bellum*, terminer la guerre || **4.** [pass.] *finiri*, se terminer || mourir.

II. intr. [rare], avoir un terme, finir, mourir.

finis, *is*, m., **1.** limite || pl. *fines*: ***a)*** limites d'un champ, frontières d'un pays; ***b)*** le pays lui-même, territoire: *extremi, primi fines*, l'extrémité, le commencement du territoire || **2.** [fig.] bornes, limites: *finem transire*, passer les bornes || **3.** fin, cessation, terme: *loquendi finem facere*, cesser de parler || fin, mort || **4.** but, finalité d'une chose.

finite *(finitus)*, **1.** de manière limitée || **2.** de manière précise.

finitimus (-tumus), *a, um (finis)*,

1. voisin, contigu, limitrophe [avec dat.] || subst. m. pl. les peuples voisins || **2.** [fig.] qui est proche de, qui ressemble à [avec dat.].

finitio, *onis*, f. *(finio)*, délimitation, bornage || explication, définition || achèvement complet, perfection.

finitor, *oris*, m. *(finio)*, celui qui marque les limites, qui délimite, arpenteur.

finitus, *a, um*, part. de *finio* || adj., [gramm.] défini.

fio, *fieri, factus sum* (en gén. pass. de *facio*), être fait : **1.** se produire, arriver : *terræ motus factus est*, il s'est produit un tremblement de terre || *quid Tulliola mea fiet ?* qu'adviendra-t-il de ma chère Tullie ? [expressions] : *ut fit*, comme il arrive d'ordinaire, ou *ut fieri solet* ou *ut fit plerumque, fieri non potuit aliter*, il ne pouvait en être autrement ; *fit ut* subj., *fieri potest ut, etc.*, il arrive que, il peut arriver que ; *fieri non potest ut... non...*, il ne peut pas se faire que ne... pas || **2.** se rencontrer, être || **3.** devenir, être fait, être créé (élu) : *dii ex hominibus facti*, d'hommes devenus dieux.

firmamentum, *i*, n. *(firmo)*, ce qui affermit, appui, étai || soutien.

firmatus, *a, um*, part. de *firmo*.

firme *(firmus)*, solidement, fortement, fermement.

firmitas, *atis*, f. *(firmus)*, solidité, consistance, état robuste.

firmiter *(firmus)*, fermement, avec solidité.

firmitudo, *inis*, f. *(firmus)*, solidité || [fig.] fermeté, constance, force de résistance.

firmo, *are, avi, atum (firmus)*, tr., **1.** faire ou rendre ferme, solide : *rem publicam*, faire un gouvernement solide ; *locum magnis munitionibus*, fortifier un lieu par de grands travaux de retranchement || affermir moralement || **2.** confirmer, appuyer, assurer.

firmus, *a, um*, **1.** solide, résistant, ferme : *firmus et valens*, solide et bien portant || **2.** [fig.] solide, efficace, fort : *firma civitas*, État fort || solide, durable || ferme, constant, inébranlable || solide, sur quoi l'on peut compter, sûr : *socii firmissimi*, les alliés les plus solidement attachés.

fiscalis, *e (fiscus)*, fiscal, du fisc.

fiscella, *æ*, f. *(fiscina)*, petite corbeille, petit panier.

fiscellus, *i*, m., petite corbeille.

fiscina, *æ*, f. *(fiscus)*, corbeille, petit panier de jonc ou d'osier.

fiscus, *i*, m., **1.** panier de jonc ou d'osier || **2.** panier à argent || [fig.] le trésor, le fisc || le trésor impérial, cassette impériale.

fissilis, *e (findo)*, qui peut être fendu, facile à fendre.

fissio, *onis*, f. *(findo)*, action de fendre, de diviser.

fissum, *i*, n. *(fissus)*, fente, crevasse || fissure [dans les entrailles des victimes, et en part. dans le foie].

fissura, *æ*, f. *(fissus)*, fente, crevasse, fissure.

fissus, *a, um*, part. de *findo*.

fistuca (fest-), *æ*, f., **1.** mouton [pour enfoncer des pilotis] || **2.** masse pour aplanir (pour niveler), hie, demoiselle.

fistucatio, *onis*, f., action d'enfoncer avec le mouton, d'aplanir.

fistuco (fest-), *are, avi, atum (fistuca)*, tr., tasser, niveler, aplanir [avec la *fistuca*].

fistula, *æ*, f., **1.** tuyau [d'eau], conduit, canal || tuyau d'un roseau || **2.** flûte de Pan ou syrinx.

fistulator, *oris*, m. *(fistula)*, joueur de flûte.

fistulatus, *a, um (fistula)*, percé de tuyaux.

fistulosus, *a, um (fistula)*, qui forme un tuyau, creux, poreux, fistuleux.

fisus, *a, um*, part. de *fido*.

fixus, *a, um*, part. de *figo* || adj., fiché, enfoncé || [fig.] fixé, fixe, arrêté.

flabellum, *i*, n. *(flabrum)*, éventail.

flabilis, *e (flo)*, de la nature du souffle, de l'air.

flabra, *orum*, n. *(flo)*, souffles [des vents].

flacceo, *ere (flaccus)*, intr., être mou || [fig.] être amolli, sans ressort.

flaccesco, *ere*, intr., devenir mou, se faner, se dessécher || [fig.] devenir languissant, perdre son énergie.

flaccidus, *a, um (flaccus)*, flasque, mou.

1. flaccus, *a, um*, flasque, pendant [en parl. des oreilles] || aux oreilles pendantes.

2. Flaccus, *i*, m., surnom romain chez les Valerius, les Cornelius || le poète Horace [désigné par son surnom].

flagello, *are, avi, atum (flagellum)*, tr., fouetter, flageller.

flagellum, *i*, n. *(flagrum)*, **1.** fouet, étrivières || **2.** = *ammentum*, lanière de cuir [adaptée à la hampe du javelot] || **3.** pointe des tiges [de la vigne] ; rameau flexible.

flagitatio, *onis*, f. *(flagito)*, demande (sollicitation) pressante, instance.

flagitator, *oris*, m. *(flagito)*, qui réclame avec instance || créancier tenace.

flagitatus, *a, um*, part. de *flagito*.

flagitiose *(flagitiosus)*, d'une manière scandaleuse, infâme || honteusement, avec déshonneur.

flagitiosus, *a, um (flagitium)*, qui a une conduite scandaleuse || honteux, déshonorant: *flagitiosum est* [avec prop. inf.], c'est une honte que; [avec inf.], c'est une honte de.

flagitium, *ii*, n., action déshonorante, infamante, ignominieuse, scandaleuse; infamie, ignominie, turpitude, scandale.

flagito, *are, avi, atum*, tr., **1.** demander avec instance, réclamer d'une manière pressante, exiger || [construction]: *ab aliquo aliquid*, réclamer qqch. de qqn; *ab aliquo aliquem*, qqn à qqn; [deux accus.] || *Hæduos frumentum*, réclamer le blé aux Éduens; [avec *ut* subj.] demander avec instance que (ou de).

flagrans, *tis*, part.-adj. de *flagro*, brûlant, enflammé, ardent || brillant, éclatant.

flagranter, ardemment, avec ardeur.

flagrantia, *æ*, f., vive chaleur, embrasement.

flagro, *are, avi, atum*, intr., **1.** brûler, être en feu; [fig.] *bello*, être ravagé par la guerre || **2.** être animé [d'une passion]; brûler de || [avec inf.] désirer ardemment || **3.** être ardent.

flagrum, *i*, n., fouet, martinet, lanière, étrivières.

1. flamen, *inis*, m., flamine [prêtre].

2. flamen, *inis*, n. *(flo)*, souffle || vent, brise.

Flaminia via, et absol. **Flaminia,** *æ*, f., la voie Flaminienne [entre Rome et Ariminum, construite par C. Flaminius].

flaminica, *æ*, f., épouse de flamine.

Flaminius, *ii*, m., nom d'une famille romaine: not. C. Flaminius Nepos qui périt sur les bords du lac Trasimène || **-ius,** *a, um*, de Flaminius; v. *Flaminia*.

flamma, *æ*, f., flamme, feu: *flammam concipere*, prendre feu; *flamma ferroque*, par le fer et par le feu || couleur de feu, éclatante.

flammans, *tis*, part. prés. de *flammo*.

flammatus, *a, um*, part. passé de *flammo*.

flammeus, *a, um (flamma)*, de flamme, brillant || de la couleur du feu.

flammifer, *era, erum (flamma, fero)*, ardent, enflammé.

flammo, *are, avi, atum (flamma)*, **1.** tr., enflammer || [fig.] exciter || donner la couleur du feu, rendre rouge || **2.** intr. [poét.] brûler, flamber.

flammula, *æ*, f. *(flamma)*, petite flamme.

flamonium, *ii*, n., dignité de flamine.

flatus, *us*, m. *(flo)*, souffle, respiration, haleine || souffle dans la flûte, les sons de la flûte || souffle, vent || [poét.] orgueil, superbe.

flaveo, *ere (flavus)*, intr., être jaune.

flavesco, *ere (flaveo)*, intr., devenir jaune, jaunir.

Flavius, *ii*, m., nom d'une famille romaine; c'est de la *gens Flavia* que descendaient les empereurs Vespasien, Titus et Domitien.

flavus, *a, um*, jaune, doré, blond.

flebilis, *e (fleo)*, **1.** digne d'être pleuré; lamentable, affligeant || **2.** qui fait pleurer || touchant || **3.** qui pleure, triste, affligé.

flebiliter *(flebilis)*, en pleurant, tristement.

flecto, *ere, flexi, flexum*, tr. et intr., **I.** tr., courber, ployer || **1.** tourner, faire tourner: *viam flectere*, changer de route || contourner, doubler un cap || **2.** plier, tourner, diriger [les esprits, les caractères]: *ad rem flectere*, faire incliner vers une chose; *ab re*, détourner d'une chose || **3.** fléchir, émouvoir. **II.** intr., se tourner, se détourner, se laisser aller.

fleo, *ere, evi, etum*, **1.** intr., pleurer, verser des larmes || *fletur*, on pleure || **2.** tr., pleurer qqn ou qqch.

1. fletus, *a, um*, part. de *fleo*.

2. fletus, *us*, m., larmes, pleurs, gémissements: *fletum movere alicui*, arracher des larmes à qqn.

flexi, pf. de *flecto*.

flexibilis, *e (flecto)*, flexible, souple.

flexilis, *e (flecto)*, qui se ploie, souple, flexible.

flexiloquus, *a, um (flexus, loquor)*, de sens ondoyant.

flexio, *onis*, f. *(flecto)*, action de courber, de ployer, flexion || [fig.] détour || inflexions, modulations.

flexipes, *edis*, adj. *(flexus, pes)*, [lierre] qui chemine en s'entortillant.

flexuose *(flexuosus)*, de façon sinueuse.

flexuosus, *a, um (flexus)*, tortueux, sinueux.

flexura, *æ*, f. *(fluto)*, action de courber, de fléchir || sinuosité.

1. flexus, *a, um*, part. de *flecto* || adj., *flexo sono*, en mode mineur.

2. flexus, *us*, m., **1.** action de ployer, flexion, courbure, courbe, sinuosité, coude, contour || [rhét.] inflexion de la voix || **2.** tournant [aux deux extrémités de l'arène où se trouvait une borne, *meta*, que rasaient les chars]; [d'où, au fig.] tournant, moment critique: *in hoc flexu quasi ætatis*, à ce tournant, si j'ose dire, de l'âge || déclin.

flictus, *us*, m. *(fligo)*, choc, heurt.

flo, *are, avi, atum*, **1.** intr., souffler || **2.** tr., ***a)*** exhaler; ***b)*** souffler dans un instrument; ***c)*** faire fondre [des métaux]: *flare pecuniam*, frapper de l'argent, monnayer.

floccus, *i*, m., **1.** flocon de laine || **2.** [fig.] objet insignifiant, zeste, fétu: *flocci non facere*, mépriser.

Flora, *æ*, f., Flore [épouse de Zéphire, déesse des fleurs].

florens, *tis*, part.-adj. de *floreo*, fleurissant, en fleur || brillant, éclatant, étincelant || [fig.] florissant, heureux: *florens ætate*, à la fleur de l'âge.

floreo, *ere, ui*, intr., **1.** fleurir, être en fleur; *Græcia tunc florebat*, la Grèce était alors florissante; *in aliqua re florere*, briller dans qqch. || **2.** [fig.] avoir des couleurs brillantes.

floresco, *ere*, intr., commencer à fleurir, entrer en fleur || [fig.] devenir florissant, brillant.

floreus, *a, um (flos)*, de fleurs || couvert de fleurs, fleurissant.

floridus, *a, um*, fleuri, couvert de fleurs || brillant, éclatant.

florifer, *era, erum (flos, fero)*, qui porte des fleurs, fleuri.

florilegus, *a, um (flos, lego)*, qui choisit (butine) les fleurs.

1. florus, *a, um (flos)*, fleuri, éclatant.

2. Florus, *i*, m., L. Annæus Florus, historien latin [espagnol d'origine].

flos, *oris*, m., fleur || suc de fleurs || la partie la plus fine [ex., fleur de farine] || [fig.] élite: *juventutis*, la fleur de la jeunesse; *ætatis*, la fleur de l'âge.

flosculus, *i*, m. (dimin. de *flos*), fleur [jeune et tendre].

fluctuatio, *onis*, f. *(fluctuor)*, agitation || [fig.] hésitation, irrésolution.

fluctuo, *are, avi (fluctus)* et **fluctuor,** *ari, atus sum*, intr., être agité [en parl. de la mer] || être ballotté sur les flots || [fig.] *fluctuari animo*, flotter, être irrésolu.

fluctus, *us*, m. *(fluo)*, lame, vague, flot || [fig.] agitation, trouble, tumulte.

fluens, *entis*, part. prés. de *fluo* pris adj., **1.** [en parl. du style] coulant, d'un cours égal || **2.** qui se relâche, amolli, pendant, flasque.

fluentum, *i*, et ordin. **-ta,** *orum*, n., cours d'eau, rivière, fleuve: *fluenta Tiberina*, le Tibre.

fluidus, *a, um (fluo)*, fluide, qui coule || mou, énervé, languissant [en parl. du corps] || [fig.] qui s'écoule, qui n'a pas une consistance solide, éphémère.

fluito, *are, avi, atum*, intr., fréq. de *fluo*, **1.** couler çà et là || **2.** flotter, surnager, être ballotté || **3.** [fig.] être ondoyant, incertain, flotter.

flumen, *inis*, n. *(fluo)*, masse d'eau qui coule || fleuve, rivière: *secundo flumine, adverso flumine*, en suivant le courant, contre le courant || [fig.] [torrent de larmes] || abondance, richesse.

flumineus, *a, um*, de fleuve, de rivière.

fluo, *ere, fluxi, fluxum*, intr., **1.** couler, s'écouler || **2.** être dégouttant de, ruisselant de: *cruore, sudore*, ruisseler de sang, de sueur || **3.** être flottant, coulant, avoir du jeu || **4.** s'écouler de, s'échapper de || [fig.] ***a)*** se répandre; ***b)*** découler de: *ex eodem fonte*, couler de la même source; ***c)*** couler, suivre son cours || **5.** couler, glisser, s'échapper insensiblement || **6.** se fondre, se relâcher, s'amollir.

fluvialis, et **fluviatilis,** *e (fluvius)*, de fleuve, fluvial.

fluvius, *ii*, m. *(fluo)*, fleuve, rivière || eau courante, eau.

fluxi, pf. de *fluo*.

1. fluxus, *a, um (fluo)*, **1.** fluide, qui coule || qui laisse couler, qui fuit [vase] || **2.** [fig.] lâche, pendant, traînant || peu solide, chancelant || frêle, faible, périssable, éphémère || dissolu, mou, sans consistance.

2. fluxus, *us*, m., écoulement [d'un liquide].

focilo, *are, avi, atum (focus)*, tr., ranimer, faire revenir à soi || [fig.] réconforter.

foculus, *i*, m. *(focus)*, petit foyer.

focus, *i*, m., foyer || bûcher || [fig.] maison, feu, foyer.

fodico, *are, atum (fodio)*, tr., piquer, percer || heurter souvent du coude || [fig.] tourmenter, chagriner, faire souffrir.

fodio, *ere, fodi, fossum*, tr., **1.** creuser,

fouir || 2. extraire en creusant || 3. faire en creusant, creuser: *puteos, scrobes*, creuser des puits, des trous || 4. piquer, percer: *aliquem stimulis*, piquer qqn d'un aiguillon || piquer de l'éperon.

fœdatus, *a, um*, part. de *fœdo*.

fœde *(fœdus 1)*, d'une manière affreuse, horrible, odieuse.

fœderatus, *a, um (fœdus 2)*, allié, confédéré.

fœdifragus, *a, um (fœdus 2, frango)*, violateur de traités.

fœditas, *atis*, f. *(fœdus 1)*, aspect horrible, hideux, repoussant || laideur.

fœdo, *are, avi, atum (fœdus 1)*, tr., rendre repoussant, horrible, défigurer, mutiler || souiller, gâter, enlaidir || *fœdati agri*, territoire dévasté || [fig.] déshonorer, souiller, flétrir, avilir.

1. **fœdus,** *a, um*, laid, hideux, sale, repoussant, funeste || [fig.] honteux, ignominieux, indigne, criminel || *fœdum (-ius, -issimum est)* ***a)*** [avec inf.] il est honteux (plus honteux, honteux au plus haut point) de; ***b)*** [avec prop. inf.] il est honteux que.

2. **fœdus,** *eris*, n., traité [d'alliance], pacte, convention, alliance: *facere, ferire, jungere, icere*, conclure un arrangement, traiter, contracter une alliance, faire alliance.

fœteo, *ere*, intr., avoir une odeur fétide, sentir mauvais.

fœtidus, *a, um (fœteo)*, fétide, qui sent mauvais.

fœtor, *oris*, m. *(fœteo)*, mauvaise odeur, puanteur, infection.

foliaceus, *o, um (folium)*, qui a la forme d'une feuille.

foliatum, *i*, n., parfum, nard.

foliatus, *a, um*, garni de feuilles.

folium, *ii*, n., feuille, [qqf.] feuillage || feuille [de palmier où la Sibylle écrivait ses oracles].

folliculus, *i*, m., petit sac (de cuir) || balle, ballon [jeu] || enveloppe (du grain, des légumes, des fruits), balle, gousse, péricarpe, etc.

follis, *is*, m., soufflet [pour le feu].

fomenta, *orum*, n. *(foveo)*, topique, calmant, lénitif, fomentation || pansements || baume, soulagement.

fomentum, *i*, n., c. *fomenta*.

fomes, *itis*, m. *(foveo)*, toute espèce d'aliment de la flamme, brindilles, copeaux || [fig.] aliment, stimulant.

fons, *tis*, m. *(fundo)*, source, fontaine || [poét.] eau || [fig.] source, origine, cause, principe.

Fonteius, *i*, m., nom d'une famille romaine, not. M. Fontéius [gouverneur de la Gaule Transpadane, défendu par Cicéron].

fonticulus, *i*, m., dimin. de *fons*, petite source, ruisseau.

for (inus.), *fari, fatus sum*, tr., 1. parler, dire: *talia fatur*, il prononce ces paroles || *fando = fama*: *fando accipere*, apprendre par ouï-dire || 2. [poét.] célébrer, chanter || prédire.

forabilis, *e (foro)*, qui peut être percé.

foramen, *inis*, n. *(foro)*, trou, ouverture.

foras, adv., dehors [avec mouv.].

foratus, *a, um*, part. de *foro*.

forceps, *ipis*, m. f., tenailles, pinces [de forgeron] || pinces, davier.

fore, inf. fut. de *sum*.

forensis, *e (forum)*, 1. de la place publique, du forum, judiciaire: *domesticus, forensis labor*, le travail chez soi (du cabinet), le travail du forum [= la plaidoirie] || 2. qui se rapporte à la place publique, c.-à-d. au-dehors, à l'extérieur: *vestitus forensis*, costume de ville.

1. **foris,** *is*, f., porte [surt. au pl. **fores**].

2. **foris,** adv., dehors [question *ubi*]; [question *unde*] du dehors || *foris clarus*, illustre à l'étranger.

forma, *æ*, f., 1. [en gén.] forme, ensemble des traits extérieurs qui caractérisent un objet, conformation, type || 2. [en part.] ***a)*** belle forme, beauté; ***b)*** plan, dessin d'une maison; ***c)*** empreinte de monnaie, coin, type || 3. forme, figure, image: *geometricæ formæ*, figures géométriques; *Jovis formam facere*, faire la statue de Jupiter || 4. [fig.] forme, type: *rerum publicarum*, constitution politique || 5. [en part.] type idéal.

formalis, *e (forma)*, qui sert de type.

formatus, *a, um*, part. de *formo*.

Formiæ, *arum*, f., Formies [ville des Volsques, près de la côte, auj. Mola di Gaëta] || **-ianus,** *a, um*, de Formies || **-mianum,** *i*, n., villa de Formies [appartenant à Cicéron] || **-ni,** *orum*, m., habitants de Formies.

formica, *æ*, f., fourmi.

formidabilis, *e (formido 1)*, redoutable, formidable.

1. **formido,** *are, avi, atum (formido 2)*, tr., redouter, craindre.

2. **formido,** *inis*, f., crainte, peur, effroi, terreur: *formidinem alicui injicere, inferre*, inspirer de l'effroi à qqn || ce qui inspire de l'effroi, épouvantail

[corde garnie de plumes de couleur tendue devant les animaux pour les rabattre aux filets].

formidolose **(-dulose),** d'une manière effrayante.

formidolosus (-dulosus), *a, um,* **1.** peureux, craintif || **2.** effrayant, terrible, affreux.

formo, *are, avi, atum (forma),* tr., **1.** donner une forme, former, conformer || **2.** arranger, organiser, régler || former, modeler, dresser, instruire || **3.** faire en façonnant, former, confectionner || créer, produire.

formositas, *atis,* f. *(formosus),* belles formes, beauté.

formosus, *a, um (forma),* beau, bien fait, de belles formes, élégant.

formula, *æ,* f. (dimin. de *forma*), **1.** cadre, règle, formule || **2.** formulaire de prescriptions relatives à une chose, formule de contrat, règlement.

fornax, *acis,* f., four, fourneau; four [à chaux, à poterie, etc.] || fournaise de l'Etna.

fornicatus, *a, um (fornix),* voûté, cintré: *via fornicata,* passage voûté [près du Champ de Mars].

fornix, *icis,* m., cintre, arc, arche || aqueduc || porte cintrée, voûtée || passage couvert || arc de triomphe.

foro, *are, avi, atum,* tr., percer, trouer, forer, perforer.

fors, abl. *forte,* f., usité seul. au nomin. et abl. sing., sort, hasard, fortune: *fors fuit, ut,* le hasard voulut que; *forte fortuna,* par un heureux hasard.

forsan, adv., peut-être, par chance, par aventure.

forsitan, adv. *(fors sit an),* peut-être [avec subj.].

fortasse, adv., peut-être bien, il se pourrait.

fortassis, adv., peut-être.

forte, adv. *(fors),* par hasard, d'aventure: [expr.] *si forte, nisi forte,* si par hasard, à moins que par hasard, à moins peut-être que.

forticulus, *a, um (fortis),* assez courageux.

fortis, *e,* **1.** [au physique] fort, solide, vigoureux || **2.** [au moral] fort, robuste, courageux, énergique: *fortes fortuna adjuvat,* la fortune seconde le courage.

fortiter *(fortis),* fortement, avec force || [fig.] hardiment, énergiquement, vaillamment, courageusement.

fortitudo, *inis,* f. *(fortis),* courage, bravoure, vaillance, intrépidité, énergie.

fortuito *(fortuitus),* adv., par hasard, fortuitement.

fortuitus, *a, um (fors),* fortuit, qui se produit par hasard, accidentel.

1. fortuna, *æ,* f., **1.** fortune, sort, hasard: *secunda* ou *prospera,* bonheur; *adversa,* malheur || [au pl.] les hasards de la fortune, circonstances heureuses ou malheureuses, situation, sort || **2.** [sans qualif.] heureuse fortune, bonheur, chance || succès || **3.** sort, lot, condition, situation, destinée || **4.** [plur.] les biens, fortune.

2. Fortuna, *æ,* f., la Fortune [déesse].

fortunate *(fortunatus),* adv., d'une manière heureuse.

fortunatus, *a, um,* part. de *fortuno* || adj., heureux, fortuné || riche, opulent.

fortuno, *are, avi, atum (fortuna),* tr., faire réussir, faire prospérer *(alicui aliquid).*

forum, *i,* n., **1.** place du marché, place publique, marché: *forum Romanum* ou *magnum* ou *vetus* ou simpl. *forum,* le forum [centre de la vie publique de Rome républicaine] || *forum bovarium* ou *boarium, olitorium, piscatorium,* marché aux bœufs, aux légumes, aux poissons || **2.** le forum symbolise: ***a)*** la vie publique, la vie courante; ***b)*** les affaires, surtout financières; ***c)*** la vie politique, et surtout les tribunaux, l'éloquence politique et judiciaire: *forum attingere,* aborder le forum (affaires publiques) || **3.** [dans les provinces] centre d'un marché, d'un tribunal, centre d'assises du gouverneur: *provinciæ fora,* les centres d'assises de la province; [d'où] *forum agere,* tenir les assises, rendre la justice.

forus, *i,* m., **1.** tillac, pont d'un vaisseau; [surtout au pl.] *fori* || **2.** pl., *fori,* rangs de sièges au cirque || cellules des abeilles.

fossa, *æ,* f. *(fodio),* excavation, creux, trou, fossé, fosse; *fossam ducere, fodere,* creuser un fossé || canal.

fossilis, *e,* qu'on tire de la terre.

fossio, *onis,* f. *(fodio),* action de creuser, forage || action de piocher, labour.

fossor, *oris,* m. *(fodio),* bêcheur, piocheur.

fossus, *a, um,* part. de *fodio.*

fotus, *a, um,* part. de *foveo.*

fovea, *æ,* f., excavation, trou, fosse || fosse [pour prendre des animaux], trappe.

foveo, *ere, fovi, fotum* (cf. *faveo, favilla*), tr., **1.** échauffer, réchauffer, tenir au chaud: *pennis pullos,* tenir les

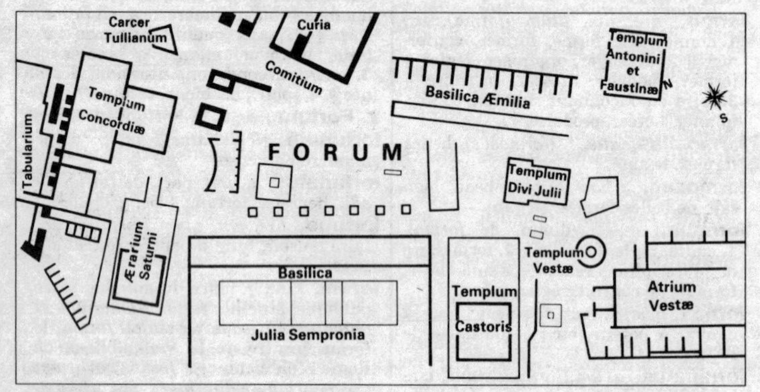

FORUM ROMANUM (Plan)

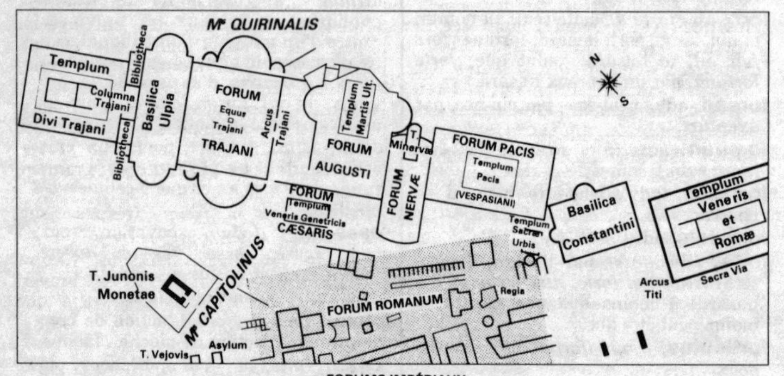

FORUMS IMPÉRIAUX

petits au chaud sous ses ailes || [médec.] faire une fomentation, baigner, bassiner || [d'où poét.] soigner || **2.** [poét.] réchauffer = se tenir blotti sur (dans) = ne pas quitter : *castra fovere*, rester blotti dans le camp || **3.** [fig.] entretenir qqch. dans son esprit : *spem*, entretenir une espérance || choyer, dorloter, caresser : *aliquem*, entourer qqn de prévenances || encourager, soutenir, favoriser.

fractus, *a, um*, part. de *frango* || adj., brisé, morcelé || [fig.] épuisé, affaibli, abattu.

fraga, *orum*, n., fraises [fruit].

fragilis, *e (frango)*, fragile, frêle, cassant || [fig.] de faible durée, faible, périssable.

fragilitas, *atis*, f. *(fragilis)*, faiblesse, fragilité ; courte durée.

fragmen, *inis*, n. *(frango)*, éclat, fragment, débris.

fragmentum, *i*, n. *(frango)*, éclat, fragment, débris.

fragor, *oris*, m., fracture ; fractionnement || bruit, craquement [d'une chose qui se rompt] || bruit éclatant, fracas.

fragosus, *a, um (fragor)*, âpre, rude, escarpé || [fig.] rude, rocailleux || bruyant, retentissant.

fragrans, *tis*, part.-adj. de *fragro*, odorant, parfumé.

fragro, *are*, intr., exhaler une odeur suave, sentir bon.

framea, *æ*, f., framée, lance des Germains.

frango, *ere, fregi, fractum*, tr., **1.** briser, rompre, fracasser, mettre en pièces || **2.** [métaph.] affaiblir, atténuer || **3.** [fig.] briser, anéantir : *fœdus*, rompre un traité || réduire, dompter : *nationes*, réduire des nations || abattre, décourager || adoucir, fléchir.

frater, *tris*, m., frère || *frater patruelis* ou *frater* seul, cousin.

fraterne, en frère, fraternellement.

fraternitas, *atis*, f. *(fraternus)*, fraternité || [fig.] confraternité [entre peuples].

fraternus, *a, um (frater)*, fraternel, de frère.

fratricida, *æ*, m., f. *(frater, cædo)*, fratricide, qui a tué son frère.

fraudatio, *onis*, f. *(fraudo)*, action de tromper, mauvaise foi.

fraudator, *oris*, m., celui qui trompe, fripon.

fraudatus, *a, um*, part. de *fraudo*.

fraudo, *are, avi, atum (fraus)*, tr., **1.** [absol.] faire tort par fraude, être coupable de fraude || **2.** *aliquem*, user de fraude à l'égard de qqn, faire tort par fraude à qqn || **3.** détourner par fraude || **fraudata,** pl. n., sommes soustraites.

fraudulentus, *a, um (fraus)*, fourbe, trompeur || frauduleux.

fraus, *fraudis*, f., **1.** mauvaise foi, tromperie, fraude, fourberie, perfidie : *sine fraude*, loyalement || **2.** illusion qu'on se fait à soi-même, erreur où l'on tombe, déception, méprise || **3.** dommage, détriment : *id mihi fraudem tulit*, m'a porté préjudice ; *res fraudi est alicui*, une chose cause du dommage à qqn, lui porte préjudice || **4.** action délictueuse, crime : *fraudem capitalem admittere*, commettre un crime capital ; *suscepta fraus*, un crime commis.

fraxineus, *a, um (fraxinus)*, de frêne.

fraxinus, *i*, f., frêne [arbre] || javelot.

fregi, pf. de *frango*.

fremebundus, *a, um*, frémissant.

fremens, *tis*, part. prés. de *fremo*.

fremitus, *us*, m. *(fremo)*, bruit [en gén.] : grondement [des flots] ; *equorum*, le hennissement des chevaux ; *apum*, le bourdonnement des abeilles || fracas, cliquetis [des armes] || clameurs confuses, bruits de réunions publiques.

fremo, *ere, fremui, fremitum*, intr. et tr.,

I. intr., **1.** faire entendre un bruit sourd, un grondement, un frémissement, un murmure, etc., [employé en parl. des animaux (chien, lion, cheval, loup, etc.)] ; [des hommes] ; [des vents] || **2.** retentir.

II. tr., **1.** faire entendre par un frémissement, dire en frémissant || demander en frémissant || **2.** [avec idée de protestation, de colère] : s'indigner, grommeler.

fremor, *oris*, m. *(fremo)*, frémissement.

frenatus, *a, um*, part. de *freno*.

frendo, *ere, fresum (fressum)*, **1.** intr., grincer des dents || **2.** tr., ***a)*** broyer, écraser ; ***b)*** déplorer avec rage que [avec prop. inf.].

freni, *orum*, m., v. *frenum*.

freno, *are, avi, atum (frenum)*, tr., mettre un frein, un mors, brider || [fig.] contenir, modérer, retenir, mettre un frein à.

frenum, *i*, n., pl. **-na,** *orum*, n., et **-ni,** *orum*, m., frein, mors.

frequens, *entis*,

I. [idée de lieu], **1.** qui est rassemblé en foule, nombreux : *senatus frequentior*, sénat plus nombreux ; *frequentissimo* *senatu*, le sénat étant très nombreux || **2.** où il y a un grand nombre, peuplé, fréquenté, comble, populeux || [avec abl.] [avec gén.] peuplé de, garni de. **II.** [idée de temps], **1.** qui se trouve fréquemment qq. part, assidu: *erat Romæ frequens*, il était souvent à Rome; *frequens auditor*, auditeur assidu || **2.** répété, fréquent, multiplié, ordinaire, commun.

frequentatio, *onis*, f. *(frequento)*, abondance, emploi fréquent.

frequentatus, *a, um*, part. de *frequento* || adj., peuplé, riche en, plein de [avec abl.].

frequenter, **1.** fréquemment, souvent || **2.** en grand nombre.

frequentia, *æ*, f. *(frequens)*, concours, affluence, foule || grand nombre, abondance, fréquence.

frequento, *are, avi, atum (frequens)*, tr., **1.** fréquenter, être assidu qq. part: *alicujus domum*, fréquenter la maison de qqn || **2.** peupler [des villes, les déserts de l'Italie] || **3.** rassembler en foule: *populum*, réunir le peuple en masse || **4.** [en part.] célébrer en foule une fête || [en parl. d'une seule pers.] honorer de sa présence: *nuptias frequentavi*, j'ai assisté à un mariage.

fretensis, *e (fretum)*, de détroit: *fretense mare*, détroit de Sicile.

fretum, *i*, n., détroit, bras de mer || le détroit de Sicile || [poét.] la mer, les flots.

1. fretus, *a, um*, confiant dans, comptant sur, fort de: *voce*, confiant dans sa voix || [avec dat.] || [avec prop. inf.] persuadé que.

2. fretus, *us*, m., c. *fretum*, détroit.

friatus, *a, um*, part. de *frio*.

fricatus, *a, um*, part. de frico.

frico, *are, cui, catum* et *ctum*, tr., frotter.

frictus, *a, um*, part. de *frico* et de *frigo*.

fricui, pf. de *frico*.

frigeo, *ere*, intr., avoir froid, être froid (glacé) || [fig.] être engourdi, sans vie.

frigesco, *ere, frixi (frigeo)*, intr., se refroidir || [fig.] devenir languissant.

frigida, *æ*, f. *(frigidus)*, eau froide.

frigidarius, *a, um*, qui sert à rafraîchir.

frigide *(frigidus)*, froidement || [fig.] lentement, languissamment.

frigidum, *i*, n. *(frigidus)*, température froide, le froid.

frigidus, *a, um (frigeo)*, **1.** froid || glacé par le froid de la mort || **2.** [fig.] froid, glacé, languissant || qui glace d'effroi || qui laisse indifférent, sans effet, fade, froid.

frigo, *ere, xi, ctum* ou *xum*, tr., faire griller, rôtir, frire.

frigorificus, *a, um (frigus, facio)*, frigorifique.

frigus, *oris*, n., **1.** froid, froidure || [poét.] l'hiver || le frisson de la fièvre, frisson || le froid de la mort || frisson de terreur, terreur || **2.** [fig.] refroidissement, froideur dans les relations, indifférence || torpeur, inaction.

fringilla, *æ*, f. et **fringillus,** *i*, m., pinson.

frio, *are, avi, atum*, tr., concasser, broyer.

fritinnio, *ire*, intr., gazouiller.

frivolus, *a, um*, **1.** [en parl. de choses] de peu de prix, frivole, futile, léger; pl. n. *frivola*, des riens || **2.** [en parl. des pers.] évaporé, étourdi.

frixi, pf. de *frigo* et de *frigesco*.

frixus, *a, um*, part. de *frigo*.

frondatio, *onis*, f. *(frons 1)*, taille.

frondator, *oris*, m. *(frons 1)*, celui qui taille, émondeur.

frondeo, *ere (frons 1)*, intr., avoir des feuilles, être couvert de feuilles; *frondens, tis*, couvert de feuilles.

frondesco, *ere, dui (frondeo)*, intr., se couvrir de feuilles.

frondeus, *a, um (frons 1)*, de feuillage || recouvert de feuillage.

frondifer, *era, erum (frons 1, fero)*, feuillu, touffu, couvert de feuillage.

frondosus, *a, um (frons 1)*, c. *frondifer*.

1. frons, *frondis*, f. **1.** feuillage, feuilles, frondaison || **2.** couronne de feuillage.

2. frons, *frontis*, f., **1.** front: *frontem contrahere*, rider le front; *adducere, trahere*, plisser le front, se renfrogner || **2.** le front = air, traits, physionomie, mine: *tranquilla et serena*, un front (un air) calme et serein || **3.** [fig.] partie antérieure, front, face, façade, *a fronte*, de front || *in fronte*, en largeur || *in fronte* et *in frontem*, sur le devant, en avant.

frontalia, *ium*, n. *(frons 2)*, fronteau, têtière [pour les chevaux et les éléphants].

1. fronto, *onis*, m. *(frons 2)*, celui qui a le front grand.

2. Fronto, *onis*, m., M. Cornélius Fronton [rhéteur latin, précepteur de Marc-Aurèle].

fructuosus, *a, um (fructus)*, qui rapporte, fécond, fertile || *fructuosum est* avec inf., il est avantageux de.

1. fructus, *a, um*, part. de *fruor*.

2. fructus, *us*, m.,
I. [action verbale] *(fruor)*, **1.** droit de percevoir et utiliser les fruits d'une chose dont la propriété reste à un autre, servitude d'usufruit (cf. *usus fructus*) || **2.** [fig.] jouissance, usage.
II. [sens concret], **1.** ce dont on jouit, produit, rapport, revenu, fruit || *fructui esse alicui*, être de rapport pour qqn || **2.** [fig.] fruit, récompense, avantage, résultat, effet: *fructus* ou *fructum ex aliqua re ferre, capere, consequi, percipere*, recueillir de qqch. des avantages, des bénéfices, une récompense.

frugalior, *us*, génit. *oris*, compar. de l'inusité *frugalis*, **1.** qui rapporte davantage || **2.** plus sage, plus rangé, plus frugal; *-lissimus*.

frugalitas, *atis*, f. *(frugi)*, modération, sagesse, frugalité, sobriété.

frugaliter *(frugi)*, avec modération, sagesse, économie, frugalement.

fruges, *um*, f., v. *frux*.

1. frugi *(frux)*, [employé comme adj. indécl. et au fig.] qui est moralement de bon rapport (de bon revenu), rangé, sage, tempérant, sobre, frugal, honnête.

2. Frugi, l'Honnête homme [surnom de plusieurs Romains, p. ex. de L. Pison].

frugifer, *era, erum (frux, fero)*, qui produit des fruits, fertile, fécond || [fig.] fructueux, utile.

1. frumentarius, *a, um (frumentum)*, **1.** qui concerne le blé: *res frumentaria*, approvisionnement en blé || **2.** riche en blé.

2. frumentarius, *ii*, m., marchand de blé || pourvoyeur de vivres, munitionnaire.

frumentatio, *onis*, f. *(frumentor)*, **1.** action de s'approvisionner en blé, approvisionnement de blé || **2.** distribution de blé au peuple.

frumentator, *oris*, m. *(frumentor)*, marchand de blé || soldat qui va au blé, fourrageur.

frumentor, *ari, atus sum (frumentum)*, intr., aller à la provision de blé.

frumentum, *i*, n. *(fruor)*, [sing.] blé en grains, grains; [pl.] *frumenta*, espèces de blé || blé sur pied.

fruor, *frui, fruitus* et *fructus sum*, intr. et tr., **1.** intr., faire usage de, jouir de [avec abl.] || **2.** tr., [employé avec un acc.] || [adj. verbal] *fruenda sapientia est*, il faut jouir de la sagesse.

frustra *(fraus)*, adv., en vain, vainement, inutilement || sans but, sans raison || [employé comme attribut] vain.

frustratio, *onis*, f. *(frustro)*, action de mettre dans l'erreur, de tromper, duperie || action d'éluder, subterfuge.

frustratus, *a, um*, part. de *frustro* et *frustror*.

frustro, *are, avi, atum (frustra)*, tr., arch. à l'actif || [passif sens réfléchi] se tromper, manquer son but.

frustror, *ari, atus sum*, tr., tromper, abuser, décevoir: *aliquem*, tromper qqn; *exspectationem*, tromper l'attente || rendre illusoire, inutile.

frustum, *i*, n., morceau [d'un aliment], bouchée || [fig.] fragment, morceau.

frutex, *icis*, m., rejeton; arbrisseau || branchage.

frutico, *are, avi, atum* et **fruticor,** *ari (frutex)*, intr., pousser des rejetons.

fruticosus, *a, um (frutex)*, plein de rejetons || plein de buissons.

frux, *frugis, gem, ge*, f., mais ordin. pl., **fruges,** *um*, f., productions, biens de la terre || grains, céréales, moissons.

fucatus, *a, um*, part. de *fuco* || adj., teint, artificiel || [fig.] fardé, faux, simulé.

Fucinus lacus et absol. **Fucinus,** *i*, m., le lac Fucin [en Italie, chez les Marses].

fuco, *are, avi, atum (fucus)*, tr., teindre || farder.

fucosus, *a, um (fucus)*, fardé, paré.

1. fucus, *i*, m., **1.** fucus [plante marine donnant une teinture rouge], orseille; toute teinture rouge || **2.** [fig.] fard, déguisement, apprêt trompeur.

2. fucus, *i*, m., frelon.

fudi, pf. de *fundo*.

fuga, *æ*, f., **1.** fuite, action de fuir: *in fugam sese dare, se conferre, se conjicere, fugam capere, petere,* prendre la fuite; *fugæ sese mandare*, chercher son salut dans la fuite; *aliquem in fugam dare, conjicere, convertere, impellere*, mettre qqn en fuite || *fugam facere = fugere,* fuir, ou = *fugare*, mettre en fuite || **2.** fuite de qqch., action d'éviter || **3.** exil, bannissement; [poét.] lieu d'exil || **4.** course rapide.

fugax, *acis (fugio)*, **1.** disposé à fuir, fuyard || **2.** qui fuit, qui court, rapide || [fig.] passager, éphémère || qui cherche à éviter, qui fuit.

fugiens, *tis*, part. prés. de *fugio* || pris adj. : [avec gén.] qui fuit.

fugio, *ere, fugi, fugiturus*,

I. intr, **1.** fuir, s'enfuir : *ex prœlio, a Troja*, s'enfuir du combat, des environs de Troie : *de civitate, ex patria*, s'exiler || [fig.] se détourner de, s'éloigner de [avec *ab* ; avec *ex*] || **2.** [poét.] fuir, aller vite, passer rapidement || passer, s'évanouir : *fugit irreparabile tempus*, le temps fuit sans retour || passer [en parl. des fruits et du vin].

II. tr., **1.** fuir, chercher à éviter, se dérober à || [avec inf.] éviter de || **2.** [poét.] fuir qqn, fuir devant qqn || quitter pour l'exil : *patriam*, fuir sa patrie || échapper à, se soustraire à, éviter || **3.** [fig.] échapper à = n'être point perçu, aperçu, compris, connu || [nom de pers. compl. direct] : *res me, te, fugit*, cette chose m'échappe, t'échappe... = je ne sais pas cela, je ne remarque pas cela, je ne pense pas à cela, etc. || [*me, te... fugit* avec inf.] oublier de : *fugit me ad te scribere*, j'ai oublié de t'écrire ; [avec prop. inf.] oublier que.

fugitans, *tis*, part. prés. de *fugito* || pris adj. [avec gén.] qui fuit.

fugitivus, *a, um (fugio)*, fugitif, qui s'enfuit || subst. m., esclave fugitif || [soldat] transfuge, déserteur.

fugito, *are, avi, atum (fugio)*, **1.** intr., s'empresser de prendre la fuite || **2.** tr., fuir, éviter || [avec inf.] éviter de.

fugo, *are, avi, atum (fuga)*, tr., mettre en fuite || exiler.

fulcio, *ire, fulsi, fultum*, tr., étayer, soutenir.

fulgens, *tis*, part.-adj. de *fulgeo*, étincelant, brillant, éclatant.

fulgeo, *ere, fulsi*, intr., **1.** éclairer, faire des éclairs, lancer des éclairs || **2.** luire, éclairer, briller || [fig.] briller, être illustre || briller, se manifester avec éclat.

fulgor, *oris*, m. *(fulgeo)*, **1.** éclair || **2.** lueur, éclat.

fulgur, *uris*, n. *(fulgeo)*, éclair || foudre || [fig.] lueur, éclat.

fulgurat, impers., v. *fulguro*.

fulguratio, *onis*, f. *(fulguro)*, fulguration.

fulgurator, *oris*, m. *(fulguro)*, **1.** qui lance des éclairs || **2.** interprète des éclairs, de la foudre.

fulguro, *are, avi, atum*, intr., et **fulgurat** impers. *(fulgur)*, éclairer, faire des éclairs || [fig.] lancer des éclairs [en parl. d'un orateur] || [poét.] briller, étinceler, resplendir.

fulica, *æ*, f., **fulix,** *icis*, f., foulque [oiseau de mer].

fuligo, *inis*, f., suie || fumée épaisse || [fig.] obscurité.

fulix, *icis*, f., v. *fulica*.

fullo, *onis*, m., foulon, qui presse les étoffes, dégraisseur.

fulmen, *inis*, n. *(fulgeo)*, foudre, tonnerre : *emittere, jacere*, lancer la foudre ; *fulmine ictus, percussus*, frappé de la foudre, foudroyé || [fig.] foudre, malheur foudroyant, catastrophe || violence, foudre, impétuosité [en parl. du style] || [en parl. de pers.] *fulmina belli*, foudres de guerre.

fulminatio, *onis*, f., lancement de la foudre.

fulminatus, *a, um*, part. de *fulmino*.

fulmineus, *a, um (fulmen)*, de la foudre || étincelant, brillant || [fig.] impétueux, foudroyant, meurtrier.

fulmino, *are, avi, atum (fulmen)*, **1.** intr., lancer la foudre, et **fulminat,** impers., la foudre tombe : *cum fulminat*, quand la foudre tombe || **2.** tr., foudroyer.

fulsi, pf. de *fulcio* et de *fulgeo*.

fultura, *æ*, f., *(fulcio)*, soutien, étai.

fultus, *a, um*, part. de *fulcio*.

Fulvia, *æ*, f., femme du tribun Clodius, puis du triumvir Marc Antoine.

fulvus, *a, um*, jaunâtre, fauve, d'or.

fumeus, *a, um (fumus)*, **1.** de fumée, enfumé || **2.** qui répand de la fumée.

fumidus, *a, um (fumus)*, **1.** qui fume || **2.** couleur de fumée || qui sent la fumée.

fumifer, *ra, erum (fumus, fero)*, qui répand de la fumée.

fumificus, *a, um*, qui fait de la fumée, qui émet de la vapeur.

fumigatus, *a, um*, part. de *fumigo*.

fumigo, *are, avi, atum (fumus, ago)*, **1.** tr., enfumer, fumiger || **2.** intr., fumer, être fumant.

fumo, *are, avi, atum (fumus)*, intr., fumer, jeter de la fumée, de la vapeur.

fumosus, *a, um (fumus)*, enfumé, noirci par la fumée || fumé || qui sent la fumée.

fumus, *i*, m., fumée.

funale, *is*, n. *(funis)*, torche || lustre, candélabre.

funambulus, *i*, m. *(funis, ambulo)*, funambule, danseur de corde.

functio, *onis*, f. *(fungor)*, accomplissement, exécution.

functus, *a, um*, part. de *fungor*.

funda, *æ*, f., **1.** fronde || **2.** balle de plomb [lancée avec la fronde] || **3.** tramail, sorte de filet || **4.** chaton de bague.

fundamen, *inis,* n. *(fundo 1),* fondement.

fundamentum, *i,* n. *(fundo 1),* fondement, fondation, base, support: *fundamenta agere, jacere, locare,* jeter, poser les fondements || *fundamenta reipublicæ,* les assises de l'État.

fundatus, *a, um,* part. de *fundo 1* || pris adj., établi solidement, bien assis.

funditor, *oris,* m. *(funda),* frondeur.

funditus *(fundus),* adv., jusqu'au fond, de fond en comble || [fig.] radicalement, foncièrement.

1. fundo, *are, avi, atum (fundus),* tr., **1.** affermir, sur une base, fonder, bâtir || [poét.] assujettir || **2.** [fig.] asseoir solidement, fonder || établir solidement, constituer fortement.

2. fundo, *ere, fudi, fusum,* tr., **1.** verser, répandre: *lacrimas,* verser des larmes || [pass. au sens réfléchi] se répandre: *sanguis in corporibus fusus,* le sang qui se répand dans les corps || **2.** fondre des métaux, couler || **3.** répandre, disperser || **4.** étendre à terre, jeter à terre, renverser || **5.** bousculer, chasser d'un lieu || mettre en déroute, disperser: *hostium copias,* mettre en déroute les troupes ennemies || **6.** laisser se répandre, répandre, déployer, étendre: *luna se fundebat per fenestras,* la lune versait sa lumière par les fenêtres || **7.** répandre au-dehors, laisser échapper de sa bouche: *voces inanes,* émettre des mots vides || **8.** produire en abondance || **9.** [fig.] répandre, étendre, déployer.

fundus, *i,* m., le fond || fonds de terre, bien-fonds, domaine, bien, propriété.

funebris, *e (funus),* **1.** funèbre, de funérailles || **2.** funeste, mortel, pernicieux.

funeratus, *a, um,* part. de *funero,* objet de funérailles.

funereus, *a, um (funus),* funèbre, de funérailles, funéraire || funeste, pernicieux, sinistre.

funero, *are, avi, atum (funus),* tr., faire les funérailles de.

funesto, *are, avi, atum (funestus),* tr., souiller par un meurtre.

funestus, *a, um (funus),* **1.** funéraire, funèbre || malheureux, dans le deuil, désolé || **2.** sinistre, mortel, funeste, fatal.

fungor, *fungi, functus sum,* intr. et [arch.] tr., **1.** s'acquitter de, accomplir, remplir: ***a)*** intr., *aliquo rei publicæ munere,* remplir une fonction politique; *officio,* s'acquitter de son devoir; ***b)*** tr., *militare munus fungens,* remplissant ses devoirs militaires || [adj. verbal]: *muneris fungendi gratia,* pour remplir une mission || **2.** [avec acc.] supporter || **3.** consommer, achever: *fato, vita,* achever sa destinée (sa vie), mourir; *morte,* mourir || [avec acc.] *diem,* mourir.

fungosus, *a, um (fungus),* poreux, spongieux.

fungus, *i,* m., champignon || champignon [d'une mèche qui brûle mal].

funiculus, *i,* m. *(funis),* petite corde, ficelle, cordon.

funis, *is,* m., corde, câble.

funus, *eris,* n., **1.** funérailles, cérémonie funèbre: *facere, celebrare,* faire les funérailles, rendre les derniers devoirs; *funere efferri,* être porté à la dernière demeure, recevoir les honneurs funèbres || **2.** mort violente, meurtre || cadavre || **3.** [fig.] anéantissement, ruine, perte, mort.

fur, *furis,* m., voleur.

furacitas, *atis,* f. *(fur),* disposition au vol.

furaciter [inus.], à la façon des voleurs.

furans, *tis,* part. prés. de *furor.*

furatus, *a, um,* part. de *furor.*

furax, *acis (furor 1),* enclin au vol, voleur, rapace.

furca, *cæ,* f., **1.** fourche || **2.** bois fourchu, étançon || [instrument de supplice pour les esclaves et qqf. pour les criminels].

Furcæ Caudinæ, v. *furcula.*

furcifer, *eri,* m. *(furca, fero),* pendard, coquin.

furcilla, *æ,* f. *(furca),* petite fourche.

furcula, *æ,* f., dimin. de *furca,* petite fourche; étançon || *Furculæ Caudinæ,* les Fourches Caudines [deux défilés près de Caudium où l'armée romaine fut enfermée par les Samnites].

furens, *tis,* part.-adj. de *furo,* qui est hors de soi, en délire, égaré.

furenter *(furens),* à la manière d'un dément.

furfur, *uris,* m., balle, cosse de grains.

furfureus, *a, um (furfur),* de son.

1. furia, *æ,* f. *(furo),* **1.** accès de folie, délire, égarement furieux || **2.** [sing. de *Furiæ,* pris comme nom commun au fig.] furie [en parl. d'une femme] || [en parl. d'un homme] forcené, peste, fléau.

2. Furia, *æ,* f., ***a)*** une Furie, v. *Furiæ;* ***b)*** v. *furia 1.*

Furiæ, *arum,* f., les Furies [Alecto,

Mégère, Tisiphone] || [symbole de la vengeance] furies.

furialis, *e (furia)*, de Furie, qui concerne les Furies || qui ressemble aux Furies || forcené, terrible, atroce.

furiatus, *a, um*, part. de *furio*.

furibundus, *a, um (furo)*, délirant, égaré || inspiré [par les dieux].

furio, *are, avi, atum (furia)*, tr., rendre égaré, mettre en délire.

furiose *(furiosus)*, comme un dément.

furiosus, *a, um (furia)*, en délire, égaré, dément.

Furius, *ii*, m., nom de famille romaine; not. M. Furius Camillus, Camille [le vainqueur de Véies].

furnus, *i*, m., four.

furo, *ere*, intr., **1.** être hors de soi, égaré: *furens Sibylla*, la Sibylle en délire || **2.** [en parl. de choses, poét.] se déchaîner, être en furie: *furit tempestas*, la tempête se déchaîne.

1. furor, *ari, atus sum (fur)*, tr. **1.** voler, dérober (*aliquid*, qqch.) || **2.** [fig.] dérober, soustraire || s'approprier indûment || **3.** user de ruses à la guerre, faire des coups furtivement.

2. furor, *oris*, m. *(furo)*, **1.** délire, égarement, frénésie: *ira furor brevis est*, la colère est une courte folie || **2.** délire prophétique, inspiration des poètes, enthousiasme créateur.

furtim *(fur)*, à la dérobée, en cachette, furtivement.

furtive *(furtivus)*, en cachette, furtivement.

furtivus, *a, um (furtum)*, **1.** dérobé, volé || **2.** [fig.] furtif, secret.

furtum, *i*, n. *(fur)*, larcin, vol || objet volé, vol || [fig.] ruse: *furto*, subrepticement, en cachette.

furunculus, *i*, m., dimin. de *fur*, petit larron.

furvus, *a, um (cf. fuscus)*, noir, sombre.

fuscina, *æ*, f., fourche [à trois dents], trident.

fusco, *are, avi, atum (fuscus)*, tr., brunir, noircir.

fuscus, *a, um*, noir, sombre || basané || [fig. en parl. de la voix] sourd, creux, caverneux, de basse.

fuse *(fusus)*, **1.** en s'étendant || **2.** en se répandant, abondamment.

fusilis, *e (fundo 2)*, fondu, argile amollie.

fusio, *onis*, f. *(fundo 2)*, action de répandre, diffusion || faculté de se répandre.

fustis, *is*, m., rondin, bâton || bâton [pour frapper].

fustuarium, *ii*, n., bastonnade.

1. fusus, *a, um*,

I. part. de *fundo 2*.

II. pris adjectivement **1.** qui s'étend, qui se déploie, diffus || **2.** déployé, libre, lâche, flottant || **3.** [rhét.] style qui se déploie largement.

2. fusus, *i*, m., fuseau: *fusum torquere, versare*, faire tourner le fuseau || [attribut des Parques] destinée.

futilis (futt-), *e*, **1.** qui laisse échapper, ce qu'il contient, qui ne retient pas, ne garde pas [vase qui fuit] || **2.** fragile || **3.** [fig.] vain, léger, frivole, futile, sans autorité; [subst.] *futtiles*, gens dépourvus de fond, de sérieux.

futilitas (futt-), *atis*, f. *(futilis)*, futilité.

futtilis, futtilitas, *v. futil-*.

futurus, *a, um*, **1.** part. fut. de *sum* || **2.** pris adj., futur, à venir: *res futuræ*, l'avenir; *futuri homines*, les hommes à venir || [n. pl. pris subst.] *futura*, l'avenir || [n. sing.]: *in futuro*, dans l'avenir.

G, g, f., n. [septième lettre de l'alphabet latin].

Gabii, *orum*, m., Gabies [ancienne ville du Latium].

Gabinus, *a, um*, de Gabies || *Gabini, orum*, m., les habitants de Gabies.

Gades, *ium*, f., Gadès [ville de la Bétique, auj. Cadix].

Gaditanus, *a, um*, de Gadès || **-ani,** *orum*, m., habitants de Gadès.

gæsa, *orum*, n., gèses, javelots de fer [en usage chez les peuples alpins et chez les Gaulois] || [sing. rare]: dard.

Gætulia, *æ*, f., Gétulie [contrée du nord-ouest de l'Afrique] || **-licus** ou **-lus,** *a, um*, Gétulie || **Gætuli,** *orum*, m., les Gétules.

Gaius, *Gai*, m., **Gaia,** *æ*, f., prénom romain; anc. orth. *Caius, Caia.*

Galæsus, *i*, m., fleuve près de Tarente, auj. *Galaso.*

Galatia, *æ*, f., la Galatie [province de l'Asie Mineure].

Galatæ, *arum*, m., les Galates.

Galba, *æ*, m., surnom des Sulpicius; not., **1.** Servius Sulpicius Galba [célèbre orateur sous la République] || **2.** l'empereur Galba.

galea, *æ*, f., casque.

galeatus, *a, um*, part. de *galeo.*

galeo, *are, avi, atum (galea)*, tr., coiffer d'un casque: *galeata Minerva*, Minerve casquée.

galerus, *i*, m., bonnet [de peau avec ses poils servant de casque] || casquette.

galla, *æ*, f., galle, noix de galle.

Gallæ, *arum*, f., Galles [prêtres de Cybèle].

1. Galli, *orum*, m., Galles [prêtres de Cybèle].

2. Galli, *orum*, m., Gaulois, habitants de la Gaule || sing. *Gallus*, un Gaulois; *Galla*, une Gauloise || **-icus,** *a, um*, de la Gaule, gaulois.

Gallia, *æ*, f., la Gaule: *Gallia Transalpina*, ou *ulterior*, la Gaule transalpine [ou Gaule proprement dite, opposée à la Gaule Citérieure ou Cisalpine]; *Galliæ duæ*, les deux Gaules, Transalpine et Cisalpine.

gallica, *æ*, f., galoche, chaussure des Gaulois.

Gallicanus, *a, um*, de la Gaule [province romaine], gaulois.

Gallice, à la manière des Gaulois, en langue gauloise.

gallicinium, *ii*, n. *(gallus, cano)*, chant du coq; [d'où] l'aube, le point du jour.

Gallicus, *a, um*, gaulois.

gallina, *æ*, f. *(gallus)*, poule || *gallina Africana*, pintade..

gallinaceus, *a, um (gallina)*, de poule: *gallinaceus gallus*, coq.

gallinarius, *a, um*, de poulailler, de poule || subst. m., celui qui a soin du poulailler.

Gallogræcia, *æ*, f., Gallogrèce ou Galatia || **-græci,** *orum*, m., Gallogrecs.

1. gallus, *i*, m., coq.

2. Gallus, *i*, m., Galle, v. *Galli 1.*

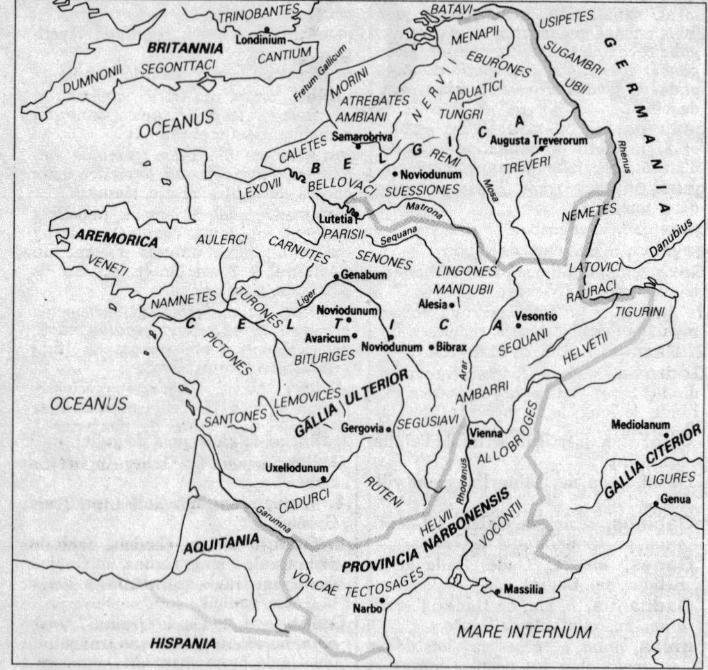

3. Gallus, *i*, m., Gaulois, v. *Galli 2.*

4. Gallus, *i*, m., surnom de qqes familles (*Cornelia, Sulpicia*, etc.); notamment Cornélius Gallus, ami de Virgile.

ganea, *æ*, f., taverne, bouge.

gangaba, *æ*, m. [mot persan], portefaix.

Ganges, *is*, m., le Gange [fleuve de l'Inde].

gannio, *ire*, intr., japper || glapir || gazouiller || [fig.] grogner, criailler.

gannitus, *us*, m. *(gannio)*, jappement || gazouillement || [fig.] grognement, criailleries.

Ganymedes, *is*, m., Ganymède [fils de Tros, roi de Troie, fut enlevé par l'aigle de Jupiter et remplaça Hébé comme échanson des dieux].

Gargara, *orum*, n., Gargare [un des sommets du mont Ida].

garrio, *ire, ivi* ou *ii, itum*, tr., **1.** absol.: gazouiller [en parl. des oiseaux] || jaser, babiller, parler pour ne rien dire || **2.** [avec un acc.] dire en bavardant, en babillant, en badinant.

garrulitas, *atis*, f. *(garrulus)*, caquetage [de la pie] || bavardage, caquet.

garrulus, *a, um (garrio)*, **1.** qui gazouille, babillard [en parl. d'un oiseau] || **2.** bavard.

garum, *i*, n., garum, sorte de saumure avec suc de poissons divers.

Garumna, *æ*, m., la Garonne [fleuve d'Aquitaine] || **-mni,** *orum*, m., habitants des bords de la Garonne.

garus, *i*, m., garus [un des poissons dont on faisait le garum].

gaudeo, *ere, gavisus sum*, intr., qqf. tr., **1.** se réjouir intérieurement, éprouver une joie intime: *gaudere decet, lætari non decet*, il est séant de se réjouir, il ne l'est pas de manifester sa joie || [avec *in* abl.] se réjouir à l'occasion d'une chose [ordin. avec abl.] || [avec prop. inf.] ou [avec *quod*] se réjouir de ce que || **2.** [poét., en parl. des choses] se plaire à, se complaire dans.

gaudium, *ii,* n. *(gaudeo),* contentement, satisfaction, aise, plaisir, joie [plus retenue que *lætitia,* v. *gaudeo 1*]: *gaudio compleri,* être comblé de joie; *gaudio efferri,* être transporté de joie; *aliquem gaudio afficere,* combler qqn de joie.

gausapa, *æ,* f., **-ape,** *is,* n., **-apa,** *orum,* n., étoffe de laine avec les poils d'un côté, serviette; gausape, manteau.

gausapatus, *a, um (gausapa),* vêtu d'une gausape.

gausape, v. *gausapa.*

gavisus, *a, um,* part. de *gaudeo.*

Gavius, *ii,* m., Gavius [citoyen romain mis en croix par Verrès].

1. gaza, *æ,* f. [mot persan], trésor royal [de Perse] || trésors, richesses.

2. Gaza, *æ,* f., ville de Palestine.

Gedrosia, *æ,* f., la Gédrosie [province de la Perse, entre la Carmanie et l'Inde, le long de la mer Érythrée] || **Gedrosi (-sii),** *orum,* m., les Gédrosiens.

Gedrusi, c. *Gedrosi.*

Gela, *æ,* f., ville de Sicile || **-lensis,** *e,* de Géla; *Gelenses,* habitants de Géla || [poét.] **-lous,** *a, um,* de Géla.

gelasco, *ere (gelo),* intr., se congeler, geler.

gelatio, *onis,* f. *(gelo),* gelée.

gelatus, *a, um,* part. de *gelo.*

gelicidium, *ii,* n. *(gelu, cado),* gelée blanche, verglas.

gelida, *æ,* f., v. *gelidus.*

gelide *(gelidus),* avec froideur [fig.] .

gelidus, *a, um (gelu),* gelé, glacé: *aqua gelida,* ou seul. *gelida,* eau glacée.

Gellius, *ii,* m., nom de famille romaine || Aulu-Gelle [grammairien du IIe siècle de notre ère, auteur des *Nuits attiques*].

1. gelo, *are, avi, atum (gelu),* **1.** tr., geler, congeler || **2.** intr., se geler.

2. Gelo, *onis,* m., Gélon [tyran de Syracuse].

Geloni, *orum,* m., Gélons [peuple scythe]; [sing.] *Gelonus.*

Gelous, *a, um,* v. *Gela.*

gelu, n. indécl. [employé surtout à l'abl.], gelée, glace, grand froid || [fig.] glaces de l'âge, de la mort.

gemellar, *aris,* n. (**-arium,** *ii,* n., **-aria,** *æ,* f.), *(gemellus),* récipient pour l'huile composé de deux vases accouplés.

gemellipara, *æ,* f. *(gemellus, pario),* mère de deux jumeaux [surnom de Latone, mère de Castor et Pollux].

gemellus, *a, um,* jumeau, jumelle || [fig.] double, formé de deux, formant le couple ou la paire.

geminatio, *onis,* f. *(gemino),* répétition de mots.

geminatus, *a, um,* part. de *gemino.*

gemini, *orum,* m., frères jumeaux, v. *geminus* || les Gémeaux [signe du zodiaque: Castor et Pollux].

gemino, *are, avi, atum (geminus),* tr., doubler, rendre double || mettre deux choses ensemble, joindre, réunir.

geminus, *a, um,* **1.** jumeau, jumelle || **2.** double, qui fait le couple (la paire) || qui réunit deux natures [comme un Centaure] || **3.** semblable, qui va de pair avec, bien assorti.

gemitus, *us,* m. *(gemo),* gémissement: *gemitum dare, tollere, gemitus edere,* pousser des gémissements || [fig.] gémissement, bruit sourd.

gemma, *æ,* f., **1.** pierre précieuse, gemme || [poét.] pierre formant un vase à boire, coupe ornée de pierreries || chaton de bague, cachet || perle || [fig.] beauté, ornement || **2.** bourgeon, œil [de la vigne].

gemmasco, *ere (gemma),* intr., bourgeonner.

gemmatus, *a, um (gemma),* orné de pierreries.

gemmeus, *a, um (gemma),* de pierre précieuse || qui a l'éclat des pierreries.

gemmifer, *era, erum (gemma, fero),* qui renferme des pierres précieuses.

gemmo, *are, avi, atum (gemma),* intr., **1.** être couvert de pierres précieuses || **2.** bourgeonner [en parl. de la vigne], gemmer.

gemo, *ere, ui, itum,* intr. et tr.,
I. intr., **1.** gémir, se plaindre || **2.** craquer, faire entendre un bruit semblable à un gémissement.
II. tr., déplorer: *suum malum,* gémir sur son malheur.

Gemoniæ, *arum,* f. (s.-ent. *scalæ*), les Gémonies [escaliers sur la pente du mont Capitolin, où l'on traînait et exposait les corps des suppliciés].

gemui, pf. de *gemo.*

Genabum, *i,* n., ville de la Gaule Lyonnaise [auj. Orléans] || **-ensis,** *e,* de Génabum; m. pl., les habitants de Génabum.

genæ, *arum,* f. pl. (rare au sing.), **1.** joues [proprem. la partie qui est sous les yeux] || **2.** paupières || **3.** yeux || orbite.

Genava, *æ,* f., Genève.

genealogus, *i,* m., auteur de généalogie.

gener, *eri*, m., **1.** gendre, mari de la fille || **2.** gendre futur || **3.** mari de la petite-fille || **4.** beau-frère.

generalis, *e (genus)*, **1.** qui appartient à une race || **2.** qui a trait à la nature d'une chose || **3.** général [opposé à particulier].

generaliter *(generalis)*, d'une manière générale.

generasco, *ere (genero)*, intr., se produire.

generatim *(genus)*, **1.** par races, par nations || par genres, par espèces || par catégories, par classes, en classant || **2.** en général, généralement.

generatio, *onis*, f. *(genero)*, génération, reproduction.

generator, *oris*, m. *(genero)*, celui qui produit.

generatus, *a, um*, part. de *genero*.

genero, *are, avi, atum (genus)*, tr., **1.** engendrer || *generatus Herculis stirpe*, issu de la souche d'Hercule || créer, engendrer : *hominem generavit Deus*, Dieu a créé l'homme || **2.** produire || produire [au sens littéraire], composer.

generose [inus.], noblement, dignement.

generositas, *atis*, f. *(generosus)*, bonté de la race [d'animaux] || bonne qualité || magnanimité.

generosus, *a, um (genus)*, **1.** de bonne extraction, de bonne race || de grande race || **2.** [fig.] noble, généreux, magnanime.

genetivus (genit-), *a, um (geno)*, de naissance, naturel : *genetivum nomen*, nom de famille || *genetivus casus*, et absol. *genetivus*, le génitif.

genetrix (genit-), *icis*, f. *(genitor)*, mère || [la mère par excellence, Cybèle] || [fig.] *genetrix frugum*, la mère des moissons, Cérès.

genialis, *e (genius)*, **1.** relatif à la naissance, d'hymen, nuptial || **2.** fécond || **3.** de fête, de plaisir, de réjouissance [v. *genius*] : *genialis dies*, jour de fête.

genialiter *(genialis)*, joyeusement.

geniculatus, *a, um (geniculum)*, noueux.

geniculum, *i*, n., dimin. de *genu*, petit genou || nœud dans une tige.

genista (genes-), *æ*, f., genêt [arbrisseau].

genitabilis, *e (geno)*, susceptible de produire, fécondant.

genitalis, *e (geno)*, relatif à la génération, qui engendre, fécond || de naissance, natal || **Genitalis,** f., surnom de Diane.

genitor, *oris*, m. *(geno)*, père || fondateur, créateur, auteur.

genitrix, v. *genetrix*.

genitura, *æ*, f. *(geno)*, génération || semence.

genitus, *a, um*, part. de *gigno*.

genius, *ii*, m. *(geno)*, génie [dieu particulier à chaque homme, qui veillait sur lui dès sa naissance, qui partageait toute sa destinée et disparaissait avec lui ; de même chaque lieu, chaque État, chaque chose avait son génie propre] || [d'où, génie synonyme de la personne même] : *indulgere genio*, faire bonne chère, se donner du bon temps.

geno, *ere, itum*, ancienne forme de *gigno*.

gens, *gentis*, f. *(geno)*, **1.** race, souche ; [en part. et surtout] famille [pouvant comprendre plusieurs branches] : *gens Cornelia*, la famille (la *gens*) Cornélia [comprenant les Scipion, les Lentulus, etc.] || [poét.] = descendant, rejeton || [en parl. des animaux] race, espèce || **2.** race de peuple, peuple || **3.** le peuple d'une cité || **4.** pays, canton, contrée [au gén. pl.] : *ubinam gentium sumus ?* en quel endroit de la terre sommes-nous ? *nusquam gentium*, nulle part || **5.** pl. *gentes* = les barbares [par opp. aux Romains].

gentiana, *æ*, f., gentiane [plante].

genticus, *a, um (gens)*, qui appartient à une nation, national.

gentilicius ou **-tius,** *a, um (gentilis)*, propre à une famille || national.

gentilis, *e (gens)*, **1.** qui appartient à une famille (à une *gens*) : *gentile nomen*, nom de famille || subst. m., parent, proche || **2.** qui est du même nom || **3.** qui appartient à la maison d'un maître [en parl. d'un esclave] || **4.** qui appartient à une nation : *gentilis utilitas*, l'intérêt national || subst. m., compatriote.

gentilitas, *atis*, f. *(gentilis)*, **1.** parenté constituée par une *gens*, parenté de famille, gentilité || **2.** famille, parents || **3.** communauté de nom, air de famille, analogie.

genu, *us*, n., genou : *genua advolvi, genibus advolvi, genibus se advolvere*, se jeter aux genoux de qqn.

Genua, *æ*, f., ville de Ligurie, auj. Gênes.

genualia, *ium*, n. *(genu)*, genouillères.

genui, pf. de *gigno*.

genuine *(genuinus)*, franchement.

1. genuinus, *a, um (geno),* de naissance, naturel, inné || [fig.] authentique, réel.

2. genuinus dens, m., et absol. **genuinus,** *i,* m. *(gena),* dent molaire.

genus, *eris,* n., **1.** origine, extraction, naissance: *patricium, plebeium genus,* origine patricienne, plébéienne; *genus ducere ab aliquo,* tirer son origine de qqn, descendre de qqn || **2.** race, espèce de peuple, nation: *genus Romanum,* la race romaine, le Romain || **3.** famille, maison: *nobili genere natus,* né de famille noble || [poét.] rejeton, descendant || **4.** race, espèce, genre: *genus humanum,* le genre humain || [en part.] ***a)*** espèce d'hommes ou d'animaux, genre, classe, catégorie; ***b)*** genre féminin, masculin || **5.** [noms abstraits] genre, sorte, espèce.

geographia, *æ,* f., description des lieux, géographie.

geometres, *æ,* m., géomètre.

geometria, *æ,* f., arpentage, géométrie.

geometricus, *a, um,* géométrique, d'arpentage || **-ca,** n. pl., la géométrie || **-cus,** *i,* m., géomètre.

georgicus, *a, um,* relatif à l'agriculture || **-ca,** n. pl., les *Géorgiques* [poème de Virgile sur l'agriculture].

geranion, *ii,* n., géranium.

Gergovia, *æ,* f., Gergovie [ville principale des Arvernes; César qui l'assiégea fut repoussé par Vercingétorix].

germana, *æ,* f. *(germanus),* sœur.

Germani, *orum,* m., les Germains || **-nia,** *æ,* f., la Germanie.

1. Germanicus, *a, um,* de Germanie, germanique.

2. Germanicus, *i,* m., **1.** Germanicus [surnom donné à Drusus Néron, neveu et fils adoptif de Tibère, à cause de ses victoires sur les Germains] || **2.** surnom donné à Domitien.

germanitas, *atis,* f. *(germanus),* fraternité, parenté entre frères et sœurs || communauté d'origine, parenté || affinité, ressemblance, analogie.

1. germanus, *a, um,* **1.** naturel, vrai, authentique || **2.** germain, de frère germain || subst. m., frère de mêmes père et mère.

2. Germanus, *a, um,* de Germanie.

germen, *inis,* n., **1.** germe, bourgeon, rejeton || [fig.] germe, principe || **2.** rejeton, progéniture, enfant || **3.** production.

germinatio, *onis,* f., et **-atus,** abl. *u,* m. *(germino),* germination, pousse.

germino, *are, avi, atum (germen),* **1.** intr., germer, pousser des bourgeons || **2.** tr., produire.

gero, *ere, gessi, gestum,* tr., **I.** porter, **1.** porter qqn part qqch.: *terram,* transporter de la terre || **2.** porter sur soi, avec soi || [d'où] produire || **3.** [fig.] porter, tenir, avoir, faire paraître: *personam,* tenir un rôle || *fortem animum,* montrer du courage; *odium in aliquem,* entretenir des sentiments de haine contre qqn || *ita se gerere ut* subj., se comporter (se conduire) de telle manière que.

II. porter une chose, s'en charger, d'où, **1.** faire, accomplir, exécuter: *hæc dum Romæ geruntur,* pendant que tout cela se passe à Rome || [t. milit.] *rem gerere,* exécuter une entreprise de guerre, combattre: *res geritur,* l'affaire (la bataille) est engagée; *male re gesta,* après un échec || [vie privée]: *rem* ou *negotium gerere,* mener, administrer une affaire, ses propres affaires || [vie politique]: *rem publicam,* exercer des fonctions publiques; *præturam,* exercer la préture || *bellum gerere,* = [ou] diriger, mener les opérations de guerre, [ou] faire la guerre, être en guerre || pl. *res gestæ alicujus,* les actions accomplies par qqn, les hauts faits, les exploits; pl. n. *gesta, orum,* exploits || **2.** *gerere morem alicui,* déférer aux désirs de qqn, complaire à qqn.

gerulus, *a, um (gero),* porteur (porteuse) de.

Geryon, *onis* (**-yones,** *æ*), m., Géryon [roi d'Ibérie que les poètes représentent avec trois corps].

gessi, pf. de *gero.*

gesta, *orum,* n., v. *gero* fin.

gestamen, *inis,* n. *(gesto),* **1.** objet porté [fardeau, vêtement, ornement, portée, fruit, etc.] || **2.** ce qui sert à porter, à transporter, moyen de transport.

gestatio, *onis,* f. *(gesto),* promenade en litière ou en voiture || allée [où l'on se promène en litière ou en voiture], promenade.

gestator, *oris,* m. *(gesto),* celui qui porte, porteur || promeneur en litière.

gestatorius, *a, um (gesto),* qui sert à porter: *gestatoria sella,* chaise à porteurs, litière.

1. gestatus, *a, um,* part. de *gesto.*

2. gestatus, *us,* m., action de porter, transport.

gesticularia, *æ,* f., pantomime [femme].

gesticularius, *ii*, m. *(gesticulor)*, pantomime.

gesticulatio, *onis*, f. *(gesticulor)*, gesticulation, gestes de pantomimes.

gesticulator, *oris*, m. *(gesticulor)*, gesticulateur, pantomime.

gesticulatus, *a, um*, part. de *gesticulor.*

gesticulor, *ari, atus sum (gestus)*, **1.** intr., gesticuler || exécuter la pantomime || **2.** tr., exprimer par des gestes.

1. gestio, *ire, ivi* ou *ii (gestus)*, intr., **1.** (faire des gestes) se demener sous l'empire de la joie, avoir des transports de joie, exulter || **2.** être transporté de désir, être impatient de: *gestio scire omnia*, je brûle de tout savoir.

2. gestio, *onis*, f. *(gero)*, action de gérer, gestion, exécution.

gestito, *are* (fréq. de *gesto*), tr., porter souvent ou beaucoup, avoir l'habitude de porter.

gesto, *are, avi, atum* (fréq. de *gero*), tr., **1.** porter çà et là: *lectica*, porter (promener) en litière || pass. *gestari*, être transporté [à cheval, en voiture, en litière], voyager, circuler || **2.** porter habituellement sur soi, avec soi || **3.** transporter || [fig.] colporter.

gestor, *oris*, m. *(gero)*, porteur, colporteur.

gestuosus, *a, um*, qui gesticule beaucoup.

1. gestus, *a, um*, part. de *gero.*

2. gestus, *us*, m., **1.** attitude du corps || mouvement du corps, geste || **2.** [en part.] gestes de l'orateur ou de l'acteur, mimique, jeu.

Geta, *æ*, m., Gète, habitant du pays des Gètes || **Getæ,** *arum*, m., les Gètes [peuple établi sur le Danube] || **Getes,** *æ*, adj., ou **-icus,** *a, um*, du pays des Gètes.

Getice, à la manière des Gètes.

Geticus, *a, um*, v. *Geta.*

Getul-, c. *Gætul-.*

gibba, *æ*, f. *(gibbus)*, bosse, gibbosité.

1. gibber, *era, erum (gibbus)*, bossu.

2. gibber, *eris*, m., bosse, gibbosité.

1. gibbus, *a, um*, convexe.

2. gibbus, *i*, m., bosse.

Gigantes, giganteus, v. *Gigas.*

Gigas, *antis*, m., un des Géants || pl., *Gigantes*, les Géants [êtres monstrueux, fils de la Terre, qui voulurent escalader l'Olympe pour détrôner Jupiter, mais furent foudroyés par lui] || **-teus,** *a, um*, des Géants.

gignentia, *ium*, n. pl. du part. de *gigno*, pris subst., végétaux, plantes.

gigno, *ere, genui, genitum (geno)*, tr., **1.** engendrer || mettre bas || pondre || **2.** créer || **3.** produire [en parl. du sol]: *quæ terra gignit*, les productions de la terre || **4.** [fig.] faire naître, produire, causer.

gilvus, *a, um*, jaune pâle.

glaber, *bra, brum*, sans poil, chauve, glabre.

glabresco, *ere (glaber)*, intr., perdre son poil.

glabreta, *orum*, n. *(glaber)*, lieux sans végétation.

Glabrio, *onis*, m., surnom de la *gens Acilia.*

glabro, *are (glaber)*, tr., dépouiller de poil.

glacialis, *e (glacies)*, glacial, de glace.

glaciatus, *a, um*, part. de *glacio.*

glacies, *ei*, f., glace, glaçon || dureté, rigidité.

glaciesco, *ere (glacies)*, intr., se congeler.

glacio, *are, avi, atum (glacies)*, **1.** tr., changer en glace, geler || [fig.] glacer d'effroi || durcir, solidifier || **2.** intr., se congeler, se figer.

gladiator, *oris*, m. *(gladius)*, **1.** gladiateur || *gladiatores dare*, donner un combat de gladiateurs || **2.** [t. injurieux] spadassin.

gladiatorium, *ii*, n. *(gladiatorius)*, salaire des gladiateurs.

gladiatorius, *a, um (gladiator)*, de gladiateur: *ludus gladiatorius*, école de gladiateurs; *certamen*, combat de gladiateurs.

gladiatura, *æ*, f., métier de gladiateur.

gladiolus, *i*, m. *(gladius)*, **1.** épée courte, poignard || **2.** glaïeul.

gladius, *ii*, m., **1.** épée, glaive: *gladium destringere, stringere, educere*, dégainer. || **2.** métier de gladiateur || **3.** coutre [de la charrue].

glæba et ses dérivés, v. *gleba.*

glæsum, *ii*, n., ambre jaune, succin.

glandifer, *era, erum (glans, fero)*, qui porte des glands.

glandium, *ii*, n., langue de porc fumée.

glandula, *æ*, f. *(glans)*, glande || amygdale.

glans, *dis*, f., **1.** gland, fruit du chêne: *glande vesci*, se nourrir de glands || **2.** balle de plomb ou de terre cuite qu'on lançait avec la fronde.

glarea, *æ*, f., gravier.

glareosus, *a, um (glarea)*, plein de gravier.

Glaucia, *æ*, m., surnom de la *gens Servilia.*

1. glaucus, *a, um*, **1.** glauque, verdâtre, vert pâle [ou] gris : *glauci oculi*, yeux glauques, pers || **2.** gris pommelé.

2. Glaucus, *i*, m., fils de Sisyphe, père de Bellérophon, déchiré par ses cavales || pêcheur de Béotie, changé en dieu marin.

gleba (glæba), *æ*, f., motte de terre, glèbe || sol, terrain || masse, bloc.

glebalis, *e (gleba)*, de motte de terre.

glebosus, *a, um (gleba)*, rempli de mottes ; compact.

glebula, *æ*, f. *(gleba)*, petite motte de terre || petit champ || petit morceau.

glis, *iris*, m., loir.

glisco, *ere*, intr., croître, grossir, se développer, s'augmenter.

globatim *(globo)*, par pelotons, en masse.

globor, *ari, atus sum (globus)*, pass. de *globo*, inusité, s'arrondir || se grouper, se réunir.

globosus, *a, um (globus)*, sphérique, rond.

globulus, *i*, m. *(globus)*, globule, petite boule || pilule || pâtisserie en boulette.

globus, *i*, m., **1.** globe, boule, sphère : *globus terræ*, le globe terrestre || **2.** masse, amas, amoncellement || **3.** peloton, foule, masse, groupe compact.

glomeramen, *inis*, n. *(glomero)*, formation en pelote ; agglomération ; peloton, boule.

glomeratus, *a, um*, part. de *glomero.*

glomero, *are, avi, atum (glomus)*, tr., **1.** mettre en pelote, en boule, en masse || **2.** réunir en peloton ; *glomerari* ou *se glomerare*, se grouper || **3.** rassembler, accumuler.

glomerosus, *a, um (glomus)*, qui est en peloton.

glomus, *eris*, n., peloton, pelote.

gloria, *æ*, f., **1.** gloire, renom, réputation || pl., titres de gloire || **2.** désir de la gloire, désir de se distinguer || esprit de vanité, d'orgueil, grands airs.

gloriabundus, *a, um*, glorieux, tout fier.

gloriatio, *onis*, f., action de se glorifier.

gloriola, *æ*, f. *(gloria)*, petite gloire.

glorior, *ari, atus sum (gloria)*, intr., se glorifier : *aliqua re, de aliqua re, in aliqua re*, se glorifier de qqch. ; *quod*, de ce que ; *omnes provincias se peragrasse gloriari*, se vanter d'avoir parcouru toutes les provinces || [adj. verbal avec sens passif] digne d'éloges.

gloriose *(gloriosus)*, **1.** avec gloire, glorieusement || **2.** en fanfaron.

gloriosus, *a, um (gloria)*, **1.** glorieux [en parl. de choses] : *gloriosum (gloriosius) est* avec inf., il est glorieux (plus glorieux) de || **2.** [en parl. des pers.] ***a)*** glorieux, qui aime la gloire, l'ostentation [sens péjoratif] ; ***b)*** fanfaron, vantard : *miles gloriosus*, le soldat fanfaron.

gluten, *inis*, n., v. *glutinum.*

glutinatio, *onis*, f. *(glutino)*, agglutination.

glutinator, *oris*, m. *(glutino)*, relieur.

glutinatus, *a, um*, part. de *glutino.*

glutino, *are, avi, atum (gluten)*, tr., coller || recoller [les chairs], cicatriser.

glutinosus, *a, um (gluten)*, collant, visqueux.

glutinum, *i*, n., colle, gomme, glu.

Gnæus, v. Cnæus.

gnaritas, *atis*, f. *(gnarus)*, connaissance de qqch.

gnarus, *a, um* (cf. *gnosco, nosco*), **1.** qui sait, qui connaît, informé [avec inf.] || **2.** connu.

gnata, *æ*, f. (c. *nata*), fille [de quelqu'un].

Gnatho, *onis*, m., nom de parasite.

gnatus, *a, um*, arch. c. *natus* ; v. *nascor.*

gnavitas, etc., v. *nav-.*

gnavus, *a, um*, actif, empressé || v. *navus.*

Gnossus (-osus, -ssos), *i*, f., Gnosse [ville de Crète, ancienne résidence de Minos ; dans les environs se trouvait le fameux labyrinthe] || **-ssius (-sius),** *a, um*, de Gnosse ; de Crète || **Gnosia,** *æ*, f. = Ariane || **-ossias (-osias),** *adis*, f. (**-ossis, -osis,** *idis*, f.), de Gnosse, de Crète.

gobio, *onis*, m., goujon.

Gomphi, *orum*, m., ville de Thessalie || **-phenses,** *ium*, m., habitants de Gomphes.

Gordius, *ii*, m., laboureur phrygien qui devint roi || **-ius,** *a, um, nodus gordius*, nœud gordien [qu'Alexandre trancha d'un coup d'épée].

Gorgobina, *æ*, f., ville de la Gaule, oppidum des Boïens.

Gorgones, *um*, acc. *nas*, f., les Gorgones [Méduse, Sthényo et Euryalée], filles de Phorcus || au sing. **Gorgon (-go),** *onis*, f., une Gorgone ; [en part.

Méduse; la tête de Méduse, représentée sur l'Égide de Pallas] || **-eus,** *a, um*, des Gorgones; de Méduse: *Gorgoneus equus*, cheval né du sang de Méduse (Pégase).

Gortyn, *ynos*, **-na,** *æ*; **-nia,** *æ*, f., Gortyne [ville de Crète, sur le fleuve Léthé, près de laquelle était le labyrinthe] || **-niacus,** *a, um*, et **-nis,** *idis*, f., de Gortyne || **-nius,** *a, um*, de Crète.

Gortynia, *æ*, f., v. *Gortyn.*

gorytus, c. *corytus.*

Gothini (-tini), *orum*, m., peuplade germanique.

Gothones (-tones), *um*, m., Gothons [peuple de Germanie].

grabatus, *i*, m., grabat.

Gracchanus, *a, um*, des Gracques.

Gracchi, *orum*, m., les Gracques (Tibérius et Caïus Gracchus, tribuns de la plèbe, fils de Cornélie et de T. Sempronius Gracchus).

gracilis, *e*, mince, maigre, grêle, pauvre, misérable, chétif || *gracilior, gracillimus.*

gracilitas, *atis*, f. *(gracilis)*, finesse, forme élancée || maigreur.

graciliter, avec sveltesse.

graculus, *i*, m., choucas.

gradarius, *a, um (gradus)*, qui va posément.

gradatim *(gradus)*, par degrés, graduellement.

gradatio, *onis*, f. *(gradus)*, **1.** gradin || **2.** gradation.

gradatus, *a, um (gradus)*, disposé en degrés.

gradior, *gradi, gressus sum*, intr., marcher, s'avancer.

Gradivus, m., un des noms de Mars.

gradus, *us*, m. *(gradior)*, **1.** pas: *gradum facere*, faire un pas, marcher; *sistere; sustinere*, suspendre sa marche; *citato gradu*, à vive allure; *pleno gradu*, au pas accéléré || [fig.] marche vers, approche || **2.** position, posture du combattant: *stabili gradu*, de pied ferme; *aliquem gradu movere, demovere; depellere*, faire lâcher pied à qqn; [fig.] *de gradu dejici*, être décontenancé, déconcerté, lâcher prise || **3.** degré, marche [d'ord. au pl.] || étages de la chevelure || **4.** [fig.] degré, échelle: *sonorum gradus*, degrés, échelle des sons || degré dans les magistratures, rang, échelon.

Græcanicus, *a, um*, à la manière des Grecs.

græcatus, *a, um*, part. de *græcor.*

Græce, en langue grecque: *optime Græce scire*, savoir le grec à la perfection.

Græci, *orum*, m., les Grecs || sing. **Græcus,** *i*, m., un Grec.

Græcia, *æ*, f., la Grèce || *Magna Græcia, Major Græcia*, la Grande Grèce [partie méridionale de l'Italie].

Græciensis, *e*, de Grec, de Grèce, grec.

græcor, *ari, atus sum (Græcus)*, intr., vivre à la grecque [dans les plaisirs].

Græcostasis, *is*, f., Grécostase [édifice de Rome où se tenaient les ambassadeurs des pays étrangers en attendant l'audience du sénat].

Græculus, *a, um* (dimin. de *Græcus*), grec [t. de mépris] || m. pris subst., méchant Grec, mauvais Grec || Grec au petit pied.

Græcus, *a, um*, grec, de Grèce; [pl. n.] le grec, les œuvres grecques || n. *Græcum* pris subst., langue grecque, le grec: *e Græco in Latinum convertere aliquid*, traduire qqch. du grec en latin.

Graiugena, *æ*, m., Grec.

Graius, *a, um*, grec || subst. m., un Grec || pl. **Graii** ou **Grai**, *orum*, m., les Grecs.

grallæ, *arum*, f. *(gradulæ, gradus)*, échasses.

grallator, *oris*, m. *(grallæ)*, celui qui marche avec des échasses.

gramen, *inis*, n., gazon, herbe || [en gén.] plante.

gramineus, *a, um (gramen)*, de gazon || de bambou.

graminosus, *a, um (gramen)*, herbeux, avec beaucoup d'herbe.

grammatica, *æ*, f., **-tice,** *es*, f., grammaire.

1. grammatice, adv., conformément aux règles de la grammaire.

2. grammatice, *es*, f., v. *grammatica.*

grammaticus, *a, um*, **1.** de grammaire || **2.** de grammairien, de critique || **3. grammatica,** *orum*, n., la grammaire || **4. grammaticus,** *i*, m., grammairien, maître de langage || homme de lettres, érudit, critique, philologue.

grammatista, *æ*, m., maître élémentaire, grammatiste.

granarium, *ii*, n., plus souv. au pl. **granaria,** *orum*, n. *(granum)*, grenier.

granatum, *i*, n., grenade.

granatus, *a, um (granum)*, abondant en grains, grenu.

grandævus, *a, um (grandis, ævum)*, vieux, avancé en âge.

grandesco, *ere (grandis),* intr., croître, se développer, grandir.

grandifer, *era, erum (grandis, fero),* qui rapporte beaucoup, fertile.

grandiloquus, *a, um (grandis, loquor),* qui a le style pompeux || orateur au grand style.

grandinat *(grando),* impers., il grêle.

grandio, *ire (grandis),* **1.** tr., faire pousser, développer || **2.** intr., grandir, pousser.

grandis, *e,* **1.** grand [en gén.], aux grandes proportions || **2.** grand, avancé en âge: *grandis ætas,* âge avancé || **3.** sublime, imposant.

granditas, *atis,* f. *(grandis),* [fig.] grandeur (sublimité, élévation) du style.

grando, *inis,* f., grêle || grêle de, multitude.

Granicus, *i,* m., le Granique [fleuve de la Petite Phrygie].

granifer, *era, erum,* qui porte des grains.

granum, *i,* n., grain, graine.

graphium, *ii,* n., style, poinçon [pour écrire sur la cire].

grassatio, *onis,* f. *(grassor),* acte de brigandage.

grassator, *oris,* m. *(grassor),* vagabond, flâneur || rôdeur, brigand, voleur à main armée.

grassor, *ari, atus sum (gradior),* intr., **1.** marcher d'habitude || **2.** rôder, vagabonder, courir çà et là || **3.** s'avancer avec idée d'attaque: *in aliquem,* marcher contre qqn || [absol.] attaquer || **4.** [fig.] s'acheminer, s'avancer, procéder || se pousser, s'insinuer, se faire bien venir.

grate *(gratus),* **1.** avec plaisir, volontiers || **2.** avec reconnaissance.

grates, [sans gén.], f. pl., grâces, action de grâces, remerciement [surt. aux dieux]: *grates alicui agere, habere,* remercier qqn; *grates referre, persolvere,* témoigner sa reconnaissance.

1. gratia, *æ,* f. *(gratus),* manière d'être agréable qui se trouve dans le sujet et se manifeste à autrui ou qui se trouve dans autrui et se manifeste au sujet.

I. 1. faveur, complaisance, obligeance, grâce: *gratiæ causa,* par faveur; *alicui gratiam dare,* accorder une faveur à qqn; *in gratiam alicujus,* pour complaire à qqn || abl. *gratia,* pour l'amour de, à cause de [placé après son régime] || **2.** remise accordée par complaisance || crédit, grâce: *alicui delicti gratiam facere,* pardonner à qqn une faute || **3.** reconnaissance, gratitude: *gratiam alicui referre,* marquer à qqn sa reconnaissance; *alicui gratias referre,* donner à qqn des marques de reconnaissance || action de grâces, remerciement: *gratias agere alicui,* adresser des remerciements à qqn; *gratiarum actio,* adresse (expression) de remerciements; *gratias habere,* remercier; *alicui pro aliqua re gratias agere,* remercier qqn pour [de] qqch.; [ou *in aliqua re,* ou *ob aliquam rem*].

II. 1. faveur d'autrui, bonnes grâces: *gratiam alicujus sibi conciliare,* se concilier la faveur de qqn; *gratiam inire ab aliquo,* se mettre dans les bonnes grâces de qqn [*ad aliquem, apud aliquem,* auprès de qqn] || popularité, crédit || **2.** sentiments de bonne intelligence, de bon accord, relations amicales, amitié: *cum aliquo in gratia esse,* être en bons termes avec qqn.

III. agrément, charme, grâce: *gratia corporis,* agréments physiques; *gratia in vultu,* grâce dans le visage.

2. Gratia, *æ* et **Gratiæ,** *arum,* f., une Grâce, les Grâces [Aglaé, Thalie, Euphrosyne].

gratificatio, *onis,* f. *(gratificor),* bienfaisance, libéralité.

gratificatus, *a, um,* part. de *gratificor.*

gratificor, *ari, atus sum (gratus, facio),* **1.** intr., se rendre agréable à, faire plaisir à, obliger || **2.** tr., accorder comme faveur, comme complaisance.

gratiis, v. *gratis.*

gratiosus, *a, um (gratia),* **1.** qui est en faveur, qui a du crédit || **2.** fait ou obtenu par faveur || **3.** qui accorde une faveur, obligeant.

gratis, et **gratiis,** adv., gratuitement, pour rien, gratis.

grator, *ari, atus sum (gratus),* intr., féliciter: *mihi grator,* je me félicite, je m'applaudis, je me réjouis.

gratuito *(gratuitus),* gratuitement.

gratuitus, *a, um (cf. gratis),* gratuit, désintéressé || spontané, pour rien, sans motif || inutile, superflu.

gratulabundus, *a, um (gratulor),* qui félicite || [avec dat.].

gratulatio, *onis,* f. *(gratulor),* **1.** reconnaissance || félicitations || pl., remerciements, marques de reconnaissance || **2.** actions de grâces aux dieux, décrétées comme témoignage officiel de satisfaction à qqn.

gratulor, *ari, atus sum (gratus),* intr., **1.** féliciter, complimenter, faire compliment de, congratuler: *alicui de aliqua re, pro aliqua re, in aliqua re,* féliciter qqn de qqch. || *gratulari quod*, féliciter de ce que || **2.** [avec acc. de l'objet de la félicitation] *gratulari alicui aliquam rem*, féliciter qqn de qqch. || [avec prop. inf.] féliciter de ce que || **3.** remercier de ce que [avec prop. inf.].

gratus, *a, um*, **1.** agréable, bienvenu, qui reçoit bon accueil: *aliquid gratum habere*, tenir une chose pour agréable || **2.** aimable, charmant: *gratus locus*, charmant endroit || **3.** accepté avec reconnaissance, cher, précieux, dont on a de la gratitude: *facere alicui gratum, gratissimum, per gratum*, faire plaisir à qqn (le plus grand, un très grand plaisir) || **4.** reconnaissant: *gratissimus hominum*, le plus reconnaissant des hommes; *gratum se præbere alicui*, se montrer reconnaissant à qqn; *gratus erga aliquem, in aliquem*, reconnaissant envers qqn || *gratissimo animo*, avec la plus grande reconnaissance.

gravate *(gravo)*, avec peine, à regret, à contrecœur.

gravatim, **1.** pesamment, lourdement || **2.** c. *gravate*.

gravatus, *a, um*, part. de *gravo*.

gravedinosus, *a, um*, catarrheux.

gravedo, *inis*, f. *(gravis)*, lourdeur des membres, de la tête, pesanteurs || coryza, rhume.

graveolens, *tis*, dont l'odeur est forte || fétide.

graveolentia, *æ*, f., odeur forte, mauvaise odeur.

gravesco, *ere (gravis)*, intr., **1.** se charger || **2.** [fig.] s'aggraver || empirer.

gravidatus, *a, um*, part. de *gravido*.

graviditas, *atis*, f. *(gravidus)*, grossesse, gestation.

gravido, *are, avi, atum (gravidus)*, fr., féconder.

gravidus, *a, um (gravis)*, **1.** chargé, rempli || **2.** f. enceinte, grosse: *gravidæ pecudes*, brebis pleines.

gravis, *e*, **1.** lourd, pesant || [terre] lourde, grasse || pesamment armé || *æs grave*, v. *æs*; *argentum grave*, argenterie massive || **2.** ***a)*** grave, de basse [son, voix]; ***b)*** qui pèse dans la balance, de poids, puissant, fort, énergique: *gravis civitas*, cité importante; *auctoritas*, influence puissante; ***c)*** grave, digne, noble, imposant; ***d)*** dur, rigoureux; ***e)*** [odeur] violente, forte, pénétrante; ***f)*** pénible, accablant, malsain: *anni tempus gravissimum*, saison la plus pénible; *gravis autumnus*, automne malsain; ***g)*** à charge, pénible, dur à supporter, fâcheux, désagréable, importun: *grave est alicui* avec inf., il est pénible pour qqn de... || **3.** alourdi, embarrassé: ***a)*** *agmen grave præda*, troupe alourdie par le butin; ***b)*** = *gravidus*, en état de grossesse; ***c)*** accablé, incommodé: *morbo gravis*, accablé par la maladie.

gravitas, *atis*, f. *(gravis)*, **1.** pesanteur, lourdeur: *armorum*, pesanteur des armes || **2.** [fig.] ***a)*** importance, poids, force, vigueur: *civitatis*, importance d'une cité; ***b)*** dignité, élévation, noblesse, solennité; ***c)*** fermeté et dignité de caractère || gravité, dignité, sérieux; ***d)*** dureté, rigueur; ***e)*** état malsain, insalubrité || **3.** état de lourdeur, d'embarras; incommodité, malaise: *corporis*, malaise physique; *capitis*, pesanteur de tête; *aurium, audiendi*, dureté d'oreille.

graviter *(gravis)*, **1.** gravement, avec un ton de basse || **2.** de manière importante, avec poids || avec force, avec énergie || avec gravité, dignité, noblesse || **3.** pesamment, violemment, gravement: *ferire aliquem*, porter à qqn un coup violent; *gravissime terreri*, éprouver la plus violente frayeur || rigoureusement, durement || en mauvaise santé; *se non graviter habere*, n'être pas dangereusement malade || avec peine, désagréablement: *aliquid graviter ferre, accipere*, supporter, accueillir qqch. avec peine.

gravo, *are, avi, atum (gravis)*, tr.,

I. [voix active], **1.** appesantir, alourdir || charger: *aliquem sarcinis*, charger qqn de bagages || **2.** aggraver, augmenter || accabler || peser sur, incommoder.

II. [déponent] **gravor,** *ari, atus sum*, trouver pesant, **1.** faire des difficultés, se résoudre avec peine: *gravari cœpit*, il commença par faire des difficultés...; *non gravarer, si...* je me résoudrais volontiers, si... || **2.** [avec inf.] répugner à, se refuser à: *non gravabor dicere...* je dirai volontiers... || **3.** [avec acc.] sentir le fardeau de qqn, de qqch., trouver importun, être fatigué de: *matrem*, trouver sa mère importune.

gregalis, *e (grex)*, **1.** qui est en troupeau, qui va en troupe || **2.** qui appartient à la foule, commun, vulgaire || subst. m. pl., *gregales*, compagnons, amis.

gregarius, *a, um (grex)*, **1.** relatif aux troupeaux || **2.** du commun, de la foule: *miles gregarius*, le simple soldat.

gregatim *(grex)*, en troupeau, par troupes.

gremium, *ii*, n., **1.** giron, sein || **2.** le

sein de la patrie || sein, bras, protection, secours.

1. **gressus,** *a, um*, part. de *gradior.*

2. **gressus,** *us*, m., marche, pas.

grex, *gregis, m.*, **1.** troupeau || **2.** troupe, bande.

grillus (gry-), *i*, m., grillon.

gruis, *is*, f., c. *grus.*

grunditus, *us*, m., grognement [du porc].

grunnio, *ire, ivi* ou *ii, itum*, intr., grogner.

grus, *gruis*, f., grue [oiseau].

gryllus, v. *grillus.*

Grynia, *æ*, f. (**-um,** *ii*, n.), ville d'Éolide avec un temple d'Apollon || **-neus,** *a, um*, de Grynium.

gryps, *ypis*, m., griffon [animal fabuleux].

grypus, *i*, m., **1.** qui a le nez aquilin || **2.** c. *gryps.*

gubernabilis, *e (guberno)*, gouvernable.

gubernaculum, et poét. **gubernaclum,** *i*, n., gouvernail [d'un navire], timon || [fig. au pl.]: *ad gubernacula rei publicæ sedere*, se tenir au gouvernail de l'État.

gubernatio, *onis*, f. *(guberno)*, conduite d'un navire || [fig.] direction, gouvernement.

gubernator, *oris*, m. *(guberno)*, celui qui tient le gouvernail, timonier || *gubernator civitatis*, le pilote de l'État.

gubernatrix, *icis*, f., directrice, qui gouverne.

gubernatus, *a, um*, part. de *guberno.*

guberno, *are, avi, atum*, tr., **1.** [absol.] diriger un navire, tenir le gouvernail || **2.** tr., [fig.] diriger, conduire, gouverner.

gubernum, *i*, n., gouvernail.

gula, *æ*, f., **1.** œsophage, gosier, gorge: *obtorquere gulam*, tordre la gorge, serrer à la gorge || *frangere gulam laqueo*, étrangler qqn || **2.** [fig.] bouche, palais.

gulosus, *a, um (gula)*, gourmand, glouton, goulu.

gurdus, *a, um*, balourd, lourdaud.

gurges, *itis*, m., **1.** tourbillon d'eau || masse d'eau || **2.** gouffre, abîme.

gurgustium, *ii*, n., mauvaise auberge, gargote || cabane, hutte.

gustatorium, *ii*, n., entrées [dans un repas].

1. **gustatus,** *a, um*, part. de *gusto.*

2. **gustatus,** *us*, m., **1.** goût [sens], palais || **2.** goût [saveur] d'une chose || **3.** [fig.] action de goûter, sentiment, appréciation.

gusto, *are, avi, atum*, tr., **1.** goûter || **2.** [absol.] faire collation, goûter, manger un morceau.

gustus, *us*, m., **1.** action de goûter, dégustation || **2.** goût d'une chose, saveur || **3.** [fig.] goût, avant-goût, échantillon.

gutta, *æ*, f., **1.** goutte d'un liquide || larme || **2.** mouchetures.

guttula, *æ*, f. *(gutta)*, petite goutte, gouttelette.

guttur, *uris*, n., gosier, gorge.

guttus (gutus), *i*, m. *(gutta)*, vase à col étroit, burette.

Gyges, *is* ou *æ*, m., Gygès [berger qui, grâce à un anneau qui le rendait invisible, parvint à s'emparer du trône de Lydie].

gymnasiarchus, *i*, m., gymnasiarque, chef du gymnase.

gymnasium, *ii*, n., **1.** lieu public chez les Grecs destiné aux exercices du corps, gymnase || **2.** école philosophique [les réunions philosophiques se faisant sous les portiques ou dans les gymnases] || gymnase [comme lieu de réunion pour causeries, etc.; Cicéron en avait un dans sa maison de Tusculum].

gymnicus, *a, um*, gymnique, de lutte.

gynæceum (-cium), *i*, n., gynécée [appartement des femmes chez les Grecs].

gynæconitis, *idis*, f., gynécée.

gypsatus, *a, um*, part.-adj. de *gypso*, plâtré.

gypso, *are, avi, atum (gypsum)*, tr., enduire de plâtre, crépir.

gypsum, *i*, n., pierre à plâtre, gypse, plâtre.

gyratus, *a, um*, part. de *gyro.*

gyro, *are, avi, atum (gyrus)*, tr., faire tourner en rond, faire décrire un cercle.

gyrus, *i*, m., **1.** cercle que l'on fait faire au cheval, volte || [en gén.] cercle, rond || **2.** manège où l'on dresse les chevaux || dressage || carrière.

H, h, huitième lettre de l'alphabet || HS, abréviation désignant le sesterce.

habena, *æ*, f. *(habeo)*, **1.** courroie || lanière, fouet, étrivières || **2.** bride, rênes, guides : *conversis habenis*, tournant bride ; *effusissimis habenis*, à toute bride.

habeo, *ere, ui, itum*, tr., tenir :

I. [au pr.], **1.** avoir, avoir en sa possession || **2.** avoir, garder, tenir : *legio quam secum habebat*, la légion qu'il avait avec lui || maintenir : *aliquem in obsidione*, tenir qqn assiégé || **3.** avoir, porter : *fenum in cornu*, avoir du foin à la corne [manière de signaler un bœuf dangereux].

II. 1. *in animo, in ore, in manibus*, avoir dans l'esprit, à la bouche, dans les mains ; *ante oculos, in oculis*, avoir devant les yeux ; *hæc tu tecum habeto*, garde cela pour toi || **2.** avoir en soi, sur soi : *febrim*, avoir la fièvre ; *odium in aliquem*, avoir de la haine contre qqn || avoir comme trait caractéristique : *habet hoc virtus, ut...*, la vertu a ce trait caractéristique que... || comporter, entraîner avec soi, occasionner, etc. : *difficultatem, nihil utilitatis*, être difficile, inutile ; *admirationem habere*, être admiré || **3.** tenir dans tel ou tel état || **4.** traiter : *aliquem bene*, bien traiter qqn ; *male*, maltraiter || [avec dat.] : *ludibrio aliquem, quæstui rem publicam*, se jouer de qqn, trafiquer de l'État || *graviter habere aliquid*, supporter qqch. avec peine || **5.** tenir pour = regarder comme, considérer comme : *deos æternos*, estimer que les dieux sont éternels || *aliquem pro amico, pro hoste*, regarder qqn comme ami, comme ennemi || *in loco, loco, in numero, numero* avec gén., regarder comme, compter au nombre de || *habere aliquid religioni*, se faire un scrupule de qqch. || *haberi* avec gén., de prix, de qualité, être apprécié, tenu || **6.** avoir, tenir [une assemblée, une conversation, etc.] : *concilia habebant*, ils tenaient des assemblées || *verba*, tenir des propos, prononcer des paroles || **7.** tenir, maintenir, garder : *in obscuro vitam*, passer sa vie dans l'obscurité || *ordines*, garder les rangs || **8.** faire tenir, donner : *alicui honorem*, donner à qqn une marque d'honneur || **9.** *se habere* ou *habere* seul, se trouver, être : *ego me bene habeo*, je vais bien ; *Terentia minus belle habuit*, Térentia a été moins bien portante || *res sic (ita) se habet*, les chose sont ainsi, il en est ainsi ; *male se res habet, cum...*, cela va mal, quand... || **10.** avoir dans telle condition, avoir comme [collègue, ami, etc.] : *collegam, in prætura aliquem habere*, avoir qqn comme collègue dans la préture || **11.** [constructions] ***a)*** *perspectum, exploratum, persuasum, propositum habere*, voir ces mots ; ***b)*** [avec rel. conséc.] *nihil habeo quod ad te scribam*, (ou [avec inf. de but] *nihil habeo ad te scribere*), je n'ai rien à t'écrire ; *nihil habeo quod accusem...*, je n'ai pas de raison d'incriminer... ; ***c)*** [avec interr. ind.] *habetis quid sentiam*, vous connaissez mon sentiment ; *quo se reciperent non habebant*, ils ne savaient où se réfugier.

habilis, *e (habeo),* **1.** commode à tenir, à porter, à manier, qui va bien, maniable, confortable || **2.** [fig.] qui va bien, bien adapté, bien approprié.

habilitas, *atis,* f. *(habilis),* aptitude.

habitabilis, *e (habito),* habitable.

habitaculum, *i,* n. *(habito),* demeure.

habitatio, *onis,* f. *(habito),* action d'habiter || demeure, habitation, domicile.

habitator, *oris,* m., habitant.

habito, *are, avi, atum* (fréq. de *habeo*), tr. et intr.,

I. tr., habiter, occuper.

II. intr., **1.** *in Sicilia, Lilybæi, sub terra, apud aliquem,* habiter en Sicile, à Lilybée, sous terre, chez qqn || [pass. imp.] *habitari ait in luna,* il prétend que la lune est habitée || *habitantes,* les habitants || **2.** [fig.] habiter, se cantonner, ne pas bouger.

1. habitus, *a, um,* part. de *habeo.*

2. habitus, *us,* m. *(habeo),* **1.** manière d'être, dehors, aspect extérieur, conformation physique: *oris,* les traits du visage || attitude, contenance || **2.** mise, tenue || **3.** [fig.] manière d'être, état: ***a)*** *vestis armorumve,* la nature des vêtements ou des armes; ***b)*** constitution: *vir optimo habitu,* homme d'une complexion excellente; ***c)*** dispositions d'esprit, sentiments.

hac, adv., par ici; *hac illac,* par-ci, par-là.

hactenus, adv. *(hac, tenus),* **1.** seulement jusqu'ici, seulement jusqu'à cet endroit || **2.** [fig.] seulement jusqu'à ce point, seulement jusque-là || *sed de Græcis hactenus,* mais en voilà assez sur les Grecs.

Hadria (Adr-), *æ,* m., la mer Adriatique || **-aticus, -acus, -anus,** *a, um,* de la mer Adriatique.

hædinus, *a, um (hædus),* de bouc.

hædulus, *i,* m. *(hædus),* chevreau, cabri.

hædus, *i,* m., petit bouc, chevreau.

Hæmonia, *æ,* f., Hémonie [ancien nom de la Thessalie] || **-nius,** *a, um,* Hémonien, Thessalien; *juvenis* = Jason; *puer* = Achille; *arcus* = le Sagittaire.

hæreo, *ere, hæsi, hæsum,* intr., **1.** être attaché, fixé, accroché: *in equo, equo,* se tenir ferme à cheval || être arrêté, immobilisé; [prov.] *aqua hæret,* l'eau de la clepsydre s'arrête, une difficulté se présente || **2.** [fig.] ***a)*** être attaché: *hærere in memoria,* être fixé dans la mémoire; ***b)*** s'attacher comme une ombre aux pas de qqn *(alicui)* || [t. milit.] *in tergis, tergis, in tergo,* être attaché aux trousses de l'ennemi || s'arrêter obstinément à une chose; ***c)*** être arrêté, être en suspens, être embarrassé.

hæresis, *is* ou *eos,* f., opinion, système, doctrine.

hæsi, pf. de *hæreo.*

hæsitabundus, *a, um,* hésitant.

hæsitantia, *æ,* f. *(hæsito),* embarras: *linguæ,* bégaiement.

hæsitatio, *onis,* f. *(hæsito),* hésitation, incertitude || embarras de langue, bégaiement.

hæsitator, *oris,* m. *(hæsito),* celui qui hésite, temporise.

hæsito, *are, avi, atum,* intr. *(hæreo),* **1.** être embarrassé, s'arrêter: *hæsitantes milites,* soldats embourbés || **2.** éprouver un empêchement, une gêne: *lingua,* bégayer || hésiter, balancer.

Halæsa, *æ,* f., ville de Sicile || **-inus,** *a, um,* d'Halesa.

Haliartus, *i,* f., Haliarte [ville de Béotie] || **-tii,** *orum,* m., habitants d'Haliarte.

Halicarnassus (-os), *i,* f., Halicarnasse [capitale de la Carie, patrie d'Hérodote et de l'historien Denys] || **-sseus,** *ei,* d'Halicarnasse || **-ssii,** *orum* et **-ssenses,** *ium,* m., habitants d'Halicarnasse.

halitus, *us,* m. *(halo),* **1.** souffle, exhalaison, vapeur, émanation || **2.** haleine, souffle, respiration.

hallucinatio (haluc-, aluc-), *onis,* f., méprise, hallucination.

hallucinor (haluc- ou **aluc-),** *ari, atus sum,* intr., divaguer, rêver.

halo, *are, avi, atum,* **1.** intr., exhaler une odeur: *halantes floribus horti,* jardins parfumés de fleurs || **2.** tr., exhaler.

hamadryades, *um,* f. hamadryades [nymphes des forêts].

hamatus, *a, um (hamus),* **1.** qui a des crochets, crochu || **2.** qui a une pointe recourbée.

Hamilcar, *aris,* m., général carthaginois, de la famille des Barcas, père d'Hannibal.

hamus, *i,* m., **1.** crochet, croc || **2.** hameçon.

Hannibal, *alis,* m., fils d'Hamilcar, chef des Carthaginois dans la seconde guerre punique || *Hannibal ad portas,* Hannibal à nos portes = danger pressant.

Hanno, *onis,* **1.** Hannon [fameux navigateur carthaginois] || **2.** famille carthaginoise adversaire des Barcas.

hariola, *æ*, f., devineresse.

hariolatio, *onis*, f., prédiction, prophétie.

hariolor, *ari, atus sum (hariolus)*, **1.** intr., être devin, prédire l'avenir || **2.** divaguer, radoter, extravaguer.

hariolus, *i*, m., devin.

Harmodius, *ii*, m., Athénien qui conspira avec Aristogiton contre les Pisistratides.

harmonia, *æ*, f., **1.** harmonie, accord || **2.** harmonie = *concentus*, accord de sons.

harpago, *onis*, m., grappin, harpon.

harpe, *es*, f., harpé, sorte de cimeterre || faucille.

Harpyia (trissyl.), *æ*, f.; ordin. au pl., *Harpyiæ*, Harpies.

haruspex, *icis*, m., haruspice [qui prédisait en examinant les entrailles des victimes].

haruspicinus, *a, um (haruspex)*, qui concerne les haruspices || **haruspicina,** *æ*, f., science des haruspices.

Hasdrubal (Asd-), *alis*, m., nom de plusieurs généraux carthaginois; not. Hasdrubal Barca, frère d'Hannibal.

hasta, *æ*, f., **1.** [en gén.] arme formée d'un bâton (hampe munie d'un fer), lance, pique, javelot || [en part.] javeline lancée par le fécial pour déclarer la guerre || **2.** encan, vente publique annoncée par une pique enfoncée en terre: *hastam ponere* = annoncer une vente; *sub hasta venditus*, vendu à l'encan || **3.** hampe de javelot: *hasta pampinea*, ou *hasta* seul, thyrse [sceptre de Bacchus, porté par les Bacchantes dans les fêtes de ce dieu].

hastatus, *a, um (hasta)*, armé d'un javelot: *ordo hastatus*, compagnie de hastats || *primus hastatus* [s.-ent. *ordo*] première compagnie de hastats.

hastati, *orum*, m., les hastats.

hastile, *is*, n. *(hasta)*, **1.** hampe de javeline, bois d'un javelot || javelot || **2.** bâton, branche, baguette.

haud (arch. **hau**), adv., ne... pas [général. négation d'un mot et non d'une proposition]: ***a)*** devant les verbes *scio, dubito, erro, ignoro, assentior, amo, nitor*, dans la période class.; sur *haud scio an*, v. *an*; ***b)*** devant adj. et adv.; ***c)*** devant pron.: *haud quisquam, haud ullus, haud alius*, etc., personne, pas un, pas d'autre.

hauddum, adv., pas encore.

haudquaquam, en aucune façon, nullement, pas du tout.

haurio, *ire, hausi, haustum*, tr., **1.** puiser [un liquide]: *aqua hausta de* ou *ex puteo*, eau tirée d'un puits || **2.** tirer, retirer || *sanguinem alicujus*, verser le sang de qqn || **3.** ramasser [des cendres, de la poussière] || **4.** [poét.] enlever, faire disparaître (tuer) || **5.** [fig.] puiser: *aliquid a fontibus* ou *e fontibus, eodem fonte*, puiser qqch. aux sources, à la même source || **6.** vider, absorber, boire || **7.** creuser, transpercer || **8.** épuiser, consumer: *sua*, dissiper ses biens || achever, épuiser || absorber, engloutir || détruire, dévorer || se pénétrer, se repaître, goûter.

hausi, pf. de *haurio*.

hausturus, part. fut. de *haurio*.

1. haustus, *a, um*, part. de *haurio*.

2. haustus, *us*, m., **1.** action de puiser de l'eau || **2.** action de boire: *haustus aquæ*, gorgée d'eau || **3.** [poét.] *arenæ*, poignée de sable.

Heautontimorumenos (Haut-), *i*, m., celui qui se punit lui-même [titre d'une comédie de Térence, traduite de Ménandre].

hebdomada, *æ*, f. *(hebdomas)*, le nombre de sept || sept jours, septénaire, semaine.

hebdomas, *adis*, acc. *ada*, f., semaine || le septième jour, retour du septième jour [époque critique pour les malades], septénaire.

Hebe, *es*, f., Hébé [déesse de la jeunesse, devint l'épouse d'Hercule quand il fut admis au rang des dieux].

hebeo, *ere*, intr. (ordin. aux 3es pers. de l'ind. prés.), être émoussé || [fig.] être engourdi.

hebes, *etis*, abl., *hebeti*, **1.** émoussé, qui a perdu sa pointe || **2.** [fig.] émoussé, qui manque de pénétration, d'acuité, de finesse || **3.** qui manque de vivacité || mou, engourdi, languissant.

hebesco, *ere (hebes)*, intr., s'émousser.

hebetatio, *onis*, f. *(hebeto)*, affaiblissement, émoussement.

hebetatus, *a, um*, part. de *hebeto*.

hebetesco, *ere*, intr., s'émousser.

hebeto, *are, avi, atum (hebes)*, tr., émousser || [fig.] enlever la finesse, l'acuité, la pénétration, la force.

Hebræus, *a, um*, hébreu.

Hebrus, *i*, m., Hèbre [fleuve de Thrace].

Hecata, *æ*, f., c. *Hecate*.

Hecate, *es*, f., Hécate [divinité qui préside aux enchantements, confondue avec Diane] || **-teius,** *a, um*, d'Hécate, de Diane || **-teis,** *idos*, f., d'Hécate.

Hector, *oris*, m., fils de Priam, tué par Achille || **-reus,** *a, um*, d'Hector, Troyen.

Hecuba, *æ*, *(***-be,** *es)*, f., Hécube, femme de Priam.

Hecyra, *æ*, f., l'Hécyre (la Belle-Mère) [titre d'une comédie de Térence].

hedera (edera), *æ*, f., lierre [enguirlande le thyrse de Bacchus; sert à couronner les poètes, les convives].

hederaceus (-cius), *a, um*, de lierre.

hei ou **ei,** interj., hélas ! || *ei mihi*, hélas pour moi ! hélas !

Helena, *æ*, f. (**-ne,** *es*, f.), Hélène [fille de Léda et de Jupiter, sœur de Castor, de Pollux, de Clytemnestre, femme de Ménélas, fut cause de la guerre de Troie].

Helenus, *i*, m., fils de Priam, devin célèbre.

Heliades, *um*, f., Héliades [filles du Soleil et de Clymène, sœurs de Phaéton].

Helicon, *onis*, m., Hélicon [montagne de Béotie, consacrée à Apollon et aux Muses].

Heliopolis, *is*, f., ville de la Basse-Égypte.

Hellanice, *es*, f., sœur de Clitus, nourrice d'Alexandre le Grand.

Hellas, *adis*, f., Hellade, la Grèce.

Helle, *es*, f., fille d'Athamas, donna son nom à l'Hellespont.

helleborus (ell-), *i*, m. (**-orum,** *i*, n.), hellébore [plante employée dans l'Antiquité contre la folie].

Hellespontus, *i*, m., l'Hellespont [détroit qui sépare l'Europe de l'Asie] || le pays autour de la Propontide || **-tius (-tiacus, -ticus),** *a, um*, de l'Hellespont || **Hellespontius,** *ti*, m., habitant des bords de l'Hellespont.

helluatio, *onis*, f. *(helluor)*, gloutonnerie; pl., scènes de débauche.

helluatus, *a, um*, part. de *helluor*.

helluo (heluo), *onis*, m., glouton, goinfre || [fig.] *patriæ*, dévoreur de sa patrie.

helluor (heluor), *ari, atus sum (helluo)*, intr., [avec abl.] être glouton de, dévorer, engloutir: *libris*, être glouton de livres || [absol.] se livrer à la goinfrerie, à la débauche.

Helor-, v. *Elor-*.

helu-, v. *hellu-*.

helvela (-ella), *æ*, f., petit légume, chou.

Helvetii, *orum*, m., les Helvétiens [habitants de ce qui est aujourd'hui la Suisse] || **-ticus** ou **-tius,** *a, um*, de l'Helvétie.

Helvidius, *ii*, m., nom d'une famille romaine; not. Helvidius Priscus [sénateur célèbre par ses vertus stoïciennes, fut mis à mort par Vespasien].

Helvii (-vi), *orum*, m., Helviens [peuple de la Gaule romaine].

helvus, *a, um*, jaunâtre.

hem, interj., ah ! oh ! eh ! [marquant un sentiment pénible, l'indignation, la douleur, etc.].

hemerodromi, *orum*, **-dromœ,** *orum*, m., coureurs, courriers.

hemicyclium, *ii*, n., hémicycle, siège demi-circulaire.

hemina (em-), *æ*, f., hémine [mesure de capacité].

hendecasyllabus, *i*, m., vers de onze syllabes.

Henna, *æ*, f., ville de Sicile || **-nensis,** *e*, d'Henna; m. pl., les habitants d'Henna.

Hephæstion (-tio), *onis*, m., Héphestion [ami et confident d'Alexandre].

hepteres (-is), *is*, f., vaisseau à sept rangs de rames.

hera (era), *æ*, f., maîtresse de maison, maîtresse || souveraine.

Heraclea (-ia), *æ*, f., Héraclée [nom des villes fondées par Hercule ou qui lui étaient consacrées: not. en Lucanie, en Sicile, en Thessalie, en Péonie, etc.] || **-eensis (-iensis),** *e*, d'Héraclée; m. pl., habitants d'Héraclée.

Heracleotes, *æ*, m., d'Héraclée; **-tae,** *arum*, m., habitants d'Héraclée.

Heracleus, *a, um*, d'Hercule.

Heraclitus, *i*, m., Héraclite [philosophe d'Éphèse, qui pleurait sans cesse].

herba, *æ*, f., **1.** herbe || jeune pousse || **2.** plante, légume.

herbaceus, *a, um*, de couleur d'herbe.

herbesco, *ere (herba)*, intr., pousser en herbe.

herbidus, *a, um (herba)*, couvert d'herbe, de gazon || relatif à l'herbe, d'herbe.

herbifer, *era, erum (herba, fero)*, qui produit de l'herbe.

Herbita, *æ*, f., ville de Sicile || **-tensis,** *e*, d'Herbita; m. pl., habitants d'Herbita.

herbosus, *a, um (herba)*, **1.** couvert

d'herbe, herbeux || **2.** bordé de gazon || **3.** composé de différentes plantes.

herbula, *æ*, f., petite herbe, brin d'herbe..

hercle ou **hercule,** par Hercule [jurement].

Herculaneum, *i*, n., Herculanum [ville de Campanie détruite par une éruption du Vésuve en 79] || **-nensis,** *e*; **-neus,** *a, um*; **-nus,** *a, um*, d'Herculanum.

Herculaneus, *a, um*, **1.** v. Herculanum || **2.** d'Hercule || [fig.] très grand, gigantesque.

hercule, adv., v. *hercle*.

Hercules, *is* et *i*, m., Hercule, fils de Jupiter et d'Alcmène, célèbre par ses douze travaux] || *Herculis columnæ*, les colonnes d'Hercule [Gibraltar] || *Hercules!* par Hercule!

Herculeus, *a, um*, d'Hercule.

Hercynia silva, f., la forêt Hercynienne [en Germanie, auj. la Forêt Noire]; qqf. *Hercynia* seul || **Hercynius,** *a, um*, de la forêt Hercynienne.

hereditarius, *a, um (hereditas)*, relatif à un héritage || reçu par héritage, héréditaire.

hereditas, *atis*, f. *(heres)*, hérédité, héritage || succession.

heredium, *ii*, n. *(heres)*, bien d'héritage, héritage.

heres, *edis*, m. f., héritier, héritière, légataire: *heredem aliquem facere, scribere, instituere, relinquere*, instituer qqn son héritier.

heri ou **here,** hier.

hericius ou **ericius,** *ii*, m., hérisson || chevaux de frise.

herilis ou **erilis,** *e*, du maître ou de la maîtresse: *erilis filius, filia*, le fils, la fille de la maison.

Hermes (Herma), *æ*, m., Hermès ou Mercure || **Hermæ,** *arum*, m. pl., Hermès, gaines surmontées d'une tête de Mercure; [en gén.] bustes.

Hermione, *es (-na, æ)*, f., Hermione [fille de Ménélas et d'Hélène].

Hernici, *orum*, m., Herniques [peuple du Latium].

Herodes, *is*, m., Hérode [roi de Judée sous Auguste].

Herodotus, *i*, m., Hérodote [célèbre historien grec, né à Halicarnasse].

heroicus, *a, um*, héroïque (mythique).

heroine, *es*, f., demi-déesse, héroïne.

herois, *idis*, f., demi-déesse, héroïde || **Heroides,** poème d'Ovide.

heros, *ois*, m., héros, demi-dieu, de l'âge mythique.

herous, *a, um*, héroïque, de l'épopée, épique.

herus et **erus,** *i*, m., **1.** maître de maison, maître || **2.** maître, possesseur, propriétaire.

Hesiodus, *i*, m., Hésiode [poète didactique grec qui vécut à Ascra, en Béotie] || **-deus (-dius),** *a, um*, d'Hésiode.

Hesiona, *æ, (-ne, es)*, f., Hésione [sœur de Priam].

Hesperia, *æ*, f., l'Hespérie [régions occidentales: l'Italie par rapport à la Grèce; qqf. l'Espagne par rapport à l'Italie].

Hesperides, *um*, f., les Hespérides, filles d'Hespérus [habitaient, près de l'Atlas, un jardin aux arbres garnis de pommes d'or gardé par un dragon].

Hesperis, *idis*, f., de l'Hespérie, du couchant.

Hesperius, *a, um*, de l'Hespérie, occidental.

Hesperus (-os), *i*, m., fils de l'Aurore et d'Atlas, changé en une étoile || étoile du soir.

hesternus, *a, um (cf. heri)*, d'hier, de la veille: *hesternus dies*, la veille.

heu, interj., hélas! ah! *heu me miserum!* ah! que je suis malheureux!

heus! hé! holà! hem!

hexameter, *tri*, m., hexamètre.

hexeris, *is*, f., bateau à six rangs de rameurs.

hians, *tis*, part. prés. de *hio*.

hiatus, *us*, m. *(hio)*, **1.** action d'ouvrir || **2.** ouverture, fente || **3.** [fig.] ***a)*** action de désirer avidement, soif avide; ***b)*** [gramm.] hiatus [rencontre de deux voyelles].

Hiber, Hiberia, hiberis, v. *Ib-*.

hiberna, *orum*, n., quartiers d'hiver.

hibernacula, *orum*, n. *(hiberno)*, baraquements d'hiver.

Hibernia, *æ*, f., Hibernie [auj. Irlande].

hiberno, *are, avi, atum (hibernus)*, intr., hiverner, être en quartiers d'hiver || [en gén.] passer l'hiver.

hibernus, *a, um (hiems)*, d'hiver || orageux.

Hiberus, v. *Iberus*.

hibiscum, *i*, n., sorte de mauve.

1. hic, hæc, hoc, gén. *hujus*, dat. *huic*, adj.-pron. démonstr., ce, cet, cette; celui-ci, celle-ci; ceci, cela [désigne l'objet qui est le plus rapproché dans le temps ou dans l'espace: pour un avocat, son client; pour un écrivain, ce qui le concerne lui-même ou ce qui le touche de plus près], **1.** *hæc civitas, hæc ætas*, cette cité, cette génération (notre...) || **2.** *hic... ille*: [en gén.] *hic* (celui-ci) se rapporte au mot le plus rapproché, *ille* (celui-là) au plus éloigné dans la phrase || **3.** [pour résumer ce qui précède]: voilà, tel est: *hæc illa sunt tria genera quæ*, telles sont ces trois classes que... || **4.** [annonçant] ce qui suit]: ***a)*** [une énumération] suivant, que voici; ***b)*** annonçant une prop. inf., ou *quod*, ce fait que, ou *ut* subj. || **5.** acc. exclam.: *hanc audaciam!* une telle audace! || **6.** n. *hoc*: ***a)*** [avec un gén.] *hoc muneris*, cette tâche; ***b)*** [expression] *hoc est*, c'est-à-dire.

2. hic, adv., **1.** ici, dans ce lieu-ci, en cet endroit || *hic... illic*, ici... là; dans un endroit... dans l'autre || **2.** [fig.] ***a)*** sur ce point, à cette occasion; ***b)*** alors, à ce moment.

hice, *hæce, hoce* (mais non *hicce*, etc.), renforcement de *hic*: *hujusce modi requies*, un repos de ce genre-ci.

1. hicine, hæcine, hocine (*hice + ne*, etc.), est-ce que celui-ci, celle-ci, ceci...? || [exclam.]: *huncine hominem! hancine impudentiam!* un tel homme! une telle impudence!

2. hicine, adv., est-ce qu'ici?

hiemalis, *e (hiems)*, d'hiver.

hiemans, *tis*, part. prés. de *hiemo*.

hiematus, *a, um*, part. de *hiemo*.

hiemo, *are, avi, atum*,
I. intr., **1.** passer l'hiver || être en quartiers d'hiver, hiverner || **2.** être en hiver, être froid || impers. *hiemat*, il fait un temps d'hiver, il fait froid || **3.** être agité: *hiemat mare*, la mer est mauvaise.
II. tr., faire geler, congeler.

Hiempsal, *alis*, m., roi de Numidie, fils de Micipsa.

hiems, *emis*, f., **1.** l'hiver [saison de l'année] || pl., les hivers, l'hiver || [par ext.] année || **2.** mauvais temps, orage || **3.** [poét.] froid [qu'on éprouve], frisson.

Hiero (-ron), *onis*, m., Hiéron [nom de deux rois de Syracuse].

Hierosolyma, *orum*, n., Jérusalem [capitale de la Judée].

hilaratus, *a, um*, part. de *hilaro*.

hilare *(hilarus)*, gaiement, joyeusement.

hilaris, *e*, et **hilarus,** *a, um*, gai, joyeux, de bonne humeur: *hilari animo esse*, être d'humeur gaie.

hilaritas, *atis*, f. *(hilaris)*, gaieté, joie, belle humeur.

hilaro, *are, avi, atum (hilarus)*, tr., rendre gai, joyeux, de belle humeur, réjouir.

hilarus, *a, um*, v. *hilaris*.

Himera, *æ*, f. et **-ra,** *orum*, n., Himère [ville de Sicile].

hinc, adv. *(hic)*, **1.** d'ici, de cet endroit-ci || à partir d'ici, de ce point-ci || **2.** [fig.] de là, de cette source || **3.** à partir de ce moment-ci, de maintenant = *abhinc* || à partir de là, ensuite || **4.** *hinc... illinc*, d'un côté... de l'autre; *hinc atque illinc*, de part et d'autre, des deux côtés.

hinnio, *ire, ivi* ou *ii*, intr., hennir.

hinnitus, *us*, m. *(hinnio)*, hennissement.

hinnuleus, *i*, m. *(hinnus)*, jeune mulet || faon.

hinnus, *i*, m., mulet.

hio, *are, avi, atum*, intr., **1.** s'entrouvrir, se fendre || être béant || [en part.] avoir la bouche ouverte || **2.** [rhét.] présenter des hiatus || **3.** [fig.] béer de convoitise, d'admiration.

Hippo, *onis* (ou **Hippo Regius**), m., Hippone [ville de Numidie, dont saint Augustin fut évêque, auj. Annaba] || **-nensis,** *e*, d'Hippone.

hippocampus, *i*, m., hippocampe.

hippocentaurus, *i*, m., hippocentaure.

Hippocrates, *is*, m., Hippocrate [de Cos, célèbre médecin].

Hippocrene, *es*, f., Hippocrène [source de l'Hélicon que Pégase fit jaillir en frappant la terre].

Hippolyte, *es*, et **-ta,** *æ*, f., Hippolyte [reine des Amazones, femme de Thésée, mère d'Hippolyte].

Hippolytus, *i*, m., Hippolyte [fils de Thésée et de l'Amazone Hippolyte].

hippopotamus, *i*, m., hippopotame.

hippotoxotæ, *arum*, m., archers à cheval.

hircinus (-quinus), *a, um (hircus)*, de bouc || en peau de bouc.

hircus, *i*, m., bouc || le bouc, odeur de bouc.

hirnea, *æ*, f., vase à vin || terrine, cruche.

Hirpini (Irp-), *orum*, m., Hirpins [peuple du Samnium] || **-inus,** *a, um*, des Hirpins.

hirsutus, *a, um (hirtus)*, hérissé, hirsute || grossier.

Hirtius, *ii*, m., consul et auteur du 8e livre du *Bellum Gallicum.*

hirtus, *a, um,* **1.** qui a des pointes, des aspérités, hérissé || **2.** velu || **3.** [fig.] qui est sans culture, rude, grossier.

hirudo, *inis*, f., sangsue.

hirundo, *inis*, f., hirondelle.

hisco, *ere (hio)*, **1.** intr., s'entrouvrir, s'ouvrir, se fendre || ouvrir la bouche, parler || **2.** tr., [poét.] dire, raconter.

Hispalis, *is*, f., colonie romaine en Bétique, auj. Séville || **-ienses,** *ium*, m., habitants d'Hispalis.

Hispani, *orum*, m., habitants de l'Hispanie.

Hispania, *æ*, f., l'Hispanie [contrée d'Europe, auj. l'Espagne]: *citerior*, l'Hispanie citérieure [ou Tarraconnaise]; *ulterior*, l'Hispanie ultérieure [la Bétique et la Lusitanie] || **-nus, -nicus,** *a, um*, **-niensis,** *e*, d'Hispanie, Hispanien.

hispidus, *a, um*, hérissé || velu || âpre, raboteux || [fig.] qui est rude, grossier.

historia, *æ*, f., l'histoire || œuvre historique, exposé historique, récit, relation: *historiam scribere*, composer un ouvrage historique || pl. *historiæ*, récits historiques, l'histoire || [en gén.] récit: *aliquid historia dignum*, qq. fait digne d'être raconté.

1. historice, à la façon des historiens.

2. historice, *es*, f., explication des auteurs.

historicus, *a, um*, d'histoire ou d'historien, historique || qui s'occupe d'histoire, [d'où] **historicus,** *i*, m., historien.

Histri, Histria, v. *Istri*, etc.

histrio, *onis*, m., **1.** histrion, mime || **2.** comédien, acteur [en gén.].

histrionalis, *e (histrio)*, d'acteur, de comédien.

histrionia, f., profession d'acteur.

hiulce *loqui*, avoir une prononciation coupée d'hiatus, une parole hésitante.

hiulcus, *a, um (hio)*, fendu, ouvert || [fig.] qui a la bouche béante, avide || [rhét.] qui bâille.

hoc, **1.** v. *hic* || **2.** adv. [rare] = *huc*.

hodie, adv. *(hoc, die)*, aujourd'hui.

hodiernus, *a, um (hodie)*, d'aujourd'hui: *hodiernus dies*, aujourd'hui.

holus, holusculum, v. *olus, olusculum.*

Homerus, *i*, m., Homère || **-ricus,** *a, um*, d'Homère, homérique.

homicida, *æ*, m. *(homo cædo)*, homicide, meurtrier, assassin.

homicidium, *ii*, n., homicide, meurtre, assassinat.

homo, *inis*, m. (anc. lat. *hemo*, cf. *nemo-*), **1.** homme: *homo Romanus, homines Romani*, un Romain, des Romains; *Græci homines*, des Grecs || **2.** homme, celui qui en a les qualités: *homo sum, humani nihil a me alienum puto*, je suis homme, je pense que rien de ce qui concerne les hommes ne m'est étranger || homme, qui en a les imperfections: *summi sunt, homines tamen*, ils sont éminents, mais des hommes pourtant || **3.** cet homme, notre homme [*homo* remplaçant un démonstratif]: *videte hominis amentiam*, voyez la folie du personnage.

homullus, *i*, m., dimin. de *homo*, pauvre petit homme.

homuncio, *onis*, m. et **homunculus,** *i*, m., c. *homullus.*

honestamentum, *i*, n. *(honesto)*, embellissement || ornement.

honestas, *atis*, f. *(honestus)*, **1.** honneur, considération dont on jouit || **2.** honnêteté, caractère honorable, qualité d'un homme d'honneur; [en phil.] l'honnête, la vertu || **3.** noblesse, beauté.

honestatus, *a, um*, part. de *honesto.*

honeste *(honestus)*, **1.** d'une manière honorable, avec dignité || **2.** honnêtement, vertueusement.

honesto, *are, avi, atum (honestus)*, tr., **1.** honorer, faire honneur: *aliquem magna laude*, honorer qqn d'une grande gloire || **2.** donner de la beauté, de la noblesse.

honestum, *i*, n. *(honestus)*, l'honnête.

honestus, *a, um (honor)*, **1.** honorable, digne de considération, d'estime: *honestus et honoratus*, honorable et honoré || **2.** honorable, honnête, conforme à la morale; [pl. n.] *honesta*, les choses honnêtes || *honestum, honestius, honestissimum est alicui* [avec prop. inf.], il est beau, honorable (plus, très...) pour qqn que... || [avec inf.] || **3.** beau, noble.

honor et **honos,** *oris*, m., **1.** honneur, témoignage de considération et d'estime, hommage: *honorem alicui habere, exhibere, tribuere*, rendre un honneur à qqn, donner à qqn une marque d'honneur; *in magno honore esse*, être en grand honneur; *Druides magno sunt apud eos honore*, les Druides sont très honorés chez eux; *honori est alicui*, c'est un honneur pour qqn || *honoris causa (gratia) nominare aliquem*, nommer qqn pour lui marquer sa considération, son respect || **2.** charge, magistrature : *honores adipisci, petere,* rechercher, briguer les charges ; *honorum cupiditas,* l'ambition des magistratures ; *honoribus amplissimis perfunctus,* ayant rempli les plus hautes charges || **3.** ***a)*** honneurs suprêmes [sépulture] ; ***b)*** honneurs rendus à une divinité || **4.** honoraires [d'un médecin] || récompense, prix || **5.** honneur, beauté.

Honor, Honos, *oris,* m., Honneur [divinité].

honorabilis, *e (honoro),* honorable, qui fait honneur.

honorarius, *a, um (honor),* **1.** qui concerne une ou les magistratures || **2.** [sens class.] accordé par honneur, destiné à honorer, d'honneur, honorifique.

honorate, en témoignant de l'honneur, des égards.

honoratus, *a, um,* **1.** part. de *honoro* || **2.** adj., ***a)*** honoré, estimé ; ***b)*** qui a été ou qui est revêtu des charges publiques : *clari et honorati viri,* les hommes illustres et occupant les magistratures de l'État.

honorifice, avec honneur, distinction, déférence, dignement || *-centius ; -centissime.*

honorificus, *a, um (honor, facio),* qui honore, honorable, honorifique || *-centior ; -centissimus.*

honoro, *are, avi, atum (honor),* tr., honorer.

honorus, *a, um (honor),* honorable, qui honore.

honos, v. *honor.*

hora, *æ,* f., **1.** heure : *prima hora, tertia,* etc., la première heure [entre six et sept heures du matin] la troisième, etc. ; [à midi commence la septième heure] || *ad horam venire,* venir à l'heure, ponctuellement || **2.** l'heure, le temps, le moment || **3.** *horæ, arum,* f., horloge : *mittere ad horas,* envoyer voir l'heure.

Horæ, *arum,* f., les Heures [déesses qui président aux saisons et gardent les portes du ciel].

horæus, *a, um,* de saison.

Horatia, *æ,* f., sœur des Horaces.

Horatii, *orum,* m., les trois Horaces [qui combattirent contre les trois Curiaces].

Horatius, *ii,* m., **1.** le père des Horaces || **2.** Horatius Coclès || **3.** Q. Horatius Flaccus, le célèbre poète lyrique et satirique || **-tianus** et **-tius,** *a, um,* des Horaces, d'un Horace.

hordeaceus, *a, um,* d'orge.

hordearius (orde- et **hordi-),** *a, um (hordeum),* **1.** qui concerne l'orge || **2.** qui vit d'orge || subst. m. pl. *hordearii,* hordéaires [nom donné aux gladiateurs] || **3.** qui mûrit en même temps que l'orge.

hordeum (ord-), *i,* n., orge.

horia, *æ,* f., barque de pêcheur.

hornotinus, et **hornus,** *a, um,* de l'année, produit dans l'année.

horologium, *ii,* n., horloge [qu'il s'agisse du cadran solaire ou de la clepsydre].

horrendum, *n.* pris adv., d'une manière effrayante.

horrendus, *a, um,* **1.** adj. verb. de *horreo* || **2.** adj. : ***a)*** effroyable, terrible, redoutable : *horrendum dictu,* chose effroyable à dire ; ***b)*** qui inspire un frisson religieux, redoutable.

horrens, *tis,* part. prés. de *horreo.*

horreo, *ere, ui,* intr. et tr.,

I. au pr., int., **1.** être hérissé, se hérisser || **2.** se tenir raide.

II. [fig.] **1.** intr., ***a)*** grelotter, frissonner, trembler ; ***b)*** [surtout] frissonner de peur, trembler d'effroi || **2.** tr., redouter : *dolorem, crimen,* trembler à l'idée de souffrir, d'être accusé ; [avec inf.] *non horrui progredi...,* je n'ai pas tremblé d'avancer... ; [avec prop. inf.] craindre que.

horreolum, *i,* n. *(horreum),* petit grenier.

horresco, *ere, horrui (horreo),* **1.** intr., se hérisser || se mettre à frissonner, à trembler, être pris de frissons, d'effroi || **2.** tr., redouter || [avec inf.] craindre de.

horreum, *i,* n., **1.** grenier || **2.** cellier || resserre, réduit.

horribilis, *e (horreo),* qui fait horreur, horrible, effrayant || [en bonne part] étonnant, surprenant || *-bilior.*

horride *(horridus),* d'une manière hérissée, rude, âpre.

horridulus, *a, um (horridus),* **1.** quelque peu hérissé || **2.** [fig.] légèrement négligé.

horridus, *a, um (horreo),* **1.** hérissé : *barba horrida,* barbe hérissée || **2.** rugueux, âpre || **3.** [fig.] ***a)*** âpre, sauvage ; ***b)*** difficile, rébarbatif || **4.** qui fait frissonner, terrible.

horrifer, *era, erum (horror, fero),* effrayant.

horrifice, d'une manière effrayante.

horrifico, *are, avi, atum (horrificus),* tr., hérisser || rendre effrayant || épouvanter, causer de l'effroi.

horrificus, *a, um (horror, facio),* effrayant, affreux.

horrisonus, *a, um (horreo, sonus),* au bruit terrible, produisant un horrible bruit.

horror, *oris,* m. *(horreo),* **1.** hérissement, frissonnement || **2.** [fig.] âpreté, grincement || **3.** frisson de fièvre || **4.** [fig.] frisson d'effroi, frémissement de crainte || [poét.] terreur || **5.** frisson religieux, sainte horreur.

horsum, adv. *(hoc, vorsum),* de ce côté-ci [avec mouv. vers celui qui parle].

Hortalus, *i,* m., surnom de l'orateur Q. Hortensius et de ses descendants.

hortamen, *inis,* n. et **hortamentum,** *i,* n. *(hortor),* exhortation, encouragement.

hortatio, *onis,* f. *(hortor),* exhortation, encouragement.

hortativus, *a, um,* qui sert à exhorter.

hortator, *oris,* m. *(hortor),* celui qui exhorte, qui conseille, instigateur.

hortatrix, *icis,* f. de *hortator.*

1. hortatus, *a, um,* part. de *hortor.*

2. hortatus, *us,* m., encouragement.

hortensis, *e (hortus),* de jardin, de potager.

1. hortensius, *a, um,* c. *hortensis* || **hortensia,** *orum,* n., produits d'un potager.

2. Hortensius, *ii,* m., célèbre orateur romain, rival, puis ami de Cicéron.

hortor, *ari, atus sum,* tr., **1.** exhorter à, engager à, pousser à : *aliquem ad laudem,* exciter qqn à la gloire ; *in prælia,* aux combats || [avec *ut* subj.] exhorter à || [avec *ne*], exhorter à ne pas || [avec subj. seul] || [avec inf.] || **2.** exhorter, encourager, stimuler : *aliquem,* qqn || **3.** conseiller : *pacem,* conseiller la paix.

hortulus, *i,* m. *(hortus),* petit jardin, jardinet || pl., petit parc.

hortus, *i,* m., **1.** jardin || pl., jardins, parc || **2.** maison de campagne, ferme || **3.** produits du jardin, légumes.

hospes, *itis,* m., **1.** hôte, celui qui donne l'hospitalité ; f., hôtesse || **2.** hôte, celui qui reçoit l'hospitalité || **3.** hôte de passage, voyageur || étranger.

hospita, *æ,* f. *(hospes),* **1.** hôtesse || **2.** reçue en hospitalité, de passage || **3.** étrangère : *conjunx hospita,* épouse étrangère.

hospitalia, *ium,* n. *(hospitalis),* chambres pour les hôtes.

hospitalis, *e (hospes),* **1.** d'hôte, hospitalier || *domus maxime hospitalis,* maison au plus haut point hospitalière ; *hospitalissimus* || **2.** d'hôte (celui qui est reçu) : *cubiculum hospitale,* chambre d'hôte, d'ami || **3.** qui concerne l'hospitalité : *hospitalia,* les droits de l'hospitalité.

hospitalitas, *atis,* f., hospitalité.

hospitaliter, d'une manière hospitalière.

hospitium, *ii,* n. *(hospes),* **1.** hospitalité, action de recevoir (d'accueillir) comme hôte || **2.** [sens concret] toit hospitalier, logement, gîte || [en parl. d'animaux] gîte, abri, lieu de refuge || **3.** rapports entre les hôtes, liens de l'hospitalité : *hospitium cum aliquo publice facere,* contracter avec qqn des liens officiels d'hospitalité.

(hospitus), m. inus., *a, um, (hospes),* qui donne l'hospitalité, hospitalier.

hostia, *æ,* f., victime : *hostiam fluctibus immolare,* immoler une victime aux flots de la mer || *humanæ hostiæ,* victimes humaines.

hosticus, *a, um (hostis),* **1.** d'étranger || **2.** d'ennemi, ennemi || subst. n., *hosticum,* le territoire ennemi.

hostificus, *a, um (hostis, facio),* ennemi, funeste.

hostilis, *e (hostis),* **1.** de l'ennemi, ennemi : *hostiles condiciones,* pacte conclu avec l'ennemi || **2.** d'un ennemi, qui rappelle un ennemi : *hostilem in modum,* à la manière d'un ennemi || hostile || **3.** funeste, nuisible.

hostiliter *(hostilis),* en ennemi, hostilement.

Hostilius, *ii,* m., nom de famille rom. ; not. Tullus Hostilius [3ᵉ roi de Rome] || **-ius,** *a, um,* d'Hostilius.

hostis, *is,* m., **1.** étranger || **2.** ennemi [de guerre], ennemi public, *aliquem hostem judicare,* déclarer qqn ennemi public || f., ennemie || **3.** ennemi [en gén.] : *hostis alicujus, hostis alicui,* ennemi de qqn.

huc, adv. *(hic),* question *quo* [mouv. vers un lieu], **1.** ici, en cet endroit, dans ce lieu : *pater huc me misit,* mon père m'a envoyé ici ; *huc illuc, huc et illuc, huc et illo,* çà et là || **2.** [*in* ou *ad* et acc. du pron. *hic*] : *accedit huc* [= *ad hoc*], à cela s'ajoute ; *rem huc deduxi, ut...,* j'ai amené l'affaire à un tel point que...

hucine, adv. interrog. [amenant d'ordinaire *ut* conséc.], est-ce à ce point que... ?

hucusque ou **huc usque,** jusqu'ici, jusque-là || jusqu'à ce point.

hui, interj. qui exprime l'étonnement : oh ! ho, ho, ouais ! peste ! || oui-da ? quoi ? eh quoi !

hujuscemodi, c. *hujusmodi.*

hujusmodi, de cette manière, de cette sorte, de cette espèce.

humane *(humanus),* **1.** conformément à la nature humaine : *aliquid ferre,* supporter qqch. avec résignation, philosophiquement || **2.** à la façon d'un homme bien élevé || avec bienveillance || **3.** [ironie] agréablement, joliment.

humanitas, *atis,* f. *(humanus),* **1.** humanité, nature humaine, sentiment humain, caractère humain ; *humanitatis est* avec inf., il est dans la nature humaine de... || **2.** affabilité, bienveillance, bonté, philanthropie || **3.** culture générale de l'esprit || **4.** politesse des mœurs, savoir-vivre || [en part.] civilisation.

humaniter *(humanus),* **1.** d'une façon conforme à la nature humaine : *ferre humaniter,* supporter avec résignation || **2.** en homme qui sait vivre ; aimablement || agréablement.

humanitus *(humanus),* adv., conformément à la nature humaine || avec douceur.

humanus, *a, um (homo),* **1.** humain, qui concerne l'homme : *humanum est,* c'est humain, c'est dans la nature humaine || pl. n. *humana,* les choses humaines [ou] les caractères humains || **2.** aimable, affable, sociable || **3.** cultivé || policé, civilisé.

humatio, *onis,* f. *(humo),* action d'ensevelir, inhumation.

humatus, *a, um,* part. de *humo.*

humecto (um-), *are, avi, atum,* tr., humecter, mouiller, baigner.

humens, *tis,* part. prés. de *humeo.*

humectus (um-), *a, um,* humecté, humide.

humeo (um-), *ere,* intr., être humide.

humerus ou **umerus,** *i,* m., **1.** humérus, os supérieur du bras || **2.** épaule [de l'homme] || pl. [fig.] les épaules || **3.** épaule, cou [d'animaux].

humesco (um-), *ere (humeo),* intr., devenir humide, s'humecter, se mouiller.

humidulus ou **umidus,** *a, um (humeo),* **1.** humide || **2.** liquide || [fig.] inconsistant || **3.** subst. n. *humidum,* lieu humide, marécage || humidité || n. pl. *humida,* lieux humides.

humifer (um-), *era, erum (humor, fero),* humide.

humilis, *e (humus),* **1.** bas, près du sol, peu élevé || **2.** [fig.] humble : *parentes humiles,* parents obscurs || faible || de caractère humble, effacé, modeste || abattu, sans ressort || [péjor.] rampant, bas || *-millimus.*

humilitas, *atis,* f. *(humilis),* **1.** peu d'élévation, bassesse, petite taille || **2.** [fig.] état humble, modeste, la naissance obscure de qqn || faiblesse, faible puissance || humilité, abaissement, abattement || abjection, platitude, caractère rampant.

humiliter *(humilis),* **1.** avec peu d'élévation, bas, dans un lieu peu élevé : *humillime* || **2.** [fig.] *humiliter sentire,* avoir des sentiments peu élevés || avec humilité, humblement || avec faiblesse.

humo, *are, avi, atum (humus),* tr., mettre en terre, enterrer, recouvrir de terre, inhumer || faire les funérailles de qqn.

humor ou **umor,** *oris,* m. *(humeo),* liquide || humidité || les humeurs du corps humain.

humus, *i,* f., **1.** sol, terre || *jacere humi,* coucher à terre, sur la dure || **2.** pays, contrée, région.

hyacinthus (-thos), *i,* m., hyacinthe [probabl. le lis martagon].

Hyades, *um,* f., les Hyades [sœurs d'Hyas, changées en une constellation qui annonce la pluie].

hyæna, *æ,* f., hyène.

hyalus, *i,* m., verre.

Hyas, *antis,* m., fils d'Atlas, frère des Hyades, fut déchiré par une lionne.

Hybla, *æ,* f., mont de Sicile, dont le miel était réputé || **-æus,** *a, um,* de l'Hybla.

hydra, *æ,* f., hydre de Lerne.

hydraulus, *i,* m., orgue hydraulique.

hydria, *æ,* f., hydrie, aiguière, cruche [à poignée].

Hydruntum, v. *Hydrus.*

1. hydrus (-dros), *i,* m., hydre, serpent d'eau || pl., serpents des Furies.

2. Hydrus, *untis,* f. et **-untum,** *i,* n., Hydronte [ville de Calabre, auj. Otrante].

Hymen, m. [seul. aux nom. et voc.], Hymen [dieu du mariage] || chant d'hyménée.

hymenæus (-os), *i,* m., **1.** chant d'hyménée, épithalame || **2.** hyménée, mariage.

Hymettus (-ttos), *i,* m., l'Hymette [montage de l'Attique, dont le miel était réputé] || **-ttius,** *a, um,* de l'Hymette.

Hypanis, *is,* m., fleuve de Sarmatie.

hyperbole, *es (*-**la,** *æ)*, f., hyperbole.

hyperboreus, *a, um*, hyperboréen, septentrional || **Hyperborei,** *orum*, m., les peuples septentrionaux.

Hyperion, *onis*, m., Hypérion [père du Soleil] || le Soleil || **-nis,** *idis*, f., fille du Soleil, l'Aurore.

hypocauston (-um), *i*, n., chambre voûtée souterraine où était installé le chauffage des appartements ; caveau de chauffage.

hypocrita (-tes), *æ*, m., mime [qui accompagnait l'acteur avec les gestes].

Hyrcania, *æ*, f., l'Hyrcanie [province de l'Asie, près de la mer Caspienne] || **-anus,** *a, um*, d'Hyrcanie, hyrcanien ; *mare Hyrcanum*, la mer Caspienne || **-ani,** *orum*, m., les habitants de l'Hyrcanie.

I

I, i, f., n. [neuvième lettre de l'alphabet latin].

Iacchus, *i*, m., autre nom de Bacchus || le vin.

iambus, *i*, m., ïambe [pied composé d'une brève et d'une longue] || poème ïambique || pl., ïambes, vers satiriques.

Iapetus, *i*, m., Japet [père d'Atlas et de Prométhée] || **-tionides,** *æ*, m., fils de Japet.

Iason, *onis*, m., Jason [chef des Argonautes, enleva la Toison d'or gardée par un dragon].

iaspis, *idis*, agate, jaspe.

Iber ou **Hiber,** *eris*, m., Ibérien.

Iberia (Hib-), *æ*, f., nom que les Grecs donnaient à l'Hispanie.

1. Iberus ou **Hiberus,** *a, um*, d'Ibérie, d'Hispanie.

2. Iberus ou **Hiberus,** *i*, m., l'Ibère, Èbre [fleuve de la Tarraconnaise].

ibex, *icis*, m., bouquetin.

ibi, adv., **1.** là, dans ce lieu [sans mouvement] || **2.** [fig.] alors || **3.** = *in* + abl. du pron. *is; ibi = in iis rebus; = in ea civitate.*

ibidem *(ibi)*, adv., **1.** au même endroit, là même: *hic ibidem*, ici même || **2.** au même point, au même moment.

ibis, *idis* ou *is*, f., ibis [oiseau].

Icarius, *a, um*, d'Icare: *Icarium mare*, mer Icarienne, mer Égée.

Icarus, *i*, m., Icare [fils de Dédale, s'envola de Crète avec son père, qui avait fabriqué des ailes ajustées avec de la cire; mais, comme il s'était trop approché du soleil, la cire fondit et il tomba dans la mer qui fut ensuite appelée « mer Icarienne »].

ichneumon, *onis*, m., rat d'Égypte.

(ico ou **icio)**, *ere, ici, ictum*, tr., **1.** frapper, blesser: *lapide ictus*, frappé d'une pierre || **2.** avec *fœdus*, conclure un traité (v. *ferio*) || **3.** [au part. passé, sens figuré] *ictus*, frappé, troublé, alarmé.

1. ictus, *a, um*, part. de *ico*.

2. ictus, *us*, m. *(ico)*, **1.** coup, choc, atteinte || **2.** battement de la mesure || **3.** battement du pouls || **4.** [fig.] *calamitatis*, coup, atteinte du malheur.

Ida, *æ*, f. et **Ide,** *es*, f., **1.** Ida [mont de Phrygie célèbre à plusieurs titres: enlèvement de Ganymède, jugement de Pâris et surtout culte de Cybèle] || **2.** mont de Crète, où était né Jupiter.

Idæus, *a, um*, de l'Ida [en Phrygie] || = troyen || *judex*, Pâris || de l'Ida [en Crète].

Idalium, *ii*, n., Idalie [ville de l'île de Chypre, célèbre par le culte de Vénus].

Idalius, *a, um*, d'Idalie, de Vénus.

idcirco, adv., pour cela, pour cette raison || [en corrél. avec *quod, quia*, qui suivent ou précèdent *idcirco*]; [avec *ut, ne*, pour que, pour que ne pas]; [avec *si*].

idem, *eadem, idem (is* et suff. *dem)*, **1.** le même, la même: *idem vultus*, le même visage || **2.** = en même temps, aussi, en outre; *vir innocentissimus idemque doctissimus*, homme absolument irréprochable et en même temps très instruit || **3.** [en corrél. avec *qui, atque, et, ut, quasi, cum*] le même que.

identidem, à diverses reprises, sans cesse, continuellement.

ideo, adv., pour cela, pour cette raison, à cause de cela || [en corrél. avec *quod, quia*] parce que; [avec *ut* final] pour que; voir ces mots; [avec *quo* final] pour que par là.

id est, c'est-à-dire, v. *is*.

idiota (-es), *æ*, m., qui n'est pas connaisseur, profane, ignorant.

idolum ou **-on,** *i*, n., image, spectre.

idonee *(idoneus)*, d'une manière convenable.

idoneus, *a, um*, **1.** approprié, convenable, suffisant: *tempus idoneum*, un moment propice || **2.** [avec dat., avec *ad*] propre à, convenable pour; *ad egrediendum idoneus locus*, lieu favorable à un débarquement || [avec inf.] || **3.** [avec le relatif et subj.] qui remplit les conditions pour, digne de: *idoneus qui impetret...*, digne d'obtenir...

idus, *uum*, f., les ides [le jour qui partage le mois en deux; le 15 des mois de mars, mai, juillet, octobre; le 13 des autres mois].

idyllium ou **edyllium,** *ii*, n., idylle, poème pastoral || pl., titre d'un poème d'Ausone.

iens, *euntis*, part. prés. de *eo*.

igitur, adv., **1.** dans ces circonstances, alors || **2.** [coord. logique] donc, par conséquent || **3.** [dans les interrog. conclusives] donc: *possumusne igitur... ?*, pouvons-nous donc... ? || [ironie]: *hunc igitur regem agnoscimus ?*, voilà donc celui que nous reconnaissons pour roi? || [avec impér. ou subj. concessif] donc, ainsi donc: *omitte igitur*, laisse donc de côté... || **4.** [pour résumer] donc, ainsi donc.

ignarus, *a, um (in* et *gnarus)*, **1.** qui ne connaît pas, ignorant, qui n'est pas au courant [avec gén.] || [absol.] *me ignaro*, sans que je sois au courant || **2.** [sens passif] inconnu (avec dat.).

ignave, avec faiblesse, sans énergie.

ignavia, *æ*, f. *(ignavus)*, inaction, apathie, mollesse, paresse.

ignavus, *a, um (in* et *gnavus)*, **1.** sans activité, indolent, mou, paresseux || **2.** sans cœur, lâche, poltron || [pris subst.] *ignavi*, les lâches || **3.** [fig.] sans force, sans vertu, improductif || **4.** qui engourdit, qui rend mou, amollissant.

ignesco, *ere (ignis)*, intr., prendre feu || [fig.] s'enflammer [en parl. des passions].

igneus, *a, um (ignis)*, de feu, enflammé || étincelant, brillant || enflammé, ardent, véhément.

igniculus, *i*, m. *(ignis)*, **1.** petit feu || **2.** ***a)*** = vivacité; ***b)*** pl., étincelles = germes.

ignifer, *era, erum (ignis, fero)*, ardent, enflammé.

ignipotens, *tis*, maître du feu [épith. de Vulcain] || subst. m. = Vulcain.

ignis, *is*, m., **1.** feu: *ignes*, des feux || pl., brandons enflammés || **2.** les éclairs || les étoiles || **3.** [fig.] aliment à une passion, à la colère || éclat, splendeur; rougeur [des joues]; feu [d'une passion].

ignitus, *a, um (ignis)*, enflammé, ardent, brûlant, vif.

ignobilis, *e (in, nobilis)*, inconnu, obscur || de basse naissance.

ignobilitas, *atis*, f. *(ignobilis)*, naissance obscure || obscurité, manque de renom.

ignominia, *æ*, f. *(in* et *gnomen = nomen)*, ignominie, déshonneur, tache, honte, flétrissure, opprobre, infamie, etc.

ignominiosus, *a, um (ignominia)*, ignominieux, dégradant, honteux || *-niosus, i*, m., homme couvert de honte.

ignorabilis, *e (ignoro)*, inconnu.

ignorans, *tis*, part. prés. de *ignoro*.

ignorantia, *æ*, f. *(ignoro)*, état d'ignorance.

ignoratio, *onis*, f. *(ignoro)*, action d'ignorer, ignorance [accidentelle, non blâmable en soi].

ignoratus, *a, um*, part. de *ignoro*.

ignoro, *are, avi, atum (ignarus)*, tr., ne pas connaître, être dans l'ignorance de: *Cato ignoratur*, on ignore Caton [écrivain]; *Archimedis ignoratum a Syracusanis sepulcrum*, tombeau d'Archimède inconnu des Syracusains || [avec prop. inf.] ignorer que || [avec intr. ind.] || [avec *quin* subj., dans une phrase négative ou interr.]: *quis ignorat quin... ?*, qui ne sait que... ?

ignoscens, *tis*, part. prés. de *ignosco* || pris adj.: indulgent.

ignosco, *ere, novi, notum (in, gnosco = nosco)*, intr., pardonner: *alicui* ou *alicui rei*, pardonner à qqn, à qqch.

ignotus, *a, um (in* et *gnotus = notus)*, **1.** inconnu: *alicui ignotissimus*, tout à fait inconnu de qqn || **2.** qui ne connaît pas; [surtout au pl.] *ignoti*, des gens qui ne connaissent pas *(= ignari)*.

ii, pf. de *eo*.

ilex, *icis*, f., sorte de chêne, yeuse.

1. Ilia, *æ*, f., Ilia = Rhéa Silvia, fille de Numitor, mère de Romulus et Rémus || **-ades,** *æ*, m. fils d'Ilia.

2. ilia, *ium*, n., flancs, ventre: *ilia ducere; trahere*, haleter, être essoufflé || entrailles.

Iliacus, *a, um*, d'Ilion, de Troie.

1. Iliades, *æ*, m., v. *Ilia 1.*

2. Iliades, *æ*, m. *(Ilium)*, le Troyen = Ganymède.

3. Iliades, *um*, f., les Troyennes.

Ilias, *adis*, f., **1.** Troyenne || **2.** l'Iliade [poème d'Homère].

ilicet, adv. *(ire, licet)*, aussitôt, sur-le-champ.

ilicetum, *i*, n., lieu planté d'yeuses.

iliceus, iligneus, ilignus, *a, um (ilex)*, d'yeuse.

ilico, v. *illico*.

Ilienses, *ium*, m. *(Ilium)*, Troyens.

Ilion, *ii*, n., v. *Ilium*.

Ilium (-on), *ii*, n., **Ilios,** *ii*, f., Ilion ou Troie || **Ilius,** *a, um*, d'Ilion.

illa, adv., par là.

illabefactus (inl-), *a, um*, qui n'est pas brisé.

illabor (inl-), *bi, lapsus sum*, intr., tomber, glisser, s'enfoncer dans ou sur [*in* acc.] || pénétrer, s'écouler dans.

illaboratus (inl-), *a, um*, qui n'est pas travaillé.

illaboro (inl-), *are*, intr., travailler à [dat.].

illac, adv., par là.

illacessitus (inl-), *a, um*, qui n'a pas été provoqué.

illacrimabilis (inl-), *e*, **1.** qui n'est pas pleuré || **2.** sans pitié, inexorable.

illacrimo (inl-), *are, avi, atum*, intr., **1.** pleurer sur ou à propos de: *alicui rei*, pleurer sur qqch.; [avec prop. inf.], déplorer que || **2.** couler, suinter.

illacrimor (inl-), *ari, atus sum*, **1.** intr., pleurer sur ou à propos de: *morti alicujus*, pleurer sur la mort de qqn || **2.** tr., pleurer qqch., qqn.

illæsus (inl), *a, um*, qui n'est pas blessé, pas endommagé.

illætabilis (inl-), *e*, qui ne peut réjouir, triste.

illapsus (inl-), *a, um*, part. de *illabor*.

illaqueatus (inl-), *a, um*, part. de *illaqueo*.

illaqueo (inl-), *are, avi, atum*, tr., enlacer; séduire.

illatus (inl-), *a, um*, part. de *infero*.

illaudabilis (inl-), *e*, qui ne mérite pas de louange.

illaudatus (inl-), *a, um*, obscur, sans gloire || indigne de louange.

ille, *illa, illud*, gén. *illius*, dat. *illi*, adj.-pr. dém., celui-là, celle-là, cela; ce, cet, cette, **1.** [désigne par rapport à celui qui parle ce qui est le plus éloigné dans l'espace et dans le temps, alors souvent opposé à *hic*, v. *hic*; ou encore il se réfère à une troisième personne ou un troisième objet] || **2.** emphatique: *hic est ille Demosthenes*, voilà ce fameux Démosthène || **3.** renvoyant à ce qui précède || interlocuteur d'un dialogue: *tum ille...*, alors lui... || **4.** annonçant ce qui suit [alors souvent opposé à *hic* qui renvoie à ce qui précède, v. *hic*] || **5.** *hic et ille*, tel et tel.

illecebra (inl-), *æ*, f. *(illicio)*, **1.** attrait, charme || **2.** au pl., attraits, séductions, amorces, appât.

illectus (inl-), *a, um*, part. de *illicio*.

illepide (inl-), sans grâce.

illepidus (inl-), *a, um*, sans grâce, désagréable.

illevi (inl-), pf. de *illino*.

illexi (inl-), pf. de *illicio*.

illi, 1. dat. sing. et nom, pl. m. de *ille* || **2.** adv. arch., à cet endroit-là [sans mouv.].

illibatus (inl-), *a, um (in, libo)*, entier, dans son intégrité.

illiberalis (inl-), *e*, indigne d'un homme libre || bas, vulgaire || désobligeant || avare, mesquin.

illiberalitas (inl-), *atis*, f., lésinerie, mesquinerie.

illiberaliter (inl-), d'une manière indigne de l'homme libre, de gens bien nés || mesquinement.

illic, adv., **1.** en cet endroit-là, là-bas, là [sans mouv.]: *illic... hic*, là-bas... ici || **2.** [= *in illo*] là, chez lui.

illicio (inl-), *ere, lexi, lectum (in, lacio)*, tr., tenter, attirer, charmer, séduire, détourner, égarer || engager à, entraîner à: [av. *ut* subj.].

illicitator (inl-), *oris*, m., enchérisseur.

illicitus (inl-), *a, um*, interdit, illégal.

illico ou **ilico** *(in loco)*, adv., sur-le-champ.

illido (inl-), *ere, si, sum (in* et *lædo)*, tr., **1.** frapper sur, pousser contre || **2.** mettre en morceaux.

illigatus (inl-), *a, um*, part. de *illigo*.

illigo (inl-), *are, avi, atum*, tr., lier à, attacher à, enchâsser || entraver.

illimis (inl-), *e (in, limus)*, dépourvu de boue, limpide.

illinc *(illim, ce)*, adv., de là || venant de cette personne, de ce côté.

illino (inl-), *linere, levi, litum (in, lino),* tr., **1.** oindre, enduire, imprégner || **2.** appliquer sur, frotter sur.

illiquefactus (inl), *a, um,* rendu liquide.

illisi (inl-), pf. de *illido.*

illisus (inl-), *a, um,* part. de *illido.*

illitteratus (inl-), *a, um,* illettré, ignorant.

illitus (inl), *a, um,* part. de *illino.*

illiusmodi, de cette sorte.

illo *(ille),* adv., **1.** là-bas, en cet endroit-là, là [avec mouv.] || **2.** [= *ad illud*] *eodem illo pertinere ut...,* aboutir à ce même but, savoir que...

illotus, illautus, illutus (inl-), *a, um,* **1.** sale, non lavé || **2.** non essuyé.

illuc *(ille),* adv., **1.** là-bas, là [avec mouv.]: *huc illuc, huc atque illuc, etc.,* çà et là || **2.** [fig.] ***a)*** = *ad* ou *in* acc. + *illud: oratio redeat illuc (= ad illud, ad illam rem), unde deflexit,* revenons au point d'où notre propos s'est écarté; ***b)*** = *ad illum:* vers lui.

illucesco (inl-), *ere, luxi,* **1.** intr., se mettre à luire, à briller || **2.** impers., *ubi inluxit,* quand il fit jour.

illudo (inl-), *ere, lusi, lusum,* intr. et tr, **I.** intr., **1.** jouer sur, jouer avec [dat.] || **2.** [fig.] ***a)*** se jouer de, se moquer de *(alicui rei,* de qqch.; *in aliquem,* de qqn) || [absol.] *illudens,* en se jouant, par manière de plaisanterie, ironiquement; ***b)*** se jouer de, ne pas respecter, maltraiter.

II. tr., **1.** se jouer de: *illusæ auro vestes,* étoffes brochées d'or || **2.** se moquer de, railler, tourner en ridicule || **3.** se jouer de, risquer, aventurer: *vitam alicujus,* risquer la vie de qqn || ne pas respecter, insulter.

illuminatus (inl-), *a, um,* part. de *illumino* || adj., brillant, orné.

illumino (inl-), *are, avi, atum,* **1.** éclairer, illuminer || **2.** [fig.] mettre en lumière, rendre lumineux.

illustratus (inl), *a, um,* part. de *illustro.*

illustris (inl-), *e,* **1.** clair, éclairé, bien en lumière || qui donne de la clarté, lumineux, brillant: *illustris stella,* étoile brillante || **2.** [fig.] ***a)*** clair, éclatant, manifeste; ***b)*** brillant, en vue, marquant: *illustriore loco natus,* d'une famille en vue.

illustrius (sens positif), plus clairement.

illustro (inl-), *are, avi, atum (in, lustro),* tr., **1.** éclairer, illuminer || **2.** [fig.] ***a)*** mettre en lumière, rendre patent; ***b)*** donner de l'éclat, du lustre.

illusus (inl-), *a, um,* part. de *illudo.*

illuvies (inl-), *ei,* f. *(in, lavo),* **1.** saleté, malpropreté || **2.** mare boueuse.

illuxi (inf-), pf. de *illucesco.*

Illyricus, *a, um,* d'Illyrie || **-cum,** *i,* n., l'Illyrie.

Illyrius, *a, um,* Illyrien || **-rii,** m., les Illyriens.

Ilus, *i,* m., fils de Tros et roi de Troie || surnom d'Ascagne || compagnon de Turnus.

imaginarius, *a, um (imago),* ce qui existe en imagination.

imaginatio, *onis,* f. *(imaginor),* image, vision.

imaginatus, *a, um,* part. de *imaginor.*

imaginor, *ari, atus sum (imago),* tr., se figurer, s'imaginer, *aliquem, aliquid,* qqn, qqch.

imago, *ginis,* f., **1.** représentation, imitation, portrait || **2.** [en part.] portrait d'ancêtre, image [en cire, placée dans l'atrium, portée aux funérailles] || surtout au pl.: *jus imaginum,* le droit d'images, réservé aux nobles; *homo multarum imaginum,* homme qui compte de nombreux ancêtres, = de haute noblesse || **3.** image, ombre d'un mort || fantôme, vision, songe, apparition || spectre || **4.** écho: *vocis,* ou *imago* seul || **5.** portrait, image, copie de qqn.

imbecillitas, *atis,* f. *(imbecillus),* **1.** faiblesse physique || **2.** faiblesse [en gén.], manque de force || **3.** faiblesse de réflexion || de courage, de caractère.

imbecilliter *(imbecillus),* faiblement || *imbecillius.*

imbecillus, *a, um,* **1.** faible [de corps] || faible [en parl. de la voix] || **2.** faible [en parl. de l'esprit] || humble; *imbecilli,* des gens faibles, sans caractère.

imbellis, *e (in* et *bellum),* **1.** inapte à la guerre, pacifique, paisible || **2.** faible, impuissant || **3.** sans guerre.

imber, *bris,* m., **1.** pluie, averse, orage de pluie || **2.** nuage de pluie || **3.** eau, liquide.

imberbis, *e,* et **-bus,** *a, um (in, barba),* qui est sans barbe.

imbibo, *ere, bibi (in, bibo),* tr., [fig.] se pénétrer de || [avec inf.]: se pénétrer de = prétendre, décider de.

imbrex, *icis,* m. f. *(imber),* tuile faîtière, tuile creuse.

imbricatus, *a, um,* part. de *imbrico.*

imbrico, *are, avi, atum (imbrex),* tr.,

couvrir de tuiles creuses || *imbricatus*, ayant la forme d'une tuile creuse.

imbrifer, *era, erum (imber, fero)*, qui amène la pluie, pluvieux.

imbuo, *ere, bui, butum*, tr., **1.** abreuver, imbiber, imprégner || **2.** [fig.] ***a)*** pénétrer de, remplir de : *imbutus superstitione*, imbu de superstition ; ***b)*** pénétrer qqn d'une chose = la lui inculquer.

imbutus, *a, um*, part. de *imbuo*.

imitabilis, *e (imitor)*, imitable.

imitamen, *inis*, n., ou **-mentum,** *i*, n., imitation, copie.

imitatio, *onis*, f. *(imitor)*, imitation, copie.

imitator, *oris*, m. *(imitor)*, imitateur.

imitatrix, *icis*, f. *(imitator)*, imitatrice.

imitatus, *a, um*, part. de *imitor* ; sens pass., v. *imitor*.

imitor, *ari, atus sum* (cf. *imago*), tr., **1.** imiter, reproduire par imitation : *chirographum*, imiter une signature || [poét.] remplacer un objet par un objet semblable || part. *imitatus* avec sens passif, qui est imité || **2.** imiter, être semblable à || **3.** rendre, exprimer, représenter.

immanis, *e*, **1.** monstrueux, prodigieux : *immani corporum magnitudine homines*, hommes d'une stature gigantesque || **2.** monstrueux, barbare, cruel, sauvage || pl. n. *immania*, des choses monstrueuses, prodigieuses.

immanitas, *atis*, f. *(immanis)*, **1.** grandeur prodigieuse, démesurée || **2.** caractère monstrueux, férocité, sauvagerie des mœurs, barbarie.

immaniter *(immanis)*, d'une façon horrible, terrible.

immansuetus, *a, um (in, mansuetus)*, sauvage, cruel, féroce.

immaturitas, *atis*, f., **1.** défaut de maturité || **2.** précipitation.

immaturus, *a, um*, **1.** qui n'est pas mûr || **2.** prématuré, avant le temps.

immedicabilis, *e (in, medicabilis)*, incurable.

immemor, *oris (in, memor)*, qui ne se souvient pas : *alicujus rei*, de qqch.

immemorabilis, *e (in, memorabilis)*, **1.** qui ne mérite pas d'être rapporté || **2.** inexprimable, indicible.

immemoratus, *a, um (in, memoro)*, nouveau, qui n'a pas encore été dit.

immensitas, *atis*, f. *(immensus)*, immensité.

immensus, *a, um (in* et *metior)*, sans limites, immense, démesuré, infini || n. pris subst., **immensum,** immensité, infini || pris adv., énormément, prodigieusement.

immerens, *tis (in, mereo)*, innocent, qui ne mérite pas.

immergo, *ere, si, sum (in, mergo)*, tr., **1.** plonger dans, immerger : [avec *in* et acc.] || [avec abl.] || **2.** mettre en terre, planter dans [avec dat.] || **3.** *se in rem*, s'enfoncer dans qqch.

immerito *(immeritus)*, injustement.

immeritus, *a, um (in, mereo)*, **1.** qui n'a pas mérité || **2.** immérité, injuste.

immersabilis, *e (in, merso)*, qui ne peut être submergé.

immersus, *a, um*, part. de *immergo*.

immigro, *are, avi, atum (in, migro)*, int., passer dans, pénétrer [avec *in* acc.] || [fig.] s'introduire dans.

immineo, *ere (in, mineo)*, int., **1.** s'élever au-dessus, être suspendu au-dessus, dominer, avoisiner, toucher à || **2.** être suspendu sur, être imminent : *mors imminet*, la mort est sur nos têtes || **3.** menacer || **4.** être penché sur, convoiter.

imminuo, *ere, nui, nutum (in* et *minuo)*, tr., **1.** diminuer || **2.** amoindrir, réduire, accourcir || affaiblir, débiliter || **3.** détruire, ruiner.

imminutio, *onis*, f. *(imminuo)*, **1.** diminution, raccourcissement, mutilation || **2.** [fig.] diminution, affaiblissement.

imminutus, *a, um*, part. de *imminuo*.

immisceo, *ere, miscui, mixtum* ou *mistum (in, misceo)*, tr., mêler à [avec dat.] || *immisceri* ou *se immiscere*, se mêler à, s'immiscer dans qqch.

immisericors, *dis (in, misericors)*, qui est sans pitié, impitoyable.

immisi, pf. de *immitto*.

immissio, *onis*, f. *(immitto)*, action de laisser aller, d'admettre.

immissus, *a, um*, part. de *immitto*.

immitis, *e (in, mitis)*, **1.** qui n'est pas mûr || **2.** sauvage, rude || affreux, cruel.

immitto, *ere, misi, missum (in* et *mitto)*, tr., **1.** envoyer vers (contre), lancer sur (contre) : *se in medios hostes*, se lancer au milieu des ennemis || **2.** laisser aller librement : *immissis frenis*, à toute bride || laisser croître : *barba immissa*, longue barbe pendante || **3.** envoyer comme émissaire.

immixtus ou **immistus,** *a, um*, part. de *immisceo*.

immo (à tort **imo**), adv., **1.** [surtout dans le dial., sert à corriger ce qui vient d'être dit] bien au contraire ; non, au contraire || **2.** [avec *vero*] ***a)*** [corrige] non, au contraire; ***b)*** [enchérit] mieux que cela (que dis-je ?).

immobilis, *e (in, mobilis),* **1.** immobile, qui ne se meut pas || **2.** [fig.] calme, insensible || fidèle, inébranlable.

immobilitas, *atis,* f. *(immobilis),* immobilité.

immoderate *(immoderatus),* sans règle, sans ordre || [fig.] sans mesure, sans retenue.

immoderatio, *onis,* f. *(immoderatus),* défaut de mesure.

immoderatus, *a, um (in, moderatus),* **1.** qui est sans bornes, infini || **2.** sans mesure, excessif.

immodeste *(immodestus),* sans retenue, sans mesure.

immodestia, *æ,* f. *(immodestus),* manque de retenue, excès, dérèglement || indiscipline.

immodestus, *a, um (in, modestus),* qui est sans retenue, déréglé.

immodice, sans mesure, excessivement.

immodicus, *a, um (in, modicus),* **1.** démesuré, excessif || **2.** [fig.] qui n'a pas de retenue, de mesure dans [avec gén.].

immolatio, *onis,* f. *(immolo),* immolation, sacrifice.

immolator, *oris,* m. *(immolo),* sacrificateur.

immolatus, *a, um,* part. de *immolo.*

immolitus, *a, um (in, molior),* qui est en construction.

immolo, *are, avi, atum (in, mola),* tr., immoler, sacrifier : ***a)*** *Musis bovem,* un bœuf aux Muses ; ***b)*** *alicui aliqua re : Jovi tauro,* sacrifier un taureau à Jupiter ; ***c)*** [absol.] faire un sacrifice ; ***d)*** [poét.] immoler, faire périr.

immorior, *mori, mortuus sum,* intr., mourir dans, sur, auprès || [fig.] se tuer à.

immoror, *ari, atus sum (in, moror),* intr., rester sur, s'arrêter || [fig.] s'appesantir, insister : *in aliqua re,* ou *rei,* s'arrêter sur qqch.

immortalis, *e,* immortel || impérissable, éternel || **-tales,** *ium,* m., les dieux.

immortalitas, *atis,* f., immortalité.

immortaliter, éternellement.

immortuus, *a, um,* part. de *immorior.*

immotus, *a, um (in, moveo),* sans mouvement, immobile || [fig.] ferme, inébranlable.

immugio, *ire, ii (in, mugio),* intr., mugir contre [avec dat.] || gronder dans || retentir.

immulgeo, *ere (in, mulgeo),* tr., traire sur.

immundus, *a, um (in, mundus),* sale, impur, immonde.

immunio, *ire, ivi (in, munio),* tr., installer comme protection.

immunis, *e (in* et *munus),* **1.** dispensé de toute charge, libre de tout impôt || *militia immunis,* exempt du service militaire || **2.** [fig.] qui se soustrait aux charges, paresseux || égoïste || qui ne donne rien || **3.** [en gén.] exempt de, libre de.

immunitas, *atis,* f. *(immunis),* exemption, dispense, remise.

immunitus, *a, um (in, munitus),* **1.** non fortifié || **2.** impraticable [route].

immurmuro, *are, avi, atum,* intr., murmurer dans, sur, contre [avec dat.].

immutabilis, *e (in, mutabilis),* qui ne change point, immuable.

immutabilitas, *atis,* f., immutabilité.

immutatio, *onis,* f. *(immuto),* changement.

1. immutatus, *a, um,* **1.** part. de *immuto* || **2.** adj., où tout est brouillé, bouleversé.

2. immutatus, *a, um (in, muto),* non changé, invariable, inébranlable.

immutesco, *ere, tui,* intr., se taire, demeurer muet.

immuto, *are, avi, atum,* tr., changer, modifier.

immutui, pf. de *immutesco.*

imo, adv., v. *immo.*

impacatus, *a, um (in, pacatus),* non pacifié, agité.

impactus, *a, um,* part. de *impingo.*

impar, *aris (in, par),* **1.** inégal, dissemblable [nombre ou qualité] || **2.** [fig.] inégal, inférieur ; *alicui,* à qqn ; *alicui rei,* à qqch. || inéquitable, injuste || inégal, où les forces ne sont pas égales [en parl. d'un combat] || **3.** subst. n. : *par impar ludere,* jouer à pair ou impair.

imparatus, *a, um (in, paratus),* non prêt, sans préparation, pris au dépourvu, surpris.

impastus, *a, um (in, pasco),* affamé, à jeun.

impatiens, *tis (in, patiens),* qui ne peut supporter, endurer ; impatient de [avec gén.].

impatienter *(impatiens),* sans résignation, impatiemment.

impatientia, *æ,* f. *(impatiens),* inaptitude à supporter qqch., impatience de || [absol.] impuissance à supporter, manque de fermeté.

impavide *(impavidus)*, sans crainte.

impavidus, *a, um (in, pavidus)*, inaccessible à la peur, calme, intrépide.

impedimentum, *i*, n. *(impedio)*, empêchement, ce qui entrave: *impedimento esse*, être un empêchement [*ad aliquid*, pour qqch.] || pl., *impedimenta*, bagages d'un voyageur ou d'une armée.

impedio, *ire, ivi* ou *ii, itum (in* et *pes)*, tr., envelopper les pieds, **1.** entraver || rendre inaccessible un lieu || **2.** [fig.] ***a)*** embarrasser: *te ipse impedies*, tu t'empêtreras toi-même; ***b)*** entraver, empêcher, arrêter: *aliquem*, empêcher, arrêter qqn || [avec *ab*]: *aliquem ab aliqua re*, empêcher qqn de faire une chose || *impedire ne*, empêcher que || *aliquid aliquem impedit* avec inf., qqch. empêche qqn de || *non impedire quominus*, ne pas empêcher que.

impeditio, *onis*, f. *(impedio)*, obstacle.

impeditus, *a, um*, **1.** part. de *impedio* || **2.** adj., ***a)*** [milit.] chargé de bagages, embarrassé; ***b)*** embarrassé, difficilement praticable, inaccessible; ***c)*** [fig.] occupé; *victoribus nihil impeditum est*, pour les vainqueurs aucune difficulté.

impegi, pf. de *impingo*.

impello, *ere, puli, pulsum (in* et *pello)*, tr., **1.** heurter contre, heurter || **2.** ébranler, mettre en mouvement: *navem*, mettre un navire en marche || donner une poussée || **3.** pousser à qqch. [avec *in* acc.] || [avec *ad*]: , *aliquem ad scelus, ad bellum*, pousser qqn au crime, à la guerre || [avec *ut* subj.] pousser à faire une chose || [avec inf.] || pousser qqn, le déterminer [surtout au pass.]: *ab aliquo impulsus*, sous la poussée, l'impulsion de qqn || **4.** culbuter, bousculer [l'ennemi] || faire tomber, renverser.

impendeo, *ere (in, pendeo)*, **1.** intr.; ***a)*** prendre au-dessus de, être suspendu sur qqn, qqch., *alicui, alicui rei*; ***b)*** [fig.] menacer, être imminent; ***c)*** être suspendu, *in aliquem* ou *alicui*, sur la tête de qqn || **2.** tr., [poét.], ***a)*** surplomber; ***b)*** [fig.] menacer.

impendio *(impendium)*, adv., beaucoup, en grande quantité || [surtout avec compar.]: *impendio magis, minus*, beaucoup plus, moins.

impendium, *ii*, n., **1.** dépense, frais || **2.** intérêts [d'un prêt].

impendo, *dere, di, sum (in pendo)*, tr., dépenser, débourser || [fig.] dépenser, consacrer, employer: *in rem*, ou *alicui rei*, à, pour une chose.

impenetrabilis, *e (in, penetrabilis)*, impénétrable: *alicui rei*, ou *adversus rem*, impénétrable à qqch. || [fig.] inaccessible.

impensa, *æ*, f. *(impendo)*, dépense, frais: *impensam facere*, faire une dépense; *nulla impensa, magna impensa*, sans frais, à grands frais || *meis impensis*, à mes dépens.

impense *(impensus)*, avec dépense, somptueusement: *impensissime*, à très grands frais || avec zèle, empressement || énergiquement, rigoureusement || beaucoup, fortement.

impensus, *a, um*, **1.** part. de *impendo* || **2.** adj., ***a)*** cher: *impenso pretio, impenso*, à grand prix, chèrement; ***b)*** largement employé, empressé.

imperator, *oris*, m. *(impero)*, **1.** celui qui commande, chef, maître || **2.** chef d'armée, général || titre décerné au général victorieux || [fig.] homme de guerre, capitaine || [épithète de Jupiter] Jupiter impérator || **3.** empereur.

imperatorius, *a, um (imperator)*, **1.** de général, de commandant || **2.** d'empereur, impérial.

imperatrix, *icis*, f., celle qui commande.

imperatum, *i*, n., ordre, commandement: *imperatum facere*, ou *imperata*, exécuter un ordre, des ordres; *ad imperatum*, suivant l'ordre.

imperatus, *a, um*, part. de *impero*.

imperco, *ere (in* et *parco)*, intr., épargner, ménager, *alicui*, qqn.

imperditus, *a, um (in, perdo)*, non détruit, non tué.

imperfecte, mal.

imperfectus, *a, um (in, perficio)*, non achevé, inachevé, incomplet, imparfait.

imperiosus, *a, um (imperium)*, **1.** qui commande, dominateur || **2.** impérieux, hautain, tyrannique.

imperite *(imperitus)*, sans s'y connaître, maladroitement.

imperitia, *æ*, f. *(imperitus)*, manque de connaissance, ignorance, inexpérience.

imperito, *are, avi, atum (impero)*, **1.** intr., commander, avoir le commandement || *alicui*, commander qqn || **2.** tr., commander qqch.

imperitus, *a, um (in, peritus)*, ignorant, inexpérimenté, mal informé, non au courant, inhabile: *imperitissimi*, les gens les plus ignorants || non connaisseur || *in aliqua re*, novice dans qqch.

imperium, *ii*, n. *(impero)*, **1.** commandement, ordre : *istius imperio*, sur son ordre : *imperia accipere*, recevoir des ordres du général en chef || **2.** pouvoir de donner des ordres, autorité, pouvoir || **3.** [officiel.] pouvoir suprême [attribué à certains magistrats et comportant le commandement militaire et la juridiction] : *imperium permittere, prorogare*, confier, proroger le pouvoir suprême ; *esse cum imperio*, être revêtu du pouvoir suprême || **4.** [en part.] commandement militaire : *summa imperii*, le commandement en chef || **5.** [qqf. au plur., sens concret] autorités, magistrats ou commandants, généraux || **6.** [en gén.] domination, souveraineté, hégémonie : *de imperio decertare*, lutter pour la domination || [sens concret] étendue de la domination, empire || **7.** empire, gouvernement impérial.

impermissus, *a, um (in permitto)*, défendu.

impero, *are, avi, atum (in* et *paro)*, commander, ordonner,
I. tr., *aliquam rem, alicui aliquam rem*, commander qqch., à qqn qqch. || [avec prop. inf.] [avec *ut, uti*] commander que ; [avec *ne*] commander que ne pas ; [avec subj. seul].
II. intr., ***a)*** [avec dat.] *alicui, alicui rei*, commander à qqn, à qqch. ; ***b)*** [absol.] avoir le commandement, le pouvoir, la domination : *imperare, parere*, commander, obéir ; *Lucullo imperante*, sous le commandement de Lucullus || exercer les pouvoirs d'empereur.

impertio, *ire, ivi* ou *ii, itum*, tr., faire part de, partager, communiquer : **1.** consacrer, accorder, impartir || **2.** *aliquem aliqua re*, faire participer qqn de qqch.

impertitus, *a, um*, part. de *impertio*.

impervius, *a, um (in, pervius)*, impraticable, inaccessible.

impes, *etis*, m. *(in, peto)*, [arch.] = *impetus*.

impetibilis, *e (in* et *patibilis)*, insupportable.

impetigo, *inis*, f. *(impeto)*, éruption cutanée, dartre.

impetitus, *a, um*, part. de *impeto*.

impeto, *ere, itum (in, peto)*, tr., se jeter sur, fondre sur, attaquer.

impetrabilis, *e (impetro)*, qu'on peut obtenir.

impetratio, *onis (impetro)*, f., action d'obtenir.

impetratus, *a, um*, part. de *impetro*.

impetro, *are, avi, atum (in* et *patro)*, tr., **1.** arriver à ses fins, obtenir : *aliquid per aliquem*, obtenir qqch. par l'entremise de qqn ; *aliquid ab aliquo*, obtenir qqch. de qqn ; *aliquid alicui*, obtenir qqch. pour qqn || **2.** [avec *ut*] obtenir que || [avec *ne*] obtenir que ne pas || **3.** [absol.] *impetrare de*, obtenir satisfaction au sujet de, ou *impetrare* seul.

impetus, *us*, m. *(impes)*, mouvement en avant, poussée en avant || **1.** élan : *impetu capto*, ayant pris leur élan || **2.** charge, assaut, attaque : *impetum in aliquem facere ; dare*, faire une charge contre qqn ; *impetum sustinere, ferre*, soutenir, supporter le choc, la charge : *propulsare*, repousser une attaque || impétuosité, violence : [de la mer] ; [des vents] || **3.** [fig.] élan, mouvement d'impulsion || impétuosité, fougue || violent désir || pl., mouvements instinctifs, instincts.

impexus, *a, um (in, pecto)*, non peigné, avec les cheveux ou la barbe en désordre.

impie, d'une manière impie || criminellement.

impietas, *atis*, f. *(impius)*, impiété || manquement aux devoirs envers les parents, envers la patrie, etc.

impiger, *gra, grum (in, piger)*, actif, diligent, rapide, infatigable [avec dat.].

impigre *(impiger)*, avec diligence, rapidité, sans hésiter || d'une manière infatigable.

impigritas, *atis*, f. *(impiger)*, activité, diligence.

impingo, *ere, pegi, pactum (in* et *pango)*, tr., **1.** frapper contre, jeter contre : *pugnum in os*, assener son poing sur la figure || [fig.] donner qqch. de force, imposer || **2.** pousser violemment, jeter en bousculant, refouler.

impius, *a, um (in, pius)*, qui manque aux devoirs de piété [v. *pius*], impie, sacrilège || *impium bellum*, guerre impie || pl. m. *impii*, les impies.

implacabilis, *e (in, placabilis)*, implacable : *alicui*, ou *in aliquem*, à l'égard de qqn.

implacabilitas, *atis*, f., inflexibilité.

implacabilius, d'une manière plus implacable.

implacatus, *a, um (in, placo)*, inapaisé, insatiable.

implecto, *ere, plexi, plexum*, tr., **1.** entrelacer [surtout au part. *implexus*] || **2.** [fig.] mêler à, enlacer dans || entremêler.

impleo, *ere, plevi, pletum* (*in* et *pleo* inus.), tr., **1.** emplir, remplir : *aliquid* *aliqua re,* ou *alicujus rei,* remplir qqch. de qqch. || **2.** rassasier || **3.** remplir || **4.** [fig.] ***a)*** *aliquem spei,* remplir qqn d'espoir ; ***b)*** saturer, rassasier ; ***c)*** accomplir [un temps d'existence] ; ***d)*** remplir, accomplir, satisfaire à : [remplir une promesse] ; *munus suum,* remplir sa charge.

impletus, *a, um,* part. de *impleo.*

implexus, *a, um,* part. de *implecto.*

implicatio, *onis,* f. *(implico),* **1.** entrelacement || **2.** [fig.] enchaînement || embarras.

implicatus, *a, um,* **1.** part. de *implico* || **2.** adj., embrouillé, embarrassé, compliqué.

implicite *(implicitus),* d'une manière embrouillée, obscure.

implicitus, *a, um,* part. de *implico.*

implico, *are, plicui* et *plicavi, plicatum* et *plicitum (in* et *plico),* tr., **1.** plier dans, entortiller, emmêler : *aciem implicare,* jeter le désordre dans les rangs || **2.** envelopper, enlacer || **3.** [fig.] ***a)*** envelopper : *aliquem bello,* envelopper qqn dans les mailles d'une guerre ; [surtout] *implicari* ou *se implicare aliqua re,* s'engager dans qqch. || *implicitus morbo ; in morbum,* pris dans une maladie ; ***b)*** embrouiller, embarrasser.

imploratio, *onis,* f., action d'implorer : [gén. subj.] *alicujus,* invocation faite par qqn ; [gén. obj.] *deum,* invocation aux dieux.

imploratus, *a, um,* part. de *imploro.*

imploro, *are, avi, atum (in, ploro),* tr., **1.** invoquer avec des larmes || **2.** invoquer, implorer, *aliquem,* qqn || *misericordiam,* implorer la pitié || **3.** demander avec larmes, avec prières || *implorare ne,* supplier de ne pas.

implumis, *e (in* et *pluma),* qui n'a pas encore de plumes || qui n'a pas d'ailes.

impluo, *ere, i, utum,* impers., il pleut sur, il pleut dans.

implutus, *a, um,* part. de *impluo.*

impluvium, *ii,* n. *(impluo),* bassin carré au centre de l'atrium, où était recueillie l'eau de pluie qui passait par le *compluvium.*

impolite *(impolitus),* sans raffinement.

impolitus, *a, um (in, politus),* qui n'est pas poli : *lapis impolitus,* pierre rugueuse, non travaillée || [fig.] qui n'a pas reçu le poli, inculte, grossier || inachevé.

impono, *ere, posui, positum (in* et *pono),* tr., **1.** placer sur, poser sur, appliquer : *aliquem in rogum,* mettre qqn sur le bûcher ; *eo (= in equos) ; (eo = in carros),* mettre là-dessus = sur des chevaux, sur des chars || *in naves milites,* embarquer des soldats ; *imponere exercitum Brundisii,* embarquer l'armée à Brindes || appliquer un remède : *vulneribus, in vulnera,* sur des blessures || **2.** [fig.] ***a)*** établir sur, préposer, assigner ; ***b)*** mettre qqch. sur les épaules de qqn, lui donner la charge de qqch. : *alicui negotium,* charger qqn d'une affaire ; ***c)*** imposer : *alicui injurias contumelias,* faire subir à qqn des injustices, des outrages ; ***d)*** *manum summam, extremam alicui rei,* mettre la dernière main à qqch. || **3.** *alicui,* en imposer à qqn, donner le change à qqn, abuser qqn.

importatus, *a, um,* part. de *importo.*

importo, *are, avi, atum (in, porto),* tr., **1.** porter dans, importer ; [*in* acc.] ; [*ad se,* chez soi] || **2.** [fig.] introduire || apporter, susciter, attirer.

importune *(importunus),* mal à propos, à contretemps, à tort || rudement, violemment, cruellement.

importunitas, *atis,* f. *(importunus),* position désavantageuse [d'un lieu] || humeur acariâtre || caractère violent || rigueur, cruauté.

importunus, *a, um (in* et *port-,* cf. *portus),* **1.** inabordable, impraticable || **2.** [fig.] ***a)*** incommode, fâcheux ; *importunum tempus,* moment mal approprié, mal choisi ; ***b)*** intraitable, dur, brutal, cruel.

importuosus, *a, um (in, portuosus),* qui manque de port [de mer] || inabordable [côte].

impos, *otis (in, potis),* qui n'est pas maître de [avec gén.] : *animi, sui,* qui n'est pas maître de soi, qui ne se possède pas.

impositus, *a, um,* part. de *impono.*

imposui, pf. de *impono.*

impotens, *entis (in* et *potens),* **1.** impuissant, faible || **2.** [avec gén.] qui n'est pas maître de : *regendi equi,* incapable de diriger sa monture || [poét.] *impotens sperare,* qui ne peut s'empêcher d'espérer || **3.** qui n'est pas maître de soi, effréné, immodéré, déchaîné, emporté.

impotenter *(impotens),* **1.** violemment, tyranniquement, sans règle ni mesure || **2.** d'une manière impuissante, sans maîtrise.

impotentia, *æ,* f. *(impotens),* **1.** impuissance, faiblesse || **2.** impuissance à se maîtriser || violence de qqch., excès.

impræsentiarum (inp-), adv. (de *in præsentia rerum)*, pour le moment.

impransus, *a, um*, qui n'a pas mangé, à jeun.

imprecatio, *onis*, f. *(imprecor)*, imprécation.

imprecor, *ari, atus sum (in, precor)*, tr., souhaiter, *aliquid alicui*, qqch. à qqn.

imprensibilis, *e (in, prehendo)*, insaisissable.

impressi, pf. de *imprimo.*

impressio, *onis*, f. *(imprimo)*, **1.** choc d'un ennemi, irruption, attaque, assaut; *impressionem facere* ou *dare*, faire une attaque || **2.** impression [sur l'esprit].

impressus, *a, um*, part. de *imprimo.*

imprimis, inprimis, in primis, adv., avant tout, principalement, surtout.

imprimo, *ere, pressi, pressum (in* et *premo)*, tr., **1.** appliquer sur, appuyer sur || **2.** faire en pressant, en enfonçant: *vestigium*, marquer une empreinte de pas || **3.** faire une figure en pressant, empreindre, imprimer || **4.** empreindre de, marquer de: *signo impressæ tabulæ*, tablettes scellées d'un sceau.

improbabilis, *e*, qui ne mérite pas d'être approuvé.

improbatio, *onis*, f. *(improbo)*, désapprobation.

improbatus, *a, um*, part. de *improbo* || adj., décrié.

improbe *(improbus)*, **1.** d'une manière mauvaise, défectueuse, mal || **2.** mal, malhonnêtement || **3.** d'une manière excessive || avec impudence.

improbitas, *atis*, f. *(improbus)*, **1.** mauvaise qualité [d'une chose] || **2.** méchanceté, perversité || **3.** audace, hardiesse, effronterie.

improbo, *are, avi, atum (in, probo)*, tr., désapprouver, condamner.

improbus, *a, um (in* et *probus)*, **1.** de mauvais aloi, mauvais || dont la conduite ne peut être approuvée || **2.** [moral.] mauvais, méchant, pervers, malhonnête, détestable; *homo improbissimus*, le plus méchant des hommes; *lex improbissima*, la loi la plus détestable || **3.** qui n'a pas les qualités requises: ***a)*** démesuré; ***b)*** sans arrêt; ***c)*** qui ne laisse pas de répit, cruel; ***d)*** effronté, impudent.

impromptus, *a, um (in, promptus)*, qui n'est pas prompt, pas résolu, sans ardeur || qui n'a pas de facilité.

improperatus, *a, um (in, propero)*, lent.

improsper, *era, erum (in, prosper)*, qui ne réussit pas, malheureux.

improspere *(in, prospere)*, sans succès.

improvide *(improvidus)*, inconsidérément.

improvidus, *a, um (in, providus)*, imprévoyant, qui ne s'attend pas à qqch.

improviso *(improvisus)*, à l'improviste.

improvisus, *a, um (in, provideo)*, imprévu, qui arrive à l'improviste || *de improviso*, ou *ex improviso*, à l'improviste || *ad improvisa*, pour les cas imprévus.

imprudens, *entis (in, prudens)*, **1.** qui ne sait pas, qui ignore, sans savoir: *me imprudente et invito*, à mon insu et contre mon gré || **2.** surpris, non sur ses gardes, sans faire attention, par mégarde.

imprudenter *(imprudens)*, par ignorance || imprudemment.

imprudentia, *æ*, f. *(imprudens)*, **1.** ignorance, manque de connaissance, fait de n'être pas au courant || imprévoyance, irréflexion || **2.** absence de préméditation, d'intention, inadvertance: *per imprudentiam*, sans y penser, sans le vouloir.

impubes, *eris* et **-bis,** *is (in, pubes)*, adj., qui n'a pas la puberté, impubère.

impudens, *tis*, effronté, sans pudeur, impudent [en parl. des pers. et des choses].

impudenter, impudemment, effrontément.

impudentia, *æ*, f., impudence, audace, effronterie.

impudicitia, *æ*, f. *(impudicus)*, impudicité.

impudicus, *a, um*, impudent || sans pudeur.

impugnatio, *onis*, f. *(impugno)*, attaque, assaut.

impugnatus, *a, um*, part. de *impugno.*

impugno, *are, avi, atum*, tr., attaquer, assaillir: *aliquem*, qqn.

impuli, pf. de *impello.*

impulsio, *onis*, f. *(impello)*, **1.** choc, heurt, impulsion || **2.** [fig.] impulsion naturelle, disposition à faire qqch. || excitation à.

impulsor, *oris*, m. *(impello)*, instigateur, conseiller.

1. impulsus, *a, um*, part. de *impello.*

2. impulsus, *us,* m., choc, heurt, ébranlement || [fig.] impulsion, instigation.

impune *(in, pœna),* **1.** impunément, avec impunité || **2.** sans danger, sans dommage.

impunitas, *atis,* f. *(in, punio),* impunité : *alicui impunitatem concedere,* accorder l'impunité à qqn || [fig.] licence impunie.

impunite, c. *impune.*

impunitus, *a, um (in, punio),* **1.** impuni || **2.** [fig.] effréné, sans bornes.

impure *(impurus),* d'une manière impure, honteuse.

impurus, *a, um,* **1.** qui n'est pas pur || **2.** [fig.] impur, corrompu, infâme.

imputatus, *a, um,* part. de *imputo.*

imputo, *are, avi, atum (in, puto),* tr., **1.** porter en compte, imputer || **2.** [fig.] ***a)*** mettre en ligne de compte, faire valoir, se faire un mérite de; ***b)*** attribuer, imputer (qqch. à qqn, *aliquid alicui*).

imum, *i,* n. de *imus* pris subst., **1.** *ab imo,* depuis le bas || **2.** *ad imum,* jusqu'au bout || enfin.

imus, *a, um,* sert de superl. à *inferus,* **1.** le plus bas : *imus conviva,* le convive placé le plus bas || le bas de, le fond de : *in imo fundo,* au fond de l'abîme || **2.** [fig.] ***a)*** le plus humble ; ***b)*** le dernier.

1. in, prép.,

I. avec acc., aboutissement d'un mouvement, **1.** [sens local] ***a)*** dans, en, sur, chez : *in portum accedere,* pénétrer dans le port ; ***b)*** [direction] du côté de : *Belgæ spectant in septentrionem,* la Belgique regarde du côté du septentrion || **2.** [sens temporel, pour limiter un laps de temps] jusqu'à, pour : *dormire in lucem,* dormir jusqu'au jour || [expressions] : *in præsens, in posterum, in futurum, in perpetuum,* pour le présent, pour l'avenir, pour toujours || *in horam, in diem vivere,* vivre au jour le jour || *in annos singulos pendere,* payer chaque année ; *in dies singulos ; in dies,* jour par jour ; *in singulos annos,* d'année en année || **3.** rapports divers : ***a)*** [dimensions] en : *in altitudinem, in latitudinem, in longitudinem,* en hauteur (profondeur), en largeur, en longueur ; ***b)*** [passage à un autre état] *mutare in, vertere in,* etc., v. ces mots ; ***c)*** [division en parties, *in partes*], v. *divido, discribo, etc.* || [sens distributif] : *in capita,* par tête ; ***d)*** en vue de, pour || **4.** conformément à, selon : *S. C. in meam sententiam factum,* sénatus-consulte pris conformément à mon avis || à la manière de, suivant : *servilem in modum,* à la manière des esclaves || [expr. adv.] *in universum,* en général ; *in totum,* en totalité ; *in plenum,* pleinement ; *in majus,* en plus grand, en exagérant ; *in deterius,* en plus mal ; *in barbarum,* à la façon barbare || **5.** à l'égard de, envers : *amor in patriam,* amour pour la patrie || **6.** pour, en faveur de [ou] contre : *carmen in aliquem scribere,* composer un poème à la louange de qqn.

II. abl., sans mouv. [pr. et fig.] **1.** [sens local] dans, en, sur : *in flumine pontem facere,* faire un pont sur le fleuve ; *in barbaris,* chez les barbares ; *in oculis, in ore alicujus,* sous les yeux de qqn || dans tel ouvrage, dans tel auteur || **2.** [temporel] ***a)*** [espace de temps à l'intérieur duquel se place une action] : durant, dans le délai de, *in tam multis annis nemo vidit...,* durant de si nombreuses années personne n'a vu... ; *bis in die,* deux fois par jour... ; ***b)*** [pour dater un événement] pendant, au moment même de ; ***c)*** *in litteris dandis vigilare,* occuper sa veillée à écrire une lettre || **3.** divers rapports : ***a)*** situation, circonstances où se trouve qqn, qqch. : *magno in ære alieno,* avec de grosses dettes ; ***b)*** quand il s'agit de, à propos de, à l'occasion de || [en part., avec adj. ou expr. marquant un sentiment] : envers, à l'égard de ; ***c)*** étant donné = eu égard à, vu [ou] malgré || *etiam in confessione facti,* malgré l'aveu du fait ; ***d)*** [état de qqn ou qqch.] *esse in vitio,* être en faute ; *in integro,* être intact ; ***e)*** dans, parmi : *in his,* parmi ceux-ci ; ***f)*** [la pers. ou la chose en qui se trouve telle qualité] : *in aliquo est consilium, dignitas, etc.,* un tel a de la prudence, de la dignité, etc.

2. in, préfixe privatif ou négatif, qui dans les composés marque l'absence ou la non-existence de la chose signifiée par le simple : *indoctus, infans, insanus, illiberalis, etc.*

inaccessus, *a, um,* inaccessible.

inactus, *a, um,* part. de *inigo.*

inædifico, *are, avi, atum,* tr., **1.** bâtir sur [*in* et abl.] || **2.** obstruer par une bâtisse, boucher, murer.

inæquabilis, *e,* inégal.

inæqualis, *e,* inégal, raboteux || dissemblable, inégal || variable [température] || inconstant.

inæqualitas, *atis,* f., inégalité, diversité, variété.

inæqualiter, d'une manière inégale.

inæquo, *are*, tr., égaliser.

inæstimabilis, *e*, **1.** qu'on ne saurait évaluer || inestimable, inappréciable || **2.** indigne d'être estimé, sans valeur.

inamabilis, *e*, indigne d'être aimé, déplaisant, désagréable.

inamaresco, *ere*, intr., devenir amer, s'aigrir.

inambulatio, *onis*, f., **1.** action de se promener, promenade || **2.** lieu de promenade.

inambulo, *are, avi, atum*, intr., se promener.

inamœnus, *a, um*, déplaisant, affreux.

inane, *is*, n. pris subst., **1.** le vide || *per inane, per inania*, à travers le vide, à travers les vides, les cavités || **2.** vide, néant, ou pl. *inania*.

inanimus, *a, um (in, anima)*, inanimé.

inanio, *ire, ivi, itum (inanis)*, tr., rendre vide, vider.

inanis, *e*, **1.** vide: *vas inane*, vase vide; *inania regna*, royaume des ombres || **2.** à vide, les mains vides: *inanes revertuntur*, ils reviennent les mains vides || qui ne possède rien || **3.** [fig.] vide, vain, sans valeur: *voces inanes*, vaines paroles, sans fondement || [homme] léger, sans réflexion || fat, présomptueux.

inanitas, *atis*, f. *(inanis)*, **1.** le vide || cavité, creux || **2.** futilité, vanité.

inaniter *(inanis)*, sans fondement, sans raison.

inanitus, *a, um*, part. de *inanio*.

inardesco, *ere, arsi*, intr., prendre feu, s'embraser || [fig.] s'enflammer [d'une passion].

inaresco, *ere, arui*, intr., se sécher, se dessécher [fig.] se tarir.

inaro, *are, avi, atum*, tr., **1.** enfouir par le labour || **2.** labourer, cultiver.

inarui, pf. de *inaresco*.

inassuetus, *a, um*, qui n'a pas l'habitude || inaccoutumé.

inaudio, *ire, ivi* ou *ii*, tr., entendre dire, apprendre: *aliquid de aliquo*, apprendre qqch. sur qqn; *ex aliquo*, de la bouche de qqn.

1. inauditus, *a, um (in* priv., *audio)*, **1.** qui n'a pas été entendu, sans exemple, inouï || **2.** qui n'a pas été entendu.

2. inauditus, *a, um*, part. de *inaudio*.

inaugurato, après avoir pris les augures.

inauguratus, *a, um*, part. de *inauguro*.

inauguro, *are, avi, atum*, **1.** intr., prendre les augures || **2.** tr., consacrer officiellement la nomination de qqn dans un collège sacerdotal || consacrer, inaugurer un emplacement.

inauratus, *a, um*, part. de *inauro*.

inaures, *ium*, f. *(in, auris)*, boucles d'oreilles.

inauro, *are, avi, atum*, tr., **1.** dorer || **2.** combler de richesses.

inauspicato *(inauspicatus)*, sans prendre les auspices.

inauspicatus, *a, um*, **1.** fait sans prendre les auspices, malheureux, funeste || **2.** de mauvais augure.

inausus, *a, um*, non osé, non tenté.

incæduus, *a, um*, non coupé.

incalesco, *ere, lui*, intr., s'échauffer || [fig.] s'enflammer d'une passion.

incalfacio, *ere*, tr., échauffer.

incallide, sans adresse.

incallidus, *a, um*, sans adresse, sans finesse.

incandesco, *ere, dui*, intr., s'embraser.

incanesco, *ere, nui*, intr., devenir blanc.

incantatus, *a, um*, part. de *incanto*.

incanto, *are, avi, atum*, tr., chanter des formules magiques || consacrer par des charmes, enchanter, ensorceler.

incanui, pf. de *incanesco*.

incanus, *a, um*, blanc, blanchi.

incassum, en vain, vainement.

incastigatus, *a, um (in* priv., *castigo)*, non réprimandé.

incaute *(incautus)*, **1.** sans précaution, imprudemment || **2.** sans se surveiller, avec du laisser-aller.

incautus, *a, um*, **1.** imprudent, qui n'est pas sur ses gardes: *ab aliqua re*, contre qqch. || **2.** dont on ne peut se garder, dangereux, imprévu.

incedo, *ere, cessi, cessum*, intr. et tr., **I.** intr., **1.** s'avancer, marcher || [milit.] marcher en avant: *in hostes*, marcher contre (sur) les ennemis || **2.** *exercitui tantus incessit dolor, ut...*, l'armée fut pénétrée d'un tel regret que...
II. tr., **1.** s'avancer dans, pénétrer dans || **2.** [fig.] s'emparer de, gagner, saisir.

incendiarius, *a, um (incendium)*, d'incendie, incendiaire || subst. m., un incendiaire.

incendium, *ii*, n. *(incendo)*, incendie, feu, embrasement: *facere, excitare*, allumer un incendie || chaleur brûlante || [poét.] torche pour mettre le feu.

incendo, *ere, cendi, censum (in* et inus. *cando)*, tr., **1.** allumer, embraser, brûler || *aras votis*, allumer l'autel pour le sacrifice en exécution d'un vœu || **2.** faire briller || **3.** [fig.] mettre en feu, enflammer : *judicem*, enflammer les juges, les passionner || allumer, exciter || accroître.

incensio, *onis*, f. *(incendo)*, incendie, embrasement.

1. incensus, *a, um*, part. de *incendo* || adj., ardent, enflammé.

2. incensus, *a, um (in, censeo)*, non recensé.

incepi, pf. de *incipio*.

inceptio, *onis*, f. *(incipio)*, action de commencer, entreprise.

incepto, *are, avi (incipio)*, tr., commencer, entreprendre.

inceptum, *i*, n. *(inceptus)*, commencement || entreprise, projet.

1. inceptus, *a, um*, part. de *incipio*.

2. inceptus, *us*, m., commencement.

incertus, *a, um*, **1.** qui n'est pas précis, pas fixé, pas déterminé, incertain : *nihil incertius vulgo*, rien de plus incertain que la foule || *incerta securis*, hache mal assurée || **2.** sur quoi on n'est pas fixé, sur quoi on n'a pas de certitude || **3.** n. pris subst., , *incertum*, l'incertitude, l'incertain ; *in incerto est...*, ou *in incerto habetur*, on ne sait pas ; *incertum habeo*, je ne sais pas || *incerta belli*, les hasards de la guerre || **4.** qui ne sait pas d'une façon certaine, incertain : *quid dicam, incertus sum*, je ne sais pas ce que je dois dire || [avec gén.] incertain de.

incessi, pf. de *incedo* et de *incesso*.

incesso, *ere, cessivi* ou *cessi (incedo)*, tr., **1.** fondre sur, attaquer, assaillir || **2.** attaquer, invectiver || accuser, inculper || **3.** s'emparer de, envahir, saisir.

incessus, *us*, m. *(incedo)*, **1.** action de s'avancer, marche || démarche, allure || **2.** invasion, attaque.

incesto, *are, avi, atum (incestus)*, tr., **1.** souiller, rendre impur || **2.** déshonorer.

incestum, *i*, n., souillure, inceste.

incestus, *a, um (in* et *castus)*, **1.** impur, souillé || **2.** impudique, incestueux.

inchoatus, *a, um*, part. de *inchoo*, v. *inchoo*, fin.

inchoo, *are, avi, atum*, tr., commencer, se mettre à faire une chose, entreprendre || part. *inchoatus* = commencé, imparfait, inachevé, ébauché.

1. incido, *ere, cidi (in* et *cado)*, intr., **1.** tomber dans, sur || se jeter sur, se précipiter vers... || fondre sur, attaquer : *in hostem, ultimis* [dat.] fondre sur l'ennemi, sur les derniers || **2.** tomber dans, sur [par hasard] : *in aliquem*, tomber sur qqn, le rencontrer ; *in insidias*, tomber dans des embûches || **3.** tomber dans, devenir la proie de : *in morbum*, tomber malade || *in sermonem hominum*, faire l'objet des conversations || **4.** arriver, venir par coïncidence : *in mentionem alicujus*, en venir à parler de qqn || **5.** arriver, se présenter, ***a)*** [à l'esprit] : *quodcumque in mentem incidit*, tout ce qui vient dans l'esprit ; ***b)*** [en gén.] : *forte ita incidit, ut, ne*, le hasard voulut que, empêcha que || **6.** [fig.] s'abattre sur [avec dat. ou *in* + acc.].

2. incido, *ere, cidi, cisum (in* et *cædo)*, tr., **1.** entailler, inciser || tailler, émonder || **2.** graver, buriner [avec dat. ou *in* + acc.] || **3.** couper, trancher || **4.** [fig.] couper, interrompre || trancher, couper court à.

incinctus, *a, um*, part. de *incingo*.

incingo, *ere, cinxi, cinctum*, tr., enceindre, entourer, ceindre || pass. [sens réfléchi], se ceindre, s'entourer, *aliqua re*, de qqch.

incipio, *ere, cepi, ceptum (in* et *capio)*,
I. 1. tr., entreprendre, commencer : *accedere incipiunt Syracusas*, ils se mettent en devoir de pénétrer à Syracuse || **2.** [absol.] *ab aliqua re*, commencer à, par qqch. || **3.** [avec un acc.] : *facinus* ; *iter*, entreprendre une action, un voyage || passif : *incepta oppugnatio*, siège commencé.
II. intr., être à son commencement, à son début, commencer : *aliqua re incipere*, commencer à, par qqch., partir de qqch.

incise et **incisim** *(incido 2)*, par incises.

incisio, *onis*, f. *(incido 2)*, [fig.] petit membre de phrase, incise.

incisum, *i*, n. *(incido 2)*, petit membre de phrase, incise.

incisura, *æ*, f. *(incido 2)*, incision, fente.

incisus, *a, um*, part. de *incido 2*.

incitamentum, *i*, n. *(incito)*, aiguillon, stimulant.

incitate *(incito)*, inus. ; *incitatius*, avec un mouvement plus rapide.

incitatio, *onis*, f. *(incito)*, **1.** mouvement rapide, rapidité || [fig.] élan || **2.** action de mettre en mouvement, excitation, impulsion, instigation.

incitatus, *a, um*, **1.** part. de *incito* || **2.** adj., lancé d'un mouvement rapide || [fig.] qui a un vif élan, impétueux.

incito, *are, avi, atum,* tr., **1.** pousser vivement : *equi incitati,* chevaux lancés au galop || *currentem incitare,* pousser qqn qui court [besogne inutile] || **2.** exciter, animer, stimuler : *aliquem, animos, studium,* exciter qqn, les esprits, le zèle ; *ad aliquid,* exciter à qqch. ; *in, contra aliquem,* exciter contre qqn || **3.** pousser de l'avant, lancer, faire croître.

incitus, *a, um (in, cieo),* qui a un mouvement rapide ; *incita hasta,* la flèche au vol rapide.

inclamatus, *a, um,* part. de *inclamo.*

inclamo, *are, avi, atum,* **1.** tr., appeler (invoquer) qqn en criant || [absol.] appeler à l'aide || crier après qqn, interpeller, gourmander || **2.** intr., crier : *alicui ut,* crier à qqn de || *in aliquem,* crier contre qqn.

inclaresco, *ere, rui,* intr., **1.** devenir clair, brillant || **2.** devenir illustre, se distinguer.

inclemens, *tis,* dur, impitoyable, cruel.

inclementer, durement, avec rigueur.

inclementia, *æ,* f., dureté, rigueur.

inclinatio, *onis,* f. *(inclino),* **1.** action de pencher, inclinaison || **2.** [fig.] inclination, tendance, *ad rem,* vers qqch. || penchant pour, propension favorable || déviation, changement des événements, des circonstances.

inclinatus, *a, um,* **1.** part. de *inclino* || **2.** pris adj., infléchi : *inclinata voce,* avec des inflexions de voix || qui décline || incliné à, porté vers.

inclino, *are, avi, atum,*

I. tr., **1.** faire pencher, incliner, baisser : *genua,* fléchir les genoux || **2.** [fig.] faire changer de direction, tourner : *culpam in aliquem,* faire retomber une faute sur qqn... || **3.** faire pencher d'un côté ou d'un autre : *inclinata res est,* l'affaire est près du dénouement || [en part.] faire pencher du mauvais côté || **4.** *se inclinare* et surtout *inclinari :* baisser, décliner [en parl. du soleil, du jour] || lâcher pied : *inclinatur acies,* l'armée fléchit.

II. intr., **1.** dévier de la verticale || **2.** baisser || **3.** [fig.] incliner, pencher : *inclinant ad meum consilium adjuvandum,* ils inclinent à seconder mon dessein || [avec *in* acc.] [avec prop. inf.].

includo, *ere, clusi, clusum (in* et *cludo, claudo),* **1.** enfermer, renfermer qqn, qqch. dans qqch. : *aliquem, aliquid in aliquam rem ; in aliqua re ; aliqua re ; alicui rei* || **2.** enchâsser, incruster ; [fig.] *orationem in epistulam,* insérer un discours dans une lettre || **3.** fermer, boucher || clore, terminer.

inclusio, *onis,* f. *(includo),* emprisonnement.

inclusus, *a, um,* part. de *includo.*

inclutus (inclyt-, inclit-), *a, um (in* et *clueo),* célèbre, illustre.

incoactus, *a, um (in* priv., *cogo),* non forcé.

incoctus, *a, um,* part. de *incoquo.*

incogitatus, **1.** non médité, irréfléchi || **2.** inconsidéré.

incognitus, *a, um,* **1.** non examiné : *incognita causa,* sans que l'affaire ait été instruite || **2.** inconnu : *alicui,* inconnu de qqn || non reconnu, non identifié.

incola, *æ,* m. *(incolo),* **1.** celui qui demeure dans un lieu, habitant : *incolæ nostri,* nos compatriotes, habitants de notre pays || [en parl. des choses] indigène || **2.** [opp. à *civis*] étranger domicilié.

incolo, *ere, ui,* tr., **1.** habiter, *locum,* un lieu || **2.** intr., *salsis locis incolere,* habiter dans les régions salées [mer].

incolumis, *e,* intact, entier, en bon état, sans dommage, sain et sauf || [droit] non diminué, qui jouit de tous ses droits de citoyen.

incolumitas, *atis,* f., maintien en bon état, conservation, salut || [droit] état du citoyen qui jouit de tous ses droits.

incomitatus, *a, um,* non accompagné, sans suite.

incommode *(incommodus),* d'une manière qui ne convient pas, mal à propos, fâcheusement.

incommoditas, *atis,* f. *(incommodus),* désavantage, inconvénient ; dommage, perte, injustice.

incommodo, *are (incommodus),* intr., être à charge : *alicui,* à qqn.

incommodum, *i,* n. *(incommodus),* inconvénient, désavantage, préjudice, ennui : *magnum alicui afferre incommodum,* porter un grand préjudice à qqn || dommage, désastre, malheur.

incommodus, *a, um,* mal approprié, fâcheux, contraire, malheureux, défavorable || [en parl. des pers.] gênant, importun, désagréable, à charge.

incommutabilis, *e,* immuable.

incomparabilis, *e,* incomparable, sans égal.

incompertus, *a, um,* non découvert, non éclairci, obscur, inconnu.

incomposite *(incompositus),* sans ordre, en désordre.

incompositus, *a, um*, qui est sans ordre, en désordre.

incomprehensibilis, *e*, **1.** qu'on ne peut saisir || qu'on ne peut embrasser || **2.** [fig.] incompréhensible, inconcevable.

incomptus ou **incomtus,** *a, um*, **1.** non peigné || **2.** sans art, sans apprêt, sans ornement, négligé.

inconcessus, *a, um*, non permis, défendu.

inconcinnus, *a, um*, qui n'est pas en harmonie, maladroit.

inconcussus, *a, um*, ferme, inébranlable.

incondite *(inconditus)*, sans ordre, confusément, grossièrement.

inconditus, *a, um*, **1.** non mis en réserve || **2.** qui n'est pas rangé (réglé), confus, en désordre || grossier, informe: *carmina incondita*, vers informes [refrains chantés par les soldats au triomphe de leur général].

inconfusus, *a, um*, [fig.] non troublé.

incongruens, *tis*, qui ne convient pas.

inconsiderantia, *æ*, f. *(inconsiderans)*, inattention, inadvertance.

inconsiderate *(inconsideratus)*, inconsidérément, sans réflexion.

inconsideratus, *a, um*, **1.** qui ne réfléchit pas, inconsidéré || **2.** [en parl. de choses] irréfléchi.

inconsolabilis, *e*, qu'on ne peut réconforter (guérir), irréparable.

inconstans, *tis*, inconstant, inconséquent, changeant.

inconstanter *(inconstans)*, d'une façon changeante, inconséquente.

inconstantia, *æ*, f. *(inconstans)*, inconstance, humeur changeante || inconséquence.

inconsulte *(inconsultus)*, inconsidérément, imprudemment, à la légère.

inconsultus, *a, um*, **1.** inconsidéré, irréfléchi, imprudent || **2.** non consulté.

inconsumptus, *a, um*, non consumé || [fig.] éternel.

incontaminatus, *a, um*, qui n'est pas souillé.

incontentus, *a, um*, qui n'est pas tendu, lâche.

incontinens, *tis*, qui ne retient pas || incontinent, immodéré || *sui*, qui ne se maîtrise pas.

incontinenter *(incontinens)*, sans retenue, avec excès.

incontinentia, *æ*, f. *(incontinens)*, incapacité de restreindre ses désirs.

incoquo, *ere, coxi, coctum*, tr., **1.** faire cuire dans [*alicui rei* ou *aliqua re*] || **2.** plonger dans, teindre.

incorporalis, *e*, incorporel, immatériel.

incorrupte *(incorruptus)*, avec intégrité, d'une manière que rien n'altère || correctement.

incorruptus, *a, um*, **1.** non corrompu, non altéré, non gâté; pur, sain, intact, dans son intégrité naturelle, etc. || **2.** qui ne se gâte pas, incorruptible = impérissable.

incoxi, pl. de *incoquo*.

increbresco, *brui* ou **-besco,** *ere, bui*, intr., s'accroître, croître || se développer [en parl. d'un bruit, d'une nouvelle, etc.]: *hoc increbruit* avec prop. inf., ce bruit s'est répandu que.

incredibilis, *e*, incroyable, inouï, inimaginable, fantastique.

incredibiliter, étonnamment.

incredulus, *a, um*, incrédule.

incrementum, *i*, n. *(incresco)*, accroissement, développement || progéniture || augmentation, addition.

increpito, *are, avi, atum (increpo)*, **1.** intr., crier après qqn, *alicui* || exhorter, encourager || **2.** tr., gronder, blâmer.

increpitus, *a, um*, part. de *increpo*.

increpo *(avi, atum)*, mieux *are, ui, itum*, intr. et tr.,

I. intr., **1.** faire du bruit, faire un cliquetis, claquer, craquer, etc.; [acc. objet intérieur] *sonitum tuba increpuit*, la trompette fit entendre ses sons || **2.** se faire entendre, éclater, se répandre.

II. tr., **1.** faire rendre un son en heurtant || faire retentir d'un bruit en heurtant || **2.** [fig.] apostropher, *aliquem*, qqn: *aliquem maledictis*, se répandre en invectives contre qqn || gourmander, faire des reproches à, blâmer: *aliquem; perfidiam alicujus*, blâmer qqn, la perfidie de qqn || dire qqch. en invectivant || *increpare quod*, blâmer de ce que; [avec prop. inf.] invectiver, faire des reproches en disant que.

incresco, *ere, evi*, intr., **1.** croître sur [avec dat.] || **2.** pousser, croître || s'accroître.

incruentatus, *a, um*, non ensanglanté.

incruentus, *a, um*, non ensanglanté || qui n'a pas versé son sang, non blessé.

incubitus, *a, um*, part. de *incubo*.

incubo, *are, ui, itum (avi, atum)*, intr., **1.** être couché (étendu) dans, sur [avec dat.] || **2.** [en part.] être couché dans un temple sur la peau des victimes pour attendre les songes de la divinité et en tirer une interprétation || **3.** couver || **4.** [fig.] couver une chose, veiller sur elle jalousement : *defosso incubat auro*, il couve l'or qu'il a enfoui || **5.** être couché sur = ne pas lâcher prise || **6.** être contigu à.

incubui, pf. de *incumbo* et de *incubo.*

inculcatus, *a, um*, part. de *inculco.*

inculco, *are, avi, atum (in, calco)*, tr., **1.** fouler || **2.** fourrer, intercaler || **3.** faire pénétrer dans [avec dat.] || inculquer || [avec prop. inf.], [avec *ut*], suggérer de, que.

inculte *(incultus)*, d'une manière négligée || sans soin, sans apprêt.

1. incultus, *a, um*, **1.** inculte, en friche || **2.** non cultivé, non soigné, non paré, rude, négligé || sans éducation || sans culture.

2. incultus, *us*, m., défaut de culture, de soin, abandon, négligence.

incumbo, *ere, cubui, cubitum*, intr., **1.** s'étendre sur, s'appuyer sur : *olivæ*, s'appuyer sur un bâton d'olivier ; *sarcinis*, s'étendre sur les bagages || **2.** se pencher : *ad aliquem ; alicui*, se pencher vers qqn, qqch. || **3.** peser sur, s'abattre sur || **4.** [fig.] s'appliquer à : à qqch., *in aliquam rem, ad aliquam rem ; alicui rei* || peser sur, faire pression sur : *alicui*, sur qqn ; *alicui rei*, sur qqch. || se pencher, se porter vers || [avec inf.] s'appliquer à faire qqch. ; [avec *ut*], se donner à la tâche de.

incunabula, *orum*, n., langes, maillot des enfants || berceau || lieu de naissance || enfance || [fig.] origine, commencement.

incuratus, *a, um*, non soigné.

incuria, *æ*, f. *(in, cura)*, défaut de soin, négligence, insouciance.

incuriose *(incuriosus)*, négligemment, sans soin.

incuriosus, *a, um*, **1.** qui n'a pas de souci, indifférent, sans égard || **2.** sans soin, négligé.

incurro, *ere, curri* et *cucurri, cursum*, intr., qqf. tr., **1.** courir contre, se jeter sur || *in aliquem*, tomber sur qqn, le rencontrer par hasard || **2.** courir dans, faire irruption dans || **3.** se présenter || se jeter dans, donner dans, encourir || tomber dans, se rencontrer avec, coïncider || tr., assaillir.

incursio, *onis*, f. *(incurro)*, **1.** choc contre || attaque || **2.** incursion.

incursito, *are (incurso)*, **1.** intr., se jeter sur [avec *in* acc.] || [absol.] attaquer || **2.** se heurter contre *(in aliquem*, contre qqn).

incurso, *are, avi, atum (incurro)*, intr. et tr.,
I. intr., **1.** courir contre, se jeter sur : *in hostem*, fondre sur l'ennemi || **2.** heurter contre || **3.** [fig.] se présenter.
II. tr., fondre sur, attaquer : *agmen incursatum ab equitibus*, colonne assaillie par les cavaliers || faire irruption dans.

1. incursus, *a, um*, part. de *incurro.*

2. incursus, *us*, m., heurt, choc, rencontre, attaque.

incurvatus, *a, um*, part. de *incurvo.*

incurvo, *are, avi, atum (incurvus)*, tr., **1.** courber, plier ; [pass. réfl.] se plier || **2.** [fig.] abattre.

incurvus, *a, um*, courbé, courbe, arrondi.

incus, *udis*, f. *(in, cudo)*, enclume.

incusatio, *onis*, f. *(incuso)*, reproche, blâme.

incusatus, *a, um*, part. de *incuso.*

incuso, *are, avi, atum (in, causa)*, tr., accuser [au sens de faire des reproches à], blâmer || reprocher, se plaindre de qqch. || [avec prop. inf.] articuler comme grief (comme reproche) que.

1. incussus, *a, um*, part. de *incutio.*

2. incussus, *us*, m., choc, coup.

incustoditus, *a, um*, **1.** non gardé, sans garde || négligé, non observé || non caché || **2.** qui ne prend pas garde, imprudent.

incusus, *a, um (in, cudo), lapis incusus*, pierre piquée au marteau [pour servir de meule].

incutio, *ere, cussi, cussum (in* et *quatio)*, tr., **1.** heurter contre, appliquer en frappant || **2.** lancer contre : *hastas, tela, saxa*, lancer des javelots, des traits, des pierres || **3.** [fig.] envoyer, inspirer, susciter : *alicui terrorem*, inspirer de la terreur à qqn || *alicui nuntium*, apporter brusquement une nouvelle à qqn.

indagatio, *onis*, f. *(indago 1)*, recherche.

indagator, *oris*, f. *(indago 1)*, **1.** qui est à la recherche de || **2.** [fig.] investigateur, chercheur, scrutateur.

indagatrix, *icis*, f. *(indagator)*, celle qui cherche.

indagatus, *a, um*, part. de *indago.*

1. indago, *are, avi, atum*, tr., **1.** [absol.] suivre la piste || *feras*, suivre les animaux à la piste || **2.** [fig.] rechercher, dépister.

2. indago, *inis,* f., **1.** entourage de filets, cordon de filets ou de chasseurs || filet, réseau || **2.** recherche, investigation.

inde (de *is*), adv., **1.** [local] de là, de ce lieu || **2.** [temporel] à partir de là : *jam inde,* à partir de ce moment ; *jam inde ab ortu,* dès la naissance.

indebitus, *a, um,* qui n'est pas dû.

indecens, *entis,* inconvenant, messéant.

indecenter, d'une manière inconvenante.

indecet, *ere* (v. *decet*), intr., être inconvenant.

indeclinatus, *a, um,* inébranlable.

indecor et **indecoris,** *is, e,* sans gloire, indigne.

indecore *(indecorus),* d'une manière inconvenante.

indecoris, v. *indecor.*

indecorus, *a, um,* inconvenant, messéant || *indecorum est* avec inf., il ne convient pas de.

indefatigabilis, *e,* et **indefatigatus,** *a, um,* infatigable.

indefensus, *a, um,* qui est sans défense.

indefessus, *a, um,* non fatigué.

indefinitus, *a, um,* indéfini, vague.

indefletus, *a, um,* non pleuré.

indelebilis, *e,* ineffaçable.

indemnatus, *a, um (in, damnatus),* non condamné, qui n'a pas été jugé.

indemnis, *e (in, damnum),* qui n'a pas éprouvé de dommage.

indeploratus, *a, um,* non pleuré.

indepravatus, *a, um,* non altéré.

indeprensus, *a, um,* insaisissable.

indeptus, *a, um,* part. de *indipiscor.*

indetonsus, *a, um,* qui a les cheveux longs.

index, *icis,* m. f. *(indico),* qui indique, **1.** indicateur, révélateur, dénonciateur || espion || **2.** *index digitus* ou *index* seul, l'index || catalogue, liste, table || titre d'un livre || inscription || pierre de touche.

Indi, *orum,* m., Indiens || Arabes || Éthiopiens.

India, *æ,* f., l'Inde.

indicatus, *a, um,* part. de *indico 1.*

indicens, *tis (in, dico),* **1.** ne parlant pas || **2.** part. de *indico 2.*

indicium, *ii,* n. *(index),* **1.** indication, révélation, dénonciation || **2.** [en gén.] indication, preuve, indice, signe || *alicui rei indicio esse,* être la preuve de qqch. ; ou *alicujus rei.*

1. indico, *are, avi, atum (index),* tr., **1.** indiquer, dénoncer, révéler : *rem* ou *aliquem,* une chose ou qqn || [absol.] faire des révélations, *de aliqua re,* sur qqch. || **2.** indiquer le prix de, évaluer || **3.** mentionner.

2. indico, *ere, dixi, dictum (in, dico),* tr., **1.** déclarer officiellement ou publiquement, publier, notifier, annoncer : *concilium,* convoquer une assemblée ; *bellum alicui,* déclarer la guerre à qqn || [avec *ut* subj.] notifier de|| **2.** notifier, imposer, prescrire [une peine, une contribution, etc.].

1. indictus, *a, um,* part. de *indico 2.*

2. indictus, *a, um (in* priv.*),* **1.** qui n'a pas été dit || **2.** non plaidé.

indidem *(inde* et *idem),* du même lieu || = *ex eadem re,* provenant de la même chose.

indifferens, *tis,* indifférent.

indifferenter *(indifferens),* indifféremment, indistinctement.

indigena, *æ,* adj., indigène || subst. m., indigène, originaire du pays.

indigentia, *æ,* f. *(indigens),* le besoin || besoin insatiable, exigence.

indigeo, *ere, ui (egeo),* intr., **1.** manquer de [avec abl.] || *indigentes,* ceux qui sont dans le besoin || **2.** avec besoin de [avec gén.] || [avec abl.].

indigestus, *a, um,* confus, sans ordre.

Indigetes, *um,* m., **1.** Indigètes [divinités primitives et nationales des Romains] || sing. **Indiges** appliqué à Énée || **2.** peuplade d'Espagne.

indignabundus, *a, um (indignor),* rempli d'indignation.

indignans, *tis (indignor),* qui s'indigne : *indignantissimus servitutis,* qui répugne le plus à servir, le plus rétif.

indignanter *(indignans),* avec indignation.

indignatio, *onis,* f. *(indignor),* indignation || pl., manifestations de l'indignation.

indignatiuncula, *æ,* f. *(indignatio),* léger mouvement d'indignation.

indignatus, *a, um,* part. de *indignor.*

indigne *(indignus),* indignement || *indigne ferre* ou *pati,* supporter avec peine, s'indigner.

indignitas, *atis,* f. *(indignus),* **1.** indignité de qqn, d'une chose || énormité || **2.** outrage, conduite indigne || fait d'être traité indignement : *indignitas nostra,* le traitement indigne que nous subissons || sentiment d'être traité indignement.

indignor, *ari, atus sum (indignus),* tr.,

s'indigner, regarder comme indigne: ***a)*** [avec acc.]; ***b)*** [avec prop. inf. ou avec *quod*] s'indigner de ce que.

indignus, *a, um,* **1.** indigne, qui ne mérite pas || [avec abl.] *omni honore indignissimus,* absolument indigne de tout honneur || [avec *qui*] *indigni erant qui impetrarent,* ils étaient indignes d'obtenir || **2.** qu'on ne mérite pas, indigne, immérité || **3.** indigne, qui ne convient pas || honteux, révoltant: *indignum facinus,* acte révoltant, indignité || *indignum est, indignius est, indignissimum est* avec prop. inf., il est indigne, il est plus honteux, c'est la plus grande indignité que.

indigus, *a, um (indigeo),* qui manque, qui a besoin [avec abl.] || [avec gén.].

indiligens, *tis,* sans soin, négligent.

indiligenter *(indiligens),* avec négligence, sans soin.

indiligentia, *æ,* f., manque de soin, négligence.

indipiscor, *dipisci, deptus sum,* tr., **1.** saisir, atteindre || acquérir || saisir par la pensée || **2.** commencer, entamer.

indirectus, *a, um,* indirect, détourné.

indireptus, *a, um,* non pillé.

indiscrete et **indiscretim** *(indiscretus),* confusément.

indiscretus, *a, um,* non séparé, étroitement uni, confondu || indistinct || qu'on ne peut distinguer.

indiserte *(indisertus),* sans éloquence.

indisertus, *a, um,* sans talent de parole.

indisposite *(indispositus),* sans régularité.

indispositus, *a, um,* mal ordonné, confus.

indissolubilis, *e,* indissoluble || indestructible, impérissable.

indistincte *(indistinctus),* indistinctement.

indistinctus, *a, um,* qui n'est pas distingué, confus || indistinct, peu net, obscur.

inditus, *a, um,* part. de *indo.*

individuus, *a, um,* **1.** indivisible || **2.** inséparable.

indivisus, *a, um (in, divido),* non partagé.

indixi, pf. de *indico 2.*

indo, *ere, didi, ditum,* tr., **1.** mettre sur, poser sur, appliquer || **2.** mettre dans, introduire, inspirer || *nomen alicui, alicui rei,* donner, appliquer, imposer un nom à qqn, à qqch.; *ab* ou *ex aliqua re,* donner un nom d'après qqch.

indocilis, *e,* **1.** qu'on ne peut instruire || **2.** rebelle à || [avec inf.] qui ne peut se mettre à, se faire à || **3.** ignorant, qui ne sait pas || qui n'est pas apte à || **4.** qu'on ne peut enseigner.

indocte *(indoctus),* en ignorant.

indoctus, *a, um,* **1.** qui n'est pas instruit, qui n'est pas cultivé, ignorant: *indocti,* les ignorants || [avec gén.] ignorant de, qui ne connaît pas || **2.** [en parl. des choses] qui ne doit rien à l'art, à la science, instinctif.

indolentia, *æ,* f. *(in, doleo),* absence de toute douleur || insensibilité.

indoles, *is,* f., qualités natives, dispositions naturelles, penchants, talents: *bona indole præditus,* doué d'un bon naturel; *ad virtutem indoles,* naturel porté à la vertu, ou *virtutis.*

indolesco, *ere, dolui (in, doleo),* **1.** intr., souffrir, éprouver une douleur || tr., sentir avec douleur || **2.** intr., s'affliger, être peiné: [avec prop. inf.] s'affliger de ce que.

indomitus, *a, um,* indompté, insoumis || indomptable, invincible.

indormio, *ire, ivi, itum,* intr., dormir sur.

indotatus, *a, um,* **1.** non doté, sans dot || **2.** [fig.] sans ornement || qui n'a pas reçu les derniers honneurs.

indubitatus, *a, um (in* priv.*),* qui est hors de doute, incontestable.

indubito, *are, avi, atum,* intr., douter de [avec dat.].

indubius, *a, um,* indubitable.

induco, *ere, duxi, ductum,* tr., **1.** conduire dans, contre, vers || **2.** faire avancer, conduire || présenter, exhiber: *gladiatorum par,* présenter un couple de gladiateurs || **3.** appliquer sur || **4.** recouvrir, revêtir: *scuta pellibus,* recouvrir de peaux les boucliers || **5.** étendre || étendre la cire sur laquelle on avait écrit, [d'où] biffer, effacer || abroger, abolir || **6.** porter en compte, inscrire: *in rationem, in rationibus,* introduire dans un compte, dans des comptes || **7.** [fig.] introduire, faire entrer: *discordiam in civitatem,* amener la discorde dans la cité; *aliquem in errorem,* induire qqn en erreur || *animum inducere,* prendre sur soi, se mettre en tête, se résoudre: [avec inf.], se résoudre à || *in animum inducere,* même sens || amener à, déterminer à || représenter, mettre en scène.

inductio, *onis,* f. *(induco),* **1.** action d'amener, d'introduire, de faire entrer || **2.** [fig.] *animi,* résolution, détermination || *erroris inductio*, action d'induire en erreur, tromperie.

inductus, *a, um,* **1.** part. de *induco* || **2.** adj., importé, exotique, étranger.

indulgens, *tis*, **1.** part. prés. de *indulgeo* || **2.** adj., indulgent pour [avec dat.], [avec *in* et l'acc.] || adonné à || [absol.] indulgent, bon, complaisant, bienveillant.

indulgenter *(indulgens),* avec bonté, bienveillance.

indulgentia, *æ*, f. *(indulgens),* indulgence, douceur, ménagement, bonté, bienveillance, complaisance: *in aliquem*, bontés pour qqn.

indulgeo, *ere, dulsi, dultum,* intr. et tr.,

I. intr., **1.** être bienveillant, indulgent, complaisant: *sibi*, avoir de la complaisance pour soi-même, ne se rien refuser || **2.** se donner complaisamment à, s'abandonner à || *valetudini*, avoir soin de sa santé.

II. tr., **1.** [arch.] choyer, *aliquem*, qqn || **2.** accorder, concéder.

indulsi, pf. de *indulgeo.*

indultus, *a, um,* part. de *indulgeo.*

induo, *ere, dui, dutum,* tr., **1.** mettre sur qqn, à qqn: *alicui tunicam*, mettre à qqn une tunique; *sibi torquem*, se mettre un collier || [sans *sibi*]*: anulum; galeam*, se mettre un anneau au doigt, un casque sur la tête || pass.: *socci, quibus indutus erat*, les souliers dont il était chaussé || pass. réfl.: *exuvias indutus Achilli*, s'étant revêtu des dépouilles d'Achille || **2.** revêtir, couvrir || **3.** *se aliqua re, in aliquam rem*, s'embarrasser dans qqch., tomber dans, se jeter dans || **4.** [fig.] mettre à, faire revêtir à, prêter à || [sans *sibi*] se mettre à soi, se revêtir de, s'attribuer: *personam judicis*, assumer le rôle de juge.

induratus, *a, um,* part. de *induro.*

induresco, *ere, rui,* intr., se durcir || [fig.] s'endurcir.

induro, *are, avi, atum,* tr., durcir, rendre dur.

1. Indus, *a, um,* de l'Inde || v. *Indi.*

2. Indus, *i*, m., fleuve de l'Inde.

industria, *æ*, f. *(industrius),* application, activité, assiduité || *de industria, ex industria*, volontairement, de propos délibéré.

industrie *(industrius),* avec activité, avec zèle.

industrius, *a, um,* actif, laborieux, zélé.

indutiæ, *arum,* f., armistice, trêve: *indutias facere*, faire une trêve; *per indutias*, au cours d'une trêve; *in indutiis esse*, avoir une trêve.

1. indutus, *a, um,* part. de *induo.*

2. indutus, *us*, m. [ord. dat. sing.]: *indutui gerere*, porter comme vêtement, être vêtu de.

induxi, pf. de *induco.*

inebrio, *are, avi, atum,* tr., rendre ivre, enivrer || saturer.

inedia, *æ*, f. *(in* et *edo),* privation de nourriture.

ineditus, *a, um (in, edo),* qui n'a pas été mis au jour (publié).

ineffabilis, *e*, qu'on ne peut exprimer.

inefficax, *acis*, sans action, sans effet utile.

inelegans, *tis*, qui est sans distinction, sans goût, sans finesse, grossier.

ineleganter *(inelegans),* sans choix, sans goût, sans finesse, gauchement.

ineluctabilis, *e*, insurmontable, inévitable.

inemendabilis, *e*, incorrigible.

inemptus (inemtus), *a, um (in, emo),* non acheté.

inenarrabilis, *e*, qu'on ne peut raconter, indicible.

inenodabilis, *e (in, enodo),* [fig.] inexplicable, insoluble.

ineo, *ire, ii* (rar. *ivi*), *itum,*

I. intr., **1.** aller dans: *in urbem*, entrer dans la ville || **2.** commencer: *ineunte vere*, au début du printemps.

II. tr., **1.** pénétrer dans: *domum alicujus*, entrer chez qqn; *viam*, prendre une route || **2.** commencer, engager, entamer: *magistratum*, entrer en charge || **3.** entrer dans, entreprendre, se mettre à: *consilium facinoris*, former le projet d'un crime; *gratiam ab aliquo*, entrer dans les bonnes grâces de qqn || *suffragium inire*, voter; *somnum*, dormir; *alicujus munera*, remplir les fonctions de qqn.

inepte *(ineptus),* maladroitement, gauchement, à contretemps.

ineptiæ, *arum,* f. *(ineptus),* sottises, niaiseries, impertinences.

ineptus, *a, um (in* et *aptus),* qui n'est pas approprié, déplacé, hors de propos, maladroit, gauche, impertinent [en parl. des choses et des pers.] || déraisonnable, sot.

inequitabilis, *e*, impropre aux chevauchées.

inermis, *e*, et **inermus,** *a, um (in, arma),* **1.** non armé, sans armes || sans armée || **2.** inoffensif || sans défense, faible.

inerrans, *tis* (*in*, priv.), fixe.

inerro, *are, avi, atum*, intr., errer dans [avec dat.] || [fig.] *oculis*, danser devant les yeux.

iners, *ertis (in* et *ars)*, **1.** étranger à tout art || sans capacité, sans talent || **2.** sans activité, sans énergie, sans ressort, inactif, mou || **3.** [poét.] qui rend inerte, qui engourdit.

inertia, *æ*, f. *(iners)*, **1.** ignorance de tout art, incapacité || **2.** inertie, inaction, indolence: *laboris*, aversion, répugnance pour le travail.

inerudite *(ineruditus)*, avec ignorance, en ignorant.

ineruditus, *a, um*, ignorant, peu éclairé || [fig.] non raffiné, grossier.

inesco, *are, avi, atum (in, esca)*, tr., appâter, amorcer || [fig.] amorcer, leurrer.

inevitabilis, *e*, inévitable || pl. n. *inevitabilia*, les choses inévitables.

inexcitus, *a, um*, non soulevé, calme.

inexcusabilis, *e*, inexcusable, qu'on ne peut excuser.

inexercitatus, *a, um*, non exercé, novice, qui n'a pas de pratique.

inexhaustus, *a, um*, non épuisé || inépuisable || non affaibli.

inexorabilis, *e*, **1.** qu'on ne peut fléchir, inexorable || sans pitié pour [avec *in* acc.], [avec *adversus*], [avec dat.] || **2.** inflexible, implacable.

inexperrectus, *a, um*, non éveillé.

inexpertus, *a, um*, **1.** inexpérimenté, neuf, novice || [avec dat. ou avec *ad*], [avec abl.], qui n'est pas fait à || **2.** non essayé, non éprouvé.

inexpiabilis, *e*, inexpiable || [fig.] implacable.

inexplebilis, *e (in, expleo)*, qui ne peut être rassasié || [fig.] insatiable, infatigable.

inexpletus, *a, um*, non rassasié, insatiable.

inexplicabilis, *e*, **1.** qu'on ne peut dénouer || **2.** impraticable || inextricable, inexplicable.

inexplorato, sans avoir envoyé à la découverte.

inexploratus, *a, um*, non exploré, non essayé, inconnu.

inexpugnabilis, *e*, **1.** inexpugnable, imprenable || **2.** [fig.] invincible || impénétrable || qu'on ne peut arracher.

inexspectatus, *a, um*, inattendu || pl. n. *inexspectata*, les choses inattendues.

inexstinctus, *a, um*, **1.** non éteint || **2.** [fig.] insatiable || impérissable.

inexsuperabilis, *e*, infranchissable || [fig.] invincible, insurmontable.

inextricabilis, *e (in, extrico)*, **1.** inextricable || qu'on ne peut arracher || **2.** incurable.

infabre, d'une façon où il n'y a pas de main d'ouvrier; grossièrement, sans art.

infabricatus, *a, um*, non façonné.

infacete, grossièrement.

infacetus, *a, um*, grossier, sans esprit.

infacundia, *æ*, f., inhabileté à s'exprimer.

infacundus, *a, um*, qui a de la peine à s'exprimer, sans éloquence.

infamatus, *a, um*, part. de *infamo*.

infamia, *æ*, f. *(infamis)*, mauvaise renommée, déshonneur, infamie: *infamiam facere alicui*, jeter du discrédit sur qqn || pl., *infamias subire*, subir des peines infamantes || [en parl. de qqn] honte, déshonneur.

infamis, *e (in, fama)*, mal famé, décrié.

infamo, *are, avi, atum (infamis)*, tr., faire une mauvaise réputation à, décrier || blâmer, accuser.

infandus, *a, um (in, fari)*, dont on ne doit pas parler, honteux, abominable || *infandum!* chose affreuse || [en parl. de pers.] horrible, monstrueux.

infans, *tis (in, fari)*, **1.** qui ne parle pas || sans éloquence || incapable encore de parler, tout enfant || **2.** [subst.] jeune enfant || enfant qui n'est pas encore né || **3.** d'enfant, enfantin, puéril.

infantia, *æ*, f. *(infans)*, **1.** incapacité de parler || **2.** enfance, bas âge || jeune âge des animaux, des plantes.

infatigabilis, *e*, infatigable.

infatuatus, *a, um*, part. de *infatuo*.

infatuo, *are, avi, atum (in, fatuus)*, tr., rendre sot, déraisonnable.

infaustus, *a, um*, funeste, malheureux, sinistre.

infeci, pf. de *inficio*.

infector, *oris*, m. *(inficio)*, teinturier.

1. infectus, *a, um*, part. de *inficio*.

2. infectus, *a, um (in* priv. et *factus)*, **1.** non travaillé, brut || **2.** non fait, non réalisé: *aliquid pro infecto habere*, considérer qqch. comme non avenu || **3.** impossible.

infecunditas, *atis*, f. *(infecundus)*, stérilité.

infecundus, *a, um*, infécond, stérile.

infelicitas, *atis*, f. *(infelix)*, **1.** le malheur, l'infortune || **2.** stérilité.

infeliciter, malheureusement.

infelix, *icis*, **1.** improductif, stérile ||

[fig.] *infelix opera*, travail stérile || **2.** malheureux, infortuné || **3.** qui cause du malheur, misérable, triste, funeste.

infense *(infensus)*, en ennemi, d'une manière hostile.

infenso, *are (infensus)*, tr., **1.** [absol.] agir en ennemi || **2.** ravager, dévaster.

infensus, *a, um,* **1.** irrité, hostile, animé contre || **2.** hostile, ennemi, funeste.

infercio, *ire, si, tum* et *sum (in* et *farcio)*, tr., **1.** (bourrer) fourrer dans || **2.** remplir, *aliquid aliqua re*, qqch. de qqch.

inferi, *orum*, m. *(inferus)*, les Enfers: *aliquem ab inferis excitare*, faire sortir qqn des Enfers, le ressusciter.

inferiæ, *arum*, f., sacrifice offert aux mânes de qqn.

inferior, *ius*, compar. de *inferus*, **1.** plus bas, inférieur: *ex inferiore loco dicere*, parler d'en bas [sans monter à la tribune] || *inferior exercitus*, l'armée de Basse-Germanie || *ætate*, plus jeune || **2.** plus faible || **3.** inférieur, d'un rang plus bas || subst. *inferior*, un inférieur; *inferiores*, les inférieurs.

inferius, adv., compar. de *infra*, plus bas, plus au-dessous.

inferna, *orum*, n. *(infernus)*, les Enfers.

inferni, *orum*, m. *(infernus)*, séjour des *dei inferi* (v. *inferus*) = les Enfers.

infernus, *a, um*, d'en bas, d'une région inférieure || des Enfers, infernal.

infero, *inferre, intuli, illatum*, tr., **1.** jeter dans, vers, sur, contre: *in ignem aliquid*, jeter qqch. au feu || **2.** *manus alicui, in aliquem; vim alicui*, porter les mains sur qqn, faire violence à qqn || *signa in hostem*, porter les enseignes contre l'ennemi; *signa patriæ*, attaquer sa patrie || *bellum alicui; Italiæ; contra patriam*, porter, faire la guerre contre qqn, contre l'Italie, contre la patrie || **3.** *pedem*, aller qq. part || [milit.] *pedem* ou *gradum*, marcher, aller de l'avant, attaquer || **4.** *inferri*, ou *se inferre*, se porter (se jeter) sur, dans, contre || **5.** [fig.] ***a)*** *eversionem, vastitatem tectis*, porter le ravage, la dévastation dans les maisons; ***b)*** mettre en avant, produire: *causa illata*, un prétexte étant mis en avant; ***c)*** inspirer, causer, susciter: *alicui terrorem, spem*, inspirer à qqn de la terreur, lui donner de l'espoir.

infersi, pf. de *infercio*.

infersus et **-tus,** *a, um*, part. de *infercio*.

inferus, *a, um*, qui est au-dessous, inférieur: *dei inferi*, dieux d'en bas || v. *inferior, infimus*.

infestatus, *a, um*, part. de *infesto*.

infeste *(infestus)*, d'une manière hostile, en ennemi.

infesto, *are, avi, atum (infestus)*, tr., infester, harceler, ravager, désoler || [fig.] attaquer, altérer, gâter, corrompre.

infestus, *a, um,* **1.** dirigé contre, ennemi, hostile: *alicui*, animé contre qqn; *alicui rei*, hostile à qqch. || [milit.] *infestis pilis*, avec les javelots prêts au jet; *infesto spiculo*, avec la lance en arrêt || **2.** exposé au danger ou aux attaques, mis en péril, menacé.

inficiens, *tis*, part. prés. de *inficio*.

inficio, *ere, feci, fectum (in* et *facio)*, tr., **1.** imprégner ou recouvrir, *rem aliqua re*, une chose de qqch.: *locum sanguine*: imprégner un lieu de son sang || *se Britanni vitro inficiunt*, les Bretons se teignent de pastel || [en part.] empoisonner, infecter || **2.** [fig.] imprégner [l'âme] || [en part.] infecter, corrompre: *vitiis infici*, être infecté par les vices.

infidelis, *e*, sur qui l'on ne peut compter, peu sûr, infidèle, inconstant, changeant.

infidelitas, *atis*, f. *(infidelis)*, infidélité.

infideliter, d'une manière peu sûre, peu loyale.

infidus, *a, um*, à qui ou à quoi on ne peut se fier, peu sûr.

infigo, *ere, fixi, fixum*, tr., **1.** ficher dans, enfoncer: [avec *in* acc.], [avec dat.] || **2.** pass., [fig.] être fixé, imprimé dans: [avec *in* abl.], [avec dat.].

infimus (infu-), *a, um*, superl. de *inferus*, **1.** le plus bas, le dernier: *ab infimo*, à partir du bas || le bas de, la partie inférieure de: *infimus collis*, la partie inférieure de la colline || **2.** [fig.] le plus humble, le dernier: *infimo loco natus*, de la plus basse naissance.

infindo, *ere, fidi, fissum*, tr., fendre || creuser dans.

infinitas, *atis*, f. *(in, finis)*, immensité, étendue infinie.

infinite *(infinitus)*, sans fin, sans limite, à l'infini || d'une manière indéfinie, en général.

infinitio, *onis*, f., c. *infinitas*.

infinitus, *a, um,* **1.** sans fin, sans limites, infini, illimité || **2.** indéfini, indéterminé, général.

infio, [inus.], v. *infit*.

infirmatio, *onis*, f. *(infirmo)*, action d'affaiblir, d'infirmer || réfutation.

infirmatus, *a, um*, part. de *infirmo*.

infirme *(infirmus)*, sans vigueur, faiblement.

infirmitas, *atis*, f. *(infirmus)*, faiblesse du corps, complexion faible || débilité, maladie, infirmité.

infirmo, *are, avi, atum (infirmus)*, tr., **1.** affaiblir, débiliter || **2.** infirmer, affaiblir, détruire, renverser, réfuter || annuler.

infirmus, *a, um*, **1.** faible [de corps], débile || malade || **2.** peu ferme, impuissant, faible || faible moralement, timoré, pusillanime || [en parl. de choses] sans poids, sans valeur, sans autorité.

infit, v. défectif (*infio* inus.) || il commence à [avec l'inf.] || [en part.] il commence à parler; [avec prop. inf.] il commence à dire que.

infitias ire ou **ire infitias,** nier, contester d'ord. avec négation : ***a)*** [avec acc.] *omnia*, nier tout; ***b)*** [avec prop. inf.].

infitiatio, *onis*, f. *(infitior)*, dénégation || désaveu d'une dette, d'un dépôt.

infitiator, *oris*, m. *(infitior)*, celui qui nie un dépôt.

infitior, *ari, atus sum (in* et *fateor)*, tr., **1.** nier, contester qqch. : *aliquam rem* || **2.** nier [une dette, un dépôt].

infixi, pf. de *infigo*.

infixus, *a, um*, part. de *infigo*.

inflammatio, *onis*, f. *(inflammo)*, **1.** action d'incendier, incendie || **2.** excitation : *animorum*, ardeur des sentiments, enthousiasme.

inflammatus, *a, um*, part. de *inflammo*.

inflammo, *are, avi, atum*, tr., **1.** mettre le feu à, allumer, incendier || **2.** exciter, enflammer || échauffer.

inflate *(inflatus)* [inus.], d'une manière outrée, hyperbolique.

inflatio, *onis*, f. *(inflo)*, gonflement.

1. inflatus, *a, um*, **1.** part. de *inflo* || **2.** adj., gonflé || [fig.] gonflé de colère; gonflé = enflé, exalté, enorgueilli || boursouflé, emphatique [style].

2. inflatus, *us*, m., action de souffler dans, insufflation, souffle || inspiration.

inflecto, *ere, flexi, flexum*, tr., **1.** courber, plier, infléchir || faire tourner, faire dévier || **2.** [fig.] *vox inflexa*, intonation plaintive || fléchir, émouvoir.

infletus, *a, um (in, fleo)*, non pleuré.

inflexi, pf. de *inflecto*.

inflexibilis, *e*, raide, inflexible.

inflexio, *onis*, f. *(inflecto)*, action de plier.

inflexus, *a, um*, part. de *inflecto*.

inflictus, *a, um*, part. de *infligo*.

infligo, *ere, xi, ctum*, tr., **1.** heurter contre : *alicui securim*, frapper qqn de la hache || infliger une blessure, asséner un coup, *alicui*, à qqn || **2.** infliger qqch. à qqn = faire subir.

inflixi, pf. de *infligo*.

inflo, *are, avi, atum*, tr., **1.** souffler dans || [absol.] *simul tibicen inflavit*, aussitôt que le joueur de flûte s'est mis à jouer || **2.** faire entendre un son : *sonum inflare*, donner une note, un son au moyen de la flûte || **3.** gonfler : *utrem*, une outre; *buccas*, les joues || **4.** ***a)*** inspirer : *poeta quasi divino quodam spiritu inflatur*, le poète est inspiré par une sorte de souffle divin; ***b)*** enfler, augmenter || exalter.

influo, *ere, fluxi, fluxum*, intr., **1.** couler dans, se jeter dans || **2.** faire invasion || **3.** s'insinuer dans, pénétrer dans || **4.** affluer, arriver en foule.

infodio, *ere, fodi, fossum*, tr., **1.** creuser || **2.** enterrer, enfouir.

informatio, *onis*, f. *(informo)*, dessin, esquisse || idée, conception.

informatus, *a, um*, part. de *informo*.

informis, *e (in* et *forma)*, **1.** non façonné, brut || **2.** mal formé, difforme, hideux, horrible || affreux.

informo, *are, avi, atum*, tr., **1.** façonner, former || **2.** [fig.] ***a)*** représenter idéalement, décrire; ***b)*** façonner, disposer, organiser; ***c)*** se représenter par la pensée, se faire une idée de.

infortunatus, *a, um*, malheureux, infortuné.

infortunium, *ii*, n. *(in, fortuna)*, infortune, malheur, châtiment.

infossus, *a, um*, part. de *infodio*.

infra *(infera)*, adv. et prép.

I. adv., **1.** au-dessous, en bas, à la partie inférieure || *infra quam*, plus bas que || **2.** [fig.] au-dessous [quant au rang].

II. prép. avec accus., **1.** au-dessous de, au bas de || **2.** *infra Lycurgum*, postérieur à Lycurgue || *magnitudine infra elephantos*, plus petits que les éléphants.

infractio, *onis*, f. *(infringo)*, action de briser || *animi*, abattement.

infractus, part. de *infringo*.

infragilis, *e*, qui ne peut être brisé || ferme, inébranlable.

infregi, pf. de *infringo*.

infremo, *ere, ui*, intr., frémir.

1. **infrenatus,** *a, um*, part. de *infreno.*

2. **infrenatus,** *a, um (in, freno)*, qui n'a pas de bride.

infrendens, *tis*, part. prés. de *infrendeo.*

infrendeo, *ere*, intr., grincer; [avec ou sans *dentibus*] grincer des dents.

infrenis, *is* et **infrenus,** *a, um (in, frenum)*, qui n'a pas de frein || qu'on ne peut maîtriser.

infreno, *are, avi, atum*, tr., **1.** mettre un frein à, brider || *currus*, atteler des chars || **2.** [fig.] assujettir, fixer || brider, dompter.

infrequens, *tis*, **1.** peu nombreux, qui n'est pas en foule : *senatus infrequens*, le sénat n'ayant pas son quorum, n'étant pas en nombre || **2.** peu fréquenté, peu peuplé, solitaire : *infrequentissima* [pl. n.] *urbis*, les points les plus déserts de la ville || **3.** qui ne va pas souvent qq. part, peu assidu || **4.** peu usité, rare.

infrequentia, *æ*, f. *(infrequens)*, petit nombre, rareté || solitude.

infrico, *care, cui, catum* et *ctum*, tr., frotter sur, appliquer en friction *(alicui rei aliquid)* || frotter, nettoyer.

infrictus, *a, um*, part. de *infrico.*

infringo, *ere, fregi, fractum (in* et *frango)*, tr., briser, abattre : *gloriam alicujus*, abattre la gloire de qqn || abattre, décourager : *aliquem, animos hostium*, abattre qqn, décourager les ennemis ; *infracto animo esse*, être abattu.

infructuosus, *a, um*, infructueux, stérile.

infucatus, *a, um (in, fuco)*, fardé.

infudi, pf. de *infundo.*

infui, pf. de *insum.*

infula, *æ*, f., **1.** bande, ruban || **2.** bandelette, bandeau sacré, infule || [large bande de laine qui ornait la tête des prêtres, des victimes ou que portaient les suppliants] || **3.** [fig.] ornement sacré || objet de respect, de vénération.

infulatus, *a, um (infula)*, qui porte un bandeau [de victime].

infulcio, *ire, fulsi, fultum*, tr., **1.** enfoncer *(aliquid alicui)* || **2.** [fig.] introduire, insérer, *aliquid alicui rei*, qqch. dans qqch.

infundo, *ere, fudi, fusum*, tr., **1.** verser dans, répandre dans : *aliquid in vas*, verser qqch. dans un vase || [pass. réfl.] se répandre dans || **2.** faire absorber : *alicui venenum*, verser du poison à qqn || **3.** faire pénétrer dans || [pass. réfl.] se glisser dans || **4.** répandre sur || **5.** arroser, mouiller.

infuscatus, *a, um*, part. de *infusco.*

infusco, *are, avi, atum*, tr., **1.** rendre brun || **2.** [fig.] ***a)*** *infuscari*, s'obscurcir, s'assourdir, se voiler [en parl. de la voix] ; ***b)*** ternir, tacher, gâter.

infuscus, *a, um*, noirâtre.

infusio, *onis*, f. *(infundo)*, action de verser dans, infusion, injection.

infusus, *a, um*, part. de *infundo.*

ingemesco, v. *ingemisco.*

ingeminatus, *a, um*, part. de *ingemino.*

ingemino, *are, avi, atum*, **1.** tr., redoubler, répéter, réitérer || **2.** intr., redoubler, s'accroître || *ingeminant plausu*, ils redoublent d'applaudissements.

ingemisco, *ere, gemui*, **1.** intr., gémir, se lamenter sur, à propos de qqch. [*in aliqua re* ou *alicui rei*] || **2.** tr., déplorer ; [avec prop. inf.], déplorer que.

ingemo, *ere, ui (itum)*, **1.** intr., gémir sur, *in aliqua re* ou *alicui rei*, sur qqch. || gémir, faire du bruit || **2.** tr., déplorer, gémir sur.

ingeneratus, *a, um*, part. de *ingenero.*

ingenero, *are, avi, atum*, tr., **1.** faire naître dans : *ingenerata familiæ frugalitas*, frugalité naturelle à (innée dans) la famille || **2.** créer, produire, enfanter.

ingeniatus, *a, um (ingenium)*, disposé par la nature.

ingeniose *(ingeniosus)*, ingénieusement.

ingeniosus, *a, um (ingenium)*, qui a naturellement toutes les qualités de l'intelligence ; intelligent || d'esprit vif, pénétrant.

ingenitus, *a, um*, part. de *ingigno* || adj., inné, naturel.

ingenium, *ii*, n. *(in* et *geno, gigno)*, **1.** qualités innées (nature) d'une chose || dispositions naturelles d'un être humain, tempérament, nature propre, caractère || **2.** dispositions intellectuelles, intelligence || dons naturels, talent naturel || **3.** talent, génie : *ingenium ad fingendum*, génie pour inventer || un génie = un homme de... || pl., des talents, des génies.

ingens, *tis*, d'une grandeur non ordinaire, grand, énorme, démesuré, vaste, immense : *ingens pecunia*, somme énorme.

ingenue *(ingenuus)*, en homme libre : *ingenue educatus*, qui a reçu une éducation libérale || franchement, naïvement, sincèrement.

ingenui, pf. de *ingigno.*

ingenuitas, *atis*, f. *(ingenuus)*, condition d'homme né libre, bonne naissance || sentiments nobles, loyauté, sincérité.

ingenuus, *a, um* (cf. *ingigno*), **1.** né dans le pays, indigène || inné, naturel, apporté au monde en naissant || **2.** né libre [de parents libres], bien né, de bonne famille: *est hominis ingenui velle...*, c'est le fait d'un homme bien né que de vouloir... || subst. m., homme libre || **3.** digne d'un homme libre, d'un homme bien né, noble: *artes ingenuæ*, arts libéraux.

ingero, *ere, gessi, gestum*, tr., **1.** porter dans || jeter || *ignem, verbera*, appliquer à qqn la torture du feu, assener des coups || donner, faire absorber [de l'eau, une potion] || *se ingerere* ou pass. *ingeri*, se porter dans, se jeter, se présenter || **2.** [fig.] ***a)*** lancer contre; ***b)*** imposer; ***c)*** mêler dans, introduire.

ingestus, *a, um*, part. de *ingero*.

ingigno, *ere, genui, genitum*, tr., faire naître dans.

ingloriosus, *a, um*, qui est sans gloire.

inglorius, *a, um (in, gloria)*, sans gloire, obscur || *inglorium arbitrabatur* avec inf., il estimait sans gloire de.

ingluvies, *ei*, f., **1.** gésier, jabot des oiseaux || **2.** [fig.] voracité, gloutonnerie.

ingrate *(ingratus)*, **1.** d'une manière désagréable || à regret, à contrecœur || **2.** avec ingratitude, en ingrat.

ingratia, *æ*, f. *(ingratus)*, abl. *ingratiis* [avec gén.]: *alicujus ingratiis*, contre le gré de qqn || [adv.] *ingratiis* ou *ingratis*, à regret, à contrecœur.

ingratis, v. *ingratia*.

ingratus, *a, um*, **1.** désagréable, déplaisant || **2.** ingrat, qui n'a pas de reconnaissance: *ingratus animus*, ingratitude; *ingratus in aliquem*, ingrat envers qqn || [poét., avec gén.] *ingratus salutis*, sans reconnaissance pour le salut obtenu || **3.** reçu sans reconnaissance, dont il n'est pas su gré, mal venu || **4.** insatiable.

ingravatus, *a, um*, part. de *ingravo*.

ingravesco, *ere*, intr., **1.** devenir pesant || s'alourdir || **2.** [fig.] croître, augmenter || s'aggraver, s'aigrir, s'irriter.

ingravo, *are, avi, atum*, tr., **1.** charger, surcharger || **2.** aggraver, aigrir, irriter.

ingredior, *gredi, gressus sum (in* et *gradior)*, intr. et tr.,

I. intr., **1.** aller dans, entrer dans: *in templum, in navem, in fundum*, entrer dans un temple, dans un navire, dans une propriété || **2.** [fig.] s'engager dans, aborder: *in disputationem*, aborder une discussion; *ad dicendum*, se mettre à parler, aborder l'éloquence || **3.** s'avancer, marcher avec gravité (lentement) || [fig.] *vestigiis alicujus*, marcher sur les traces de qqn.

II. tr., **1.** entrer dans, aborder: *domum*, entrer dans une maison; *mare*, s'embarquer; *pericula*, affronter les dangers || **2.** s'engager dans, aborder, commencer: *disputationem*, aborder une discussion || [avec inf.], commencer à.

ingressio, *onis*, f. *(ingredior)*, entrée dans || allure || entrée en matière.

1. ingressus, *a, um*, part. de *ingredior*.

2. ingressus, *us*, m., **1.** action d'entrer, entrée || **2.** commencement || **3.** allure, démarche || marche.

ingruo, *ere, ui*, intr., fondre sur, s'élancer contre, tomber violemment sur, attaquer [avec dat. ou *in* acc.].

inguen, *inis*, n., aine || bas-ventre.

ingurgitatus, *a, um*, part. de *ingurgito*.

ingurgito, *are, avi, atum (in* et *gurges)*, tr., plonger comme dans un gouffre: *se in flagitia*, se plonger dans un abîme de débauches.

ingustabilis, *e (in, gusto)*, dont on ne peut goûter.

ingustatus, *a, um*, dont on n'a pas goûté.

inhabilis, *e*, **1.** difficile à manier, incommode || **2.** [fig.] peu propre à, impropre à [avec dat. ou *ad*].

inhabitabilis, *e (in* priv.*)*, inhabitable.

inhabito, *are, avi, atum*, tr. *(in, habito)*, habiter dans, habiter.

inhæreo, *ere, hæsi, hæsum*, intr., **1.** rester attaché (fixé) à, tenir à, adhérer à: [avec dat. ou avec *ad* ou avec *in* abl.] || **2.** [fig.] tenir à, être inséparable, inhérent.

inhæresco, *ere, hæsi*, intr., se fixer à, s'attacher à, adhérer à: [avec *in* abl.].

inhalatus, *a, um*, part. de *inhalo*.

inhalo, *are, avi, atum*, tr., souffler sur (*rem*, sur qqch.) || exhaler une odeur de.

inhibeo, *ere, bui, bitum (in* et *habeo)*, tr., **1.** retenir, arrêter: *aliquem*, qqn; *impetum*, arrêter un élan || *verecundia inhibemur... credere*, une pudeur nous empêche de croire || **2.** [t. de marine] ramer en arrière, à rebours || *retro navem*, ramener un vaisseau en arrière || **3.** appliquer.

inhibitio, *onis*, f. *(inhibeo)*, action de ramer en sens contraire.

inhibitus, *a, um*, part. de *inhibeo*.

inhio, *are, avi, atum*, **1.** intr., être ouvert, béant || avoir la gueule ouverte || avoir la bouche ouverte pour qqch., par avidité [avec dat.]; [fig.] être béant après qqch., aspirer à [avec dat.], [avec *in* acc.] || avoir une attention avide || **2.** tr., convoiter avidement qqch.

inhoneste *(inhonestus)*, malhonnêtement.

inhonesto, *are (inhonestus)*, tr., déshonorer.

inhonestus, *a, um*, **1.** sans honneur, méprisable [écarté des magistratures, privé des honneurs] || **2.** déshonnête, contraire à l'honnêteté, honteux || **3.** laid, repoussant, hideux.

inhonoratus, *a, um*, **1.** qui n'a pas reçu de magistratures, exercé de charges, qui est sans honneur || **2.** qui n'a pas reçu de récompense, de marques d'honneur.

inhonorus, *a, um*, qui est sans honneur.

inhorreo, *ere*, intr., être hérissé de qqch.

inhorresco, *ere, horrui*, intr., **1.** devenir hérissé || **2.** se dresser, se hérisser || **3.** avoir la chair de poule, frissonner, grelotter || [fig.] frissonner de crainte, trembler.

inhospitalis, *e*, inhospitalier.

inhospitalitas, *atis*, f., inhospitalité.

inhospitus, *a, um*, inhospitalier.

inhumane *(inhumanus)*, durement.

inhumanitas, *atis*, f. *(inhumanus)*, **1.** cruauté, barbarie, inhumanité || **2.** grossièreté, manque de savoir-vivre || caractère difficile || désobligeance || façon de vivre sordide.

inhumaniter, incivilement, sans politesse.

inhumanus, *a, um*, **1.** inhumain, barbare, cruel || **2.** morose, de caractère difficile || **3.** incivil, grossier, sans politesse, sans savoir-vivre || barbare, grossier, sans culture.

inhumatus, *a, um (in, humo)*, sans sépulture.

inibi, adv., **1.** là [sans mouv.] en ce lieu-là, dans le même endroit || **2.** [en parl. du temps] là, à l'instant: *inibi est aliquid*, qqch. est sur le point d'arriver.

inicio, *ere*, v. *injicio*.

iniens, *ineuntis*, part. prés. de *ineo*.

inigo, *ere, egi, actum (in, ago)*, tr., faire aller dans, pousser (diriger) vers || exciter.

inimice, en ennemi.

inimicitia, *æ*, f. *(inimicus)*, **1.** inimitié, haine || **2.** ord. au plur.: *inimicitias subire suscipere*, affronter, encourir la haine || *cum aliquo habere*, ou *gerere*, ou *exercere*, entretenir une inimitié avec qqn, être en inimitié avec qqn.

inimico, *are, avi, atum (inimicus)*, tr., rendre ennemi.

inimicus, *a, um (in, amicus)*, **1.** ennemi [particulier], d'ennemi, hostile, opposé || avec gén. ou dat. || **2.** [poét.] d'ennemi [de guerre] || **3.** [en parl. de choses] contraire, funeste || **4.** subst. m., ennemi; subst. f., ennemie.

inimitabilis, *e*, inimitable.

inintellegens, *entis*, inintelligent.

inique *(iniquus)*, inégalement || à tort, injustement.

iniquitas, *atis*, f. *(iniquus)*, **1.** inégalité [terrain] || **2.** condition défavorable, désavantage, difficulté, adversité, malheur || **3.** injustice, iniquité.

iniquus, *a, um (in* et *æquus)*, **1.** inégal: *locus iniquus*, lieu accidenté || **2.** défavorable, incommode: *locus iniquior, iniquissimus*, lieu assez défavorable, très défavorable; *iniquo tempore*, en un moment défavorable || **3.** inégal, non calme || **4.** qui n'est pas juste, excessif || **5.** injuste, inique: *iniqua condicio*, conditions injustes; *iniquum est* inf., il est injuste de || **6.** hostile: *iniqui mei*, mes ennemis; *omnes iniquissimi mei*, tous mes pires ennemis.

initiamenta, *orum*, n. *(initio)*, initiation.

initiatio, *onis*, f. *(initio)*, initiation.

initiatus, *a, um*, part. de *initio*.

initio, *are, avi, atum (initium)*, initier [aux mystères] || instruire.

initium, *ii*, n. *(inire)*, **1.** commencement, début: *initium capere ab...*, commencer à... || *initio*, au début, en commençant || **2.** [surtout au pl.] principes, éléments || principe, origine, fondement; auspices.

1. initus, *a, um*, part. de *ineo*.

2. initus, *us*, m., arrivée || commencement.

inivi, pf. de *ineo*.

injeci, pf. de *injicio*.

injectio, *onis*, f. *(injicio)*, action de jeter sur, mainmise.

1. injectus, *a, um*, part. de *injicio*.

2. injectus, *us*, m., action de jeter sur.

injicio, *ere, jeci, jectum (in* et *jacio)*, tr., **1.** jeter dans, sur: *ignem castris*, mettre le feu au camp; *se in medios hostes*, se jeter au milieu des ennemis || [fig.] inspirer, susciter: *alicui timorem, amorem*, inspirer à qqn la crainte, l'amour; *alicui mentem ut audeat*, donner à qqn l'idée d'oser || mentionner, insinuer: *alicui nomen alicujus*, suggérer à qqn le nom de qqn || **2.** jeter sur, appliquer sur: *plagam alicui rei*, porter un coup à qqch.; *manum alicui*, mettre la main sur qqn; [en part.] mettre la main sur qqn, en signe de possession, de propriété.

injucunde [inus.], désagréablement.

injucunditas, *atis*, f., défaut d'agrément.

injucundus, *a, um*, désagréable || dur, inamical.

injudicatus, *a, um*, non jugé || non décidé.

injunctus, *a, um*, part. de *injungo*.

injungo, *ere, junxi, junctum*, tr., **1.** appliquer dans || **2.** joindre à, relier à || **3.** [fig.] infliger, appliquer sur, imposer: *servitutem alicui*, imposer à qqn le joug de l'esclavage.

injuratus, *a, um*, qui n'a pas juré.

injuria, *æ*, f. *(injurius)*, **1.** injustice: *injuriam facere, accipere*, faire, essuyer une injustice; *injuriæ alicujus in aliquem*, injustices de qqn à l'égard de qqn || *per injuriam*, ou abl. *injuria*, injustement || **2.** violation du droit, tort, dommage.

injuriose *(injuriosus)*, injustement.

injuriosus, *a, um (injuria)*, plein d'injustice, injuste || [fig.] nuisible, funeste.

injurius, *a, um (in, jus)*, injuste, inique.

1. injussus, *a, um*, qui n'a pas reçu d'ordre, de soi-même || [fig.] qui se fait de soi-même, spontané.

2. injussus, abl. *u*, m., sans l'ordre de: *injussu meo*, sans mon ordre; *injussu imperatoris*, sans l'ordre du général.

injuste *(injustus)*, injustement.

injustitia, *æ*, f. *(injustus)*, injustice: *in injustitia esse*, être injuste.

injustus, *a, um*, **1.** injuste, qui n'agit pas suivant la justice || contraire à la justice [en parl. de choses] || **2.** qui dépasse la mesure légitime, excessif, énorme: *injustum onus*, tâche excessive.

innascor, *nasci, natus sum*, intr., **1.** naître dans: [avec *in* abl.], [avec dat.] || **2.** [en part.] *innatus*, né dans, naturel, inné [avec dat. ou avec *in* abl.].

innato, *are, avi, atum*, intr., **1.** nager dans, sur [avec dat.] || [avec acc., poét.] voguer sur || **2.** nager pour entrer dans, pénétrer en nageant [avec *in* acc.] || **3.** [fig.] *innatans*, superficiel.

innatus, *a, um*, part. de *innascor*.

innecto, *ere, nexui, nexum*, tr., **1.** enlacer, lier, attacher: *comas*, nouer les cheveux || attacher sur, nouer sur || **2.** [fig.] entrelacer, joindre ensemble, faire un enchaînement de.

innexui, pf. de *innecto*.

innexus, *a, um*, part. de *innecto*.

innitor, *nixus* (qqf. *nisus*), *sum, niti*, intr., s'appuyer sur: [avec dat. ou abl.].

innixus, *a, um*, part. de *innitor*.

inno, *are, avi, atum*, **1.** intr., nager dans, surnager, flotter sur, naviguer sur [avec dat.] || se déverser sur || **2.** tr., traverser à la nage.

innocens, *tis*, **1.** qui ne fait pas de mal, inoffensif || **2.** qui ne fait pas le mal, qui ne nuit pas, irréprochable, vertueux, probe || **3.** qui n'est pas coupable, innocent || subst. m., un innocent.

innocenter, **1.** sans dommage || **2.** sans faire de mal, honnêtement, de manière irréprochable.

innocentia, *æ*, f. **1.** innocuité || **2.** mœurs irréprochables, intégrité, vertu || innocence, non-culpabilité || désintéressement, intégrité.

innocue *(innocuus)*, sans faire de mal || d'une manière irréprochable.

innocuus, *a, um*, **1.** qui ne fait pas de mal, non nuisible || inoffensif, innocent || **2.** qui n'a subi aucun dommage.

innotesco, *ere, notui*, intr., devenir connu, se faire connaître, *aliqua re*, par qqch.

innovo, *are, avi, atum*, tr., renouveler.

innoxie, sans faire de mal.

innoxius, *a, um*, **1.** qui ne fait pas de mal, inoffensif || **2.** qui ne fait pas le mal, sans reproche, innocent, probe || *criminis*, innocent sous le rapport du grief || **3.** sans subir de mal, de dommage, intact.

innubo, *ere, nupsi, nuptum*, intr., entrer [dans une famille] par mariage, en s'unissant à un époux.

innumerabilis, *e*, innombrable.

innumerabilitas, *atis*, f., nombre infini.

innumerabiliter, en nombre infini.

innumeralis, *e*, innombrable.

innumerus, *a, um (in, numerus)*, innombrable.

innuo, *ere, ui, utum*, intr., faire signe: *alicui*, à qqn.

innupsi, pf. de *innubo*.

innupta, *æ*, f. (*in* priv.), qui n'est pas mariée.

innutrio, *ire, ivi, itum*, tr., nourrir, élever dans, sur || pass., [fig.] se nourrir de.

innutritus, *a, um*, part. de *innutrio*.

Ino, *us*, acc. *Ino*, f. Ino [fille de Cadmus et d'Harmonie, femme d'Athamas, roi de Thèbes].

inobservantia, *æ*, f., négligence.

inobservatus, *a, um*, non observé.

inoffensus, *a, um*, **1.** non heurté || non incommodé, sans encombre || non troublé || **2.** sans heurter, sans rencontrer d'obstacle.

inofficiosus, *a, um*, **1.** qui manque d'égards || **2.** [en parl. de choses] contraire aux devoirs.

inolesco, *ere, evi, itum*, **1.** intr., pousser avec, croître dans, s'enraciner, s'implanter [avec dat.] || **2.** tr., faire croître dans, implanter || développer.

inolitus, *a, um*, part. de *inolesco*.

inopertus, *a, um*, découvert, non couvert || [fig.] non caché, sans voile.

inopia, *æ*, f. *(inops)*, **1.** manque, disette, défaut, privation, *alicujus rei*, de qqch. || **2.** [absol.] absence de ressources, dénuement, disette, besoin, pénurie || privation de secours, détresse, abandon.

inopinans, *tis*, qui ne s'y attend pas, pris au dépourvu.

inopinanter ou **inopinato,** inopinément, à l'improviste.

inopinatus, *a, um*, **1.** inattendu, inopiné || *ex inopinato*, à l'improviste || **2.** qui ne s'y attend pas, pris à l'improviste, = *inopinans*.

inopinus, *a, um*, c. *inopinatus*.

inops, *opis*, **1.** sans ressources, pauvre || **2.** pauvre sous le rapport de, dépourvu de, dénué de: *ab amicis*, dépourvu d'amis; *consilii*, irrésolu || **3.** sans puissance, faible; [pris subst.] le faible; pl., les faibles.

inordinatus, *a, um*, en débandade, non rangé, en désordre || *inordinatum, i*, n., désordre.

inornatus, *a, um*, **1.** sans parure, sans apprêt || **2.** non loué, non célébré.

inquam, *is, it*, etc., v. déf., [après un ou plus. mots] dis-je, dis-tu, dit-il.

1. inquies, *etis*, adj., [rare], agité, qui ne connaît pas le repos.

2. inquies, *etis*, f., défaut de repos || [fig.] agitation, trouble.

inquietatus, *a, um*, part. de *inquieto*.

inquieto, *are, avi, atum (inquietus)*, tr., troubler, agiter, inquiéter.

inquietus, *a, um*, troublé, agité || [fig.] qui s'agite, qui n'a pas de repos, remuant, turbulent.

inquilinus, *i*, m. *(incolo)*, **1.** locataire || [fig.] [injure adressée à Cicéron, comme n'étant pas né à Rome] ou [en parl. d'élèves qui ne profitent pas des leçons du maître] || **2.** colocataire.

inquinate *(inquinatus), loqui*, parler mal, un langage incorrect.

inquinatus, *a, um*, **1.** part. de *inquino* || **2.** adj., souillé, sale, ignoble.

inquino, *are, avi, atum*, tr., **1.** salir, souiller extérieurement || **2.** gâter, corrompre || [fig.] souiller, flétrir, déshonorer.

inquiro, *ere, sivi, situm (in* et *quæro)*, tr., **1.** rechercher, chercher à découvrir || **2.** faire une enquête: *in aliquem*, contre, sur qqn || [en gén.]: *in se nimium*, s'examiner trop sévèrement.

inquisite *(inquisitus)*, avec soin, d'une manière approfondie.

inquisitio, *onis*, f. *(inquiro)*, **1.** recherche, investigation || **2.** information, enquête: *inquisitionem in aliquem postulare*, demander une enquête contre qqn.

inquisitor, *oris*, m. *(inquiro)*, **1.** celui qui examine et recherche || celui qui quête [le gibier] || **2.** enquêteur, celui qui est chargé d'une information.

inquisitus, *a, um*, part. de *inquiro*.

insæptus, *a, um*, part. de l'inus. *insæpio*, entouré, ceint.

insaluber, *bris* et **insalubris,** *e*, malsain, insalubre.

insalutatus, *a, um*, non salué.

insanabilis, *e*, incurable, qui ne peut être guéri || [fig.] irrémédiable, qu'on ne peut améliorer.

insane *(insanus)*, follement, d'une manière insensée.

insania, *æ*, f. *(insanus)*, **1.** déraison, folie, manque d'équilibre dans l'esprit || **2.** extravagance, excès insensé, folie: *libidinum*, passions désordonnées || folies, dépenses folles.

insanio, *ire, ivi* et *ii, itum (insanus)*, intr., **1.** être fou, insensé || **2.** [fig.] avoir perdu la tête, n'être pas dans son bon sens || agir en fou, être extravagant.

insanitas, *atis*, f. *(insanus)*, mauvais état de santé.

insanus, *a, um*, **1.** qui a l'esprit en mauvais état, fou, aliéné || **2.** insensé, déraisonnable || **3.** qui rend fou ||

4. monstrueux, excessif, extravagant || **5.** qui a le délire prophétique, inspiré.

insatiabilis, *e (in, satio),* **1.** qui ne peut être rassasié, insatiable || **2.** dont on ne peut se rassasier, se lasser.

insatiabiliter *(insatiabilis),* sans pouvoir être rassasié.

insaturabilis, *e (in, saturo),* insatiable.

insaturabiliter, sans pouvoir être rassasié.

inscendo, *ere, di, sum (in* et *scando),* **1.** intr., monter sur: [avec *in* acc.] || s'embarquer || **2.** tr. [avec acc.] monter sur.

inscensus, *a, um,* part. de *inscendo.*

insciens, *tis,* qui ignore: *insciente me,* à mon insu.

inscienter *(insciens),* avec ignorance.

inscientia, *æ,* f. *(insciens),* ignorance || *alicujus rei,* ignorance de qqch. || incapacité.

inscite *(inscitus),* sans art, grossièrement, gauchement.

inscitia, *æ,* f. *(inscitus),* **1.** inhabileté, incapacité, gaucherie, maladresse, inexpérience || **2.** ignorance, nonconnaissance.

inscitus, *a, um,* ignorant, gauche, maladroit: *quid inscitius est quam...?* et prop. inf., quelle plus grande absurdité que...?

inscius, *a, um,* qui ne sait pas, ignorant [avec gén.].

inscribo, *ere, scripsi, scriptum,* **1.** écrire sur, inscrire || **2.** assigner, attribuer || **3.** mettre une inscription à, intituler: *statuas,* mettre une inscription à des statues || faire une marque sur, imprimer une trace sur.

inscriptio, *onis,* f. *(inscribo),* action d'inscrire sur || titre d'un livre || inscription || stigmate.

1. inscriptus, *a, um,* part. de *inscribo.*

2. inscriptus, *a, um (in* priv.), non écrit || non enregistré, non inscrit sur les registres || non inscrit dans les lois.

insculpo, *ere, psi, ptum,* tr., graver sur: [avec *in* abl.], [avec dat.] || [fig.] graver dans [avec *in* abl.].

insculptus, *a, um,* part. de *insculpo.*

insecabilis, *e,* qui ne peut être coupé, indivisible.

inseco, *are, secui, sectum,* tr., couper, disséquer.

insectanter *(insector),* avec âpreté.

insectatio, *onis,* f. *(insector),* **1.** poursuite, action de poursuivre || **2.** pl., attaques âpres, *alicujus* ou *alicujus rei,* contre qqn, contre qqch.

insectator, *oris,* m. *(insector),* persécuteur || censeur infatigable.

insectatus, *a, um,* part. de *insector.*

insector, *ari, atus sum,* tr., **1.** poursuivre sans relâche, être aux trousses de || **2.** [fig.] presser vivement, s'acharner après.

insectus, *a, um,* part. de *inseco.*

insecutus ou **insequutus,** *a, um,* part. de *insequor.*

insedi, pf. de *insideo* et de *insido.*

insenesco, *ere, senui,* intr., vieillir dans || [fig.] pâlir (blanchir) sur.

inseparabilis, *e,* inséparable, indivisible.

insepultus, *a, um (in* priv.), non enseveli, sans sépulture.

insequor, *sequi, secutus sum* ou *sequutus sum,* tr., **1.** venir immédiatement après, suivre; *nocte insequenti,* pendant la nuit suivante || **2.** poursuivre, continuer || **3.** poursuivre, se mettre aux trousses de: *aliquem gladio,* poursuivre qqn l'épée à la main || [fig.] harceler.

1. insero, *ere, serui, sertum,* tr., **1.** mettre dans, insérer, introduire, fourrer, sertir || **2.** [fig.] introduire, mêler, intercaler.

2. insero, *ere, sevi, situm,* tr., **1.** semer, planter || **2.** insérer par greffe, enter || greffer: *vitem,* greffer la vigne || **3.** [fig.] implanter, inculquer, incorporer [surtout au part.] *insitus, a, um,* implanté, inné, naturel.

insertatus, *a, um,* part. de *inserto.*

inserto, *are (insero 1),* tr., introduire dans [avec dat.].

insertus, *a, um,* part. de *insero 1.*

inserui, pf. de *insero 1.*

inservio, *ire, ivi* ou *ii, itum,* intr. et tr., **1.** être asservi à, donner ses soins à, être au service de, servir [avec dat.]: *suis commodis,* être esclave de ses intérêts || **2.** être asservi, être vassal.

insessus, *a, um,* part. de *insideo* et *insido.*

insevi, pf. de *insero 2.*

insideo, *ere, sedi, sessum (in* et *sedeo),* intr. et tr.,

I. intr., **1.** être assis sur, dans || **2.** [fig.] être installé sur, dans.

II. tr., **1.** tenir occupé, occuper || **2.** habiter.

insidiæ, *arum,* f. *(insideo),* embûches, embuscade, piège, guet-apens: *in insidiis collocare,* mettre en embuscade || *insidias facere alicui; ponere; parare;*

tendere; collocare; comparare; struere; componere, dresser, tendre des embûches à qqn; *per insidias interfici*, ou *insidiis*, ou *ex insidiis*, être tué dans une embuscade, dans un guet-apens, traîtreusement.

insidiator, *oris*, m. *(insidior)*, celui qui guette, qui tend des pièges, traître.

insidiatus, *a, um*, part. de *insidior*.

insidior, *ari, atus sum (insidiæ)*, **1.** tendre un piège, une embuscade, un guet-apens, des embûches, *alicui*, à qqn || **2.** [fig.] être en embuscade, guetter pour surprendre, être à l'affût.

insidiose *(insidiosus)*, traîtreusement, par fraude.

insidiosus, *a, um (insidiæ)*, **1.** qui dresse des embûches, traître, perfide || **2.** plein d'embûches, perfide, insidieux.

insido, *ere, sedi, sessum*, intr. et tr., **1.** s'asseoir sur, se poser sur: ***a)*** intr., *apes floribus insidunt*, les abeilles se posent sur les fleurs; ***b)*** tr., *locum*, se poser dans un lieu || **2.** s'installer, prendre position qq. part: ***a)*** intr., *silvis*, s'établir dans une forêt; ***b)*** tr., *vias*, occuper les routes || **3.** [fig.] se fixer, s'attacher, s'enraciner.

insigne, *is*, n. *(insignis)*, **1.** marque, signe, marque distinctive || **2.** [en part.] insigne d'une fonction: pl., *insignia regia*, insignes royaux, emblèmes de la royauté || les insignes [en parl. de l'armée] (plumets, aigrettes, colliers, etc.) [marques distinctives des grades et des troupes] || **3.** [fig.] distinctions, décorations, parure [aux jours de fêtes].

insignio, *ire, ivi* ou *ii, itum (insignis)*, tr., **1.** mettre une marque, signaler, distinguer || pass., se distinguer, se faire remarquer || **2.** désigner, signaler.

insignis, *e (in* et *signum)*, qui porte une marque distinctive, remarquable, distingué, distinctif, singulier [en b. et mauv. part.].

insignite *(insignitus)*, d'une manière remarquable.

insigniter *(insignis)*, d'une manière remarquable, singulière, insigne, extraordinaire.

insignitus, *a, um*, **1.** part. de *insignio* || **2.** adj., significatif, qui se distingue nettement || clair || remarquable.

insilio, *ire, silui, sultum (in* et *salio)*, intr. et tr., sauter sur (dans), bondir sur, dans: [avec *in* et l'acc.] || [avec l'acc. ou avec le dat., poét.].

insimulatio, *onis*, f. *(insimulo)*, accusation.

insimulo, *are, avi, atum*, tr., accuser faussement, [ou simpl.] accuser: *se peccati*, s'accuser d'une faute; *aliquem aliquid fecisse*, accuser qqn d'avoir fait qqch.

insincerus, *a, um*, gâté, vicié || de mauvaise qualité.

insinuatus, *a, um*, part. de *insinuo*.

insinuo, *are, avi, atum*, tr. et intr.,
I. tr., **1.** faire entrer dans l'intérieur de, introduire, insinuer || **2.** [fig.] ***a)*** *aliquem animo alicujus*, insinuer qqn dans les bonnes grâces de qqn; ***b)*** [surtout réfl.]: *se insinuare in familiaritatem alicujus*, s'insinuer dans l'intimité de qqn.
II. intr., s'insinuer.

insipiens, *tis (in, sapiens)*, déraisonnable.

insipienter *(insipiens)*, sottement.

insipientia, *æ*, f. *(insipiens)*, folie, sottise.

insisto, *ere, stiti*, intr. et tr.,
I. intr., **1.** se placer sur, se poser sur || **2.** se mettre aux trousses de || **3.** [fig.] s'attacher à, se donner à: *in bellum*, se donner à la guerre; *alicui rei*, s'occuper à qqch. || être toujours après qqn, assiéger qqn || **4.** s'arrêter [prop. et fig.] || s'arrêter à, sur qqch. *(alicui rei)*.
II. tr., **1.** marcher sur, fouler || *vestigia*, suivre des traces || **2.** s'appliquer à, poursuivre la réalisation de: *munus*, poursuivre une tâche || [avec inf.] se mettre avec insistance à, s'attacher à.

insiticius, *a, um (insitus)*, **1.** inséré dans, intercalé || **2.** enté, hybride || [fig.] étranger.

insitio, *onis*, f. *(insero 2)*, greffe, action de greffer, d'enter.

insitivus, *a, um (insero 2)*, **1.** greffé, qui provient de greffe || **2.** [fig.] qui vient d'autrui, de l'étranger || *insitivus Gracchus*, un faux Gracchus; *liberi insitivi*, enfants illégitimes.

insitus, *a, um*, part. de *insero 2*.

insociabilis, *e*, insociable, qu'on ne peut associer à, incompatible [avec dat.].

insolens, *entis (in* et *soleo)*, **1.** inaccoutumé, insolite: *belli*, qui n'a pas l'habitude de la guerre || **2.** sans mesure, outré, excessif || **3.** effronté, orgueilleux.

insolenter *(insolens)*, contrairement à l'habitude, rarement || immodérément || insolemment.

insolentia, *æ*, f. *(insolens)*, **1.** inexpérience, manque d'habitude, *alicujus rei*, d'une chose || **2.** nouveauté, étrangeté, affectation [dans le style] || **3.** manque de modération.

insolesco, *ere*, intr., devenir arrogant, insolent.

insolidus, *a, um*, faible.

insolitus, *a, um*, **1.** inaccoutumé à: [avec *ad*], [avec gén.], [avec inf.] || [absol.] qui n'a pas l'habitude || **2.** dont on n'a pas l'habitude, inusité, insolite, étrange, inouï || *verbum insolitum*, mot insolite || n. pris subst., *insolitum*, chose inusitée || *insolitum est* [avec *ut*], il est sans exemple que.

insolubilis, *e*, **1.** indissoluble || **2.** [fig.] dont on ne peut s'acquitter, impayable || indubitable, incontestable.

insomnia, *æ*, f. *(insomnis)*, insomnie, privation de sommeil.

insomnis, *e (in, somnus)*, qui ne dort pas, privé de sommeil.

insomnium, *ii*, n. *(in, somnus)*, **1.** songe, rêve || **2.** pl., c. *insomnia*, insomnie.

insono, *are, ui*, **1.** intr., résonner, retentir || **2.** tr., faire résonner, faire claquer son fouet.

insons, *tis*, **1.** innocent, non coupable || [avec gén.] || **2.** qui ne fait pas de mal, inoffensif.

insonui, pf. de *insono*.

insonus, *a, um*, qui ne fait pas de bruit.

insopitus, *a, um*, non endormi.

inspectio, *onis*, f. *(inspicio)*, action de regarder || examen, inspection || réflexion, spéculation.

inspecto, *are, avi, atum (inspicio)*, tr., examiner || *inspectante prætore*, sous les yeux du préteur.

inspector, *oris*, m. *(inspicio)*, observateur.

1. inspectus, *a, um*, part. de *inspicio*.

2. inspectus, *us*, m., examen, inspection || observation.

insperans [nomin. inus.], *tis*, qui n'espère pas, qui ne s'attend pas à: *insperanti mihi cecidit, ut*, contre mon attente il est arrivé que.

insperatus, *a, um*, inattendu: *ex insperato*, contre toute attente || inespéré.

inspergo (inspargo), *ere, spersi, spersum*, tr., **1.** répandre sur || [avec dat.] || **2.** saupoudrer de: *aliquid aliqua re*.

inspersus, *a, um*, part. de *inspergo*.

inspicio, *ere, spexi, spectum (in* et *specio)*, tr., **1.** [absol.] regarder dans, plonger ses regards dans [avec *in* acc.] || [avec l'acc.] regarder, porter ses regards sur || **2.** regarder attentivement, de près: *leges*, compulser les recueils de lois || **3.** examiner, inspecter || **4.** [fig.] considérer attentivement, passer en revue.

inspico, *are (spica)*, tr., rendre pointu [en forme d'épi].

inspiratus, *a, um*, part. de *inspiro*.

inspiro, *are, avi, atum*, **1.** intr., souffler dans [avec dat.] || **2.** tr. ***a)*** souffler dans; ***b)*** introduire en soufflant; ***c)*** communiquer, insuffler, faire passer dans || inspirer [le courage, la pitié, etc.].

inspoliatus, *a, um (in, spolio)*, [pers.] non dépouillé || [chose] non enlevé.

inspuo, *ere, i, utum*, intr., cracher sur, contre [avec *in* acc.].

inspurco, *are, avi*, tr., souiller.

insputo, *are* (fréq. de *inspuo*), tr., couvrir de crachats.

instabilis, *e*, **1.** qui ne se tient pas ferme, chancelant, qui n'a pas une assiette solide, instable, mouvant || **2.** [fig.] instable, variable, inconstant, changeant.

instans, *tis*, **1.** part. prés. de *insto* || **2.** adj., présent || pressant, menaçant.

instanter *(instans)*, d'une manière pressante, avec insistance.

instantia, *æ*, f. *(instans)*, **1.** [fig.] imminence, proximité, présence || **2.** application assidue (constante) || allure pressante [du style], véhémence.

instar, n. indécl., **1.** valeur, quantité, grandeur [au fig.]: *instar habere*, avoir la valeur (le rôle) de || **2.** [acc. pris adv.] de la valeur de, aussi grand (aussi gros) que, à la ressemblance de, à l'instar de, équivalent de.

instaturus, part. fut. de *insto*.

instauratio, *onis*, f. *(instauro)*, [fig.] renouvellement, reprise.

instaurativi ludi, m., jeux qui recommencent.

instauratus, *a, um*, part. de *instauro*.

instauro, *are, avi, atum*, tr., **1.** renouveler, célébrer de nouveau || [en gén.] recommencer, reprendre, renouveler || **2.** établir solidement, établir, dresser, faire.

insterno, *sternere, stravi, stratum*, tr., **1.** étendre sur [avec dat.] || **2.** couvrir, recouvrir: *aliquid aliqua re*, qqch. de qqch.; *instrati equi*, chevaux sellés || **3.** [poét.] faire en étendant.

instigator, *oris*, m. *(instigo)*, celui qui excite, instigateur.

instigatrix, *icis*, f., instigatrice.

instigatus, *a, um*, part. de *instigo*.

instigo, *are, avi, atum*, tr., exciter, stimuler: *instigante te*, à ton instigation.

instillo, *are, avi, atum,* tr., instiller, verser goutte à goutte dans [avec dat.] || [fig.] introduire dans, insinuer, inculquer.

instimulator, *oris,* m. *(instimulo),* instigateur.

instimulo, *are,* tr., exciter, stimuler.

instinctor, *oris,* m. *(instinguo),* instigateur.

1. instinctus, *a, um,* part. de *instinguo.*

2. instinctus, *us,* m., instigation, excitation, impulsion.

instinguo, *ere, xi, ctum,* tr., pousser, exciter.

institi, pf. de *insisto* et de *insto.*

institio, *onis,* f. *(insisto),* arrêt, repos.

institor, *oris,* m. *(insto),* installé pour vendre, marchand détaillant, colporteur.

institorius, *a, um (institor),* de colporteur, de marchand.

instituo, *ere, tui, tutum (in* et *statuo),* tr., **1.** mettre sur pied, disposer, ménager, établir: *remiges,* lever des rameurs; *duplicem aciem,* disposer l'armée sur deux lignes || disposer, construire [des tours, des retranchements] || **2.** [fig.] ménager, préparer, commencer: *historiam,* entreprendre d'écrire l'histoire || [avec inf.] se mettre en devoir de, entreprendre de || **3.** établir, instituer, fonder: *diem festum,* établir une fête; *ut instituerat,* comme il en avait établi l'usage; [avec inf.] [avec *ut*], établir que || **4.** organiser qqch. qui existe, ordonner, régler || former: *aliquem ad dicendum,* dresser, façonner qqn à l'art de parler || [avec inf.] enseigner à.

institutio, *onis,* f. *(instituo),* **1.** disposition, arrangement || **2.** formation, instruction, éducation || **3.** principe, méthode, système, doctrine.

institutor, *oris,* m. *(instituo),* qui dispose, qui administre.

institutum, *i,* n. *(instituo),* **1.** plan établi, manière d'agir réglée, habitude: *instituto Cæsaris,* conformément à la manière de faire habituelle de César; *instituto suo,* suivant son habitude établie || *ex instituto,* d'après l'usage établi || dessein, plan d'un ouvrage, objet || **2.** disposition, organisation; [au pl.] *instituta,* institutions.

institutus, *a, um,* part. de *instituo.*

insto, *are, stiti, staturus,* intr. et tr., **I.** intr., **1.** se tenir sur ou au-dessus de || *vestigiis,* marcher sur les traces de qqn || **2.** serrer de près, presser vivement: *hosti,* serrer de près l'ennemi || [fig.] *alicui, ut,* presser vivement qqn de || **3.** s'appliquer sans relâche à qqch. || [avec inf.] mettre de l'insistance à || **4.** être sur le dos, être tout près || être imminent: *bellum instat,* la guerre est imminente || menacer [dat.].
II. tr., **1.** être sur: *rectam viam,* être dans la bonne voie || **2.** serrer de près, poursuivre || **3.** presser l'accomplissement d'une chose, se hâter de fabriquer || **4.** être suspendu sur, menacer: *aliquem,* qqn || **5.** dire avec insistance, insister, soutenir.

1. instratus, *a, um* (*in* priv.), non couvert, sans litière.

2. instratus, *a, um,* part. de *insterno.*

instravi, pf. de *insterno.*

instrenue, lâchement.

instrenuus, *a, um,* nonchalant, mou || qui est sans courage.

instrepo, *ere, ui, itum,* intr., faire du bruit.

instructe [inus.] *(instructus),* avec apprêt.

instructio, *onis,* f. *(instruo),* action de ranger, disposition.

instructor, *oris,* m. *(instruo),* ordonnateur.

1. instructus, *a, um,* **1.** part. de *instruo* || **2.** adj. ***a)*** pourvu, muni, outillé: *instructior ab aliqua re,* mieux pourvu sous le rapport de qqch. [*aliqua re,* de qqch.]; *in aliqua re,* versé dans qqch. (outillé en matière de); ***b)*** [en parl. de choses avec abl.] muni, pourvu, fourni.

2. instructus, abl. *u,* m. [fig.] bagage, équipement, attirail.

instrumentum, *i,* n. *(instruo),* **1.** mobilier, ameublement, matériel, outillage || **2.** [fig.] outillage, ressources: *oratoris,* outillage, bagage de l'orateur || ornement, parure, vêtement.

instruo, *ere, struxi, structum,* tr., **1.** assembler dans, insérer || **2.** élever, bâtir || **3.** dresser, disposer: *insidias,* tendre une embuscade; *fraudem,* tendre un piège || **4.** munir, outiller, équiper: *aliquem aliqua re,* munir qqn de qqch. || *domum suam,* monter sa maison || *testes,* documenter des témoins, préparer leurs dépositions || **5.** [milit.] disposer, ranger les troupes en ordre de bataille || [d'où] *aciem instruere,* former la ligne de bataille; *triplicem aciem,* former la triple ligne; *acie instructa, acie triplici instructa,* en ordre de bataille, en ordre de bataille sur trois lignes.

insuavis, *e,* qui n'est pas doux, désagréable.

insuefactus, *a, um*, habitué.

insuerat, sync. pour *insueverat* de *insuesco*.

insuesco, *ere, suevi, suetum*, **1.** intr., s'accoutumer à : [avec dat.], [avec *ad*], [avec inf.] || **2.** tr., accoutumer qqn à qqch., *aliquem aliqua re* || pass. *insuetus*.

1. insuetus, *a, um* (*in* priv.), **1.** qui n'est pas habitué à : *alicujus rei* || [avec dat.] || [avec *ad*], [avec inf.] || **2.** inusité, inaccoutumé, nouveau.

2. insuetus, *a, um*, part. de *insuesco*.

insula, *æ*, f., **1.** île || quartier de Syracuse || **2.** maison isolée, [ou plus gén.] pâté, îlot de maisons [à usage de location].

insulanus, *a, um (insula)*, qui habite une île || subst. m., insulaire.

insulse *(insulsus)*, d'une manière insipide, sottement.

insulsitas, *atis*, f. *(insulsus)*, sottise || manque de finesse, de goût.

insulsus, *a, um (in* et *salsus)*, **1.** non salé, insipide || **2.** [fig.] sot, niais, dépourvu d'esprit.

insultatio, *onis*, f. *(insulto)*, **1.** action de sauter sur || **2.** [fig.] outrages, insultes || attaque, assaut.

insulto, *are, avi, atum (insilio)*, tr. et intr., **1.** sauter sur, dans, contre : [avec acc. ou dat.], frapper des pieds, heurter des pieds || **2.** [fig.] se démener avec insolence, être insolent || braver [avec dat.] || insulter, donner cours à son insolence à l'égard de : [avec dat.], [avec *in* acc.], [avec acc.].

insum, *infui, inesse*, **1.** être dans ou sur : [avec dat., poét.] || **2.** être contenu dans, résider dans, appartenir à : [avec *in* abl.], [avec dat.].

insumo, *ere, sumpsi, sumptum*, tr., employer à, consacrer à : *aliquid in aliquem, in aliquam rem*, dépenser qqch. pour qqn, consacrer qqch. à qqch.

insumptus, *a, um*, part. de *insumo*.

insuo, *ere, sui, sutum*, tr., **1.** coudre dans, enfermer dans [en cousant] : *aliquem in culleum*, coudre qqn dans un sac, ou *culleo* || **2.** coudre sur, broder || appliquer sur.

insuper, adv. et prép.,

I. adv., **1.** dessus, par-dessus, au-dessus || de dessus || **2.** de plus, en outre.

II. prép., **1.** avec acc., dessus, au-dessus || **2.** avec abl. [poét.], outre.

insuperabilis, *e*, **1.** infranchissable || **2.** invincible || inévitable || incurable.

insurgo, *ere, surrexi, surrectum*, intr., **1.** se lever, se dresser, se mettre debout || se dresser pour attaquer || *insurgere remis*, faire force de rames || **2.** [fig.] s'élever, monter, grandir, devenir plus puissant || se dresser, faire des efforts || contre qqch. [avec dat.].

insurrexi, pf. de *insurgo*.

insusurro, *are, avi, atum*, tr., chuchoter à l'oreille : *alicui*, chuchoter à l'oreille de qqn, ou *ad aurem*, ou *in aures*.

insutus, *a, um*, part. de *insuo*.

intabesco, *ere, tabui*, intr., **1.** se fondre, se liquéfier || **2.** [fig.] se miner, se consumer.

intactus, *a, um* (*in* priv.), **1.** non touché, intact || sans blessure || non tenté, non éprouvé || non traité, neuf || **2.** [fig.] [avec abl.] préservé de, à l'abri de, épargné par : *intactus ab sibilo*, épargné par les sifflets.

1. intectus, *a, um*, part. de *intego*.

2. intectus, *a, um* (*in* priv.), non vêtu, nu || [fig.] franc, sincère.

integellus, *a, um*, dim. de *integer*, peu endommagé.

integer, *gra, grum (in* et *tago, tango)*, **1.** non touché, qui n'a reçu aucune atteinte, non entamé, intact : *integri et recentes*, les troupes intactes et fraîches ; *integra valetudo*, bonne santé || [constructions] : *integer ævi*, à la fleur de l'âge ; *omnibus rebus*, préservé de tout dommage ; *a cladibus belli*, préservé des désastres d'une guerre || [expressions] : *in integrum restituere aliquem, aliquid*, rétablir qqn, qqch. dans son intégrité, dans son état primitif ; *de integro*, sur nouveaux frais, ou *ab integro*, ou *ex integro* || **2.** [fig.] intact, entier, sans changement : *re integra*, rien n'étant décidé : *integrum est mihi* ou *in integro mihi res est*, la situation est encore intacte pour moi, j'ai les mains libres, les coudées franches ; *integrum non est alicui* [avec inf. ou *ut* subj.], qqn n'est pas libre de || sain, raisonnable || impartial, sans prévention, sans passion || neutre, indifférent, calme || pur, intègre : *nemo integrior*, personne de plus irréprochable.

intego, *ere, texi, tectum*, tr., couvrir, recouvrir || protéger.

integratus, *a, um*, part. de *integro*.

integre *(integer)*, **1.** d'une manière intacte, purement, correctement [en parl. de style] || **2.** d'une manière irréprochable || avec intégrité, impartialité.

integritas, *atis*, f. *(integer)*, **1.** état

d'être intact, totalité, intégrité || 2. solidité [de l'esprit], état sain || innocence, honnêteté, probité || chasteté, vertu || pureté, correction [du langage].

integro, *are, avi, atum (integer),* 1. tr., réparer, remettre en état || 2. renouveler, commencer de nouveau || 3. [fig.] recréer, refaire, délasser.

integumentum, *i,* n. *(intego),* 1. couverture, enveloppe, vêtement || 2. [fig.] manteau, voile, masque.

1. **intellectus,** *a, um,* part. de *intellego.*

2. **intellectus,** *us,* m., 1. perception, action de discerner [par les sens] || compréhension, action de comprendre || *intellectum habere,* être compris || 2. sens, signification || 3. faculté de comprendre, intelligence.

intellegens, *tis,* 1. part. de *intellego* || 2. adj., éclairé, judicieux, connaisseur || pris subst. : *intellegentes,* les connaisseurs.

intellegenter *(intellego),* d'une manière intelligente || avec discernement, en connaissance de cause.

intellegentia, *æ,* f. *(intellegens),* 1. action de discerner, de comprendre || [absol.] compréhension, compétence, connaissance de cause, goût || 2. faculté de comprendre, intelligence, entendement || notion, connaissance, idée.

intellegibilis, *e (intellego),* qu'on peut comprendre, qui peut être saisi.

intellego, *ere, lexi, lectum (inter* et *lego),* tr., 1. discerner, démêler, s'apercevoir, remarquer, se rendre compte, reconnaître || 2. comprendre, entendre, saisir : *linguas,* comprendre des langues || concevoir, se faire une idée de || entendre, donner tel ou tel sens à un mot || 3. comprendre, apprécier, sentir || se connaître à, être connaisseur : *multum in aliqua re,* être connaisseur en qqch. ; *intellegens, intellegentes,* un connaisseur, des connaisseurs.

intelligo, c. *intellego.*

intemeratus, *a, um (in, temero),* non gâté, pur, sans tache.

intemperans, *tis,* qui n'a pas de mesure, de retenue, immodéré, excessif, désordonné || incontinent, dissolu.

intemperanter, sans retenue, sans mesure, excessivement, immodérément.

intemperantia, *æ,* f., défaut de modération, de retenue, excès || licence, indiscipline.

intemperate, sans retenue.

intemperatus, *a, um,* immodéré, excessif.

intemperies, *ei,* f., 1. état déréglé, excessif, immodéré de qqch. : *cæli,* inclémence de l'atmosphère, intempérie ; *aquarum,* excès de pluies || 2. [fig.] caprices, humeur mal équilibrée || indiscipline, insubordination.

intempestive, d'une manière intempestive, inopportune, mal à propos, à contretemps.

intempestivitas, *atis,* f., inopportunité.

intempestiviter, c. *intempestive.*

intempestivus, *a, um,* qui est hors de saison, déplacé, inopportun, intempestif || importun.

intempestus, *a, um,* 1. [en parl. du temps] défavorable, qui n'est pas propre à l'action, qui ne permet pas de faire qqch. ; [d'où] *nox intempesta,* le milieu de la nuit, une nuit profonde || 2. malsain.

intendo, *ere, tendi, tentum,* tr.,
I. tendre dans une direction, 1. étendre, tendre vers || 2. [fig.] tendre vers, tourner, diriger : *quacumque se intenderat,* de quelque côté qu'il se portât ; *intentus pugnæ animus,* esprit attentif au combat || *aliquem ad aliquid,* tourner l'attention de qqn vers une chose || *alicui litem,* intenter contre qqn un procès || 3. *intendere* pris absol. : ***a)*** se tourner vers, se diriger vers : *aliquo,* se diriger qq. part ; ***b)*** [fig.] tendre vers, viser à : *eodem,* viser au même but.
II. donner de la tension, 1. tendre, roidir, bander || 2. donner de l'extension, de l'intensité, augmenter || 3. [fig.] tendre les ressorts de, raidir || 4. tendre vers une chose : *intendere animo aliquid* (sans *animo*), se proposer qqch. || *ire intenderant,* ils s'étaient proposé d'aller || 5. soutenir, prétendre que [avec prop. inf.].

1. **intentatus,** *a, um,* part. de *intento.*

2. **intentatus,** *a, um* (*in* priv.), non touché, non essayé.

intente *(intentus),* avec tension, avec force, avec attention, avec activité.

intentio, *onis,* f. *(intendo),* 1. tension, action de tendre, de raidir || 2. application || attention || 3. effort vers un but, intention || volonté || 4. intensité : *doloris,* de la douleur || extension, augmentation.

intento, *are, avi, atum (intendo),* tr., tendre (diriger) contre, vers : *sicam alicui,* diriger un poignard contre qqn, *arma Latinis,* menacer les Latins de la guerre.

1. intentus, *a, um,* **1.** part. de *intendo* || **2.** adj., énergique, intense, violent; tendu, attentif: *intentis oculis,* avec des yeux attentifs || appliqué à: *ad rem, in rem, alicui rei,* à qqch. || attentif, vigilant || sévère, strict.

2. intentus, *us,* m., action de tendre.

intepesco, *ere, tepui,* intr., **1.** devenir tiède || **2.** [fig.] se refroidir, se calmer.

inter, prép. avec acc., **1.** entre, parmi, au milieu de: *ista inter Græcos dicuntur,* cela se dit parmi (chez) les Grecs || **2.** [temps] pendant, dans l'espace de: *inter totannos,* dans le cours de tant d'années || **3.** [rapports divers] ***a)*** [circonstances] parmi, au milieu de: *inter has turbas,* au milieu de ces troubles; ***b)*** [catégorie] parmi, entre: *inter suos nobilis,* connu parmi les siens; ***c)*** [débat, choix, différence] *inter optime valere et gravissime ægrotare nihil interest,* il n'y a aucune différence entre se bien porter et être gravement malade; ***d)*** [relations, échange, réciprocité]: *colloquimur inter nos,* nous conversons entre nous || *inter nos,* confidentiellement.

interamenta, *orum,* n. *(inter),* varangues.

Interamna, *æ,* f., ville d'Ombrie [auj. Terni] || ville du Latium, sur le Liris.

Interamnas, *atis,* adj., d'Interamne || **-ates,** *ium,* m., habitants d'Interamne.

interaresco, *ere,* intr., se dessécher entièrement.

intercalaris, *e,* intercalé, intercalaire.

intercalarius, *a, um,* c. *intercalaris* || [*mensis*] *intercalarius,* mois intercalaire [voir calendrier].

intercalatio, *onis,* f. *(intercalo),* intercalation.

intercalatus, *a, um,* part. de *intercalo.*

intercalo, *are, avi, atum,* tr., [litt., publier entre, intercaler par publication], **1.** intercaler [un jour, des jours, un mois] || **2.** différer, remettre.

intercapedo, *inis,* f. *(intercapio),* intervalle, interruption, relâche, suspension.

intercedo, *ere, cessi, cessum,* intr., **1.** venir s'interposer, aller entre: *nullum intercedebat tempus quin,* il ne s'écoulait pas un moment sans que || **2.** intervenir contre, s'opposer à [veto]: *alicui,* faire opposition à qqn || **3.** intervenir pour, s'interposer || répondre pour qqn, se porter caution || **4.** se trouver entre, être dans l'intervalle || exister entre || **5.** survenir.

intercepi, pf. de *intercipio.*

interceptio, *onis,* f. *(intercipio),* soustraction, vol.

interceptor, *oris,* m. *(intercipio),* celui qui intercepte, qui dérobe, qui soustrait.

interceptus, *a, um,* part. de *intercipio.*

intercessi, pf. de *intercedo.*

intercessio, *onis,* f. *(intercedo),* **1.** intervention, comparution || **2.** opposition, intercession || **3.** médiation, entremise, intercession.

intercessor, *oris,* m. *(intercedo),* **1.** celui qui s'interpose, qui forme opposition: *intercessor legis, legi,* opposant à une loi || **2.** médiateur, celui qui s'entremet || garant, répondant.

1. intercido, *ere, cidi (inter* et *cado),* intr., **1.** tomber entre || **2.** [fig.] ***a)*** arriver dans l'intervalle, survenir; ***b)*** tomber, s'éteindre, se perdre, périr || tomber en désuétude.

2. intercido, *ere, cidi, cisum (inter* et *cædo),* tr., couper par le milieu || ouvrir, fendre.

intercipio, *ere, cepi, ceptum (inter* et *capio),* tr., **1.** intercepter || prendre, recevoir au passage qqch. qui a une autre destination || prendre par surprise || **2.** enlever, soustraire, dérober: *aliquid alicui; aliquid ab aliquo* || **3.** enlever avant le temps: *interceptus,* emporté par la mort avant l'âge || **4.** couper, barrer.

intercise *(intercisus),* d'une manière coupée; en séparant les mots joints d'ordinaire || par fragments.

intercisus, *a, um,* part. de *intercido 2.*

intercludo, *ere, si, sum (inter* et *claudo),* tr., **1.** couper, barrer: *iter,* couper le chemin || *aliquem,* cerner, envelopper qqn || **2.** [avec compl. indir.]: ***a)*** *alicui iter,* couper le chemin à qqn; ***b)*** *frumento aliquem,* couper à qqn les approvisionnements de blé.

interclusio, *onis,* f. *(intercludo),* action de boucher, d'obstruer.

interclusus, *a, um,* part. de *intercludo.*

intercolumnium, *ii,* n. *(inter, columna),* entre-colonne, intervalle séparant des colonnes.

intercurro, *ere, curri* et *cucurri, cursum,* intr., ***a)*** courir dans l'intervalle, s'étendre dans l'intervalle; ***b)*** s'interposer; ***c)*** courir pendant un intervalle de temps; ***d)*** [fig.] se mêler à, survenir dans [avec dat.].

intercurso, *are (intercurro),* intr., **1.** courir (se jeter) au milieu || **2.** [fig.] se trouver entre, entrecouper.

intercursus, abl. *u*, m., action de venir à la traverse, intervention || apparition par intervalles.

intercus, *utis (inter, cutis)*, adj., qui est sous la peau, sous-cutané : *aqua intercus*, hydropisie || [fig.] intérieur, caché.

interdico, *ere, dixi, dictum*, intr. et tr., **I.** intr., **1.** interdire : *alicui aliquare*, interdire à qqn qqch. || avec *ut ne* ou *ne*, interdire [à qqn] de || **2.** formuler un interdit [préteur].
II. tr., **1.** *rem alicui*, interdire, défendre qqch. à qqn ; [au pass.] *res interdicitur alicui* || **2.** *aliquis interdicitur aliqua re*, qqn est exclu de qqch.

interdictio, *onis*, f. *(interdico)*, interdiction, défense : *aquæ et ignis*, interdiction de donner à qqn l'eau et le feu [exil].

interdictum, *i*, n. *(interdico)*, **1.** interdiction, défense || **2.** interdit [édit du préteur].

interdictus, *a, um*, part. de *interdico.*

interdiu, pendant le jour, de jour.

interdixi, pf. de *interdico.*

interdum, adv., quelquefois, parfois, de temps en temps.

interea, adv., pendant ce temps, dans l'intervalle || *cum interea*, cependant que, pendant que.

interemi, pf. de *interimo.*

interemptor, *oris*, m. *(interimo)*, meurtrier.

interemptus, part. de *interimo.*

intereo, *ire, ii, itum*, intr., périr, disparaître, mourir ; [avec abl.] périr de, par l'effet de.

interequito, *are*, **1.** intr., aller à cheval au milieu || **2.** tr., parcourir à cheval.

interest, impers., v. *intersum.*

interfari, *atur, atus sum*, tr., **1.** interrompre, couper la parole || **2.** dire en interrompant.

interfatio, *onis*, f. *(interfari)*, interruption [de parole].

interfatus, *a, um*, part. de *interfari.*

interfeci, pf. de *interficio.*

interfectio, *onis*, f. *(interficio)*, meurtre.

interfector, *oris*, m. *(interficio)*, meurtrier, assassin.

interfectrix, *icis*, f. *(interfector)*, celle qui tue.

interfectus, part. de *interficio.*

interficio, *ere, feci, fectum (inter* et *facio)*, tr., **1.** détruire, anéantir || **2.** tuer, massacrer.

interfluo, *ere*, **1.** intr., couler entre || **2.** tr., séparer.

interfui, pf. de *intersum.*

interfulgens, *tis*, qui brille entre.

interfundo, *ere, fudi, fusum*, tr., [pass. réfl.] *interfundi*, couler entre, s'interposer.

interfusus, *a, um*, part. de *interfundo.*

interfuturus, *a, um*, part. fut. de *intersum.*

interim, adv., pendant ce temps-là, dans l'intervalle, cependant.

interimo, *ere, emi, emptum* ou *emtum (inter, emo)*, tr., enlever du milieu de, enlever, abolir, détruire, tuer || *se*, se tuer || [fig.] tuer, porter un coup mortel à.

interior, interius, *oris*, compar. (positif inus., se rattachant à *inter*), **1.** plus en dedans || intérieur || *interiores* = les assiégés || *interiores* = les parties intérieures, l'intérieur || **2.** [fig.] à l'abri de : *periculo*, à l'abri du péril || plus étroit, plus intime || qui n'est pas du domaine commun.

interitio, *onis*, f. *(intereo)*, destruction, anéantissement.

interitus, *us*, m. *(intereo)*, **1.** destruction, anéantissement || **2.** mort, meurtre.

interius, compar., **1.** n. de *interior* || **2.** adv., compar. de *intra*, plus en dedans, intérieurement.

interjaceo, *ere*, intr., être placé entre [avec dat.] || [avec acc.].

interjeci, pf. de *interjicio.*

interjectio, *onis*, f. *(interjicio)*, intercalation, insertion || parenthèse || interjection.

1. interjectus, *a, um*, part. de *interjicio.*

2. interjectus, *us*, m., interposition || intervalle de temps.

interjicio, *ere, jeci, jectum (inter, jacio)*, tr., placer entre, interposer.

interjunctus, *a, um*, part. de *interjungo.*

interjungo, *ere, junxi, junctum*, tr., **1.** joindre, unir || **2.** dételer || [absol.] faire halte.

interlabor, *labi, lapsus sum*, **1.** intr., se glisser entre, couler entre || **2.** tr., traverser en coulant.

interlego, *ere, legi, lectum*, cueillir (enlever) par intervalles.

interlino, *ere, levi, litum*, tr., **1.** enduire entre, mélanger || relier par un enduit || **2.** effacer (raturer) par intervalles, çà et là, falsifier par des ratures.

interlitus, *a, um*, part. de *interlino.*

interloquor, *loqui, cutus sum,* **1.** intr., couper la parole à qqn [*alicui*], interrompre || intervenir dans une discussion || **2.** tr., dire qqch. en intervenant, en interrompant.

interluceo, *ere, luxi,* intr., **1.** briller à travers || **2.** impers., *nocte interluxit,* il y eut une lueur intermittente pendant la nuit || **3.** [fig.] briller entre, apparaître || se montrer par intervalles, être clairsemé.

interlunium, *ii,* n., temps de la nouvelle lune, interlunium [t. d'astronomie].

interluo, *ere,* tr., **1.** laver dans l'intervalle || **2.** couler entre, baigner de part et d'autre.

interluxi, pf. de *interluceo.*

intermenstruus, *a, um,* qui est entre deux mois : *luna intermenstrua,* nouvelle lune || subst. n., c. *interlunium.*

intermeo, *are,* tr., couler entre, traverser.

1. interminatus, *a, um* (*in* priv.), sans bornes, non limité.

2. interminatus, *a, um,* part. de *interminor.*

interminor, *ari, atus sum,* **1.** menacer fortement ; *alicui* et prop. inf., annoncer à qqn avec menaces que || **2.** défendre avec force menaces de [avec *ne* subj.].

intermisceo, *ere, cui, mixtum,* tr., mêler, mélanger, *aliquid, alicui rei,* qqch. avec qqch.

intermisi, pf. de *intermitto.*

intermissio, *onis,* f. *(intermitto),* discontinuité, interruption, suspension, relâche.

intermissus, *a, um,* part. de *intermitto.*

intermitto, *ere, misi, missum,* tr. et intr.,

I. tr., **1.** laisser au milieu, dans l'intervalle : *dies intermissus,* l'intervalle d'un jour || **2.** laisser du temps en intervalle : *noctem, diem,* laisser s'écouler une nuit, un jour d'intervalle || **3.** mettre de la discontinuité dans un tout : *iter, prœlium,* interrompre sa marche, suspendre le combat ; [avec inf.] s'interrompre de, cesser de || **4.** mettre de l'intervalle entre des objets, espacer, séparer.

II. intr., admettre de la discontinuité, s'interrompre.

intermixtus, *a, um,* part. de *intermisceo.*

intermorior, *mori, mortuus sum,* intr., mourir dans l'intervalle, pendant ce temps-là || part. *intermortuus, a, um,* mort dans l'intervalle.

intermortuus, *a, um,* part. de *intermorior.*

intermundia, *orum,* n. *(inter, mundus),* espaces entre les mondes, intermondes.

internascor, *nasci, natus sum,* intr., naître entre, au milieu, çà et là.

internecio (-nicio), *onis,* f. *(interneco),* massacre, carnage, extermination.

internecivus (-nicivus), *a, um,* qui aboutit au carnage, très meurtrier || *internecivum bellum,* guerre à mort, sans merci.

interneco, *are, avi, atum,* tr., faire mourir, détruire.

internecto, *ere,* tr., entrelacer.

interniteo, *ere,* intr., briller entre, à travers, par places.

internodium, *ii,* n. *(inter, nodus),* partie [du corps] qui est entre deux jointures.

internosco, *ere, novi, notum,* tr., discerner, distinguer, reconnaître.

internuntia, *æ,* f. *(internuntius),* celle qui porte des messages.

internuntio, *are,* tr., discuter par messages réciproques.

internuntius, *ii,* m., messager entre deux parties, intermédiaire, négociateur, parlementaire.

internus, *a, um (inter),* **1.** interne, intérieur || domestique, civil || **2.** pl. n., *interna* subst. : ***a)*** le dedans ; ***b)*** affaires intérieures.

intero, *ere, trivi, tritum,* tr., broyer dans || *intritus,* délayé dans : *panis intritus in aquam ; in lacte,* pain trempé dans l'eau, dans le lait.

interpellatio, *onis,* f. *(interpello),* interruption, interpellation || interruption, obstacle.

interpellator, *oris,* m. *(interpello),* **1.** celui qui interrompt, interrupteur || **2.** qui dérange, importun, fâcheux.

interpellatus, *a, um,* part. de *interpello.*

interpello, *are, avi, atum,* tr., **1.** interrompre qqn qui parle : *aliquem* || *orationem alicujus,* interrompre le discours de qqn || **2.** dire qqch. à titre d'interruption || [avec prop. inf.] || **3.** interrompre qqn au cours d'une action, déranger, troubler || interrompre qqch. || **4.** s'adresser à qqn, lui faire des propositions.

interpolatus, *a, um,* part. de *interpolo.*

interpolo, *are, avi, atum*, tr., **1.** donner une nouvelle forme, refaire, réparer || **2.** altérer, falsifier || interpoler.

interpono, *ere, posui, positum*, tr., **1.** placer entre, interposer, intercaler: *interponere orationes*, intercaler des discours || **2.** laisser un intervalle de temps: *nox interposita*, l'intervalle d'une nuit || **3.** mettre entre, interposer || *fidem alicui*, engager sa parole envers qqn *(in rem*, pour une affaire) || **4.** *se interponere*, s'interposer: ***a)*** s'entremettre: *in rem*, pour une chose; ***b)*** faire obstacle à; [avec interr. ou négation, suivi de *quominus*] s'opposer à ce que.

interpositio, *onis*, f. *(interpono)*, interposition || introduction, insertion || intercalation || parenthèse.

1. interpositus, *a, um*, part. de *interpono*.

2. interpositus, abl. *u*, m., interposition.

interposui, pf. de *interpono*.

interpres, *etis*, m. f., **1.** agent entre deux parties, intermédiaire, médiateur, négociateur || **2.** interprète, celui qui explique: *juris*, interprète du droit || traducteur, truchement.

interpretatio, *onis*, f. *(interpretor)*, **1.** interprétation, explication || **2.** interprétation, traduction || **3.** action de démêler, de décider.

interpretatus, *a, um*, part. de *interpretor*.

interpretor, *ari, atus sum (interpres)*, tr., **1.** expliquer, interpréter, éclaircir: *alicui jus*, expliquer à qqn le droit; [avec prop. inf.] expliquer que || **2.** traduire, interpréter || **3.** prendre (entendre, interpréter) dans tel ou tel sens || **4.** interpréter, comprendre: *sententiam alicujus*, comprendre la pensée de qqn || **5.** chercher à démêler, à décider.

interpunctum, *i*, n. *(interpunctus)*, intervalle pour la respiration, repos, pause.

interpunctus, *a, um*, part. de *interpungo*.

interpungo, *ere, punxi, punctum*, tr., ponctuer || *interpunctus*, séparé par une pause, entrecoupé.

interquiesco, *ere, evi, etum*, intr., se reposer par intervalles, cesser pendant un temps, avoir quelque relâche.

interregnum, *i*, n., interrègne, temps qui s'écoule entre deux règnes || sous la république, temps qui s'écoule entre la sortie de charge des consuls et l'élection de leurs successeurs.

interrex, *egis*, m., interroi, ***a)*** magistrat qui gouvernait jusqu'à la nomination d'un roi; ***b)*** sous la république jusqu'à l'élection des consuls nouveaux.

interritus, *a, um*, non effrayé, intrépide || [avec gén.] *leti*, qui ne craint pas la mort.

interrogatio, *onis*, f. *(interrogo)*, question, interrogation, interpellation.

interrogatus, *a, um*, part. de *interrogo*.

interrogo, *are, avi, atum*, tr., **1.** interroger, questionner, ***a)*** *aliquem*, qqn, *de aliqua re*, sur qqch.; [en part.] *testem*, interroger un témoin; ***b)*** *aliquid*, interroger sur qqch.; [en part.] *interrogare sententias*, demander les avis [dans le sénat]; ***c)*** *aliquem aliquam rem*, interroger qqn sur qqch. || **2.** poursuivre en justice, accuser: *lege, legibus*, en vertu d'une loi, des lois; [avec le gén. du grief] accuser de.

interrumpo, *ere, rupi, ruptum*, tr., **1.** mettre en morceaux, briser, détruire, *pontem*, couper un pont || **2.** interrompre.

interrupte, d'une manière coupée.

interruptus, *a, um*, part. de *interrumpo*.

intersæpio, *ire, sæpsi, sæptum*, tr., boucher, fermer, obstruer, barrer, séparer.

interscindo, *ere, scidi, scissum*, **1.** rompre par le milieu, couper || ouvrir [les veines] || **2.** [fig.] diviser, séparer || interrompre || briser.

interscribo, *ere, scripsi, scriptum*, tr., écrire entre les lignes.

1. intersero, *ere, sevi, situm*, tr., planter, semer entre.

2. intersero, *ere, serui, sertum*, tr., entremêler.

intersisto, *ere, stiti*, intr., s'arrêter au milieu, s'interrompre.

1. intersitus, *a, um*, part. de *intersero 1*.

2. intersitus, *a, um*, placé entre.

interspiratio, *onis*, f., respiration dans l'intervalle, pause pour respirer.

interspiro, *are*, intr., respirer au travers.

interstinctus, *a, um*, part. de *interstinguo*.

interstinguo, *ere, ctum*, tr., parsemer, nuancer [*interstinctus* = *distinctus*].

intersto, *are, stiti* ou *steti*, intr., être placé dans l'intervalle, se trouver entre.

interstratus, *a, um (inter, sterno),* étendu entre.

intersum, *fui, esse,* intr., **1.** être entre, dans l'intervalle || **2.** [fig.] être distant (séparé), différer: *interest quod,* il y a cette différence que... || **3.** être parmi, être présent, assister, participer, *alicui rei,* à qqch. || *in convivio,* assister à un banquet || **4.** [impers.] *interest,* il est de l'intérêt de, il importe: ***a)*** *alicujus, alicujus rei, mea, tua, sua, nostra, vestra,* il importe à qqn, à qqch, à moi, à toi, à lui, à nous, à vous || *ad laudem civitatis,* il importe à la gloire de l'État; ***b)*** [avec prop. inf.] || [avec inf.] || **5.** [impers., accompagné d'un adverbe ou d'un pron. neutre]: ***a)*** il importe beaucoup, le plus, grandement, très grandement, vivement: *multum, maxime, magni, permagni, vehementer*; ***b)*** *hoc, id, illud, etc.,* il importe en cela.

intertexo, *ere, texui, textum,* tr., entremêler en tissant || entrelacer.

intertrimentum, *i,* n. *(inter, tero),* usure (d'une chose), déchet || dommage, perte.

intervallum, *i,* n. *(inter* et *vallus),* **1.** [litt.] espace entre deux pieux; [d'où] intervalle, espace, distance: *pari intervallo,* à égale distance || **2.** intervalle de temps || pause: *sine intervallis,* sans pauses; *intervallo dicere,* dire en faisant une pause || **3.** [fig.] différence, distance || [musique] intervalle.

intervello, *ere, vulsi, vulsum,* tr., arracher par intervalles, çà et là, par places || élaguer, éclaircir des arbres.

intervenio, *ire, veni, ventum,* intr., **1.** survenir pendant, intervenir || **2.** venir, se trouver entre || **3.** venir en travers, interrompre: *nox intervenit prœlio,* la nuit interrompit le combat || **4.** intervenir, se mêler à || survenir à qqn: *res alicui intervenit,* il arrive qqch. à qqn || intervenir: *senatu non interveniente,* le sénat n'intervenant pas.

interventor, *oris,* m., survenant, visiteur.

interventus, *us,* m. *(intervenio),* fait de survenir, arrivée, intervention de qqn, de qqch.

interversus, *a, um,* part. de *interverto.*

interverto (-vorto), *ere, i, sum,* tr., **1.** donner une autre direction || [fig.] pass. *interverti,* se gâter, dégénérer [en parl. du naturel] || **2.** détourner de sa destination || escamoter || **3.** dépouiller qqn de qqch. *(aliquem aliqua re).*

interviso, *ere, visi, visum,* tr., aller voir par intervalles, visiter, rendre visite.

intervulsus, *a, um,* part. de *intervello.*

intestabilis, *e (testor),* maudit, infâme, abominable, exécrable.

intestatus, *a, um,* intestat, qui n'a pas testé.

intestinum, *i,* et **-na,** *orum,* n., intestins, entrailles.

intestinus, *a, um (intus),* intérieur: *bellum intestinum,* guerre civile.

intexi, pf. de *intego.*

intexo, *ere, texui, textum,* tr., **1.** tisser dans, entrelacer, entremêler, mêler || **2.** [fig.] insérer dans || mêler: *parva magnis,* mêler le petit au grand || **3.** entrelacer de, entremêler de, broder, brocher || **4.** faire en entrelaçant.

intextus, *a, um,* part. de *intexo.*

intibum (-ubum, -ybum), *i,* n., chicorée sauvage.

intime *(intimus),* [fig.] avec intimité, familièrement || cordialement, du fond du cœur.

intimus, *a, um* (superl., v. *interior*), ce qui est le plus en dedans, le plus intérieur, le fond de: *in eo sacrario intimo,* au fond de ce sanctuaire || [fig.] *ex intima philosophia haurire,* puiser au cœur de la philosophie || intime: *alicui,* de qqn || [pris subst.] *mei intimi,* mes intimes.

intinctus, *a, um,* part. de *intingo.*

intingo (-guo), *ere, xi, ctum,* tr., **1.** tremper dans || imprégner || **2.** mettre dans la sauce, mariner.

intolerabilis, *e,* intolérable, insupportable.

intolerandus, *a, um,* intolérable.

intolerans, *tis,* qui ne peut supporter.

intoleranter, d'une manière intolérable, sans mesure.

intolerantia, *æ,* f., insolence, tyrannie insupportable || action de ne pouvoir supporter, impatience, humeur peu endurante.

intonatus, *a, um,* part. de *intono.*

intono, *are, ui, atum,*

I. intr., **1.** tonner || **2.** faire du bruit, résonner.

II. tr., **1.** faire entendre avec fracas, en grondant, crier d'une voix de tonnerre || **2.** faire gronder, faire mugir, faire tomber avec fracas.

intonsus, *a, um,* **1.** non rasé, non tondu || feuillu || **2.** grossier.

intonui, pf. de *intono.*

intorqueo, *ere, torsi, tortum,* tr., **1.** tordre en dedans ou de côté, tordre, tourner: *oculos*, tourner les yeux sur qqn || pass. *intorqueri* ou *se intorquere*, se tordre, s'enrouler || **2.** faire en tordant || **3.** brandir, darder, lancer.

intortus, *a, um*, part. de *intorqueo*.

intra,
I. adv., en dedans, dans l'intérieur.
II. prép. avec accus., **1.** en dedans de, dans l'intérieur de || **2.** avant l'expiration de: *intra annum vicesimum*, avant la vingtième année; *intra paucos dies*, sous peu de jours || **3.** [fig.] *intra modum*, en deçà de la mesure.

intrabilis, *e (intro)*, où l'on peut entrer.

intractabilis, *e*, intraitable, indomptable || qu'on ne peut manier (utiliser) || inhabitable || incurable.

intractatus, *a, um*, indompté || non essayé.

intratus, *a, um*, part. de *intro*.

intremisco, *ere, tremui*, intr., se mettre à trembler.

intremo, *ere*, intr., trembler, frissonner.

intrepide *(intrepidus)*, intrépidement.

intrepidus, *a, um*, **1.** courageux, intrépide || **2.** qui ne donne pas lieu à de l'effroi.

intrico, *are, atum (tricæ)*, tr., embrouiller, empêtrer, embarrasser.

intrinsecus *(intra* et *secus)*, au-dedans, intérieurement.

1. intritus, *a, um*, part. de *intero*.

2. intritus, *a, um* (*in* priv.), non broyé || intact, frais.

intrivi, pf. de *intero*.

1. intro *(inter)*, adv., dedans, à l'intérieur [avec mouvement].

2. intro, *are, avi, atum*, intr. et tr., entrer dans, pénétrer dans, **1.** intr., [avec *in* acc.] || **2.** tr., *limen*, franchir un seuil.

introduco, *ere, duxi, ductum*, tr., **1.** conduire dans, amener dans, introduire || [avec *in* et acc.] || [avec *ad* et acc.] || **2.** [fig.] ***a)*** amener, introduire; ***b)*** introduire [un sujet ou un personnage]; ***c)*** [avec prop. inf.] exposer, avancer que.

introductio, *onis*, f. *(introduco)*, action d'introduire, introduction.

introductus, *a, um*, part. de *introduco*.

introeo, *ire, ivi* ou *ii, itum*, intr. et tr., **1.** intr., aller dans, entrer [avec *in* et acc.] || [avec *ad*] || **2.** tr., *curiam, urbem*, entrer dans la curie, dans la ville.

introfero, *ferre, tuli, latum*, tr., porter dans.

introiens, *euntis*, part. prés. de *introeo*.

introitus, *us*, m. *(introeo)*, **1.** action d'entrer, entrée || **2.** entrée d'un lieu, accès, avenue || introduction, commencement.

introlatus, *a, um*, part. de *introfero*.

intromissus, *a, um*, part. de *intromitto*.

intromitto, *ere, misi, missum*, tr., faire entrer, introduire, admettre.

introrsum (-sus) *(intro, vers-)*, **1.** vers l'intérieur, vers le dedans, en dedans || **2.** dans l'intérieur, en dedans [sans mouvement].

introrumpo, *ere, rupi, ruptum*, intr., se précipiter à l'intérieur, pénétrer de force, entrer brusquement.

introspicio, *ere, spexi, spectum*, **1.** tr., regarder dans: *casas*, regarder à l'intérieur des demeures || **2.** intr. [avec *in* acc.].

intueor, *eri, itus sum*, tr. et qqf. intr., **1.** porter ses regards sur, fixer ses regards sur, regarder attentivement: ***a)*** [avec acc.]; ***b)*** [avec *in* acc.] *in aliquem*, jeter les yeux sur qqn; ***c)*** [en parl. de lieux] être tourné vers, regarder [avec acc.] || **2.** [fig.] ***a)*** avoir les regards [la pensée] fixés sur [avec acc. ou *in* acc.]; ***b)*** [avec acc.], contempler avec admiration.

intuli, pf. de *infero*.

intumesco, *ere, mui*, intr., **1.** se gonfler, s'enfler || s'élever, se renfler || **2.** [fig.] ***a)*** croître, grandir; ***b)*** se gonfler de colère; ***c)*** se gonfler d'orgueil.

inturbidus, *a, um*, non troublé, calme, tranquille || sans passion, sans ambition.

intus, adv., au-dedans, dedans, intérieurement: *intus in animis*, au-dedans des âmes || [poét., avec abl. seul]: *templo intus*, à l'intérieur du temple.

intutus, *a, um*, **1.** non gardé, qui n'est pas en sûreté || **2.** peu sûr.

inula, *æ*, f., aunée [plante].

inultus, *a, um (ulciscor)*, **1.** non vengé, sans vengeance || **2.** impuni || [fig.] = impunément, sans dommage.

inumbratus, *a, um*, part. de *inumbro*.

inumbro, *are, avi, atum*, tr., **1.** couvrir d'ombre, mettre dans l'ombre || **2.** [fig.] obscurcir, éclipser.

inunctio, *onis*, f. *(inungo)*, action d'oindre, de frotter, de bassiner.

inunctus, *a, um*, part. de *inungo*.

inundatio, *onis*, f. *(inundo)*, inondation, débordement.

inundo, *are, avi, atum*, tr., **1.** inonder:

terram, submerger la terre || **2.** [absol.] ***a)*** déborder ; ***b)*** [avec abl.] déborder de, regorger de.

inungo ou **inunguo,** *ere, xi, ctum*, tr., enduire, oindre, frotter : *oculos*, se bassiner les yeux || imprégner de.

inurbane, sans élégance, sans esprit.

inurbanus, *a, um*, grossier, qui est sans délicatesse, sans élégance, sans esprit.

inurgeo, *ere*, tr., se lancer contre, poursuivre.

inuro, *ere, ussi, ustum*, tr., **1.** brûler sur, graver en brûlant, imprimer par l'action du feu : *notas*, faire des marques au fer rouge || [fig.] imprimer, attacher || **2.** ***a)*** empreindre un objet au moyen du feu || [fig.] *aliquid calamistris*, passer qqch. aux fers à friser, enjoliver, embellir ; ***b)*** brûler, détruire par le feu.

inusitate, d'une manière inusité, contre l'usage.

inusitatus, *a, um*, inusité, inaccoutumé, rare, extraordinaire.

1. inustus, *a, um*, part. de *inuro*.

2. inustus, *a, um* (*in* priv.), non brûlé.

inutilis, *e*, **1.** inutile, d'aucun secours, sans profit || *inutile est* avec inf., il n'est pas utile de ; [avec prop. inf.] il n'est pas utile que || **2.** nuisible, préjudiciable.

inutilitas, *atis*, f., **1.** inutilité || **2.** fait d'être nuisible, caractère nuisible de qqch.

inutiliter, inutilement.

invado, *ere, vasi, vasum*, intr. et tr., **I.** intr., **1.** faire invasion : *in urbem*, dans une ville || **2.** se jeter sur.
II. tr., **1.** envahir : *urbem*, envahir une ville || **2.** assaillir, attaquer || **3.** [poét.] se jeter dans une chose, l'entreprendre || **4.** se jeter sur, saisir : *consulatum*, s'emparer du consulat.

invalesco, *ere, lui*, intr., se fortifier, prendre de la force, s'affermir.

invalidus, *a, um*, faible, débile, impuissant, sans force.

invasi, pf. de *invado*.

invasus, *a, um*, part. de *invado*.

invecticius, *a, um (inveho)*, importé, exotique, étranger || non sincère.

invectio, *onis*, f. *(inveho)*, importation.

1. invectus, *a, um*, part. de *inveho*.

2. invectus, abl. *u*, m., transport, charriage || importation.

inveho, *ere, vexi, vectum*, tr., **1.** transporter dans : *in ærarium pecuniam*, faire entrer de l'argent dans le trésor public || [avec dat.] || **2.** [fig.] amener || **3.** ***a)*** [pass.] être transporté = arriver, aller [en bateau, à cheval, etc.] ; ***b)*** *se invehere*, se transporter, se porter en avant ; ***c)*** [pass. réfléchi] faire une sortie.

invenio, *ire, veni, ventum*, tr., **1.** venir sur qqch. (qqn), trouver, rencontrer || **2.** [fig.] trouver, acquérir : *ab aliqua re nomen*, tirer son nom d'une chose || **3.** inventer || **4.** apprendre en s'enquérant, découvrir.

inventio, *onis*, f. *(invenio)*, action de trouver, de découvrir, découverte || faculté d'invention, invention.

inventiuncula, *æ*, f. *(inventio)*, petite invention.

inventor, *oris*, m. *(invenio)*, inventeur, auteur.

inventrix, *icis*, f. *(inventor)*, celle qui trouve, qui invente.

inventum, *i*, n. *(inventus)*, découverte, invention.

inventus, *a, um*, part. de *invenio*.

invenuste, sans grâce, sans élégance.

invenustus, *a, um*, qui est sans beauté, sans grâce, sans élégance.

inverecunde, sans pudeur, impudemment.

inverecundus, *a, um*, impudent.

invergo, *ere*, tr., renverser [un liquide] sur, verser sur.

inversio, *onis*, f. *(inverto)*, inversion.

inversus, *a, um*, part. de *inverto*.

inverto, *ere, verti, versum*, tr., **1.** retourner, tourner sens dessus dessous, renverser || **2.** transposer, changer, intervertir.

invesperascit, *ere*, impers., il se fait tard.

investigatio, *onis*, f. *(investigo)*, recherche attentive, investigation.

investigator, *oris*, m. *(investigo)*, qui recherche, investigateur, scrutateur.

investigo, *are, avi, atum*, tr., **1.** chercher (suivre) à la piste, à la trace || **2.** [fig.] rechercher avec soin, scruter.

inveterasco, *ere, ravi (invetero)*, intr., **1.** devenir ancien, s'enraciner, s'invétérer, s'affermir par le temps || s'implanter, s'établir || **2.** [fig.] s'établir, se fixer || se fixer dans [avec dat.] || [impers.] ; *inveteravit ut*, c'est une coutume établie que || **3.** devenir vieux, s'affaiblir.

inveteratio, *onis*, f. *(invetero)*, maladie invétérée.

inveteratus, *a, um*, part. de *invetero*.

invetero, *are, avi, atum*, **1.** laisser ou faire vieillir || **2.** pass., devenir vieux, prendre de l'âge || s'enraciner || *inveteratus*, enraciné, implanté, invétéré, ancien.

invexi, pf. de *inveho*.

invicem *(in* et *vicis)*, adv., **1.** à son tour (par roulement), alternativement || **2.** [post-class.], réciproquement, mutuellement || **3.** en retour.

invictus, *a, um*, non vaincu, invaincu, dont on ne triomphe pas : *invictus a labore*, invincible aux fatigues ; [avec abl. seul] || [avec *ad* ou *adversus*, relativement à, à l'égard de].

invidens, *tis*, part. prés. de *invideo*.

invidentia, *æ*, f. *(invideo)*, sentiment de jalousie, d'envie.

invideo, *ere, vidi, visum*, intr., qqf. tr., **1.** intr., être malveillant, vouloir du mal || **2.** [surtout] porter envie, jalouser || *alicui, alicui rei*, envier qqn, qqch. || *alicui in aliqua re*, envier qqn à propos de qqch. || *alicui aliqua re*, envier qqch. à qqn, priver jalousement qqn de qqch. || *invidere quod*, être jaloux de ce que || **3.** tr., *alicui aliquam rem (aliquem)*, être jaloux de qqn par rapport à qqch. (à qqn), envier qqch. (qqn) à qqn.

invidia, *æ*, f. *(invidus)*, **1.** malveillance, antipathie, hostilité, haine : *habet nomen invidiam*, le terme est antipathique ; *alicui invidiam conflare*, exciter la haine contre qqn ; *invidiæ esse alicui*, valoir la haine à qqn || **2.** jalousie, envie : *esse in invidia apud aliquem*, être en butte à la jalousie de qqn.

invidiose *(invidiosus)*, avec malveillance, avec jalousie.

invidiosus, *a, um (invidia)*, **1.** qui envie, qui jalouse, envieux, jaloux || **2.** qui excite l'envie || **3.** qui excite la malveillance, la haine, odieux, révoltant.

invidus, *a, um (invideo)*, envieux, jaloux || subst. m. : *mei invidi*, mes envieux.

invigilo, *are, avi, atum*, intr., **1.** veiller dans, passer ses veilles (ses nuits) dans || **2.** consacrer ses veilles à, s'adonner à, veiller à, s'appliquer à [avec dat.].

inviolabilis, *e*, inviolable, invulnérable.

inviolate, inviolablement, d'une manière inviolable.

inviolatus, *a, um*, **1.** qui n'est pas maltraité, qui est respecté || **2.** inviolable.

invisitatus, *a, um*, non vu, inaccoutumé, tout nouveau, extraordinaire.

inviso, *ere, si, sum*, tr., aller voir, visiter.

1. invisus, *a, um*, **1.** part. de *invideo* || **2.** adj., ***a)*** odieux, haï, détesté : *alicui*, odieux à qqn, détesté de qqn ; ***b)*** [rare], malveillant, ennemi.

2. invisus, *a, um* (*in* priv.), qui n'a pas encore été vu.

invitamentum, *i*, n. *(invito)*, invitation || appât, attrait.

invitatio, *onis*, f. *(invito)*, invitation [chez qqn] || invitation, sollicitation à faire une chose : [avec *ad*], [avec *ut*].

1. invitatus, *a, um*, part. de *invito*.

2. invitatus, abl. *u*, m., invitation.

invite *(invitus)*, non volontiers, malgré soi.

invito, *are, avi, atum*, tr., **1.** inviter ; [avec inf.] inviter à || [en part.] inviter à table ; [puis] recevoir, traiter || **2.** inviter, engager, convier : *præmiis*, engager par l'appât des récompenses || [avec *ut*], engager à.

invitus, *a, um* (cf. *vis*, de *volo*), **1.** qui agit à contrecœur, contre son gré, à regret || [abl. absol.] : *me, te... invito*, malgré moi, malgré toi ; *invita Minerva*, malgré Minerve || **2.** [poét.] involontaire.

invius, *a, um (via)*, où il n'y a pas de route, inaccessible, inabordable || impénétrable || *invia*, pl. n., endroits non frayés, impraticables.

invocatio, *onis*, f. *(invoco)*, action d'invoquer, invocation.

1. invocatus, *a, um*, part. de *invoco*.

2. invocatus, *a, um* (*in* priv.), **1.** non appelé || **2.** non invité.

invoco, *are, avi, atum*, tr., **1.** appeler, invoquer || appeler au secours || **2.** appeler, nommer.

involatus, abl. *u*, m. *(involo)*, action de voler vers, vol.

involo, *are, avi, atum*, **1.** intr., voler dans ou à, se précipiter sur || **2.** tr., attaquer, saisir, prendre possession de.

involucrum, *i*, n. *(involvo)*, enveloppe, couverture ; étui d'un bouclier || masque.

involutus, *a, um*, **1.** part. de *involvo* || **2.** adj., enveloppé, obscur.

involvo, *ere, volvi, volutum*, tr., **1.** faire rouler en bas, faire tomber en roulant || pass. *involvi*, rouler || **2.** faire rouler sur : *Ossæ Olympum*, rouler l'Olympe sur l'Ossa || **3.** enrouler, envelopper || [fig.] *litteris me involvo*, je m'enveloppe (m'ensevelis) dans l'étude.

invulgo, *are, avi, atum,* tr., publier, divulguer.

invulnerabilis, *e (in, vulnero),* invulnérable.

invulneratus, *a, um,* qui n'a reçu aucune blessure.

1. io, interj. io! [cri de joie dans les triomphes, dans les fêtes] || [interpellation], holà, oh!

2. Io, *Ius,* f., Io [fille d'Inachus, métamorphosée en génisse par Jupiter qui voulait la soustraire à la jalousie de Junon].

Iones, *um,* m., Ioniens, habitants de l'Ionie.

Ionia, *æ,* f., l'Ionie [province maritime d'Asie Mineure].

Ionicus, *a, um,* d'Ionie.

Ionius, *a, um,* ionien: *Ionium mare,* mer Ionienne, ou *Ionium* seul.

iota, n., indécl., iota [lettre grecque].

Iphigenia, *æ,* f., Iphigénie [fille d'Agamemnon et de Clytemnestre; légende célèbre du sacrifice d'Iphigénie].

ipse, *a, um,* gén. *ipsius* et *ipsius,* dat. *ipsi (is* et *pse),* **1.** même, en personne; lui-même, elle-même || *et ipse,* lui aussi, de son côté || **2.** précisément, justement: *eo ipso die casu,* justement ce jour-là par hasard || **3.** de soi-même, spontanément || **4.** par soi-même, à soi seul, en soi.

ipsemet, lui-même; *ipsimet,* nous-mêmes.

ira, *æ,* f., **1.** colère, courroux || *in aliquem, adversus aliquem,* colère contre qqn || **2.** motif de colère || violence, impétuosité, furie.

iracunde *(iracundus),* avec colère.

iracundia, *æ,* f. *(iracundus),* **1.** irascibilité, humeur irascible, penchant à la colère || **2.** mouvement de colère, colère.

iracundus, *a, um (irascor),* irascible, irritable, emporté || en colère, irrité, furieux.

irascor, *asci, iratus sum (ira),* intr., se mettre en colère, s'emporter; contre qqn, qqch. [avec dat.].

irate *(iratus),* avec colère, en colère.

iratus, *a, um,* **1.** part. de *irascor* || **2.** adj., en colère, irrité, indigné: *alicui,* contre qqn; *de aliqua re,* au sujet de qqch.

ire, inf. de *eo.*

1. Iris, *is* et *idis,* f., messagère de Junon.

2. iris, *is* ou *idis,* f., arc-en-ciel || iris [plante].

3. iris, acc. *irim,* m., hérisson.

ironia, *æ,* f., ironie.

irrationalis, *e (in, rationalis),* dépourvu de raison || où la raison n'intervient pas.

irraucesco, *ere, rausi (in, raucesco),* intr., s'enrouer.

irreligiosus, *a, um (in, religiosus),* irréligieux, impie: *irreligiosum est* avec inf., il est impie de.

irremeabilis, *e (in, remeabilis),* d'où l'on ne peut revenir.

irremediabilis, *e (in, remediabilis),* qui est sans remède, irrémédiable.

irreparabilis, *e (in, reparabilis),* irréparable.

irrepo (inr-), *repere, repsi, reptum,* intr. et qqf. tr., **1.** intr., ***a)*** ramper dans, sur, ou vers; ***b)*** [fig.] s'introduire peu à peu, d'une manière imperceptible, se glisser, s'insinuer: [avec *in* acc.] || **2.** tr., pénétrer insensiblement.

irreprehensus, *a, um (in, reprehendo),* irréprochable.

irrequietus, *a, um (in, requietus),* qui n'a pas de repos || sans relâche.

irretio (inr-), *ire, ivi* ou *ii, itum,* tr., envelopper (prendre) dans un filet || [fig.] enlacer, embarrasser, envelopper || enlacer, séduire.

irretitus, *a, um,* part. de *irretio.*

irreverens, *tis (in, reverens),* irrespectueux, irrévérencieux.

irreverenter *(irreverens),* avec irrévérence, sans respect.

irreverentia, *æ,* f. *(irreverens),* manque de respect, licence, excès.

irrevocabilis, *e (in, revoco),* **1.** qu'on ne peut rappeler, irrévocable || **2.** qu'on ne peut rappeler en arrière.

irrevocatus, *a, um (in, revoco),* sans être invité à recommencer.

irrideo (inr-), *ere, risi, risum,* **1.** intr., se moquer || **2.** tr., se moquer de, rire de, tourner en ridicule, *aliquem, aliquid,* qqn, qqch.

irridicule *(in, ridicule),* d'une manière peu plaisante.

irrigatio (inr-), *onis,* f. *(irrigo),* irrigation.

irrigatus, *a, um,* part. de *irrigo.*

irrigo (inr-), *are, avi, atum,* tr., **1.** conduire (amener) l'eau dans || **2.** arroser, irriguer || **3.** [fig.] baigner, se répandre.

irriguus (inr-), *a, um (irrigo),* **1.** approvisionné d'eau, arrosé, irrigué, trempé || **2.** qui arrose, qui irrigue.

irrisi, pf. de *irrideo.*

irrisio (inr-), *onis,* f., moquerie.

irrisor (inr-), *oris*, m., moqueur.

1. irrisus (inr-), *a, um*, part. de *irrideo.*

2. irrisus (inr-), *us*, m., moquerie, raillerie: *irrisui esse*, être un objet de moquerie.

irritabilis (inr-), *e (irrito)*, irritable, susceptible.

irritamen, *inis*, n., et **irritamentum,** *i*, n. *(irrito)*, objet qui irrite, stimulant, excitant.

irritatio (inr-), *onis*, f., action d'irriter, irritation, stimulant, aiguillon.

irritator, *oris*, m., et **irritatrix,** *icis*, f. *(irrito)*, celui, celle qui irrite, excite.

irritatus, *a, um*, part. de *irrito.*

irrito (inr-), *are, avi, atum*, tr., **1.** exciter, stimuler, provoquer || **2.** irriter, indisposer, provoquer.

irritus (inr-), *a, um (in, ratus)*, **1.** non ratifié, non fixé, non décidé, annulé: *aliquid inritum facere*, annuler qqch. || **2.** vain, inutile, sans effet || **3.** [en parl. de pers.] ***a)*** [avec le gén.] qui ne réussit pas dans, malheureux dans; ***b)*** [absol.] qui n'a pas réussi || **4.** n., *irritum: ad irritum cadere*, ou *in irritum*, aboutir au néant.

irrogatio (inr-), *onis*, f., action d'infliger.

irrogatus (inr-), *a, um*, part. de *irrogo.*

irrogo (inr-), *are, avi, atum*, tr., **1.** proposer devant le peuple qqch. contre qqn: *legem alicui*, proposer une loi contre qqn || **2.** imposer, infliger.

irroro (inr-), *are, avi, atum*, tr. et intr., **1.** tr., ***a)*** humecter de rosée, couvrir de rosée; ***b)*** rendre humide, asperger; ***c)*** répandre sur || **2.** intr., tomber en rosée sur [avec dat.] || [absol.] verser de la pluie.

irrumpo (inr-), *ere, rupi, ruptum*, intr. et tr., **1.** ***a)*** intr., faire irruption dans, se précipiter dans: *in castra*, faire irruption dans le camp || [avec dat.]; ***b)*** tr., forcer, envahir: *oppidum*, forcer une place forte; ***c)*** [absol.] faire une attaque brusquée, foncer || **2.** [fig.] ***a)*** intr., *in alicujus patrimonium*, envahir le patrimoine de qqn; ***b)*** tr., *mentem*, envahir, pénétrer l'esprit.

irruo (inr-), *ere, rui*, intr., **1.** se précipiter (fondre) dans, sur, contre || **2.** [fig.] faire invasion dans || se jeter contre = s'exposer à [avec *in* acc.] || se jeter contre, heurter [un écueil].

irrupi (inr-), pf. de *irrumpo.*

irruptio (in-), *onis*, f. *(irrumpo)*, irruption, invasion.

irruptus (inr-), *a, um*, part. de *irrumpo.*

is, ea, id, 1. ***a)*** [pronom] il, lui, elle, celui-ci, etc.; ***b)*** [adjectif] ce, cet, cette || **2.** [apposition augmentative ou limitative]: *et is, et is quidem, is quidem, isque*, et encore, et qui plus est || [au n.] et cela: *eos laudo, idque merito*, je les loue, et cela à juste titre || **3.** [en corrélation avec un relat.]: *is qui*, celui qui, etc.; [en accord avec un subst.]: *is homo qui*, l'homme qui, [ou] un homme qui, [jamais] cet homme qui || **4.** [en corrélation avec *ut* ou *qui* conséc.] tel que: *non is vir est, ut* ou *qui... sentiat*, il n'est pas un homme à comprendre || **5.** [en part., emplois de *id*]: ***a)*** avec gén.: *id temporis*, à un moment; *id consilii*, l'intention de; ***b)*** [acc. adverbial] relativement à cela: *id gaudeo*, je me réjouis de cela; ***c)*** *in eo*, à ce point; *in eo est ut, in eo res est ut*, il est sur le point d'arriver que || *omnis oratio versatur in eo, ut*, tout le discours roule sur ce point, à savoir que; ***d)*** *id est*, c'est-à-dire.

Isis, *is* et *idis* ou *idos*, f., divinité égyptienne.

Ismara, *orum*, n., et **Ismarus,** *i*, m., l'Ismarus, montagne de Thrace où séjourna Orphée.

Isocrates, *is*, m., Isocrate [célèbre rhéteur athénien].

Isocrateus ou **-tius,** *a, um*, d'Isocrate.

Issus et **Issos,** *i*, f., Issus [ville de Cilicie, célèbre par la victoire d'Alexandre] || **-icus,** *a, um*, d'Issus.

istac, adv., par là (où tu es).

iste, *a, ud*, gén. *ius*, dat. *i*, adj.-pron. démonstratif désignant la 2e personne ou ce qui se rapporte à la 2e personne, celui-là, celle-là, ce, cet: *multæ istarum arborum*, beaucoup de ces arbres que tu vois || [dans les plaidoiries en parl. de l'adversaire] *iste*, cet homme-là, cet individu-là || [et en gén. en parl. de gens ou de choses que l'on combat] de cette sorte, de cet acabit.

Ister ou **Hister,** *tri*, m., l'Ister, nom du Danube inférieur.

isthmia, *orum*, n. pl., les jeux isthmiques.

isthmiacus, isthmicus et **isthmius,** *a, um*, isthmique, des jeux isthmiques.

isthmus (-os), *i*, m., isthme, et surtout l'isthme de Corinthe.

1. istic, *æc, oc* ou *uc*, même sens que *iste.*

2. istic, adv., là (où tu es).

istim, adv., c. *istinc.*

istinc, de là où tu es: *qui istinc veniunt*, ceux qui viennent de tes parages.

istiusmodi, de cette manière (que tu dis).

isto, là où tu es [mouv.].

Istri ou **Histri,** *orum*, m., habitants de l'Istrie.

Istria ou **Histria,** *æ*, f., Istrie [contrée à l'est de l'Adriatique].

istuc, adv., là (où tu es) [avec mouv.].

ita *(is)*, adv. [ayant la valeur démonstrative] de cette manière, de la sorte, comme cela, ainsi, **1.** ***a)*** [renvoyant à ce qui précède]: *quæ cum ita sint*, puisqu'il en est ainsi || [dans le dialogue] *ita* = oui, exactement: *ita plane, ita prorsus, prorsus ita*, c'est cela exactement; ***b)*** [annonçant ce qui suit] *ita censeo: «cum...»*, voici ma proposition de décret: «étant donné que...» [surtout annonçant une prop. inf.]: *ita constitui, fortiter esse agendum*, j'ai décidé ceci, qu'il fallait agir énergiquement || **2.** [dans les comparaisons] ***a)*** [en corrélation avec *ut*, et plus rarement avec *quomodo, quemadmodum, quasi, quam, etc.*]: de la manière que, comme || *ita... quasi; tamquam*, tout comme si; ***b)*** [souvent] *ut (quomodo, quemadmodum)... ita*, de même que... de même; [avec une idée d'oppos.] si (s'il est vrai que)... du moins (en revanche) || **3.** de cette façon, dans de telles circonstances, dans de telles conditions || [conclusion] partant, par conséquent || **4.** [en corrélation avec *ut* final, *ut ne, ne*] à la condition que, que ne... pas; [en corrélation avec *ut* conséc.] tellement que, à tel point que, de telle sorte que.

Itali, *orum*, m., les Italiens || **Italia,** *æ*, f., l'Italie [péninsule au sud de l'Europe].

Italicus, *a, um*, italique, d'Italie: *Italicum bellum*, la guerre sociale || [en part.] de la Grande Grèce: *Italicæ mensæ*, repas italiques [à la façon des Sybarites].

1. Italus, *a, um*, d'Italie.

2. Italus, *i*, m., **1.** ancien roi d'Italie, qui lui donna son nom || **2.** Italien, v. *Itali*.

itaque, 1. = *et ita*, et ainsi, et de cette manière || **2.** conj., donc, aussi, ainsi donc, par conséquent, c'est pourquoi.

item *(is)*, de même, pareillement.

iter, *itineris*, n. *(eo)*, **1.** chemin qu'on fait, trajet, voyage: *iter facere, habere*, faire route; *in itinere*, pendant la marche; *ex itinere*, aussitôt après la marche, sans désemparer, sans faire de pause; *ex itinere aliquid mittere*, envoyer qqch. en cours de route || marche, parcours || étape: *magnis, minoribus itineribus*, à fortes, petites étapes || libre passage, droit de passage || **2.** [sens concret] = *via*, chemin, route: *itineribus deviis*, par des chemins détournés; *pedestria itinera*, routes de terre.

iteratio, *onis*, f. *(itero)*, répétition, redite.

iteratus, *a, um*, part. de *itero*.

itero, *are, avi, atum*, tr., recommencer, reprendre, répéter qqch. || renouveler || redire, répéter.

iterum, adv., pour la seconde fois, derechef: *consul iterum*, consul pour la seconde fois; *semel atque iterum*, à plusieurs reprises.

Ithaca, *æ*, et **Ithace,** *es*, f., Ithaque [île de la mer Ionienne, patrie d'Ulysse] || **-censis,** *e*, ou **-cus,** *a, um*, d'Ithaque || subst. m. *Ithacus*, le héros d'Ithaque, Ulysse.

itidem *(ita)*, adv., de la même manière, de même, semblablement.

itio, *onis*, f. *(eo)*, action d'aller.

Itius portus, m., port des Morini [auj. Boulogne-sur-Mer].

ito, *are (eo)*, intr., aller fréquemment.

iturus, *a, um*, part. fut. de *eo*.

itus, *us*, m., action de partir, d'aller.

Iuleus, *a, um*, d'Iule, fils d'Énée.

Iulus, *i*, m., Iule ou Ascagne [fils d'Énée et de Créüse, duquel la famille Julia se prétendait issue].

ivi, pf. de *eo*.

Ixion, *onis*, m., roi des Lapithes, condamné par Jupiter à être attaché à une roue tournant sans fin || **-nius,** *a, um*, d'Ixion.

J

J, j, f. n. [notation de *i* consonne, qui primitivement ne se distinguait pas dans l'écriture de *i*, voyelle].

jaceo, *ere, cui (jacio),* intr., **1.** être étendu, être couché, être gisant || être alité || être gisant [blessé ou mort] || séjourner qq. part || s'étendre [géographiquement], être situé || être stagnant, être calme, immobile [eau] || être gisant, en ruines, en décombres || être appesanti, languissant, affaissé || **2.** être à terre, être gisant, abattu, démoralisé; *in mærore,* être abîmé dans la douleur || être abattu, terrassé || rester dans l'obscurité, dans l'oubli, végéter || être écroulé à terre, sans vie, être négligé: *judicia jacebant,* les tribunaux étaient sans vie || être bas, à bas [prix, valeur]: *jacent pretia prædiorum,* les prix des propriétés sont tombés bas || rester à l'abandon, être oublié.

jacio, *ere, jeci, jactum,* tr., **1.** jeter: *lapides, telum,* jeter des pierres, un trait || jeter [les dés] || *ancoras,* jeter les ancres || semer, répandre || **2.** [fig.] jeter, lancer || **3.** jeter, élever, fonder: *aggerem,* construire une terrasse || [fig.] *fundamenta pacis,* jeter les fondements de la paix.

jactabundus, *a, um (jacto),* qui ballotte || [fig.] plein de jactance.

jactans, *tis,* part. prés. de *jacto.*

jactanter *(jactans),* avec ostentation, vantardise.

jactantia, *æ,* f. *(jacto),* vantardise.

jactatio, *onis,* f. *(jacto),* **1.** action de jeter ou de ballotter de-ci, de-là, d'agiter, de remuer, mouvement violent ou fréquent || agitation || **2.** ostentation, vantardise, étalage, vanité || action de se faire valoir.

jactator, *oris,* m. *(jacto),* celui qui vante, qui fait étalage de.

1. jactatus, *a, um,* part. de *jacto.*

2. jactatus, *us,* m., agitation secouement, mouvement.

jacto, *are, avi, atum* (fréq. de *jacio*), tr., jeter souvent ou précipitamment: **1.** jeter, lancer || *arma,* jeter ses armes || semer, répandre || [fig.] lancer, proférer: *minas,* lancer des menaces || **2.** jeter de côté et d'autre, ballotter, agiter: **A)** [pr.] *bracchium,* balancer le bras; *jactari tempestate,* être ballotté par la tempête || **B)** [fig.] ***a)*** *jactari* ou *se jactare in aliqua re,* se démener dans qqch.; ***b)*** agiter, débattre: *jactata res erat in contione,* l'affaire avait été débattue dans une assemblée; ***c)*** jeter qqch. en avant, proclamer; *se magnificentissime,* se faire valoir pompeusement; ***d)*** jeter avec mépris, rejeter, mépriser.

jactura, *æ,* f. *(jacio),* **1.** action de jeter par-dessus bord, sacrifice de cargaison || **2.** [fig.] sacrifice, perte, dommage || frais, dépenses, sacrifices d'argent.

1. jactus, *a, um,* part. de *jacio.*

2. jactus, *us,* m., action de jeter, de lancer || coup de dés.

jacui, pf. de *jaceo.*

jaculatio, *onis,* f. *(jaculor),* action de lancer.

jaculator, *oris*, m. *(jaculor)*, celui qui lance || lanceur de javelot.

jaculatrix, *icis*, f. *(jaculator)*, chasseresse [Diane].

jaculatus, *a, um*, part. de *jaculor*.

jaculor, *ari, atus sum*, tr. *(jaculum)*, tr., lancer, jeter || lancer le javelot || émettre, répandre || atteindre en lançant, frapper = [fig.] lancer [des paroles], *in aliquem*, contre qqn.

jaculum, *i*, n. *(jacio)*, javelot || sorte de filet, épervier.

jam, adv., dans ce moment, maintenant, déjà,
I. [temporel], **1.** à l'instant, dès maintenant: *jam jam*, dès maintenant || **2.** il y a un instant || **3.** dans un instant [avenir], à l'instant || bientôt || **4.** déjà, jusqu'à maintenant: *jam diu, jam dudum, jam pridem*, depuis longtemps || *jam non, non jam*, ne... plus déjà, ne... plus maintenant, ne... plus; *jam nemo*, plus personne; *non jam..., sed...*, non plus..., mais || **5.** déjà || **6.** dorénavant, enfin: *aliquando jam*, enfin une bonne fois || *jam nunc, jam tum*, dès maintenant, dès lors; *jam a pueritia*, dès l'enfance.
II. [rapports logiques] **1.** [conclusion] dès lors, alors || **2.** [transitions] maintenant, d'autre part || *jam vero*, et maintenant, j'ajoute || [énumérations] maintenant, d'autre part.

jamdiu, v. *diu*.

jamdudum ou **jam dudum,** depuis longtemps, longtemps auparavant || [poét.] immédiatement, sans délai.

jampridem ou **jam pridem,** depuis longtemps || voici longtemps.

Janiculum, *i*, n., le Janicule [une des sept collines de Rome].

janitor, *oris*, m. *(janua)*, portier; *janitor Orci* et absol. *janitor*, Cerbère.

janitrix, *icis*, f. *(janitor)*, portière, esclave chargée d'ouvrir || [fig.] qui garde l'entrée.

janua, *æ*, f. *(Janus)*, porte d'entrée || [fig.] entrée, accès, chemin.

Januarius, *a, um*, de janvier: *Kalendæ Januariæ*, calendes de janvier; *Januarius mensis* et *Januarius* seul, mois de janvier.

Janus, *i*, m., **1.** dieu des portes (des passages), représenté avec deux visages [surveillant entrée et sortie], par conséquent dieu également des commencements et présidant au début de chaque année; son temple, placé sur le forum, était ouvert pendant la guerre et fermé pendant la paix || **2.** le temple de Janus || **3.** un passage couvert, arcade || passage sur le forum, où les marchands et les changeurs avaient leurs boutiques; *Janus medius*, le milieu du Janus [où étaient surtout les banquiers] = la Bourse de Rome.

jeci, pf. de *jacio*.

jecur, *coris, cinoris* et **jocur,** *jocinoris, -eris*, n., foie || siège des passions.

jecusculum (jocus-), *i*, n. *(jecur)*, petit foie.

jejune *(jejunus)*, avec sécheresse, maigrement, sans développement.

jejunitas, *atis*, f. *(jejunus)*, **1.** grande faim || **2.** sécheresse, absence d'humidité || [fig.] sécheresse [du style], maigreur || [avec gén.] manque de, absence de.

jejunium, *ii*, n. *(jejunus)*, jeûne [en gén.] || jeûne, abstinence [pratique religieuse]; *jejunium solvere*, rompre le jeûne || faim || [fig.] maigreur || stérilité du sol.

jejunus, *a, um*, **1.** qui est à jeun, qui n'a rien mangé; *jejuna plebecula*, populace affamée; *jejunus sonus*, cris d'un animal affamé || [avec abl.] dépourvu de || **2.** sec; maigre, pauvre || aride, décharné || borné [en parl. de l'esprit], étroit || pauvre d'idées || peu abondant, rare || infécond, insignifiant, creux, vide || [avec gén.] à jeun sous le rapport de, étranger à, qui ignore.

jentaculum ou **jantaculum,** *i*, n., le déjeuner (premier déjeuner) || ce qu'on mange au déjeuner.

jento ou **janto,** *are, avi*, intr., déjeuner.

jocabundus, *a, um (jocor)*, qui folâtre.

jocatio, *onis*, f. *(jocor)*, badinage, plaisanterie.

jocor, *ari, atus sum (jocus)*, **1.** intr., plaisanter, badiner || **2.** tr., dire en plaisantant.

jocose *(jocosus)*, plaisamment.

jocosus, *a, um (jocus)*, plaisant: *homo*, homme enjoué || *res jocosæ*, sujets plaisants || *jocosum furtum*, vol fait par badinage || *jocosus Nilus*, le Nil folâtre [= l'Égypte qui mène joyeuse vie].

jocularis, *e (joculus)*, [en parl. de choses] plaisant, drôle, risible || subst. n. pl. *jocularia*, plaisanteries, railleries.

joculariter *(jocularis)*, plaisamment || par badinage.

joculator, *oris*, m. *(joculor)*, rieur, railleur, bon plaisant.

joculor, *ari (joculus)*, tr., dire des plaisanteries.

joculus, *i*, m. *(jocus)*, petite plaisanterie.

jocus, *i*, m. (pl. *joci* m. et *joca* n.), **1.** plaisanterie, badinage : *joca, seria*, le plaisant, le sérieux ; *per jocum*, en plaisantant ; *extra jocum, remoto joco*, plaisanterie à part ; *joco seriove*, en plaisantant ou sérieusement || **2.** *joci*, les jeux, les ébats, les amusements.

Jordanes ou **Jordanis,** *is*, m., le Jourdain [fleuve de Palestine].

1. juba, *æ*, f., crinière || crête || panache || chevelure pendante || chevelure [d'une comète] || cime.

2. Juba, *æ*, m., **1.** roi de Numidie, du parti de Pompée, contre César || **2.** fils du précédent, amené à Rome, auteur d'ouvrages sur l'histoire, la géographie, etc.

jubar, *aris*, n., Lucifer [l'étoile du matin (Vénus)] || [poét.] éclat des corps célestes, splendeur, lumière || [fig.] éclat, majesté, gloire.

jubatus, *a, um (juba)*, qui a une crinière || qui a une crête.

jubeo, *ere, jussi, jussum*,
I. [désir] inviter à, engager à [avec prop. inf.].
II. [volonté], **1.** ordonner, commander : ***a)*** *pontem jubet rescindi*, il fait détruire le pont || [pass. pers.] *consules jubentur scribere exercitum*, les consuls reçoivent l'ordre de lever une armée ; ***b)*** [avec inf. seul, le sujet étant indéterminé ou facile à suppléer] ; ***c)*** [avec *ut*] ordonner que || **2.** prescrire, ordonner [médecine] || **3.** [officiell.] ordonner : ***a)*** *senatus decrevit populusque jussit, ut...*, , le sénat décréta et le peuple ordonna que... ; ***b)*** [avec prop. inf.] ; ***c)*** [avec acc.] *aliquem regem*, élire, faire qqn roi.

jucunde, agréablement, d'une façon charmante.

jucunditas, *atis*, f. *(jucundus)*, charme, agrément, joie, plaisir || enjouement.

jucundus, *a, um (juvo)*, plaisant, agréable, qui charme [surtout en parl. de choses.

Judæa, *æ*, f., la Judée || **-æus,** *a, um*, de Judée, juif || subst. m. pl., les Juifs.

Judaicus ou **Judæicus,** *a, um*, qui concerne les Juifs, judaïque.

judex, *icis*, m. *(jus, dicere)*, juge : *judicem dare*, désigner un juge [en parl. du préteur] ; *apud judices*, devant les juges || juge, arbitre en toute matière.

judicatio, *onis*, f. *(judico)*, **1.** action de juger, d'enquêter, délibération || point à juger || **2.** jugement, opinion.

judicatum, *i*, n. *(judicatus)*, question jugée, décision, jugement, autorité || *solvere*, se soumettre au jugement, payer la dette.

1. judicatus, *a, um*, part. de *judico*.

2. judicatus, *us*, m., fonctions, office de juge.

judicialis, *e (judicium)*, relatif aux jugements, judiciaire.

judiciarius, *a, um (judicium)*, judiciaire, relatif aux tribunaux.

judicium, *ii*, n. *(judex)*.
I. [t. technique], **1.** action judiciaire, procès : *ambitus*, procès sur une question de brigue ; *privatum*, procès privé ; *publicum*, procès public ; *in judicium venire*, venir devant le tribunal || lieu où se rend la justice, tribunal || **2.** jugement, sentence, décision, arrêt.
II. [langue commune], **1.** jugement, opinion : *meo quidem judicio*, selon moi, du moins ; *judicium facere de aliquo*, porter un jugement sur qqn || **2.** faculté de juger, jugement, discernement ; goût || réflexion : *sine judicio*, sans réflexion.

judico, *are, avi, atum (jus, dico ; judex)*, tr.,
I. [langue technique], **1.** dire le droit, juger, faire l'office de juge || **2.** rendre un jugement, prononcer un arrêt || juger : *rem*, juger une affaire ; *aliquem hostem*, déclarer qqn ennemi public || [avec prop. inf.] déclarer par un jugement que, reconnaître par une sentence que || **3.** [en parl. du magistrat] requérir ; *alicui capitis, pecuniæ*, contre qqn la peine de mort, une amende || prononcer sur le chef de culpabilité : *alicui perduellionis*, déclarer qqn coupable d'attentat contre l'État || **4.** condamner : *judicatus pecuniæ*, condamné pour dette.
II. [langue commune], **1.** juger, décider || **2.** porter un jugement : *de aliquo, de aliqua re aliquid*, porter tel ou tel jugement sur qqn, sur qqch. = juger, apprécier : *de meo sensu judico*, je juge d'après mon sentiment || regarder comme, penser, être d'avis ; [avec prop. inf.] juger que.

jugalis, *e (jugum)*, de joug : *jumenta jugalia*, animaux de trait || subst. m., *gemini jugales*, attelage de deux chevaux || [fig.] conjugal, nuptial, d'hymen.

jugatio, *onis*, f. *(jugo)*, action de lier la vigne [à un treillage].

jugatus, *a, um*, part. de *jugo*.

jugerum, *i*, n., pl. **jugera,** *um*, jugérum, arpent [mesure agraire, rectangle de 28 800 pieds carrés, c.-à-d. 240 pieds de long sur 120 de large, environ 25 ares].

jugis, *e*, qui coule toujours, (eau) courante, vive, de source || qui dure toujours, perpétuel, inépuisable.

juglans nux, absol. **juglans,** *dis*, f. *(Jovis glans)* noix.

jugo, *are, avi, atum (jugum)*, tr., attacher ensemble, joindre, unir à [avec dat.] || [fig.] unir.

jugosus, *a, um*, montueux.

jugulatus, *a, um*, part. de *jugulo*.

jugulo, *are, avi, atum (jugulum)*, tr., couper la gorge, égorger, tuer, assassiner || [fig.] confondre, terrasser, abattre.

jugulum, *i*, n. et **jugulus,** *i*, m. *(jungo)*, gorge.

jugum, *i*, n. *(jug-, jungo)*, **1.** joug || **2.** attelage de bêtes de trait || couple de chevaux || le char [lui-même] || **3.** joug symbolique sous lequel défilaient les vaincus || une constellation [la Balance] || banc de rameurs || crête, sommet d'une montagne || [fig.] liens du mariage || joug [de l'esclavage]; [fig.] hauteur, cime.

Jugurtha, *æ*, m., roi de Numidie, vaincu par Marius || **-inus,** *a, um*, de Jugurtha.

jugus, *a, um (jugo)*, joint, réuni.

Julia, *æ*, f., nom de plusieurs femmes, not. Julie, fille d'Auguste, qui épousa successivement Marcellus, Agrippa et Tibère, célèbre par ses débordements.

Julianus, *a, um*, de Jules César || *Juliani*, m. pl., soldats ou partisans de César.

1. Julius, *a, um*, de Jules, de la famille des Jules : *Julia domus*, la famille Julia ; *portus Julius*, port de Jules [à Baïes] || *Julius mensis* et absol. *Julius*, m., le mois de Jules [juillet].

2. Julius, *ii*, m., nom d'une famille romaine ; not. *Caius Julius Cæsar*, Jules César, et *Caius Julius Cæsar Octavianus*, Octave, fils adoptif du précédent, qui devint l'empereur Auguste.

jumentum, *i*, n. *(jungo)*, bête de somme ou de trait (surtout cheval, mulet, âne).

junceus, *a, um (juncus)*, de jonc.

juncosus, *a, um (juncus)*, plein de joncs.

junctim *(junctus)*, en étant joint.

junctio, *onis*, f. *(jungo)*, union, liaison, cohésion.

junctura, *æ*, f. *(jungo)*, jointure, joint, assemblage.

junctus, *a, um*, **1.** part. de *jungo* || **2.** adj., lié, attaché.

juncus, *i*, m., jonc.

jungo, *ere, junxi, junctum* (racine *jug-*), tr., **1.** joindre, lier, unir, assembler, attacher : *juncto ponte*, un pont ayant été jeté || *tigna inter se*, joindre entre eux des pilotis || **2.** [en part.] ***a)*** atteler : *tauros*, atteler des taureaux ; ***b)*** fermer [des plaies] ***c)*** [au pass.] être joint à, contigu à ; ***d)*** unir dans le temps, faire succéder, ne pas interrompre ; ***e)*** [mil.] réunir [des troupes] : *se jungere*, opérer sa jonction || **3.** [fig.] ***a)*** unir ; ***b)*** *pacem, fœdus, amicitiam cum aliquo*, faire la paix, un traité, une alliance avec qqn || *jungi alicui fœdere*, se lier à qqn par un traité.

juniperus, *i*, f., genévrier ou genièvre.

1. Junius, *ii*, m., nom de famille rom. ; not. M. et D. Junius Brutus, v. *Brutus*.

2. Junius, *a, um*, de Junius ; *Junius mensis*, et absol. *Junius, ii*, m., mois de juin.

Juno, *onis*, f., Junon [femme de Jupiter] : *Juno Regina*, Junon, reine des dieux ; *Juno Inferna, Averna*, la Junon des Enfers (Proserpine).

Junonius, *a, um*, de Junon.

junxi, pf. de *jungo*.

Juppiter ou **Jupiter,** *Jovis*, m., Jupiter [fils de Saturne, roi des dieux et des hommes, dieu du jour] || l'air, le ciel : *sub Jove*, en plein air || *Juppiter Stygius*, Pluton || la planète Jupiter.

Jura, *æ*, m., le Jura [mont de la Gaule].

juratus, *a, um*, **1.** part. de *juro* || **2.** adj., qui a juré, qui a prêté serment.

jure, abl. de *jus* pris adv., justement, à bon droit, à juste titre, avec raison.

jureconsultus, c. *jurisconsultus*.

jurgiosus, *a, um (jurgium)*, querelleur.

jurgium, *ii*, n. *(jurgo)*, querelle, dispute.

jurgo, *are, avi, atum (jus, ago)*, **1.** intr., être en différend, se disputer, se quereller || **2.** tr., dire qqch. en gourmandant ; gourmander : *aliquem*, qqn.

jurisconsultus, *i*, m. (plutôt en deux mots), jurisconsulte.

jurisdictio, *onis*, f., **1.** juridiction, action et droit de rendre la justice [attribution des préteurs urbain et pérégrin] || **2.** ressort, juridiction [dans les prov. impériales].

juro, *are, avi, atum (jus 1)*, intr. et tr., **I.** intr., jurer, faire serment ; *per ali-*

quem, per aliquid, au nom de (par) qqn, qqch.
II. tr., **1.** jurer, affirmer avec serment : *morbum*, jurer qu'on est malade ; *quod juratum est*, ce qui a été juré ; *jurata*, les serments || [avec prop. inf.] jurer que || **2.** jurer par qqn (qqch.), attester qqn (qqch.)

juror, *atus sum*, c. *juro*, employé seulement au pf. et au part. : *jurati dicunt...*, ils disent sous serment...

1. jus, *juris*, n., **1.** le droit [en gén.], la justice || **2.** le droit [qui résulte de la coutume, des lois, de la jurisprudence, des édits] ; *publicum*, droit public ; *testamentorum*, droit en matière de testaments || *jura* = constitution : *nova jura condere*, fonder un nouveau code || **3.** le droit en tant qu'application, ce qui est le droit : *summum jus summa injuria*, comble du droit, comble de l'injustice ; *de jure alicui respondere*, donner à qqn une consultation de droit ; *jus dicere*, dire le droit [office des magistrats supérieurs, qui théoriquement sont tous investis de la *jurisdictio*] || [en part. la justice appliquée par le préteur] : *in jus rapere, trahere*, traîner devant le préteur || **4.** le droit par rapport aux personnes, aux choses : *connubii, honorum*, droit de se marier, de briguer les magistratures ; *civitatis*, droit de cité ; *suo jure, optimo jure*, en usant de son plein droit, avec son plein droit ; *jure*, à bon droit ; *jus est, alicui jus est*, avec inf., on a le droit de, qqn a le droit de || **5.** [langue commune] : ***a)*** droit : *jura belli conservare*, observer (respecter) les droits (= les lois) de la guerre ; ***b)*** pouvoir, autorité [résultant du droit] : *jus patrium*, puissance paternelle [droit de vie et de mort].

2. jus, *juris*, n., jus, sauce ; *jus Verrinum*, jus de porc et justice de Verrès.

jusjurandum, *i*, n., serment : *conservare*, tenir son serment ; *jurejurando obstringere*, lier par un serment.

jussi, pf. de *jubeo*.

jussum, *i*, n. *(jubeo)*, ordre, commandement, injonction : *jussis obtemperare*, obéir aux ordres || [en part.] volontés [du peuple].

1. jussus, *a, um*, part. de *jubeo*.

2. jussus, abl. *u*, m., c. *jussum* : *vestro jussu*, par votre ordre ; *jussu senatus, populi*, sur l'ordre du sénat, du peuple.

justa, *orum*, pl. n. de *justus*, pris subst., **1.** le dû || **2.** usages requis, formalités requises : *omnia justa perficere*, accomplir toutes les formalités voulues || [en part.] honneurs (devoirs) funèbres : *justa facere alicui*, faire à qqn des funérailles.

juste *(justus)*, avec justice, justement, équitablement.

justitia, *æ*, f. *(justus)*, **1.** justice, conformité avec le droit || **2.** sentiment d'équité, de justice, esprit de justice.

justitium, *ii*, n. *(jus, statio)*, vacances des tribunaux, [ordin. dans une calamité publique] : *justitium edicere*, ou *indicere*, fermer les tribunaux ; *remittere*, rouvrir les tribunaux || suspension des affaires.

justus, *a, um (jus)*, **1.** qui observe le droit, juste || **2.** qui est conforme au droit, juste, équitable || *justum*, n. pris subst., le juste, la justice || **3.** juste, fondé, légitime || **4.** équitable, raisonnable || **5.** régulier, normal : *justus exercitus*, armée régulière, à effectif régulier ; *justa victoria imperator appellatus*, ayant reçu le titre d'impérator après une victoire conforme à la règle [où il y avait assez d'ennemis tués] ; *justum iter*, étape normale [de 20 à 25 km par jour] || **6.** qui convient, qui est bien || [avec le n. pris subst.] *plus justo*, plus que de raison, trop.

Juturna, *æ*, f., Juturne [sœur de Turnus, devint une divinité des Romains].

jutus, *a, um*, part. de *juvo*.

Juvenalia, *ium*, n. *(juvenalis)*, Juvénales, fêtes en l'honneur de la jeunesse.

1. juvenalis, *e*, jeune, juvénile, de jeunes gens, digne des jeunes gens || *juvenales ludi*, jeux introduits par Néron, c. *Juvenalia*.

2. Juvenalis, *is*, m., Juvénal [poète satirique de Rome].

juvenaliter, c. *juveniliter*.

juvenca, *æ*, f. *(juvencus)*, génisse.

juvencus, *i*, m., jeune taureau.

juvenesco, *ere, nui (juvenis)*, intr., **1.** acquérir la force de la jeunesse, grandir || **2.** redevenir jeune, rajeunir.

juvenilis, *e (juvenis)*, jeune, relatif à la jeunesse || juvénile, plein d'entrain.

juveniliter *(juvenilis)*, en jeune homme, comme un jeune homme.

1. juvenis, *is*, adj., jeune ; *juvenes anni*, les jeunes années, les années de jeunesse || compar. *junior ; juvenior*.

2. juvenis, *is*, m. f., jeune homme, jeune fille || **juniores,** les plus jeunes = les jeunes gens destinés à former l'armée active, de 17 à 45 ans, les citoyens capables de porter les armes || [formant des centuries de vote].

juventa, *æ*, f. *(juvenis)*, **1.** jeunesse,

jeune âge || **2.** *Juventa*, la Jeunesse [déesse].

juventas, *atis*, f., **1.** jeunesse, jeune âge [poét.] || **2.** la Jeunesse [déesse].

juventus, *utis*, f. *(juvenis)*, **1.** jeunesse, jeune âge || **2.** [collectif] les jeunes gens.

juvi, pf. de *juvo*.

juvo, *are, juvi, jutum*, tr., **1.** aider, seconder, assister, être utile, servir: *aliquem*, aider qqn; *in aliqua re*, en qqch.; *audentes fortuna juvat*, la fortune seconde les audacieux; *dis juvantibus*, avec l'assistance des dieux || *juvat* impers. avec inf., il est utile de; *quid juvat...?* en quoi est-il utile de...? à quoi sert de...? || **2.** faire plaisir, *aliquem*, à qqn || [surtout emploi impers.]: *me juvat* avec prop. inf., il me plaît que, je suis charmé que; *juvat* avec inf. [sujet s.-ent.].

juxta (cf. *jungo*), adv. et prép.
I. adv., **1.** côte à côte, à proximité l'un de l'autre || **2.** tout près || **3.** également, autant || avec *ac, atque*, autant que, de même que; *juxta ac si*, comme si || avec dat. à l'égal de || avec *cum*, comme.
II. prép. acc., **1.** près de, à côté de || **2.** immédiatement après || **3.** près de || **4.** conformément à, suivant, d'après.

K

K, k, f. n., lettre de l'alphabet || *K* = *Kæso (Cæso)*; *K* ou *Kal.* = *Kalendæ (Calendæ)*.

Kalendæ, v. *Calendæ*.

Karthago, v. *Carthago*.

L

L, l, f., n., lettre de l'alphabet || [abréviation] *L.* = *Lucius* || employé dans la numérotation, *L.* vaut cinquante.

labasco, *ere (labo),* intr. chanceler || [fig.] se laisser ébranler, fléchir.

labefacio, *facere, feci, factum (labo, facio)* tr., faire chanceler, secouer, ébranler || renverser, ébranler || détruire, ruiner.

labefactatio, *onis,* f. *(labefacto),* ébranlement.

labefactatus, *a, um,* part. de *labefacto.*

labefacto, *are, avi, atum, (labefacio),* tr. **1.** faire chanceler, faire glisser, renverser || affaiblir, endommager, ruiner || **2.** [fig.] secouer, renverser, faire crouler, ruiner.

labefactus, *a, um,* part. de *labefacio.*

labellum, *i,* n. (dimin. de *labrum 1* et *2*), **1.** petite lèvre [d'enfant] || lèvre délicate, lèvre || **2.** coupe pour libations.

labens, *tis,* part. prés. de *labor.*

Laberius, *ii,* m., nom d'une famille rom.; not. D. Labérius [auteur de mimes].

labes, *is,* f., *(labor 1),* **1.** chute, éboulement || **2.** [fig.] effondrement, ruine, destruction|| agent destructeur, fléau || **3.** tache, souillure [fig.].

Labienus, *i,* m., lieutenant de César.

labium, *ii,* n. et ordin. **labia,** *orum,* pl., lèvre, lèvres.

labo, *are, avi, atum,* intr., **1.** chanceler, vaciller, vouloir tomber || **2.** menacer ruine, être ébranlé || vaciller, n'être pas ferme (stable); *labamus,* nous hésitons.

1. labor, *labi, lapsus sum,* intr., **1.** glisser, trébucher, tomber: *folia lapsa cadunt,* les feuilles se détachant tombent; *lapsus in rivo,* tombé dans un ruisseau || **2.** se laisser aller: *ad opinionem labi,* se laisser aller à une opinion || s'en aller, s'écouler: *labuntur anni,* les années s'écoulent || chanceler, menacer de tomber || trébucher, tomber, se tromper: *in aliqua re*; défaillir dans qqch., à propos de qqch.

2. labor, *oris,* m., **1.** peine qu'on se donne pour faire qqch., fatigue, labeur, travail: *res est magni laboris,* la chose demande un grand travail; *nullo labore aliquid facere,* accomplir qqch. sans peine; *labores Herculis,* les travaux d'Hercule || **2.** travail, activité dépensée || **3.** travail, tâche à accomplir: *labor forensis,* le travail du forum; *labor imperatorius,* la tâche du général || **4.** travail, résultat de la peine || **5.** situation pénible, malheur || **6.** malaise, maladie || douleur physique || chagrin, peine || [poét.] *labores lunæ, solis,* les éclipses de la lune, du soleil.

laboratus, *a, um,* part. de *laboro.*

laborifer, *era, erum (labor, fero),* qui supporte le travail, la peine, laborieux.

laboriose, *(laboriosus),* avec travail, avec peine, laborieusement.

laboriosus, *a, um (labor 2),* **1.** qui demande du travail, de la peine, laborieux, pénible || **2.** qui se donne au travail, actif, laborieux || qui est dans le travail, dans la fatigue, dans la souffrance.

laboro, *are, avi, atum, (labor 2),* intr. et qqf. tr.,

I. intr., **1.** travailler, prendre de la peine, se donner du mal || [avec *ut* subj.] travailler à ce que, prendre de la peine pour que ; [avec *ne*] pour que ne pas || [avec inf.] s'occuper de, s'efforcer de ; [surtout avec nég.] ne pas s'occuper de || **2.** être en peine, s'inquiéter : *de aliqua re,* se mettre en peine de qqch. ; *de aliquo,* au sujet de qqn ; *in aliqua re,* à propos de qqch. || **3.** peiner, être dans l'embarras, être dans des difficultés, être en danger ; [pass. imp.] *ad munitiones laboratur,* la situation est critique près des retranchements || être dans un malaise, être tourmenté : *morbo aliquo,* être incommodé de qq. maladie ; *ex renibus,* souffrir des reins ; *ex ære alieno,* être tourmenté par les dettes || *ejus artus laborabant,* il souffrait de la goutte.

II. tr., **1.** faire par le travail, élaborer, *rem,* qqch. || **2.** travailler, cultiver.

1. labrum, *i,* n. *(lambo),* **1.** lèvre || **2.** bord, rebord.

2. labrum, *i,* n. *(lavo),* grand vase [en terre, en pierre ou en métal], bassin, cuve, baignoire.

labrusca, *æ,* f., lambruche, vigne sauvage.

labyrinthus, (-thos), *i,* m., labyrinthe ; le labyrinthe d'Égypte || de Crète, construit par Dédale.

lac, *lactis,* n., lait || suc laiteux des plantes.

Lacæna, *æ,* f., Lacédémonienne || Hélène.

Lacedæmon, *monis,* f., Lacédémone ; abl. *Lacedæmone* ; locatif *Lacedæmoni.*

Lacedæmonius, *a, um,* de Lacédémone || subst. m., Lacedémonien.

lacer, *era, erum,* **1.** mutilé, déchiré, mis en pièces || **2.** qui déchire.

laceratio, *onis,* f. *(lacero),* action de déchirer.

laceratus, *a, um,* part. de *lacero.*

lacerna, *æ,* f., lacerne [manteau de grosse étoffe sans manches, à capuchon, qui se mettait sur la tunique].

lacernatus, *a, um,* revêtu d'une lacerne.

lacero, *are, avi, atum, (lacer),* tr., **1.** mettre en morceaux, déchirer || briser, fracasser || **2.** railler || **3.** déchirer, faire souffrir || dissiper, mettre en pièces, gaspiller.

lacerta, *æ,* f., lézard.

lacertosus, *a, um (lacertus 1),* fort, robuste.

1. lacertus, *i,* m., surtout au pl. **lacerti**, les muscles || [en part.] muscles de la partie supérieure du bras || [en gén.] bras || [fig.] force du bras, bras puissant, force.

2. lacertus, *i,* m., lézard.

lacessitus, *a, um,* part. de *lacesso.*

lacesso, *ere, ivi* ou *ii, itum,* tr., **1.** harceler, exciter, provoquer, irriter, exaspérer || **2.** exciter à, stimuler vers, pousser à : *ad scribendum,* engager à écrire || provoquer, amener par excitation, allumer.

Lachesis, *is,* f., une des trois Parques.

1. lacinia, *æ,* f., pan de vêtement || bout, extrémité.

2. Lacinia, *æ,* f., Lacinia [surnom de Junon], v. *Lacinium.*

laciniosus, *a, um (lacinia),* formé de plis, divisé en segments, découpé, dentelé.

Lacinium, *ii,* n., promontoire Lacinium [à l'entrée du golfe de Tarente, où il y avait un temple de Junon] || **-ius,** *a, um,* de Lacinium.

Laco et **Lacon,** *onis,* m., **1.** Lacédémonien || *Lacones,* m. pl., les Lacédémoniens || **2.** chien de Laconie.

Laconia ou **Laconica,** *æ,* f., ou **Laconice,** *es,* f., la Laconie [contrée méridionale du Péloponnèse].

Laconicus, *a, um,* de Laconie || *Laconicæ canes,* chiennes de Laconie [pour la chasse] || subst. n. *laconicum,* étuve.

lacrima (-cruma), *æ,* f., **1.** larme : *effundere, profundere lacrimas, dare, mittere,* verser des larmes ; *lacrimas alicui excutere, ciere, movere,* faire pleurer qqn || **2.** goutte de gomme.

lacrimabilis, *e (lacrimo),* digne d'être pleuré, déplorable, triste || lamentable.

lacrimabundus, *a, um (lacrimo),* qui est tout en pleurs.

lacrimatio, *onis* f. *(lacrimo),* larmoiement.

lacrimatus, *a, um,* part. de *lacrimo.*

lacrimo (-crumo), *are, avi, atum,* intr., pleurer, verser des larmes || distiller.

lacrimose, *(lacrimosus),* en pleurant.

lacrimosus, *a, um (lacrima),* **1.** qui pleure, larmoyant || **2.** qui provoque les larmes, triste, lamentable || **3.** suintant, coulant.

lacrimula, *æ,* f., dimin. de *lacrima.*

lacruma, arch. pour *lacrima.*

lactans, *tis*, part. présent de *lacto*.

lactens, *tis*, part. de *lacteo* || *lactentia, ium*, n., laitage.

lacteo, *ere (lac)*, intr., **1.** téter, être à la mamelle || **2.** être en lait, être laiteux.

lactesco, *ere (lacteo)*, intr. **1.** se convertir en lait || **2.** devenir laiteux.

lacteus, *a, um (lac)*, **1.** de lait, laiteux || gonflé de lait || **2.** laiteux, couleur de lait : *lacteus circulus*, la voie lactée ou *lactea via* || doux agréable comme le lait.

lacto, *are, avi, atum (lac)*, intr. avoir du lait, allaiter.

lactuca, *æ*, f., laitue.

lactucula, *æ*, f., dimin. de *lactuca*.

lacuna, *æ*, f., **1.** fossé, creux, trou || **2.** cavité, crevasse, ouverture || **3.** brèche, vide, manque de, défaut.

lacunar, *aris*, n., et **lacunarium,** *ii*, n., *(lacuna)*, plafond lambrissé, plafond à panneaux, lambris, panneau.

lacunosus, *a, um (lacuna)*, qui a des creux, inégal.

lacus, *us*, m., **1.** réservoir, bassin, cuve || **2.** lac, étang || **3.** réservoir d'eau, fontaine, citerne || **4.** case pour les grains.

lacusculus, *i*, m. *(lacus)*, petite fosse || compartiment, case.

Læca ou **Lecca,** *æ*, m., un des complices de Catilina.

lædo, *dere, si, sum*, tr., **1.** blesser, endommager || **2.** blesser, outrager, offenser || [absol.] blesser, faire du tort.

Lælius, *ii*, m., nom d'une famille rom. ; not. : C. Lælius, ami du premier Scipion l'Africain || le second Lælius, surnommé le Sage *(Sapiens)*, ami du second Africain.

læna, *æ*, f., manteau d'hiver.

Laerta, *æ*, m., et **Laertes,** *æ*, m., Laërte [père d'Ulysse].

Laertiades, *æ*, m., fils de Laërte [Ulysse].

Laertius, *a, um*, de Laërte.

læsi, pl. de *lædo*.

læsus, *a, um*, part. de *lædo*.

lætabilis, *e (lætor)*, agréable, heureux.

lætabundus, *a, um (lætor)*, tout joyeux.

lætamen, *inis*, n., engrais [en gén.], fumier .

lætandus, *a, um (lætor)*, dont il faut se réjouir.

lætans, *tis*, part.-adj. de *lætor*, joyeux.

lætatio, *onis*, f. *(lætor)*, mouvement de joie, joie.

lætatus, *a, um*, part. de *lætor*.

læte *(lætus)*, **1.** avec joie || **2.** d'une manière enjouée || **3.** abondamment, avec fertilité.

lætificans, *tis*, part. prés. de *lætifico*, pris adj., joyeux.

lætifico, *are, avi, atum (lætus, facio)*, tr. **1.** réjouir, enchanter || **2.** rendre abondant, productif, enrichir, fumer (la terre).

lætificus, *a, um (lætus, facio)*, qui rend joyeux.

lætitia, *æ*, f. *(lætus)*, **1.** allégresse, joie débordante || **2.** fertilité, agrément du style.

lætor, *ari, atus, sum (lætus)*, intr., se réjouir, éprouver de la joie, *aliqua re*, de qqch. || [avec *in* et abl.], [avec *de*], [avec *ex*] || [avec prop. inf. ou avec *quod*], se réjouir de ce que.

lætus, *a, um*, [idée d'épanouissement], **1.** joyeux || [emploi adv.]: *lætus eum audivit*, il l'écouta avec joie || **2.** qui réjouit, agréable || **3.** favorable, d'heureux augure || **4.** qui a un aspect riant, plaisant || **5.** riche, abondant : *læta armenta*, beaux troupeaux (belles bêtes, grasses) || **6.** [style] égayé, fleuri, orné.

læve, *(lævus)*, gauchement, mal.

lævum, n. pris adv., du côté gauche.

lævus, *a, um*, **1.** gauche, du côté gauche || subst. f. **læva,** main gauche ; côté gauche || [expr. adv.] *læva* ou *ad lævam* ou *a læva*, à gauche || pl. n. *læva*, côté gauche || **2.** [fig.] ***a)*** maladroit, stupide, aveuglé, sot ; ***b)*** malheureux, hostile, de mauvais présage.

lagœna ou **lagona,** *æ*, f., bouteille, cruche, flacon.

laguncula, *æ*, f. *(lagœna)*, petite bouteille, carafon.

Laius ou **Lajus,** *i*, m., roi de Thèbes, père d'Œdipe.

lambo, *ere*, tr., **1.** lécher, laper || **2.** baigner, laver || lécher, effleurer.

lamella, *æ*, f. *(lamina)*, petite lame [de métal].

lamenta, *orum*, n., lamentations, gémissements.

lamentabilis, *e (lamentor)*, **1.** plaintif : *funera lamentabilia*, funérailles accompagnées de lamentations || **2.** déplorable.

lamentatio, *onis*, f. *(lamentor)*, lamentations, gémissements.

lamentatus, *a, um*, part. de *lamentor*.

lamentor, *ari, atus, sum*, **1.** intr., pleurer, gémir, se plaindre || **2.** tr. se lamenter sur, déplorer || [avec prop. inf.] déplorer que.

lamina (lammina ou **lamna),** *æ*, f., **1.** mince pièce [métal, bois, laine, etc.], feuille, plaque, lame || **2.** lame rougie || lame = morceau, lingot, pièce [d'or, d'argent].

lampas, *adis*, f., **1.** torche, flambeau || **2.** lampe || **3.** [fig.] splendeur, éclat.

lana, *æ*, f., **1.** laine || **2.** travail de la laine || **3.** [fig.] flocons de laine = nuages, moutons.

lanarius, *a, um (lana)*, qui a rapport à la laine.

lanatus, *a, um (lana)*, couvert de laine, laineux || duveteux, couvert de duvet.

lancea, *æ*, f., lance, pique.

lancinatus, *a, um*, part. de *lancino*.

lancino, *are, avi, atum (lacer)*, tr., mettre en morceaux, déchiqueter.

laneus, *a, um (lana)*, laineux, de laine || couvert d'une substance laineuse.

languefacio, *ere*, tr., rendre languissant.

languens, *tis*, v. *langueo*.

langueo, *ere*, intr., **1.** être languissant, abattu || **2.** [fig.] être languissant, nonchalant, languir || *languens*, indolent, mou, languissant.

languesco, *gui, ere (langueo)*, intr., **1.** devenir languissant, s'affaiblir || se faner || s'obscurcir [lune] || **2.** [fig.] devenir nonchalant, se refroidir, décliner, s'éteindre.

languide *(languidus)*, languissamment, faiblement, nonchalamment, mollement || lâchement, sans courage.

languidulus, *a, um (languidus)*, quelque peu fané.

languidus, *a, um (langueo)*, **1.** affaibli, languissant || **2.** mou, paresseux, inactif || lâche, sans énergie || amollissant.

languor, *oris*, m. *(langueo)*, **1.** faiblesse, abattement, lassitude, langueur || **2.** maladie || **3.** inactivité, paresse, mollesse, tiédeur.

laniatio, *onis*, f. *(lanio)*, action de déchirer.

1. laniatus, *a, um*, part. de *lanio*.

2. laniatus, *us*, m., action de déchirer, morsures.

laniena, *æ*, f. *(lanius)*, boucherie.

lanificium, *ii*, n. *(lanificus)*, travail de la laine.

lanificus, *a, um (lana, facio)*, qui travaille la laine.

laniger, *era, erum (lana, gero)*, **1.** qui porte de la laine || *arbores lanigeræ*, cotonniers || **2.** subst. m., mouton.

lanigera, *æ*, f., brebis.

lanio, *are, avi, atum*, tr., mettre en pièces, déchirer, lacérer.

lanista, *æ*, m., laniste, maître de gladiateurs.

lanitium, *ii*, n. *(lana)*, lainage, toison || *lanitium silvarum*, le coton.

lanius, *ii*, m. *(lanio)*, boucher : *pendere ad lanium*, être suspendu à l'étal d'un boucher.

lanuginosus, *a, um*, lanugineux || qui tisse une toile, un cocon.

lanugo, *inis*, f. *(lana)*, **1.** laine, substance laineuse ; coton des plantes || **2.** duvet, poil follet, barbe naissante.

lanx, *cis*, f., **1.** plat, écuelle || **2.** bassin ou plateau d'une balance || [fig.] balance.

Laocoon, *ontis*, m., troyen, prêtre d'Apollon.

Laomedon, *ontis*, m., père de Priam, roi de Troie || **-onteus** et **-tius,** *a, um*, de Laomédon, troyen.

Laomedontiades, *æ*, m., fils ou descendant de Laomédon || pl., les Troyens.

lapicida, *æ*, m. *(lapis, cædo)*, tailleur de pierres, graveur sur pierre, lapicide.

lapicidinæ, *arum*, f. *(lapis, cædo)*, carrières de pierre.

lapidarius, *a, um (lapis)*, qui a rapport à la pierre, de pierre, à pierre.

lapidat, *are, avit*, imp., il pleut des pierres.

lapidatio, *onis*, f. *(lapido)*, action de jeter des pierres.

lapidator, *oris*, m. *(lapido)*, celui qui lance des pierres.

lapidatus, *a, um*, part. de *lapido*.

lapideus, *a, um (lapis)*, **1.** de pierre, en pierre || **2.** [fig.] pétrifié || dur, insensible || **3.** plein de pierres, pierreux.

lapidicin-, v. *lapicidin-*.

lapido, *are, avi, atum (lapis)*, **1.** tr., attaquer à coups de pierres, lapider || **2.** imp., v. *lapidat*.

lapidosus, *a, um (lapis)*, pierreux, plein de pierres || dur : *lapidosus panis*, pain dur comme de la pierre.

lapillus, *i*, m., dim. de *lapis*, **1.** petite pierre, petit caillou || **2.** pierre précieuse.

lapis, *idis*, m., **1.** pierre : *lapides jacere*, jeter des pierres || **2.** [emblème de la stupidité, de l'insensibilité] || **3.** borne, pierre milliaire, [s.-ent. *lapidem*] *ad quartum, ad octavum*, à quatre, à huit milles || **4.** tribune de pierre [où se tenait le crieur public dans la vente des esclaves] || **5.** borne des propriétés ||

6. pierre tumulaire || **7.** pierre précieuse || **8.** marbre : *Parius*, marbre de Paros.

lapsio, *onis*, f. *(labor 1)*, chute [fig.].

lapso, *are (labor 1)*, intr. glisser, chanceler, tomber.

1. lapsus, *a, um*, part. de *labor*.

2. lapsus, *us*, m., **1.** tout mouvement de glissement, d'écoulement, de course rapide, etc., en parlant d'étoiles, de fleuves, d'oiseaux, de serpents, etc. : *volucrium lapsus*, le vol des oiseaux || **2.** action de glisser, de trébucher, chute ; *lapsus terræ*, éboulement du sol || **3.** faux pas, trébuchement, erreur.

laquearia, *ium*, n., plafond lambrissé (à caissons), lambris.

laqueatus, *a, um*, part. de *laqueo*.

laqueo, *laqueans, laqueatus*, tr., lambrisser, couvrir d'un plafond avec caissons.

laqueus, *i*, m., **1.** lacet, nœud coulant || **2.** lacs, filet, panneau || [surt. au pl.] filets, pièges || liens, chaînes.

Lar, *Laris*, m., (gén. pl. *Larum* ; qqf *Larium*), **1.** Lare, Lares, les Lares [divinités protectrices, âmes des ancêtres défunts] || *Lar familiaris*, le Lare de la famille [dieu du foyer, objet d'un culte dans la maison ; le pater familias lui offrait des sacrifices aux dates importantes du mois et dans des circonstances solennelles] || les Lares étendaient leur protection en dehors de la maison : *compitales, viales, permarini*, dieux tutélaires des carrefours, des rues, de la mer || **2.** [fig.] = foyer, demeure, maison.

lardum, *i*, n. *(laridum)*, lard.

Larentalia, *ium*, n., Larentales, fêtes en l'honneur d'Acca Larentia.

Larentia ou **Laurentia,** *æ*, f., Acca Larentia ou Laurentia [nourrice de Romulus].

Lares, v. *Lar*.

large, *(largus)*, abondamment, amplement, libéralement.

largior, *iri, itus, sum (largus)*, tr., donner largement || [abstr.] *ex alieno largiri*, faire des largesses avec le bien d'autrui [*de alieno*].

largitas, *atis*, f. *(largus)*, largesse, libéralité.

largiter, abondamment, copieusement, largement || [fig.] || beaucoup : *largiter posse*, avoir beaucoup de puissance.

largitio, *onis*, f. *(largior)*, dons abondants, distribution généreuse, libéralité || largesse [intéressée], corruption || prodigalité, profusion.

largitor, *oris*, m. *(largior)*, **1.** celui qui fait des largesses, donneur || **2.** faiseur de largesses (corrupteur).

largitus, *a, um*, part. de *largior*.

largus, *a, um*, **1.** copieux, abondant, considérable || **2.** qui donne largement, libéral, large.

laridum, primitif de *lardum*, lard.

Larisa ou **Larissa,** *æ*, f., Larisse [ville de Thessalie, patrie d'Achille].

Larisæus ou **Larissæus,** *a, um*, de Larisse.

Larisenses ou **Larissenses,** *ium*, m., habitants de Larisse [en Thessalie].

lars, *lartis*, m. [mot étrusque], lar, chef militaire.

larva, *æ*, f. *(Lar)*, figure de spectre, larve, fantôme.

lascivia, *æ*, f. *(lascivus)*, **1.** humeur folâtre, gaieté, enjouement || **2.** défaut de retenue, licence, dérèglement ; lascivеté, libertinage, débauche.

lascivio, *ire, ii, itum (lascivus)*, intr. folâtrer, badiner, s'ébattre, jouer.

lascivus, *a, um*, **1.** folâtre, badin, enjoué, gai || **2.** qui en prend à son aise || pétulant.

lassatus, *a, am*, part. de *lasso*.

lassitudo, *inis*, f. *(lassus)*, fatigue, lassitude.

lasso, *are, avi, atum (lassus)*, tr., lasser, fatiguer.

lassus, *a, um*, las, harassé, fatigué, épuisé, affaibli, *aliqua re*, par qqch.

late *(latus)*, largement, sur un large espace, avec une large étendue : *quam latissime*, sur la plus large étendue possible || [fig.] avec une grande extension, largement, abondamment.

latebra, *æ*, f. *(lateo)*, **1.** cachette, refuge, abri, retraite [gén. au pl.] || **2.** [fig.] subterfuge, prétexte, excuse.

latebrosus, *a, um (latebra)*, plein de cachettes, retiré, secret.

latens, *tis*, **1.** part. prés. de *lateo* || **2.** adj., caché, secret, mystérieux.

latenter, *(latens)*, en cachette, en secret, secrètement.

lateo, *ere, ui*, **1.** intr. être caché, se cacher || être caché, être en sûreté || mener une vie tranquille || **2.** être inconnu de [avec acc.] || **3.** [avec dat.] être caché pour || **4.** [abs.] être caché, obscur, inconnu.

later, *eris*, m., brique.

laterarius, *a, um (later)*, de briques, à briques.

laterculus (latericulus), *i*, m. *(later)*, **1.** petite brique || **2.** [fig.] sorte de pâtisserie.

latere, abl. de *later* et de *latus 3.*

latere, inf. de *lateo.*

latericius, ou **-tius,** *a, um (later),* de brique, en brique || **latericium,** n. briquetage, maçonnerie de brique.

laterna ou **lanterna,** *æ,* f., lanterne.

latex, *icis,* m., [en gén.] liqueur, liquide.

1. Latialis, *e,* du Latium, latin.

2. Latialis Juppiter, m., Jupiter Latial [fêté chaque année par tous les peuples du Latium].

latibulum, *i,* n. *(lateo),* cachette, retraite, repaire || asile.

laticlavius, *a, um,* **1.** garni d'une bande de pourpre || **2.** qui porte le laticlave || subst. m., patricien qui porte le laticlave.

Latinæ, *arum,* f. (s.-ent. *feriæ*), féries latines.

Latine *(Latinus),* **1.** en latin || *Latine scire; nescire,* savoir, ne pas savoir le latin || **2.** en bon latin, purement, correctement.

latinitas, *atis,* f., latinité, langue latine correcte || droit latial ou latin.

1. Latinus, *a, um (Latium),* **1.** relatif au Latium, latin: *Latina lingua,* la langue latine || n. subst.: *in Latinum convertere,* traduire en latin; pl. *Latina,* les œuvres en latin || **2. Latini,** *orum,* m., les Latins || v. *Latinæ.*

2. Latinus, *i,* m., roi du Latium, dont Énée épousa la fille Lavinie.

latio, *onis,* f. *(latum* de *fero),* action de porter [une loi, du secours].

latito, *are, avi, atum (lateo),* intr., **1.** être caché, demeurer caché || **2.** se cacher pour ne pas comparaître en justice.

latitudo, *inis,* f. *(latus 2),* **1.** largeur || **2.** ampleur, étendue.

Latium, *ii,* n., le Latium [contrée d'Italie] || *jus Latii* et simpl. *Latium,* le droit latin ou latial.

Latius, *a, um,* du Latium, latin, c. *Latinus* || = Romain.

Latoius (Let-), *a, um,* de Latone || **Latoius,** m. = Apollon.

latomiæ et **lautumiæ,** *arum,* f., latomies ou lautumies [carrière servant de prison].

Latona, *æ,* f., Latone [mère d'Apollon et de Diane, persécutée par Junon qui envoya contre elle le serpent Python].

Latonia, *æ,* f., fille de Latone [Diane].

Latonigena, *æ,* m., f., enfant de Latone [Apollon, Diane].

Latonius, *a, um,* de Latone.

lator, *oris,* m. *(latum* de *fero),* celui qui propose une loi.

Latous, *a, um,* c. *Latoius* || subst. m. Apollon.

latrans, *tis,* part. prés. de *latrare* pris subst. [poét.] chien.

latrator, *oris,* m. *(latro),* celui qui aboie || aboyeur, brailleur.

1. latratus, *a, um,* part. de *latro.*

2. latratus, *us,* m., aboiement.

latrina, *æ,* f. *(lavatrina, lavo),* **1.** bain || **2.** latrines, lieux d'aisances.

1. latro, *are, avi, atum,* **1.** intr., aboyer, brailler, crier || gronder, retentir || **2.** tr. aboyer après qqn, qqch. *(aliquem, aliquid).*

2. latro, *onis,* m., **1.** garde du corps, soldat mercenaire || **2.** voleur, bandit, brigand || **3.** pièce du jeu d'échecs.

latrocinatio, *onis,* f. *(latrocinor),* brigandage.

latrocinatus, *a, um,* part. de *latrocinor.*

latrocinium, *ii,* n. *(latrocinor),* **1.** vol à main armée, attaque faite par des brigands, brigandage || **2.** pl., *latrocinia,* actes de piraterie || **3.** bande de brigands || **4.** jeu des latroncules.

latrocinor, *ari, atus sum (latro 2),* intr. voler à main armée, exercer des brigandages || exercer la piraterie.

latruncularia tabula, f., table du jeu des latroncules.

latrunculus, *i,* m., dimin. de *latro,* **1.** [ordin.] brigand, voleur || **2.** pion, pièce du jeu des latroncules [sorte d'échecs].

1. latus, *a, um,* part. de *fero.*

2. latus, *a, um,* **1.** large || [poét.] en tenant un large espace = en personnage important || **2.** [fig.] étendu, qui s'étend au loin || [style] large, abondant, riche.

3. latus, *eris,* n., **1.** [en parl. d'êtres vivants]: ***a)*** côté, flanc || *alicui latus tegere, claudere, cingere,* couvrir le côté de qqn, marcher à sa gauche || flancs [d'un cheval]; ***b)*** [surtout au pl.] *latera,* poumons; ***c)*** *ab latere tyranni,* de l'entourage du tyran || **2.** [en parl. de lieu] côté: *latus unum castrorum,* un des côtés du camp || flanc [d'une armée]: *a lateribus, ab utroque latere,* sur les deux flancs, des deux côtés; *equites ad latera disponere,* disposer la cavalerie sur les ailes || côté [d'un angle, d'un triangle, etc.].

laudabilis, *e (laudo),* louable, digne d'éloges || estimé, renommé.

laudabiliter *(laudabilis)*, d'une manière louable, honorablement, avec honneur.

laudandus, *a, um*, c. *laudabilis* || subst. n. pl. *laudanda*, belles actions.

laudatio, *onis*, f. *(laudo)*, discours à la louange, éloge [prononcé], panégyrique : *laudationes mortuorum*, et abs. *laudatio*, éloge (oraison) funèbre.

laudativus, *a, um*, qui concerne l'éloge.

laudator, *oris*, m. *(laudo)*, celui qui loue, panégyriste, apologiste.

laudatrix, *icis*, f. *(laudator)*, celle qui loue.

laudatus, *a, um*, **1.** part. de *laudo* || **2.** adj. loué, estimé, considéré, renommé.

laudo, *are, avi, atum (laus)*, tr., **1.** louer, approuver, prôner, vanter ; [avec *quod*] louer qqn de ce que, de || **2.** [rhét.] vanter, faire valoir || **3.** prononcer un éloge funèbre.

laurea, *æ*, f. *(laureus)*, **1.** laurier || couronne de laurier || **2.** [fig.] gloire civique ; [surtout] gloire militaire, lauriers du triomphe.

laureatus, *a, um (laurea)*, orné de laurier.

laureola, *æ*, f. *(laurea)*, feuille de laurier ; couronne de laurier || [fig.] petit triomphe, faible succès.

laureus, *a, um (laurus)*, de laurier.

laurifer, *era, erum (laurus, fero)*, qui produit des lauriers || couronné de laurier.

lauriger, *era, erum (laurus, gero)*, qui porte du laurier || orné (couronné) de laurier.

laurus, *i*, f., laurier || couronne de laurier, palme, victoire, triomphe.

laus, *laudis*, f., louange, éloge ; estime, gloire, honneur ; ce qui fait qu'on loue, mérite : *summam laudem tribuere*, accorder les plus grands éloges ; *aliquem laudibus ferre*, louer qqn ; *cum laude*, honorablement.

Lausus, *i*, m., fils de Mézence, tué par Énée.

laute *(lautus)*, soigneusement, élégamment, somptueusement || excellemment, à merveille.

lautia, *orum* n. *(lautus)*, objets d'entretien que le sénat allouait avec le logement aux ambassadeurs envoyés à Rome.

lautitia, *æ*, f. et **lautitiæ,** *arum*, pl. *(lautus)*, luxe [surtout de la table], magnificence, somptuosité, faste.

lautumiæ, *arum*, f., v. *latomiæ*.

lautus, *a, um*, part. de *lavo*, pris adj., **1.** brillant, somptueux, riche : *lauta supellex*, mobilier somptueux || **2.** distingué, brillant : *homines lauti*, personnes pleines de distinction.

lavacrum, *i*, n. *(lavo)*, bain || salle de bain.

lavatio, *onis*, f. *(lavo)*, **1.** action de laver, lavage, nettoyage || **2.** bain || **3.** bain [édifice].

lavatus, *a, um*, part. de *lavo*.

lavi, pf. de *lavo, lavere*.

Lavinia, *æ*, f., Lavinie [promise à Turnus et donnée pour épouse à Énée].

Lavinium, *ii*, et **Lavinum,** *i*, n. ville fondée par Énée dans le Latium || **Lavinius** et **Lavinus,** *a, um*, de Lavinium.

lavo, *are, lavatum*, **1.** tr. ***a)*** laver, nettoyer || *lavari*, se baigner ; ***b)*** baigner, arroser [en parl. de rivières] || **2.** intr. se baigner.

lavo, *lavere, lavi, lautum (*part. *lautus, lotus)*, tr., **1.** laver, nettoyer || **2.** baigner [seul. au part.] : *lotus*, s'étant baigné, après son bain || **3.** baigner, humecter, arroser.

laxamentum, *i*, n. *(laxo)*, **1.** développement, extension || **2.** relâche, repos, répit || relâchement, adoucissement.

laxatus, *a, um*, part. de *laxo* || adj., relâché, lâche [non serré, non strict].

laxe *(laxus)*, **1.** spacieusement, avec de l'étendue en tous sens, largement, amplement || **2.** avec de la latitude || [fig.] largement, librement, sans contrainte.

laxitas, *atis*, f. *(laxus)*, **1.** étendue en tous sens, large espace, état spacieux || **2.** [fig.] aisance.

laxo, *are, avi, atum (laxus)*, tr., qqf intr., **1.** étendre, élargir || amincir, atténuer || prolonger le temps || **2.** détendre, relâcher || lâcher, laisser libre || intr., céder, lâcher || **3.** [fig.] ***a)*** relâcher, donner du repos || pass. *laxatus* avec abl., délivré : *curis*, délivré des soucis ; ***b)*** diminuer : *annonam*, abaisser le prix du blé || intr., baisser || [pass.] *pugna laxata*, relâche du combat.

laxus, *a, um*, **1.** large, spacieux, vaste, étendu || **2.** détendu, desserré, lâche, flottant.

lea, *æ*, f. ou **leæna,** *æ*, f. *(leo)*, lionne.

lebes, *etis*, m., bassin recevant l'eau lustrale qu'on versait sur les mains, cuvette.

lectica, *æ*, f. *(lectus 2)*, litière, chaise à porteurs.

lecticarius, *ii* m. *(lectica)*, porteur de litière.

lecticula, *æ*, f. *(lectica)*, petite litière || civière || lit de repos.

lectio, *onis*, f. *(lego 2)*, **1.** action de ramasser, de recueillir, cueillette || **2.** lecture || **3.** choix || [en part.] *lectio senatus* (choix) recrutement du sénat, confection de la liste des sénateurs.

lectisternium, *ii*, n *(lectus, sterno)*, lectisternium [repas qu'on offrait aux dieux dans certaines solennités].

lectito, *are, avi, atum (lego 2)*, **1.** ramasser, cueillir à diverses reprises || **2.** lire souvent.

lectiuncula, *æ*, f. *(lectio)*, petite lecture.

lector, *oris*, m. *(lego 2)*, lecteur, qui lit pour soi || qui lit à haute voix pour le compte de qqn.

lectulus, *i*, m. *(lectus)*, petit lit, lit [en gén.] || lit de repos, d'étude || lit de table || lit funèbre.

1. lectus, *a, um*, part. de *lego 2* || adj., choisi, de choix, d'élite: *lectissimi viri*, hommes d'élite.

2. lectus, *i*, m., lit || lit de table || lit de repos || lit funèbre.

Leda, *æ*, f., et **Lede,** *es*, f., femme de Tyndare, mère de Castor et Pollux, d'Hélène, de Clytemnestre || **Ledæus,** *a, um*, de Léda.

legalis, *e (lex)*, relatif aux lois.

legata, *æ*, f. *(legatus)*, ambassadrice.

legatarius, *a, um (legatus)*, imposé à un légataire, stipulé par un testateur || subst. m., légataire, celui à qui on fait un legs.

legatio, *onis*, f. *(lego 1)*, **1.** députation, ambassade, légation || **2.** les personnes composant l'ambassade || **3.** fonction de légat, de lieutenant.

legator, *oris*, m. *(lego 1)*, celui qui lègue, testateur.

legatorius, *a, um (legatus)*, de légat, de lieutenant.

legatum, *i*, n. *(lego 1)*, legs, don par testament.

1. legatus, *a, um*, part. de *lego 1*.

2. legatus, *i*, m., **1.** député, ambassadeur || **2.** délégué, commissaire || [en part.] légat, lieutenant; assesseur d'un général || assesseur d'un gouverneur de province || [sous les empereurs] gouverneur de province || commandant de légion.

legens, *tis*, part. de *lego 2* || subst. m., lecteur.

legi, pf. de *lego 2*.

legifer, *era, erum (lex, fero)*, qui établit des lois.

legio, *onis*, f. *(lego 2)*, **1.** légion, corps de troupe [comptant à partir de Marius environ 6 000 h., répartis en 10 cohortes, chaque cohorte comprenant 3 manipules et 6 centuries; les légions étaient désignées soit par un numéro d'ordre, soit par le nom ou de celui qui l'avait levée ou d'une divinité, soit par un surnom] || **2.** [poét.] armée.

legionarius, *a, um*, d'une légion, de légion, légionnaire.

legitima, *orum*, n. *(legitimus)*, formalités légales.

legitime, *(legitimus)*, conformément aux lois, légalement, légitimement || convenablement, comme il faut.

legitimus, *a, um (lex)*, **1.** fixé, établi par la loi, légal, légitime || **2.** qui est dans la règle, conforme aux règles, régulier.

legiuncula, *æ*, f. *(legio)*, petite légion, légion incomplète.

1. lego, *are, avi, atum (lex)*, tr., **1.** envoyer avec une mission, députer || **2.** nommer (donner) comme lieutenant, comme légat || **3.** laisser par testament, léguer.

2. lego, *ere, legi, lectum*, tr.,

I. 1. ramasser, recueillir || **2.** enrouler, pelotonner: *fila*, filer || **3.** ramasser en dérobant, enlever, voler: *sacra, sacrum*, enlever des objets sacrés, d'où *sacrilegus* || **4.** parcourir [un lieu]: *pontum, æquora*, traverser la mer || longer, côtoyer || **5.** choisir: *senatum*, dresser la liste des sénateurs.

II. lire: *libros, poetas, Græcos*, lire des livres, les poètes, les Grecs || [avec prop. inf.] lire que || *legentes, ium*, m., les lecteurs || lire à haute voix, *alicui*, à qqn.

leguleius, *i*, m. *(lex)*, procédurier.

legumen, *inis*, n., légume [surtout légume à cosse, à gousse], légumineuse.

lembus, *i*, m., petite embarcation, barque, esquif, canot, nacelle.

lemma, *atis*, n. sujet, matière d'un écrit || titre d'un chapitre, d'un poème.

Lemnicola, *æ*, m. *(Lemnos, colo)*, habitant de Lemnos [Vulcain].

lemniscatus, *a, um (lemniscus)*, orné de lemnisques.

lemniscus, *i*, m. lemnisque [ruban attaché aux couronnes, aux palmes des vainqueurs et des suppliants, ou ornant la tête des convives dans un festin].

Lemnius, *a, um*, de Lemnos || **Lemnius,** m., habitant de Lemnos = Vulcain || **Lemnii,** m. pl., habitants de Lemnos.

Lemnos (-us), *i*, f. Lemnos [île de la mer Egée où Vulcain fut élevé].

Lemovices, *um*, m., peuple de l'Aquitaine [les Limousins].

lemures, *um*, m., lémures, âmes des morts, spectres (revenants).

Lemuria, *ium* et *iorum*, n., Lémuries, fêtes en l'honneur des lémures.

Lenæus, *i*, m., un des noms de Bacchus || **-us,** *a, um*, de Bacchus.

lenimen, *inis*, n. *(lenio)*, adoucissement, consolation.

lenimentum, *i*, n. *(lenio)*, adoucissement, lénitif || [fig.] soulagement.

lenio, *ire, ivi* ou *ii, itum (lenis)*, tr., rendre doux, adoucir, alléger, calmer || [fig.] calmer, pacifier.

lenis, *e*, **1.** doux || **2.** modéré, calme || **3.** [avec inf.] qui se laisse facilement aller à.

lenitas, *atis*, f. *(lenis)*, douceur.

leniter *(lenis)*, doucement: *acclivis*, en pente douce || avec placidité, nonchalance || avec calme, modération.

lenitudo, *inis*, f. *(lenis)*, douceur, bonté.

lenitus, *a, um*, part. de *lenio*.

leno, *onis*, m., marchand d'esclaves [femmes] || entremetteur.

lenocinium, *ii*, n. *(leno)*, [fig.] charme || artifice de la toilette, parure recherchée.

lenocinor, *ari, atus, sum (leno)*, intr., chercher à séduire, faire sa cour à, cajoler [avec dat.] || se mettre au service de qqch., aider, favoriser [dat.].

lens, *tis*, f., lentille [plante].

lentatus, *a, um*, part. de *lento*.

lente *(lentus)*, lentement, sans hâte || [fig.] avec calme, sans passion, avec indifférence || avec circonspection.

lentesco, *ere (lentus)*, intr., devenir collant, visqueux, devenir souple || [fig.] s'adoucir, se ralentir.

lentigo, *inis*, f. *(lens)*, lentilles, taches de rousseur.

lentiscum, *i*, n., et **lentiscus,** *i*, f., lentisque [arbre] || bois de lentisque || huile de lentisque.

lentitudo, *inis*, f. *(lentus)*, mollesse, nature flexible || [fig.] lenteur || apathie, indifférence.

lento, *are, avi, atum (lentus)*, tr., rendre flexible, [d'où] ployer, courber || faire plier.

1. lentulus, *a, um*, dimin. de *lentus*.

2. Lentulus, *i*, m., nom d'une branche de la *gens Cornelia*; not. P. Cornélius Lentulus Sura, complice de Catilina; Lentulus Spinther, consul qui contribua au rappel de Cicéron.

lentus, *a, um*, **1.** tenace, visqueux, glutineux || **2.** souple, flexible || **3.** tenace, qui dure longtemps, persistant || **4.** lent, paresseux. || **5.** [fig.] lent: *lentum negotium*, affaire qui traîne || **6.** calme, flegmatique, insensible, indifférent.

lenunculus, *i*, m., petit bateau, barque.

leo, *onis*, m., lion || [constellation].

Leonidas, *æ*, m., roi de Sparte, qui périt aux Thermopyles.

leoninus, *a, um (leo)*, de lion.

lepide *(lepidus)*, avec charme, avec grâce, agréablement, joliment || très bien, parfaitement || spirituellement, finement.

1. lepidus, *a, um (lepos)*, plaisant, agréable, charmant, élégant || gracieux, efféminé || spirituel, fin.

2. Lepidus, *i*, m., Lépidus ou Lépide [branche de la *gens Æmilia*]; entre autres le collègue d'Octave et d'Antoine dans le triumvirat.

leporarius, *a, um (lepus)*, relatif aux lièvres.

leporinus, *a, um (lepus)*, de lièvre.

lepos, *oris*, m. **1.** grâce, charme, agrément || **2.** esprit, humour, enjouement.

lepus, *oris*, m., lièvre.

lepusculus, *i*, m. *(lepus)*, petit lièvre, levraut.

Lerna, *æ*, f., **Lerne,** *es*, f., Lerne [marais de l'Argolide où Hercule tua l'Hydre] || **-næus,** *a, um*, de Lerne.

Lesbius, *a, um*, lesbien: *Lesbius civis*, citoyen de Lesbos, Alcée.

Lesbos, *i*, f., île de la mer Égée.

letalis, *e (letum)*, mortel, qui cause la mort, meurtrier.

letatus, *a, um*, part. de *leto*.

Lethæus, *a, um*, du Léthé || des Enfers || qui donne l'oubli, le sommeil.

lethalis, v. *letalis*.

lethargicus, *a, um*, léthargique || **-cus,** *i*, m., personne en léthargie.

lethargus, *i*, m., léthargie.

Lethe, *es*, f., le Léthé [fleuve des Enfers dont l'eau faisait oublier le passé].

letifer, *era, erum (letum, fero)*, qui donne la mort, meurtrier.

leto, *are, avi, atum (letum)*, tr., tuer.

letum, *i*, n. la mort || ruine, destruction.

Leucadia, *æ*, f., Leucade [île de l'Acarnanie avec un temple d'Apollon].

Leucadius, *a, um*, de Leucade || subst. m., surnom d'Apollon, qui avait un temple à Leucade || subst. m. pl., habitants de Leucade.

Leucas, *adis*, f. c. *Leucadia* || promontoire de l'île de Leucade || ville de Leucade.

leucaspis, *idis*, f., qui porte un bouclier blanc.

Leucatas, *æ*, m., promontoire de Leucate, au S. de l'île de Leucade.

Leuconoe, *es*, f., une des filles de Minée.

Leuctra, *orum*, n., Leuctres [bourg de Béotie célèbre par la victoire d'Epaminondas sur les Spartiates] || **-icus,** *a, um*, de Leuctres.

levamen, *inis*, n. *(levo 2)*, soulagement.

levamentum, *i*, n. *(levo 2)*, soulagement, allégement, consolation, réconfort.

levatio, *-onis*, f. *(levo 2)*, soulagement, allégement, adoucissement || atténuation.

1. levatus, *a, um*, part. de *levo 2*.

2. levatus, part. de *levo 1* || adj., poli, lisse.

levi, pf. de *lino*.

leviculus, *a, um (levi 2)*, de peu d'importance, futile || un peu vain.

levidensis, *e (levis 2, densus)*, mince [en parl. d'un tissu], léger.

levigatus, *a, um*, part. de *levigo*.

levigo (læv-), *are, avi, atum (levis)*, **1.** rendre lisse, rendre uni, polir || **2.** réduire en poudre, pulvériser.

1. levis (lævis), *e*, lisse, uni.

2. levis, *e*.

I. [pr.], **1.** léger, peu pesant: *levis armatura pedites*, fantassins, armés à la légère; *levis armatura*, troupes légères || **2.** léger à la course, rapide, agile || **3.** [nuances diverses]: *terra levis*, terre légère, qui n'est pas grasse || *levis cibus*, aliment léger, facile à digérer.

II. [fig.] **1.** léger, de peu d'importance: *leve prœlium*, escarmouche; *leviore de causa*, pour une cause moins importante; *levia quædam*, des bagatelles || **2.** léger, doux || **3.** inconsistant, peu sérieux.

1. levitas (læv-), *atis*, f., le poli.

2. levitas, *atis*, f. *(levis)*, **1.** légèreté || **2.** inconstance, frivolité.

leviter *(levis)*, **1.** légèrement: *levius* || **2.** légèrement, faiblement, peu, à peine || facilement, sans difficulté.

1. levo (lævo), *are, avi, atum*, tr., lisser, uni, polir, aplanir.

2. levo, *are, avi, atum (levis)*, tr., **1.** alléger, soulager, diminuer || **2.** alléger qqn de qqch. [avec abl.] || débarrasser de, délivrer de || **3.** soulager, ranimer, réconforter || **4.** affaiblir, détruire || **5.** soulever, élever en l'air.

lex, *legis*, f. *(lego)*, **1.** motion faite par un magistrat devant le peuple, proposition de loi, projet de loi: *legem ferre, rogare*, présenter un projet de loi au peuple; *promulgare*, l'afficher, le publier [avant qu'il ne soit soumis au vote]; *sciscere, jubere*, le sanctionner, l'agréer [en parl. du peuple]; *antiquare, repudiare*, le repousser, le rejeter; *suadere, dissuadere*, parler pour, contre; le soutenir, le combattre [devant l'assemblée du peuple] || **2.** projet sanctionné par le peuple *(populus)*, ordonnance émanant du peuple, loi, différente du *plebiscitum: per legem non licet...*, la loi ne permet pas... || [fig.] loi, règle, précepte || **3.** clause, condition.

libamen, *inis*, n. *(libo)*, libation, offrande aux dieux.

libamentum, *i*, n. *(libo)*, **1.** libation, offrande aux dieux dans les sacrifices || **2.** [fig.] prélèvement, extrait.

libatio, *onis*, f. *(libo)*, libation.

libatus, *a, um*, part. de *libo*.

libella, *æ*, f. *(libra)*, **1.** ***a)*** as [petite pièce de monnaie d'argent]; ***b)*** = petite somme d'argent || **2.** niveau, niveau d'eau.

libellus, *i*, m., dimin. de *liber*, petit livre, opuscule || **1.** petit traité || **2.** recueil de notes, agenda, cahier, journal || **3.** pétition || supplique, placet || **4.** programme **5.** affiche, placard: *libellos proponere*, exposer des affiches || **6.** lettre || **7.** libelle.

libens (lubens), *tis*, part.-adj. de *libet*, qui agit volontiers, de bon gré, de bon cœur, avec plaisir, étant content; *libente te*, avec ton agrément.

libenter (lub-) *(libens)*, volontiers, de bon gré, de bon cœur, avec plaisir.

libentia (lub-), *æ*, f. *(libens)*, joie, plaisir.

1. liber, *era, erum*, **1.** [socialement] libre, de condition libre: *qui est matre libera, liber est*, celui qui est né d'une mère libre, est libre || m. pris subst. *liber*, homme libre || **2.** [en gén.] affranchi de charges || libre, non occupé, vacant: *liberæ ædes*, maison inhabitée

|| **3.** [fig.] ***a)*** libre de, affranchi de, exempt; ***b)*** libre, sans entraves, indépendant.

2. Liber, *eri*, m., vieille divinité latine, confondue plus tard avec Bacchus || [fig.] le vin.

3 liber, *bri*, m.

I. liber [partie vivante de l'écorce] || sur quoi l'on écrivait autrefois.

II. écrit composé de plusieurs feuilles, livre, **1.** livre, ouvrage, traité: *librum de aliqua re scribere*, écrire un livre sur qqch.; *libros pervolutare, evolvere, volvere, legere*, lire des ouvrages; *librum edere*, publier un livre || **2.** [en parl., au pl.] ***a)*** division d'un ouvrage, livre; ***b)*** les livres Sibyllins: *ad libros ire, libros adire*, consulter les livres Sibyllins; ***c)*** recueil: *litterarum*, recueil de lettres || **3.** toute espèce d'écrit.

Libera, *æ*, f., nom de Proserpine.

Liberalia, *ium*, n. *(Liber 2)*, fêtes de Bacchus.

liberalis, *e (liber 1)*, **1.** relatif à une personne de condition libre || **2.** [fig.] qui sied à une personne de condition libre; ***a)*** [en parl. du physique] noble, gracieux, bienséant; ***b)*** [en parl. du moral] noble, honorable, généreux, libéral, bienfaisant: *in aliquem*, envers qqn; ***c)*** [en parl. de choses]: *liberales artes, doctrinæ*, arts libéraux, belles-lettres.

liberalitas, *atis*, f. *(liberalis)*, **1.** bonté, douceur, indulgence || affabilité || **2.** libéralité, générosité || **3.** libéralités, don, présent.

liberaliter, *(liberalis)*, à la manière d'un homme libre: ***a)*** courtoisement, amicalement: *respondere*, faire une réponse bienveillante; ***b)*** noblement, dignement: *liberaliter vivere*, avoir une belle existence; ***c)*** généreusement, libéralement, largement, avec munificence: *liberalius, liberalissime*.

liberatio, *onis*, f. *(libero)*, **1.** délivrance, libération de qqch. || **2.** acquittement en justice || **3.** affranchissement, libération d'un État.

liberator, *oris*, m. *(libero)*, celui qui délivre, libérateur || *Liberator*, épithète de Jupiter.

liberatus, *a, um*, part. de *libero*.

libere, *(liber 1)*, **1.** librement, sans empêchement, franchement, sans crainte, ouvertement || **2.** spontanément.

liberi, *rorum* et *rum*, m., enfants [par rapport aux parents et non à l'âge].

libero, *are, avi, atum (liber 1)*, tr., rendre libre, **1.** donner la liberté, affranchir [un esclave] || délivrer de la royauté || **2.** [en gén.] délivrer, dégager: *aliquem aliqua re* ou *ab aliqua re* ou *ex aliqua re*, délivrer qqn de qqch. || **3.** exempter d'impôts || libérer qqn [d'une dette] || délivrer d'une obligation: *fidem*, remplir ses engagements || **4.** délier, lever || **5.** dégager, absoudre || se dégager, s'acquitter d'un vœu [avec gén.].

liberta, *æ*, f. *(libertus)*, affranchie [par rapport au maître].

1. libertas, *atis*, f. *(liber 1)*, **1.** liberté [civile]: *servo libertatem dare*, donner la liberté à un esclave || **2.** liberté [politique], indépendance || *libertatem defendere*, défendre l'indépendance; *in libertate permanere*, garder l'indépendance || **3.** [en gén.] liberté, libre pouvoir: *vivendi libertas, vitæ*, liberté de la vie, existence indépendante || indépendance de qqn || hardiesse, franc parler.

2. Libertas, *atis*, f., déesse de la Liberté.

libertina, *æ*, f. *(libertinus)*, affranchie.

1. libertinus, *a, um (libertus)*, d'affranchi: *libertinus homo*, un affranchi.

2. libertinus, *i*, m., affranchi, esclave qui a reçu la liberté.

libertus, *i*, m. *(= liberatus)*, esclave qui a reçu la liberté.

libet (lub-), *ere, buit* et *bitum est*, **1.** imp., il plaît, il fait plaisir: *adde, si libet*, ajoute, s'il te plaît || *mihi, tibi, alicui libitum est* avec inf., j'ai, tu as, qqn a trouvé bon de || **2.** intr. [avec pron. sing. n. sujet]: *id quod mihi maxime libet*, ce qui me plaît le plus.

libidinose (lub-), *(libidinosus)*, suivant son bon plaisir, arbitrairement, tyranniquement.

libidinosus (lub-), *a, um (libido)*, qui suit son caprice, sa fantaisie, ses désirs; capricieux, arbitraire, tyrannique, débauché.

libido (lub-), *inis*, f. *(libet)*, **1.** envie, désir || **2.** [en part.] désir déréglé, envie effrénée, fantaisie, caprice: *ad libidinem*, arbitrairement, suivant le bon plaisir || *libidines*, les passions, les excès de tout genre.

Libitina, *æ*, f., **1.** déesse des morts || **2.** appareil des funérailles || cercueil || la Mort.

libitinarius, *ii*, m. *(libitina)*, entrepreneur de pompes funèbres.

libitus, *a, um*, de *libet*, subst. n. pl. *libita*, volontés, caprices, fantaisies.

libo, *are, avi, atum*, tr., **1.** enlever une parcelle d'un objet, détacher de, entamer || **2.** goûter à qqch., manger ou boire un peu de || **3.** effleurer || **4.** verser, répandre en l'honneur d'un dieu || *libato*, la libation faite || **5.** offrir en libation aux dieux, consacrer.

libra, *æ*, f., **1.** livre romaine [≃ 327 g] || **2.** mesure pour les liquides || **3.** balance || niveau: *ad libram*, de niveau || la Balance [astronomie].

libralis, *e (libra)*, d'une livre, pesant une livre.

libramentum, *i*, n. *(libro)*, **1.** contrepoids des machines de guerre, poids || **2.** action de balancer, de mettre de niveau, en équilibre, égalité de niveau, surface plane || [fig.] égalité.

libraria, *æ*, f. *(liber 3)*, boutique de libraire, librairie.

librariolus, *i*, m. *(librarius)*, copiste || écrivassier.

librarium, *ii*, n. *(liber 3)*, cassette à papiers, portefeuille.

1. librarius, *a, um (libra)*, relatif au poids d'une livre.

2. librarius, *a, um (liber 3)*, relatif aux livres: *libraria taberna*, boutique de libraire.

3. librarius, *ii*, m., copiste, scribe, secrétaire || libraire.

libratio, *onis*, f. *(libro)*, action de mettre de niveau, nivellement || position horizontale.

librator, *oris*, m. *(libro)*, **1.** niveleur, celui qui prend le niveau || **2.** celui qui fait jouer les machines de guerre.

libratus, *a, um*, part. de *libro*.

librilis, *e (libra)*, d'une livre || *fundæ libriles*, frondes lançant des projectiles d'une livre.

libritor, *oris*, m., c. *librator*.

libro, *are, avi, atum (libra)*, tr., **1.** peser avec la balance, [d'où] peser [fig.] || **2.** mettre de niveau || mettre en équilibre, balancer || **3.** balancer, lancer en balançant: *glans librata*, le projectile balancé [par la fronde].

libum, *i*, n., sorte de gâteau [ordin. sacré].

liburna et **liburnica,** *æ*, f., liburne, navire léger.

Liburni, *orum*, m., Liburnes, habitants de la Liburnie.

Liburnia, *æ*, f., Liburnie [province entre l'Istrie et la Dalmatie].

liburnica, *æ*, f., v. *liburna*.

Libya, *æ*, f., et **Libye,** *es*, f., la Libye [partie septentrionale de l'Afrique].

Libycus, *a, um*, libyen, de Libye.

Libye, *es*, f., v. *Libya*.

Libyes, *um*, m., Libyens [habitants de la Libye], v. *Libys*.

Libys, *yos*, **1.** adj., libyen || **2.** m., Libyen.

Libyus, *a, um*, Libyen, de Libye: *Libya terra*, la terre libyenne, la Libye.

1. licens, *tis*, part.-adj. de *licet*: libre, hardi, déréglé, sans frein.

2. licens, *tis*, part. prés. de *liceor*.

licenter *(licens)*, capricieusement, trop librement, trop hardiment, sans frein.

licentia, *æ*, f. *(licet)*, **1.** liberté, permission, faculté, pouvoir [de faire ce que l'on veut]: *ludendi*, permission de jouer || **2.** liberté sans contrôle, sans frein, licence || [moralement] licence, débordement.

licentiosus, *a, um (licentia)*, libre, déréglé, licencieux, sans retenue.

liceo, *ere, cui, citum*, intr. être à vendre, être mis à prix, être évalué.

liceor, *eri, citus, sum (liceo)*, tr. offrir un prix, se porter acquéreur **1.** [absol.] *illo licente contra liceri audet nemo*, lui offrant un prix, personne n'ose en offrir un à l'encontre || **2.** [avec acc.]: *hortos liceri*, se porter acquéreur de jardins par voie d'enchères.

1. licet, *ere, cuit* et *citum est*, intr. et impers.

I. intr., être permis [avec pron. n. pour sujet]: *non idem licet mihi, quod iis qui...*, je n'ai pas les mêmes prérogatives que ceux qui...

II. impers., il est permis [avec inf.], [avec prop. inf. ou avec subj.] il est permis que.

2. licet, employé comme conj. avec subj., bien que, encore que.

Licinius, *ii*, m., nom d'une famille romaine où l'on distingue l'orateur C. Licinius Crassus et le triumvir M. Licinius Crassus || **-ius,** *a, um*, de Licinius.

licitatio, *onis*, f., vente à l'enchère, licitation.

licitator, *oris*, m., enchérisseur.

licitus, *a, um (licet)*, permis, licite, légitime.

licium, *ii*, n., **1.** lisse du métier à tisser || **2.** fil, cordon [en gén.].

lictor, *oris*, m., licteur; *lictores*, les licteurs [appariteurs attachés aux magistrats possédant l'*imperium*; ils portaient les faisceaux, *fasces*, avec une hache au milieu].

licui, pf. de *liceo*, de *liqueo* et de *liquesco*.

licuit, pf. de *licet*.

lien, *enis*, et **lienis,** *is*, m., la rate.

lienosus, *a, um (lien),* qui a mal à la rate.

ligamen, *inis,* n. *(ligo),* lien, ruban, cordon || bandage, bande.

ligamentum, *i,* n. *(ligo),* bandage, bande.

Ligarius, *ii,* m., Q. Ligarius [proconsul d'Afrique, que Cicéron défendit auprès de César] || **-ianus,** *a, um,* qui concerne Ligarius.

ligatus, *a, um,* part. de *ligo.*

Liger, *eris,* m., la Loire [fleuve de Gaule].

lignatio, *onis,* f. *(lignor),* action de faire du bois, approvisionnement de bois.

lignator, *oris,* m. *(lignor),* celui qui va faire du bois.

ligneolus, *a, um,* dimin. de *ligneus.*

ligneus, *a, um (lignum),* de bois, en bois || semblable au bois, ligneux.

lignor, *ari, atus, sum (lignum),* intr., faire du bois, aller à la provision de bois.

lignosus, *a, um (lignum),* ligneux, semblable à du bois.

lignum, *i,* n. bois || arbre.

1. ligo, *are, avi, atum,* tr., attacher, lier, assembler, bander || entourer, encercler || fixer, attacher || unir, joindre.

2. ligo, *onis,* m., hoyau, houe.

ligula et qqf. **lingula,** *æ,* f. *(lingula),* **1.** petite langue, parcelle de terre || **2.** cuiller || cuillerée.

Ligur, *uris,* et **Ligus,** *uris,* m., Ligurien || adj. m. f., de Ligurie.

Ligures, *um,* m., Liguriens, habitants de la Ligurie.

Liguria, *æ,* f., Ligurie [province maritime de la Cisalpine].

ligurio ou **ligurrio,** *ire, ivi* ou *ii (lingo),* tr., lécher || goûter à || convoiter.

liguritio (ligurr-), *onis,* f., gourmandise.

ligustrum, *i,* n., troène.

lilium, *ii,* n., lis || chevaux de frise.

Lilybæum, *i,* n., Lilybée [promontoire de Sicile] || ville près du promontoire de Lilybée || **-bætanus, -beius,** *a, um,* de Lilybée.

lima, *æ,* f., lime || [fig.] révision, retouche, correction.

limatus, *a, um,* part. de *limo* || adj., passé à la lime = poli, châtié || simple, sobre.

limax, *acis,* m., f., limace [mollusque] || limaçon, escargot.

limbus, *i,* m., bordure, lisière, frange.

limen, *inis,* n., seuil || porte, entrée || maison, habitation || [fig.] début, commencement [poét.] || [poét.] la barrière [dans un champ de courses].

limes, *itis,* m., **1.** sentier, passage entre deux champs || bordure, limite || rempart || **2.** [en gén.] sentier, chemin, route || sillon, trace.

limito, *are, avi, atum (limes),* tr., entourer de frontières, limiter || fixer, déterminer.

limo, *are, avi, atum (lima),* **1.** limer || aiguiser, frotter || **2.** [fig.] ***a)*** polir, achever, perfectionner, affiner; ***b)*** amoindrir, diminuer.

limosus, *a, um (limus 2),* bourbeux, vaseux, fangeux.

1. limus, *a, um,* oblique.

2. limus, *i,* m., limon, boue, fange || dépôt, sédiment.

3. limus, *i,* m., sorte de jupe [bordée dans le bas d'une bande de pourpre, à l'usage des victimaires].

linamentum, *i,* n. *(linum),* toile de lin || compresse, bande.

linctus, *a, um,* part. de *lingo.*

linea (linia), *æ,* f. *(linum),* **1.** fil de lin, cordon, ficelle || **2.** ligne de pêche || **3.** cordeau, alignement perpendiculaire || **4.** ligne, trait || **5.** [sens divers]: ***a)*** ligne [tracée à la craie, dans le cirque au bout de la carrière, c. *creta*] || [fig.] *transire lineas,* dépasser le but, la limite, la mort; ***b)*** ligne de séparation des places au cirque.

linealis, *e (linea),* de ligne, fait de lignes.

lineamentum (linia-), *i,* n. *(linea),* ligne, trait de plume, de craie || pl. linéaments, contours, traits.

linearis, *e (linea),* de ligne, linéaire.

lineatus, *a, um,* part. de *lineo.*

lineo (linio), *are, avi, atum (linea),* tr., aligner.

lineola, *æ,* f., petite ligne [tracée].

lineus, *a, um (linum),* de lin.

lingo, *ere,* lécher.

Lingones, *um,* m., Lingons [peuple de la Gaule Celtique, habitant le pays de Langres].

lingua, *æ,* f., **1.** la langue || **2.** langue, parole, langage || **3.** langue d'un peuple: *Latina, Græca,* la langue latine, la langue grecque; *utraque lingua,* les deux langues [grec et latin] || dialecte, idiome || **4.** façon de parler || **5.** langue de terre.

lingula, v. *ligula.*

liniamentum, v. *lineamentum.*

liniger, *era, erum (linum, gero),* vêtu de lin.

lino, *linere, livi* ou *levi, litum,* tr., enduire, frotter, oindre, *aliqua re,* de qqch. || couvrir, recouvrir [ce qui est écrit sur les tablettes], effacer || barbouiller, souiller, *aliqua re,* de qqch.

linquo, *linquere, liqui,* **1.** laisser qqn, qqch. [où cela est] || planter là qqn || laisser derrière soi [en s'en allant] || [fig.] laisser de côté qqch. (ne pas s'occuper de) || **2.** abandonner [sa ville, son pays] || *linquere lumen, animam, vitam,* abandonner l'existence.

linteolum, *i,* n. *(linteum),* petite étoffe de toile.

linter (lunter), *tris,* f. (qqf. m.), gén. pl. *lintrium,* barque, esquif, nacelle || vaisseau de bois, auge à fouler le raisin.

linteum, *i,* n., toile de lin || toile || voile || tissu, étoffe.

linteus, *a, um,* de lin.

linum, *i,* n., **1.** lin [plante et tissu] || **2.** fil || ligne pour la pêche || vêtement de lin || voile de navire || corde, câble || filet [pour la pêche ou la chasse].

lippio, *ire, ivi (lippus),* intr. avoir les yeux chassieux, enflammés.

lippitudo, *inis,* f. *(lippus),* inflammation des yeux, ophtalmie.

lippus, *a, um,* chassieux.

liquamen, *inis,* n. *(liquo),* liquide, suc.

liquatus, *a, um,* p. de *liquo.*

liquefacio, *facere, feci, factum (liqueo, facio),* tr., **1.** faire fondre, liquéfier || **2.** [fig.] amollir.

liquefactus, *a, um,* part. de *liquefacio.*

liquefio, *ieri, fis, factus sum,* passif de *liquefacio,* se fondre, se liquéfier.

liquens et **liquens,** *tis,* part. de *liqueo* et de *liquor.*

liqueo, *ere, cui,* intr. **1.** être liquide || **2.** être clair, pur, limpide || **liquet,** impers., il est clair, certain, évident, manifeste.

liquesco, *ere, licui (liqueo),* intr., **1.** devenir liquide, se liquéfier, fondre || **2.** [fig.] s'efféminer || fondre, disparaître, s'évanouir.

liqui, pf. de *linquo* et inf. de *liquor.*

liquido *(liquidus),* avec pureté, sérénité || clairement, nettement, avec certitude.

liquidus, *a, um (liqueo),* **1.** liquide, fluide, coulant || [fig.] (style) coulant || **2.** clair, limpide || [fig.] (style) limpide || **3.** calme, serein [en parl. d'un homme, de l'esprit] || **4.** clair, certain : *liquidum,* n. pris subst., clarté, certitude.

liquo, *are, avi, atum,* tr., **1.** rendre liquide, liquéfier || **2.** filtrer, clarifier.

1. liquor, *eris, i,* dép., être liquide, couler, fondre, se dissoudre || [fig.] fondre, s'évanouir.

2. liquor, *oris,* m. *(liqueo),* fluidité, liquidité || fluide, liquide.

lira, *æ,* f., billon, ados, sillon.

liro, *are, avi, atum (lira),* tr., labourer en billons.

lis, *litis,* f., **1.** différend, querelle, dispute || **2.** contestation en justice, procès || **3.** objet du débat, chose réclamée || amende ou peine réclamée contre l'accusé.

Litana, *æ,* f., forêt de la Gaule Cisalpine.

litatio, *onis,* f. *(lito),* sacrifice heureux.

litatus, *a, um,* part. de *lito,* qui a été offert avec de bons présages, agréé des dieux ; *litato* [abl. abs. n.], après avoir obtenu d'heureux présages.

liticen, *inis,* m. *(lituus, cano),* celui qui sonne le *lituus.*

litigator, *oris,* m. *(litigo),* celui qui est engagé dans une dispute || plaideur.

litigiosus, *a, um,* **1.** qui aime les procès, processif, querelleur || **2.** litigieux || où l'on plaide.

litigo, *are, avi, atum (lis, ago),* intr. disputer, quereller || être en litige, plaider.

lito, *are, avi, atum,* intr. et tr.

I. intr. **1.** sacrifier avec de bons présages, obtenir de bons présages pour une entreprise : *litatur alicui deo,* on fait à un dieu un sacrifice avec des présages heureux ; v. *litatus* || **2.** [fig.] donner satisfaction à || **3.** donner de bons présages, annoncer le succès.

II. tr., **1.** *sacra litare,* sacrifier de façon heureuse, avec d'heureux présages || [avec dat. de la divinité à qui on offre le sacrifice] || **2.** apaiser par un sacrifice.

litoralis, *e (litus),* du rivage, du littoral.

litoreus, *a, um (litus),* du littoral.

littera, *æ,* f., caractère d'écriture, lettre ; *salutaris, tristis littera,* la lettre salutaire *(A. absolvo),* fâcheuse *(C. condemno)* || manière de former les lettres, écriture de qqn.

litteræ, *arum,* f.,

I. pl. de *littera,* v. ci-dessus.

II. toute espèce d'écrit, **1.** lettre, missive, épître : *dare alicui litteras ad aliquem,* confier à qqn une lettre pour un destinataire ; *reddere,* remettre la lettre au destinataire ; *remittere,* envoyer une lettre en réponse ||

2. *publicæ*, écritures publiques, actes officiels; [en part.] registre, procès-verbal || **3.** ouvrage, écrit || documents écrits || littérature, lettres, production littéraire d'un pays || **4.** lettres, connaissances littéraires et scientifiques, culture: *litteras nescire*, être sans lettres.

litterarius, *a, um (littera)*, relatif à la lecture et à l'écriture.

litterate *(litteratus)*, **1.** en caractères nets, lisibles || **2.** à la lettre, littéralement || **3.** en homme instruit, savant.

litteratura, *æ*, f. *(litteræ)*, **1.** écriture || alphabet || **2.** grammaire, philologie.

litteratus, *a, um (litteræ)*, **1.** marqué de lettres, portant des caractères || **2.** instruit, qui a des lettres || relatif aux lettres, savant || subst. m. *litteratus*, critique.

litterula, *æ*, f. (dimin. de *littera*), **1.** petite lettre || **2.** pl. **litterulæ,** courte lettre || modestes études littéraires.

littor-, v. *litor-*.

littus-, v. *litus-*.

litura, *æ*, f. *(lino)*, **1.** enduit || **2.** rature, action de rayer || rature, ce qui est rayé.

1. litus (et non **littus),** *oris*, n., rivage, côte, littoral || site sur la plage || lieu de débarquement || [rive d'un fleuve].

2. litus, *a, um*, part. de *lino*.

lituus, *i*, m., gén. pl. *lituum*, **1.** bâton augural || **2.** trompette, clairon || [fig.] qui donne le signal, promoteur.

livens, *tis*, part. prés. de *liveo*.

liveo, *ere*, intr., être d'une couleur bleuâtre, livide || [fig.] être envieux; [avec le dat.] envier.

livesco, *ere (liveo)*, intr., devenir bleuâtre, livide || [fig.] devenir jaloux, envieux.

livi, pf. de *lino*.

Livia, *æ*, f., Livie [nom de femme; entre autres, Livie Drusille, épouse d'Auguste; Livie ou Liville, épouse de Drusus, fils de Tibère] || **-anus,** *a, um*, de Livie.

Livianus, *a, um*, v. *Livius* et *Livia*.

lividus, *a, um (liveo)*, bleuâtre, noirâtre || qui provient d'un coup, bleu, livide || [fig.] envieux, jaloux.

Livius, *ii*, m., nom de famille romaine; notamment: Livius Salinator, qui eut comme esclave Livius Andronicus, de Tarente, devenu poète dramatique || Tite Live, historien célèbre || **-ius (-ianus),** *a, um*, de Livius.

livor, *oris*, m. *(liveo)*, couleur bleue plombée, bleu provenant d'un coup || [fig.] envie, jalousie, méchanceté.

lixa, *æ*, m., valet d'armée, vivandier.

locatio, *onis*, f. *(loco)*, **1.** disposition, arrangement || **2.** loyer, location, louage || bail, adjudication, contrat de location.

locatus, *a, um*, part. de *loco*.

loco, *are, avi, atum (locus)*, tr., **1.** placer, établir, disposer: *eo loco locati sumus ut*, nous sommes placés dans une situation telle, que || **2.** donner à loyer, à ferme: [d'où] le n. *locatum* pris subst., louage, location, bail || mettre en adjudication: *simulacrum tollendum locatur*, on met en adjudication l'enlèvement de la statue.

loculamentum, *i*, n. *(loculus)*, casier, boîte.

loculatus et **loculosus,** *a, um*, qui est à compartiments, qui a des cases, des cellules.

loculus, *i*, m. || pl. *loculi*, boîte à compartiments, cassette.

locuples, *etis, (locus pleo)*, **1.** riche en terres, opulent || **2.** [en gén.] fortuné, riche || subst. m., un riche || **3.** [fig.] qui peut répondre, sûr, garant: *locuples auctor*, une autorité digne de foi.

locupletatus, *a, um*, part. de *locupleto*.

locupleto, *are, avi, atum (locuples)*, tr., rendre riche, enrichir.

locus, *i*, m., au pl., *loci*, m., lieux isolés, particuliers; *loca*, n., emplacements, pays, contrée, région [mais parfois emploi indistinct], **1.** lieu, endroit, place: *in locum inferiorem concidere*, tomber dans un endroit en contrebas; *ex* ou *de superiore loco*, parler du haut de la tribune aux harangues, ou du haut du tribunal, [fig.] parler en maître; *ex æquo loco*, parler, dans le sénat ou dans le particulier, sur le pied d'égalité; *ex inferiore loco*, parler d'en bas devant le tribunal, ou parler en inférieur à des supérieurs; *locum dare alicui*, faire place à qqn; *in locum*, en position normale || place au théâtre, au cirque || lieu d'habitation, logement assigné aux ambassadeurs à Rome || *loca communia*, bâtiment d'intérêt commun || **2.** place, occasion, prétexte: *locum suspicioni dare, aperire*, donner prise au soupçon, ouvrir le champ au soupçon: *nec vero hic locus est, ut... loquamur*, et ce n'est pas l'endroit de parler || **3.** place, rang, rôle: *summus locus civitatis*, le plus haut rang dans la cité; *aliquem hostis loco habere*, traiter qqn comme un ennemi; *in hos-*

tium loco, comme des ennemis || *loco dicere*, parler à son tour; *priore, posteriore loco*, plaider le premier, le second || *non loco*, mal à propos || condition sociale, famille: *obscuro loco, loco nobili natus*, de naissance obscure, né d'une famille connue; *infimo, summo loco*, de basse, de haute naissance || **4.** situation, état: *eo loco locati sumus, ut*, nous sommes placés dans une situation telle que; *sæpe in eum locum ventum est, ut*, souvent on en vint à ce point que || **5.** point, question, matière, sujet || partie d'un sujet, chef, chapitre, article, point: *locum prætermittere, breviter tangere*, omettre, traiter brièvement un point; *magnus locus*, chapitre important || thème d'un développement || *loci*, avec ou sans *communes*, lieux communs || **6.** passage d'un écrit, d'un discours: *hoc loco*, à ce point de mon discours (ici, à cet endroit) || **7.** [expr. avec sens temporel]: *ad id locorum*, jusqu'à ce moment; *post id locorum, postea loci*, depuis ce moment-là, ensuite.

1. locusta, *æ*, f., sauterelle.

2. Locusta, *æ*, f., Locuste [célèbre empoisonneuse, complice de Néron].

locutio ou **loquutio,** *onis*, f. *(loquor)*, action de parler, parole, langage || manière de parler, langage || prononciation || expression, tournure de style.

locutus (-quu), part de *loquor*.

lolium, *ii*, n., ivraie [plante].

lolligo, sèche, calmar.

lomentum, *i*, n. *(lotum)*, savon, mélange de farine de fève et de riz employé par les Romaines || espèce de couleur bleue || farine de fève || [fig.] savon.

Londinium, *ii*, n., ville de Bretagne [auj. Londres].

longævus, *a, um (longus, ævum)*, d'un grand âge, ancien || subst. f., une vieille femme.

longe, 1. en long, en longueur: *longe lateque*, en long et en large || [mais surtout] loin, au loin [pr. et fig.]: *longe abesse*, être éloigné; *longe procedere*, s'avancer loin || [compar. sans infl. sur la constr. c. *amplius*] *non longius milia passuum octo abesse*, n'être pas à plus de huit mille pas de distance || **2.** longuement; loin, au loin: *longius anno, triduo*, plus d'un an, plus de trois jours; *paullo longius*, un peu plus longtemps || **3.** grandement, beaucoup || [devant les superl.] de beaucoup, sans contredit: *longe eloquentissimus*, de beaucoup le plus éloquent; *longe melior*, bien supérieur.

longinque, *(longinquus)*, au loin, à distance.

longinquitas, *atis*, f. *(longinquus)*, **1.** longueur, étendue || distance, éloignement || **2.** longueur, durée || longue période.

longinquus, *a, um (longus)*, **1.** long, étendu || **2.** à une grande distance, éloigné, lointain || *ex longinquo*, de loin || pl. n., *longinqua imperii*, les parties éloignées de l'empire || **3.** éloigné, étranger: *longinqui, propinqui*, les gens éloignés, les voisins || **4.** long, qui dure longtemps || éloigné: *in longinquum tempus aliquid differre*, reporter qqch. à une date lointaine || ancien: *longinqua monumenta*, monuments antiques.

longitudo, *inis*, f. *(longus)*, **1.** longueur || **2.** longueur, durée, longue période.

longiusculus, *a, um (longior)*, assez long, plutôt long.

longulus, *a, um*, dimin. de *longus*, assez long, plutôt long.

longum, n. de *longus*, pris adv. longtemps.

longurius, *ii*, m. *(longus)*, longue perche.

longus, *a, um*, **1.** long, étendu [espace et temps] || **2.** qui dure longtemps, long, trop long: *longum est commemorare*, il serait trop long de rappeler; *ne longum sit*, pour abréger || *nihil ei longius videbatur quam dum videret...*, rien ne lui tardait tant que de voir...

loquacitas, *atis*, f. *(loquax)*, bavardage, loquacité, verbosité, prolixité.

loquaciter, verbeusement.

loquax, *acis (loquor)*, bavard, loquace, verbeux || bavard, gazouilleur, babillard.

loquela et **loquella,** *æ*, f. *(loquor)*, parole, langage, mots.

loquens, *tis*, part. prés. de *loquor*.

loquentia, *æ*, f., facilité à parler, faconde.

loquor, *loqui, locutus (loquutus) sum*, intr. et tr.,

I. intr., parler [dans la conversation, dans la vie ordinaire; *dicere, orare*, parler en orateur]: *bene, recte, male loqui*, avoir un bon, un mauvais parler; *inquinate, diligenter, Latine*, avoir un parler incorrect, scrupuleux, de pur latin; *bene Latine*, parler le latin purement; *de aliquo cum aliquo*, parler de

qqn à qqn || *res loquitur ipsa*, les faits parlent d'eux-mêmes.
II. tr., **1.** dire || *loquuntur*, on dit || **2.** parler sans cesse de, avoir toujours à la bouche.

lora, *æ*, f., piquette.

loramentum, *i*, n. *(lorum)*, courroie.

lorarius, *ii*, m. *(lorum)*, fouetteur, celui qui donne le fouet aux esclaves.

loreus, *a, um (lorum)*, de courroie, fait de courroies.

lorica, *æ*, f. *(lorum)*, **1.** cuirasse || **2.** parapet || barrière, haie, clôture || enduit, crépi.

loricatus, *a, um*, v. *lorico*.

lorico, *are, avi, atum (lorica)*, tr., cuirasser, revêtir d'une cuirasse || recouvrir d'un enduit, crépir.

loricula, *æ*, f. *(lorica)*, petit parapet

lorum, *i*, n., courroie, lanière || pl., les rênes || fouet, martinet.

lotos ou **lotus,** *i*, f., **1.** lotus [arbre] || flûte de lotus || **2.** lotus ou lis du Nil || **3.** mélilot || **4.** fruit du palmier || fruit du lotus.

lotus, *a, um*, part. de *lavo*.

lubricum, *i*, n. de *lubricus*, lieu glissant, terrain glissant.

lubricus, *a, um*, **1.** glissant || **2.** qui glisse facilement, mobile || **3.** [fig.] incertain, dangereux, hasardeux || fuyant || décevant, trompeur || chancelant, qui trébuche facilement.

Luca bos, *Lucæ bovis*, m., éléphant.

Lucania, *æ*, f., Lucanie [province méridionale d'Italie] || **-anus,** *a, um*, de Lucanie || **Lucani,** *orum*, m., les Lucaniens.

lucanica, *æ*, f. *(Lucania)*, saucisson.

Lucanus, *i*, m., Lucain [poète latin, du temps de Néron].

lucellum, *i*, n. *(lucrum)*, petit gain, léger profit.

lucens, *tis*, part. adj. de *luceo*.

luceo, *lucere, luxi (lux)*, intr., **1.** luire, briller, éclairer || impers. *lucet*, il fait jour || **2.** briller à travers, être visible || [fig.] être évident, apparent, clair.

Lucerenses, *ium*, et **Luceres,** *um*, m., Lucères ou Lucériens [une des trois tribus établies par Romulus].

lucerna, *æ*, f. *(luceo)*, lampe.

lucesco (lucisco), *ere, luxi (luceo)*, **1.** intr., commencer à luire || commencer à briller || **2.** impers. *luciscit*, le jour commence.

lucide *(lucidus)*, clairement, avec lucidité.

lucidum *(lucidus)*, n. pris adv., d'une manière brillante.

lucidus, *a, um (lux)*, **1.** clair, brillant, éclatant, plein de lumière || **2.** [fig.] clair, lumineux, manifeste.

1. Lucifer, *era, erum (lux fero)*, qui apporte la lumière, qui donne de la clarté.

2. Lucifer, *eri*, m., planète de Vénus, l'étoile du matin.

Lucifera, *æ*, f., surnom de Diane [la lune].

lucifuga, *æ*, m., c. *lucifugus*.

lucifugus, *a, um (lux, fugio)*, qui fuit le jour, lucifuge.

Lucilius, *ii*, m., nom d'une famille romaine; notamment C. Lucilius, chevalier romain, poète satirique || **Lucilianus,** *a, um*, de Lucilius [le poète].

Lucina, *æ*, f., **1.** Lucine [nom d'Hécate] || **2.** Lucine, présidant aux accouchements; assimilée tantôt à Diane tantôt à Junon || [fig.] accouchement lui-même.

lucisco, v. *luscesco*.

lucrativus, *a, um (lucror)*, lucratif, profitable, avantageux.

lucratus, *a, um*, part. de *lucror*.

Lucretia, *æ*, f., Lucrèce [épouse de Tarquin Collatin, célèbre par sa vertu].

Lucretius, *ii*, m., nom d'une famille romaine, notamment Lucrèce [T. Lucretius Carus, célèbre poète latin].

Lucrinus lacus ou abs. **Lucrinus,** m., le lac Lucrin [dans la Campanie, près de Putéoles] || **-nus,** *a, um*, **-nensis,** *e*, du lac Lucrin.

lucror, *ari, atus sum (lucrum)*, tr., gagner, avoir comme bénéfice, comme profit || [fig.] acquérir, obtenir.

lucrosus, *a, um (lucrum)*, lucratif, profitable, avantageux.

lucrum, *i*, n., gain, profit, avantage: *lucrum facere, lucra facere*, faire du bénéfice, faire des bénéfices || fortune, bien.

luctamen, *inis*, n. *(luctor)*, effort, lutte.

luctans, *tis*, part. prés. de *luctor*.

luctatio, *onis*, f. *(luctor)*, lutte, combat.

luctator, *onis*, m. *(luctor)*, lutteur.

luctatus, *a, um*, part. de *luctor*.

luctificus, *a, um (luctus, facio)*, qui cause de la peine, du chagrin, triste.

luctor, *ari, atus sum*, intr., lutter || lutter, combattre || lutter contre: *cum aliquo*.

luctuose *(luctuosus)*, d'une façon pitoyable.

luctuosus, *a, um (luctus)*, **1.** qui cause

de la peine, du chagrin, douloureux : *fuit hoc luctuosum suis*, ce fut un deuil pour les siens || **2.** plongé dans le deuil.

luctus, *us*, m. *(lugeo)*, **1.** douleur, chagrin, affliction, détresse : [à l'occasion de la mort d'une personne chère] *luctus filii*, douleur au sujet de la mort d'un fils || **2.** les signes extérieurs de la douleur, deuil, appareil funèbre || source d'affliction.

lucubratio, *onis*, f. *(lucubro)*, travail de nuit.

lucubratus, *a, um*, part. de *lucubro*.

lucubro, *are, avi, atum*, **1.** intr. travailler à la lueur de la lampe, de nuit || **2.** tr., faire de nuit.

luculente, *(luculentus)*, splendidement, excellemment.

luculenter, *(luculentus)*, fort bien.

luculentus, *a, um (lux)*, **1.** brillant, lumineux || **2.** [fig.] distingué, qui frappe le regard, de bel aspect || qui fait impression, important || qui a de l'autorité, du poids.

Lucullus, *i*, m., nom d'une branche de la *gens Licinia* ; notamment L. Licinius Lucullus, célèbre par ses victoires sur Mithridate et par ses richesses.

Lucumo (et sync. **Lucmo** ou **Lucmon)**, *onis*, m., Lucumon [allié de Romulus] || nom que porta Tarquin l'Ancien avant de s'établir à Rome.

lucus, *i*, m., bois sacré || bois.

lucusta, *æ*, f., v. *locusta 1*.

ludibriose, d'une manière insultante, outrageante.

ludibriosus, *a, um*, insultant, insolent || subst. n. pl. outrages.

ludibrium, *ii*, n. *(ludus)*, **1.** moquerie, dérision : *ludibrio habere aliquem*, se moquer de qqn ; *per ludibrium*, d'une façon ridicule || outrage || **2.** objet de moquerie, jouet, risée.

ludibundus, *a, um (ludo)*, qui joue, folâtre || sans difficulté, sans danger, en se jouant.

ludicer (-crus), *cra, crum*, divertissant, récréatif.

ludicrum, *i*, n., jeu public [au cirque ou au théâtre] || amusement, plaisir.

ludicrus, v. *ludicer*.

ludificatio, *onis*, action de se jouer, mystification.

ludificatus, *a, um*, part. de *ludificor*.

ludificor, *ari, atus sum (ludus, facio)*, tr., se jouer de, se moquer de, tourner en ridicule, décevoir, tromper : *aliquem, aliquam rem*, se jouer de qqn, de qqch. || esquiver en se jouant ; éluder.

ludio, *onis*, c. *ludius*.

ludius, *ii*, m. *(ludus)*, histrion, pantomime, danseur.

ludo, *ere, lusi, lusum*, intr. et tr.

I. intr., **1.** jouer : *pila*, jouer à la paume || **2.** folâtrer, s'amuser, s'ébattre : *versibus*, s'amuser à faire des vers.

II. tr., **1.** employer à s'amuser || **2.** s'amuser à, faire en s'amusant || **3.** se jouer de, se moquer de, tourner en ridicule : *aliquem*, plaisanter qqn, s'égayer sur le compte de qqn || [avec prop. inf.] dire en se moquant que.

ludus, *i*, m., **1.** jeu, amusement || [en part.] *ludi*, jeux publics : *ludor facere Apollini*, célébrer des jeux ; *ludis circensibus, ludis Olympiæ*, à l'époque des jeux du cirque, à l'époque des jeux à Olympie || **2.** [fig.] ***a)*** bagatelle, enfantillage : *ludus est perdiscere...*, c'est un jeu d'apprendre parfaitement ; ***b)*** badinage, amusement, plaisanterie : *amoto ludo*, en écartant la plaisanterie ; *per ludum*, par jeu || **3.** école ; *ludum aperire*, ouvrir une école ; *ludi magister*, maître d'école.

lues, *is*, f., **1.** chose en liquéfaction || **2.** peste, maladie contagieuse, épidémie || calamité, malheur public || corruption des mœurs.

Lugdunum, *i*, n., ville de la Gaule Lyonnaise [Lyon] || **-nensis,** *e*, de Lugdunum.

lugens, *tis*, part. prés. de *lugeo* || adj., où l'on pleure.

lugeo, *ere, xi, ctum*, **1.** intr., se lamenter, être dans le deuil || **2.** tr., pleurer, déplorer : *alicujus mortem*, pleurer la mort de qqn || [av. prop. inf.] déplorer que.

lugubre, n. pris adv., d'une manière sinistre.

lugubria, *ium*, n. *(lugubris)*, deuil, vêtement de deuil.

lugubris, *e (lugeo)*, de deuil || qui provoque le deuil, désastreux, sinistre || en deuil, triste, plaintif.

lui, pf. de *luo*.

lumbricus, *i*, m., ver de terre.

lumbus, *i*, m., reins, dos, échine.

lumen, *inis*, n. *(lux, luceo)*,

I. [pr.], **1.** lumière || **2.** flambeau, lampe || feux, fanaux [sur les navires] || **3.** lumière du jour, jour : *lumine quarto*, au quatrième jour || [d'où] lumière de la vie, vie || **4.** lumière des yeux, les yeux : *luminibus amissis*, ayant perdu la vue || **5.** lumière, jour d'une maison || **6.** lumière en peinture [opp. aux ombres] || **7.** jour, ouverture par où passe la lumière || cheminée d'aération, fenêtre.

II. [fig.], **1.** clarté, lumière; *lumen adferre*, apporter la lumière, éclairer || **2.** flambeau, ornement: *lumina civitatis*, les flambeaux de la cité, les hommes qui donnent l'éclat à la cité || **3.** éclat, rayon de qqch. || **4.** [rhét.] ornements du [style].

luminosus, *a, um (lumen)*, clair, lumineux || [rhét.] brillant, remarquable.

luna, *æ*, f. *(luceo)*, **1.** lune: *plena luna*, pleine lune; *luna nova*, nouvelle lune; *luna laborat*, il y a éclipse de lune; *lunæ defectus, defectio*, éclipse de lune || **2.** = *lunula*.

lunatus, *a, um*, v. *luno*.

luno, *are, avi, atum (luna)*, tr., courber, ployer en forme de croissant || disposer en arc, en demi-lune || **lunatus,** *a, um*, qui a la forme d'un croissant.

lunter, v. *linter*.

lunula, *æ*, f. (dimin. de *luna*), lunule, petit croissant [ornement des femmes].

luo, *ere, lui*, tr., **1.** payer, acquitter || **2.** subir un châtiment: *luere pœnam*, subir un châtiment || **3.** effacer par une expiation, racheter, expier.

lupa, *æ*, f. *(lupus)*, louve.

Lupercal, *alis*, n. *(Lupercus)*, Lupercal [grotte sous le mont Palatin, dédiée à Pan par Evandre, où d'après la légende la louve nourrit Romulus et Rémus].

Lupercalia, *ium* ou *iorum*, n., Lupercales [fêtes à Rome en l'honneur de Lupercus].

Lupercalis, *e*, de Lupercus, des Luperques.

Lupercus, *i*, m., **1.** Lupercus [un des noms de Pan] || **2.** Luperque [prêtre de Lupercus ou Pan].

lupinum, *i*, n., lupin.

1. lupinus, *a, um (lupus)*, de loup.

2. lupinus, *i*, m., lupin || lupins [dont on se servait comme monnaie dans les comédies].

lupus, *i*, m., **1.** loup || **2.** espèce de poisson || mors armé de pointes || croc, grappin.

luridus, *a, um*, **1.** jaune pâle, blême, livide, plombé || **2.** qui rend livide, pâle.

luscinia, *æ*, f., rossignol.

lusciniola, *æ*, f., petit rossignol.

luscinius, *ii*, m., c. *luscinia*.

luscus, *a, um*, borgne.

lusi, pf. de *ludo*.

lusio, *onis*, f. *(ludo)*, jeu, divertissement.

Lusitania, *æ*, f., la Lusitanie [une des trois grandes provinces de l'Hispanie, auj. le Portugal] || **-tanus,** *a, um*, de Lusitanie || subst. m. pl. habitants de la Lusitanie, Lusitaniens.

lusito, *are, avi, atum (ludo)*, intr., jouer souvent, s'amuser.

lusor, *oris*, m. *(ludo)*, **1.** joueur || **2.** [fig.] écrivain folâtre.

lusorius, *a, um (lusor)*, de joueur, de jeu || qui sert au divertissement, récréatif || ce qui est donné par plaisanterie, dérisoire, vain.

lustralis, *e (lustrum 2)*, **1.** lustral, qui sert à purifier, expiatoire || **2.** relatif à une période de cinq ans, de lustre, quinquennal.

lustratio, *onis*, f. *(lustro)*, **1.** lustration, purification par sacrifices || **2.** action de parcourir, parcours.

lustratus, *a, um*, part. de *lustro*.

lustro, *are, avi, atum (lustrum 2)*, tr.,

I. [pr.] purifier par un sacrifice expiatoire: *coloniam, exercitum*, purifier une colonie, l'armée.

II. [fig.] **1.** tourner autour: *aliquem choreis*, environner qqn de chœurs, danser autour de qqn || **2.** passer en revue || **3.** parcourir, faire le tour de, visiter || parcourir des yeux, examiner: *animo*, passer en revue par la pensée || **4.** avec *luce, lumine*, etc., parcourir de sa lumière qqch.

1. lustrum, *i*, n., d'ordin. au pl. *lustra*, **1.** bourbier || **2.** bauge, tanière, repaire || **3.** bouge, mauvais lieu.

2. lustrum, *i*, n. *(luo)*, **1.** sacrifice expiatoire, fait par les censeurs tous les cinq ans à la clôture du cens pour purifier le peuple romain || **2.** [en gén.] sacrifice expiatoire || **3.** période quinquennale, lustre || [en part.] bail, fermage [les censeurs affermant les biens de l'État tous les cinq ans].

1. lusus, *a, um*, part. *ludo*.

2. lusus, *us*, m., **1.** jeu, divertissement || **2.** [fig.] badinage [envers] || plaisanterie, bon mot, moquerie.

lutatus, *a, um*, part. de *luto*.

luteolus, *a, um*, dimin. de *luteus 2*, jaunâtre.

Lutetia, *æ*, f., Lutèce [capitale des Parisiens, dans une île de la Seine, auj. Paris]: *Lutetia Parisiorum*, la même.

1. luteus, *a, um (lutum)*, de boue, d'argile || sale, boueux || [fig.] vil, méprisable.

2. luteus, *a, um (lutum)*, jaune [tirant sur le rouge] || couleur de feu || rougeâtre [en parl. de l'Aurore].

luto, *are, avi, atum (lutam)*, tr., enduire de boue, d'argile.

lutosus, *a, um (lutum),* boueux, bourbeux, limoneux || couvert de boue.

lutulentus, *a, um (lutum),* enduit de boue, boueux || sale, fangeux.

1. lutum, *i,* n., boue, limon, fange, vase || [terme d'injure] bourbier, ordure || terre de potier, argile || poussière dont s'aspergeaient les gladiateurs.

2. lutum, *i,* n., sarrette [plante employée en teinturerie, donnant une couleur jaune] || couleur jaune.

lux, *lucis,* f., **1.** lumière: *solis,* lumière du Soleil || éclat, clarté, brillant [des pierres précieuses] || **2.** lumière du jour, jour: *cum prima luce, prima luce,* à la pointe du jour, au commencement du jour || *luce, luci,* en pleine lumière, pendant le jour || **3.** la lumière du monde (de la vie): *in lucem edi,* venir au monde || **4.** lumière, vue || **5.** lumière, grand jour: *lux forensis,* le grand jour de la place publique || **6.** lumière du salut || aide, secours || **7.** [fig.] lumière: *hæc urbs, lux orbis terrarum,* cette ville, lumière du monde.

luxatus, *a, um,* part. de *luxo.*

luxi, pf. de *lugeo,* de *luceo* et de *lucesco.*

luxo, *are, avi, atum,* tr., luxer, déboîter, disloquer, démettre.

luxuria, *æ,* et **-ies,** *ei,* f., **1.** exubérance, excès, surabondance || **2.** [fig.] somptuosité, profusion, luxe || intempérance dans l'exercice du pouvoir || vie molle, voluptueuse.

luxurio, *are, avi, atum (luxuria),* intr., **1.** être surabondant, luxuriant, exubérant: plein de fougue || être abondant en qqch. [*aliqua re*], abonder de, être riche de || **2.** [fig.] s'abandonner à la mollesse.

luxuriose *(luxuriosus),* d'une manière déréglée, sans retenue || dans la mollesse.

luxuriosus, *a, um (luxuria),* **1.** surabondant, luxuriant, exubérant || **2.** [fig.] excessif, immodéré || ami du luxe.

luxus, *us,* m., excès, débauche || splendeur, faste, luxe.

Lyæus, *i,* m., un des noms de Bacchus || vin || **-us,** *a, um,* de Bacchus.

Lycæus, *i,* m., le Lycée [mont d'Arcadie consacré à Pan] || **-us,** *a, um,* du Lycée.

Lycaon, *onis,* m., roi d'Arcadie, changé en loup par Jupiter.

Lycaones, *um,* m., habitants de la Lycaonie || **-nius,** *a, um,* Lycaonien.

Lycaonia, *æ,* f., la Lycaonie, contrée de l'Asie Mineure.

Lyceum, et mieux **Lycium,** *i,* n., le Lycée [célèbre gymnase situé hors d'Athènes sur l'Ilissos et où enseignait Aristote].

lychnuchus, *i,* m., chandelier à branches.

lychnus, *i,* m., lampe.

Lycia, *æ,* f., la Lycie [province de l'Asie Mineure].

Lycius, *a, um,* Lycien || m. pl. Lyciens.

Lycurgeus, *a, um,* de Lycurgue [législateur] || [fig.] sévère, inflexible.

Lycurgus, *i,* m., **1.** Lycurgue [roi de Thessalie, que Bacchus rendit dément pour avoir arraché les vignes] || **2.** Lycurgue [législateur de Sparte].

Lydi, v. *Lydus.*

Lydia, *æ,* f., la Lydie [province d'Asie Mineure].

Lydius, *a, um,* Lydien, de Lydie || Étrusque.

Lydus, *a, um,* Lydien, de Lydie; **Lydi,** *orum,* m., ***a)*** les Lydiens; ***b)*** les Étrusques.

lympha, *æ,* f., eau.

lymphaticus, *a, um,* qui a le délire, fou || [en parl. de frayeur] panique.

lymphatus, *a, um,* part. de *lympho.*

lympho, *are, avi, atum,* tr., rendre fou, jeter dans le délire: *lymphatus,* égaré, hors de soi.

1. Lynceus, *a, um,* de Lyncée || à la vue perçante.

2. Lynceus, *ei* ou *eos,* m., Lyncée [un des Argonautes, célèbre pour sa vue perçante].

lynx, *lyncis,* acc. *as,* f. et m., lynx || [on lui attribuait une vue plus perçante qu'aux autres animaux].

lyra, *æ,* f., lyre, instrument à cordes || chant, poème lyrique.

lyricus, *a, um,* lyrique || **-ca,** *orum,* n., poésies lyriques; **-ci,** *orum,* m., poètes lyriques.

lyristes, *æ,* m., joueur de lyre.

Lysander, *dri,* m., Lysandre [célèbre général lacédémonien].

Lysias, *æ,* m., célèbre orateur athénien.

Lysimachus, *i,* m., Lysimaque [un des plus fameux généraux d'Alexandre].

Lysippus, *i,* m., Lysippe [célèbre sculpteur, contemporain d'Alexandre le Grand].

M, m, f. n. [douzième lettre de l'alphabet]; *M.*, abréviation du prénom *Marcus*; *M'*, abréviation du prénom *Manius* || *M* = 1 000 dans la numération.

Maccius, *ii*, m., nom de famille de Plaute.

Macedo, Macedon, *onis*, m., Macédonien.

Macedones, *um*, Macédoniens.

Macedonia, *æ*, f., la Macédoine [province du nord de la Grèce].

Macedonicus, *a, um*, de Macédoine || subst. m., Macédonique [surnom de Cæcilius Métellus, vainqueur de la Macédoine].

Macedoniensis, *e*, et **Macedonius,** *a, um*, de Macédoine.

macellarius, *a, um (macellum)*, qui a rapport au marché, à la viande || subst. m., boucher, charcutier, marchand de comestibles.

macellum, *i*, n., **1.** marché [surtout des viandes] || **2.** provisions qu'on fait au marché.

1. macellus, *a, um (macer)*, un peu maigre.

2. macellus, *i*, m., c. *macellum.*

maceo, *ere (macer)*, intr., être maigre.

1. macer, *cra, crum*, maigre.

2. Macer, *cri*, m., C. Licinius Macer [historien latin sous la République].

maceratus, *a, um*, part. de *macero.*

maceria, *æ*, f., mur de clôture.

maceries, *ei*, f., c. *maceria.*

macero, *are, avi, atum*, tr., **1.** rendre doux, amollir en humectant, faire macérer || **2. *a)*** affaiblir, énerver, épuiser; ***b)*** consumer, miner, tourmenter [l'esprit].

macesco, *ere (maceo)*, intr., maigrir, devenir maigre || s'appauvrir.

machæra, *æ*, f., sabre, coutelas.

machærophorus, *i*, m., soldat armé d'un sabre.

Machaon, *onis*, m., Machaon [fils d'Esculape, médecin des Grecs au siège de Troie].

machina, *æ*, f., **1.** machine || **2.** engin || **3.** plate-forme [où les esclaves à vendre étaient exposés] || échafaud [de maçon, peintre, etc.] || **4.** [fig.] expédient, artifice, machination.

machinamentum, *i*, n. *(machinor)*, machine, instrument || instrument [de chirurgie].

machinatio, *onis*, f. *(machinor)*, **1.** disposition ingénieuse, mécanisme || **2.** machine, engin || **3.** [fig.] machination, ruse.

machinator, *oris*, m. *(machinor)*, **1.** mécanicien, inventeur ou fabricant d'une machine || architecte, ingénieur || **2.** [fig.] machinateur, artisan de.

machinatrix, *icis*, f., celle qui machine.

machinatus, *a, um*, part. de *machinor.*

machinor, *ari, atus sum (machina)*, tr., **1.** combiner, imaginer, exécuter || **2.** [fig.] machiner, tramer, ourdir.

machinosus, *a, um (machina)*, combiné, machiné.

macies, *ei*, f. *(maceo)*, **1.** maigreur ||

2. pauvreté, aridité, sécheresse, stérilité.

macresco, *ere, crui (macer),* intr., maigrir || [fig.] sécher, dépérir.

macrocollum, *i,* n., papier de grand format.

mactatus, *a, um,* part. de *macto.*

macte, macti, v. *mactus.*

macto, *are, avi, atum (mactus),* tr., **1.** honorer || punir : *aliquem summo supplicio, morte,* punir qqn du dernier supplice, de la mort || **2.** sacrifier, immoler || **3.** tuer, mettre à mort || ruiner, détruire.

mactus, *a, um,* [employé ord. au voc. sing., qqf. plur.] glorifié, honoré, adoré [exclam. de souhait, d'encouragement] : *macte virtute esto, macte virtute este,* aie, ayez bon courage ; *aliquem macte esse jubere,* souhaiter bon courage à qq ; pl. *macti* || [dans les réponses] *macte virtute* ou *macte,* bravo ! à merveille.

macula, *æ,* f., **1.** tache, marque, point || **2.** maille d'un filet || **3.** tache, souillure || [fig.] flétrissure, honte.

maculatus, *a, um,* part. de *maculo.*

maculo, *are, avi, atum (macula),* tr., **1.** marquer, tacheter || **2.** tacher, souiller || [fig.] flétrir, déshonorer.

maculosus, *a, um (macula),* **1.** plein de tache, tacheté, moucheté || **2.** taché, sali, souillé || [fig.] flétri.

madefacio, *facere, feci, factum (madeo, facio),* tr., humecter, mouiller, arroser || macérer, faire infuser.

madefactus, *a, um,* part. de *madefacio.*

madefio, *fieri, factus sum,* pass. de *madefacio,* être mouillé.

madefeci, pf. de *madefacio.*

madens, *entis,* part.-adj. de *madeo,* **1.** humecté, trempé, mouillé, trempé de sang || ruisselant de parfums || **2.** imprégné de vin, ivre || **3.** plein de [avec abl.].

madeo, *ere, ui,* intr., **1.** être mouillé, imprégné || **2.** être imprégné [de vin] || [absol.] être ivre || **3.** être amolli par la cuisson, se cuire || **4.** ruisseler de, être plein de, regorger de [avec abl.].

madesco, *ere, madui (madeo),* intr., s'humecter, s'imbiber || s'amollir, se macérer.

madidus, *a, um (madeo),* **1.** humide, mouillé || parfumé, humide de parfums || **2.** ivre || **3.** imbu de, imprégné de [avec abl.].

madui, pf. de *madeo* et de *madesco.*

Mæander, -drus ou **-dros,** *i,* m., **1.** Méandre [fleuve de cours sinueux] || **2.** [fig.] tours, détours.

Mæcenas, *atis,* m., Mécène [descendant d'une noble famille étrusque, chevalier romain, ami d'Auguste, protecteur des Lettres, et en part. de Virgile et d'Horace] ; **-atianus,** *a, um,* de Mécène.

Mædi, *orum,* m., Mèdes [peuple de Thrace].

Mædica, *æ,* f., pays des Mèdes [en Thrace] || **Mædicus,** *a, um,* des Mèdes.

Mælianus, *a, um,* de Mélius || *Mæliani, orum,* m., partisans de Mélius.

Mælius, *ii,* m., nom d'une famille rom. ; not. Spurius Mélius [chevalier romain qui fut tué parce qu'on l'accusait d'aspirer à la royauté].

mæna, *æ,* f., petit poisson de mer.

Mænala, *orum,* n., et **Mænalos (-us),** *i,* m., le Ménale [mont d'Arcadie, consacré à Pan].

Mænalides, *æ,* m., **-lis,** *idis,* f. et **-lius,** *a, um,* du Ménale.

mænas, *adis,* f., ménade (bacchante).

Mæonia, *æ,* f., la Méonie ou Lydie [province d'Asie Mineure].

Mæonides, *æ,* m., de Méonie [en part., le poète de Méonie, Homère].

Mæonius, *a, um,* de Méonie, lydien || d'Homère, épique.

Mæoticus et **Mæotius,** *a, um,* des Méotes ou du Palus-Méotide || **-ca palus** et **-tius lacus,** le Palus-Méotide.

Mæotis, *idis (idos,* qqf. *is),* adj. f., des Méotes, scythique || *palus Mæotis, lacus Mæotis* ou [absol.] *Mæotis,* f., le Palus-Méotide.

mærens, *tis,* part. prés. de *mæreo* || pris adj., triste, affligé.

mæreo, *ere,* **1.** intr., être chagriné, être triste, s'affliger || **2.** tr., s'affliger sur, déplorer || *talia mærens,* proférant ces plaintes || [avec prop. inf.] déplorer que.

mæror, *oris,* m. *(mæreo),* tristesse, affliction profonde : *in mærore esse, jacere,* être affligé profondément, être accablé de tristesse.

mæstitia, *æ,* f. *(mæstus),* tristesse, abattement, affliction || [fig.] tristesse, rudesse.

mæstus, *a, um (mæreo),* **1.** abattu, profondément affligé || **2.** sévère, sombre || **3.** qui cause de la tristesse, funèbre, sinistre.

Mævius, *ii,* m., nom d'un mauvais poète du temps de Virgile.

maga, *æ*, f. *(magus)*, magicienne.

magalia, *ium*, n., cases, huttes de nomades.

magicus, *a, um*, magique, de la magie.

magis (cf. *mag-nus*), adv., **1.** plus || *magis... quam...* plus... que... || *alius alio magis*, à qui mieux mieux; *alii aliis magis*, les uns plus que les autres, à l'envi; *magis solito*, plus que d'ordinaire || **2.** [constr. part.]: ***a)*** *multo magis*, beaucoup plus; *nihilo magis*, en rien davantage; *eo, hoc, tanto magis*, d'autant plus; *atque eo magis si*, et à plus forte raison, si; *eoque magis quod*, et d'autant plus que; ***b)*** [poét.]: *tam magis... quam magis*, d'autant plus... que || **3.** = *potius*, plutôt.

magister, *tri*, m. *(mag-nus)*, **1.** celui qui commande, dirige, conduit; chef, directeur, etc. || **2.** maître qui enseigne: *dicendi*, maître d'éloquence.

magisterium, *ii*, n. *(magister)*, **1.** fonction de président, chef, directeur || [en part.] royauté du festin || **2.** fonction de maître, de précepteur || enseignement, leçons, direction.

magistra, *æ*, f. *(magister)*, maîtresse, directrice || [fig.] qui enseigne.

magistratus, *us*, m. *(magister)*, **1.** charge, fonction publique, magistrature || **2.** fonctionnaire public, magistrat || sing. collectif = administration.

magnanimitas, *atis*, f. *(magnanimus)*, grandeur d'âme, magnanimité.

magnanimus, *a, um (magnus, animus)*, magnanime, noble, généreux [personnes].

Magnes, *etis*, m., de Magnésie || **magnes lapis** ou absol. **magnes,** aimant minéral.

Magnesia, *æ*, f., Magnésie [contrée orientale de la Thessalie].

Magnetes, *um*, m., habitants de la Magnésie.

magnifacio ou plutôt **magni facio,** *ere*, tr., faire grand cas de.

magnifice, noblement, grandement, généreusement, splendidement, somptueusement || pompeusement, hautainement || *-ficentius*; *-ficentissime*.

magnificentia, *æ*, f. *(magnificus)*, **1.** noblesse, magnanimité, grandeur d'âme || **2.** grandeur, splendeur, magnificence || style pompeux || **3.** grand talent, sublimité du génie.

magnifico, *are, avi, atum (magnificus)*, tr., **1.** faire grand cas de || **2.** vanter, exalter, glorifier.

magnificus, *a, um*, comp. *-ficentior*, sup. *-ficentissimus (magnus* et *facio)*, qui fait grand,
I. [pers.], **1.** qui fait de grandes dépenses, fastueux, magnifique || **2.** imposant, qui a grand air, grande allure || **3.** grand, noble, généreux.
II. [choses], **1.** de grand air, somptueux || brillant, magnifique || **2.** [rhét.] style sublime, pompeux || **3.** beau, grandiose.

magniloquentia, *æ*, f., **1.** sublimité de langage, majesté du style || **2.** jactance.

magniloquus, *a, um (magnus, loquor)*, emphatique, fanfaron.

magnitudo, *dinis*, f. *(magnus)*, **1.** grandeur: *fluminis*, largeur d'un fleuve; *ingens corporum*, stature gigantesque || *aquæ magnitudo*, la hauteur de l'eau || **2.** grande quantité, abondance || **3.** force, puissance: *frigorum*, rigueur des froids || **4.** durée: *dierum, noctium magnitudines*, longueur des jours, des nuits || **5.** grandeur, importance: *beneficii*, grandeur d'un bienfait || **6.** élévation, force, noblesse: *animi*, grandeur d'âme.

magnopere ou **magno opere,** adv., **1.** vivement, avec insistance || grandement, fortement || **2.** beaucoup, très || [surtout avec nég.] pas considérablement, pas beaucoup.

1. magnus, *a, um*, comp. *major*, sup. *maximus*, **1.** grand || **2.** grand [comme quantité]: *magnus numerus frumenti*, une grande quantité de blé || abl. et gén. de prix: *magno, magni; magno emere*, acheter cher; *magni æstimare*, estimer beaucoup || **3.** grand [comme force, intensité]: *magna voce*, à haute voix || n. pris adv.: *magnum clamare*, crier fort; *majus exclamare*, crier plus fort || **4.** [fig.] *magno natu* ou *magnus natu*, d'un grand âge; *natu major*, plus âgé || **5.** grand, important [pers. et choses]: *vir magnus*, grand homme; *magna di curant, parva neglegunt*, les dieux s'occupent des grandes choses et ne se soucient pas des petites; *magnum est scire*, c'est une chose importante de savoir || difficile: *magnum fuit mittere*, c'était difficile d'envoyer || **6.** grand, noble, généreux: *magno animo esse*, avoir une grande âme, un grand cœur || [sens péj.] *magna verba*, grands mots, phrases pompeuses.

2. Magnus, *i*, m., surnom de Pompée; d'Alexandre.

Mago, *onis*, m., **1.** Magon [général carthaginois, frère d'Hannibal] ||

2. Carthaginois, auteur de 28 livres sur l'agriculture || 3. père d'Hamilcar l'Ancien [du 1er Hamilcar].

1. magus, *a, um*, de magie, magique.

2. magus, *i*, m., mage, prêtre chez les Perses || magicien, sorcier.

Maharbal ou **Maherbal,** *alis*, m., chef de la cavalerie carthaginoise à Cannes.

Maia, *æ*, f., 1. mère de Mercure || 2. une des Pléiades.

maius, *a, um*, du mois de mai || subst. m., mai [le mois].

majestas, *atis*, f. *(major, magnus)*, 1. grandeur, dignité, majesté || majesté, souveraineté de l'État, du peuple romain: *crimen majestatis*, accusation de lèse-majesté; *lex majestatis*, loi concernant le crime de lèse-majesté || 2. [fig.] honneur, dignité, majesté.

major, *us, oris*, compar. de *magnus*, v. ce mot || [expressions] *annos natus major quadraginta*, âgé de plus de quarante ans; *majores natu*, les aînés; *majores*, les ancêtres; *more majorum*, d'après la coutume des ancêtres; *majoris æstimare, facere, habere* [au lieu du class. *pluris*], estimer plus.

Major, m, f., épithète pour distinguer deux pers. ou deux choses portant le même nom: *Cato Major*, Caton l'Ancien; *Armenia major*, la grande Arménie.

majores, *um*, v. *major*.

majusculus, *a, um*, dimin. de *major*, un peu plus grand.

mala, *æ*, (ord. **malæ,** *arum*) *(maxilla)*, f., 1. mâchoire supérieure || 2. joue.

malacia, *æ*, f., bonace, calme plat de la mer || [fig.] langueur, apathie || *stomachi*, atonie de l'estomac, absence d'appétit.

malacus, *a, um*, doux, moelleux.

malaxo, *are*, tr., amollir.

male *(malus)*, adv., comp. *pejus*, superl. *pessime*, 1. mal, autrement qu'il ne faut: *male olere*, avoir une mauvaise odeur; *pejus existimare*, avoir plus mauvaise opinion; *male accipere aliquem verbis*, accueillir qqn avec des paroles désobligeantes; *male, pessime Latine*, en mauvais, en très mauvais latin || à tort, injustement || d'une façon qui ne convient pas || [presque syn. de *non*]: *male sanus*, qui n'a pas sa raison || 2. de façon fâcheuse, malheureuse: *male est alicui*, cela va mal pour qqn || 3. violemment, fortement.

maledice, en médisant.

maledicens, *tis*, médisant.

maledicentia, *æ*, f. *(maledico)*, médisance, attaques injurieuses.

maledico (plutôt **male dico**), *ere, dixi, dictum*, intr., tenir de mauvais propos, injurier: *alicui*, outrager qqn.

maledictio, *onis*, f., médisance, injures.

maledictum, *i*, n. *(male dico)*, parole injurieuse, injure: *maledicta in aliquem dicere (conferre)*, injurier, outrager qqn.

maledicus, *a, um (maledico)*, médisant || compar. et superl., c. *maledicens*.

malefacio, plutôt **male facio,** *ere, feci, factum*, intr., faire du tort, nuire, *alicui*, à qqn.

malefactum, *i*, n. [ou en deux mots], mauvaise action.

maleficentia, *æ*, f., malfaisance, action de faire du mal.

maleficium, *ii*, n. *(maleficus)*, 1. mauvaise action, méfait, crime || 2. fraude, tromperie || 3. torts, dommages, déprédations.

maleficus, *a, um (male facio)*, 1. malfaisant, méchant, criminel || *-ficentissimus* || 2. nuisible, malfaisant, funeste || 3. **maleficus,** *i*, m., faiseur de tort, malfaisant, criminel || 4. **maleficum,** *i*, n., charme, enchantement.

malesuadus, *a, um (suadeo)*, qui conseille le mal.

malevolens (mali-), malintentionné, malveillant.

malevolentia (mali-), *æ*, f., malveillance, jalousie, haine.

malevolus (mali-), *a, um*, mal disposé, envieux, malveillant || subst. m., jaloux.

malifer, *era, erum (malum, fero)*, qui produit des pommes.

malificus, v. *maleficus*.

maligne *(malignus)*, 1. méchamment, avec envie, avec malveillance || 2. jalousement, chichement, mesquinement || [fig.] petitement, peu.

malignitas, *atis*, f. *(malignus)*, 1. mauvaise disposition, malignité, méchanceté, envie || 2. malveillance, parcimonie, mesquinerie || avarice.

malignus, *a, um (malus 1)*, 1. de nature mauvaise, méchant, perfide, envieux || 2. chiche, avaricieux, avare || mauvais, stérile || petit, chétif, insuffisant, étroit.

malitia, *æ*, f. *(malus 1)*, 1. nature mauvaise, méchante; malignité, méchanceté || 2. malice, ruse, finesse.

malitiose *(malitiosus)*, avec déloyauté, de mauvaise foi.

malitiosus, *a, um (malitia)*, méchant, trompeur, fourbe.

malivol-, v. *malev-*.

malle, mallem, inf. prés. et imp. du subj. de *malo.*

malleolus, *i*, m. *(malleus)*, **1.** petit marteau || **2.** crossette || **3.** trait incendiaire.

malleus, *i*, m., marteau, maillet.

malo, *malle, mavis, malui (= magis volo)*, tr., aimer mieux, préférer: *multo malo*, j'aime beaucoup mieux; *nihil malle quam pacem*, ne rien préférer à la paix || [avec inf.]: *servire quam pugnare*, aimer mieux être esclave que combattre || [avec prop. inf.], [avec subj.] aimer mieux que.

malui, pf. de *malo.*

1. malum *(malus 1)*, pris adv. comme interj., diantre! diable! malheur!

2. malum, *i*, n. *(malus 1)*, **1.** mal: *nihil mali accidit ei*, il ne lui est rien arrivé de mal; *bona, mala*, les biens, les maux || **2.** malheur, calamité || **3.** dureté, rigueur, mauvais traitement.

3. malum, *i*, n., pomme: *ab ovo usque ad mala*, de l'œuf aux pommes, depuis le commencement jusqu'à la fin du repas || [désigne aussi: coing, grenade, pêche, orange, citron].

1. malus, *a, um*, comp. *pejor*; superl. *pessimus*, **1.** mauvais: *malus poeta*, mauvais poète || misérable || **2.** malheureux, funeste || **3.** méchant, malin, rusé.

2. malus, *i*, f., pommier.

3. malus, *i*, m., mât de navire || mât [auquel sont fixées les toiles au théâtre] || poutre.

malva, *æ*, f., mauve [plante].

Mamertinus, *a, um*, de Messine || subst. m. pl., Mamertins, habitants de Messine.

mamma, *æ*, f., sein, mamelle.

manceps, *ipis*, m. *(manus, capio)*, **1.** acheteur, acquéreur [ou] adjudicataire, fermier || **2.** entrepreneur de travaux pour l'État || chef de claque || qui prend à ferme une dette, caution.

mancipatus, *a, um*, part. de *mancipo.*

mancipium (-cu pium), *ii* ou *i*, n. *(manus capio)*, **1.** mancipation, action de prendre avec la main la chose dont on se rend acquéreur en prononçant certaines formes solennelles || **2.** droit de propriété, propriété: *mancipio accipere, dare*, acheter, vendre || **3.** propriété = chose acquise en toute propriété, [not.] les esclaves.

mancipo (-cupo), *are, avi, atum (manus, capio)*, tr., **1.** céder en toute propriété, aliéner, vendre || **2.** [fig.] abandonner, céder.

mancup-, c. *mancip-*.

mancus, *a, um*, manchot, mutilé, estropié || [fig.] défectueux, incomplet.

mandatum, *i*, n. *(mando)*, [en gén.] commission, charge, mandat || [surtout au pl.].

1. mandatus, *a, um*, part. de *mando 1.*

2. mandatus, abl. *u*, m. *(mando 1)*, commission, recommandation.

1. mando, *are, avi, atum*, tr., **1.** donner en mission, *aliquid alicui*, qqch. à qqn, charger qqn de qqch. || *alicui ut, ne*, charger qqn de, de ne pas || [subj. seul] || **2.** confier: *alicui magistratus*, confier à qqn des magistratures; *aliquid litteris, scriptis*, consigner qqch. par écrit.

2. mando, *ere, mandi, mansum*, tr., **1.** mâcher || **2.** manger, dévorer en mâchant.

manduco, *are, avi, atum (mando 2)*, tr., mâcher || manger.

mane, **1.** subst. n. indécl., le matin: *multo mane*, de grand matin; *mane novum*, le frais matin || **2.** adv., au matin, le matin; *hodie mane*, ce matin; *cras mane*, demain matin.

maneo, *ere, mansi, mansum*, intr. et tr.,

I. intr., **1.** rester: *domi*, rester dans ses foyers || [pass. impers.]: *manetur*, on reste, *manendum est*, on doit rester || **2.** séjourner, s'arrêter || **3.** persister: [en parl. de pers.] *in sententia*, persister dans son opinion || rester acquis, hors de discussion: *hoc maneat*, que ce principe demeure acquis || **4.** rester pour qqn, être réservé à qqn *(alicui).*

II. tr., **1.** attendre qqn, qqch.: *hostium adventum*, attendre l'arrivée des ennemis || **2.** être réservé à: *te triste manebit supplicium*, un châtiment cruel te sera réservé.

Manes, *ium*, m., [litt.] les bons, **1.** mânes, âmes des morts: *dii manes*, les dieux mânes || **2.** séjour des mânes, les Enfers.

manica, *æ*, f. *(manus)*, surtout au pl., **1.** longue manche de tunique couvrant la main || **2.** gant || **3.** menottes.

manicatus, *a, um (manica)*, qui est à manches.

manicula, *æ*, f. (dimin. de *manus*), petite main.

manifestarius (manuf-), *a, um (manifestus)*, manifeste, avéré.

manifestatus, *a, um*, part. de *manifesto*.

manifeste *(manifestus)*, manifestement, avec évidence, clairement.

1. **manifesto,** adv., c. *manifeste*.

2. **manifesto,** *are, avi, atum (manifestus)*, tr., manifester, montrer, découvrir.

manifestus, *a, um*, **1.** manifeste, palpable, évident || **2.** [en parl. de qqn] pris en flagrant délit || convaincu de: *sceleris*, d'un crime || laissant paraître.

Manilius, *ii*, m., nom de famille romaine; not., le tribun de la plèbe qui proposa la loi Manilia || Manilius [auteur d'un poème sur l'astronomie, sous Auguste].

manipularis, *e*, **1.** du manipule || subst. m., simple soldat [ou] camarade de manipule || **2.** sorti du manipule.

manipulatim, par poignée, en gerbe, en botte || par manipules.

manipulus et sync. [poét.] **maniplus,** *i*, m., **1.** manipule, poignée, gerbe, botte || **2.** manipule [trentième partie de la légion].

Manius, *ii*, m., prénom romain; abrégé *M'*.

Manlianus, *a, um*, de Manlius || à la façon de Manlius, qui rappelle Manlius: *Manliana imperia* = ordres durs, rigoureux, autorité despotique.

Manlius, *ii*, m., nom d'une famille rom.; not. M. Manlius Capitolinus et Manlius Torquatus, v. *Capitolinus* et *Torquatus* || **-lius,** *a, um*, de Manlius.

mannulus, *i*, m., dimin. de *mannus*, petit cheval, petit poney.

mannus, *i*, m., petit cheval, poney.

mano, *are, avi, atum*,
I. intr., **1.** couler, se répandre, dégoutter || **2.** se répandre, circuler, découler.
II. tr., faire couler, distiller.

mansi, pf. de *maneo*.

mansio, *onis*, f. *(maneo)*, **1.** séjour || **2.** habitation, demeure || auberge, gîte d'étape.

mansito, *are*, intr., fréq. de *maneo*, se tenir habituellement dans un lieu, habiter.

mansuefacio, *ere, feci, factum*, tr., apprivoiser || [fig.] rendre traitable, adoucir.

mansuefactus, *a, um*, part. de *mansuefacio*, v. *mansuefio*.

mansuefio, *fieri, factus sum*, pass. de *mansuefacio*, s'apprivoiser || s'adoucir: *mansuefactus*, adouci.

mansuesco, *ere, suevi, suetum*, **1.** tr., apprivoiser || **2.** intr., s'apprivoiser, s'adoucir.

mansuete, doucement, avec douceur.

mansuetudo, *inis*, f., douceur, bonté, bienveillance.

mansuetus, *a, um*, **1.** apprivoisé || **2.** doux, traitable, tranquille, calme.

mansuevi, pf. de *mansuesco*.

mansurus, *a, um*, part. fut. de *maneo* et de *mando 2*.

mansus, *a, um*, part. de *mando 2* et de *maneo*.

mantele (-tile), *is*, n., et **mantelium,** *ii*, n., essuie-mains, serviette.

mantica, *æ*, f., bissac.

Mantinea, *æ*, f., Mantinée [ville d'Arcadie, célèbre par la victoire et la mort d'Épaminondas].

Mantua, *æ*, f., Mantoue [ville d'Italie, sur le Pô, patrie de Virgile] || **-anus,** *a, um*, de Mantoue, de Virgile; subst. m., l'homme de Mantoue, Virgile.

manualis, *e (manus)*, de main, qu'on tient dans la main.

manubiæ, *arum*, f. *(manus)*, argent obtenu par la vente du butin, argent du butin || butin, profit.

manubrium, *ii*, n. *(manus)*, manche, poignée.

manuleatus, *a, um (manuleus)*, muni de manches, vêtu d'une tunique à manches.

manumissio, *onis*, f. *(manumitto)*, action d'affranchir un esclave, affranchissement.

manumissus, *a, um*, part. de *manumitto*.

manumitto ou **manu mitto,** *ere, misi, missum*, tr., affranchir [un esclave], lui donner la liberté.

manupretium (manip-), *ii*, n., prix de la main-d'œuvre || [fig.] salaire, récompense.

manus, *us*, f., **1.** main, || *manum injicere alicui*, mettre la main au collet de qqn (l'arrêter) || *dare manus*, tendre les mains, s'avouer vaincu || *in manus sumere aliquid*, prendre qqch. en main || *in manibus habere aliquid*, avoir une chose sous la main, la toucher du doigt || *hæc non sunt in nostra manu*, cela n'est pas en notre pouvoir || *est in manibus oratio*, le discours est entre les mains du public || *prœlium in manibus facere*, combattre de près || *ad manum habere, esse*, avoir sous la main, être sous la main, à la disposition || *per manus*, de mains en mains || *manibus æquis*, ou *æqua manu*, avec un égal avantage, sans résultat décisif || **2.** [sens fig. divers] ***a)*** bras, action; ***b)*** force, main armée; *manum conserere, conferre*, v. ces verbes; *manum committere Teucris*, en venir aux mains avec les Troyens; ***c)*** violence, mêlée, voie de fait: *res venit ad manus*, la chose en vint aux voies de fait; *venire ad manum*, en venir aux mains; *manus adferre (alicui)*, porter la main (se livrer à des voies de fait) sur qqn; ***d)*** main de l'artiste: *manus extrema*, la dernière main; ***e)*** main, écriture du scribe; ***f)*** troupe, poignée d'hommes.

mapalia, *ium*, n., cabane, hutte.

mappa, *æ*, f., **1.** serviette de table || **2.** serviette qu'on jetait dans le cirque pour donner le signal des jeux: *mittere mappam*, donner le signal des jeux.

Marathon, *onis*, f., Marathon [bourg et plaine de l'Attique, où Miltiade vainquit les Perses] || **-onius,** *a, um*, de Marathon.

Marcellus, *i*, m., nom d'une branche de la *gens Claudia* || not.: **1.** M. Claudius Marcellus qui prit Syracuse || **2.** le jeune Marcellus, neveu d'Auguste.

marcens, *entis*, v. *marceo*.

marceo, *ere*, intr., **1.** être fané, flétri || *marcens*, fané, flétri || **2.** être affaibli, languissant || être engourdi || *marcens*, alourdi, engourdi.

marcesco, *ere*, intr., **1.** se flétrir, se faner || **2.** s'affaiblir, languir || s'engourdir, s'alourdir.

marcidus, *a, um (marceo)*, **1.** fané, flétri || pourri || **2.** faible, languissant || énervé, engourdi.

Marcius, *ii*, m., nom d'une famille romaine; not. Ancus Marcius, roi de Rome || au pl., *Marcii*, les frères Marcius, devins.

marcor, *oris*, m. *(marceo)*, **1.** état d'une chose flétrie, pourriture, putréfaction || **2.** assoupissement, engourdissement || abattement, langueur.

Marcus, *i*, m., prénom romain, en abrégé *M.*

Mardonius, *ii*, m., général des Perses, vaincu par Pausanias.

mare, *is*, n., **1.** la mer || *mare Oceanus*, l'Océan || *nostrum mare*, mer Méditerranée || **2.** eau de mer, eau salée || **3.** *maria et montes polliceri*, promettre monts et merveilles.

margarita, *æ*, f., et **-tum,** *i*, n., perle.

margino, *are, avi, atum (margo)*, tr., entourer d'une bordure, border.

margo, *inis*, m. et f., bord, bordure, borne, frontière || rive.

Marianus, *a, um*, de Marius.

marinus, *a, um (mare)*, marin, de mer.

marita, *æ*, f., femme mariée, épouse.

maritalis, *e*, conjugal, marital, nuptial.

maritatus, *a, um*, part. de *marito*.

maritimus, *a, um*, de mer, marin, maritime.

marito, *are, avi, atum (maritus)*, tr., donner en mariage, marier, unir.

1. maritus, *a, um (mas)*, **1.** de mariage, conjugal, nuptial || **2.** uni, marié à la vigne.

2. maritus, *i*, m., mari, époux, prétendant, fiancé.

Marius, *ii*, m., nom d'une famille romaine; not. C. Marius, d'Arpinum, vainqueur de Jugurtha et des Cimbres, rival de Sylla || **-ius,** *a, um*, de Marius.

marmor, *oris*, n., **1.** marbre || **2.** poussière de marbre || **3.** statue || **4.** surface unie de la mer, la mer.

marmorarius, *a, um (marmor)*, de marbre || **-rius,** *ii*, m., marbrier.

marmoreus, *a, um*, **1.** de marbre, en marbre || **2.** blanc, poli, dur comme le marbre.

Maro, *onis*, m., surnom de Virgile || Virgile.

Marpesus (-ssus), *i*, m., mont de l'île de Paros || **-pesius** ou **-pessius,** *a, um*, de Marpesse, et [poét.] de Paros, de marbre.

Mars, *Martis*, m. (arch. *Mavors*), **1.** dieu de la Guerre, père de Romulus et du peuple romain: [donne son nom au premier mois de l'année primitive romaine] *Martis dies*, jour de Mars, mardi || **2.** [fig.] ***a)*** guerre, bataille, combat: *Mars apertus*, combat en rase campagne || *suo (nostro, vestro) Marte*, avec ses (nos, vos) propres forces (moyens); ***b)*** résultat de la guerre, fortune du combat: *æquo Marte*, avec des chances égales; *verso Marte*, la fortune ayant tourné; *incerto Marte, ancipiti Marte*, sans avantage marqué, avec un succès incertain || **3.** la planète Mars.

Marsi, *orum*, m., les Marses [peuple du Latium].

Marsicus, *a, um*, des Marses.

marsupium (-ppium), *ii*, n., bourse.

Marsus, *a, um*, des Marses.

Marsyas et **-sya,** *æ*, m., Marsyas [satyre, célèbre joueur de flûte].

Martiales, *ium*, m., soldats de la légion de Mars || prêtres de Mars.

1. Martialis, *e*, de Mars.

2. Martialis, *is*, m., Martial [épigrammatiste latin].

Martius, *a, um*, de Mars : *Martia legio*, la légion de Mars ; *Martia proles*, la descendance de Mars [Romulus et Rémus] || guerrier, de guerre, courageux || de la planète Mars || **-tius,** *ii*, m., Mars [mois] || *Idus Martiæ, Kalendæ Martiæ*, ides, calendes de Mars.

mas, *maris*, m., mâle || [fig.] mâle, viril.

masculinus, *a, um*, masculin, de mâle.

masculus, *a, um*, dimin. de *mas*, **1.** mâle, masculin || subst. m., un mâle || **2.** mâle, viril.

Masinissa, *æ*, m., roi des Numides.

massa, *æ*, f., masse, amas, tas || [abstr.] masse d'or || le chaos.

Massagetæ, *arum*, m., Massagètes [peuple scythe].

Massicus, *i*, m., Massique [montagne célèbre pour son vin] || **Massicum vinum** ou **Massicum,** *i*, n., vin du Massique, ou *Massicus umor*.

Massilia, *æ*, f., Massilie [Marseille] || **-iensis,** *e*, de Massilie ; m. pl., habitants de Massilie.

matella, *æ*, f., pot, pot de chambre.

matellio, *onis*, m., vase de nuit.

mateola, *æ*, f., outil pour enfoncer.

mater, *tris*, f., **1.** mère || [épith. des déesses] : *Vesta mater*, auguste Vesta ; *Mater Magna* ou *Mater*, la grande déesse, Cybèle || **2.** cité mère, patrie || métropole || **3.** affection maternelle || **4.** cause, origine, source.

matercula, *æ*, f., dim. de *mater*.

materfamilias, ou plutôt *mater familias*, mère de famille.

materia, *æ*, f. et **materies,** *ei*, f., **1.** la matière || **2.** matériaux || **3.** [en part.] le bois de construction : *materia cæsa*, bois coupé || bois de la vigne || **4.** [fig.] ***a)*** matière, matériaux, sujet, thème : *ad jocandum*, matière à plaisanterie ; ***b)*** aliment, occasion, prétexte ; ***c)*** ressources de l'esprit, étoffe, fonds moral ; ***d)*** sujet traité, question, exposé.

materiatus, *a, um*, part. de *materio*.

materio, *are, atum (materia)*, tr., construire avec des charpentes.

materior, *ari (materia)*, intr., aller à la provision de bois [de construction].

materis ou **mataris,** *is*, f. et **matara,** *æ*, f., javelot (gaulois).

1. maternus, *a, um (mater)*, maternel, de mère.

2. Maternus, *i*, m., surnom romain ; not., l'orateur Curiatius Maternus.

matertera, *æ*, f. *(mater)*, tante maternelle.

mathematica, *æ* ou **-e,** *es*, f., mathématiques || astrologie.

mathematicus, *a, um*, **1.** mathématique, qui a rapport aux mathématiques || **2.** subst. m., mathématicien || astrologue.

matricida, *æ*, m. et f. *(mater, cædo)*, celui ou celle qui a tué sa mère, parricide.

matricidium, *ii*, n. *(matricida)*, crime d'un parricide, de celui qui tue sa mère.

matrimonium, *ii*, n. *(mater)*, **1.** mariage : *in matrimonium ire*, se marier [en parl. d'une femme] ; *in matrimonium aliquam ducere*, épouser une femme ; *in matrimonium collocare, locare* ou *dare*, donner en mariage || **2.** pl. n., femmes mariées.

matrimus, *a, um*, qui a encore sa mère.

1. Matrona, *æ*, m., Marne [rivière de Gaule].

2. matrona, *æ*, f. *(mater)*, femme mariée, dame, matrone || [appliqué à Junon] l'auguste Junon.

matronalis, *e (matrona)*, de femme mariée, de femme, de dame.

mature *(maturus)*, **1.** en son temps, à point, à propos || **2.** promptement, de bonne heure, bientôt ; *maturius, -urissime, urrime* || **3.** prématurément, trop tôt.

maturesco, *ere, rui (maturus)*, **1.** devenir mûr, mûrir || **2.** acquérir le développement convenable || [fig.] atteindre son plein développement.

maturitas, *atis*, f. *(maturus)*, **1.** maturité || **2.** [fig.] plein développement, perfection || opportunité d'une chose, d'une circonstance.

maturo, *are, avi, atum (maturus)*, tr. et intr.,

I. tr., **1.** faire mûrir, mûrir, raisin mûri || [fig.] faire à loisir || **2.** mener à sa fin, accélérer || se hâter de (avec inf.).

II. intr., [fig.] se hâter, se presser : *maturato opus est*, il est besoin de hâte.

maturus, *a, um*, **1.** mûr, dans le développement voulu || mûr, à point : *scribendi tempus maturius*, un moment plus favorable pour écrire || **2.** prompt, hâtif || **3.** qui a atteint tout son développement : [avec gén., poét.] *animi maturus*, d'esprit mûri par l'expérience.

Matuta, *æ*, f., déesse du matin, l'Aurore.

matutinum, *i,* n. *(matutinus),* le matin.

matutinus, *a, um,* du matin, matinal.

Mauretania, *æ,* f., Mauritanie [partie occidentale de l'Afrique].

Mauri, *orum,* m., Maures, hab. de la Mauritanie.

Maurus, *a, um,* Maure, Africain.

Mausoleum, *i,* n., tombeau de Mausole || mausolée, tombeau magnifique.

Mausolus, *i,* m., Mausole [roi de Carie, à qui sa femme, Artémise, fit élever un tombeau compté parmi les sept merveilles du monde].

mavis, 2e pers. sing. ind. prés. de *malo.*

Mavors, *tis,* m., arch. et poét., Mars, [fig.] la guerre.

Mavortius, *a, um,* de Mars: *Mavortia mœnia,* les murs de Mars, Rome; *Mavortia tellus,* la terre de Mars, la Thrace || belliqueux, martial.

maxilla, *æ,* f., dimin. de *mala,* mâchoire.

maxillaris, *e (maxilla),* de la mâchoire, maxillaire.

maxime (-ume), adv., superl. de *magis,*
I. très grandement, très, ou le plus || [constructions part.]: ***a)*** *unus maxime, unus omnium maxime,* le plus... de tous; *vel maxime,* même le plus; ***b)*** *quam maxime,* autant que possible, le plus possible; ***c)*** *tam... quam qui maxime,* autant que celui qui l'est le plus, autant qu'homme du monde; ***d)*** *ut quisque maxime... ita maxime,* plus on... plus.
II. = *potissimum, præcipue,* **1.** surtout, principalement: *et maxime,* et surtout || *cum... tum maxime,* d'une part... d'autre part surtout || **2.** précisément: *cum maxime, nunc cum maxime,* maintement précisément; [ou] maintenant plus que jamais, maintenant surtout || **3.** essentiellement, en gros.

Maximus, *i,* m., surnom romain, not. de Q. Fabius, surnommé aussi Cunctator; pl. *Maximi,* les hommes comme Fabius Maximus.

meatus, *us,* m. *(meo),* **1.** action de passer d'un lieu dans un autre, passage, course || **2.** chemin, passage.

mecastor, par Castor.

mechanicus, *a, um,* mécanique || **-nicus,** *i,* m., mécanicien.

meddix, *icis,* m., médix, magistrat suprême chez les Osques || ou *meddix tuticus,* médix tutique.

Medea, *æ,* f., Médée [fille d'Eétés, fameuse magicienne].

medela, *æ,* f. *(medeor),* médicament, remède.

medens, *tis,* part. prés. de *medeor* || m. pris subst., médecin.

medeor, *eri,* **1.** intr., soigner, traiter: *alicui,* qqn || [fig.] remédier à, porter remède à, guérir, réparer [avec dat.] || **2.** tr., *medendis corporibus,* en soignant les corps.

Medi, *orum,* m., Mèdes, Perses || **-dus,** *i,* m., un Mède.

Media, *æ,* f., Médie [contrée de l'Asie].

mediastinus, *i,* m. *(medius),* esclave à tout faire, du dernier rang.

medica, *æ,* f., luzerne [plante].

medicabilis, *e (medicor),* **1.** qu'on peut guérir || **2.** qui peut donner la guérison.

medicamen, *inis,* n. *(medicor),* **1.** médicament, remède || **2.** drogue, ingrédient || matière colorante, teinture || fard, cosmétique || [fig.] moyen artificiel pour améliorer qqch. || engrais.

medicamentum, *i,* n. *(medicor),* **1.** médicament, remède, drogue || onguent || **2.** poison || breuvage magique, philtre || **3.** [fig.] remède contre qqch., antidote.

medicatus, *a, um,* **1.** part. de *medico* et *medicor* || **2.** adj., médicinal, propre à guérir, qui a une vertu curative.

medicina, *æ,* f. *(medicinus),* **1.** science de la médecine, médecine, chirurgie || **2.** remède, potion: *medicinam alicui adhibere,* donner une potion à qqn [fig.]|| remède, soulagement; *doloris,* remède contre la douleur.

medicinalis, *e (medicina),* médical, de médecine.

medico, *are, avi, atum (medicus),* tr., **1.** soigner, traiter || **2.** traiter || teindre || **3.** [en part.] *medicatus, a, um,* traité, préparé || empoisonné.

medicor, *ari, atus sum (medicus),* soigner, traiter [avec dat.] ou [avec acc.].

1. medicus, *a, um (medeor),* propre à guérir, qui soigne, guérit.

2. medicus, *i,* m., médecin.

3. Medicus, *a, um,* de Médie, de Perse.

medimnum, *i,* n., ou **-nus,** *i,* m., médimne [mesure grecque de capacité].

mediocris, *e (medius),* **1.** moyen, de qualité moyenne, de grandeur moyenne, ordinaire || **2.** faible, médiocre, petit; *mediocris animi est,* c'est le fait d'un petit esprit que de || [litote] *non mediocris,* qui compte, non commun.

mediocritas, *atis,* f. *(mediocris),*

1. état moyen, moyenne, juste milieu || 2. infériorité, médiocrité, insignifiance.

mediocriter *(mediocris)*, moyennement, modérément || avec modération, calmement, tranquillement || [litote avec *haud, non*] grandement, extrêmement, beaucoup.

meditabundus, *a, um (meditor)*, qui médite.

meditamentum, *i*, n. *(meditor)*, exercice, préparation.

meditate *(meditatus)*, à dessein, de propos délibéré.

meditatio, *onis*, f. *(meditor)*, **1.** réflexion, méditation || **2.** préparation: *mortis*, préparation à la mort || préparation de discours.

meditatus, *a, um*, part. de *meditor*.

mediterraneus, *a, um (medius, terra)*, qui est au milieu des terres || n. sing., *mediterraneum, i*, l'intérieur des terres; ou pl. *mediterranea*.

meditor, *ari, atus sum* (fréq. de *medeor*, donner ses soins à qqch.), tr., **1.** méditer, penser à, réfléchir à || [absol.]: *de aliqua re*, réfléchir sur qqch. || **2.** préparer, méditer qqch., avoir en vue qqch. || **3.** travailler, étudier: *causam alicujus*, préparer la défense de qqn || *meditatus, a, um*, a souv. le sens pass.

medium, *ii*, n. *(medius)*, **1.** milieu, centre || **2.** [sens fig.] ***a)*** milieu, lieu accessible à tous, à la disposition de tous: *consulere in medium*, vouloir le bien commun; ***b)*** lieu exposé aux regards de tous: *rem in medio ponere*, exposer une affaire, ou *in medio proferre* || [en part.] *in medium vocare*, soumettre qqch. au jugement public || *aliquid e medio pellere, tollere, de medio removere*, bannir, supprimer qqch.; *hominem de medio tollere*, faire disparaître un homme.

medius, *a, um*, **1.** qui est au milieu, au centre, central: *quæ regio totius Galliæ media habetur*, région que l'on considère comme au centre de toute la Gaule || **2.** qui constitue le milieu d'un objet [p. la constr. comparer *extremus, imus*, etc.]: *in media insula*, au milieu de l'île; *medio in foro*, au milieu du forum || **3.** [en parl. du temps] intermédiaire: *medius dies*, un jour d'intervalle; *media ætas*, âge mûr || **4.** [fig.] ***a)*** intermédiaire entre deux extrêmes; ***b)*** intermédiaire entre deux partis, entre deux opinions: *medium quiddam sequi*, suivre un juste milieu || neutre: *medium se gerere*, ne pas prendre parti || indéterminé, équivoque; ***c)*** intermédiaire = participant à deux choses contraires; ***d)*** intermédiaire, médiateur; ***e)*** à la traverse.

medius Fidius (pour *me dius Fidius*, s.-ent. *juvet*), que le dieu Fidius me soit en aide = certes, par (sur) ma foi.

medulla, *æ*, f. *(medius)*, **1.** moelle || **2.** [fig.] cœur, entrailles.

Medus, *a, um*, de Médie, des Mèdes || subst. **Medus,** v. *Medi*.

Medusa, *æ*, f., Méduse [une des Gorgones] || **-sæus,** *a, um*, de Méduse.

Megæra, *æ*, f., Mégère [une des Furies].

Megale, *es*, f., surnom de Cybèle, d'où *Megalensis, Megalensia*, v. ces mots.

Megalensia et **-lesia,** *ium*, n., Mégalésiennes, fêtes en l'honneur de Cybèle.

Megalensis (-esis), *e*, relatif à Cybèle.

Megara, *æ*, f., et **-ara,** *orum*, n., Mégare, **1.** ville de Grèce || **2.** ville de Sicile.

Megarensis, *e*, de Mégare [Grèce].

Megareus, ou **-ricus,** *a, um*, de Mégare [Grèce].

megistanes, *um*, m., les grands, les seigneurs.

mehercule, mehercle, me hercule, mehercules, par Hercule, certes, assurément [juron des hommes].

mel, *mellis*, n., **1.** miel || **2.** [fig.] douceur, charme.

Melampus, *odis*, m., médecin et devin d'Argos.

melancholicus, *a, um*, causé par la bile noire || mélancolique, atrabilaire.

Meleager et **-grus** ou **gros,** *i*, m., Méléagre [qui tua le sanglier suscité par Diane pour ravager Calydon].

Meleagrides, *um*, f., sœurs de Méléagre.

Meles, *etis*, m., fleuve d'Ionie sur les bords duquel Homère, dit-on, naquit || **-leteus,** *a, um*, du Mélès, d'Homère || **-letinus,** *a, um*, du Mélès.

Melibœus, *i*, m., nom de berger.

melicus, *a, um*, **1.** musical, harmonieux || lyrique || **2.** subst. m., poète lyrique.

melior, *us, oris*, compar. de *bonus*, meilleur || *melius est* avec inf., il vaut mieux; *melius fuit, fuerat*, il eût mieux valu || *di meliora* (s.-ent. *dent* ou *velint*), que les dieux m'en préservent!

melisphyllum, *i*, n., et **melissophyllon,** *i*, n., mélisse [plante].

melius, **1.** compar. n. de *bonus* || **2.** adv. compar. de *bene*, mieux || [avec

v. s.-ent.]: *melius Accius*, Accius s'exprime mieux.

meliuscule, un peu mieux.

meliusculus, *a, um*, dimin. de *melior*, un peu meilleur, qui est un peu mieux.

mellarium, *ii*, n., rucher, ruche d'abeilles.

mellarius, *a, um (mel)*, à miel, fait pour le miel || subst. m., apiculteur.

mellatio, *onis*, f. *(mel)*, récolte du miel.

melleus, *a, um (mel)*, de miel.

mellifer, *era, erum*, qui produit le miel.

mellificium, *ii*, n., production du miel.

mellitus, *a, um (mel)*, de miel || assaisonné de miel || doux comme le miel, cher.

melos, n., chant, poème lyrique.

Melpomene, *es*, f., Melpomène [muse de la tragédie et de la poésie lyrique].

membrana, *æ*, f., **1.** membrane || **2.** peau [des serpents] || enveloppe [des fruits, de l'œuf, etc.] || **3.** parchemin [pour écrire].

membranula, *æ*, f., diminutif de *membrana*, petite membrane || parchemin

membratim *(membrum)*, **1.** de membre en membre, membre par membre || **2.** [fig.] pièce par pièce, point par point, en détail || par membres de phrase, en phrases courtes.

membrum, *i*, n., **1.** un membre du corps, et au pl., les membres du corps || **2.** [fig.] partie d'un tout, portion, morceau || appartement, pièce || membre de phrase.

memet, v. *egomet.*

memini, *isse*, **1.** avoir à l'esprit, à la pensée || **2.** se souvenir, se rappeler: *aliquem, aliquid; alicujus, alicujus rei; de aliquo* || [avec intr. indir.] || [avec prop. inf.] je me souviens que || **3.** faire mention de [avec gén.]; [avec *de* et abl.].

memor, *oris*, **1.** qui se souvient, *alicujus, alicujus rei*, de qqn, de qqch. [avec int. indir. ou prop. inf.] || **2.** [en parl. de choses] vivace || **3.** qui a une bonne mémoire || **4.** [poét.] qui fait souvenir, qui rappelle.

memorabilis, *e (memoro)*, **1.** qu'on peut raconter || vraisemblable || **2.** digne d'être raconté || mémorable, fameux, glorieux.

memorandus, *a, um*, **1.** verbal de *memoro* || **2.** adj., mémorable, glorieux, fameux.

1. memoratus, *a, um*, **1.** part. de *memoro* || **2.** adj., célèbre, fameux.

2. memoratus, *us*, m., action de rappeler.

memoria, *æ*, f. *(memor)*, **1.** mémoire: *memoria tenere aliquid; custodire*, garder qqch. dans sa mémoire || **2.** ressouvenir, souvenir, souvenance: *memoriæ proditum est* avec prop. inf., la tradition rapporte que || **3.** période embrassée par le souvenir, époque: *patrum nostrorum memoria*, du temps de nos pères; *paulo supra hanc memoriam*, un peu avant notre temps || **4.** souvenir rapporté, relation, récit, version || pl. *memoriæ*, monuments historiques, annales.

memoriter *(memor)*, de mémoire, avec mémoire, avec l'aide seule de la mémoire || [d'où] avec une bonne mémoire, une mémoire fidèle.

memoro, *are, avi, atum (memor)*, tr., rappeler, raconter, mentionner || [absol. avec *de*] faire mention de, parler de || [avec prop. inf.] rappeler que, etc.

Menæchmi, *orum*, m., les Ménechmes, comédie de Plaute.

Menander, -dros, -drus, *i*, m., Ménandre [poète comique grec].

menda, *æ*, f., tache sur le corps, défaut physique || faute, erreur.

mendacium, *ii*, n. *(mendax)*, **1.** mensonge, menterie, fausseté || [en part.] illusion, erreur || **2.** fable, fiction.

mendaciunculum, *i*, n., dim. de *mendacium*, petit mensonge.

mendax, *acis (mendum)*, adj., **1.** menteur, [m. pris subst.] || [avec gén.] à propos de qqch. || **2.** [en parl. de choses] menteur, mensonger, trompeur, faux.

mendicatio, *onis*, f. *(mendico)*, action de mendier qqch.

mendicatus, *a, um*, part. de *mendico.*

mendice *(mendicus)*, chichement, pauvrement.

mendicitas, *atis*, f. *(mendicus)*, mendicité, état d'indigence extrême.

mendico, *are, avi, atum (mendicus)*, **1.** intr., demander l'aumône, mendier || *mendicantes, ium*, m., mendiants || **2.** tr., mendier qqch.

mendicus, *a, um*, de mendiant, mendiant, indigent || [subst.] mendiant; *mendici*, mendiants, quêteurs [prêtres de Cybèle ou d'Isis] || gueux.

mendose *(mendosus)*, d'une manière défectueuse.

mendosus, *a, um (mendum)*, **1.** plein de défauts, de tares || **2.** défectueux, fautif || **3.** qui fait des fautes.

mendum, *i*, n., faute, erreur.

Menelaus et **-laos,** *i*, m., Ménélas [époux d'Hélène].

Menenius, *ii*, m., nom d'une famille rom. ; not. Ménénius Agrippa [qui apaisa le peuple révolté en lui faisant comprendre l'apologue « Les membres et l'estomac »].

mens, *mentis*, f. (rac. *men*, cf. *memini*), **1.** faculté intellectuelle, intelligence ‖ raison : *mentis suæ esse*, ou *mentis compotem esse*, être en possession de sa raison ; *captus mente*, qui n'a pas toute sa raison ; *mentem amittere*, perdre la raison ‖ **2.** [en gén.] esprit, pensée, réflexion : *in mente* ou *mente aliquid agitare*, remuer qqch. dans son esprit, élaborer une pensée ; *venit in mentem* (avec prop. inf.), il nous vint à l'esprit que ‖ [avec gén.] : *mihi venit in mentem alicujus rei*, il me souvient de qqch., il me vient à l'esprit l'idée, le souvenir, la pensée de qqch. ‖ **3.** [en part.] disposition d'esprit, intention : *ea mente ut*, avec l'intention de ; *hac mente esse ut*, avoir l'intention que ‖ **4.** [poét.] courage.

mensa, *æ*, f., **1.** table [pour repas] ‖ [fig.] nourriture, plats, repas : *prior, secunda mensa*, premier, second service ‖ **2.** comptoir, table de banquier ‖ **3.** table [dans les temples ; où l'on déposait les objets sacrés ou table de sacrifice] ‖ **4.** étal de boucher ‖ plate-forme, où se tenaient les esclaves mis en vente ‖ petit autel sur un tombeau.

mensarius, *a, um (mensa)*, relatif au comptoir de banque, [d'où] subst. m., banquier ; banquier d'État ; [en part.] *quinqueviri* ou *triumviri mensarii*, commission de cinq ou trois membres faisant des opérations de banque au nom de l'État.

mensio, *onis*, f. *(metior)*, appréciation, mesure.

mensis, *is*, gén. pl. *-sium* et *-sum*, m., mois.

mensor, *oris*, m. *(metior)*, mesureur ‖ arpenteur ‖ architecte.

menstruus, *a, um (mensis)*, **1.** de chaque mois, mensuel ‖ **2.** qui dure un mois ‖ **3.** subst. n., *menstruum*, vivres pour un mois.

mensum, **1.** gén. pl. de *mensis* ‖ **2.** n. de *mensus*.

mensura, *æ*, f. *(metior)*, **1.** mesure, mesurage ‖ **2.** quantité, dimension, capacité, degré.

mensus, *a, um*, part. de *metior* ‖ [sens passif] mesuré ; n. *bene mensum*, une bonne mesure.

menta ou **mentha,** *æ*, f., menthe [herbe].

mentiens, part. prés. de *mentior*.

mentio, *onis*, f. *(memini)*, action de mentionner, de rappeler, mention : *civitatis*, le fait de rappeler le titre de citoyen ; *alicujus mentionem facere*, faire mention de qqn ‖ proposition, motion.

mentior, *iri, itus sum (mens)*, intr. et tr.,

I. intr., **1.** mentir, ne pas dire la vérité : *in (de) re aliqua*, à propos de qqch. ; *alicui*, mentir à qqn ‖ **2.** manquer de parole, tromper.

II. tr., **1.** dire mensongèrement : *rem*, qqch. ‖ **2.** abuser, décevoir ‖ **3.** feindre, controuver ‖ **4.** imiter, contrefaire.

Mentor, *oris*, m., Mentor, **1.** ami d'Ulysse dont Minerve prit les traits pour instruire et former Télémaque ‖ **2.** célèbre ciseleur.

mentum, *i*, n., menton.

meo, *are, avi, atum*, intr., aller, passer, circuler.

mephitis (-fitis), *is*, f., exhalaison méphitique [sulfureuse].

meracus, *a, um (merus)*, pur, sans mélange.

mercator, *oris*, m. *(mercor)*, marchand, commerçant ‖ trafiquant de qqch. [avec gén.].

mercatura, *æ*, f. *(mercor)*, métier de marchand, négoce ‖ [fig.] achat, trafic, commerce.

1. mercatus, *a, um*, part. de *mercor*.

2. mercatus, *us*, m., commerce, trafic, négoce ‖ marché public, marché, foire.

mercedula, *æ*, f., dim. de *merces*, chétif salaire ‖ modeste revenu [d'une terre].

mercenarius (-nnarius), *a, um*, mercenaire, loué contre argent, payé, loué, intéressé ‖ **-narius,** *ii*, m., mercenaire, domestique à gages.

merces, *cedis*, f. *(mereo)*, **1.** salaire, récompense ou prix pour qqch. ‖ **2.** paie, solde, appointements : *mercede docere*, se faire payer ses leçons ‖ **3.** intérêt, rapport.

mercis, gén. de *merx*.

mercor, *ari, atus sum (merx)*, tr., **1.** acheter, *aliquid ab* ou *de aliquo*, acheter qqch. à qqn ; *magno pretio*, acheter cher ‖ [fig.] *aliquid vita*, acheter qqch. au prix de sa vie ‖ **2.** [absol.] faire le commerce.

Mercurialis, *e*, de Mercure.

Mercurius, *ii*, m., Mercure [messager des dieux, dieu de l'éloquence, des poètes, du commerce, etc.] || statue de Mercure (Hermès) || la planète Mercure.

merens, *tis*, part. prés. de *mereo* ou *mereor*, **1.** qui mérite, digne || **2.** qui rend service : *bene merens alicui*, qui rend de bons services à qqn.

mereo, *ere, ui, itum*, et **mereor,** *eri, itus sum*, tr. et intr.,

I. tr., **1.** gagner, mériter || *merere ut*, mériter de ; ou *mereri ut* || **2.** gagner, toucher [comme paiement] : *quid mereas* ou *merearis ut*, que voudrais-tu toucher, que demanderais-tu, pour que... ? || **3.** [t. milit.] *mereri* ou *merere stipendia*, ou *merere* seul, toucher la solde militaire, faire son service militaire ; *merere equo, pedibus*, servir dans la cavalerie, dans l'infanterie || **4.** [poét.] mériter [une faute, un crime] = mériter l'imputation de.

II. intr., être bien, mal méritant à l'égard de qqn *(de aliquo)* ; se comporter bien, mal, envers qqn.

meretricius, *a, um*, de courtisane.

meretricula, *æ*, f., courtisane de bas étage.

meretrix, *icis*, f. *(mereo)*, courtisane.

merges, *itis*, f., botte, gerbe.

mergo, *ere, mersi, mersum*, tr., **1.** plonger, enfoncer, faire pénétrer dans : *in aquam, in mari*, plonger dans l'eau, dans la mer || **2.** [fig.] engloutir, précipiter dans : *mergi* ou *se mergere in voluptates*, se plonger dans les plaisirs.

mergus, *i*, m. *(mergo)*, plongeon [oiseau].

meridianus, *a, um (meridies)*, **1.** de midi, relatif au midi || **2.** du sud, méridional.

meridiatio, *onis*, f. *(meridio)*, méridienne, sieste.

meridies, *ei*, m. *(medius, dies)*, **1.** midi || **2.** sud.

meridio, *are*, et **-dior,** *ari (meridies)*, intr., faire la méridienne.

1. merito, adv., avec raison, justement || *-issimo*.

2. merito, *are, avi, atum*, tr., fréq. de *mereo*, gagner [un salaire].

meritorius, *a, um (mereo)*, qui procure un gain, qui rapporte un salaire.

meritum, *i*, n. *(mereo)*, service [bon ou mauvais, mais le plus souvent bon], conduite à l'égard de qqn, v. *mereo* || acte (conduite) qui mérite, qui justifie qqch. : *nullo meo merito*, sans que j'aie rien fait pour cela.

meritus, *a, um*, **1.** part. de *mereor*, qui a mérité, etc. || **2.** part. de *mereo* : *iracundia merita*, ressentiment bien mérité ; *fama meritissima*, renommée très justifiée.

merops, *opis*, f., mésange [oiseau].

mersatus, *a, um*, part. de *merso*.

mersi, pf. de *mergo*.

merso, *are, avi, atum*, tr., fréq. de *mergo*, plonger à différentes reprises.

mersus, *a, um*, part. de *mergo*.

merula, *æ*, f., merle [oiseau].

merum, *i*, n. *(merus)*, vin pur.

merus, *a, um*, **1.** pur, sans mélange || **2.** [fig.] ***a)*** seul, unique, rien que : *merum bellum loqui*, ne parler que de la guerre ; ***b)*** pur, vrai, sans mélange.

merx (mers), *mercis*, gén. pl. *mercium*, f., denrée, marchandise : *merces adventiciæ*, marchandises venant de l'étranger.

Mesopotamia, *æ*, f., Mésopotamie [contrée de l'Asie entre le Tigre et l'Euphrate].

Messalina, *æ*, f., Messaline [femme de l'empereur Claude].

Messana, *æ*, f., Messine [ville de Sicile].

messis, *is*, f. *(meto)*, récolte des produits de la terre, moisson || temps de la moisson.

messor, *oris*, m. *(meto)*, moissonneur.

messus, *a, um*, part. de *meto*.

meta, *æ*, f., **1.** pyramide, cône || **2.** borne [autour de laquelle on tournait dans le cirque] || [fig.] *ad metas hærere*, se heurter aux bornes = être endommagé || **3.** ***a)*** toute espèce de but ; ***b)*** extrémité, terme, fin, bout.

Metabus, *i*, m., chef des Volsques, père de Camille.

metallum, *i*, n., mine, filon : *instituere metalla*, ouvrir des mines ; *damnare in metallum*, condamner aux mines [*ad metalla*] || la mine.

metamorphosis, *is*, f., métamorphose.

metator, *oris*, m. *(metor)*, celui qui délimite, qui mesure.

metatus, *a, um*, part. de *metor*.

Metaurus, *i*, m., Métaure, fleuve de l'Ombrie || **-us,** *a, um*, du Métaure.

metior, *metiri, mensus sum*, tr., **1.** mesurer || répartir en mesurant || **2.** [poét.] parcourir || **3.** [fig.] mesurer, estimer, juger, évaluer : *aliquid aliqua re*, qqch. d'après une chose.

meto, *ere, messum*, **1.** intr., faire la moisson, récolter ; [prov.] *ut sementem feceris, ita metes*, on recueille ce qu'on a semé || **2.** tr., cueillir, récolter, moissonner, couper || [fig. en parl. des batailles] faucher.

metor, *ari, atus sum*, tr., **1.** mesurer (arpenter) || [poét.] parcourir || **2.** délimiter, fixer les limites de: *agrum*, partager les terres [en lots] || [en part.] *castra metari*, mesurer (fixer) l'emplacement d'un camp.

metuendus, *a, um*, part.-adj. de *metuo*, redoutable.

metuens, *tis*, part.-adj. de *metuo*, qui craint.

metula, *æ*, f., dimin. de *meta*, petite pyramide.

metuo, *ere, ui, utum*, tr. et intr.,
I. tr., craindre, redouter: *aliquem*, qqn; *aliquid*, qqch. || *aliquid ab aliquo, ex aliquo*, craindre qqch. de la part de qqn || *aliquid alicui*, craindre qqch. pour qqn || [avec *ne*] craindre que || [avec *ne non* ou *ut*] craindre que ne pas.
II. intr., *de aliqua re*, craindre au sujet de qqch., pour qqch. || *ab Hannibale metuens*, ayant des craintes du côté d'Hannibal || *pueris*, craindre pour les enfants.

1. metus, *us*, m., **1.** crainte, inquiétude, anxiété: *esse in metu*, être dans les alarmes || **2.** crainte religieuse, effroi religieux.

2. Metus, *us*, m., la Crainte [personnifiée].

meus, *a, um (me)*, mien, qui est à moi, qui m'appartient, qui me regarde, qui me concerne; [emplois et tours part.] **1.** *meum est*, avec inf., il m'appartient de, c'est mon devoir de, [ou] mon droit de || **2.** *nisi plane esse vellem meus*, si je ne voulais être absolument moi-même || **3.** *meus est*, il est à moi, je le tiens, il est pris || **4.** *Nero meus*, mon cher Néron, mon ami Néron || **5.** n. pris subst., *meum*, mon bien; *mea*, mes biens: *omnia mecum porto mea*, je porte tous mes biens avec moi || m. pl. pris subst. *mei, orum*, les miens, mes parents, mes amis.

Mezentius, *ii*, m., Mézence [allié de Turnus contre Énée].

mi, voc. sing. m. de *meus*.

mica, *æ*, f., **1.** parcelle, miette || **2.** petite salle à manger.

micans, *tis*, part. prés. de *mico* || adj., brillant, étincelant.

Micipsa, *æ*, m., fils de Masinissa.

mico, *are, ui*, intr., **1.** s'agiter, aller et venir, tressauter, palpiter: ***a)*** *arteriæ micant*, les artères battent; ***b)*** *micare digitis* et d'ordin. *micare* seul, jouer à la mourre || **2.** [poét.] pétiller, scintiller, briller, étinceler.

micui, pf. de *mico*.

Midas, *æ*, m., Midas [roi légendaire de Phrygie].

migratio, *onis*, f. *(migro)*, migration, passage d'un lieu dans un autre.

migratus, *a, um*, part. de *migro*.

migro, *are, avi, atum*, **1.** intr., s'en aller d'un endroit, changer de séjour, partir, émigrer || [fig.] *ex vita, de vita*, quitter la vie || **2.** tr., déménager, emporter, transporter.

miles, *itis*, m., soldat || [sing. collectif] les soldats, l'armée; [en part.] infanterie [opposée à cavalerie].

Milesius, *a, um*, de Milet, Milésien || **Milesii,** *orum*, m., les habitants de Milet.

Miletus, *i*, f., Milet [ville d'Ionie, célèbre pour ses laines, sa pourpre].

militaris, *e (miles)*, de soldat, militaire, guerrier: *res militaris*, art de la guerre; *tribunus militaris*, tribun militaire || *militares, ium*, m., guerriers.

militariter, militairement, comme les soldats.

militia, *æ*, f. *(miles)*, **1.** service militaire, métier de soldat || [locatif] *militiæ*, en temps de guerre; *domi militiæque, et domi et militiæ, militiæ domique*, en paix comme en guerre || **2.** campagne de guerre || **3.** armée.

milito, *are, avi, atum (miles)*, intr., être soldat, faire son service militaire.

milium, *ii*, n., millet, mil [plante].

mille, n. [indécl. au sing.], pl. *millia* et *milia, ium*, mille, **1.** *mille: mille passus*, mille pas; *mille passuum*, un millier de pas || **2.** *milia* [quand il s'agit de plusieurs milliers] ***a)*** [en apposition] *talenta Attica duodecim milia*, des talents attiques au nombre de douze mille; ***b)*** [avec gén.] *duo milia sestertium*, deux mille sesterces; ***c)*** = mille pas, un mille: *quadringenta milia*, quatre cents milles.

millesimus, *a, um (mille)*, millième || adv. *millesimum*, pour la millième fois.

milliarium, *ii*, n. *(milliarius)*, borne, colonne, pierre milliaire.

milliarius, *a, um (mille)*, qui renferme le nombre mille.

millies (milies, miliens), mille fois || = nombre indéterminé.

1. Milo et **Milon,** *onis*, m., Milon [de Crotone, célèbre athlète].

2. Milo, *onis*, m., T. Annius Milon [meurtrier de Clodius, et défendu par Cicéron] || **-nianus,** *a, um*, de T. Annius Milon || *Miloniana*, f., la

Milonienne, discours prononcé pour Milon.

Miltiades, *is* et *i*, m., célèbre général athénien.

milvinus ou **miluinus,** *a, um*, de milan || [fig.] rapace.

milvus ou **miluus,** *i*, m., milan, oiseau de proie || [fig.] homme rapace, vautour.

mima, *æ*, f., mime, comédienne.

mimicus, *a, um*, de mime, digne d'un mime || [fig.] = faux, simulé.

mimus, *i*, m., **1.** mime, pantomime, acteur de bas étage || **2.** mime, farce de théâtre || farce.

mina, *æ*, f., mine, poids de cent drachmes chez les Grecs || mine d'argent [= 100 drachmes].

minaciter *(mi-nax)*, en menaçant, d'une manière menaçante; *-cius*.

minæ, *arum*, f., menaces: *mortis, exsilii*, menaces de mort, d'exil; *alicujus*, menaces de qqn; *alicui*, contre qqn.

minatio, *onis*, f. *(minor)*, menace.

minax, *acis (minor)*, menaçant.

Mincius, *ii*, m., rivière de la Gaule Transpadane, auj. Mincio.

Minerva, *æ*, f., Minerve [identifiée avec Pallas-Athéna, fille de Jupiter; déesse de l'intelligence, de l'école, elle porte une lance et l'égide; ses attributs sont la chouette et l'olivier]; *invita Minerva*, malgré Minerve, en dépit des dispositions naturelles; *pingui Minerva, crassa Minerva*, avec le gros bon sens || travail de la laine.

miniatulus, *a, um*, dimin. de *miniatus*, légèrement coloré au minium.

miniatus, *a, um*, part. de *minio*.

minime, superl. de *parum*; [sens relatif] le moins || [sens absolu] très peu, nullement.

1. minimum, n. de *minimus* pris adv., très peu, le moins possible: *ne minimum quidem*, pas même si peu que ce soit.

2. minimum, *i*, n. pris subst., la plus petite quantité, très peu.

minimus, *a, um*, superl. de *parvus*, très petit, minime, ou le plus petit, le moindre: *minimus natu omnium*, ou *ex omnibus*, le moins âgé de tous || [prov.] *minima de malis*, entre des maux il faut choisir les moindres.

minio, *are, avi, atum*, tr., vermillonner, enduire de minium || *miniatus, a, um*, enduit de rouge.

minister, *tri*, m., serviteur, domestique || ministre [d'un dieu] || officier en sous-ordre || ministre, instrument, agent || intermédiaire, agent.

ministerium, *ii*, n. *(minister)*, **1.** fonction de serviteur, service, fonction || **2.** suite [de domestiques], personnel.

ministra, *æ*, f. *(minister)*, **1.** servante, femme esclave || prêtresse || **2.** [fig.] aide || ministre, instrument, agent.

ministrator, *oris*, m. *(ministro)*, serviteur.

ministratus, *a, um*, part. de *ministro*.

ministro, *are, avi, atum (minister)*, tr., **1.** servir || **2.** [en part.] servir à table || **3.** [en gén.] fournir, présenter, mettre au service de, *aliquid alicui*.

minitabundus, *a, um*, faisant des menaces.

minitor, *ari, atus sum (minor)*, menacer souvent: *alicui rem* ou *re*, menacer qqn de qqch.; *alicui*, menacer qqn.

minium, *ii*, n., minium, vermillon, cinabre.

Minois, *idis*, f., fille de Minos [Ariane].

Minoius, *a, um*, de Minos.

1. minor, *aris, atus sum*, **1.** menacer: *alicui*, menacer qqn || *alicui aliquam rem*, ou *aliqua re*, menacer qqn de qqch. (avec prop. inf.) || **2.** [poét.] annoncer en se vantant, promettre hautement || viser.

2. minor, *us, oris*, compar. de *parvus*, plus petit, moindre || plus jeune: *filia minor regis*, la plus jeune des deux filles du roi || *minores*, les plus jeunes [d'une génération]; [poét.] les descendants || [n. pris subst.]: *non minus auctoritatis*, pas moins d'autorité; *minoris vendere*, vendre moins cher.

3. Minor, *oris*, épithète qui sert à distinguer deux hommes ou deux choses portant le même nom: *Africanus Minor*, le second Africain [Scipion Émilien]; *Armenia minor*, la petite Arménie.

Minos, *ois*, m., Minos [roi de Crète, un des juges des Enfers] || roi de Crète, père d'Ariane.

Minotaurus, *i*, m., Minotaure [monstre moitié homme, moitié taureau, fils de Pasiphaé; fut tué par Thésée].

Minous, *a,um*, de Minos.

minuo, *ere, ui, utum (minus)*, tr., diminuer, rendre plus petit: **1.** [au pr. poét.] mettre en pièces, en miettes || **2.** [fig.] diminuer: ***a)*** amoindrir, réduire; ***b)*** affaiblir, porter atteinte; ***c)*** chercher à détruire: *opinionem*, réfuter une opinion || **3.** [absol.]: *minuente æstu*, quand la marée diminuait.

1. minus, n. pris subst., v. *minor 2*.

2. minus, compar. de *parum*, moins, **1.** *minus minusque, minus atque minus*, de moins en moins, toujours de moins en moins || **2.** *minus quam*, moins que : *non minus... quam*, non moins... que || *minus dimidium*, moins de la moitié || [avec abl.]: *nemo illo minus fuit emax*, personne ne fut moins acheteur que lui || **3.** [abl. marquant la quantité]: *dimidio minus*, moitié moins ; *eo minus*, d'autant moins ; *multo, paulo minus*, beaucoup moins, un peu moins || **4.** moins qu'il ne faut, pas assez, trop peu || **5.** assez peu, médiocrement, guère || *si minus*, sinon, si... ne pas ; *sin minus*, sinon, dans le cas contraire.

minusculus, *a, um (*dimin. *de minor)*, un peu plus petit, assez petit.

minutatim *(minutus)*, **1.** en petits morceaux || en miettes || **2.** [fig.] par le menu, morceau par morceau, par degrés.

minute *(minutus)*, en petits morceaux, en parcelles || par le menu || [rhét.] de façon mesquine, d'une manière étriquée.

minutia, *æ*, f. *(minutus)*, très petite parcelle, poussière.

minutim, cf. *minutatim.*

minutio, *onis*, f. *(minuo)*, amoindrissement.

minutus, *a, um*, part. de *minuo* || adj., petit, menu : *litteræ minutæ*, petites lettres.

mirabilis, *e (miror)*, admirable, merveilleux ; étonnant, singulier || *mirabile est* avec *quam, quomodo* [subj.], il est étonnant combien || *mirabile dictu!* chose étonnante à dire, ô prodige !

mirabiliter *(mirabilis)*, admirablement, merveilleusement || étonnamment, extraordinairement.

mirabundus, *a, um (miror)*, qui admire, qui s'étonne || [avec interr. ind.] se demandant avec étonnement.

miraculum, *i*, n. *(miror)*, prodige, merveille, chose extraordinaire : *miraculo est* avec prop. inf., c'est un objet d'étonnement que.

mirandus, *a, um*, part.-adj. de *miror*, étonnant, merveilleux, prodigieux ; *mirandum in modum*, d'une façon étonnante.

miratio, *onis*, f. *(miror)*, admiration, étonnement.

mirator, *oris*, m. *(miror)*, admirateur.

miratus, *a, um*, part. de *miror.*

mire *(mirus)*, étonnamment, prodigieusement.

mirifice, c. *mire.*

mirificus, *a, um (mirus, facio)*, étonnant, prodigieux, extraordinaire.

mirmillo, *onis*, m., mirmillon, sorte de gladiateur.

miror, *ari, atus sum*, tr., **1.** s'étonner, être surpris || [avec prop. inf.] s'étonner que || [avec *quod*] s'étonner de ce que || [avec interr. ind.] se demander avec étonnement || [avec *si*] s'étonner si || **2.** voir avec étonnement, admirer : *aliquid, aliquem*, admirer qqch., qqn.

mirus, *a, um*, étonnant, merveilleux : *mirum in modum*, d'une manière surprenante ; *multa mira facere*, faire beaucoup de choses merveilleuses || *mirum mihi videtur, quomodo* subj., je me demande avec surprise comment ; *mirum est ut* subj., il est étonnant comment || *quid mirum... si ?* qu'y a-t-il d'étonnant, si ? *non mirum si*, il n'est pas étonnant si ; *mirum ni (nisi)*, il serait étonnant si... ne... pas = probablement, sans doute ; *non est mirum ut*, il n'est pas étonnant que || [expr. adverbiale] *mirum quam, mirum quantum*, étonnamment, extraordinairement.

miscellus, *a, um (misceo)*, mêlé, mélangé.

misceo, *ere, miscui, mixtum*, tr., **1.** mêler, mélanger || **2.** *se miscere* avec dat., se mêler à, se joindre à || **3.** [poét.] *miscere manus, prœlia*, en venir aux mains, engager les combats, la mêlée ; *vulnera*, échanger des coups || **4.** troubler, confondre, bouleverser || **5.** [avec acc. du résultat]: ***a)*** former par mélange : *mulsum alicui*, faire pour qqn du vin miellé ; ***b)*** produire en remuant, en agitant, en troublant : *seditiones miscere*, machiner des révoltes.

misellus, *a, um*, dimin. de *miser*, pauvre, pauvret || chétif, misérable.

Misenus, *i*, m., **1.** Misène [trompette de la suite d'Énée] || **2.** le cap Misène.

miser, *era, erum*, **1.** misérable, malheureux [pers.]: *heu me miserum*, hélas ! malheureux que je suis ; *miserrimum habere aliquem*, tourmenter qqn [moral.] || **2.** malheureux, déplorable, lamentable [choses]: *miserum est* avec prop. inf., c'est une chose lamentable que || [exclam.] *miserum !* ô malheur !

miserabile, n. pris adv., c. *miserabiliter.*

miserabilis, *e (miseror)*, digne de pitié, touchant, triste, déplorable.

miserabiliter *(miserabilis)*, de manière à exciter la compassion.

miserandus, *a, um*, verbal de *miseror*, digne de pitié || déplorable.

miseranter *(miseror)*, en excitant la compassion.

miseratio, *onis*, f. *(miseror)*, **1.** commisération, pitié, compassion || **2.** pathétique [rhét.] || pl., mouvements pathétiques.

miseratus, *a, um*, part. de *miseror*.

misere *(miser)*, misérablement, d'une manière digne de pitié || d'une façon fâcheuse, excessive.

misereor, *eri, eritus* ou *ertus sum*, intr., avoir compassion, pitié de [avec gén.].

miseresco, *ere*, intr., prendre pitié [avec gén.] || *miserescit (me)*, j'ai pitié [avec gén.].

miseret (me), j'ai pitié: *eorum nos miseret*, nous avons pitié d'eux || ou **miseretur (me)** [avec gén.].

miseria, *æ*, f. *(miser)*, **1.** malheur, adversité; *in miseria esse*, être dans le malheur, être malheureux || **2.** inquiétude, souci: *in miserias incidere, in miseriis versari*, être exposé aux ennuis || peine, difficulté.

misericordia, *æ*, f. *(misericors)*, compassion, pitié; [avec gén. obj.] *puerorum*, pitié pour les enfants; [gén. subj.] *vulgi*, la commisération de la foule.

misericors, *dis (misereo, cor)*, compatissant, sensible à la pitié || [choses] inspiré par la pitié.

miseritus, *a, um*, part. de *misereor*.

miseror, *ari, atus sum (miser)*, tr., plaindre, déplorer: *aliquem, aliquid* || compatir, s'apitoyer.

misi, pf. de *mitto*.

missile, *is*, n. *(missilis)*, toute arme de jet; [surtout pl.] *missilia*.

missilis, *e (mitto)*, qu'on peut lancer; *missile telum, ferrum*, trait, javelot.

missio, *onis*, f. *(mitto)*, **1.** action d'envoyer, envoi || **2.** libération d'un prisonnier, élargissement || envoi en congé [d'un soldat]; [congé définitif] || fin, achèvement [des jeux] || [en parl. des gladiateurs] répit, ajournement (remise) du combat: *sine missione*, jusqu'à la mort.

missitatus, *a, um*, part. de *missito*.

missito, *are, avi, atum*, tr., fréq. de *mitto*, envoyer fréquemment, à diverses reprises.

1. missus, *a, um*, part. de *mitto* || pl. m. pris subst. *missi*, les envoyés.

2. missus, *us*, m., **1.** [seul. à l'abl.] action d'envoyer: *missu Cæsaris* (sur l'envoi de) envoyé par César || **2.** jet, lancement.

mite, n. de *mitis* pris adv., avec douceur, doucement.

mitesco (mitisco), *ere (mitis)*, intr., **1.** s'adoucir, mûrir || s'amollir [par la cuisson], devenir tendre || **2.** s'adoucir, s'apprivoiser || devenir traitable.

Mithridates, *is*, m., Mithridate [roi du Pont] || **-ticus,** *a, um*, de Mithridate.

mitificatus, *a, um*, part. de *mitifico*.

mitifico, *are, avi, atum (mitis, facio)*, tr., attendre, amollir, digérer || apprivoiser || [fig.] adoucir, fléchir qqn.

mitigatio, *onis*, f. *(mitigo)*, action d'adoucir, de calmer.

mitigatus, *a, um*, part. de *mitigo*.

mitigo, *are, avi, atum (mitis, ago)*, tr., **1.** amollir, rendre doux: *cibum*, amollir des aliments [par la cuisson]; *agros*, ameublir la terre || **2.** [fig.] rendre doux, calmer, pacifier, apaiser.

mitis, *e*, **1.** doux, mûr [fruits] || tendre, fertile [sol] || moelleux [vin] || calme, tranquille || **2.** [fig.] doux, aimable, gentil || [en parl. des choses]: *dolorem mitiorem facere*, adoucir la douleur || [rhét., en parl. du style] doux, sans âpreté.

mitisco, v. *mitesco*.

mitra, *æ*, f., mitre, coiffure des Orientaux.

mitto, *ere, misi, missum*, tr., deux sens principaux suivant qu'il y a ou non activité du sujet: faire aller, faire partir, etc. ou laisser aller, laisser partir, etc.

I. 1. envoyer: *aliquem, aliquid ad aliquem*, envoyer qqn, qqch. à qqn; *epistulam, litteras ad aliquem* ou *alicui*, envoyer une lettre à qqn; *mittere aliquem ut, qui* et subj., envoyer qqn pour; *commeatus petendi causa*, pour faire les approvisionnements; *rogatum* [supin] *auxilium*, pour demander du secours; v. *missus* || *mittere* seul: *mittit rogatum vasa*, il envoie demander les vases; *mittere ad horas*, envoyer en quête de l'heure || **2.** envoyer en dédicace, dédier || **3.** [poét.] = produire || **4.** [c. *emittere*] envoyer de soi, émettre || **5.** jeter, lancer: *pila*, lancer des traits || **6.** [méd.] *sanguinem mittere alicui*, tirer du sang à qqn.

II. 1. laisser aller || [fig.] laisser voir || laisser partir, lâcher || laisser de côté, ne pas parler de: *mitto hæc omnia*, je laisse de côté tout cela || **2.** congédier: *senatu misso*, la séance du sénat étant levée || envoyer en congé || **3.** [en part.] *missum facere aliquem*: congédier qqn ; envoyer en congé [individuellement et temporairement] || licencier, libérer du service militaire || renvoyer des fins d'une plainte, dégager d'une poursuite.

Mitylene, *es,* f., et **-lenæ,** *arum,* f., Mitylène [capitale de Lesbos] || **-næus,** *a, um,* et **-nensis,** *e,* de Mitylène || **-næi,** *orum,* m., les habitants de Mitylène.

mixtura, *æ,* f. *(misceo),* mélange, fusion.

mixtus, *a, um,* part. de *misceo.*

Mnemonides, *um,* f., les Muses.

Mnemosyne, *es,* f., Mnémosyne [déesse de la mémoire, mère des Muses].

mobilis, *e* (sync. pour *movibilis*), **1.** mobile, qui peut être mû [ou] déplacé || **2.** [fig.] ***a)*** flexible, qui se plie ; ***b)*** agile, rapide, prompt ; ***c)*** mobile, changeant : *Galli sunt in consiliis capiendis mobiles,* les Gaulois sont capricieux dans leurs résolutions.

mobilitas, *atis,* f. *(mobilis),* **1.** mobilité, facilité à se mouvoir, rapidité || **2.** inconstance, humeur changeante || vivacité, promptitude [de l'esprit].

mobiliter *(mobilis),* rapidement, vivement.

moderamen, *inis,* n. *(moderor),* **1.** ce qui sert à diriger, gouvernail || **2.** direction, conduite || [fig.] direction des affaires, gouvernement de l'État.

moderate *(moderatus),* modérément, avec modération, avec mesure.

moderatio, *onis,* f. *(moderor),* **1.** action de modérer, de tempérer ; modération, mesure || **2.** action de diriger, gouvernement.

moderator, *oris,* m. *(moderor),* celui qui modère, qui règle.

moderatrix, *icis,* f. *(moderator),* celle qui modère, qui règle, qui dirige.

moderatus, *a, um,* part. de *modero* et *moderor* || pris adj. [de *modero*] modéré, mesuré, réglé, sage || qui tient dans de justes limites, dans une juste mesure, raisonnable.

modero, *are, avi, atum (modus),* tr., tenir dans la mesure, modérer, régler.

moderor, *ari, atus sum (modus),* tr. et intr. ; deux acceptions très voisines,

I. tr., **1.** tenir dans la mesure, être maître de, régler, diriger, conduire || **2.** imposer une limite à, modérer.

II. intr., avec dat., **1.** imposer une limite à, apporter un tempérament à, réprimer les excès de : *linguæ,* retenir sa langue (se taire) ; *alicui,* tenir la bride à qqn, veiller sur sa conduite || **2.** régler, diriger.

modeste *(modestus),* avec modération, discrètement, modestement, modérément.

modestia, *æ,* f. *(modestus),* **1.** modération, mesure ; conduite modeste, modestie || **2.** discrétion, sentiment de respect, docilité || pudeur || **3.** vertu, sens de l'honneur, dignité || **4.** *hiemis,* douceur de l'hiver.

modestus, *a, um (modus),* modéré, mesuré, calme, doux, tempéré, honnête, réservé, discret, vertueux, sobre, modeste.

modice *(modicus),* en se tenant dans la mesure, avec modération, en gardant le juste milieu || avec calme, tranquillement, posément : *modice ferre,* supporter patiemment || modérément, moyennement.

modicus, *a, um (modus),* qui est dans la mesure, modéré.

modificatio, *onis,* f. *(modifico),* disposition mesurée, réglée.

modifico, *are, avi, atum (modus facio),* tr., régler, ordonner (suivant une mesure).

modius, *ii,* m., gén. pl. *modiorum* et *-ium,* modius [mesure de capacité servant surtout pour le blé = 15 *sextarii,* 8,75 l], boisseau.

modo, adv.,

I. dans cette mesure, ni plus ni moins, **1.** seulement || **2.** *modo ut* ou *modo* seul avec subj., pourvu que ; *modo ne,* pourvu que ne pas || *si modo* ind., si seulement, si du moins || **3.** *non modo, sed (ou verum) etiam,* non seulement, mais encore ; *non modo, sed,* non seulement, mais || *non modo non, sed etiam,* non seulement ne... pas, mais encore || *non modo non, sed ne... quidem,* non seulement ne pas, mais pas même ; [souvent, avec le même sens] *non modo, sed ne... quidem.*

II. [temporel], **1.** à l'instant, tout de suite || **2.** il y a un instant, tout à l'heure, naguère || **3.** peu après || **4.** *modo... modo,* tantôt... tantôt ; *modo... tum,* tantôt... puis.

modulate *(modulatus),* avec mesure, mélodieusement.

modulatio, *onis,* f. *(modulor),* **1.** action de mesurer, de régler, mesure régulière || **2.** mesure rythmée, modulation, cadence, mélodie.

modulator, *oris,* m. *(modulor),* **1.** celui qui mesure, qui règle || **2.** musicien.

modulatus, *a, um,* part. de *modulor* || adj., cadencé, modulé, mélodieux.

modulor, *ari, atus sum (modus),* tr., **1.** mesurer, régulariser || **2.** soumettre à une mesure, à un rythme, à une cadence || **3.** moduler des vers, les chanter [avec accompagnement de la lyre] || tirer une mélodie d'un instrument.

modulus, *i,* m., dimin. de *modus,* **1.** mesure || **2.** mode, mélodie.

modus, *i,* m., **1.** mesure [avec quoi on mesure qqch.] || **2.** mesure, étendue, dimension || **3.** [musique] mesure : *ad tibicinis modos saltare,* danser à la cadence de la flûte || mélodie, mode || **4.** mesure, juste mesure, limite convenable : *alicujus rei modum facere, statuere, alicui rei modum constituere, statuere,* fixer une limite (imposer une mesure) à qqch. ; *modum transire,* dépasser la mesure || modération dans le caractère, dans la conduite || **5.** manière, façon, sorte, genre ; *nullo modo,* d'aucune façon ; *omni modo,* de toute façon ; *in servilem modum,* comme cela se pratique pour les esclaves ; *ad hunc modum,* de cette manière ; *cujusque modi,* de toute espèce ; *ejusmodi, hujusmodi, illiusmodi, istiusmodi,* de cette façon.

mœnia, *ium,* n. *(munio),* murailles [de ville], murs, remparts, fortifications || [poét.] enceinte || ville || maison, palais.

mola, *æ,* f., **1.** meule, meule de moulin || **2.** moulin ; surt. au pl. *molæ, arum* ; *molæ oleariæ,* moulin à olives || **3.** *mola salsa,* ou *mola* seul, farine sacrée [de blé torréfié, mêlée de sel, qu'on répandait sur la tête des victimes].

molaris, *e (mola),* de moulin || **-ris,** *is,* m., meule et en gén. grosse pierre.

moles, *is,* f., **1.** masse || **2.** levée, jetée, digue, môle || **3.** appareils de siège, machines de guerre || **4.** [fig.] ***a)*** masse, poids, charge ; ***b)*** effort, difficulté, peines ; ***c)*** embarras, danger ; ***d)*** bouleversement des flots.

moleste *(molestus),* **1.** avec peine, avec chagrin : *moleste ferre* avec prop. inf., supporter avec peine que ; *molestius ferre,* supporter avec plus de peine || **2.** d'une manière choquante, désagréable, rebutante.

molestia, *æ,* f. *(molestus),* chose qui est à charge, peine, chagrin, inquiétude ; désagrément, embarras, gêne, inconvénient.

molestus, *a, um (moles),* **1.** qui est à charge, pénible, désagréable, fâcheux ; *alicui,* importun pour qqn, qui cause des ennuis à qqn [en parl. d'une pers.] ; *est in hoc genere molestum quod,* le fâcheux en ces sortes de choses, c'est que ; *molestum est* avec inf., il est ennuyeux de || **2.** déplaisant, choquant.

molimen, *inis,* n. *(molior),* gros effort.

molimentum, *i,* n. *(molior),* effort pour réaliser qqch.

molior, *iri, molitus sum (moles),* tr., **1.** mettre en mouvement, déplacer || *portas,* forcer, enfoncer des portes || **2.** bâtir, construire || **3.** [fig.] faire, réaliser : *nulla opera moliri,* ne rien faire || **4.** entreprendre, préparer, machiner, ourdir || *molimur dicere,* nous entreprenons de dire || **5.** mettre en mouvement, provoquer || **6.** [absol.] se remuer, s'occuper || se mettre en mouvement : *naves dum moliuntur a terra,* pendant que les navires cherchent à s'éloigner de terre.

molitio, *onis,* f. *(molior),* **1.** action de remuer, de déplacer || **2.** préparation, mise en œuvre, construction.

molitor, *oris,* m. *(molior),* celui qui construit || [fig.] celui qui ourdit, qui trame, artisan de.

molitrix, *icis,* f. *(molitor),* celle qui machine qqch.

1. molitus, *a, um,* part. de *molo* : *molita cibaria,* farine.

2. molitus, *a, um,* part. de *molior.*

mollesco, *ere (mollis),* intr., devenir mou || s'adoucir.

mollimentum, *i,* n. *(mollio),* adoucissement, consolation.

mollio, *ire, ivi* ou *ii, itum (mollis),* tr., **1.** rendre souple, flexible, assouplir, amollir || **2.** [fig.] adoucir, atténuer || amollir [péjor.] énerver, efféminer.

mollipes, *pedis (mollis, pes),* qui a les pieds tendres.

mollis, *e,* **1.** ***a)*** souple, flexible ; ***b)*** mou, tendre ; ***c)*** doux, non escarpé ; ***d)*** non âpre, doux ; ***e)*** souple, sans raideur || **2.** [fig.] doux, tendre || doux, agréable || mou, sans énergie || efféminé.

molliter *(mollis),* **1.** moelleusement, mollement : *mollissime* || avec souplesse || en pente douce, graduellement || **2.** [fig.] avec douceur, sans âpreté || avec faiblesse, sans énergie ; *mollius,* avec trop peu d'énergie.

mollitia, *æ,* f., **1.** souplesse, flexibilité || douceur, moelleux [de la laine] || mollesse, état d'une chose encore tendre, qui n'a pas encore toute sa fermeté et sa consistance || **2.** [fig.] douceur, sensibilité || flexibilité [des sentiments] || faiblesse de caractère, manque d'énergie || vie molle, vie efféminée.

mollitudo, *inis,* f. *(mollis),* **1.** souplesse, flexibilité || mollesse, qualité de ce qui est mou || douceur, moelleux || **2.** [fig.] la douceur, le poli des manières.

mollitus, *a, um,* part. de *mollio.*

molo, *ere, ui, itum (mola),* tr., **1.** [absol.] moudre, tourner la meule || **2.** avec acc.: *hordeum,* moudre de l'orge.

Molo ou **Molon,** *onis,* m., Molon [de Rhodes, célèbre professeur de rhétorique].

Molossi, *orum,* m., Molosses, habitants de la Molossie || **Molossia,** *æ,* f., Molossie [partie de l'Épire].

Molossus, *a, um,* du pays des Molosses; *molossi canes,* chiens molosses || **-ssus,** *i,* m. (gén. pl. *molossum*), chien molosse.

molui, pf. de *molo.*

moly, *yos,* n., moly, espèce d'ail [utilisé contre les enchantements].

momentum, *i,* n. *(movimentum, movere),* **1.** mouvement, impulsion || **2.** [d'où] influence, poids, importance: *nihil habere momenti,* n'avoir point d'importance; *res nullius momenti putatur,* cette chose est considérée comme sans importance; *levi momento æstimare aliquid,* estimer de peu d'importance qqch. || influence, raison déterminante || **3.** espace dans lequel se produit un mouvement: *parvo momento antecedere,* devancer d'une faible longueur || **4.** durée d'un mouvement, moment, instant; *momento* ou *momento temporis,* en un instant, en un clin d'œil.

momordi, pf. de *mordeo.*

monedula, *æ,* f., choucas [oiseau].

moneo, *ere, ui, itum,* tr., **1.** faire songer à qqch., faire souvenir: *aliquem de aliqua re,* faire songer qqn à qqch. || [avec acc. de pron. n.]: *id ipsum, quod me mones,* ce à quoi précisément tu me fais penser || [avec prop. inf.] faire observer que || **2.** avertir, engager, exhorter; [avec *ut* subj.] avertir de, engager à || [avec *ne*] avertir de ne pas || [avec subj. seul] || [avec inf.] || **3.** donner des avertissements, des inspirations, éclairer, instruire || prédire, annoncer.

Moneta, *æ,* f. *(moneo),* mère des Muses || surnom de Junon, qu'elle reçut pour avoir averti les Romains d'un tremblement de terre || temple de Junon Monéta, où l'on fabriquait la monnaie, d'où **moneta,** *æ,* f., ***a)*** hôtel de la monnaie; ***b)*** argent monnayé, monnaie; ***c)*** coin, empreinte de la monnaie.

monile, *is,* n., collier || pl., bijoux, joyaux.

moniment-, v. *monument-.*

monitio, *onis,* f. *(moneo),* avertissement, avis, conseil, recommandation.

monitor, *oris,* m. *(moneo),* celui qui rappelle, qui conseille; guide, conseiller || esclave, nomenclateur || qui avertit, qui remontre, sermonneur.

monitum, *i,* n. *(moneo),* rappel, avertissement, conseil, avis || prophétie, prédiction, oracle.

1. monitus, *a, um,* part. de *moneo.*

2. monitus, *us,* m., rappel, conseil, avis || avertissement des dieux, oracle, prophétie.

monogrammus, *a, um,* ou **-os,** *-on,* fait simplement de lignes, ébauché, linéaire.

monopodium, *ii,* n., guéridon.

mons, *tis,* m., montagne, mont || montagne = masse énorme; *montes et maria polliceri,* promettre monts et merveilles.

monstrabilis, *e (monstro),* remarquable, distingué.

monstrator, *oris,* m. *(monstro),* celui qui montre, qui indique || qui enseigne, propagateur.

monstratus, *a, um,* part. de *monstro* || adj., signalé, distingué.

monstro, *are, avi, atum,* tr., **1.** montrer, indiquer || **2.** [fig.] faire voir, faire connaître; [avec inf.] montrer à faire qqch. || désigner, prescrire || indiquer, dénoncer || avertir, conseiller.

monstrum, *i,* n., **1.** fait prodigieux [avertissement des dieux] || **2.** tout ce qui sort de la nature, monstre, monstruosité.

monstruose (-trose), à la façon d'un prodige.

monstruosus (-trosus), *a, um (monstrum),* monstrueux, bizarre, extraordinaire.

montanus, *a, um (mons),* relatif à la montagne, de montagne || subst. m. pl., les montagnards.

monticola, *æ,* m. f. *(mons, colo),* habitant des montagnes.

montivagus, *a, um (mons, vagus),* qui parcourt les montagnes.

montuosus, *a, um (mons),* montagneux, montueux || *-tuosa, orum,* n., région montagneuse.

monui, pf. de *moneo.*

monumentum (moni-), *i*, n. *(moneo)*, **1.** tout ce qui rappelle qqn ou qqch., ce qui perpétue le souvenir || **2.** [en part.] tout monument commémoratif, monument [stèle, portique, etc.] || monument funéraire || **3.** monuments écrits.

1. mora, *æ*, f., **1.** délai, retard, retardement : *sine mora*, sans retard || *nullam moram interponere, quin*, ne mettre aucun retard à || **2.** retardement, obstacle.

2. mora, *æ*, f., more, corps de troupes chez les Lacédémoniens.

morator, *oris*, m. *(moror)*, **1.** celui qui retarde || **2.** traînard, soldat maraudeur || **3.** méchant avocat, avocat subalterne.

1. moratus, *a, um*, part. de *moror*.

2. moratus, *a, um (mores)*, **1.** qui a telles ou telles mœurs : *bene morata et bene constituta civitas*, État ayant un bon fondement de mœurs et une bonne constitution || **2.** adapté aux mœurs et au caractère d'une personne.

morbidus, *a, um, (morbus)*, **1.** malade, maladif || **2.** malsain.

morbosus, *a, um (morbus)*, malade, maladif.

morbus, *i*, m., maladie, désordre physique, malaise général : *in morbo esse*, être malade ; *in morbum cadere*, tomber malade.

mordax, *acis (mordeo)*, habitué à mordre, mordant || pointu, tranchant, piquant || caustique, satirique.

mordeo, *ere, momordi, morsum*, tr., mordre || [mét.] mordre en paroles, déchirer à belles dents || piquer, chagriner, tourmenter.

mordicus *(mordeo)*, adv., en mordant avec les dents || [fig.] opiniâtrement, obstinément.

moretum, *i*, n., mets composé d'herbes, d'ail, de fromage et de vin.

moribundus, *a, um (morior)*, mourant, moribond.

morigero, *are*, et surtout **morigeror,** *ari, atus sum (mos, gero)*, intr., condescendre à, être complaisant pour, essayer de plaire à [avec dat.].

morigerus, *a, um (mos, gero)*, complaisant, docile, soumis.

Morini, *orum*, m., les Morins [peuple de la Belgique].

morio, *onis*, m., un fou, un bouffon.

morior, *mori, mortuus sum*, mourir : *fame*, mourir de faim ; *a latronibus*, mourir sous les coups des voleurs || *moriar si*, que je meure si || part. fut. *moriturus*.

moriturus, *a, um*, part. fut. de *morior*.

1. moror, *ari, atus sum (mora)*, intr. et tr.,

I. intr., **1.** s'attarder || [fig.] *ne multis morer*, pour abréger || **2.** s'arrêter, rester, demeurer || *morati* [part. pris subst.], gens (soldats) arrêtés, séjournant || *in Italia morari, dum litteræ veniant*, attendre en Italie jusqu'à l'arrivée d'une lettre.

II. tr., **1.** retarder, suspendre, arrêter || [avec inf.] balancer à, hésiter à || **2.** *aliquem nihil* ou *non morari*, ne pas retenir qqn, le laisser libre d'aller || **3.** *aliquid nihil* ou *non morari*, ne pas se soucier de qqch., ne pas tenir à qqch., ne pas faire cas de qqch.

2. moror, *ari*, intr., être fou.

morose *(morosus)*, avec une humeur chagrine || scrupuleusement, avec soin, minutie.

morositas, *atis*, f. *(morosus)*, morosité, humeur chagrine, morose.

morosus, *a, um (mos)*, morose, dont l'humeur est difficile || difficile, exigeant, maussade.

mors, *mortis*, f., mort [naturelle ou violente, ou comme châtiment suprême] : *mortem obire*, mourir ; *adpropinquante morte*, à l'approche de la mort ; *repentina morte perire*, périr d'une mort soudaine ; *mortem oppetere*, aller au-devant de la mort ; *mortem alicui offerre*, menacer qqn de mort ; *mors voluntaria*, mort volontaire ; *morte multare*, punir de mort ; *afficere*, frapper de mort ; *morti addicere*, condamner à mort.

1. morsus, *a, um*, part. de *mordeo*.

2. morsus, *us*, m., **1.** morsure || [poét.] en parl. d'une agrafe, d'une ancre, etc., de qqch. qui saisit et retient || **2.** [fig.] *rubiginis*, la rouille qui ronge || attaque.

mortalis, *e (mors)*, **1.** mortel, sujet à la mort, périssable || **2.** humain, mortel, des mortels || subst. m. sing., mortel, être humain || *mortalia* n. pl., les affaires humaines || [en parl. des choses] périssable.

mortalitas, *atis*, f. *(mortalis)*, mortalité, condition d'un être mortel, nature mortelle.

mortarium, *ii*, n., **1.** mortier, vase à piler || **2.** ustensile dans lequel on fait le mortier, auge.

morticinus, *a, um*, crevé, mort.

mortifer (-ferus), *era, erum (mors, fero)*, mortel, qui cause la mort, fatal.

mortifere *(mortifer)*, mortellement, de manière à causer la mort.

mortuus, *a, um*, part. de *morior*.

morum, *i*, n., mûre, fruit du mûrier.

1. morus, *i*, f., mûrier [arbre].

2. morus, *a, um*, fou, extravagant.

mos, *moris*, m., **1.** volonté de qqn, désir, caprice : *morem alicui gerere*, exécuter les volontés de qqn || **2.** usage, coutume : *mos est hominum, ut; moris est Græcorum, ut*, c'est la coutume des hommes ; des Grecs que ; *mos traditur a patribus, ut*, la coutume est transmise par nos pères de ; *more majorum*, selon la coutume des ancêtres ; *more Asiatico, nostro more*, suivant l'usage asiatique, suivant nos usages ; *more belli*, d'après les usages de la guerre || **3.** genre de vie, mœurs, caractère ; *præfectus moribus*, préfet des mœurs ; *antiqui mores*, les mœurs d'autrefois || mœurs publiques, traditions (morales et surtout religieuses) || **4.** [mét.] *mos cæli*, les caractères d'un climat || principes, règles, lois.

motatus, *a, um*, part. de *moto*.

motio, *onis*, f. *(moveo)*, action de mouvoir, mouvement, impulsion.

motiuncula, *æ*, f. *(motio)*, léger accès de fièvre.

moto, *are*, fréq. de *moveo*, tr., mouvoir fréquemment.

1. motus, *a, um*, part. de *moveo*.

2. motus, *us*, m., **1.** [en gén.] mouvement : *terræ motus*, tremblement de terre || geste, action oratoire || **2.** [fig.] ***a)*** mouvement de l'âme ; [en part.] *motus animi = perturbationes*, émotions, passions ; ***b)*** mouvement de foule ; ***c)*** trouble.

movens, part.-adj. de *moveo* : *res moventes*, biens meubles || mobile, animé d'un mouvement.

moveo, *ere, movi, motum*, tr.,

I. [pr.], **1.** mouvoir, remuer, agiter : *vis movendi*, force motrice || *membra movere* ou *moveri* seul, se remuer, danser || *movere castra*, décamper, *ex loco*, d'un endroit ; [ou *movere* seul] || **2.** éloigner, écarter, exclure, chasser || **3.** intr. : *terra movit*, il y eut un tremblement de terre.

II. [fig.], **1.** mettre en mouvement, pousser, déterminer : *aliquem, ut*, pousser qqn à faire qqch. || écarter : *aliquem de aliqua re* || **2.** toucher, influencer, émouvoir, faire impression || [rhét., un des trois offices de l'orateur] émouvoir || **3.** mettre en mouvement, provoquer, faire naître : *alicui fletum, risum*, provoquer les larmes, le rire de qqn ; *admirationes, clamores, plausus*, provoquer des marques d'admiration, des clameurs, des applaudissements || *aliquid*, machiner qqch. || **4.** faire chanceler : *sententiam alicujus*, ébranler l'opinion de qqn || affecter, rendre malade || **5.** *moveri*, se remuer, s'agiter || **6.** remuer, agiter [des pensées dans son esprit] || **7.** mettre en mouvement, produire, manifester.

mox, adv., **1.** [avenir] bientôt, dans peu de temps || **2.** [passé] bientôt après, après, ensuite.

Mucius, *ii*, m., nom d'une famille rom. ; not. C. Mucius Scævola [qui pénétra dans la tente de Porsena pour le tuer].

mucro, *onis*, m., **1.** pointe, extrémité aiguë || **2.** épée || **3.** [fig.] tranchant, pointe ; *ingenii*, vivacité d'esprit.

muginor, *ari*, intr., ruminer, réfléchir.

mugio, *ire, ivi* ou *ii, itum*, **1.** intr., mugir, beugler || [fig.] mugir, retentir || **2.** tr., crier avec violence, hurler.

mugitus, *us (mugio)*, mugissement, beuglement || grondement, bruit fort.

mula, *æ*, f., mule.

mulcatus, *a, um*, part. de *mulco*.

mulceo, *ere, lsi, lsum*, tr., palper, toucher légèrement, caresser || [fig.] adoucir, apaiser, charmer.

mulco, *are, avi, atum*, tr., battre, frapper, maltraiter, traiter durement || détériorer.

mulcta, mieux **multa,** *æ*, f., amende : *multam committere*, encourir une amende ; *multam certare*, débattre (devant le peuple) le taux de l'amende || [en gén.] condamnation, punition.

mulctatio, mieux **multatio,** *onis*, f., amende.

mulctaticius, mieux **multaticius,** *a, um*, provenant d'une amende.

mulctatus, mieux **multatus,** *a, um*, part. de *mulcto*.

mulcto, mieux **multo,** *are, avi, atum*, tr., punir || [avec abl.] punir de qqch. : *exsilio, morte*, d'exil, de mort || [avec le dat. de la personne au profit de laquelle est infligée l'amende].

mulctra, *æ*, f. *(mulgeo)*, vase à traire.

mulctus, *a, um*, part. de *mulgeo*.

mulgeo, *ere, lxi* ou *lsi, lctum* ou *lsum*, tr., traire.

muliebris, *e (mulier)*, de femme.

muliebriter, en femme, à la manière des femmes || d'une façon efféminée, mollement.

mulier, *eris*, f., femme [en gén.] || femme mariée.

mulierarius, *a, um (mulier),* de femme.

muliercula, *æ,* f., dimin. de *mulier,* faible femme || femelle.

mulio, *onis,* m. *(mulus),* celui qui a soin des mulets, palefrenier, conducteur, loueur de mulets, maquignon.

mulionius, *a, um (mulio),* de muletier.

mullus, *i,* m., surmulet (poisson).

mulseus, *a, um,* miellé, mélangé de miel.

mulsi, pf. de *mulceo* et de *mulgeo.*

mulsum, *i,* n. (s.-ent. *vinum*), vin mêlé de miel.

mulsus, *a, um,* part. de *mulceo* || adj., doux || [en part.] adouci avec du miel.

multa, multa-, v. *mulct-.*

multitariam, adv., en beaucoup d'endroits.

multifidus, *a, um (multus, findo),* fendu en plusieurs endroits, en plusieurs morceaux.

multiformis, *e (multus, forma),* qui a plusieurs formes, varié, changeant [choses et pers.].

multijugis, *e,* et **-jugus,** *a, um,* attelé avec plusieurs || [fig.] nombreux, complexe, varié.

multimodis *(multis modis),* de beaucoup de manières.

multiplex, *icis (multus, plico),* **1.** qui a beaucoup de plis, de détours, de replis || **2.** multiple, bien plus nombreux, bien plus grand: *præda,* butin bien plus abondant || **3.** qui a beaucoup d'éléments constitutifs || **4.** ***a)*** contourné, enveloppé, à plusieurs faces; ***b)*** variable, changeant, ondoyant, divers.

multiplicatio, *onis,* f. *(multiplico),* multiplication, accroissement, augmentation || [arithm.] multiplication.

multiplicatus, *a, um,* part. de *multiplico.*

multipliciter *(multiplex),* de plusieurs manières.

multiplico, *are, avi, atum (multiplex),* tr., multiplier, augmenter, accroître.

multitudo, *inis,* f. *(multus),* multitude, grand nombre || foule de gens, multitude || la foule, le vulgaire.

1. multo (abl. n. de *multus*), adv., beaucoup, de beaucoup, en quantité [avec le comparatif ou idée comparative].

2. multo, *are,* v. *mulcto.*

1. multum, *i,* n. de *multus,* pris subst., une grande quantité.

2. multum, n. pris adv., beaucoup, très || souvent.

multus, *a, um,* **1.** nombreux, en grand nombre, beaucoup de || n. pris subst. [v. *multum 1*], *multa,* beaucoup de choses; *nimis, nimium multa,* trop de choses || m. pris subst., *multi,* beaucoup de gens, la multitude || **2.** au sing. ***a)*** [poét.] *multa victima,* de nombreuses victimes; ***b)*** abondant, en grande quantité: *multo labore,* avec beaucoup de peine; ***c)*** [temps] avancé: *multo die,* le jour étant bien avancé || [poét.] *multa pax,* paix avancée, paix profonde; ***d)*** abondant en paroles, prolixe; ***e)*** actif, qui se prodigue || acharné, pressant.

mulus, *i,* m., mulet.

mulxi, pf. de *mulgeo.*

Munda, *æ,* f., ville de la Bétique.

mundanus, *a, um (mundus 2),* du monde, de l'univers || **-danus,** *i,* m., un citoyen de l'univers.

mundatus, *a, um,* part.-adj. de *mundo,* nettoyé.

munde *(mundus 1),* proprement.

Mundensis, *e,* de Munda.

munditia, *æ,* f. *(mundus 1),* propreté || netteté, élégance || raffinement || [fig.] pureté, élégance [du style].

mundo, *are, avi, atum (mundus 1),* tr., nettoyer, purifier.

1. mundus, *a, um,* net, propre || élégant, raffiné.

2. mundus, *i,* m., **1.** le monde, l'univers || **2.** [en part.] ***a)*** le ciel, le firmament; ***b)*** la terre habitée, ici-bas, les hommes; ***c)*** la terre, le globe terrestre.

3. mundus, *i,* m., objets de toilette [des femmes], bijoux, parure.

muneratus, *a, um,* part. de *munero* et de *muneror.*

munero, *are, avi, atum (munus),* tr., **1.** donner en présent, accorder, *aliquid alicui,* qqch. à qqn || **2.** récompenser, gratifier: *aliquem,* faire un cadeau à qqn; *aliquem aliqua re,* faire cadeau à qqn de qqch.

muneror, *ari, atus sum (munus),* tr., **1.** faire des présents || **2.** donner en présent, accorder: *aliquid alicui,* qqch. à qqn || **3.** *aliquem aliqua re,* gratifier qqn de qqch., faire présent de qqch. à qqn.

munia, n., charges, fonctions, devoirs [officiels ou privés].

municeps, *ipis,* m. f. *(munia, capio),* citoyen d'une ville municipale || compatriote, concitoyen.

municipalis, *e (municipium),* municipal, de municipe, de ville municipale.

municipium, *ii*, n. *(municeps)*, municipe, ville municipale.

munifice *(munificus)*, généreusement, libéralement.

munificentia, *æ*, f. *(munificus)*, munificence, générosité.

munificus, *a, um (munus, facio)*, libéral, généreux || *-centior, -centissimus.*

munimen, *inis*, n. *(munio)*, tout ce qui garantit, fortification, rempart, retranchement.

munimentum, *i*, n. *(munio)*, tout ce qui protége, garantit; rempart, moyen de défense || fortification, retranchement || [fig.] rempart, défense, protection.

munio (arch. **mœnio**), *ire, ivi* et *ii, itum*, tr., **1.** faire un travail de terrassement, de maçonnerie || **2.** faire avec un travail de maçonnerie, construire: *castra munire*, faire un camp retranché; *munitis castris*, le camp retranché étant achevé || *viam munire*, construire une route || **3.** fortifier, garnir de fortification: *locum*, fortifier un lieu || **4.** [fig.] ***a)*** abriter, protéger; ***b)*** *se munire ad aliquid* ou *ab aliqua re*, se fortifier contre qqch.; ***c)*** *sibi viam ad rem*, se préparer la voie à qqch.

munitio, *onis*, f. *(munio)*, travail de terrassement: **1.** travail de fortification || fortification, rempart, retranchement, murs || **2.** *viarum*, construction, réparation de routes.

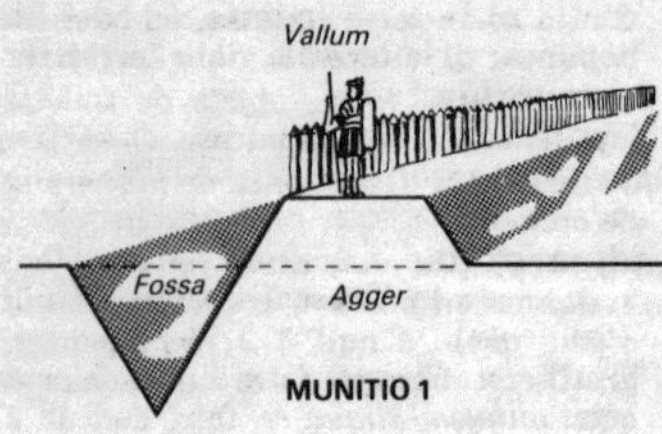

MUNITIO 1

munito, *are* (fréq. de *munio*), tr., ouvrir.

munitor, *oris*, m. *(munio)*, celui qui fortifie || soldat travaillant à des fortifications, travailleur; [mineur].

munitus, *a, um*, part.-adj. de *munio*, défendu, fortifié, protégé.

munus, *eris*, n., **1.** office, fonction || **2.** obligation, charge: *munera militiæ*, les tâches du service militaire || **3.** tâche accomplie, produit, œuvre || **4.** service rendu || *suprema munera*, les derniers devoirs || **5.** don, présent, faveur; *munera mittere alicui*, envoyer des présents à qqn || **6.** spectacle public, [surtout] combat de gladiateurs: *magnificum munus dare* ou *præbere*, donner des jeux grandioses; *gladiatorum munera*, les combats de gladiateurs.

munusculum, *i*, n., dimin. de *munus*, petit présent.

murӕna (murena), *æ*, f., murène.

muralis, *e (murus)*, de mur, de rempart; *murales falces*, faux murales [pour saper]; *muralis corona*, couronne murale ou obsidionale [donnée au soldat qui avait escaladé le premier les murs assiégés].

Murena, *æ*, m., surnom dans la *gens Licinia*; not. L. Licinius Muréna [qui fut défendu par Cicéron].

murex, *icis*, m., murex ou pourpre [coquillage dont on tirait la pourpre] || pourpre [couleur] || rocher pointu || pointes de fer formant chausse-trappe.

muria, *æ*, f., saumure || eau salée.

murmur, *uris*, n., murmure, bruit confus de voix || bourdonnement || grondement || sons rauques.

murmuratio, *onis*, f. *(murmuro)*, murmure, plainte.

murmuro, *are, avi, atum (murmur)*, intr., **1.** murmurer [personnes] || **2.** [choses] faire entendre un bruit, un murmure, un grondement, un crépitement, etc.

murrha ou **murra,** *æ*, f., **1.** murrhe, matière minérale dont on faisait des vases précieux || **2.** vase murrhin || **3.** v. *myrrha.*

murrheus ou **murreus,** *a, um*, **1.** fait avec de la matière murrhine, murrhin || **2.** v. *myrrheus.*

murrhinus ou **murrinus,** *a, um*, murrhin.

murus, *i*, m., mur [d'une ville], rempart || mur [de maison], clôture, enceinte || remblai, levée, digue || rempart, défense, protection.

mus, *muris*, m., rat, souris.

Musa, *æ*, f., **1.** une des Muses || pl. **Musæ,** les Muses || **2.** [fig.] chant, poésie, poème || pl., études, science.

musca, *æ*, f., mouche [insecte].

muscipula, *æ*, f., et **muscipulum,** *i*, n. *(mus)*, ratière, souricière.

muscosus, *a, um (muscus)*, moussu, couvert de mousse.

musculus, *i*, m., dimin. de *mus*, **1.** petit rat, petite souris || **2.** moule [coquillage] || **3.** muscle || **4.** sorte de galerie couverte mobile [pour protéger les assaillants].

muscus, *i*, m., mousse.

Museum, *i*, n., endroit consacré aux Muses, aux études; musée, bibliothèque, académie.

Museus, *a, um*, des Muses, mélodieux, harmonieux.

1. **musica,** *æ*, et **musice,** *es*, f., la musique; *musicam scire*, savoir la musique.

2. **musica,** *orum*, n., la musique.

musice, *es*, f., v. *musica 1.*

1. **musicus,** *a, um*, **1.** relatif à la musique || **2.** relatif à la poésie.

2. **musicus,** *i*, m., musicien.

mussito, *are, avi, atum*, fréq. de *musso*, **1.** intr., garder pour soi, se taire, garder le silence || **2.** tr., dire tout bas, marmonner, murmurer.

musso, *are, avi, atum*, **1.** intr., étouffer sa voix, parler entre les dents, murmurer, chuchoter, marmonner || [poét.] bourdonner || être dans la crainte ou l'incertitude || [avec inf.] hésiter à || **2.** tr., garder pour soi, taire.

mustaceum, *i*, n., **mustaceus,** *i*, m., sorte de gâteau [not. avec vin doux et laurier] offert aux convives à leur départ.

mustella (-ela), *æ*, f., belette.

musteus, *a, um (mustum)*, doux comme du moût || frais, nouveau.

mustum, *i*, n. *(mustus)*, moût, vin doux, non fermenté || [fig.] **musta,** *orum*, n., vendanges, automne.

mutabilis, *e (muto)*, sujet au changement, variable.

mutabilitas, *atis*, f. *(mutabilis)*, mutabilité || [fig.] mobilité [d'esprit], inconstance.

mutatio, *onis*, f. *(muto)*, **1.** action de changer, altération, changement || *rerum*, changement dans l'État, révolution || **2.** échange, action d'échanger.

mutatus, *a, um*, part. de *muto*.

mutilatus, *a, um*, part. de *mutilo*.

mutilo, *are, avi, atum (mutilus)*, tr., mutiler, retrancher, couper || estropier || diminuer, amoindrir.

mutilus, *a, um*, mutilé, dont on a coupé ou retranché qqch. || tronqué, incomplet.

Mutina, *æ*, f., ville de la Gaule Transpadane, auj. Modène || **-ensis,** *e*, de Modène.

muto, *are, avi, atum*, tr. et intr.,

I. tr., **1.** changer, modifier: *sententiam, consilium*, changer son opinion, sa résolution; *mentem alicujus*, modifier les idées de qqn || [pass.]: *mutari in pejus*, se modifier dans un sens plus mauvais || **2.** changer, échanger, remplacer par échange: *vestem mutare*, prendre des habits de deuil || *rem cum aliqua re*, changer qqch. contre qqch.; *rem cum aliquo*, échanger qqch. avec qqn; *rem pro aliqua re*, échanger une chose contre une autre || échange des marchandises [trafic, commerce].

II. intr., se changer, changer: *mores mutaverunt*, les mœurs ont changé.

mutuatio, *onis*, f. *(mutuor)*, emprunt.

mutuatus, *a, um*, part. de *mutuor*.

mutue, c. *mutuo*.

mutuo *(mutuus)*, mutuellement, réciproquement.

mutuor, *ari, atus sum (mutuum)*, tr., emprunter || [fig.] emprunter, tirer de, se procurer.

mutus, *a, um*, **1.** muet, privé de la parole || **2.** silencieux: *mutum forum*, le forum muet || **3.** qui ne dit rien.

mutuum, *i*, n. de *mutuus*, **1.** emprunt || [abl.] *mutuo*, à titre de prêt || **2.** réciprocité: *per mutua*, mutuellement.

mutuus, *a, um (muto)*, **1.** prêté, emprunté: *pecuniam mutuam, frumentum mutuum dare*, prêter de l'argent, du blé || **2.** réciproque, mutuel: *mutua officia*, services mutuels.

Mycenæ, *arum*, f. et **Mycena,** *æ*, f., Mycènes, ville d'Argolide, résidence d'Agamemnon || **-næus,** *a, um*, de Mycènes || **-nenses,** *ium*, m., habitants de Mycènes.

myoparo, *onis*, acc. pl. *-onas*, m., myoparon [sorte de navire de pirate].

myrica, *æ*, et **-ce,** *es*, f., tamaris.

Myrmidones, *um*, m., Myrmidons [peuple de la Thessalie, dont Achille était le roi].

Myro ou **Myron,** *onis*, m., Myron [statuaire].

myrrha (murra), *æ*, f., arbrisseau d'où provient la myrrhe || myrrhe [parfum].

myrrheus, *a, um*, blond châtain, de couleur de myrrhe.

myrtetum (mur-), *i*, n., lieu planté de myrtes.

myrteus (mur-), *a, um*, de myrte, fait avec du myrte.

myrtites, *æ*, m., vin de myrte, où ont macéré des baies de myrte.

myrtum (mur-), *i*, n., baie de myrte.

myrtus (mur-), *i* et *us*, f., myrte.

Mysi, *orum*, m., Mysiens.

Mysia, *æ*, f., la Mysie [province d'Asie Mineure] || **-sius** et **-sus,** *a, um*, de Mysie.

mystagogus, *i*, m., mystagogue; guide, cicérone.

mysterium, *ii*, mais plus souv. pl. **-ia,** *orum*, n., mystères, cérémonies secrètes en l'honneur d'une divinité et accessibles seulement à des initiés || mystère, chose tenue secrète, secret.

mysticus, *a, um*, mystique, relatif aux mystères.

Mysus, *a, um*, v. *Mysia.*

N, n, f. n., 13ᵉ lettre de l'alphabet romain || *N.*, abréviation du prénom *Numerius.*

nactus, *a, um*, part. de *nanciscor.*

næ, v. *ne 1.*

nænia, v. *nenia.*

Nævianus, *a, um*, de Nævius [le poète].

Nævius, *ii*, m., Nævius [ancien poète comique latin].

nævus, *i*, m., tache sur le corps, signe naturel, envie, verrue.

Naiades et **Naides,** *um*, f., v. *Nais.*

Nais, *idis* et **Naias,** *adis*, f., Naïade [nymphe des fontaines et des fleuves] || Hamadryade || Néréide.

nam,
I. [particule d'affirmation qui attire l'attention sur un fait], **1.** de fait, voyons, en vérité, en réalité || **2.** il est un fait, c'est que, quant à || **3.** il est un fait, c'est que [introduisant une réserve].
II. [conj. servant à confirmer] **1.** de fait || **2.** [confirmatif et explicatif] car, c'est que || **3.** ainsi, par exemple.
III. [conj. causale] car, en effet.

namque (renforcement de *nam*), conj., le fait est que, et de fait, car.

nanciscor, *nancisci, nactus sum*, tr., obtenir [par surprise], tomber sur, trouver || trouver, rencontrer || attraper par contagion.

nans, *tis*, part. prés. de *no.*

nanus, *i*, m., nain.

Narbo, *onis*, m., Narbonne [ville de Gaule] ou **-bo Marcius** || **-nensis,** *e*, de Narbonne; *Gallia*, la Gaule Narbonnaise [l'une des quatre grandes divisions de la Gaule].

1. narcissus, *i*, m., narcisse [fleur].

2. Narcissus, *i*, m., Narcisse [fils de Céphise, changé en narcisse] || affranchi et favori de Claude.

nardum, *i*, n., ou **-dus,** *i*, f., nard [arbrisseau] || [parfum].

naris, *is*, f., et surtout **nares,** *ium*, pl., narines, nez || [fig.] sagacité, finesse: *(homo) emunctæ naris*, homme à l'odorat subtil; *naribus uti*, se moquer, railler; *nares acutæ*, les narines fines = l'esprit critique.

narratio, *onis*, f. *(narro)*, action de raconter, narration, récit.

narratiuncula, *æ*, f., dimin. de *narratio*, petit récit, conte, historiette.

narrator, *oris*, m. *(narro)*, narrateur, celui qui raconte.

1. narratus, *a, um*, part. de *narro.*

2. narratus, *us*, m., narration, récit.

narro, *are, avi, atum (gnarus)*, tr., **1.** raconter, exposer dans un récit, dire: *alicui aliquid*, raconter qqch. à qqn; *alicui de aliqua re*, faire à qqn le récit de qqch. || *mihi narravit te esse...*, il m'a raconté que tu étais... || *narrant*, ou *narratur* impers. avec prop. inf., on raconte que || **2.** conter, parler de.

narthecium, *ii*, n., boîte à médicaments ou à parfums.

nascor, *nasci, natus sum (gnascor, gnatus)*, intr., **1.** naître: *Paulo natus*, fils de Paulus || *ex serva natus*, né d'une esclave || *post homines natos*, depuis qu'il existe des hommes || **2.** [fig.] naître, prendre son origine, provenir, se trouver.

nasiterna, *æ*, f., nasiterne, sorte d'arrosoir.

Naso, *onis*, m., Nason [surnom romain] || Ovide [désigné par son surnom].

Nasos, v. *Nasus 2*.

nassa ou **naxa,** *æ*, f., nasse de pêcheur || [fig.] mauvais pas.

nasturtium (-cium), *ii*, n., cresson alénois.

1. nasus, *i*, m., **1.** nez de l'homme || nez [odorat] || **2.** [fig.] finesse du goût; esprit moqueur, moquerie, raillerie.

2. Nasus (Nasos), i, f., quartier de Syracuse.

nasute *(nasutus)*, avec du flair, adroitement.

nasutus, *a, um (nasus)*, **1.** qui a un grand nez || **2.** qui a du flair, qui a le nez fin; spirituel, mordant, moqueur || qui a trop de nez dédaigneux.

nata (gnata), *æ*, f., fille.

natales, *ium*, m. *(natalis)*, naissance, origine || origine, naissance.

natalicia, *æ*, f. [s.-ent. *cena*] *(natalicius)*, repas anniversaire de naissance.

natalicius, *a, um (natalis)*, relatif à l'heure (au jour) de naissance.

1. natalis, *e (natus)*, natal, de naissance: *natali die tuo*, au jour anniversaire de ta naissance.

2. natalis, *is*, m. (s.-ent. *dies*), jour de naissance.

3. natalis, *is*, m., génie, dieu qui préside à la naissance de chaque homme.

natatio, *onis*, f. *(nato)*, natation.

natator, *oris*, m. *(nato)*, nageur.

natatus, *a, um*, part. de *nato*.

natio, *onis*, f. *(natus)*, **1.** naissance || race, espèce, sorte || **2.** peuplade, nation [partie d'une *gens*, peuple, race] || [ironiq.] secte, race, tribu, gent.

nativus, *a, um (natus)*, qui naît, qui a une naissance || qui a un commencement || reçu en naissant, inné || naturel, non artificiel.

nato, *are, avi, atum*, intr. et tr., **1.** nager || tr. [poét.], parcourir à la nage: *freta*, traverser la mer à la nage || **2.** [fig.] être flottant, hésitant, incertain || **3.** nager, être rempli d'un liquide, être inondé de.

natrix, *icis*, f., hydre, serpent d'eau.

natu, abl. de l'inus. **natus,** *us*, par la naissance, par l'âge: *grandis natu*, avancé en âge || [rare] *homo magno natu*, homme d'un grand âge.

natura, *æ*, f. *(nascor)*, **1.** le fait de la naissance, nature: *tuus natura filius*, ton fils par la naissance || **2.** nature, état naturel et constitutif d'une chose: *montis; loci*, nature (configuration) d'une montagne, d'un lieu; *secundum naturam fluminis*, suivant la nature (le sens) du courant || **3.** [en part., chez l'homme] nature, naturel, tempérament, caractère || voix de la nature, force de la nature, sentiment naturel || les dons naturels [d'un h., aussi bien physiques qu'intellectuels] || **4.** nature, cours des choses, ordre établi par la nature: *naturæ concedere*, obéir aux lois de la nature, mourir; *lex naturæ*, les lois de la nature || **5.** la nature, ensemble des êtres et des phénomènes, monde physique, monde sensible, *rerum natura* ou *natura* seul: *cognitio naturæ*, l'étude de la nature, la physique || [sens concret] être, élément, objet; *quattuor naturæ*, les quatre éléments.

naturalis, *e (natura)*, de naissance, naturel [père, fils] || qui appartient à la nature des choses, naturel, inné || conforme aux lois de la nature || qui concerne la nature: *quæstiones naturales*, les questions de physique.

naturaliter *(naturalis)*, naturellement, par nature, conformément à la nature.

1. natus (gnatus), *a, um*.

I. part. de *nascor*.

II. pris adj., **1.** formé par la naissance, constitué par la nature: *ita natus est, ut* [subj.], il est par naissance, par nature tel que || **2.** destiné par la naissance à, né pour (avec dat.) || [poét., avec inf.] || **3.** âgé de: *annos natus unum et viginti*, âge de vingt et un ans.

2. natus (gnatus), *i*, m., fils || petits des animaux.

3. natus, *us*, m., v. *natu*.

nauarchus, *i*, m., navarque, capitaine de navire.

naufragium, *ii*, n. (sync. de *navifragium*), **1.** naufrage: *facere*, faire naufrage || **2.** [fig.] naufrage, ruine, perte, destruction || débris d'un naufrage, épaves.

naufragus, *a, um (navifragus, frango)*, qui a fait naufrage, naufragé; subst. m., naufragé || [fig.] qui a tout perdu.

naumachia, *æ*, f., naumachie, représentation d'un combat naval || bassin sur lequel on donne la naumachie.

nausea (qqf. **-ia**), æ, f., mal de mer || nausée, envie de vomir.

nauseabundus, *a, um (nauseo),* qui éprouve le mal de mer || qui a des nausées.

nauseator, *oris,* m., celui qui a le mal de mer.

nauseo (qqf. **-io**), *are, avi, atum (nausea),* intr., **1.** avoir le mal de mer || avoir des nausées, avoir envie de vomir || **2.** [fig.] être dégoûté || faire le dégoûté.

nauseola, *æ,* f. *(nausea),* petites nausées.

nausia, nausio, *etc.,* v. *nausea, etc.*

Nausicaa, *æ,* f. et **Nausicae,** *es,* f., Nausicaa [fille d'Alcinoüs, roi des Phéaciens; accueillit Ulysse naufragé].

nauta, *æ,* m. *(navita),* matelot, nautonier || = marchand, négociant.

nauticus, *a, um,* de matelot, de nautonier, naval, nautique || **nautici,** *orum,* m., marins, équipage d'un navire.

navale, *is,* n. *(navalis),* lieu où l'on garde les vaisseaux à sec || **navalia,** *ium,* n. pl., bassin de construction, chantier de navires || arsenaux [à Rome] || matériel naval.

navalis, *e (navis),* de vaisseau, de navire, naval: *pugna,* combat naval.

navarchus, *etc.,* v. *nauarchus, etc.*

navatus, *a, um,* part. de *navo.*

nave (gnave), = c. *naviter.*

navicula, *æ,* f., dimin. de *navis,* petit bateau.

navicularia, *æ,* f. *(navicularius),* métier d'armateur, commerce maritime.

navicularius, *ii,* m. *(navicula),* armateur.

navifragus, *a, um (navis, frango),* qui brise les vaisseaux, qui fait faire naufrage.

navigabilis, *e (navigo),* navigable.

navigatio, *onis,* f. *(navigo),* navigation, voyage sur mer ou [en gén.] par eau.

navigator, *oris,* m. *(navigo),* navigateur.

navigatus, *a, um,* part. de *navigo.*

naviger, *era, erum (navis, gero),* qui porte des navires.

navigiolum, *i,* n., dimin. de *navigium,* barque.

navigium, *ii,* n. *(navigo),* [en gén.] navire, bâtiment, vaisseau.

navigo, *are, avi, atum (navis),* intr., tr., naviguer, voyager sur mer ou [en gén.] par eau.

navis, *is,* f., navire, bâtiment: *navem deducere,* mettre un navire à la mer; *subducere,* mettre un vaisseau à sec sur le rivage; *solvere,* mettre à la voile; *navis longa, oneraria,* vaisseau de guerre, vaisseau de transport; *constrata,* vaisseau ponté.

navita, *æ,* m. *(navis),* [poét.] navigateur.

navitas (gnav-), *atis,* f. *(navus),* empressement.

naviter (gnav-) *(navus),* avec empressement, zèle, soin || de propos délibéré.

Navius, *ii,* m., Attius ou Accius Navius, célèbre augure.

navo, *are, avi, atum (navus),* tr., faire avec soin, avec zèle: *operam alicui,* servir qqn, s'empresser pour qqn.

navus (gnav-), *a, um,* diligent, actif, zélé.

1. ne (non pas *næ*), adverbe, d'affirmation, assurément, certes || en tête de la propos. et joint à un pronom personnel ou démonstratif: *ne ego, ne tu, ne ille, ne ista, etc.*

2. ne, adv. de nég. arch. = *non* dans de nombreux composés.

3. ne, adv. et conj. de négation

I. adv., ne... pas, **1.** *ne... quidem,* pas même ou non plus: *ne in oppidis quidem,* pas même dans les villes; *ne vos quidem,* vous non plus || [une négation et *ne... quidem* venant ensuite ne se détruisent pas] || **2.** dans les prop. indép. exprimant: ***a)*** une défense: [avec impér. dans les textes de lois] *impius ne audeto,* que l'impie n'ait pas l'audace... || [avec le subj.] *ne requiras,* qu'on ne recherche pas; *hoc ne feceris,* ne fais pas cela; ***b)*** une exhortation: *ne agamus...,* ne faisons pas; ***c)*** une supposition, une concession: *ne sint in senectute vires,* admettons que la vieillesse n'ait pas la force; ***d)*** un souhait [surtout avec *utinam,* v. ce mot].

II. conj. avec le subj., que ne, pour que ne... pas, **1.** constr. de certains verbes signifiant: ***a)*** craindre; ***b)*** défendre, empêcher, refuser de, éviter de, s'abstenir de; ***c)*** et en gén. avec les v. ou expressions marquant la volonté, l'intention || **2.** [sens final] pour que ne... pas, pour éviter, empêcher que || [ellipse du verbe *dicere* ou *loqui*] *ne multa* ou *ne multis,* bref || **3.** *ita... ne,* avec cette condition, cette stipulation que ne... pas.

4. ne, enclitique interr., est-ce que?

I. [interr. simple] **1.** [directe]: *meministine...?* te souviens-tu...? *tune?* est-ce toi || [dans les prop. inf. exclam.]:

Siculosne milites eo cibo esse usos...?, des soldats siciliens avoir eu la nourriture...? || **2.** [interr. indir.] si.
II. [interr. double] **1.** [directe]: *tune... an ego...?* toi... ou moi...? || **2.** [indirecte]: *ne... an...*, si ou si... [précédé de *utrum*].

Neapolis, *is*, f., Naples || un des quartiers de Syracuse || **-litanus,** *a, um*, de Naples || **-ani,** *orum*, m., les Napolitains.

nebula, *æ*, f., brouillard, vapeur, brume || nuage.

nebulo, *onis*, m., vaurien, garnement.

nebulosus, *a, um (nebula)*, où il y a des brouillards || obscur, difficile à comprendre.

nec, neque, conjonction = *et non*, et ne... pas, **1.** [lie deux mots, deux propos] || **2.** [poét.] *nec non* = et aussi, et || **3.** [balancements]: ***a)*** *nec... nec; neque... neque*, ni... ni; ***b)*** développant une idée négative: *non possum nec cogitare nec scribere*, je ne puis ni penser ni écrire; *nemo umquam neque poeta neque orator fuit*, il n'y eut jamais personne ni poète ni orateur; *nihil nec subterfugere... nec obscurare*, ni escamoter... ni dissimuler quoi que ce soit; ***c)*** *neque (nec)... et*, d'une part ne... pas..., d'autre part... || *et... neque (nec)*, d'une part... d'autre part... ne pas.

necatus, *a, um*, part. de *neco*.

necdum ou **nequedum,** et pas encore.

necessaria, *æ*, f. *(necessarius)*, parente, alliée.

necessarie, ou mieux **necessario,** nécessairement, par nécessité, forcément.

1. necessarius, *a, um (necesse)*, **1.** inévitable, inéluctable, nécessaire: *necessaria mors*, mort naturelle || **2.** pressant, urgent, impérieux: *res necessaria*, l'urgence, la nécessité || **3.** nécessaire, indispensable: *omnia quæ sunt ad vivendum necessaria*, toutes les choses nécessaires à la vie || pl. n. *necessaria*: ***a)*** besoins de l'existence; ***b)*** les choses nécessaires à la vie, à la subsistance || **4.** lié étroitement [par la parenté, l'amitié, etc.].

2. necessarius, *ii*, m., parent, allié, ami: *necessarii ac consanguinei*, des amis et des gens de même origine.

necesse, adj. n. indécl., touj. avec *esse* ou *habere*, **1.** inévitable, inéluctable, nécessaire: *quod necesse fuit*, ce qui était inévitable || [avec prop. inf.] || [datif et inf.] *homini necesse est mori*, pour l'homme la mort est inéluctable || **2.** indispensable, obligatoire || [avec subj. seul] il faut nécessairement que, c'est une obligation de.

necessitas, *atis*, f. *(necesse)*, **1.** nécessité [= l'inéluctable, l'inévitable] || **2.** besoin impérieux, pressant || pl., *vitæ necessitates*, les nécessités de l'existence, les besoins du corps || **3.** obligation impérieuse de faire une chose: *exeundi necessitas*, la nécessité de sortir || **4.** [moral.] caractère obligatoire de qqch., force impérieuse.

necessitudo, *dinis*, f. *(necesse)*, **1.** [rare au sens de *necessitas*] || **2.** lien étroit [de parenté, d'amitié, de clientèle, de relations entre collègues, etc.]: *necessitudinem conjungere cum aliquo*, nouer des liens d'amitié avec qqn || **3.** pl.: *necessitudines*, les parents, la famille.

necne, ou non [2e terme d'une interr. double]: *sunt hæc tua verba, necne?* sont-ce là tes paroles, ou non?

necis, gén. de *nex*.

necnon et **nec non** ou **neque non,** v. *nec*.

neco, *are, avi, atum (nex)*, tr., faire périr, tuer [avec ou sans effusion de sang].

necopinans et **nec opinans,** *tis*, qui ne s'attend pas, qui n'est pas sur ses gardes.

necopinato *(necopinatus)*, à l'improviste.

necopinatus, *a, um (nec, opinor)*, inopiné, imprévu, qui se fait à l'improviste || pl. n. *necopinata*, les événements qui surprennent || *ex necopinato* = *necopinato*.

necopinus, *a, um (nec, opinor)*, **1.** inopiné, imprévu || **2.** qui ne s'attend pas à, insouciant.

nectar, *aris*, n., le nectar || se dit de tout ce qui est doux et agréable.

nectareus, *a, um*, de nectar.

necto, *ere, nexui* et *nexi, nexum*, tr., **1.** lier, attacher, nouer, entrelacer: *flores, coronas*, tresser des fleurs, des couronnes || **2.** [au pass.] être enchaîné, emprisonné [pour dettes]; d'où *nexus*, débiteur insolvable, esclave de son créancier jusqu'à sa libération || **3.** [fig., passif] ***a)*** être lié à, attaché à; ***b)*** lier ensemble.

necubi *(ne, cubi)*, pour éviter que... quelque part.

necunde *(ne, cunde)*, pour éviter que... de quelque endroit.

nedum [conj. avec subj.], bien loin que.

nefandum, *i*, n. *(nefandus)*, le mal, le crime.

nefandus, *a, um (ne, fari)*, impie, abominable, criminel.

nefarie *(nefarius)*, d'une manière impie, abominable, criminellement.

nefarium, *ii*, n. *(nefarius)*, crime abominable.

nefarius, *a, um (nefas)*, impie, abominable, criminel.

nefas, n. indécl. *(ne = non, fas)*, ce qui est contraire à la volonté divine, aux lois religieuses, aux lois de la nature; ce qui est impie, sacrilège, injuste, criminel: *nefas habent eum nominare*, ils considèrent comme une impiété de le nommer; *nefas est dictu*, il est injuste de dire [avec prop. inf.] || *per omne fas ac nefas*, par tous les moyens, licites et illicites.

nefastum, *i*, n. de *nefastus*, pris subst., crime, impiété.

nefastus, *a, um (ne = non, fastus)*, défendu par la loi divine || *dies nefasti*, jours néfastes [durant lesquels aucun jugement ne pouvait être rendu] || malheureux, non favorable, funeste, maudit.

negatio, *onis*, f. *(nego)*, négation, dénégation.

negatus, *a, um*, part. de *nego*.

negito, *are (nego)*, dire obstinément que... ne... pas, nier à différentes reprises [même constr. que *nego*].

neglectio, *onis*, f. *(neglego)*, action de négliger.

neglectus, *a, um*, part. de *neglego* || adj., négligé, abandonné.

neglegens, *tis*, part.-adj. de *neglego*, négligent, indifférent, insouciant.

neglegenter *(neglegens)*, avec négligence, sans soin.

neglegentia, *æ*, f. *(neglegens)*, négligence, indifférence, insouciance.

neglego, *ere, exi, ectum (nec, lego)*, tr., **1.** négliger, ne pas s'occuper de || **2.** ne pas se soucier de, ne pas tenir compte de, ne pas faire cas de, être indifférent à, être insouciant de.

neglexi, pf. de *neglego*.

neglig-, v. *negleg-*.

nego, *are, avi, atum*, intr. et tr.,
I. intr., **1.** dire non: *Diogenes ait, Antipater negat*, Diogène dit oui, Antipater dit non || **2.** *alicui*, répondre non à qqn, opposer un refus à qqn.
II. tr., **1.** dire, affirmer que ne... pas: *negant versari in re publica esse sapientis*, ils prétendent que le sage ne doit pas s'occuper des affaires publiques || [pass. impers.] *negandum est...*, on doit dire que ne... pas || **2.** nier: *facinus*, nier un crime || **3.** refuser: *aliquid alicui*, refuser qqch. à qqn || [avec inf.] refuser de faire qqch.

negotians, *tis*, **1.** part. prés. de *negotior* || **2.** subst. m., homme d'affaires, banquier || trafiquant, commerçant.

negotiatio, *onis*, f. *(negotior)*, négoce, commerce en grand, entreprise commerciale.

negotiator, *oris*, m. *(negotior)*, négociant, banquier || marchand, trafiquant.

negotiolum, *i*, n. *(negotium)*, petite affaire.

negotior, *ari, atus sum (negotium)*, intr., faire le négoce, faire le commerce en grand || faire du commerce.

negotiosus, *a, um (negotium)*, qui a beaucoup d'affaires, occupé, absorbé || qui absorbe, qui donne du travail: *dies negotiosi*, jours ouvrables.

negotium, *ii*, n. *(nec, otium)*, **1.** occupation, travail, affaire: *nihil habere negotii*, n'avoir rien à faire || **2.** affaire causant de la peine, du souci, de l'embarras: *negotium exhibere alicui*, susciter une affaire à qqn, lui créer des embarras; *non minore negotio*, avec non moins de peine || **3.** activité politique || **4.** une affaire particulière, une tâche, un travail: *privatim negotium gerere*, s'occuper d'une affaire privée; *suscipere; mandare alicui*, se charger d'une affaire, confier une affaire à qqn; *negotium conficere*, mener à bien une entreprise || **5.** [en part.] ***a)*** *forensia negotia*, les affaires, les tâches du forum [de l'avocat]; ***b)*** affaires commerciales: *negotium gerere*, faire des affaires.

1. Nemea, *æ*, f., et **Nemee,** *es*, Némée [ville et forêt de l'Argolide].

2. Nemea, *orum*, n., jeux néméens [une des quatre grandes fêtes nationales de la Grèce].

Nemeæus *a, um*, de Némée: *leo*, le lion de Némée (étouffé par Hercule).

Nemesis, *is*, f., fille de Jupiter et de la Nécessité, déesse vengeresse des crimes.

nemo, *neminis (nehemo, hemo = homo)*, m.,
I. subst., personne, aucune personne: *nemo non*, tout le monde sans exception; *non nemo*, qqn, quelques-uns; [renforcé par *nec... nec*] *nemo nec deus nec homo*, personne ni dieu ni homme || *nemo est, qui possit*, il n'est personne qui puisse; *vestrum, nostrum nemo est*

quin, il n'est personne de vous, de nous qui ne...
II. adj. = *nullus: nemo homo*, aucun homme; *nemo opifex*, aucun ouvrier.

nemorosus, *a, um (nemus)*, couvert de forêts, boisé || épais [en parl. d'un bois] || touffu, feuillu.

nempe, adv. *(nam, pe)*, c'est un fait, n'est-ce pas ? que.

nemus, *oris*, n., forêt renfermant des pâturages, bois || bois consacré à une divinité || vignoble.

nenia (næ-), *æ*, f., nénie, chant funèbre || refrain, chanson enfantine, futilité.

neo, *ere, evi, etum*, tr., filer || tisser, entrelacer, mêler.

Neoptolemus, *i*, m., Néoptolème ou Pyrrhus, fils d'Achille || général grec.

nepa, *æ*, m., scorpion || le Scorpion [signe céleste].

1. nepos, *otis*, m., **1.** petit-fils || [en gén., poét.] *nepotes*, descendants, postérité, neveux || **2.** [fig.] dissipateur, prodigue.

2. Nepos, *otis*, m., nom de famille rom., not. Cornélius Népos [historien latin].

neptis, *is*, f., petite-fille.

Neptunius, *a, um*, de Neptune; *Neptunia arva*, les champs de Neptune [la mer]

Neptunus, *i*, m., Neptune [dieu de la mer] || [fig.] mer, eau.

nequam, **1.** adj. indécl., compar. *nequior*, sup. *nequissimus*, qui ne vaut rien, mauvais, de mauvaise qualité || [en parl. des pers.] vaurien, qui n'est bon à rien || **2.** subst. n. indécl., tort, dommage, mal: *alicui nequam dare*, jouer un mauvais tour à qqn.

nequaquam, adv., pas du tout, en aucune manière, nullement.

neque, v. *nec*.

nequedum, c. *necdum*.

nequeo, *ire, is, ivi* ou *ii, itum (ne = non, queo)*, intr., ne pouvoir pas, n'être pas en état de, n'être pas capable de, [avec inf.].

neque opinans, v. *necopinans*.

nequicquam, nequidquam, nequiquam, adv., en vain, inutilement || sans raison, sans but.

nequiquam, v. *nequicquam*.

nequiter *(nequam)*, adv., d'une manière qui ne vaut rien, mal || *-quius, issime*.

nequitia, *æ*, f. *(nequam)*, **1.** mauvais état, mauvaise qualité || **2.** mauvaise qualité du caractère, des mœurs, etc., fait de ne valoir rien; ***a)*** mollesse, paresse, indolence; ***b)*** dérèglement, dissipation, débauche.

nequities, *ei*, f., c. *nequitia*.

Nereides, *um*, f., Néréides [filles de Nérée et de Doris, nymphes de la mer].

Nereis, *idis*, f., une Néréide.

Nereius, *a, um* de Nérée.

Nereus, *ei*, ou *eos*, m., Nérée [dieu de la mer] || la mer.

Nero, *onis*, m., Néron [surnom dans la famille Claudia]; not., **1.** C. Claudius Néron, vainqueur d'Asdrubal || **2.** l'empereur Néron.

Nerva, *æ*, m., surnom des Cocceii, des Silii; not. M. Cocceius Nerva [empereur romain].

Nervii, *orum*, m., Nerviens [peuple de la Belgique].

nervose *(nervosus)*, vigoureusement || avec du nerf, de la force.

nervosus, *a, um (nervus)*, **1.** qui a beaucoup de muscles, nerveux, musculeux || plein de fibres [plantes] || **2.** qui a du nerf, de la vigueur.

nervulus, *i*, m., dimin. de *nervus*, petit muscle || pl., nerf, force, vigueur.

nervus, *i*, m., **1.** tendon, ligament, nerf || **2.** cordes de boyau [dans la lyre] || corde d'un arc || arc || lanière de cuir || **3.** liens [même de fer, qu'on attachait au cou et surtout aux pieds] || [d'où] fers, prison, cachot || **4.** [fig.] nerf, force || partie essentielle d'une chose: *nervi conjurationis*, les chefs d'une conspiration.

nesciens, *tis*, part. prés. de *nescio*.

nescio, *ire, ivi* ou *ii, itum (ne = non, scio)*, tr., **1.** ne pas savoir || [avec prop. inf.] ignorer que || **2.** ne pas connaître, ignorer, ne pas être en état de: *litteras*, ne pas savoir écrire; *Latine*, ne pas savoir le latin || *irasci nescit*, il ne sait pas se fâcher || [poét.] *hiemem non nescire*, prévoir la tempête || **3.** [expressions particulières]: ***a)*** *nescio an*, v. *an*: *nescio an nemo, nescio an nullus*, peut-être personne, peut-être aucun; ***b)*** [expressions adverbiales]: *nescio quomodo, nescio quo pacto*, je ne sais comment, d'une manière indéfinissable; ***c)*** *nescio quis, nescio quid*, un je ne sais qui, un je ne sais quoi; *nescio qui, nescio quod* [jouant le rôle d'adj.].

nescitus, *a, um*, part. de *nescio*, inconnu.

nescius, *a, um*, **1.** qui ne sait pas, ignorant || *non sum nescius*, je n'ignore pas [avec prop. inf. ou interr.

indir.] || **2.** [poét.] qui ne peut pas, qui n'est pas en état de: *nescius cedere*, qui ne sait pas céder, inflexible || **3.** [passif] inconnu, non su.

Nestor, *oris*, m., roi de Pylos, un des héros du siège de Troie, renommé pour sa sagesse et son éloquence, qui vécut trois générations d'hommes.

netus, *a, um*, part. de *neo*.

neuter, *tra, trum (ne* et *uter)*, aucun des deux, ni l'un ni l'autre.

neutiquam, adv., en aucune manière, nullement, pas du tout.

neutro *(neuter)*, adv., vers aucun des deux côtés [mouv.].

neve et par apocope **neu,** et que ne pas: *cavendum est ne... neve*, il faut prendre garde que... et que: *cohortari uti... neu...*, exhorter à... et à ne pas...

nevi, pf. de *neo*.

nex, *necis*, f., mort violente, meurtre, mise à mort, exécution: *vitæ necisque potestatem habere* [*in aliquem*], avoir le droit de vie et de mort [sur qqn].

nexi, pf. de *necto*.

nexilis, *e (necto)*, attaché ensemble, enlacé.

nexui, pf. de *necto*.

nexum, *i*, n. ou **nexus,** *us*, m. *(necto)*, [t. de droit], **1.** contrat de vente || **2.** obligation, assujettissement (esclavage) pour dettes.

1. nexus, *a, um*, part. de *necto*.

2. nexus, *us*, m. *(necto)*, **1.** enchaînement, entrelacement || **2.** lien, nœud, étreinte || **3.** [t. de droit], v. *nexum*.

ni, conj. = *si non*, si ne... pas.

Nicias, *æ*, m., général athénien.

nictans, *tis*, part. prés. de *nicto*.

nicto, *are*, intr., cligner, clignoter || faire signe des yeux.

nidifico, *are*, intr. *(nidus, facio)*, construire son nid, nicher.

nidor, *oris*, m., odeur (vapeur) [qui se dégage d'un objet qui cuit, qui grille ou qui brûle].

nidulor, *ari*, intr., c. *nidifico*.

nidulus, *i*, m. *(nidus)*, petit nid.

nidus, *i*, m., nid d'oiseau || [poét.] les jeunes oiseaux dans leur nid, nichée.

nigellus, *a, um*, dimin. de *niger*, noirâtre.

niger, *gra, grum*, **1.** noir, sombre || de teint basané || **2.** [poét.] sombre = qui assombrit: *nigerrimus Auster*, le noir Auster || **3.** [fig.] sombre, noir [idée de la mort] || funeste: *sol niger* = jour funeste || perfide, à l'âme noire.

nigresco, *ere, grui*, intr., devenir noir, noircir.

nigritia, *æ*, **nigrities,** *ei*, **nigritudo,** *inis*, f., le noir, la couleur noire, noirceur.

nigrui, pf. de *nigresco*.

nihil, et **nil,** n. (*ne, hilum*, pas un brin), indécl. [rôle de subst. et d'adv.].

I. subst., rien: **1.** *nihil est melius*, rien n'est meilleur || *nihil periculi, sceleris, litterarum*, pas de danger (aucun danger), aucun crime, aucune lettre; *nihil novi, integri*, rien de nouveau, d'intact || [accord de l'adj.]: *nihil egregium*, rien de remarquable; *nihil aliud*, rien d'autre || **2.** [tours particuliers] ***a)*** *nihil* renforcé par *nec... nec...: nihil nec obsignatum nec occlusum*, rien ni de scellé ni d'enfermé; ***b)*** *nihil* repris par *nec: nihil triste nec superbum*, rien de pénible ni de tyrannique; ***c)*** *nihil est cur, quamobrem, quod*, il n'y a pas de raison pour que; ***d)*** *nihil ad te, ad me* [s.-ent. *attinet*], cela ne me, ne te concerne pas; cela ne m'importe, ne t'importe pas; ***e)*** *nihil non*, tout le possible, tout sans exception || *non nihil*, qqch.; ***f)*** *nihil nisi, nihil aliud nisi*, rien que, rien d'autre que; *nihil aliud quam*, même sens, ou adv. = seulement; ***g)*** *si nihil aliud*, à défaut d'autre chose, faute de mieux || **3.** rien = néant, nullité, zéro.

II. adv., en rien, pas du tout.

nihildum, rien encore, encore rien.

nihilominus, nihilo minus, en rien moins || néanmoins, tout de même.

nihilum, *i*, n. *(ne, hilum*, v. *nihil)*, rien: *ex nihilo oriri, in nihilum occidere*, venir de rien, retomber à rien; *pro nihilo putare, ducere*, regarder comme rien, compter pour rien || [expressions particulières]: ***a)*** *nihili*, sans valeur; *homo nihili*, un homme de rien; [gén. de prix] *nihili facere, putare*, n'avoir aucune estime pour, ne faire aucun cas de; ***b)*** *de nihilo*, pour rien, sans raison, sans fondement; ***c)*** *nihilo* [devant compar.], en rien: *nihilo beatior*, en rien plus heureux || [abl. de prix] *non nihilo æstimare*, estimer qq. peu, mettre qq. prix à.

nil, c. *nihil*.

Niliacus, *a, um*, du Nil.

1. Nilus, *i*, m., le Nil [fleuve d'Égypte] || le dieu Nil.

2. nilus, *i*, m., un aqueduc.

nimbosus, *a, um (nimbus)*, pluvieux, orageux.

nimbus, *i*, m., pluie d'orage, averse || nuage || [fig.] orage, malheur.

nimio *(nimius)*, adv., beaucoup, extrêmement [ordin. avec un compar.]

nimiopere, adv., de façon excessive || [en deux mots] *nimio opere.*

nimirum, adv. *(ni, mirum)*, assurément, certainement || [ironiquement] sans doute.

nimis, adv., trop, plus qu'il ne faut: *ne quid nimis*, rien de trop.

1. nimium, *ii*, n. *(nimius)*, trop grande quantité, excès: *inter nimium et parum esse*, se trouver intermédiaire entre le trop et le trop peu.

2. nimium *(nimius)*, adv., **1.** trop || **2.** par trop, excessivement, extrêmement || **3.** [expr. adv.] *nimium quantum*, extrêmement.

nimius, *a, um (nimis)*, qui passe la mesure, excessif.

ningit (ninguit), *ere, ninxit*, impers., il neige.

1. Ninus, *i*, m., premier roi des Assyriens, époux de Sémiramis, qui donna son nom à Ninive.

2. Ninus ou **Ninos,** *i*, f., Ninive.

ninxit, pf. de *ningit.*

Niobe, *es*, f., et **Nioba,** *æ*, f., Niobé [fille de Tantale et femme d'Amphion].

nisi, conj.,

I. 1. si ne... pas, dans le cas où ne... pas || **2.** excepté si, à moins que.

II. excepté, si ce n'est, **1.** [en corrél. avec terme négatif]: *nemo..., nisi qui*, personne... si ce n'est celui qui || *nonnisi*, formant adv. = seulement || *nihil nisi, nihil aliud nisi*, rien que, rien d'autre que || **2.** [en corrél. avec interr.]: *quid est pietas nisi...?*, qu'est-ce qu'une pieuse affection si ce n'est...? *unde... nisi ab...?*, d'où... si ce n'est de...? || **3.** [tours particuliers]: ***a)*** *nisi quod*, excepté ce fait que, excepté que, avec cette réserve que; ***b)*** *nisi si*, excepté si || **4.** [transitions restrictives et général. ironiques] *nisi forte, nisi vero*, qqf. *nisi* seul, à moins que par hasard.

1. nisus, *a, um*, part. de *nitor.*

2. nisus, *us*, m., action de s'appuyer || effort.

3. Nisus, *i*, m., Troyen, ami d'Euryale.

nitedula, *æ*, f., petite souris, petit mulot.

nitens, *tis*, part.-adj. de *niteo*, brillant, éclatant || brillant de santé, gras || épanoui, florissant, riant || orné, élégant, brillant.

niteo, *ere, ui*, intr., reluire, luire, briller || être florissant, riant || être gras, bien-portant || être abondant, prospère || être brillant, propre.

nitesco, *ere (niteo)*, intr., devenir luisant, se mettre à briller, à luire || devenir gras, prendre de l'embonpoint || pousser, croître || prendre de l'éclat, se développer, s'améliorer.

nitidus, *a, um (niteo)*, brillant, luisant, resplendissant || gras, engraissé || brillant, florissant de santé || beau, élégant, coquet || gras, fertile || brillant.

1. nitor, *niti, nisus* et *nixus sum*, intr., **I.** s'appuyer sur || [poét.] *in hastam*, sur une lance || [fig.] *alicujus consilio*, s'appuyer sur les conseils de qqn.

II. s'appuyer, se raidir, s'arc-bouter pour faire un mouvement, pour se déplacer || faire des efforts pour se relever || [fig.] faire effort || [avec inf.] [avec *ut*] s'efforcer de; [avec *ne*] s'efforcer d'empêcher que, tendre vers, s'efforcer d'atteindre.

2. nitor, *oris*, m. *(niteo)*, **1.** le fait de luire; éclat, brillant, poli || éclat du teint || propreté élégante de la personne || **2.** extérieur brillant, élégance, beauté || **3.** éclat, magnificence.

nitrum, *i*, n., nitre [nitrate de potasse].

nivalis, *e (nix)*, de neige, neigeux || [fig.] froid || couleur de neige.

nivatus, *a, um (nix)*, rafraîchi avec de la neige.

niveus, *a, um (nix)*, de neige, neigeux || d'un blanc de neige.

nivis, gén. de *nix.*

nivosus, *a, um (nix)*, plein de neige.

nix, *nivis*, f., neige: *nives*, les neiges || [fig.] *nives capitis*, cheveux blancs.

nixor, *ari*, intr., fréq. de *nitor*, s'appuyer sur || [fig.] reposer sur || faire effort d'escalade.

1. nixus, *a, um*, part. de *nitor.*

2. nixus, *us*, m., **1.** [rare, au lieu de *nisus*], || **2.** travail (efforts) de l'accouchement, enfantement.

no, *are, avi, atum*, intr., nager || voler.

nobilis, *e*, **1.** qu'on peut connaître, facile à connaître; connu || **2.** connu, bien connu, qui a de la notoriété, célèbre, fameux || **3.** noble, de famille noble [qui a le *jus imaginum*] || [subst.] *nobiles nostri*, notre noblesse.

nobilitas, *atis*, f. *(nobilis)*, **1.** notoriété, célébrité, renommée || **2.** noblesse, naissance noble [possession du *jus imaginum*] || les nobles, l'aristocratie || **3.** excellence, supériorité.

nobilitatus, *a, um*, part. de *nobilito.*

nobilito, *are, avi, atum (nobilis)*, tr.,

faire connaître, rendre fameux (qqn ou qqch.).

nocens, *tis*, part.-adj. de *noceo*, nuisible, pernicieux, funeste [pers. et choses] || criminel, coupable [subst. m.] *nocens*, un coupable.

noceo, *ere, cui, citum*, intr., nuire, causer du tort, faire du mal || *alicui*, faire du tort à qqn || [acc. de pron. n.] *nocere aliquid, quippiam, nihil*, nuire en qqch., en rien || [pass. impers.]: *mihi nihil ab istis noceri potest*, ces gens-là ne peuvent me nuire en rien || [en parl. de choses] être nuisible, funeste.

nociturus, *a, um*, part. fut. de *noceo.*

nocivus, *a, um (noceo)*, nuisible, dangereux.

nocte et **noctu,** abl. pris adv., de nuit.

noctivagus, *a, um (nox, vagus)*, qui erre pendant la nuit.

noctu, v. *nocte.*

noctua, *æ*, f. *(nox)*, chouette, hibou.

noctuabundus, *a, um (nox)*, qui voyage pendant la nuit.

nocturnus, *a, um (noctu)*, de la nuit, nocturne || qui agit dans les ténèbres, pendant la nuit.

nocui, pf. de *noceo.*

nodatus, *a, um*, part. de *nodo.*

nodo, *are, atum (nodus)*, tr., nouer, lier, fixer par un nœud || **nodatus,** *a, um*, noueux.

nodosus, *a, um (nodus)*, **1.** noueux, qui a beaucoup de nœuds || qui noue les articulations [goutte] || **2.** [fig.] retors.

nodus, *i*, m., **1.** nœud || [poét.] ceinture || articulation, jointure, vertèbre || plis, replis || **2.** [fig.] ***a)*** nœud lien ; ***b)*** difficulté, obstacle || nœud intrigue [d'une pièce].

nolens, *tis*, part. prés. de *nolo.*

nolo, *nolle, non vis, nolui (ne* et *volo)*, **1.** ne pas vouloir; *non nolle*, vouloir bien, ne pas faire d'objection; *me nolente*, malgré moi; *velim nolim, vellem nollem*, bon gré, mal gré, v. *volo* || [avec subj.] ou [avec prop. inf.] ne pas vouloir que || [avec inf.] [surtout à l'impér.] *noli, nolito, nolite*, ne veuille pas, ne veuillez pas [tournure qui équivaut à une défense]; *noli existimare*, garde-toi de croire, ne crois pas; *nolite existimare*, ne croyez pas || **2.** ne pas vouloir du bien à qqn *(alicui).*

nomen, *inis*, n., **1.** nom, dénomination: *alicui rei nomen imponere, ponere, dare., indere*, mettre un nom sur qqch., donner un nom à qqch.; *nomen capere ex re, ab re*, tirer son nom de qqch. || *eunuchus nomine Pothinus*, un eunuque du nom de Pothin || *nomen dare, edere, profiteri* [ou en parl. de plusieurs, *nomina*], donner son nom, se faire inscrire pour l'enrôlement militaire; *dare nomen in conjurationem*, s'enrôler dans une conspiration; *ad nomen respondere*, répondre à l'appel de son nom || **2.** le nom [porté par la *gens*, intercalé entre le *prænomen* et le *cognomen*, c.-à-d. le *nomen gentilicium*] || **3.** titre: *aliquem nomine imperatoris appellare*, donner à qqn le titre d'imperator, le proclamer imperator || **4.** [gramm.] nom || mot, terme || **5.** nom d'un peuple: *nomen Romanum*, le nom romain = puissance romaine, nation romaine || **6.** nom, renom, célébrité || **7.** abl. *nomine* avec détermination; ***a)*** par égard pour, à cause de: *meo nomine*, à cause de moi; ***b)*** au titre de, sous couleur de, sous prétexte de; ***c)*** au nom de: *tuo nomine*, en ton nom || **8.** le nom, opposé à la réalité || **9.** [institutions]: ***a)*** *deferre nomen alicujus de parricidio*, déférer le nom de qqn en justice sous l'inculpation de parricide; ***b)*** nom inscrit sur les livres de comptes de la maison au regard d'une somme prêtée ou empruntée, d'où *nomen* avec le sens de créance: *nomen, nomina solvere, persolvere, dissolvere, expedire*, payer une dette, des dettes.

nomenclator (-culator), *oris*, m. *(nomen, calo)*, nomenclateur, esclave chargé de nommer les citoyens à son maître au fur et à mesure des rencontres et surtout en période électorale, lors d'une candidature.

nomenculator, *oris*, m., c. *nomenclator.*

nominatim, *(nomino)*, nommément, en désignant par le nom.

nominatio, *onis*, f. *(nomino)*, **1.** appellation, dénomination || **2.** nomination.

nominatus, *a, um*, part. de *nomino.*

nomino, *are, avi, atum (nomen)*, tr., **1.** nommer, désigner par un nom || **2.** appeler par son nom, prononcer le nom de qqn, de qqch., citer || mentionner qqn ou qqch., en faire l'objet des propos || **3.** proposer pour une fonction, une charge: *aliquem augurem*, proposer qqn comme augure || nommer, désigner [un magistrat] || **4.** donner le nom de qqn = l'accuser.

nomisma, *atis*, n., pièce de monnaie, monnaie.

non, adv. de nég. (arch. *nœnum*), ne... pas, ne... point, non, **1.** [dans une prop.

négative se place tj. avant le verbe]: *hoc verum esse non potest*, cela ne peut pas être vrai || **2.** [exceptions]: ***a)*** [quand elle porte sur un mot partic.]: *homo non probatissimus*, homme fort peu considéré; [distinguer: *id fieri non potest*, cela ne peut arriver, il est impossible que cela se produise, de *id non fieri potest*, cela peut ne pas arriver, il est possible que cela ne se produise pas]; ***b)*** [portant sur l'ensemble de la proposition] il n'est pas vrai que, loin que; [dans des interr.] *quid est cur non...*, quelle raison s'oppose à ce que...; ***c)*** *non ita, non tam*, non pas tellement, pas précisément; *non tam... quam*, moins... que; *non modo, non solum, non tantum*, non seulement; *non quod, non quo* avec subj., non pas que.

nona, *æ*, f., **1.** (s.-ent., *hora*), neuvième heure du jour || **2.** (s.-ent. *pars*) neuvième partie d'une chose.

nonæ, *arum*, f. *(nonus)*, les nones [5ᵉ jour du mois, sauf en mars, mai, juillet, octobre où elles tombaient le 7] *nonæ Februariæ, Decembres, etc.*, nones de février, de décembre.

nonagesimus, *a, um*, quatre-vingt-dixième.

nonagies (-iens), quatre-vingt-dix fois.

nonaginta, ind., quatre-vingt-dix.

nonanus, *a, um*, qui fait partie de la 9ᵉ légion; **nonani,** m., les soldats de la 9ᵉ légion.

nondum, adv., pas encore.

nongenti, *æ, a*, neuf cents.

nonne, ***a)*** [interr. dir.] est-ce que ne pas? ***b)*** [interr. indir.] si ne pas.

nonnullus ou **non nullus,** *a, um*, quelque || **non nulli,** m. pl., quelques-uns; **non nullæ,** quelques-unes; **non nulla,** n., plusieurs choses.

nonnumquam ou **non numquam,** adv., quelquefois, parfois.

nonnusquam, adv., dans quelques endroits, dans plusieurs pays.

nonus, *a, um* (sync. de *novenus*), neuvième.

nonusdecimus, *nonadecima, etc.*, dix-neuvième.

norma, *æ*, f., équerre || [fig.] règle, loi.

nos, gén. *nostri, nostrum*, dat. *nobis*, nous || souvent = *ego*.

noscito, *are, avi, atum*, fréq. de *nosco*, tr., chercher à reconnaître; examiner || reconnaître.

nosco, *ere, novi, notum* (arch. *gnosco*), **1.** apprendre à connaître: *nosce te*, apprends à te connaître || pf., *novi, novisse* ou *nosse*, connaître, savoir; part. *notus, a, um*, connu || **2.** examiner, étudier || **3.** reconnaître || chercher à reconnaître || **4.** reconnaître, concevoir, entendre, admettre.

nosmet, etc., nous-mêmes, moi-même.

nosse, v. *nosco*.

noster, *stra, strum*, **1.** notre; pl. n. *nostra*, nos biens || **2.** notre compatriote: *noster Ennius*, notre Ennius; *nostri*, les nôtres, nos compatriotes, nos soldats || notre (ami, parent, collègue, modèle, etc.).

nostras, *atis*, adj., qui est de notre pays, de nos compatriotes || **-trates,** *ium*, m., compatriotes.

nota, *æ*, f., **1.** signe, marque || **2.** marque [d'écriture]: ***a)*** *litterarum notæ*, signes d'écriture, lettres; d'où [poét.] écrit, lettre; ***b)*** caractères conventionnels, signes secrets; ***c)*** signes sténographiques || **3.** marque sur le corps: signe, tache naturelle || tatouage, marque au fer rouge || [fig.] tache, flétrissure, honte || **4.** empreinte de monnaie || **5.** étiquette [mise sur les amphores pour rappeler l'année du vin]; [pour noter le cru] || [d'où] marque, sorte, qualité || **6.** annotation, marque, remarque || **7.** note du censeur, blâme [motivé, inscrit à côté du nom].

notabilis, *e (noto)*, notable, remarquable, qu'on peut distinguer.

notabiliter *(notabilis)*, notablement, d'une manière remarquable || clairement, visiblement.

notarius, *a, um (nota)*, relatif aux caractères de l'alphabet || subst. m., sténographe || secrétaire.

notatio, *onis*, f. *(noto)*, action de marquer d'un signe || action de noter d'infamie [censeurs] || choix, désignation [de juges] || action de noter, de relever; remarque, observation.

notatus, *a, um*, part.-adj. de *noto*, marqué, signalé.

notesco, *ere, tui (notus)*, intr., se faire connaître, devenir connu.

notio, *onis*, f. *(nosco)*, **1.** action de connaître d'une chose || **2.** [en part.] droit d'enquête morale des censeurs || **3.** faculté de connaître (de concevoir) une chose || [résultat de cette action] représentation dans l'esprit, notion, idée, conception || idée, signification d'un mot.

notitia, *æ*, f. *(notus)*, **1.** fait d'être connu, notoriété || **2.** action de connaître; connaissance || [en part.] notion, idée.

noto, *are avi, atum (nota),* tr., **1.** marquer, faire une marque sur || **2.** tracer des caractères d'écriture || [en part.] écrire par abréviation, sténographier || **3.** [en parl. des censeurs, marquer le nom d'un citoyen coupable d'une note *(subscriptio)* qui rappelle son infamie, sa faute, etc.] ||[d'où, en gén.] blâmer, flétrir || **4.** marquer, faire reconnaître, désigner || **5.** noter, relever || [avec prop. inf.] noter que, remarquer que.

notui, pf. de *notesco.*

1. notus, *a, um,* part.-adj. de *nosco,* connu; *aliquid notum alicui facere,* faire connaître qqch. à qqn || [poét. avec gén.] connu pour, à cause de || m. pl. **noti,** les personnes de connaissance.

2. Notus (-tos), *i,* m., Notus [le vent du midi] || vent.

novacula, *æ,* f., rasoir || couteau.

novale, *is,* n. *(novus),* terre nouvellement défrichée || jachère || champ cultivé.

novalis, *is,* f. (s.-ent. *terra*), jachère.

1. novatus, *a, um,* part. de *novo.*

2. Novatus, *i,* m., M. Annæus Novatus [frère de Sénèque].

nove *(novus),* adv., en innovant, d'une manière nouvelle || **-vissime :** ***a)*** dernièrement, tout récemment; ***b)*** à la fin.

novellus, *a, um,* dimin. de *novus,* nouveau, jeune, récent.

novem, ind., neuf: *decem novem,* dix-neuf.

November, *bris, e,* adj., de novembre.

novendialis, *e (novem, dies),* qui dure neuf jours || qui a lieu le neuvième jour.

novenus, *a, um,* et d'ordinaire **-veni,** *æ, a,* comprenant chaque fois neuf.

noverca, *æ,* f., belle-mère, marâtre.

novercalis, *e (noverca),* de belle-mère, de marâtre || en belle-mère, hostile, malveillant.

novi, pf. de *nosco.*

novicius, *a, um (novus),* nouveau, récent || **novicii,** *orum,* m., esclaves nouveaux.

novies ou **noviens,** neuf fois.

novitas, *atis,* f. *(novus),* **1.** nouveauté || *anni,* la nouvelle saison (le printemps) || **2.** chose inaccoutumée, nouveau genre || **3.** condition de l'*homo novus,* qualité d'homme nouveau.

novo, *are, avi, atum (novus),* **1.** renouveler, refaire || **2.** inventer, forger || **3.** changer, innover || *res novare,* faire une révolution.

novus, *a, um,* **1.** nouveau jeune: *novi milites,* les jeunes soldats, les nouvelles recrues || *res novæ,* révolution [ou] = événements nouveaux, nouvelles || *novus homo, homo novus,* homme nouveau [qui ne descend pas d'une famille noble, et qui, exerçant le premier une magistrature curule, fonde ainsi sa noblesse] || n. pris subst. *novum,* chose nouvelle: *aliquid novi,* qqch. de nouveau || **2.** nouveau, dont on n'a pas l'habitude || **3.** étrange, singulier || **4.** nouveau = autre, second || **5.** superl. *novissimus, a, um = extremus,* le dernier; *novissimum agmen,* l'arrière-garde || *novissima exempla,* les derniers châtiments; pl. n. *novissima exspectare,* attendre le pire sort.

nox, *noctis,* f., **1.** nuit: *die et nocte,* de jour et de nuit; *media nocte,* au milieu de la nuit; *noctes et dies, dies noctesque,* jours et nuits || [personnif.] la Nuit || **2.** sommeil || nuit éternelle || nuit de la cécité || obscurité, ténèbres || **3.** situation sombre, troublée.

noxa, *æ,* f. *(noceo),* **1.** tort, préjudice, dommage: *noxæ esse alicui,* causer du dommage à qqn || **2.** tout ce qui fait du tort, délit, faute, crime: *in noxa esse,* être en faute; *noxam merere,* commettre une faute || **3.** punition, châtiment.

noxia, *æ,* f. *(noxius),* **1.** tort, préjudice, dommage: *noxiæ esse (alicui),* causer du tort (à qqn) || **2.** faute, délit.

noxiosus, *a, um (noxia),* nuisible, préjudiciable || coupable, vicieux.

noxius, *a, um (noceo),* **1.** qui nuit, nuisible || **2.** coupable, criminel || pl., *noxii, orum,* m., les coupables, les criminels.

nubecula, *æ,* f. *(nubes),* petit nuage || point obscur || expression sombre, triste.

nubes, *is,* f., nuage, nue, nuée || tourbillon [de poussière] || expression sombre, voile || condition obscure, triste || [fig.] , obscurité, nuit || orage, tempête.

nubifer, *era, erum (nubes, fero),* qui amène les nuages, orageux.

nubigena, *æ,* m. f. *(nubes, geno),* engendré des nuages.

nubilis, *e (nubo),* nubile.

nubilo, *are (nubilum),* intr., être couvert de nuages.

nubilum, *i,* n. *(nubilus),* temps couvert || **-la,** *orum,* n., nuages, nuées.

nubilus, *a, um (nubes),* **1.** couvert de nuages, nuageux || porteur de nuages || sombre, obscur || **2.** troublé, aveuglé ||

triste, mélancolique || sombre, malheureux || sombre, malveillant (*alicui*, à l'égard de qqn).

nubo, *ere, psi, ptum*, intr., se voiler [en parl. de la femme], *alicui*, épouser qqn.

nuceus, *a, um (nux)*, en bois de noyer.

nucis, gén, de *nux*.

nucleus, *i*, m. *(nux)*, **1.** amande de la noix et de fruits à coquille || **2.** noyau, pépin, partie intérieure d'une chose || la partie la plus dure d'un corps.

nudatio, *onis*, f. *(nudo)*, action de mettre à nu.

nudatus, *a, um*, part. de *nudo*.

nudius *(nunc, dius)*, c'est maintenant le jour: *nudius tertius*, c'est aujourd'hui le 3e jour = il y a deux jours, avant-hier.

nudo, *are, avi, atum*, tr., **1.** mettre à nu, déshabiller || [d'où en gén.] débarrasser de ce qui recouvre: *gladium*, dégainer l'épée || laisser sans défense, dégarni de troupes || **2.** dépouiller, piller, priver || [surtout au part.] *nudatus, a, um*, dépouillé de, privé de, dépourvu de || **3.** mettre à nu, dévoiler.

nudus, *a, um*, **1.** nu || **2.** mis à découvert, découvert || laissé comme nu, abandonné, sans secours || sans ressources, misérable || **3.** vide de, privé de (avec gén. ou abl.) || **4.** nu, sans ornement de style || **5.** pur et simple.

nugæ, *arum*, f., bagatelles, riens, sornettes, balivernes || un étourdi, farceur.

nugator, *oris*, m. *(nugor)*, diseur de balivernes, radoteur, niais.

nugatorius, *a, um (nugator)*, futile, vain, léger, sans valeur || homme futile.

nugor, *ari, atus sum (nugæ)*, intr., dire des balivernes, plaisanter || s'amuser à des bagatelles.

nullus, *a, um (ne, ullus)*, aucun, nul: *nullo pacto*, en aucune manière; *nullo certo ordine*, sans un ordre défini || non existant || *nullus sum*, je suis perdu, c'est fait de moi || sans valeur, sans importance.

nullusdum, *nulladum, nullumdum*, encore aucun, pas encore un.

num, adv., sert à interr., est-ce que par hasard?

I. [interr. dir. de forme, équivalant à une nég.] *numquis, num qui, num quæ, etc.*, est-ce que qqn, est-ce que qque, est-ce que qqne; *num quando*, est-ce que parfois, est-ce que jamais?

II. [interr. indir.] *quæro, num...*, je demande si...; *quæstio est num*, la question est de savoir si.

Numa, *æ*, m., Numa Pompilius [deuxième roi de Rome].

Numantia, *æ*, f., Numance [ville de la Tarraconnaise] || **-tinus,** *a, um*, de Numance.

numen, *inis*, n., mouvement de la tête manifestant la volonté, **1.** volonté, injonction || [surtout en parl. des dieux] volonté divine, puissance agissante de la divinité || **2.** la divinité, la majesté divine || divinité, dieu, déesse.

numerabilis, *e (numero)*, qu'on peut compter.

numeratio, *onis*, f. *(numero)*, action de compter [de l'argent].

numeratum, *i*, n. *(numeratus)*, argent comptant.

numeratus, *a, um*, part. de *numero*.

numero, *are, avi, atum (numero)*, tr., **1.** compter, nombrer || **2.** compter, payer: *stipendium militibus*, payer la solde aux soldats || *numeratus, a, um*, comptant, en numéraire; *pecunia numerata*, argent comptant || **3.** compter = avoir || **4.** compter au nombre de: *numerare aliquid in beneficii loco; in beneficii parte*, regarder qqch. comme un bienfait.

numerose *(numerosus)*, **1.** en grand nombre || **2.** harmonieusement.

numerosus, *a, um (numerus)*, nombreux, en grand nombre, multiple, varié.

numerus, *i*, m., **1.** nombre: *numerus inibatur*, on évaluait le nombre || *in hostium numero* ou *hostium numero habere, ducere*, mettre au nombre des ennemis; *hostium numero esse*, être au nombre des ennemis || *ex illo numero* = *ex illorum numero*, d'entre eux; *is est eo numero, qui...*, il est du nombre de ceux qui... || nombre fixé: *obsides ad numerum mittere*, envoyer des otages jusqu'à concurrence du nombre fixé || **2.** grande quantité: *magnus numerus* || classe, catégorie: *ex quo numero incipiam?* par quelle catégorie de gens dois-je commencer? || [au pl.] corps de troupes, divisions, détachements || le nombre = la foule, le vulgaire || **3.** pl. *numeri*, les mathématiques, la science des nombres || **4.** rang, place: *in aliquo numero esse*, compter quelque peu || [d'où] *numero* ou *in numero*, en qualité de, à la place de: *obsidum numero missi*, envoyés en qualité d'otages || **5.** [poét.] ordre: *in numerum digerere*, disposer en ordre.

Numidæ, *arum* et *um*, m., Numides [peuple d'Afrique; cavaliers réputés].

Numidia, *æ*, f., la Numidie || **-icus,** *a,*

um, [surnom de Q. Cæcilius Métellus pour sa victoire sur Jugurtha].

Numitor, *oris*, m., roi d'Albe.

nummarius, *a, um (nummus)*, d'argent monnayé ; *difficultas nummaria*, ou *rei nummariæ*, embarras d'argent (de la situation financière) || vénal, vendu.

nummatus, *a, um (nummus)*, qui est muni d'argent, riche.

nummulus, *i*, m., dimin. de *nummus*, petit écu.

nummus, qqf. **numus,** *i*, m., **1.** argent monnayé, monnaie, argent || **2.** = *sestertius*, sesterce [gén. pl. *nummum*] || **3.** petite somme, liard, sou, centime : *ad nummum*, à un sou près.

numquam (nunquam), adv., **1.** jamais || *numquam non*, toujours ; *non numquam*, quelquefois || **2.** pas du tout.

numqui, adv., est-ce que en qq. façon ?

numquid, adv., est-ce en qqch. ? est-ce que ?

numquidnam, adv., est-ce que vraiment en qqch. ? est-ce que vraiment ?

numus, v. *nummus*.

nunc, adv., **1.** [sens temporel] maintenant, à présent : *nunc..., quondam*, à présent..., autrefois ; *erat tunc... ; nunc*, il y avait alors... ; maintenant ; *nunc demum*, maintenant seulement ; *nunc denique*, maintenant enfin || *nunc... nunc*, tantôt... tantôt || **2.** [opposition à une hypothèse] *nunc, nunc autem, nunc vero*, mais, mais en réalité.

nuncupatio, *onis*, f. *(nuncupo)*, **1.** appellation, dénomination || **2.** prononciation solennelle de vœux.

nuncupatus, *a, um*, part. de *nuncupo*.

nuncupo, *are, avi, atum (nomen, capio)*, tr., **1.** appeler : *aliquid nomine*, appeler qqch. d'un nom || **2.** prononcer, déclarer solennellement ; annoncer publiquement || prononcer des vœux.

nundinæ, *arum*, f. *(novem dies)*, **1.** marché [qui se tenait à Rome tous les neuf jours] || **2.** [en gén.] marché || [fig.] marché, commerce, trafic.

nundinatio, *onis*, f. *(nundinor)*, marché, trafic, vente.

nundinatus, *a, um*, part. de *nundinor*.

nundinor, *ari, atus sum (nundinæ)*, **1.** trafiquer, faire un bas trafic || affluer || **2.** [fig.] trafiquer de, vendre || acheter.

nundinum, *i*, n. *(nundinus)*, espace de neuf jours, intervalle entre deux marchés.

nundinus, *a, um (novem, dies)*, qui a lieu tous les neuf jours.

nuntia, *æ*, f. *(nuntius)*, messagère.

nuntiatio, *onis*, f. *(nuntio)*, action d'annoncer, annonce.

nuntio, *are, avi, atum*, tr., **1.** annoncer, faire savoir, faire connaître : *alicui rem*, annoncer qqch. à qqn || *de aliqua re*, apporter la nouvelle d'une chose || [avec prop. inf.] annoncer que, faire connaître que || [pass. impers.] *nuntiatur, nuntiatum est, etc.*, avec prop. inf., on annonce, on annonça que || **2.** dire, de, signifier, ordonner [avec *ut*] [avec subj. seul] [avec *ne*] signifier de ne pas.

nuntius, *a, um*, annonciateur, qui fait connaître.

nuntius, *ii*, m., **1.** messager, courrier, celui qui annonce : *nuntios mittere*, envoyer des messagers || **2.** nouvelle, chose annoncée || **3.** injonction apportée par message.

nuper, adv., naguère, récemment, dernièrement || tout récemment || de nos jours.

nupsi, pf. de *nubo*.

nupta, *æ*, f. *(nubo)*, mariée, épouse.

nuptiæ, *arum*, f., noces, mariage.

nuptialis, *e (nuptiæ)*, nuptial, conjugal.

nuptus, *a, um*, part. de *nubo*.

nurus, *us*, f., belle-fille, bru || [poét.] jeune femme.

nusquam *(ne, usquam)*, adv., nulle part || en aucune occasion.

nutatio, *onis*, f. *(nuto)*, balancement, oscillation.

nuto, *are, avi, atum*, intr. (fréq. de l'inus. *nuo*), **1.** faire signe par un mouvement de tête || **2.** chanceler, vaciller, osciller || flotter, douter, hésiter || chanceler || plier.

nutricatus, *us*, m. *(nutrico)*, action de nourrir.

nutricius, *a, um (nutrix)*, qui nourrit, qui élève || subst., gouverneur [d'un jeune prince].

nutrico, *are, avi, atum (nutrix)*, tr., nourrir, élever.

nutricor, *ari, atus sum*, dép., c. *nutrico*.

nutricula, *æ*, f. *(nutrix)*, nourrice.

nutrimentum, *i*, n. *(nutrio)*, nourriture.

nutrio, *ire, ivi* et *ii, itum*, tr., **1.** nourrir || **2.** entretenir || soigner une maladie, un mal || soigner, conserver || **3.** alimenter, entretenir.

nutritus, *a, um*, part. de *nutrio*.

nutrix, *icis*, f., nourrice, celle qui allaite.

nutus, *us*, m., **1.** signe de tête, signe || **2.** tendance, mouvement de gravitation || **3.** [fig.] signe manifestant la volonté, commandement, volonté: *ad nutum*, au moindre signe.

nux, *nucis*, f., tout fruit à écale et à amande || noix || noyer || amandier.

nympha, *æ*, ou **-phe,** *es*, f., nymphe [divinité qui habite les bois, la mer, les fontaines].

Nysa (-ssa), *æ*, f., montagne et ville de l'Inde consacrées à Bacchus.

Nyseus, *ei* ou *eos*, m., un nom de Bacchus.

Nysius, *a, um*, de Nysa || **-ius,** *ii*, m., Bacchus.

1. O, o [quatorzième l. de l'alphabet latin].

2. o, interj. servant à appeler, à invoquer; exprimant un vœu, la surprise, l'indignation, la joie, la douleur, etc.: [avec le voc.] *o mi Furni*, ô mon cher Furnius || [avec nomin.] || [avec acc., le plus souvent].

ob, prép. avec acc., **1.** devant [rare]: *ob oculos versari*, se trouver devant les yeux || **2.** pour, à cause de: *ob eam rem, ob eam causam*, à cause de cela, pour cette raison; *ob hoc, ob id, ob hæc*, à cause de cela || **3.** pour, en échange de: *pecuniam ob rem judicandam accipere*, recevoir de l'argent pour juger une affaire.

obæratus, *a, um (æs)*, endetté, obéré || **obæratus,** *i*, m., débiteur.

obambulo, *are, avi, atum*, intr., **1.** se promener devant, aller devant, aller à l'entour [avec dat.] || **2.** aller et venir, errer, rôder.

obaro, *are, avi, atum*, tr., labourer (cultiver) à l'entour.

obditus, *a, um*, part. de *obdo*.

obdo, *ere, didi, ditum (ob, do)*, tr., mettre devant, fermer.

obdormio, *ire, ivi, itum*, intr., dormir profondément, dormir.

obdormisco, *ere, ivi, itum*, intr., s'endormir.

obduco, *ere, duxi, ductum*, tr., **1.** conduire en face de, pousser en avant || **2.** mener devant ou sur: *fossam*, tracer un fossé en avant || **3.** recouvrir: *trunci obducuntur cortice*, les troncs se recouvrent d'écorce; [poét.] voiler || [fig.] cicatriser || **4.** tirer à soi, absorber, boire.

obductio, *onis*, f. *(obduco)*, action de couvrir, de voiler.

obductus, *a, um*, part. de *obduco*.

obduresco, *ere, rui (durus)*, intr., se durcir, devenir dur || [fig.] s'endurcir, devenir insensible.

obduro, *are, avi, atum*, intr., tenir bon, persévérer.

obdurui, pf. de *obduresco*.

obduxi, pf. de *obduco*.

obeo, *ire, ivi* et plus souvent *ii, itum*, intr. et tr.,

I. intr., **1.** aller vers, devant, s'opposer || **2.** descendre à l'horizon, se coucher [en parl. d'un astre] || **3.** s'en aller, périr, mourir.

II. tr., **1.** s'approcher de, atteindre, *aliquid*, qqch. || **2.** visiter, parcourir: *regiones pedibus*, parcourir des régions à pied || passer en revue || **3.** aller au-devant de qqch., se charger de, s'acquitter de: *facinus*, accomplir un crime; *negotium*, s'acquitter d'une tâche || *diem*, être exact au jour fixé || **4.** [en part.] *diem suum; diem supremum*, ou *diem* seul, mourir || *mortem obire*, mourir; *morte obita*, après la mort || **5.** [poét.] aller autour, entourer.

obequito, *are, avi, atum*, intr., chevaucher devant ou autour [avec dat.].

oberro, *are, avi, atum*, intr., errer devant ou autour [avec dat.].

obesitas, *atis*, f. *(obesus)*, obésité, excès d'embonpoint.

obesus, *a, um (ob, edo),* qui s'est bien nourri ; obèse, gras, replet || [fig.] épais, grossier.

obeundus, *a, um,* adj. verbal de *obeo.*

obex, *icis* ou *objicis* de l'ancien nomin. *objex,* m. et qqf. f. *(objicio),* barre, verrou || barrière, obstacle.

obfui, pf. de *obsum.*

obfuturus, *a, um,* part. fut. de *obsum.*

obhæreo, *ere,* intr., adhérer, être attaché à [avec dat.].

obhæresco, *ere, hæsi,* intr., s'attacher à [avec dat.].

obhæsi, pf. de *obhæresco.*

obicio, v. *objicio.*

obiens, *euntis,* part. prés. de *obeo.*

obii, pf. de *obeo.*

obirascor, *irasci, iratus sum,* intr., s'irriter contre [avec dat.].

obiratio, *onis,* f. *(obirascor),* colère, rancune, ressentiment.

obiratus, *a, um,* part. de *obirascor,* irrité contre [dat.].

obiter, adv. *(ob, iter,* cf. *obviam),* chemin faisant, en passant.

obiturus, *a, um,* part. fut. de *obeo.*

obitus, *a, um,* part. de *obeo.*

obitus, *us,* m., **1.** action de se présenter à qqn, arrivée || **2.** coucher || fin, mort, trépas || destruction.

obivi, pf. de *obeo.*

objaceo, *ere, ui,* intr., être situé devant ou auprès [avec dat.].

objectatio, *onis,* f., reproche, accusation.

objectatus, *a, um,* part. de *objecto.*

objecto, *are, avi, atum,* fréq. de *objicio,* tr., **1.** mettre devant, opposer || **2.** exposer [à un danger] || [fig.] interposer || jeter à la face, objecter, imputer, reprocher, *aliquid alicui,* qqch. à qqn || [avec prop. inf.] dire par manière de reproche que.

1. objectus, *a, um,* part. de *objicio.*

2. objectus, *us,* m., action de mettre devant, d'opposer, obstacle, barrière || objet qui s'offre aux regards, spectacle.

objicio (obicio), *ere, jeci, jectum,* tr., **1.** jeter devant || placer devant, exposer : *se hostium telis,* s'exposer aux traits des ennemis || [pass.] se présenter, se montrer || **2.** placer devant [comme protection, défense], opposer || **3.** [fig.] jeter en avant, exposer : *objici rei, ad rem,* être exposé à qqch. || **4.** jeter dans, faire pénétrer dans, inspirer : *terrorem alicui,* inspirer de la terreur à qqn || **5.** reprocher, objecter : *alicui ignobilitatem,* reprocher à qqn une obscure naissance [avec prop. inf. ou *quod*] || **6.** proposer.

objurgatio, *onis,* f. *(objurgo),* reproches, réprimande, blâme.

objurgator, *oris,* m. *(objurgo),* celui qui fait des reproches, qui blâme, réprimande.

objurgatorius, *a, um (objurgator),* de reproches, de blâme.

objurgo, *are, avi, atum,* tr., **1.** réprimander, gourmander, blâmer, *aliquem,* qqn ; *aliquem in* ou *de aliqua re,* blâmer qqn à propos de qqch. || *aliquem quod* subj., reprocher à qqn de || **2.** punir, châtier.

oblanguesco, *ere, gui,* intr., s'alanguir [fig.].

oblatro, *are,* intr., aboyer, se déchaîner, *alicui,* contre qqn.

oblatus, *a, um,* part. de *offero.*

oblectamen, *inis,* et **oblectamentum,** *i,* n. *(oblecto),* amusement, divertissement.

oblectatio, *onis,* f. *(oblecto),* action de récréer, amusement, divertissement.

oblecto, *are, avi, atum,* tr., amuser, récréer : *aliqua re se,* se récréer : au moyen de qqch., prendre du plaisir à qqch ; *se oblectare,* absol. se distraire.

oblenio, *ire,* tr., adoucir, calmer.

oblevi, pf. de *oblino.*

oblido, *ere, isi, isum (ob, lædo),* tr., serrer fortement.

obligatus, *a, um,* part. de *obligo* || adj., obligé de qqn *(alicui).*

obligo, *are, avi, atum,* tr., **1.** attacher à, contre || attacher ensemble, fermer d'un lien || bander une plaie || **2.** [fig.] ***a)*** lier, engager, obliger : *se nexu,* se lier par un contrat de vente ; *obligatus alicui,* obligé de qqn ; ***b)*** engager, hypothéquer ; ***c)*** lier, enchaîner || faire participer à la responsabilité d'une faute || *se obligare scelere* ou *obligari fraude,* se rendre coupable d'un crime.

oblimo, *are, avi, atum (ob, limus),* tr., couvrir de limon, obstruer avec du limon.

oblino, *ere, levi, litum,* tr., **1.** enduire, oindre || **2.** ***a)*** boucher [avec de l'argile, avec de la poix, etc.] des tonneaux, une amphore ; ***b)*** effacer, raturer [l'écriture sur une tablette de cire] || **3.** ***a)*** imprégner : *se externis moribus,* s'imprégner de mœurs exotiques ; ***b)*** souiller.

oblique *(obliquus),* obliquement, de biais, d'une manière oblique || [fig.] indirectement, d'une manière détournée.

obliquitas, *atis,* f. *(obliquus),* obliquité.

obliquo, *are, avi, atum (obliquus),* tr., donner une direction oblique, faire obliquer, faire aller de biais.

obliquus (oblicus), *a, um,* **1.** oblique, allant de côté, de biais: *obliquo itinere,* par un chemin oblique || *ex obliquo, per obliquum, in obliquum,* obliquement, de côté, de biais || **2.** détourné, indirect.

oblisi, pf. de *oblido.*

oblisus, *a, um,* part. de *oblido.*

oblitesco, *ere, tui (ob, latesco),* intr., se cacher.

oblittero (-itero), *are, avi, atum (ob, littera),* tr., faire oublier, effacer || abolir.

oblitui, pf. de *oblitesco.*

1. oblitus, *a, um,* part. de *oblino.*

2. oblitus, *a, um,* part. de *obliviscor,* avec sens actif et passif, v. ce mot.

oblivio, *onis,* f. *(obliviscor),* action d'oublier, oubli.

obliviosus, *a, um (oblivio),* **1.** oublieux, qui oublie facilement || **2.** qui produit l'oubli.

obliviscor, *livisci, litus sum* (cf. *lino*), **1.** oublier (ne plus penser à): *alicujus, alicujus rei,* oublier qqn, qqch. || *injurias,* oublier les injustices || [avec inf.] oublier de || [avec prop. inf.] oublier que || **2.** oublier, perdre de vue.

oblivium, *ii,* n. *(oblivio),* oubli.

oblocutus, *a, um,* part. de *obloquor.*

oblongulus, *a, um,* dimin. de *oblongus,* longuet, assez long.

oblongus, *a, um,* allongé, oblong.

obloquor, *loqui, locutus sum,* intr., **1.** couper la parole, *alicui,* à qqn || **2.** [absol.] parler contre, contredire || **3.** chanter en accompagnement de [dat.].

obluctor, *ari, atus sum,* intr., lutter contre [avec dat.].

obmolior, *iri, itus sum,* tr., construire devant, entasser devant || boucher.

obmurmuro, *are, avi, atum,* intr., murmurer contre [avec dat.].

obmutesco, *ere, tui,* intr., devenir muet, perdre la voix ou la parole || garder le silence, rester muet || [fig.] cesser.

obmutui, pf. de *obmutesco.*

obnatus, *a, um,* né près de [avec dat.].

obnitor, *niti, nixus* (qqf. *nisus*) *sum,* intr. **1.** s'appuyer contre, sur [avec dat.] || **2.** faire effort contre, lutter, résister [avec dat.].

obnixus (-sus), *a, um,* part.-adj. de *obnitor,* ferme, inébranlable, obstiné.

obnoxie *(obnoxius),* d'une manière soumise.

obnoxius, *a, um (ob et noxa),* **1.** soumis à qqn, redevable à qqn pour une faute; [d'où] punissable par qqn, qui mérite de qqn une peine *(alicui)* || **2.** lié (soumis) à une faute, à une chose délictueuse [avec dat.] || **3.** [en gén.] soumis à, dépendant de, *alicui, alicui rei* || redevable à, qui a des obligations: *alicui, alicui rei,* à qqn, à qqch. || à la discrétion de, assujetti à, esclave de, *alicui,* de qqn || **4.** exposé à [qqch. de fâcheux, de mauvais], sujet à [avec dat.] || [absol.] exposé au danger, faible || *obnoxium est* avec inf., il est dangereux de.

obnubilo, *are, avi, atum,* tr., couvrir d'un nuage [fig.].

obnubo, *ere, psi, ptum,* tr., couvrir d'un voile, voiler || envelopper, entourer.

obnuntiatio, *onis,* f., annonce de mauvais présage.

obnuntio, *are, avi, atum,* intr., déclarer que les auspices sont contraires || s'opposer à: *consuli,* faire opposition au consul [et empêcher la tenue des comices].

obnupsi, pf. de *obnubo.*

obnuptus, *a, um,* part. de *obnubo.*

obœdiens, *tis,* part.-adj. de *obœdio,* obéissant, soumis [avec dat. ou *ad*].

obœdienter, en obéissant, avec soumission.

obœdientia, *æ,* f. *(obœdiens),* obéissance, soumission.

obœdio, *ire, ivi* ou *ii, itum (ob, audio),* intr., **1.** prêter l'oreille [*alicui,* à qqn] = suivre ses avis || **2.** obéir, être soumis.

oboleo, *ere, ui,* intr. et tr., exhaler une odeur.

obolus, *i,* m., obole, monnaie grecque.

oborior, *oriri, ortus sum,* intr., se lever, s'élever, apparaître [devant].

obortus, *a, um,* part. de *oborior.*

obrepo, *ere, repsi, reptum,* intr., ramper vers; se glisser furtivement, s'approcher à pas de loup: *alicui,* s'approcher furtivement de qqn || succéder || [avec *in* acc. ou *ad*] se glisser dans.

obreptus, part. de *obrepo.*

obrigesco, *ere, rigui,* intr., se durcir || se raidir par le froid || [fig.] s'endurcir.

obrogatio, *onis,* f. *(obrogo),* action d'abroger une ancienne loi par une nouvelle.

obrogo, *are, avi, atum,* tr., présenter une loi qui en détruit une autre.

obruo, *ere, rui, rutum,* tr., **1.** recouvrir d'un amas, recouvrir || **2.** charger, surcharger, gorger || [fig.] ***a)*** ensevelir, étouffer ; ***b)*** écraser : *ære alieno obrui,* être écrasé de dettes.

obrussa, *æ,* f., épreuve de l'or, essai || [fig.] épreuve, pierre de touche.

obrutus, *a, um,* part. de *obruo.*

obsæpio (obsep-), *ire, psi, ptum,* tr., fermer devant ; barrer, fermer, obstruer.

obsæptus, *a, um,* part. de *obsæpio.*

obscene *(obscenus),* d'une manière indécente, obscène.

obscenitas, *atis,* f. *(obscenus),* indécence, obscénité.

obscenus, *a, um,* **1.** de mauvais augure, sinistre || funeste, fatal || **2.** indécent, obscène || **3.** sale, dégoûtant, hideux, immonde.

obscuratio, *onis,* f. *(obscuro),* obscurcissement, obscurité.

obscure, obscurément, secrètement, en cachette, à la dérobée.

obscuritas, *atis,* f. *(obscurus),* obscurité || manque de clarté, mystère, obscurité || condition obscure, rang obscur.

obscuro, *are, avi, atum (obscurus),* tr., **1.** obscurcir, rendre obscur || voiler, cacher || **2.** ***a)*** dissimuler, masquer ; ***b)*** exprimer en termes obscurs ; ***c)*** prononcer faiblement, indistinctement ; ***d)*** [pass.] s'effacer, entrer dans l'ombre, s'obscurcir, disparaître.

obscurum, *i,* n. *(obscurus),* obscurité.

obscurus, *a, um,* **1.** sombre, obscur, ténébreux || v. *obscurum,* n. pris subst. || **2.** [fig.] obscur : ***a)*** difficile à comprendre ; ***b)*** incertain ; ***c)*** inconnu ; *obscuro loco natus,* né d'une famille obscure ; ***d)*** caché, secret.

obsecratio, *onis,* f. *(obsecro),* demande instante, supplication || [surtout] supplication [adressée aux dieux, pour les apaiser].

obsecratus, *a, um,* part. de *obsecro.*

obsecro (opsecro), *are, avi, atum (ob* et *sacro),* tr., **1.** prier instamment, supplier, conjurer *(aliquem,* qqn) || avec *ut, ne,* supplier de, de ne... pas || **2.** [formule entre parenthèses] de grâce, je t'en conjure.

obsecundo, *are, avi, atum,* intr., se conformer à, se prêter à, se montrer favorable à [avec dat.].

obsecutus, part. de *obsequor.*

obsedi, pf. de *obsideo* et de *obsido.*

obsequens, *tis,* part.-adj. de *obsequor,* qui se plie aux volontés, aux désirs de qqn *(alicui)* ; obéissant, complaisant.

obsequenter *(obsequens),* par complaisance, condescendance, déférence.

obsequentia, *æ,* f. *(obsequens),* complaisance.

obsequium, *ii,* n. *(obsequor),* **1.** complaisance, condescendance, déférence || **2.** complaisances coupables || **3.** obéissance, soumission.

obsequor, *sequi, cutus (quutus) sum,* intr., avec dat., céder (déférer) aux volontés (aux désirs) de, condescendre, avoir de la complaisance pour, se plier à.

1. obsero, *are, avi, atum,* tr., verrouiller, fermer.

2. obsero, *serere, sevi, situm,* tr., **1.** ensemencer, semer, planter || **2.** part. *obsitus,* couvert de, rempli de [avec abl.].

observabilis, *e,* qu'on peut observer.

observans, *tis,* part.-adj. de *observo,* qui a de la déférence, de la considération, du respect pour (avec gén.) || qui observe, qui obéit.

observanter *(observans),* avec soin, avec attention.

observantia, *æ,* f. *(observans),* **1.** action de remarquer, d'observer || **2.** observation, respect || considération, égards, déférence.

observatio, *onis,* f. *(observo),* **1.** observation, remarque || observation des faits, des phénomènes || **2.** attention, scrupule.

observator, *oris,* m. *(observo),* observateur, celui qui remarque.

observatus, *a, um,* part. de *observo.*

observito, *are, avi, atum,* fréq. de *observo,* tr., observer soigneusement.

observo, *are, avi, atum,* tr., **1.** porter son attention sur, observer || **2.** faire attention à, avoir l'œil sur, surveiller || [avec *ne* subj.] être attentif à éviter que ; [avec *ut* subj.] veiller à ce que, être attentif à ce que || **3.** observer, respecter, se conformer à : *leges,* observer les lois || avoir des égards, de la déférence pour qqn, respecter, honorer.

obses, *idis,* m., f., otage [de guerre] || garant, gage, garantie.

obsessio, *onis,* f., action d'assiéger, siège, blocus.

obsessor, *oris,* m. *(obsideo),* celui qui assiège, assiégeant.

obsessus, *a, um,* part. de *obsideo* et de *obsido.*

obsevi, pf. de *obsero 2.*

obsideo, *ere, sedi, sessum* *(ob* et *sedeo)*, intr. et tr.,
I. intr., être assis, installé qq. part.
II. tr., **1.** occuper un lieu où l'on s'est installé || **2.** assiéger, bloquer, investir || [fig.] tenir investi, tenir sous sa dépendance, être maître de.

obsidio, *onis*, f. *(obsideo)*, **1.** action d'assiéger, siège, blocus || **2.** détention, captivité || **3.** [fig.] danger pressant.

obsidionalis, *e (obsidio)*, de siège: *corona*, couronne obsidionale [donnée au général qui a fait lever un siège].

1. obsidium, *ii*, n., siège.

2. obsidium, *ii*, n. *(obses)*, condition d'otage.

obsido, *ere, sedi, sessum*, tr., mettre le siège devant, assiéger.

obsignatio, *onis*, f., action de sceller.

obsignator, *oris*, m. *(obsigno)*, celui qui scelle, qui cachette || qui contre-scelle.

obsigno, *are, avi, atum*, tr., **1.** fermer d'un sceau, sceller, cacheter || **2.** [fig.] imprimer, empreindre.

obsisto, *ere, stiti*, intr., **1.** se placer (se tenir) devant || **2.** faire obstacle, faire face, s'opposer, résister || [avec *ne* ou *quominus*], s'opposer à ce que.

obsitus, *a, um*, part. de *obsero 2.*

obsolefactus, *a, um*, part. de *obsolefio.*

obsolefio, *fieri, factus sum*, pass., s'avilir.

obsolesco, *ere, levi*, intr., tomber en désuétude, sortir de l'usage || [fig.] s'effacer [de la mémoire] || s'affaiblir, perdre de sa force, de sa valeur || v. *obsoletus.*

obsolete *(obsoletus)*, sordidement.

obsoletus, *a, um*, part.-adj. de *obsolesco*, **1.** négligé, usé, délabré || **2.** commun, vulgaire, banal.

obsolevi, pf. de *obsolesco.*

obsonator (ops-), *oris*, m. *(obsono)*, pourvoyeur, qui achète les provisions.

obsonium (ops-), *ii*, n., provisions de bouche, victuailles, mets, plat.

obsono (ops-), *are, avi, atum*, tr., aller aux provisions, acheter les provisions || faire provision de.

obsorbeo, *ere, bui*, tr., avaler || engloutir.

obstaculum, *i*, n. *(obsto)*, obstacle, empêchement.

obstaturus, *a, um*, part. fut. de *obsto.*

obstetrix, *icis*, f. *(ob, sto)*, sage-femme.

obstinate *(obstinatus)*, avec constance, avec obstination, obstinément.

obstinatio, *onis*, f. *(obstino)*, constance, persévérance, fermeté.

obstinatus, *a, um*, part.-adj. de *obstino*, constant, persévérant, opiniâtre, résolu.

obstino, *are, avi, atum*, tr., vouloir d'une volonté obstinée, opiniâtre, *aliquid*, qqch. || [avec inf.] être déterminé à.

obstipesco, v. *obstupesco.*

obstipus, *a, um*, incliné.

obstiti, parf. de *obsisto* et de *obsto.*

obsto, *are, stiti, obstaturus*, intr., **1.** se tenir devant || **2.** faire obstacle: *obstantia*, les obstacles || [avec dat.], être un obstacle à, s'opposer à || [avec *quominus, quin, ne*] s'opposer à ce que.

obstrepo, *ere, strepui, strepitum*, intr. et tr.,
I. intr., **1.** faire du bruit devant, retentir devant [ou] en faisant obstacle || **2.** faire du bruit contre qqn [pour l'empêcher d'être entendu]: *alicui*, couvrir la voix de qqn en faisant du bruit; [pass. impers.] || **3.** [fig.] aller à l'encontre de, faire obstacle, importuner.
II. tr., troubler par des cris.

obstrictus, *a, um*, part. de *obstringo.*

obstrigillo, *are*, intr., faire obstacle *(alicui).*

obstringo, *ere, strinxi, strictum*, tr., serrer (fermer) en liant, en attachant || [fig.] ***a)*** lier, enchaîner; ***b)*** enlacer dans, impliquer dans: *parricidio se obstringere*, se rendre coupable d'un parricide; ***c)*** engager, garantir.

obstructio, *onis*, f. *(obstruo)*, dissimulation.

obstructus, *a, um*, part. de *obstruo.*

obstruo, *ere, struxi, structum*, tr., **1.** construire devant || **2.** fermer, obstruer, boucher, murer.

obstupefacio, *ere, feci, factum*, tr., [fig.] frapper de stupeur, engourdir, paralyser.

obstupefio, *fieri, factus sum*, pass., **1.** être paralysé, rendu insensible || **2.** [fig.] être frappé de stupeur.

obstupesco, *ere, stupui*, intr., **1.** devenir immobile, insensible, s'engourdir || **2.** [fig.] devenir paralysé, se glacer || devenir immobile de stupeur || être frappé de stupeur, rester interdit.

obstupui, pf. de *obstupesco.*

obsum, *obesse, obes, obfui* ou *offui*, intr., faire obstacle, être nuisible, porter préjudice [avec dat.].

obsuo, *ere, ui, utum*, tr., coudre contre || boucher, fermer.

obsurdesco, *ere, dui*, intr., devenir sourd.

obsutus, *a, um*, part. de *obsuo*.

obtectus, *a, um*, part. de *obtego*.

obtego, *ere, texi, tectum*, tr., recouvrir, cacher.

obtemperatio, *onis*, f. *(obtempero)*, obéissance, soumission.

obtempero (opt-), *are, avi, atum*, intr., se conformer, obtempérer, obéir.

obtendo, *ere, di, tum*, tr., **1.** tendre, devant, opposer || [pass.] s'étendre devant [avec dat.] **2.** [fig.] couvrir, cacher || prétexter, donner pour prétexte, pour excuse.

obtentus, *a, um*, part. de *obtendo* et de *obtineo*.

obtentus, *us*, m. *(obtendo)*, **1.** action de tendre (d'étendre) devant, de couvrir || **2.** [fig.] prétexte, ce qu'on met en avant.

obtero (opt-), *ere, trivi, tritum*, tr., écraser, broyer || fouler aux pieds, mépriser || anéantir, détruire.

obtestatio, *onis*, f. *(obtestor)*, action de prendre les dieux à témoin, engagement solennel || adjuration solennelle || prière [aux dieux], supplications || [en gén.] prière instante, adjuration.

obtestatus, *a, um*, part. de *obtestor*.

obtestor, *ari, atus sum*, tr., **1.** attester, prendre à témoin, invoquer || **2.** supplier, conjurer [avec *ut*]; [avec *ne*] conjurer de ne pas || **3.** [avec prop. inf.] affirmer solennellement que, protester que.

obtexi, pf. de *obtego*.

obtexo, *ere, texui, textum*, tr., tisser devant ou sur || [fig.] couvrir, envelopper.

obticesco, *ere, cui*, intr., garder le silence, employé surtout au pf.

obticui, pf. de *obticesco*.

obtigi, pf. de *obtingo*.

obtineo, *ere, tinui, tentum*, tr., **1.** tenir solidement || **2.** tenir par devers soi, avoir en pleine possession : *regnum, principatum*, occuper le trône, avoir la primauté (exercer le principat) || **3.** maintenir, conserver || [en part.] *causam*, gagner une cause || **4.** maintenir une opinion, une affirmation, l'établir fermement, la faire triompher || **5.** [absol.] venir à bout, réussir; [avec *ut*] réussir à faire que || **6.** [emploi intr.] se maintenir durer.

obtingo, *ere, tigi (ob* et *tango)*, intr., **1.** arriver, avoir lieu || **2.** échoir en partage.

obtinui, pf. de *obtineo*.

obtorpesco, *ere, pui*, intr., s'engourdir, devenir insensible, se durcir.

obtorpui, pf. de *obtorpesco*.

obtorqueo, *ere, torsi, tortum*, tr., tourner, faire tourner || serrer violemment || tordre.

obtorsi, pf. de *obtorqueo*.

obtortus, *a, um*, part. de *obtorqueo*.

obtrectatio, *onis*, f. *(obtrecto)*, dénigrement, action de rabaisser, jalousie || esprit de dénigrement.

obtrectator, *oris*, m. *(obtrecto)*, détracteur, celui qui dénigre, qui critique.

obtrecto, *are, avi, atum*, intr. et tr. *(ob, tracto)*, dénigrer, rabaisser, critiquer par jalousie : *alicui, alicui rei*, dénigrer qqn, qqch. ; [avec l'acc.].

obtritus, *a, um*, part. de *obtero*.

obtrivi, pf. de *obtero*.

obtrunco (opt-), *are, avi, atum*, tr., tailler || massacrer, égorger, tuer.

obtudi, pf. de *obtundo*.

obtuli, pf. de *offero*.

obtundo (opt-), *ere, tudi, tusum* et *tunsum*, tr., **1.** frapper contre, sur [rare] || **2.** émousser en frappant [rare] || **3.** [fig.] émousser, affaiblir || assommer, fatiguer (étourdir), importuner.

obturbo, *are, avi, atum*, tr., rendre trouble, troubler || mettre en déroute, disperser || importuner, assommer || [absol.] faire de l'obstruction.

obturo (opt-), *are, avi, atum*, tr., boucher, fermer.

obtusus (-tunsus), *a, um*, **1.** part. de *obtundo* || **2.** adj., ***a)*** émoussé, insensible ; ***b)*** stupide, obtus, hébété.

obtutus, *us*, m. *(ob, tueor)*, action de regarder : *oculorum*, vue || regard, contemplation.

obumbro, *are, avi, atum*, tr., ombrager || obscurcir || couvrir, protéger.

obuncus, *a, um*, crochu, recourbé.

obustus, *a, um*, brûlé à l'extrémité.

obvallo, *are, avi, atum*, tr., entourer d'un retranchement.

obvenio, *ire, veni, ventum*, intr., **1.** venir au-devant de, se présenter à [avec dat.] || **2.** échoir à, être dévolu à [dat.] || [langue augurale] arriver à l'encontre, survenir pour faire obstacle.

obversatus, *a, um*, part. de *obversor*.

obversor, *ari, atus sum*, intr., se trouver devant, se montrer, se faire voir [avec dat.] || s'offrir aux regards, à l'esprit.

obversus, *a, um,* part. de *obverto.*

obverto, *ere, i, sum,* tr., **1.** tourner vers ou contre [dat.] [ou av. *ad.*] [ou av. *in* acc.] || **2.** [pass.] se tourner vers.

obviam *(ob viam),* adv., **1.** sur le chemin, sur le passage, au-devant, à la rencontre, devant: *obviam alicui fieri,* rencontrer qqn; *obviam alicui ire, procedere, prodire, mittere,* aller, s'avancer, envoyer à la rencontre de qqn || **2.** aller à l'encontre de, s'opposer à || obvier à, remédier à.

obvius, *a, um (ob* et *via),* **1.** qui se trouve sur le passage, qui rencontre, qui va au-devant; *obvium alicui fieri,* rencontrer qqn || m. pris subst., *obvius, obvii,* une personne, des personnes que l'on rencontre || **2.** [fig.] qui se présente à proximité, sous la main || qui va au-devant, prévenant, affable || qui s'offre aux regards || exposé à.

obvolutus, *a, um,* part. de *obvolvo.*

obvolvo, *ere, volvi, volutum,* tr., envelopper, couvrir, voiler || dissimuler, cacher.

occæco (ob-), *are, avi, atum,* tr., **1.** frapper de cécité, aveugler || aveugler = empêcher de voir || rendre obscur, cacher (la lumière) || recouvrir (de terre) || **2.** [fig.] rendre inintelligible.

occallesco (ob-), *ere, callui,* intr., devenir calleux, dur || [fig.] devenir insensible, s'endurcir.

occano, *ere, ui (ob, cano),* intr., sonner.

occasio, *onis,* f. *(occasum,* de *occido),* occasion, moment favorable, temps propice; *amittere,* perdre; *prætermittere, dimittere,* laisser passer, négliger une occasion || *dare occasionem, ut...,* donner l'occasion de.

occasurus, *a, um,* part. fut. de *occido 1.*

1. occasus, *a, um,* part. de *occido 1.*

2. occasus, *us,* m., **1.** chute, déclin, coucher des astres || le couchant || **2.** [fig.] chute, ruine, décadence || mort.

occatio, *onis,* f. *(occo),* hersage.

occator, *oris,* m. *(occo),* herseur.

occecini, pf. de *occino.*

occepi, pf. de *occipio.*

occeptus, *a, um,* part. de *occipio.*

occidens, *tis,* part. prés. de *occido* || subst. m., l'occident.

occidentalis, *e (occidens),* occidental, de l'occident, du couchant.

1. occidi, pf. de *occido 1.*

2. occidi, pf. de *occido 2.*

occidio, *onis,* f. *(occido 2),* massacre, tuerie, carnage.

1. occido, *ere, cidi, casum (ob* et *cado),* intr., **1.** tomber à terre || **2.** tomber, succomber, périr || [fig.] être perdu, anéanti || **3.** [en parl. des astres] tomber = se coucher; *occidente sole,* au coucher du soleil.

2. occido, *ere, cidi, cisum (ob* et *cædo),* tr., **1.** tuer, faire périr || **2.** [fig.] causer la perte de || assommer, obséder, importuner.

occiduus, *a, um (occido 1),* qui se couche: *sole occiduo* au soleil couchant || du couchant, occidental || [fig.] à son déclin, qui touche à sa fin, à la mort.

occino, *ere, cecini* et *cinui (ob, cano),* intr., faire entendre un chant ou un cri de mauvais augure.

occipio, *ere, cepi, ceptum (ob, capio),* **1.** tr., commencer, entreprendre || [avec inf.] || **2.** intr., commencer, débuter.

occipitium, *ii,* n., l'occiput.

occisio, *onis,* f. *(occido 2),* coup de la mort, meurtre.

occisor, *oris,* m. *(occido 2),* meurtrier.

occisus, *a, um,* part. de *occido 2.*

occludo, *ere, usi, usum (ob, claudo),* tr., clore, fermer || mettre sous clef, enfermer.

occlusus, *a, um,* part. de *occludo.*

occo, *are, avi, atum,* tr., herser.

occubo, *are, ui, itum (ob, cubo),* intr., **1.** être couché à côté de, *alicui,* de qqn || **2.** être étendu mort, reposer dans la tombe; *morte,* mourir.

occubui, pf. de *occubo* et de *occumbo.*

occucurri, pf. de *occurro.*

occulco (ob-), *are (ob, calco),* tr., fouler avec les pieds.

occulo, *ere, ului, ultum,* tr., cacher, dissimuler, celer.

occultatio, *onis,* f. *(occulto),* action de se cacher || action de cacher.

occultator, *oris,* m. *(occulto),* qui cache.

occulte *(occultus),* adv., en cachette, en secret, secrètement.

occulto, *are, avi, atum,* fréq. de *occulo,* tr., cacher, dérober aux regards, faire disparaître: *se in* [abl.], *se* [et abl. instr.], se cacher dans.

occultus, *a, um,* part.-adj. de *occulo,* **1.** caché || **2.** [fig.] caché, secret, occulte || [emploi adv. = *occulte*]: *occultus venit,* il vint secrètement || **3.** [en parl. des pers.] dissimulé || **4.** [n. pris subst.]: *occulta,* secrets, partie cachée || **5.** [expr. adv.]: *in occulto,* dans l'ombre, dans un endroit secret; *per occultum,* secrètement, sourdement.

occului, pf. de *occulo.*

occumbo, *ere, cubui, cubitum,* tr., et intr., ***a)*** atteindre en tombant : *mortem,* trouver la mort ; ***b)*** succomber, tomber : *morte,* périr, mourir (de mort violente) ; [absol.] succomber, périr.

occupatio, *onis,* f. *(occupo),* **1.** action d'occuper, prise de possession, occupation || **2.** ce qui accapare l'activité, occupation || occupations que donne une chose.

occupatus, *a, um,* part.-adj. de *occupo,* occupé, qui a de l'occupation.

occupo, *are, avi, atum (ob* et *capio),* tr., **1.** prendre avant tout autre, prendre possession d'avance, occuper le premier, être le premier à s'emparer de || [d'où] prévenir, devancer ; *occupant bellum facere,* ils se hâtent de faire la guerre les premiers [ils prennent l'avance] || **2.** prendre une possession exclusive de, s'emparer de, se rendre maître de || [fig. au part. pf. passif, *occupatus*] absorbé, accaparé, occupé [avec *in* abl.] : *in patria delenda occupati,* ayant comme seule occupation de détruire la patrie.

occurro, *ere, curri* (qqf. *occucurri*) *cursum (ob* et *curro),* intr.,
I. courir au-devant, **1.** aller au-devant, arriver au-devant, rencontrer || **2.** se présenter ; *ad concilium, concilio,* se présenter à une assemblée || **3.** [en parl. de choses] se rencontrer || [en parl. de lieux] être situé en face || **4.** [fig.] se présenter : [surtout à l'esprit, à la pensée] || **5.** pourvoir à : *bello,* faire face à une guerre || obvier à, prévenir.
II. [idée d'opposition], **1.** aller contre, marcher contre || **2.** [fig.] s'opposer à, tenir tête || opposer une objection, une réplique.

occursatio, *onis,* f. *(occurso),* action d'aller au-devant de qqn, de lui faire des amabilités ; prévenances, empressement.

occurso, *are, avi, atum,* fréq. de *occurro,* intr., aller à la rencontre ; s'offrir, se présenter devant || attaquer, fondre sur || faire obstacle à || [fig.] aller au-devant de, obvier à [avec dat.] || s'offrir à l'esprit, à la pensée, venir à la mémoire [avec ou sans *animo*].

occursurus, *a, um,* part. fut. de *occurro.*

occursus, *us,* m. *(occurro),* action de venir à la rencontre, rencontre.

Oceanus, *i,* m., **1.** l'Océan [époux de Téthys, dieu de la mer] || l'Océan Atlantique || *mare Oceanus,* l'Océan.

ocellus, *i,* m., dimin. de *oculus,* petit œil, cher œil || [fig.] perle, joyau, bijou.

ocior, *ius,* gén. *oris,* comparatif sans positif, plus rapide || [av. inf.] plus prompt à.

ocius, adv., plus rapidement, plus promptement, plus vite || *ocissime.*

ocrea, *æ,* f., jambière.

ocreatus, *a, um (ocrea),* qui porte des guêtres en cuir.

octavani, *orum,* m., les soldats de la huitième légion.

Octavia, *æ,* f., Octavie [sœur d'Auguste].

Octavius, *ii,* m., nom d'une famille romaine || not. Octave [plus tard l'empereur Auguste] || **-vius,** *a, um,* d'Octave || **Octavianus,** *i,* m., surnom donné (après passage par adoption de la *gens Octavia* dans la *gens Julia*) à celui qui sera l'empereur Auguste.

octavum *(octavus),* **1.** adv., pour la huitième fois || **2.** n. pris subst., l'octuple.

octavus, *a, um,* huitième || *octava,* la huitième heure du jour [2 heures de l'après-midi].

octavusdecimus, *octavadecima, etc.,* dix-huitième.

octies (-ens), huit fois.

octingentesimus, *a, um,* huit centième.

octingenti, *æ, a,* au nombre de huit cents.

octipes, *edis (octo, pes),* qui a huit pieds.

octo, ind., huit.

october, *bris, bre* ; abl. *bri,* du huitième mois de l'année, d'octobre : *Kalendæ Octobres,* calendes d'octobre ; *(mensis) October,* le mois d'octobre.

octodecim, ind. *(octo, decem),* dix-huit.

octogenarius, *a, um (octogeni),* âgé de quatre-vingts ans, octogénaire.

octogeni, *æ, a,* distrib., chaque fois (chacun) quatre-vingts.

octogesimus, *a, um,* quatre-vingtième.

octogies (-giens) adv., quatre-vingts fois.

octoginta, ind., quatre-vingts.

octoni, *æ, a,* **1.** distrib., chaque fois huit, chacun huit || **2.** huit.

octophoron (octa-), *i,* n., litière portée par huit hommes.

octophoros (octa-), *on,* adj., porté par huit hommes.

octuplicatus, *a, um (octuplus),* rendu huit fois plus grand.

octuplum, *i,* n., somme [d'argent] octuple.

octuplus, *a, um,* octuple, multiplié par huit.

oculus, *i,* m., œil ; *altero oculo capitur,* il perd un œil || *esse in oculis civium,* être sous les yeux des citoyens ; *sub oculis omnium,* sous les yeux de tous ; *ante oculos esse, positum esse,* être, être placé devant les yeux || [fig.] *in oculis aliquem ferre,* chérir qqn ; *in oculis esse alicujus* ou *alicui,* être dans les bonnes grâces de qqn || œil, prunelle des yeux, perle [t. d'estime, d'affection] || œil [dans une plante].

odi, *odisse,* tr., haïr : *aliquem,* haïr qqn || [avec inf.] haïr de faire qqch.

odiose *(odiosus),* d'une manière déplaisante, fatigante.

odiosus, *a, um (odium),* odieux, désagréable, importun, déplaisant ; *odiosum est* avec inf., il est fâcheux de.

odium, *ii,* n. *(odi),* haine, aversion [contre qqn, contre qqch., avec gén. ou *in, erga, adversus* et acc.] || *odio esse alicui ; in odio esse alicui ; in odio esse apud aliquem,* être haï de qqn.

odor, *oris,* m., odeur, senteur, exhalaison || parfum, aromate.

odoratio, *onis,* f. *(odoror),* action de flairer.

1. odoratus, *a, um,* part.-adj. de *odoro,* odoriférant, parfumé.

2. odoratus, *a, um,* part. de *odoror.*

3. odoratus, *us,* m., action de flairer || odorat || odeur, exhalaison.

odorifer, *era, erum (odor, fero),* odoriférant, parfumé.

odoro, *are, avi, atum (odor),* tr., parfumer.

odoror, *ari, atus sum (odor),* tr., **1.** sentir, flairer || **2.** [fig.] chercher en flairant, se mettre en quête de || poursuivre, aspirer à || effleurer qqch.

odorus, *a, um (odor),* **1.** odorant || **2.** qui a du flair.

Odyssea, *æ,* f., l'Odyssée [poème d'Homère] || poème latin de Livius Andronicus.

œconomia, *æ,* f., disposition, arrangement, économie [dans une œuvre littéraire].

œconomicus, *a, um,* bien ordonné, méthodique || subst. m., l'Économique [traité de Xénophon].

Œdipus, *odis,* m., Œdipe [fils de Laïus et de Jocaste, père d'Étéocle et de Polynice, d'Antigone et d'Ismène].

œnophorum, *i,* n., œnophore.

œstrus, *i,* m., taon || délire prophétique.

Œta, *æ,* f., **-te,** *es,* f., le mont Œta [entre la Thessalie et la Doride, sur lequel Hercule se brûla] || **-tæus,** *a, um,* de l'Œta : *Œtæus deus, Œtæus* seul, Hercule.

offa, *æ,* f., bouchée, boulette.

offeci, pf. de *officio.*

offectus, *a, um,* part. de *officio.*

offendiculum, *i,* n. *(offendo),* pierre d'achoppement, obstacle.

offendo, *ere, fendi, fensum (ob* et inus. *fendo),* intr. et tr.,

I. intr., **1.** se heurter contre [avec dat.] || [absol.] se heurter, subir un heurt || **2.** [fig.] achopper, subir un malheur || broncher, commettre une faute || ne pas réussir, être malheureux || éprouver un choc, être choqué, mécontent, offensé : *in aliquo,* être mécontent de qqn ; [pass. impers.] *offenditur,* on est choqué, mécontent.

II. tr., **1.** heurter || **2.** trouver, rencontrer || **3.** choquer, blesser || **4.** [fig.] porter atteinte à || choquer, mécontenter, offenser.

offensa, *æ,* f. *(offendo),* **1.** action de se heurter contre || **2.** [fig.] incommodité physique, malaise || défaveur, disgrâce || fait d'être mécontent, choqué, offensé.

offensatio, *onis,* f. *(offenso),* action de se heurter, de donner contre, choc, heurt.

offensator, *oris,* m. *(offenso),* celui qui bronche.

offensio, *onis,* f. *(offendo),* **1.** action de se heurter contre || **2.** [fig.] ***a)*** indisposition, malaise ; ***b)*** échec, revers, mésaventure ; ***c)*** le fait de se choquer, d'être blessé, mécontentement, irritation ; ***d)*** action de déplaire, de choquer || [d'où] discrédit, défaveur, mauvaise réputation.

offensiuncula, *æ,* f., dimin. de *offensio,* léger mécontentement || léger échec.

offenso, *are,* fréq. de *offendo,* **1.** tr., heurter, choquer || **2.** [fig.] intr., hésiter en parlant, balbutier, rester court.

1. offensus, *a, um,* **1.** part. de *offendo* || **2.** adj., offensé, irrité, mécontent, hostile || odieux, détesté.

2. offensus, *us,* m., action de heurter, heurt, choc || *in offensu esse,* importuner, être à charge.

offero, *offerre, obtuli, oblatum (ob* et *fero),* tr., **1.** porter devant, présenter, exposer, offrir, montrer || **2.** s'opposer ||

3. offrir, exposer : *se ad mortem* ou *morti*, s'exposer à la mort || **4.** fournir, procurer.

officina, *æ*, f. *(opifex)*, atelier, fabrique || [fig.] officine, école : *dicendi, eloquentiæ*, atelier d'éloquence.

officio, *ere, feci, fectum (ob* et *facio)*,
I. intr., **1.** se mettre devant, faire obstacle [avec dat.] : *soli*, masquer le soleil || **2.** [fig.] faire obstacle, gêner.
II. tr., gêner, entraver.

officiose *(officiosus)*, avec complaisance, officieusement, obligeamment.

officiosus, *a, um (officium)*, officieux, obligeant, serviable || dicté par le devoir, juste, légitime.

officium, *ii*, n., **1.** service, fonction, devoirs d'une fonction [au titre officiel ou privé] : *consulum, senatus, imperatoris officium*, la fonction des consuls, du sénat, du général en chef || charge, magistrature [comme *munus, honor, magistratus*] || **2.** serviabilité, obligeance, civilité, politesse || [d'où] *officia*, bons offices, marques d'obligeance, services rendus || [en part.] *suprema officia*, les derniers devoirs || **3.** devoir, obligation morale || [en part.] fidélité au devoir, obéissance : *in officio esse, manere ; aliquem in officio tenere*, rester dans le devoir, maintenir qqn dans le devoir.

offirmatus, *a, um*, part.-adj. de *offirmo*, ferme, résolu, entêté, obstiné.

offirmo (ob-), *are, avi, atum*, tr., affermir, consolider || *se offirmare*, se raidir, s'opiniâtrer, s'obstiner.

offucia, *æ*, f. *(ob, fucus)*, fard || **-ciæ,** f., pl., tromperies.

offudi, pf. de *offundo*.

offula, *æ*, f., dimin. de *offa*, petit morceau, boulette [de viande, de pain, de pâte].

offulgeo, *ere, fulsi (ob, fulgeo)*, intr., briller devant, briller aux yeux.

offulsi, pf. de *offulgeo*.

offundo, *ere, fudi, fusum (ob* et *fundo)*, tr., **1.** répandre devant || **2.** voiler, offusquer, éclipser.

offusus (ob-), *a, um*, part. de *offundo*.

olea, *æ*, f., olivier [arbre] || olive.

oleagineus, *a, um*, d'olivier || semblable à l'olive.

oleaginus, *a, um*, d'olivier.

olearis, *e (oleum)*, huilé.

olearius, *a, um (oleum)*, relatif à l'huile : *cella olearia*, cellier à l'huile || subst. m., fabricant, marchand d'huile.

Olearos (-rus, -liaros), *i*, f., une des Cyclades.

oleaster, *tri*, m., olivier sauvage.

oleitas, *atis*, f. *(olea)*, récolte des olives.

olens, *tis*, part.-adj. de *oleo*, odorant, odoriférant || qui sent mauvais, infect, puant.

1. Olenus (-nos), *i*, f., Olène [ville d'Achaïe où Jupiter fut nourri par la chèvre Amalthée] || **-nius,** *a, um*, d'Olène, d'Achaïe.

2. Olenus (-nos), *i*, m., fils de Jupiter, qui fut changé en rocher.

oleo, *ere, ui*, intr. et tr.,
I. intr., avoir une odeur.
II. tr., **1.** exhaler une odeur de || **2.** [fig.] annoncer, indiquer.

oletum, *i*, n. *(olea)*, plan d'oliviers.

oleum, *i*, n., huile d'olive, huile [en gén.] || [fig., en parl. de l'huile dont se frottaient les athlètes] *decus olei*, la gloire de la palestre.

olfacio, *ere, feci, factum* (sync. de *olefacio*), tr., flairer, sentir : *nummum*, flairer, dénicher de l'argent.

olfeci, pf. de *olfacio*.

olidus, *a, um (oleo)*, qui sent mauvais, infect, puant, fétide.

olim, adv., [passé] autrefois, jadis || [futur] un jour à venir, un jour, qq. jour || depuis longtemps || de longue date, d'ordinaire.

olitor (hol-), *oris*, m. *(olus)*, jardinier, marchand de légumes.

olitorius (hol-), *a, um*, qui concerne les légumes, de légumes.

oliva, *æ*, f., olivier [arbre] || olive [fruit] || [poét.] bâton d'olivier || branche d'olivier.

olivetum, *i*, n. *(oliva)*, lieu planté d'oliviers.

olivifer, *era, erum (oliva, fero)*, qui produit beaucoup d'olives.

olivum, *i*, n. *(oliva)*, huile d'olive || huile pour les athlètes.

olla, *æ*, f., pot, marmite.

olle, arch. = **ille ;** dat. *olli*.

ollus, *a, um*, arch. = *ille*.

olor, *oris*, m., cygne [oiseau].

olorinus, *a, um*, de cygne.

olui, pf. de *oleo*.

olus (ho-), *eris*, n., légume, herbe potagère.

olusculum (hol-), *i*, m., petit légume.

1. Olympia, *æ*, f., Olympie [lieu dans l'Élide où l'on célébrait les jeux olympiques] || **-pius,** *a, um*, d'Olympie, olympique, olympien || **-pia,** *orum*, n., les jeux olympiques || **-piacus, -picus,** *a, um*, olympique.

2. Olympia, *orum*, n., v. *Olympia 1*.

1. olympias, *adis,* f., olympiade [espace de quatre ans] || [poét.] lustre, espace de cinq ans.

2. Olympias, *adis,* f., Olympias [fille de Néoptolème, roi des Molosses, mère d'Alexandre le Grand].

Olympiodorus, *i,* m., joueur de flûte, maître d'Épaminondas.

olympionices, *æ,* m., vainqueur aux jeux olympiques.

Olympium, *ii,* n., temple de Jupiter à Olympie.

Olympius, *a, um,* v. *Olympia.*

1. Olympus, *i,* m., Olympe [montagne entre la Thessalie et la Macédoine; séjour des dieux] || [fig.] le ciel.

2. Olympus, *i,* m., célèbre joueur de flûte, élève de Marsyas.

Olynthos (-thus), *i,* f., Olynthe [ville de Thrace détruite par les Athéniens] || **-thius,** *a, um,* d'Olynthe || subst. m. pl., les Olynthiens.

omasum, *i,* n., tripes de bœuf.

Omber - Ombria, v. *Umber - Umbria.*

omen, *inis,* n., **1.** signe [favorable ou défavorable], présage, pronostic || **2.** souhait || **3.** [en part.] *prima omina* = premier mariage [les présages, pris au moment du mariage, désignant le mariage lui-même].

ominor, *ari, atus sum (omen),* tr., présager, augurer.

ominosus, *a, um (omen),* qui est de mauvais augure.

omisi, pf. de *omitto.*

omissus, *a, um,* part. de *omitto.*

omitto, *ere, misi, missum (ob, mitto),* tr., **1.** laisser aller loin de soi qqch. qu'on tient, qu'on possède, qu'on a sous la main || **2.** [fig.] ***a)*** laisser aller, laisser échapper, renoncer à || *omittamus lugere,* cessons de gémir (laissons là les gémissements) || *non omittere quominus,* ne pas manquer de; ***b)*** passer sous silence: *ut omittam cetera,* pour laisser le reste de côté.

omnifer, *era, erum (omnis, fero),* qui produit toutes choses.

omnigenus, *a, um (omnis, genus),* de tout genre, de toute forme.

omnimodo, adv., de toute façon, de toute manière.

omnino *(omnis),* adv., **1.** tout à fait, entièrement || *omnino nemo,* absolument personne; *omnino non,* pas du tout || **2.** en général || **3.** au total, en tout, [d'où] seulement.

omniparens, *tis (omnis, pario),* qui produit toutes choses.

omnipotens, *tis (omnis, potens),* tout-puissant || subst. m., Jupiter, le Tout-Puissant.

omnis, *e,* tout, toute,

I. [idée de nombre], **1.** tout, chaque: *omnis regio,* chaque contrée; *omnes cives,* tous les citoyens; *alia omnia,* toutes les autres choses || **2.** [pris subst.] m., *omnes,* tous || surtout n. pl., *omnia,* toutes choses, tout: *omnia facere,* tout faire, faire tous ses efforts.

II. 1. [idée de généralité, d'ensemble] *Gallia omnis,* l'ensemble de la Gaule || **2.** [idée de sorte, d'espèce]: *omnibus precibus,* par toute espèce de prières.

omnivagus, *a, um (omnis, vagor),* qui erre partout.

Omphale, *es,* f., Omphale [reine de Lydie, acheta Hercule quand il fut vendu comme esclave; on a souvent représenté Hercule filant aux pieds d'Omphale].

onager, et **-grus,** *i,* m., **1.** onagre, âne sauvage || **2.** machine de guerre qui lançait des pierres.

oneraria, *æ,* f. (s.-ent. *navis*), vaisseau de transport.

onerarius, *a, um (onus),* de transport: *oneraria jumenta,* bêtes de somme.

onero, *are, avi, atum (onus),* tr., **1.** charger || [fig.] ***a)*** accabler; ***b)*** couvrir; ***c)*** aggraver, alourdir, accroître [les périls, les soucis] || **2.** [poét.], charger une chose sur ou dans une autre.

onerosus, *a, um (onus),* pesant, lourd || [fig.] à charge, pénible.

Onesicritus, *i,* m., Onésicrite [écrivit une histoire d'Alexandre le Grand].

onus, *eris,* n., **1.** charge, fardeau: *onera ferre,* porter des fardeaux || **2.** fardeau, poids || **3.** [fig.] ***a)*** chose difficile, pénible: *ne ipse oneri esset,* pour ne pas être lui-même à charge; ***b)*** [en part., au pl.] *onera,* charges, impôts; ***c)*** dépenses, frais.

onustus, *a, um (onus),* **1.** chargé || **2.** [fig.] rempli de: *onusti cibo,* gorgés de nourriture.

onyx, *ychis,* m., onyx || vase d'onyx.

opacitas, *atis,* f. *(opacus),* ombrage, ombre.

opaco, *are, avi, atum (opacus),* tr., ombrager, couvrir d'ombre.

opacus, *a, um,* ombragé, qui est à l'ombre, ombreux: *opacum frigus,* fraîcheur de l'ombre; *in opaco,* à l'ombre || qui donne de l'ombre, épais, touffu || obscur, ténébreux, sombre.

opella, *æ,* f., dimin. de *opera,* petit travail, petite dépense d'activité.

opera, *æ,* f. *(opus).*

I. 1. travail, activité || **2.** activité au service de qqn ou de qqch., service || **3.** [sens concret] journée de travail || pl., *operæ, arum*, f., ouvriers, manœuvres; bandes salariées, suppôts.
II. 1. soin, attention, peine: *operam dare virtuti*, s'appliquer à la vertu || [avec *ut*] mettre ses soins à obtenir que; [avec *ne*] à empêcher, à éviter que || **2.** [expressions] *opera mea, tua, etc.*, par mes soins, tes soins, etc., grâce à moi, à toi...; *dedita opera*, à dessein, de propos délibéré || **3.** possibilité de donner ses soins à qqch.; *operæ est illi*, il est dans les choses possibles pour lui, il lui est possible; *non operæ est* ou *operæ non est* avec inf., ce n'est pas une tâche possible de, cela n'est pas le moment de, [ou] cela ne vaut pas la peine de.

operans, part.-adj. de *operor*.

operarius, *a, um (opera)*, de travail, de travailleur || subst. m., manœuvre, ouvrier, homme de peine; méchant avocat.

operatus, *a, um*, part. de *operor*.

operculum, *i*, n., couvercle.

operimentum, *i*, n. *(operio)*, ce qui sert à couvrir, à recouvrir, couverture || œillères || enveloppe || couvercle.

operio, *ire, perui, pertum*, tr., **1.** couvrir, recouvrir || ensevelir || **2.** fermer || **3.** cacher, voiler, dissimuler || recouvrir de.

operor, *ari, atus sum (opus)*, intr., travailler, s'occuper à: *reipublicæ*, se consacrer aux affaires publiques; *operatus in aliqua re*, occupé à qqch. || avec *sacris* ou sans *sacris*, faire un sacrifice.

operose *(operosus)*, adv., avec peine, laborieusement.

operositas, *atis*, f. *(operosus)*, excès de travail, de peine, de soin.

operosus, *a, um (opera)*, **1.** qui se donne de la peine, laborieux, actif || **2.** qui coûte beaucoup de peine, difficile, pénible: *artes operosæ*, les arts pénibles, mécaniques, [opp. aux arts libéraux].

operte *(opertus)*, à mots couverts.

opertorium, *ii*, n., couverture [en gén.].

opertum, *i*, n. pris subst. *(opertus)*, chose cachée, secrète: *telluris operta*, les profondeurs mystérieuses de la terre.

opertus, *a, um*, part. de *operio*.

operui, pf. de *operio*.

opes, *um*, f. pl., v. *ops*.

opifer, *era, erum (ops, fero)*, secourable.

opifex, *icis*, m. f. *(opus, facio)*, **1.** celui ou celle qui fait un ouvrage, créateur, auteur || **2.** travailleur, ouvrier, artisan || artiste.

opilio (ou **upilio**), *onis*, m., berger, pasteur.

Opimius, *ii*, m., nom d'une famille rom.; not. L. Opimius, sous le consulat duquel le vin fut particulièrement réputé, 121 av. J.-C.; fut chargé par le sénat en vertu d'un *senatus consultum ultimum* de protéger l'État contre les menées de C. Gracchus.

opimus, *a, um (ops)*, **1.** fécond, fertile, riche || **2.** gras, bien nourri || **3.** copieux, abondant, opulent, splendide; *opima* avec ou sans *spolia*, dépouilles opimes [remportées par le général qui avait tué de sa propre main le général ennemi].

opinio, *onis*, f. *(opinor)*, **1.** opinion, conjecture, croyance: *contra omnium opinionem*, contre toute attente || [tournures]: *ut opinio mea fert*, selon mon opinion, comme je le crois; *esse in aliqua opinione*, ou *alicujus opinionis esse*, avoir telle ou telle opinion || [avec prop. inf.]: *habere opinionem, alicujus opinio est*, croire que, qqn croit que || **2.** ***a)*** bonne opinion; ***b)*** réputation.

opinor, *ari, atus sum*, tr., avoir telle ou telle opinion, conjecturer || [entre parenth.] *opinor* ou *ut opinor*, je crois, à ce que je crois.

opipare *(opiparus)*, copieusement, richement, somptueusement.

opiparus, *a, um (ops, paro)*, copieux, riche, somptueux.

opitulor, *ari, atus sum (ops*, cf. *tuli)*, intr., secourir, porter secours, assister, aider [avec dat.].

oportet, *ere, tuit*, impers., il faut || [avec subj. seul], [avec prop. inf.] || [avec inf., sans sujet déterminé].

oportunus, v. *opportunus*.

opperior, *periri, pertus sum*, tr., attendre.

oppeto, *ere, ivi* ou *ii, itum (ob, peto)*, tr., aller au-devant de: *mortem*, affronter la mort || [absol., sans *mortem*] aller à la mort, trouver la mort.

oppidanus, *a, um (oppidum)*, d'une ville [qui n'est pas Rome], de ville municipale || subst. m. pl., les habitants, les citoyens [de toute autre ville que Rome].

oppido, adv., beaucoup, fort.

oppidulum, *i*, n., dimin. de *oppidum*, petite ville.

oppidum, *i*, n., **1.** ville fortifiée, place forte || tout endroit fortifié || **2.** chef-lieu d'un territoire, ville d'un pays [*civitas* = pays, organisation politique].

oppignero, *are, avi, atum (ob, pignero)*, tr., engager, donner en gage: *se*, se lier.

oppilo, *are, avi, atum (ob, pilo)*, tr., boucher, obstruer.

oppleo, *ere, evi, etum (ob, pleo)*, tr., remplir entièrement.

oppletus, *a, um*, part. de *oppleo*.

oppono, *ere, posui, positum (ob* et *pono)*, tr.,
I. placer devant || [fig.] exposer: *ad periculum opponi*, s'exposer au danger; *morti se opponere*.
II. [idée d'opposition] opposer || *alicui se opponere*, se dresser contre qqn comme adversaire || opposer comme obstacle, comme objection: *quod opponitur*, une objection || opposer [dans une comparaison], mettre en regard.

opportune, à propos, à point, à temps.

opportunitas (oport-), *atis*, f., opportunité, condition favorable, convenance || commodité, avantage.

opportunus (oport-), *a, um*, **1.** convenable, commode, opportun: *locus opportunus ad rem*, endroit propice pour une chose || **2.** utile, avantageux.

1. oppositus, *a, um*, part.-adj. de *oppono*, placé devant, opposé [avec dat.].

2. oppositus, *us*, m., action de mettre devant, d'opposer || fait d'être opposé.

opposui, pf. de *oppono*.

oppressi, pf. de *opprimo*.

oppressio, *onis*, f. *(opprimo)*, action d'étouffer [les lois, la liberté] || oppression, action violente contre.

oppressus, *a, um*, part. de *opprimo*.

opprimo, *ere, pressi, pressum (ob* et *premo)*, tr., **1.** presser, comprimer || [en part.] *litteræ oppressæ*, lettres mal articulées || *classis oppressa*, flotte coulée bas || **2.** [fig.] recouvrir, tenir couvert (caché): *iram*, dissimuler sa colère || étouffer || **3.** faire pression sur, faire fléchir, accabler: *opprimi ære alieno*, être écrasé de dettes || **4.** tomber sur, surprendre.

opprobratio, *onis*, f. *(opprobro)*, reproche, réprimande.

opprobrium, *ii*, n. *(ob, probrum)*, opprobre, honte, déshonneur: *opprobrio est alicui, si*, c'est une honte pour qqn, si || injure, parole outrageante.

opprobro (ob-), *are*, tr., reprocher *(aliquid alicui)*.

oppugnatio, *onis*, f. *(oppugno)*, attaque, assaut, siège.

oppugnator, *oris*, m. *(oppugno)*, assiégeant, assaillant.

oppugno, *are, avi, atum (ob, pugno)*, tr., **1.** attaquer [une ville], assaillir, assiéger || **2.** [fig.] assaillir, battre en brèche qqn, qqch.

1. ops, *opis*, f., pl. *opes, opum*, [sing. usité au gén., acc. et abl.].
I. sing., **1.** pouvoir, moyen, force || *non opis est nostræ* avec inf., il n'est pas en notre pouvoir de || **2.** [rare] forces militaires || **3.** [surtout] aide, appui, assistance: *ab aliquo opem petere*, demander assistance à qqn; *sine tua ope*, sans ton aide; *opem ferre alicui*, porter secours à qqn.
II. pl., **1.** moyens, pouvoir || **2.** puissance, influence || richesses, somptuosité, luxe || forces militaires.

2. Ops, *Opis*, f., déesse Ops, la Terre [identifiée avec Cybèle].

optabilis, *e (opto)*, désirable, souhaitable.

optatio, *onis*, f. *(opto)*, faculté de souhaiter, de faire un vœu.

optato *(optatus)*, adv., selon le désir, à souhait.

optatum, *i*, n. *(optatus)*, vœu, souhait, désir: *præter optatum meum*, au-delà de mes vœux.

optatus, *a, um*, part.-adj. de *opto*, agréable, désiré, souhaité: *mihi optatum est* inf., mon vœu est de.

optimas, *atis (optimus)*, et surtout le pl.

optimates, *ium* ou *um*, m., [les gens du meilleur parti politique, d'après Cicéron, c.-à-d. le parti du sénat, conservateur et aristocratique] les aristocrates, les optimates.

optime (optume), superl. de *bene*, très bien, de façon excellente, [ou] le mieux.

optimus (optu-), *a, um*, superl. de *bonus*, **1.** très bon, le meilleur, excellent, parfait; *optimus quisque*, tous les plus honnêtes gens || très bon, très bienfaisant [épithète de Jupiter et de quelques autres divinités] || **2.** [expr.]: *optimum factu est* ou *optimum est* avec inf., ce qu'il y a de mieux à faire, le parti le meilleur est de.

optineo, v. *obt-*.

optio, *onis*, f., option, choix, libre volonté: *eligendi optionem dare alicui*, donner à qqn la liberté de choisir.

optivus, *a, um (opto)*, qu'on a choisi.

opto, *are, avi, atum*, tr., **1.** choisir || chosir de; prendre le parti de, avoir l'idée de [avec inf.] || **2.** souhaiter, demander (avec inf.) || [avec *ut* subj.] souhaiter que; *ut ne*, souhaiter que ne... pas; *a dis immortalibus optare ut*, demander aux dieux immortels que || [avec subj. seul] || [avec inf.] || [avec prop. inf.] || souhaiter qqch. à qqn, *aliquid alicui*.

optume, optumus, v. *opti-*.

optundo, v. *obt-*.

opulens, *tis*, c. *opulentus*.

opulenter, avec opulence, richement, somptueusement.

opulentia, *æ*, f. *(opulens)*, opulence, richesse, magnificence.

opulento, *are*, tr. *(opulens)*, enrichir.

opulentus, *a, um (ops)*, **1.** qui a beaucoup de moyens, de ressources, opulent, riche: *opulenti*, les riches || puissant, influent || **2.** somptueux, abondant, magnifique.

1. opus, *peris*, n., œuvre, ouvrage, travail || travail des champs || le travail artistique || ouvrage militaire; [et au pl.] travaux d'art pour un siège || ouvrage, œuvre [d'un artiste]; [d'un écrivain] || [expr.]: *magno opere*, avec beaucoup d'effort, v. *magnopere*.

2. opus, n. indécl., ***a)*** chose nécessaire: *mihi frumentum non opus est*, je n'ai pas besoin de blé; ***b)*** [impers.] *opus est* avec abl.: *mihi opus est aliqua re*, j'ai besoin de qqch., ou *opus est aliqua re*, besoin est de qqch. || *opus est facto*, il est besoin d'agir || [avec inf.] il est besoin de.

opusculum, *i*, n., dimin. de *opus*, petit ouvrage || opuscule, petit ouvrage.

1. ora, *æ*, f. *(os)*, **1.** bord, extrémité de qqch. || bord, rivage, côte || région, contrée, pays || zone || **2.** pl. [poét. = *fines*], les contours, ce qui limite, [d'où] ce qui est limité.

2. ora, *æ*, f., câble, amarre.

3. ora, n. pl. de *os 1*.

oraculum, *i*, n. *(oro)*, oracle, parole (réponse) d'un dieu || siège d'un oracle, temple où se rendent les oracles || [en gén.] prédiction, prophétie.

oratio, *onis*, f. *(oro)*, **1.** propos, paroles || façon de parler, parole, style || **2.** propos suivis, exposé oral || **3.** [en parl. de l'orateur]: ***a)*** discours: *orationem scribere, habere*, écrire, prononcer un discours; ***b)*** parole, éloquence.

oratiuncula, *æ*, f. *(oratio)*, petit discours.

orator, *oris*, m. *(oro)*, **1.** orateur || **2.** porte-parole, député, envoyé.

oratoria, *æ*, f. (s.-ent. *ars*), l'art oratoire.

oratorie *(oratorius)*, oratoirement, à la manière des orateurs.

oratorius, *a, um (orator)*, oratoire, d'orateur, qui concerne l'orateur.

oratrix, *icis*, f. *(orator)*, celle qui prie, qui intercède.

1. oratus, *a, um*, part. de *oro*.

2. oratus, *us*, m., prière.

orba, *æ*, f. *(orbus)*, une orpheline.

orbatio, *onis*, f. *(orbo)*, privation.

orbator, *oris*, m. *(orto)*, celui qui prive qqn de ses enfants.

orbiculatus, *a, um (orbiculus)*, arrondi.

orbiculus, *i*, dimin. de *orbis*, petite roue, roulette, poulie || rondelle.

orbis, *is*, m.,

I. toute espèce de cercle, **1.** [en part.] cercle formé par les troupes, formation en cercle [cf. en carré]: *orbem facere; in orbem consistere*, former le cercle, se former en cercle; *in orbem pugnare*, combattre dans la formation en cercle || **2.** [fig.] cercle, cours des affaires || cercle d'une discussion || cercle de connaissances.

II. toute surface circulaire, **1.** disque || *orbis terræ* ou *terrarum*, disque de la terre [d'après les idées anciennes, pour nous globe terrestre] || [poét.] *orbis* seul = terre ou région, contrée || **2.** [sens divers] bouclier, roue, roue de la Fortune, orbite de l'œil.

orbita, *æ*, f. *(orbis)*, trace d'une roue, ornière || marque, empreinte || cours, révolution, orbite, carrière.

orbitas, *atis*, f. *(orbus)*, **1.** perte de ses enfants || état d'orphelin || veuvage || **2.** privation, perte.

orbo, *are, avi, atum (orbus)*, tr., **1.** priver qqn de ses enfants || **2.** [en gén.] priver de [avec abl.].

orbus, *a, um*, **1.** privé de [d'un membre de la famille, père, mère, enfant]: *orbus senex*, vieillard sans enfant; *filii orbi*, fils orphelins || [pris subst.] *orbi*, les orphelins || **2.** [en gén.] privé, dénué; [avec abl.] privé de, ou [avec *ab*], ou [avec gén.].

orca, *æ*, f., **1.** sorte de cétacé || **2.** jarre, tonne.

orchas, *adis*, f., espèce d'olive.

Orcus, *i*, m., divinité infernale [= Pluton grec] || la mort; *Orcum morari*, tarder à mourir [faire attendre Orcus].

ordeum, v. *hordeum*.

ordinarius, *a, um (ordo)*, **1.** rangé par ordre || **2.** conforme à la règle, à l'usage, régulier: *ordinarius consul*, consul ordinaire [par opp. *à suffectus*], qui est entré en charge au commencement de l'année.

ordinatim *(ordinatus)*, en ordre, régulièrement.

ordinatio, *onis*, f. *(ordino)*, action de mettre en ordre, ordonnance, disposition, arrangement.

ordinator, *oris*, m. *(ordino)*, celui qui met en ordre, qui règle, ordonnateur.

ordinatus, *a, um*, part.-adj. de *ordino*, réglé, régulier.

ordino, *are, avi, atum (ordo)*, tr., **1.** mettre en ordre || **2.** arranger, disposer en ordre régulier || régler, organiser.

ordior, *iri, orsus sum*, tr., **1.** ourdir, faire une trame || **2.** commencer, entamer: *orationem*, commencer un discours, en composer l'exorde || [avec inf.] commencer à || [absol.] *a principio ordiamur*, commençons par le commencement || [poét.] commencer à parler.

ordo, *dinis*, m.,

I. 1. rang, rangée, ligne, couche || rang de rames || rangée de gradins au théâtre || **2.** [milit.] ***a)*** rang, ligne, file [de soldats]; *ordines conturbare*, jeter la confusion dans les rangs; *ordines restituere*, reformer les rangs; ***b)*** centurie; ***c)*** grade de centurion; *primi ordines*, les centurions du plus haut grade [de la 1re cohorte] || **3.** ordre, classe sociale [sénateurs, chevaliers, plébéiens, à Rome]: *ordo senatorius*, ou *ordo* seul, ordre sénatorial; *amplissimus ordo*, l'ordre le plus élevé [sénat]; *equester ordo*, l'ordre équestre.

II. 1. ordre, succession: *ætatum*, la succession chronologique || *ordine*, en ordre, point par point; *ex ordine*, dans l'ordre, suivant l'ordre, à la file, successivement, ou *in ordine*, ou *per ordinem* || **2.** ordre = bon ordre, distribution régulière, arrangement; *extra ordinem*, hors du tour régulier, hors du rang, extraordinairement || *ordine*, régulièrement.

Oreades, *um*, f., Oréades, nymphes des montagnes.

Orestes, *æ* et *is*, m., Oreste [fils d'Agamemnon et de Clytemnestre, meurtrier de sa mère, ami de Pylade; ses aventures tragiques furent mises sur la scène par Eschyle, Sophocle, Euripide].

organicus, *i*, m. *(organum)*, joueur d'instruments, musicien.

organum, *i*, n., **1.** instrument [en gén.] || [fig.] pl., ressorts, moyens || **2.** instrument de musique || orgue hydraulique.

orgia, *orum*, n., orgies, mystères de Bacchus.

orichalcum, *i*, n., laiton, cuivre jaune.

oricilla, oricula, v. *auric-*.

oriens, *tis*, **1.** part. prés. de *orior* || **2.** subst., le soleil levant || l'orient, le levant, l'est || pays du levant, l'orient.

origo, *inis*, f. *(orior)*, **1.** origine, provenance, naissance || **2.** auteur, père d'une race || sang, race, famille || métropole || **3.** [fig.] origine, cause, source, principe.

Orion, *onis*, et *onis*, m., Orion [chasseur changé par Diane en une constellation qui porte son nom].

orior, *iri, ortus sum, oriturus*, intr., **1.** se lever; sortir du lit, se lever [en parl. des astres] || [d'où] *orta luce*, après le lever du jour || **2.** se lever, naître, tirer son origine, prendre sa source || tirer sa naissance: *a Catone ortus*, descendant de Caton ou [avec *ex*] || commencer à [avec *ab*]: *Belgæ ab extremis Galliæ finibus oriuntur*, la Belgique commence à l'extrémité du territoire de la Gaule.

oriundus, *a, um (orior)*, originaire, qui tire son origine de: [avec *ab*, ou avec *ex*, ou avec abl. seul].

ornamentum, *i*, n. *(orno)*, **1.** appareil, attirail, équipement || **2.** ornement, parure: *(domus est) ornamento urbi*, (la maison est) un ornement pour la ville || ornements du style, figures || qualités littéraires, beauté de l'expression || ornements, insignes [du triomphe, des divers magistrats] || **3.** titre honorifique, distinction.

ornate *(ornatus)*, d'une manière ornée, avec élégance.

1. ornatus, *a, um*, part.-adj. de *orno*, **1.** équipé, approvisionné, outillé || **2.** orné, paré, élégant || **3.** qui sert de parure || **4.** honorable, distingué, considéré.

2. ornatus, *us*, m., **1.** appareil, outillage, attirail || équipement, accoutrement, costume || **2.** ornement, parure || beauté du style.

orneus, *a, um (ornus)*, d'orne.

orno, *are, avi, atum*, tr., **1.** équiper,

outiller, préparer || **2.** orner, parer || [fig.] embellir, rehausser, honorer.

ornus, *i*, f., orne ou frêne.

oro, *are, avi, atum (os, oris)*, tr., **1.** parler, dire || **2.** parler comme orateur || [absol.] *orare pro aliquo*, plaider pour qqn || **3.** prier, solliciter, implorer || *rem*, demander qqch. en suppliant, implorer une chose || [avec *ut, ne* subj.] prier de, prier de ne pas || [avec subj. seul] || [avec inf.].

Orpheus, *ei* ou *eos*, m., Orphée [fils de la muse Calliope, célèbre joueur de lyre, époux d'Eurydice].

orsa, *orum*, n. *(ordior)*, entreprise || paroles, discours.

1. orsus, *a, um*, part. de *ordior*.

2. orsus, *us*, m., entreprise, commencement.

1. ortus, *a, um*, part. de *orior*.

2. ortus, *us*, m. *(orior)*, **1.** naissance, origine || **2.** lever [des astres].

oryx, *ygis*, m., gazelle.

oryza, *æ*, f., riz.

1. os, *oris*, n.,

I. 1. bouche, gueule || *esse in ore omnium, in ore vulgi*, ou *omnibus in ore*, être dans la bouche de tout le monde, faire l'objet des propos de la foule; *in ore (semper) habere aliquid, aliquem*, avoir constamment qqch., qqn à la bouche, citer const. qqch., qqn || *uno ore*, d'une seule voix, unanimement || **2.** organe de la parole, voix, prononciation || **3.** entrée, ouverture: *in ore portus*, à l'ouverture du port.

II. 1. visage, face, figure: *alicui ante os esse*, être sous les regards de qqn || *os ducere*, grimacer || **2.** [fig.] physionomie, air.

2. os, *ossis*, gén. pl. *ossium*, n., os, ossement || [poét.] moelle des os = fond de l'être.

oscen, *inis*, m. *(obs, cano)*, oscène.

Osci, *orum*, m., Osques [ancien peuple entre les Volsques et la Campanie] || **Oscus,** *a, um*, osque.

oscillum, *i*, n. *(os 1)*, oscille [figurine qu'on suspendait aux arbres en offrande à Saturne et à Bacchus].

oscitans, *tis*, part.-adj. de *oscito*, indolent, négligent.

oscitanter *(oscitans)*, avec nonchalance, négligemment.

oscitatio, *onis*, f. *(oscito)*, action de bâiller, bâillement || nonchalance, indifférence.

osculatus, *a, um*, part. de *osculor*.

oscito, *are, avi, atum*, intr., **1.** ouvrir la bouche, bâiller || **2.** être de loisir || **3.** s'ouvrir, s'épanouir.

osculor, *ari, atus sum (osculum)*, tr., baiser || caresser, choyer.

osculum, *i*, n., dimin. de *os 1*, **1.** petite bouche || **2.** baiser.

Ossa, *æ*, f., le mont Ossa [en Thessalie, séjour des Centaures].

osseus, *a, um (os 2)*, osseux || d'os, fait d'os || dur comme un os.

ossiculum, *i*, n. *(os 2)*, petit os.

ostendo, *ere, tendi, tentum (*postér. *tensum) (obs, tendo)*, tr., tendre en avant: **1.** présenter, exhiber, exposer, montrer || **2.** mettre en avant: ***a)*** faire voir [comme perspective]: *spem, metum*, mettre en avant l'espérance, la crainte; ***b)*** opposer; ***c)*** [avec prop. inf.] montrer que, faire comprendre que, signifier que, laisser voir que.

ostensus, *a, um*, part. de *ostendo*.

ostentatio, *onis*, f. *(ostento)*, **1.** action de montrer ostensiblement || démonstration militaire || **2.** ostentation, étalage, parade.

ostentator, *oris*, m. *(ostendo)*, **1.** celui qui étale, qui fait montre de, qui fait parade de || **2.** qui attire l'attention sur.

ostento, *are, avi, atum* (intens. de *ostendo*), tr., **1.** tendre, présenter avec insistance || **2.** présenter, faire voir ostensiblement || étaler devant les yeux [comme perspective] || étaler comme preuve, comme témoignage || **3.** faire parade de, étalage de.

ostentum, *i*, n. *(ostendo)*, tout ce qui sort de l'ordre habituel et qu'on montre avec étonnement; prodige.

1. ostentus, *a, um*, part. de *ostendo*.

2. ostentus, *us*, m., action de montrer, d'étaler aux yeux, étalage || preuve, signe.

Ostia, *æ*, f. ou **-tia,** *orum*, n., Ostie [port à l'embouchure du Tibre] || **-iensis,** *e*, d'Ostie.

ostiarium, *ii*, n., impôt mis sur les portes.

ostiarius, *ii*, m. *(ostium)*, portier, concierge.

ostiatim *(ostium)*, de porte en porte.

ostiolum, *i*, n. *(ostium)*, petite porte.

ostium, *ii*, n. *(os 1)*, entrée; porte || embouchure || entrée: *Oceani*, entrée de l'Océan [détroit de Gibraltar].

ostrea, *æ*, f., huître.

ostreum, *i*, n., c. *ostrea*.

ostrifer, *era, erum (ostreum, fero)*, abondant en huîtres.

ostrum, *i*, n., pourpre [couleur tirée d'un coquillage] || étoffe de pourpre.

Otho, *onis*, m., surnom romain; not.: L. Roscius Othon [tribun de la plèbe, qui fixa la place des chevaliers au théâtre] || M. Salvius Othon [qui détrôna Galba et fut vaincu par Vitellius] || **-nianus,** *a, um*, d'Othon || subst. m. pl., les soldats d'Othon.

otior, *ari, atus sum (otium)*, intr., être de loisir, prendre du repos.

otiose *(otiosus)*, dans le loisir || à loisir, à son aise.

otiosus, *a, um (otium)*, **1.** oisif, qui est sans occupation, de loisir || **2.** [en part.] qui n'est pas pris par les affaires publiques, loin des affaires || [m. pris subst.] homme éloigné de la politique || **3.** qui ne participe pas à une affaire, neutre, indifférent || **4.** calme, paisible, tranquille || **5.** [rhét.] qui prend son temps, qui s'attarde || [en parl. du style] lent, languissant || **6.** oiseux, inutile, superflu.

otium, *ii*, n. (opp. à *negotium*), **1.** loisir, repos, [et en part.] repos loin des affaires, loin de la politique; *otium cum dignitate*, repos (retraite des affaires) honorable || **2.** inaction, oisiveté || **3.** loisir studieux || études faites à loisir, études de cabinet || **4.** paix, calme, tranquillité || **5.** [expr. adv.] *per otium*, à loisir, tranquillement.

ovatio, *onis*, f. *(ovo)*, ovation, petit triomphe [le général victorieux défilait à pied ou à cheval].

1. ovatus, *a, um (ovum)*, qui a la forme d'un œuf, ovale.

2. ovatus, *a, um*, part. de *ovo*, montré dans l'ovation.

Ovidius, *ii*, m., *P. Ovidius Naso*, Ovide, de Sulmone, poète latin.

ovile, *is*, n. *(ovilis)*, étable de brebis, bergerie || étable à chèvres || emplacement dans le Champ de Mars fermé par des barrières, où l'on votait lors des comices.

ovillus, *a, um*, de brebis.

ovis, *is*, f., brebis.

ovo, *are, atum*, intr., triompher par ovation, avoir les honneurs de l'ovation || triompher, pousser des cris de joie, être triomphant, joyeux, fier.

ovum, *i*, n., œuf.

P, p, f. n. [quinzième lettre de l'alphabet latin] || P., abréviation de *Publius* || *P.C. = patres conscripti* || *P.R. = populus Romanus.*

pabularis, *e (pabulum),* qui concerne le fourrage.

pabulatio, *onis,* f. *(pabulor),* **1.** action de paître, pâture || **2.** fourrage, action d'aller au fourrage.

pabulator, *oris,* m. *(pabulor),* celui qui va au fourrage.

pabulatorius, *a, um (pabulor),* de fourrage.

pabulor, *ari, atus sum (pabulum),* intr., prendre sa pâture, manger, se nourrir || fourrager, aller au fourrage.

pabulum, *i,* n. *(pasco),* **1.** pâturage, fourrage; *secare; supportare,* couper, transporter le fourrage || **2.** nourriture, aliment.

pacalis, *e (pax),* de paix, relatif à la paix.

pacator, *oris,* m. *(paco),* pacificateur.

pacatus, *a, um,* **1.** part. de *paco* || **2.** adj., en paix, pacifique, paisible || subst. n., *pacatum, i,* contrée tranquille.

Pachynum, *i,* n. et **Pachynus (-os),** *i,* m. et f., Pachynum [promontoire à l'est de la Sicile, auj. capo di Passaro].

pacifer, *era, erum (pax, fero),* qui apporte la paix.

pacificatio, *onis,* f. *(pacifico),* retour à la paix, accommodement, réconciliation.

pacificator, *oris,* m. *(pacifico),* pacificateur.

pacificatorius, *a, um,* destiné à traiter de la paix.

pacificatus, *a, um,* part. de *pacifico.*

pacifico, *are, avi, atum (pax, facio),* intr., traiter de la paix.

pacificus, *a, um (pax, facio),* qui établit la paix.

paciscor, *pacisci, pactus sum* (cf. *pango*), **1.** intr., faire un traité, un pacte, une convention ; traiter, conclure un arrangement : *cum aliquo,* avec qqn || **2.** tr., stipuler, obtenir une chose || **3.** [poét.] engager.

paco, *are, avi, atum (pax),* tr., pacifier.

pacta, *æ,* f. de *pactus 1* pris subst., fiancée.

pactio, *onis,* f. *(paciscor),* **1.** convention, accord, pacte, traité : *per pactionem,* aux termes d'une convention || promesse, engagement || **2.** adjudication des impôts publics || **3.** entente.

Pactolus, *i,* m., le Pactole [fleuve de Lydie, qui roule des sables d'or].

pactum, *i,* n. *(paciscor),* accommodement, convention, pacte, traité : *pacta servare,* observer des conventions || [fig.] *pacto = modo : quo pacto,* comment ; *alio pacto,* d'une autre manière ; *nullo pacto,* d'aucune manière ; *isto pacto,* de cette manière [comme toi].

1. pactus, *a, um,* **1.** part. de *paciscor* || **2.** [sens passif] convenu, arrêté, stipulé || *filia pacta alicui,* fille promise en mariage à qqn || [abl. absol. n.] *pacto* *inter se, ut...*, la convention étant faite entre eux que...

2. pactus, *a, um*, part. de *pango*.

Pacuvius, *ii*, m., **1.** Pacuvius [poète dramatique latin, contemporain de Publius Scipion l'Africain] || **2.** illustre citoyen de Capoue qui conseilla l'alliance avec Hannibal.

Padus, *i*, m., le Pô [fleuve d'Italie qui se jette dans l'Adriatique].

Pæan, *anis*, m., **1.** Péan [un des noms d'Apollon] || **2.** un péan, hymne en l'honneur d'Apollon ou d'un autre dieu || exclamation de joie: *io pæan!*, io Péan!

pædagogium, *ii*, n., pension, école [pour les esclaves destinés à des fonctions un peu hautes] || les enfants qui fréquentent une école.

pædagogus, *i*, m., esclave qui accompagne les enfants, gouverneur d'enfants, précepteur, maître || guide, conducteur, mentor.

pædor, *oris*, m., saleté, malpropreté, crasse.

pæne ou **pene,** [placé avant ou après son déterminé] presque.

pæninsula ou **peninsula,** *æ*, f. *(pæne, insula)*, péninsule, presqu'île.

pænitendus, -nitens, de *pæniteo*.

pænitentia, *æ*, f. *(pænitet)*, repentir, regret.

pæniteo, *ere, ui*, **1.** intr., être mécontent, [d'où] avoir du regret, du repentir || **2.** tr. [seul. dans l'adj. verbal] || *pænitendus*, dont on doit être mécontent, regrettable.

pænitet, *ere, uit*, impers., *pænitet aliquem alicujus rei*, qqn n'est pas content de qqch., [d'où] a du regret, du repentir de qqch.: *memet mei pænitet*, je ne suis pas satisfait de moi || *eum se... fuisse pænitet*, il regrette d'avoir été... || [avec *quod*] n'être pas content de ce que || [avec interr. ind.] *quoad te, quantum proficias, non pænitebit*, tant que tu seras content de tes progrès.

pæniturus, *a, um*, part. fut. de *pæniteo*.

pænula (pen-), *æ*, f., pénule, manteau à capuchon [employé pour le voyage].

pænulatus, *a, um (pænula)*, enveloppé d'une pénule.

Pæones, *um*, m. pl., habitants de la Péonie [partie septentrionale de la Macédoine].

Pæonius, *a, um*, de Péon, c.-à-d. du dieu de la Médecine || médicinal, salutaire.

Pæstum, *i*, n., ville de Lucanie, célèbre pour ses roses || **-anus,** *a, um*, de Pæstum.

pætulus, *a, um*, dim. de *pætus*, qui louche un peu.

pætus, *a, um*, qui louche un peu.

Pætus, *i*, m., surnom d'un grand nombre de personnages; notamment Pétus Cæcina, époux d'Arria, condamné à mort sous Claude.

paganus, *a, um (pagus)*, **1.** de village, de la campagne || subst. m., paysan, villageois || **2.** civil, bourgeois [opposé à militaire]; *pagani, orum*, m., population civile.

pagatim *(pagus)*, par villages.

pagella, f. *(pagina)*, feuille de papier.

pagina, *æ*, f., **1.** partie interne du papyrus découpée en feuillets, avec une seule colonne d'écriture par feuillet; feuillet, page || **2.** écrit, ouvrage.

paginula, *æ*, f. *(pagina)*, petite page.

pagus, *i*, m. *(pango)*, **1.** bourg, village || **2.** canton, district [en Gaule et Germanie].

pala, *æ*, f., bêche || pelle || chaton [de bague].

Palæstina, *æ*, et **Palæstine,** *es*, f., la Palestine [contrée de la Syrie].

Palæstinus, *a, um*, de la Palestine.

palæstra, *æ*, f., **1.** lieu où l'on pratique la lutte et en général tous les exercices du corps, palestre, gymnase || lutte, exercices gymnastiques || **2.** [fig.] école, exercices de rhétorique, exercices de la parole || souplesse, grâce, élégance.

palæstrica, *æ*, f., la palestrique, la gymnastique.

palæstricus, *a, um (palæstra)*, qui concerne la palestre, palestrique || qui favorise la palestre || *palæstricus doctor* ou *magister*, maître de palestre [ou encore *palæstricus* seul].

palæstrita, *æ*, m., maître de palestre || habitué de palestre, athlète, lutteur.

palam, **1.** adv., ouvertement, devant tous les yeux || manifestement, au grand jour: *palam facere alicui* [avec interr. ind.], dévoiler à qqn, faire savoir || *palam ferre* avec prop. inf., montrer ouvertement que || **2.** qqf. prép. avec abl., devant, en présence de.

Palamedes, *is*, m., Palamède [déjoua la ruse d'Ulysse feignant la folie au siège de Troie, mais plus tard périt victime des calomnies d'Ulysse; passait pour avoir inventé le jeu d'échecs, le jeu de dés, etc., et plusieurs lettres de l'alphabet grec].

Palatinus, *a, um,* **1.** du mont Palatinn || **2.** du palais des Césars.

Palatium, *ii,* n., **1.** le mont Palatin || palais [des Césars sur le mont Palatin, à partir d'Auguste] || **2.** [fig.] palais [en gén.].

palatum, *i,* n. (qqf. **palatus,** *i,* m.), siège du goût, palais.

1. palatus, *a, um,* part. de *palor.*

2. palatus, *i,* m., v. *palatum.*

palea, *æ,* f. et **paleæ,** *arum,* pl., paille || barbe de coq || *palea æris,* paillette ou limaille de cuivre.

palear, *aris,* n., et ordin. **palearia,** *ium,* pl., fanon de bœuf.

Pales, *is,* f., Palès [déesse des bergers et des pâturages].

Palilis, *e,* de Palès || **Palilia (Parilia),** *ium* ou *iorum,* n. pl., Palilies ou Parilies, fêtes en l'honneur de Palès.

palimpsestus (-os), m. f., palimpseste, parchemin qu'on a gratté pour y écrire de nouveau.

Palinurus, *i,* m., **1.** Palinure [pilote d'Énée, enterré sur un promontoire de Lucanie, lui donna son nom] || **2.** cap Palinure.

paliurus, *i,* f., paliure.

palla, *æ,* f., **1.** palla, manteau de femme [grande écharpe, mantille] || **2.** manteau d'acteur tragique || grande robe [de joueur de lyre] || tenture, tapisserie.

Palladium, *ii,* n., Palladium [statue de Pallas protectrice de Troie].

Palladius, *a, um,* **1.** de Pallas: *Palladii latices,* huile; *Palladiæ arces,* Athènes || **2.** docte, savant: *Palladia Tolosa,* Toulouse, chère à Pallas.

Pallanteum, *i,* n., Pallantée, **1.** [ville d'Arcadie fondée par Pallas, aïeul d'Évandre] || **2.** [ville fondée par Évandre sur le mont Palatin, emplacement de la Rome future].

Pallanteus, *a, um,* de Pallantée.

Pallantius, *a, um,* qui descend de Pallas: *Pallantius heros,* Évandre [petit-fils de Pallas].

1. Pallas, *adis* et *ados,* f., **1.** Pallas ou Minerve: *Palladis arbor,* l'olivier; *Palladis ales,* la chouette; *irata Pallade,* malgré Minerve || **2.** c. *Palladium* || **3.** olivier, olive, huile.

2. Pallas, *antis,* m., **1.** fils et aïeul d'Évandre || **2.** affranchi de Claude.

pallens, *tis,* part. prés. de *palleo* || pris adj., **1.** pâle, blême || **2.** pâle, de faible couleur; jaunâtre, verdâtre || **3.** qui rend pâle.

palleo, *ere, ui,* intr. et tr., **I.** intr., être pâle || être pâle de crainte, pâlir || se décolorer, se ternir || prendre une teinte pâle.
II. tr. [poét.], pâlir devant, craindre.

pallesco, *ere, pallui,* intr., devenir pâle || [de souci, de crainte] || prendre une couleur pâle.

palliatus, *a, um (pallium),* vêtu d'un pallium.

pallidulus, *a, um,* dim. de *pallidus,* livide.

pallidus, *a, um (palleo),* pâle, blême || pâle d'effroi || de couleur pâle, jaunâtre || pâle, terne, peu lumineux || qui rend pâle.

palliolatus, *a, um (palliolum),* couvert d'un capuchon, encapuchonné.

palliolum, *i,* n., petit manteau, mantille || capuchon.

pallium, *ii,* n. *(palla),* **1.** pallium, manteau grec || **2.** [en gén.] manteau, toge [ou tout vêtement ample de dessus] || **3.** couverture de lit, couvre-pied.

pallor, *oris,* m., pâleur, teint pâle, teint blême || [fig.] pâleur [de l'effroi] || couleur pâle des objets || moisissure, moisi || **Pallor,** *oris,* m., la Pâleur, la Peur [divinité].

palma, *æ,* f., **1.** paume, creux (plat) de la main || main entière || **2.** palmier; [d'où] ***a)*** fruit du palmier, datte; ***b)*** palme, branche [qu'on mettait dans les tonneaux pour donner bon goût] || [dont on faisait des balais] || [emblème de la victoire]; [d'où] *palmam dare, accipere,* donner, recevoir la palme; *alicujus rei alicui palmam deferre,* décerner à qqn la palme de qqch. (en qqch.); *palmam ferre,* remporter la palme (la victoire) || **3.** pousse, rejeton, jet.

palmaris, *e (palma),* **1.** de palmier || **2.** qui mérite la palme.

palmarius, *a, um (palma),* de palmier.

palmatus, *a, um (palma),* qui a la forme d'une palme || *palmata tunica,* tunique ornée de palmes [attribut de Jupiter Capitolin et, par suite, des triomphateurs].

palmes, *itis,* m. *(palma),* **1.** sarment, bois de la vigne || **2.** [en gén.] branche, rejeton.

palmetum, *i,* n. *(palma),* lieu planté de palmiers.

1. palmeus, *a, um (palma),* de palmier.

2. palmeus, *a, um (palmus),* de la longueur d'un palme.

palmifer et **palmiger,** *era, erum*

(palma, fero, gero), qui produit des palmiers.

palmipedalis, *e (palmus, pedalis)*, long d'un pied et d'un palme.

1. palmipes, *edis (palma)*, qui a le pied palmé, palmipède.

2. palmipes, *edis (palmus)*, haut d'un pied et d'un palme.

palmosus, *a, um (palma)*, abondant en palmiers

palmula, *æ*, f. *(palma)*, **1.** paume de la main, main || rame [pale de l'aviron] || **2.** datte, fruit du palmier.

palmus, *i*, m. *(palma)*, **1.** paume [de la main] || **2.** palme, mesure de longueur: [4 pouces ou 1/4 du pied].

palor, *ari, atus sum*, intr., errer çà et là, s'en aller à la débandade, se disperser.

palpamentum, *i*, n. *(palpo)*, caresse, cajolerie.

palpatus, *a, um*, part. de *palpo*.

palpebra, *æ*, f., et ordin. **palpebræ,** *arum*, pl. *(palpo)*, paupière, paupières || cils.

palpito, *are, avi, atum (palpo)*, intr., s'agiter, être agité || palpiter, battre.

palpo, *are, avi, atum*, tr., palper, tâter, toucher || [fig.] caresser, flatter.

palpor, *ari, atus sum*, intr. [avec le dat.] caresser, flatter, faire sa cour à.

paludamentum, *i*, n., habit militaire, [ordin.] manteau des généraux.

paludatus, *a, um*, vêtu de l'habit militaire, en tenue militaire [en parl. surtout d'un général entrant en campagne].

paludosus, *a, um (palus)*, marécageux.

palumbes (-bis), *is*, f. et **palumbus,** *i*, m., pigeon ramier, palombe.

1. palus, *i*, m., poteau.

2. palus, *udis*, f., marais, étang || eau du Styx.

paluster (palustris), *tris, tre (palus)*, **1.** marécageux || *palustria*, n. pl., marécages || **2.** qui vient ou qui vit dans les marais.

Pamphylia, *æ*, f., la Pamphylie [contrée de l'Asie Mineure près de la mer Égée] || **-lius,** *a, um*, de Pamphylie.

pampinaceus, *a, um (pampinus)*, de pampre.

pampinarius, *a, um (pampinus)*, qui produit du pampre.

pampinatio, *onis*, f. *(pampino)*, épamprement de la vigne.

pampinator, *oris*, m. *(pampino)*, celui qui épampre.

pampinatus, *a, um*, part. de *pampino*.

pampineus, *a, um (pampinus)*, de pampre, fait de pampre || couvert de pampre.

pampino, *are, avi, atum (pampinus)*, tr., épamprer la vigne || émonder, éclaircir, tailler.

pampinosus, *a, um (pampinus)*, qui a beaucoup de pampre, de feuilles.

pampinus, *i*, m., bourgeon de la vigne, jeune pousse || pampre [branche de vigne avec ses feuilles], feuillage [de la vigne] || vrille.

Pan, *Panos*, acc. *-na*, m., Pan [dieu grec (spécialement arcadien); dieu de la vie pastorale; représenté avec le bas du corps et les cornes d'un bouc; inventeur de la flûte à sept tuyaux, dite flûte de Pan] || pl. *Panes*, acc. *-as*, les Pans, Faunes ou Sylvains.

panacea, *æ*, f., plante légendaire qui guérit tout, panacée.

panaces, *is*, n., c. *panacea*.

Panætius, *ii*, m., philosophe stoïcien, de Rhodes, maître et ami de Scipion le second Africain.

Panætolicus, *a, um*, qui comprend toute l'Étolie.

Panætolium, *ii*, n., assemblée générale des Étoliens.

panarium, *ii*, n.. *(panis)*, corbeille à pain.

Panathenaicus, *i*, m., discours d'Isocrate prononcé aux Panathénées.

Panchaia, *æ*, f., Panchaïe [partie de l'Arabie Heureuse] || **-chæus** et **-aius,** *a, um*, de Panchaïe, d'Arabie.

panchrestus, *a, um*, excellent pour tout.

pancratiastes (-ta), *æ*, m., pancratiaste, athlète qui combat au pancrace.

pancration (-ium), *ii*, n., pancrace, réunion de la lutte et du pugilat.

Pandataria, *æ*, f., île de Pandatarie [dans la mer Tyrrhénienne, où furent reléguées Julie, fille d'Auguste, Agrippine, femme de Germanicus, et Octavie, fille de Claude].

pandatus, *a, um*, part. de *pando 1*.

Pandion, *onis*, m., nom de divers personnages, not. Pandion [fils d'Érechthée, père de Procné et de Philomèle].

Pandionius, *a, um*, de Pandion.

1. pando, *are, avi, atum (pandus)*, tr., courber, ployer; pass., se ployer, se courber.

2. pando, *ere, pandi, pansum* et *pas-*

sum, **1.** étendre, tendre, déployer : *velis passis*, à voiles déployées; *passus capillus*, les cheveux épars || **2.** ouvrir : *mœnia urbis*, faire une brèche dans les remparts || **3.** découvrir, étaler, publier || **4.** étaler à l'air : *uva passa*, raisin sec ; *lac passum*, lait caillé.

Pandora, *æ*, f., Pandore [nom de la première femme, que Vulcain forma du limon de la terre, et qui fut dotée de toutes les qualités par les autres dieux].

pandus, *a, um*, courbé, courbe || qui se courbe.

panegyricus, *a, um*, laudatif, apologétique || subst. m. : ***a)*** *panegyricus*, le panégyrique [d'Isocrate] ; ***b)*** panégyrique, éloge [en gén.].

pango, *ere, panxi, panctum* et *(pegi) pepigi, pactum*, tr.,

I. enfoncer, ficher, fixer : *clavum*, enfoncer un clou.

II. [fig.] établir solidement, **1.** composer des œuvres littéraires, écrire || **2.** [seul. aux formes du pf. *pepigi*] déterminer, fixer : *terminos, fines*, fixer des bornes, des limites || établir, conclure : *pacem ; indutias*, conclure la paix, une trêve || [avec *ut, ne*, subj.] stipuler que, que ne... pas || **3.** [en parl. des fiançailles] promettre.

Panhormus, *i*, f., ou **Panhormum,** *i*, n., Panorme [ville de Sicile, auj. Palerme] || **-hormitanus,** *a, um*, de Panorme.

panicum, *i*, n., panic, sorte de millet.

panificium, *ii*, n. *(panis, facio)*, fabrication du pain || gâteau, galette.

panis, *is*, m., pain.

Pannonia, *æ*, f., la Pannonie [contrée de l'Europe entre le Danube et le Norique, auj. la Hongrie] || ridé, rugueux.

pannosus, *a, um (pannus)*, de haillons, en haillons, déguenillé.

pannus, *i*, m., **1.** morceau d'étoffe, pièce, lambeau, bande [en gén.] || [fig.] *purpureus pannus*, lambeau de pourpre = un morceau brillant || **2.** haillon, guenille || **3.** serre-tête, bandeau.

pansus, *a, um*, part. de *pando*.

panthera, *æ*, f., panthère [animal].

pantherinus, *a, um (panthera)*, de panthère || tacheté, moucheté.

pantomimicus, *a, um (pantomimus)*, qui concerne la pantomime.

pantomimus, *i*, m., un pantomime.

papaver, *eris*, n., pavot.

papavereus, *a, um (papaver)*, de pavot.

Paphlagonia, *æ*, f., la Paphlagonie [contrée de l'Asie Mineure] || **-nes,** *um*, m., Paphlagoniens; sing. **Paphlago,** *onis*, m., Paphlagonien.

Paphius, *a, um*, de Paphos, de Vénus.

Paphus (-os), *i*, f., Paphos [ville de l'île de Chypre, célèbre par son culte de Vénus].

papilio, *onis*, m., papillon.

papilla, *æ*, f. *(papula)*, mamelle, sein.

pappus, *i*, m., **1.** vieillard || **2.** duvet des chardons.

papula, *æ*, f., papule, bouton, pustule.

papyrifer, *era, erum (papyrus, fero)*, fertile en papyrus.

papyrum, *i*, n., et **papyrus,** *i*, f., **1.** papyrus, roseau d'Égypte [employé pour maints usages, mais surtout pour la fabrication du papier] || **2.** papier ; écrit, manuscrit, livre.

par, *paris*,

I. adj., **1.** égal, pareil [sous le rapport des dimensions, de la quantité, de la valeur, etc.] : *pari intervallo*, à un intervalle égal || [avec dat.] égal à, *par alicui*, égal à qqn || [avec gén.] *alicujus*, égal de qqn || [avec *cum*] || [avec *inter se*] : *pares inter se*, égaux entre eux || [avec *ac* ou *atque*] ; *par ac si*, le même que si || **2.** apparié, semblable || **3.** égal, à hauteur de, de même force || **4.** *par est*, il est approprié, convenable.

II. pris subst., **1.** m. f., ***a)*** compagnon (compagne), pair, le semblable de qqn || = époux, épouse ; ***b)*** l'antagoniste qu'on appariait à un combattant dans les combats de gladiateurs || **2.** n., ***a)*** paire, couple : *gladiatorum par*, un couple de gladiateurs ; ***b)*** chose égale : *par pro pari referre*, rendre la pareille || *ludere par impar*, jouer à pair ou impair || *ex pari*, de pair, sur le pied d'égalité ; ***c)*** *paria*, membres de phrase de même longueur.

parabilis, *e (paro)*, qu'on se procure facilement, à bon marché.

paradoxon, *i*, n., chose contraire à l'opinion ; pl. *paradoxa, orum*, titre d'un traité de Cicéron sur les propositions surprenantes *(admirabilia)* et qui heurtent l'opinion commune, émises dans la doctrine stoïcienne.

Paralus, *i*, m., héros athénien, dont le nom était porté par une des deux trières de l'État, la galère paralienne.

paraphrasis, *is*, f., paraphrase.

pararius, *ii*, m. *(paro)*, intermédiaire.

parasita, *æ*, f. *(parasitus)*, femme parasite || *parasita avis*, oiseau parasite.

parasitus, *i*, m., **1.** invité, convive || **2.** parasite, écornifleur, pique-assiette.

parate *(paratus)*, avec préparation; en homme préparé.

paratio, *onis*, f. *(paro)*, apprêt, préparation || aspiration vers qqch.

1. paratus, *a, um,*
I. part. de *paro.*
II. pris adj., **1.** prêt, à la disposition, sous la main: *habent paratum quid... dicant*, ils ont à leur disposition de quoi parler... || **2.** prêt à, préparé à || [avec dat.] || [avec inf.] || **3.** bien préparé, bien pourvu, bien outillé; *paratus peditatu, equitatu,* bien outillé en infanterie, en cavalerie [avec *in* + abl.].

2. paratus, *us*, m., préparation, apprêt, préparatif || ornements, vêtements.

Parca, *æ*, f., la Parque, le Destin || pl. *Parcæ*, les Parques [Clotho, Lachésis, Atropos].

parce *(parcus)*, **1.** avec économie || **2.** avec retenue, avec réserve, modérément || rarement.

parcitas, *atis*, f. *(parcus)*, économie || modération.

parco, *ere, peperci* (rar. *parsi*), *parsum (parcus)*, intr., qqf., tr., épargner, ménager [avec *dat*], **1.** = ne pas dépenser trop, ne pas être prodigue [tr.] *pecuniam*, épargner l'argent || **2.** = ne pas abîmer, ne pas détruire, garder intact, préserver || **3.** = cesser de || [avec inf.] regarder à, cesser de, se garder de || **4.** = s'abstenir de.

parcus, *a, um,* **1.** économe, ménager, regardant || **2.** sobriété du style || **3.** peu abondant, modéré, petit, faible.

pardalis, *is*, f., panthère.

1. parens, *tis*, gén. pl. *um* ou [plus rar. *ium*], m., f. *(pario)*, **1.** le père ou la mère: *parens tuus*, ton père || pl., les parents [le père et la mère] || père ou mère [des animaux] || **2.** grand-père, aïeul, et au pl., ancêtres || **3.** auteur, inventeur || **4.** *parentes*, les parents, les proches.

2. parens, *tis*, part. prés. de *pareo* || subst. m. *parentes, ium*, les sujets.

Parentalia, *ium*, n., Parentales, fêtes annuelles en mémoire des morts, fêtes funèbres.

parentalis, *e (parens)*, **1.** de père et de mère, des parents || **2.** qui concerne les parents morts.

parento, *are, avi, atum (parens)*, intr., célébrer une cérémonie funèbre, faire un sacrifice en l'honneur d'un mort || [fig.] apaiser les mânes de qqn, venger [avec dat.].

pareo, *ere, ui, itum*, intr.,
I. 1. apparaître, se montrer || **2.** impers., *paret*, c'est manifeste, la chose est patente || **3.** c. *apparere*, se rendre aux ordres de qqn, assister des magistrats comme appariteur.
II. 1. obéir, se soumettre: *consilio, legibus*, obéir à un conseil, à des lois || [pass. impers.] *paretur*, on obéit || **2.** obéir, céder à: *necessitati, tempori*, obéir à la nécessité, aux circonstances || **3.** être soumis à, sous la dépendance de: *nulla fuit civitas, quin Cæsari pareret*, il n'y eut pas une cité qui ne fût soumise à César.

pariens, *tis*, part. prés. de *pario*.

paries, *etis*, m., mur [de maison], muraille || clôture [en osier], haie.

parietinæ, *arum*, f. *(paries)*, murs délabrés, débris, ruines || [fig.] débris.

parilis, *e (par)*, pareil, semblable, égal.

Parilis, v. *Palilis.*

parilitas, *atis*, f. *(parilis)*, parité, ressemblance, égalité.

pario, *ere, peperi, partum, pariturus*, tr., **1.** enfanter, accoucher, mettre bas || **2.** enfanter, produire: *quæ terra parit*, ce que la terre produit || **3.** faire naître, engendrer, procurer: *dolorem, voluptatem*, engendrer la douleur, le plaisir; *sibi laudem*, se ménager de la gloire || pl. n. **parta,** *orum*, acquisitions.

Paris, *idis* (acc. *idem, in* ou *im*), m., Pâris ou Alexandre [fils de Priam et d'Hécube; passa sa jeunesse au milieu des bergers du mont Ida; choisi pour juge dans le différend qui s'était élevé entre les déesses, Minerve, Junon, Vénus, au sujet de leur beauté, il adjugea la pomme d'or [le prix] à Vénus; enleva Hélène, femme de Ménélas, roi de Sparte et provoqua ainsi la guerre de Troie].

Parisii, *orum*, m., Parisiens [peuple de la Celtique, capitale Lutèce].

pariter *(par)*, **1.** au même degré, également, semblablement, de même [avec des particules diverses]: *pariter ac* ou *atque, pariter et, pariter ut*, de la même manière que, de même que, comme, autant que; *pariter ac si*, comme si || **2.** ensemble, à la fois, en même temps: *cum*, que.

1. pariturus, *a, um*, part. fut. de *pario*.

2. pariturus, *a, um*, part. fut. de *pareo*.

Parius, *a, um*, de Paros || subst. m. pl., habitants de Paros.

1. parma, *æ*, f., petit bouclier rond, parme.

2. Parma, *æ*, f., Parme [ville de la Gaule Transpadane, renommée pour ses laines] || **-ensis,** *e*, de Parme;

Parmenses, ium, m., habitants de Parme.

parmatus, *a, um,* armé d'une parme.

Parmenio (-ion), *onis,* m., Parménion [un des généraux d'Alexandre].

parmula, *æ,* f. *(parma),* petit bouclier rond, petite parme.

parmularius, *ii,* m. *(parmula),* partisan des gladiateurs armés d'une parme.

Parnassius, ou **Parnasius,** *a, um,* du Parnasse, des Muses.

Parnassus ou **Parnasus,** et **Parnassos** ou **Parnasos,** *i,* m., le Parnasse [montagne de la Phocide, à deux cimes, séjour d'Apollon et des Muses].

1. paro, *are, avi, atum,* tr., **1.** préparer, apprêter, arranger: *bellum,* préparer la guerre [= se préparer à la guerre]; *se parare ad discendum,* se disposer à apprendre || [avec *ut* subj.] || [absol.] faire des préparatifs || **2.** procurer, ménager, faire avoir: *alicui aliquid,* qqch. à qqn || [souvent sans *sibi*] se procurer, acquérir.

2. paro, *are, atum (par),* tr., **1.** mettre de pair, mettre sur la même ligne || **2.** *se cum collega,* s'accommoder, s'arranger avec son collègue.

3. paro, *onis,* m., barque.

parochus, *i,* m., fournisseur des magistrats en voyage || le maître de la maison, l'amphitryon.

Paros et **Parus,** *i,* f., Paros [une des Cyclades, célèbre par ses marbres].

parricida (paric-), *æ,* m. f. *(pater, cædo),* parricide || meurtrier d'un de ses parents || meurtrier d'un concitoyen, assassin || celui qui fait la guerre à sa patrie, traître || sacrilège.

parricidium, *ii,* n. *(parricida),* **1.** parricide || **2.** meurtre d'un parent ou d'un proche || **3.** attentat contre la patrie, trahison, haute trahison || **4.** meurtre d'un concitoyen || **5.** nom donné aux ides de mars, jour du meurtre de César.

pars, *partis,* f.,

I. 1. partie, part, portion: *in partem aliquem vocare,* appeler qqn à un partage || *duæ partes frumenti,* 2/3 de blé; *tres partes,* 3/4; *tertia pars,* 1/3; *quarta pars,* 1/4; *magna pars, major pars, minor pars,* une grande partie, une plus grande, une plus petite || **2.** [expressions diverses]: ***a)*** *pars... ducere; pars...,* les uns d'estimer..., les autres...; ***b)*** *parte... parte,* en partie... en partie; *magna parte,* en grande partie, ***c)*** *pro parte... contulerunt,* ils ont contribué pour leur part...; *pro mea, tua, sua parte,* pour ma, ta, sa part; ***d)*** *ex parte,* en partie, pour une part; *omnibus partibus,* à tous égards; ***e)*** acc. adverbial: *maximam partem... vivunt,* ils vivent pour la plus grande partie...; ***f)*** *in aliquam partem,* dans tel ou tel sens; *in utramque partem disputare,* discuter dans les deux sens, examiner le pour et le contre || *in bonam partem aliquid accipere,* prendre qqch. en bonne part || *in omnes partes,* à tous égards, de toute manière; ***g)*** *per partes,* partiellement.

II. en part., **1.** pl. *partes,* parts, parts bénéficiaires (tantièmes) || **2.** espèce [par rapport au genre] || **3.** partie, point de l'espace: *una in parte,* sur un seul point; *qua ex parte ?,* de quel côté? sur quel point? || *ex altera parte,* de l'autre côté, d'autre part (faisant pendant); *ex altera parte... ex altera autem,* d'un côté... de l'autre (en regard) || **4.** parti, cause; *in altera parte esse,* être du parti opposé [dans la guerre civile] || **5.** parti politique || surtout pl.: *civis bonarum partium,* un citoyen du bon parti || **6.** rôle d'un acteur, *partes, primas partes agere,* jouer le premier rôle; *actor secundarum, tertiarum partium,* acteur tenant le second, le troisième rôle || *partes accusatoris,* rôle d'accusateur.

parsi, pf. de *parco.*

parsimonia, *æ,* f. *(parco),* épargne, économie.

Parthenon, *onis,* m., le Parthénon [temple de Minerve à Athènes] || portique de la villa de Pomponius Atticus.

Parthi, *orum,* m., les Parthes [peuple de Perse, renommés comme cavaliers et archers]; [par extens.] les Perses.

Parthia, *æ,* f., la Parthie, pays des Parthes.

Parthicus, *a, um,* des Parthes, des Perses.

Parthus, *a, um,* des Parthes, des Perses.

particeps, *ipis (pars, capio),* participant, qui a une part de, qui partage [avec gén.] || subst. m., associé, compagnon, camarade.

participatus, *a, um,* part. de *participo.*

participo, *are, avi, atum (particeps),* tr., faire participer: *aliquem aliqua re; alicujus rei,* qqn à qqch. || [pass.] être admis au partage, être mis en participation || partager, mettre à la disposition, répartir; *rem cum aliquo,* partager une chose avec qqn.

particula, *æ*, f., dim. de *pars*, petite partie, parcelle, particule.

particulatim *(particula)*, par morceaux, en détail.

partim, ancien acc. de *pars* pris adv., **1.** en partie : *eorum partim... partim... voluerunt*, parmi eux les uns voulurent... les autres || *partim quod... partim quod*, en partie parce que... en partie parce que || **2.** en balancement avec *alii*, les uns... une partie (d'autres).

partio, *ire, ivi* et *ii, itum (pars)*, tr., partager, répartir, distribuer : *partitis temporibus*, les heures de service étant réparties.

partior, *iri, itus sum (pars)*, tr., **1.** diviser en parties || **2.** partager, répartir : *aliquid cum aliquo*, partager qqch. avec qqn.

partitio, *onis*, f. *(partio)*, partage, division, répartition || classification.

partitus, *a, um*, part. de *partio* et de *partior*.

parturio, *ire, ivi* (décad.) *(pario)*, **1.** intr., être en mal d'enfant, être en travail, en gésine || [fig.] souffrir, éprouver des souffrances, des inquiétudes || **2.** tr., porter dans son sein, couver || enfanter, produire.

1. partus, *a, um*, part. de *pario*.

2. partus, *us*, m., **1.** enfantement, accouchement || **2.** fruit de l'enfantement ; enfants || petits, portée || productions des plantes.

parum *(parvus)*, adv., **1.** trop peu, pas assez [avec ou sans gén.] || *parum habere* avec inf., ne pas se contenter de || **2.** guère.

parumper *(parum, per)*, pour un instant, momentanément.

parvitas, *atis*, f. *(parvus)*, petitesse.

parvulum, n. de *parvulus*, pris adv., très peu.

parvulus, *a, um*, dim. de *parvus*, très petit || tout jeune : *a parvulo* [en parl. d'un seul] ; *a parvulis* [en parl. de plusieurs] dès l'enfance.

parvum, *i*, n. de *parvus* pris subst., **1.** nomin. presque inus. : un peu || **2.** [très employé aux gén. et abl. dans une série d'expr.] : *parvi facere, æstimare, ducere*, estimer peu ; *parvi esse*, avoir peu de valeur ; *parvi refert*, il importe peu || *parvo contentus*, content de peu ; *consequi aliquid parvo*, obtenir qqch. à peu de frais ; *parvo vendere*, vendre à bas prix, bon marché.

parvus, *a, um*, **1.** petit || **2.** [au point de vue du temps] : *parva mora*, court délai || **3.** [nombre, quantité] : *parvæ copiæ*, faibles troupes || **4.** [valeur] : *pretio parvo vendere*, vendre à faible prix || [qualité] : *parvi esse animi*, avoir une âme petite, mesquine || **5.** [âge] : *Romulus parvus atque lactans*, Romulus [statue] tout petit et encore à la mamelle || [m. pl. pris subst.] *parvi*, les petits || [expr. adv.] : *a parvis* (quand il s'agit de plusieurs) ; *a parvo* [quand il s'agit d'un seul], dès l'enfance || **6.** [rang, condition, importance] : humble.

pascalis, *e (pasco)*, qu'on fait paître.

pasco, *ere, pavi, pastum*, tr., **1.** faire paître, mener paître || [d'où] faire l'élevage, [absol.] *bene, male pascere*, être bon, mauvais éleveur || **2.** [poét.] donner qqch. en pâture || **3.** nourrir, entretenir, alimenter || **4.** [fig.] ***a)*** nourrir, développer, faire croître : *barbam, crinem*, laisser croître sa barbe, ses cheveux ; ***b)*** repaître, réjouir : *oculos aliqua re*, repaître ses yeux de qqch. ou *in aliqua re* || [pass.] *scelere pascuntur*, ils se repaissent de crimes || **5.** [poét.] paître, brouter.

pascor, *pasci, pastus sum*, tr., **1.** paître, brouter, manger || **2.** manger [en parl. des poulets qui servent aux augures].

pascuum, *i*, n. et ordin. **pascua,** *orum*, pâturage, pacage.

pascuus, *a, um (pasco)*, propre au pâturage.

Pasiphaa, *æ*, f., et **Pasiphae,** *es*, f., Pasiphaé [fille du Soleil, femme de Minos, mère de Phèdre, d'Ariane, du Minotaure].

Pasiphaeia, *æ*, f., fille de Pasiphaé [Phèdre].

passer, *eris*, m., **1.** passereau, moineau || **2.** carrelet [poisson de mer].

passerculus, *i*, m. *(passer)*, moineau.

passim *(pando)*, en se déployant en tous sens, à l'aventure, de tous côtés, partout || pêle-mêle, indistinctement.

passum, *i*, n. *(pando)*, vin de raisins séchés au soleil.

1. passus, *a, um*, part. de *pando* et de *patior*.

2. passus, *us*, m. *(pando)*, **1.** pas || **2.** pas [mesure itinéraire = le double pas *(gradus)* = 5 pieds romains ou 1,479 m] ; *mille passus*, un mille romain ou 1 479 m.

pastillus, *i*, m. *(panis)*, tablette, pastille, pilule || pastille [parfumée pour l'haleine].

pastinatio, *onis*, f. *(pastino)*, action de défoncer le sol, travail à la houe.

pastinator, *oris*, m. *(pastino)*, celui qui houe.

pastinatus, *a, um*, part. de *pastino* || **pastinatum,** n., sol remué à la houe.

pastino, *are, avi, atum (pastinum)*, tr., houer, façonner à la houe.

pastinum, *i*, n., houe.

pastio, *onis*, f. *(pasco)*, **1.** élevage des bestiaux, des poules, des abeilles, etc. || **2.** pâturage, pacage.

pastor, *oris*, m. *(pasco)*, celui qui fait paître des brebis, berger, pâtre, pasteur || gardien [de paons, de poules, etc.].

pastoralis, *e (pastor)*, de berger, pastoral, champêtre.

pastoricius et **pastorius,** *a, um*, de berger, pastoral.

1. pastus, *a, um*, **1.** part. de *pasco* || **2.** part. de *pascor*, dépon.

2. pastus, *us*, m. *(pasco)*, **1.** pâture || nourriture des animaux || **2.** [fig.] nourriture.

Patavinitas, *atis*, f., Patavinité [provincialisme padouan].

Patavinus, *a, um*, de Patavium, Padouan || **Patavini,** *orum*, m., habitants de Patavium.

Patavium, *ii*, n., auj. Padoue [ville de Vénétie, patrie de Tite-Live].

patefacio, *ere, feci, factum (pateo, facio)*, tr., **1.** découvrir, ouvrir : *iter*, ouvrir un chemin ; [pass.] *patefieri*, être ouvert || **2.** [fig.] dévoiler, montrer, découvrir, mettre au jour.

patefactio, *onis*, f. *(patefacio)*, [fig.] action de dévoiler, de faire connaître.

patefactus, *a, um*, part. de *patefacio*.

patefio, *factus sum, fieri*, pass. de *patefacio*.

patella, *æ*, f. *(patera)*, patelle, petit plat servant aux sacrifices || plat, assiette.

patens, *tis*, **1.** part. de *pateo* || **2.** adj., découvert, ouvert.

patenter, manifestement, ouvertement.

pateo, *ere, tui*, intr., **1.** être ouvert : *valvæ patent*, les portes sont ouvertes || **2.** être praticable, accessible || **3.** être à la disposition || **4.** être découvert, donner prise à || **5.** être devant les yeux, visible || [fig.] être clair, évident, patent ; [d'où] *patet* avec prop. inf., il est évident que || **6.** s'étendre.

pater, *tris*, m., **1.** père || *pater familias* ou *familiæ* : ***a)*** père de famille, maître de maison ; ***b)*** bon bourgeois, premier citoyen venu || **2.** *patres* : ***a)*** les pères : *patrum nostrorum ætas*, la génération de nos pères ; ***b)*** les sénateurs ; ***c)*** patriciens [orig. descendants des chefs de famille qui constituaient le sénat de Romulus] || **3.** [en parl. des dieux] ***a)*** *pater* désigne Jupiter, le père des dieux et des hommes ; ***b)*** [épithète de vénération] auguste, divin ; ***c)*** divinité, dieu : *Gradivus pater*, dieu Mars || [en parl. des hommes] vénérable : *pater Æneas*, le noble Énée || **4.** père, fondateur || **5.** père = vieillard || **6.** *pater patratus*, chef des féciaux.

patera, *æ*, f. *(pateo)*, patère, coupe évasée en usage dans les sacrifices.

paterfamilias, v. *pater* 1.

paternus, *a, um (pater)*, **1.** paternel, qui appartient au père || **2.** [poét.] des pères, des aïeux.

patesco, *ere, patui (pateo)*, intr., s'ouvrir || s'étendre, se développer || [fig.] se dévoiler, se découvrir, se montrer à nu.

patibilis, *e (patior)*, supportable, tolérable.

patibulum, *i*, n. *(pateo)*, **1.** patibule, fourche patibulaire [sur laquelle on étendait les esclaves pour les battre de verges] || **2.** bois courbé servant à maintenir les sarments de la vigne.

patiens, *tis*, part. prés. de *patior* || adj., ***a)*** qui supporte ; ***b)*** [fig.] endurant.

patienter *(patiens)*, patiemment, avec patience, avec endurance.

patientia, *æ*, f. *(patiens)*, **1.** action de supporter, d'endurer || **2.** faculté de supporter, patience, longanimité || **3.** ***a)*** aptitude à tout supporter, endurance ; ***b)*** soumission, servilité.

patina, *æ*, f., poissonnière || [en gén.] plat creux [pour faire cuire des aliments].

patior, *pati, passus sum*, tr., **1.** souffrir = supporter, endurer : *injuriam facere, pati*, commettre l'injustice, la supporter || **2.** [avec idée de patience, de résignation, de constance] supporter patiemment || **3.** souffrir = subir, être victime, être atteint par : *cladem*, subir un désastre ; *infamiam*, encourir une flétrissure || **4.** [poét.] se tenir avec persévérance dans tel ou tel état, durer || **5.** souffrir, admettre, permettre : [avec prop. inf.] [ou avec *ut* subj.].

patrator, *oris*, m. *(patro)*, celui qui exécute, exécuteur, auteur.

patratus, *a, um*, part. de *patro* || v. *pater* fin.

patria, *æ*, f., patrie, pays natal, sol natal || patrie adoptive, seconde patrie || *major patria*, la métropole [opp. aux colonies].

patriciatus, *us*, m. *(patricius)*, patriciat, qualité de patricien.

patricida, m., c. *parricida.*

patricii, *orum*, m. *(patricius)*, patriciens: *exire e patriciis*, devenir plébéien [passer par adoption d'une famille patricienne dans une famille plébéienne] || au sing., un patricien.

patricius, *a, um (patres)*, de patricien || subst. m., v. *patricii.*

patrimonium, *ii*, n. *(pater)*, patrimoine; bien de famille.

patrimus, adj. m., qui a encore son père.

patritus, *a, um (pater)*, du père, paternel.

patrius, *a, um (pater)*, **1.** qui concerne le père [en tant que chef de famille], paternel: *patria potestas*, autorité paternelle || **2.** transmis de père en fils: *mos patrius*, les mœurs des pères; *patrius sermo*, la langue maternelle; *carmen patrium*, chant national.

patro, *are, avi, atum*, tr., accomplir, exécuter, effectuer, achever: *promissa*, remplir une promesse; *facinus*, perpétrer un crime.

patrocinatus, *a, um*, part. de *patrocinor.*

patrocinium, *ii*, n. *(patronus)*, **1.** patronat, patronage, protection [des patriciens à l'égard des plébéiens] || **2.** défense [en justice] || secours, appui || défense, excuse.

patrocinor, *ari, atus sum (patronus)*, intr., défendre, protéger, prendre sous sa protection [avec dat.] || [fig.] *patrocinari sibi*, se justifier.

Patroclus, *i*, m., Patrocle [tué devant Troie par Hector et vengé par Achille].

patrona, *æ*, f. *(patronus)*, protectrice.

patronus, *i*, m. *(pater)*, **1.** patron [opposé à client], protecteur des plébéiens || **2.** avocat, défenseur [en justice] || [fig.] défenseur, protecteur, appui || **3.** ancien maître d'un affranchi.

patruelis, *is*, m. f. *(patruus)*, cousin germain [du côté du père]; cousine germaine.

1. patruus, *i*, m. *(pater)*, oncle paternel || [fig.] oncle qui morigène; [d'où] censeur qui gourmande, grondeur.

2. patruus, *a, um*, d'oncle paternel || [fig.] sévère, grondeur.

patulus, *a, um (pateo)*, **1.** ouvert, qui a une large ouverture || [fig.] *patulæ aures*, oreilles attentives || **2.** largement déployé, étalé || [fig.] ouvert à tous, banal.

pauci, *orum*, m. pris subst., un petit nombre seulement, quelques-uns : *nimis pauci*, trop peu nombreux ||

pauca, *orum*, n. pris subst., peu de choses: *cetera quam pauciscimis absolvam*, j'achèverai le plus brièvement possible.

paucitas, *atis*, f. *(paucus)*, petit nombre.

pauculi, *æ, a*, dim. de *pauci*, qui sont en très petit nombre, très peu nombreux.

paucus, *a, um*, **1.** [sing. rare] peu nombreux || peu abondant || **2.** [pl. surtout]: *pauci dies*, quelques jours seulement || *quam paucissimis verbis*, avec le moins de mots possible.

paulatim (paull-), peu à peu, insensiblement.

paulisper (paull-), un peu de temps, un petit moment, qq. temps || *paulisper dum*, un petit moment pendant que...

paulo (paullo), abl. pris adv., un peu: [avec un compar.] *liberius paulo*, un peu plus librement || avec *ante, post*: v. ces mots || avec les verbes ou expressions marquant supériorité, *antecedere, excellere, præstare*, etc.

paululum (paull-), **1.** n. pris subst., une très petite quantité, très peu de || **2.** adv., très peu, quelque peu.

paululus (paull-), *a, um*, dim. de *paulus*, qui est en très petite quantité; *paulula via*, court chemin.

paulum (paull-), **1.** n. pris subst., un peu, une petite quantité || **2.** adv., un peu: *paulum requiescere*, se reposer un peu || *post paulum*, un peu après; *paulum supra*, un peu au-dessus.

1. paulus (paull-), *a, um*, qui est en petite quantité, peu considérable, petit, faible: *paulo sumptu*, à peu de frais.

2. Paulus (Paull-), *i*, m., surnom romain, surtout dans la *gens Æmilia*; not. Paul Émile, tué à la bataille de Cannes, et son fils, vainqueur de Persée.

pauper, *eris*, m. f. n. *(pau-cus, pario*, qui produit peu), pauvre, qui possède peu [différent de *inops, egenus, egens*]: *ex pauperrimo dives factus*, de très pauvre devenu riche; [avec gén. poét.] *pauper aquæ*, pauvre en eau || *pauperes*, les pauvres.

pauperies, *ei*, f. *(pauper)*, pauvreté.

paupero, *are, atum (pauper)*, tr., appauvrir || frustrer, dépouiller.

paupertas, *atis*, f. *(pauper)*, **1.** pauvreté [sens plus faible que *egestas, inopia*], gêne; *non est paupertas habere nihil*, la pauvreté, ce n'est pas ne rien posséder || **2.** = *egestas, inopia*, indigence, misère.

Pausanias, *æ*, m., fils de Cléombrote, général des Lacédémoniens || assassin de Philippe, roi de Macédoine.

paveo, *pavere, pavi*, **1.** intr., être troublé (interdit, saisi) par un sentiment violent || [surtout] avoir peur || **2.** tr., craindre, redouter, *aliquem*, qqn || *ne (ut)*, craindre que... ne (que... ne... pas) || *pavet lædere*, il craint d'offenser.

pavesco, *ere (paveo)*, **1.** intr., s'effrayer || **2.** tr., craindre, redouter.

pavi, pf. de *pasco* et de *paveo*.

pavide *(pavidus)*, avec frayeur, en tremblant.

pavidum, n. pris adv., avec crainte, timidement.

pavidus, *a, um (paveo)*, **1.** dans le saisissement, éperdu; [surtout] saisi d'effroi || effrayé, tremblant || craintif, peureux, timide || effrayé de qqch. [avec gén.] [av. *ad*, relativement à] || **2.** qui marque l'effroi || **3.** qui glace, qui paralyse.

pavimentatus, *a, um (pavimentum)*, pavé, dallé.

pavimento, *are (pavimentum)*, tr., aplanir [en battant], niveler, égaliser.

pavimentum, *i*, n. *(pavio)*, aire en terre battue, [puis en gén.] plancher, parquet, carreau, dalles.

pavio, *ire, ivi, itum*, tr., battre [la terre], aplanir, niveler || [en gén.] battre, frapper.

pavito, *are, avi*, fréq. de *paveo*, **1.** intr., être effrayé || **2.** tr., craindre.

pavitus, *a, um*, part. de *pavio*.

pavo, *onis*, m., paon || f., *pavo femina*, la femelle du paon, paonne.

pavonaceus, *a, um (pavo)*, semblable à la queue du paon.

pavoninus, *a, um (pavo)*, de paon.

1. pavor, *oris*, m. *(paveo)*, **1.** émotion qui trouble, qui saisit, qui peut faire perdre le sang-froid || **2.** [surtout] effroi, épouvante, crainte.

2. Pavor, *oris*, m., la Peur, divinité consacrée par Tullus Hostilius.

1. pax, *pacis*, f. (cf. *paciscor, pango*), **1.** paix [après une guerre]: *in pace, in bello; pace belloque; pace ac bello*, en paix, en guerre; *summa in pace*, dans la paix la plus profonde || paix [avec qqn]: *cum aliquo* || *pacem facere; conficere; componere; jungere cum aliquo*, faire la paix, régler la paix, conclure la paix avec qqn || **2.** [fig.] tranquillité, calme || [en parl. des dieux] bienveillance, faveur, assistance || [expr.]: *pace tua dicam (dixerim)*, je le dirai avec ta permission, soit dit sans t'offenser.

2. Pax, *acis*, f., déesse de la Paix.

paxillus, *i*, m. *(pango)*, pieu, étançon.

peccans, *tis*, part.-adj. de *pecco*, qui commet une faute, fautif || subst. m., coupable.

peccatio, *onis*, f. *(pecco)*, faute.

peccatum, *i*, n. *(pecco)*, faute, action coupable, crime || faute, erreur.

pecco, *are, avi, atum*,
I. intr., **1.** commettre une faute, faillir, faire mal || **2.** être fautif, défectueux, pécher.
II. [avec pron. n.] *multa alia*, commettre beaucoup d'autres erreurs.

pecten, *inis*, m. *(pecto)*, **1.** peigne || **2.** = l'art de peigner || **3.** carde || **4.** râteau || **5.** plectre [de lyre] || lyre || chant || **6.** peigne de mer.

pectitus, *a, um*, part. de *pecto*.

pecto, *ere, pexi, pexum* et qqf. *pectitum*, tr., **1.** peigner || **2.** carder || **3.** nettoyer, essarter [la terre].

pectorale, *is*, n. *(pectoralis)*, cuirasse.

pectoralis, *e (pectus)*, pectoral, de la poitrine || qui couvre la poitrine.

pectorosus, *a, um (pectus)*, qui a une large poitrine.

pectunculus, *i*, m., dim. de *pecten*, petit peigne de mer, sorte de coquillage.

pectus, *oris*, n., **1.** poitrine [de l'homme et des animaux] || **2.** [fig.] ***a)*** cœur: *toto pectore amare*, aimer de tout son cœur; ***b)*** siège de la pensée: *toto pectore cogitare*, penser de toute son intelligence.

pecu, n., indécl., bétail, troupeau || [employé surtout au pl.] **pecua,** *uum, ubus*.

1. pecuaria, *æ*, f. *(pecuarius)*, **1.** troupeaux, bestiaux || **2.** l'élevage des troupeaux.

2. pecuaria, *orum*, n., troupeaux.

pecuarius, *a, um (pecu)*, de troupeaux, de bestiaux || subst. m., propriétaire de troupeaux, éleveur || fermier des pâturages publics.

peculator, *oris*, m. *(peculor)*, concussionnaire.

peculatus, *us*, m. *(peculor)*, péculat, malversation.

peculiaris, *e (peculium)*, propre, qui appartient en propre, personnel || particulier, spécial || singulier, extraordinaire.

peculiariter *(peculiaris)*, particulièrement, spécialement.

peculiolum, *i,* n. *(peculium),* petit pécule.

peculium, *ii,* n. *(pecus),* pécule, petit bien amassé par l'esclave [gratifications, épargne, etc.] || avoir particulier des fils de famille || [en gén.] argent économisé || petit cadeau.

peculor, *ari, atus sum (peculium),* tr., se rendre coupable de péculat.

pecunia, *æ,* f. *(pecu),* **1.** [primit.] avoir en bétail, fortune qui résulte du bétail ; [d'où, en gén.] fortune, richesse : *pecuniam facere,* amasser de la fortune || **2.** argent : *pecunia numerata ; præsens,* argent comptant || [pl. pour insister sur le bétail] des sommes d'argent || *pecunia publica,* l'argent du trésor public.

pecuniarius, *a, um (pecunia),* d'argent, pécuniaire.

pecuniosus, *a, um (pecunia),* riche en bétail || [en gén.] riche.

1. pecus, *oris,* n., **1.** [en gén.] troupeau, bétail || **2.** [en part.] menu bétail, brebis, moutons ; qqf. chèvres || **3.** troupe [d'hommes], troupeau.

2. pecus, *udis,* f., **1.** bête, tête de bétail, animal (domestique) || **2.** bête de menu bétail, mouton, brebis || **3.** bête, animal || [fig.] brute, bête, sot, homme stupide.

pedalis, *e (pes),* d'un pied.

pedamen, *inis,* n., et **pedamentum,** *i,* n. *(pedo),* échalas.

pedarius, *a, um (pes), pedarii senatores* et *pedarii* seul, sénateurs pédaires [qui, n'ayant pas exercé de magistrature curule, n'ont que le droit de voter, *pedibus in sententiam ire*].

1. pedatus, *a, um (pes),* qui a des pieds : *male pedatus,* qui a les pieds contrefaits.

2. pedatus, *a, um,* part. de *pedo.*

pedes, *itis,* m. *(pes),* **1.** piéton, qui va à pied || **2.** fantassin ; l'infanterie || **3.** les plébéiens [oppos. aux chevaliers] || **4.** troupes de terre [oppos. à la flotte].

pedester, *tris, tre (pes),* **1.** qui est à pied, pédestre || **2.** de fantassin, d'infanterie : *pedestre certamen factum est,* le combat devint un combat d'infanterie || l'infanterie || **3.** de terre, qui se fait par terre, qui est à terre : *pedestres navalesque pugnæ,* batailles sur terre et sur mer || **4.** écrit en prose, qui est en prose || qui ressemble à de la prose, prosaïque.

pedetemptim, en marchant avec précaution || [fig.] lentement, peu à peu, avec précaution.

pedica, *æ,* f. *(pes),* **1.** lien aux pieds || **2.** lacets, lacs, piège.

1. pediculus, *i,* m. *(pes),* petit pied || pédoncule, queue.

2. pediculus, *i,* m. *(pedis),* pou.

pedis, *is,* m., pou.

pedisequa, *æ,* f. *(pes, sequor),* suivante, esclave qui accompagne || [fig.] compagne || et **pedisequus (-secus),** *i,* m., esclave qui accompagne, suivant, valet de pied, laquais.

peditatus, *us,* m., infanterie.

pedo, *atum, are (pes),* tr., échalasser.

pedum, *i,* n. *(pes),* houlette.

Pegaseius, Pegaseus, *a, um,* de Pégase.

Pegasis, *idis,* adj. f., de Pégase.

Pegasus ou **-os,** *i,* m., Pégase [cheval ailé, né du sang de Méduse, qui, d'un coup de pied, fit jaillir la fontaine Hippocrène] || pl., pégases, espèce de chevaux ailés || [fig.] messager rapide.

pegma, *atis,* n., échafaud, estrade || échafaud [pour un théâtre], machine de théâtre, décor || corps ou rayons de bibliothèque.

pegn-, v. *pægn-.*

pejeratus, *a, um,* part. de *pejero* || violé par un parjure || offensé par un parjure.

pejero, *are, avi, atum,* intr., se parjurer.

pelagius, *a, um,* de la haute mer || marin.

pelagus, *i,* n., la haute mer, la pleine mer ; la mer || eaux débordées d'une rivière.

Pelasgi, *orum,* m., Pélasges [établis dans la Thessalie, la Carie, l'Étrurie, le Latium] || [poét.] les Grecs.

Pelasgus, *a, um,* des Grecs, Grec.

Peleus, *ei* ou *eos,* m., Pélée [fils d'Éaque, époux de Thétis et père d'Achille].

Peliacus, *a, um,* du mont Pélion.

1. Pelias, *adis,* f., du mont Pélion ; [en parl. du navire Argo fait avec le bois du mont Pélion].

2. Pelias, *adis,* f., fille de Pélias.

3. Pelias, *æ,* m., Pélias [roi de Thessalie, que ses filles firent mourir en voulant le rajeunir, d'après le conseil de Médée].

Pelides, *æ,* m., fils de Pélée [Achille].

Pelion, *ii,* n., et **Pelios,** *ii,* m., Pélion [montagne de Thessalie, voisine de l'Ossa et de l'Olympe].

Pelius, *mons,* m., c. *Pelion* || **-us,** *a, um,* du mont Pélion.

Pella, *æ,* f., ville maritime de Macédoine, patrie de Philippe et d'Alexandre.

pellacia, *æ*, f. *(pellax)*, tromperie, perfidie.

Pellæus, *a, um*, de Pella, Macédonien: *Pellæus juvenis*, Alexandre.

pellax, *acis (pellicio)*, fourbe, trompeur.

pellectio, *onis*, voir f. *(per, lego)*, lecture complète.

pellectus, *a, um*, part. de *pellicio*.

pellexi, pf. de *pellicio*.

pellicio, *ere, lexi, lectum (per, lacio)*, tr., **1.** attirer insidieusement, séduire, gagner, enjôler || **2.** obtenir par adresse, capter || **3.** attirer [en gén.].

pellicula, *æ*, f. *(pellis)*, petite peau || [fig.] *pelliculam curare*, prendre soin de sa petite personne.

pelliculo, *are (pellis)*, tr., couvrir avec de la peau.

pellis, *is*, f., **1.** peau: *pellis caprina*, peau de chèvre || peau [sur quoi se coucher ou pour se couvrir], fourrure || **2.** peau [tannée], cuir || cordon de soulier || **3.** tente du soldat || **4.** [fig.] ***a)*** enveloppe, extérieur, dehors; ***b)*** condition.

pellitus, *a, um (pellis)*, couvert de peau.

pello, *ere, pepuli, pulsum*, tr., **1.** mettre en mouvement, remuer, donner une impulsion: *nervos (fidium)*, faire vibrer les cordes de la lyre || **2.** [fig.] ***a)*** remuer l'âme, émouvoir, faire impression; ***b)*** mettre en branle, mettre en avant, lancer || **3.** pousser, [d'où] heurter || **4.** repousser, chasser: *foro; e foro*, chasser du forum; [avec *ab*] repousser, écarter de (empêcher de pénétrer) || [en part.] repousser, mettre en fuite [l'ennemi] || mettre en déroute, battre, défaire || [fig.] chasser, bannir, éloigner.

pelluceo et **perluceo,** *ere, uxi*, intr., **1.** être transparent, diaphane || **2.** [fig.] se montrer, se manifester.

pellucidus ou **perlucidus,** *a, um*, **1.** transparent, diaphane || **2.** qui brille à travers.

Pelopeius et **Pelopeus,** *a, um*, de Pélops, de l'Argolide.

Pelopidæ, *arum*, m., les Pélopides, la race de Pélops.

Pelopidas, *æ*, m., célèbre général des Thébains.

Peloponnesus (-os), *i*, f., le Péloponnèse [presqu'île de la Grèce, auj. la Morée] || **-nesius** et **-nesiacus,** *a, um*, du Péloponnèse || **-nesii, -nesiaci,** *orum*, et **-nenses,** *ium*, m., Péloponnésiens, habitants du Péloponnèse.

Pelops, *opis*, m., fils de Tantale [dont les membres furent servis par son père dans un festin qu'il offrait aux dieux; Jupiter lui rendit la vie].

Pelorias, *adis*, f., et **Peloris,** *idis*, f., Pélore [ville de Sicile, avec un promontoire de ce nom].

peloris, *idis*, f., palourde.

Pelorus, *i*, m., **Peloros,** *i*, m. et **Pelorum,** *i*, n., Pélore [promontoire à l'est de la Sicile].

pelta, *æ*, f., pelte, petit bouclier en forme de croissant [primitivement de cuir et porté par les Thraces, les Amazones].

peltasta, *æ*, m., peltaste, soldat armé du pelte.

peltatus, *a, um (pelta)*, armé du pelte.

Pelusium, *ii*, n., Péluse [ville maritime de la Basse Égypte] || **-ius,** *a, um*, de Péluse.

pelvis, *is*, f., bassin [de métal], chaudron.

penarius, *a, um (penus, penu)*, où l'on serre les vivres.

penates, *tium*, m. *(penus)*, **1.** pénates, dieux pénates [dieux de la maison et de l'État]; [d'ordin. avec *dii* ou *di*] || **2.** demeure, maison.

pendens, *tis*, part. prés. de *pendeo* et de *pendo*.

pendeo, *ere, pependi*, intr.,

I. [pr.] être suspendu, **1.** être suspendu à [avec *ab*]; [avec *ex*]; [avec *in* abl.]; [avec abl. seul] || **2.** être exposé [en vente] || **3.** être suspendu en l'air || **4.** être pendant, flasque || **5.** peser [un poids déterminé].

II. [fig.] **1.** être suspendu à: *attentus et pendens*, attentif et suspendu aux lèvres || **2.** dépendre de, tenir à, reposer sur || **3.** être suspendu, interrompu || **4.** être en suspens, être indécis, incertain: *pendet belli fortuna*, le sort de la guerre est incertain || être dans l'anxiété *(de aliquo*, au sujet de qqn); [avec intr. indir.] se demander avec anxiété || *pendemus animis*, nous sommes dans l'anxiété.

pendo, *ere, pependi, pensum*, tr. et intr.,

I. tr., **1.** laisser pendre les plateaux d'une balance, [d'où] peser || **2.** [fig.] peser, apprécier || [avec gén.] estimer: *aliquid, aliquem parvi*, faire peu de cas de qqn, de qqch. || **3.** peser le métal pour payer, [d'où] payer || **4.** [fig.] payer, acquitter.

II. intr., être pesant, peser.

pendulus, *a, um (pendeo),* pendant, qui pend || [fig.] qui est en suspens.

Peneis, *idis,* f., du Pénée.

Peneius, *a, um,* du Pénée || subst. f., fille du Pénée [Daphné].

Penelope, *es,* f., Pénélope [femme d'Ulysse, et mère de Télémaque].

Penelopeus, *a, um,* de Pénélope.

penes (cf. *penus*), prép. avec acc., en la possession de, entre les mains de: *penes aliquem laus, culpa est,* le mérite, la faute revient à qqn.

penetrabilis, *e (penetro),* **1.** qui peut être pénétré, percé || **2.** qui pénètre, qui entre.

penetrale, *alis,* n. et ordin. **penetralia,** *ium,* pl. *(penetralis),* **1.** l'endroit le plus retiré, l'intérieur, le fond || sanctuaire || **2.** [fig.] le fond, les mystères, les secrets.

penetralis, *e (penetro),* intérieur, secret, retiré.

penetratus, *a, um,* part. de *penetro.*

penetro, *are, avi, atum (penitus),* tr. et intr.,

I. tr., entrer à l'intérieur de, pénétrer dans: *aures,* pénétrer dans les oreilles.

II. intr., pénétrer: *in cœlum; in animos,* pénétrer dans le ciel, dans les âmes.

Peneus ou **Peneos,** *i,* m., le Pénée [fleuve de Thessalie] || Pénée [dieu de ce fleuve, père de Cyrène et de Daphné] || **-eus,** *a, um,* du Pénée.

penicillum, *i,* n. et **penicillus,** *i,* m. *(peniculus),* **1.** pinceau || **2.** éponge.

penitus *(penus),* adv., **1.** profondément, jusqu'au fond, [ou] du fond, du plus profond: *penitus intellegere,* comprendre à fond || **2.** entièrement, tout à fait, totalement.

penna, *æ,* f., penne, grosse plume des oiseaux; plume || aile.

pennatus, *a, um (penna),* qui a des ailes || empenné: *pennatum ferrum,* flèche.

Penninus (Peni-, Pœni-), *a, um; -næ Alpes,* les Alpes Pennines [du Saint-Bernard au Saint-Gothard] ou *-na juga; -nus mons,* ou *-nus,* Alpes Pennines.

pensatus, *a, um,* part. de *penso.*

pensilis, *e (pendeo),* **1.** qui pend, pendant, suspendu || **2.** bâti sur voûte (sur piliers), suspendu.

pensio, *onis,* f. *(pendo),* pesée || paiement: *prima pensio,* le premier versement || loyer.

pensito, *are, avi, atum* (intens. de *penso*), tr., **1.** peser, examiner || **2.** payer: *vectigalia,* payer les impôts.

pensiuncula, *æ,* f. (dim. de *pensio*), petit paiement.

penso, *are, avi, atum* (intens. de *pendo*), tr., **1.** peser || **2.** apprécier || **3.** contrebalancer, payer || compenser || **4.** échanger || racheter, expier.

pensum, *i,* n. *(pensus),* **1.** le poids de laine que l'esclave devait filer par jour || [d'où] tâche quotidienne [de la fileuse] || **2.** [fig.] tâche, fonction, devoir.

pensus, *a, um,* part.-adj. de *pendo,* qui a du poids, de la valeur, précieux || *nihil pensi habere,* ne pas considérer comme important, ne pas se soucier || [avec inf.]: *iis nihil neque dicere pensi est neque facere,* ils n'ont aucun souci ni de leurs paroles ni de leurs actes.

Penthesilea, *æ,* f., Penthésilée [reine des Amazones, tuée par Achille au siège de Troie].

Pentheus, *ei* ou *eos,* m., Penthée [roi de Thèbes, déchiré par les Bacchantes].

penuria, *æ,* f., manque de vivres, disette, **1.** [ordin. avec un gén.] *edendi, cibi,* manque de nourriture || [en gén.] manque: *aquarum,* manque d'eau || **2.** absol. [rare]: famine.

penus, *i* et *us,* m. f. et **penus,** *oris* ou **penum,** *i,* n., provisions de bouche, comestibles.

pependi, pf. de *pendeo* et de *pendo.*

peperci, pf. de *parco.*

peperi, pf. de *pario.*

pepigi, pf. de *pango.*

peplum, *i,* n. et **peplus,** *i,* m., péplum [vêtement primitif des femmes grecques (péplos); en particulier, vêtement de Pallas Athéna, promené à travers la ville dans les Panathénées] || [plus tard, chez les Grecs et les Romains] manteau de cérémonie.

pepuli, pf. de *pello.*

per, prép. acc., **1.** [sens local] à travers || sur toute l'étendue de || par-dessus || le long de, devant || [succession]: *per manus,* de mains en mains || **2.** [temporel] durant (sans discontinuité): *ludi per decem dies facti sunt,* les jeux furent célébrés pendant dix jours consécutifs || pendant: *per triennium,* pendant trois ans || [idée de succession]: *per singulos dies,* tous les jours, chaque jour || **3.** [idée de moyen, d'intermédiaire] par le moyen de, l'entremise de: *per se,* par soi-même; *per vim et metum,* par la violence et en inspirant la crainte || *per aliquem, per aliquid licet, non licet,* qqn, qqch. permet, ne permet pas de; *per ætatem non potuisti*, l'âge ne t'a pas permis de || **4.** [idée de manière]: *per ludum et neglegentiam*, en se jouant et insouciamment; *per causam* ou *per speciem*, sous le prétexte de || **5.** [idée d'occasionner] par suite de, par || **6.** [dans les supplications et serments] au nom de: *per deos!*, au nom des dieux! *per fortunas vestras, per liberos vestros*, au nom de vos biens, de vos enfants.

perabsurdus, *a, um*, très absurde.

peracer, *cris, cre*, très aigre; [fig.] très vif, très pénétrant.

peracerbus, *a, um*, très aigre || [fig.] très désagréable.

peractio, *onis*, f. *(perago)*, achèvement, fin, terme.

peractus, *a, um*, part. de *perago*.

peracute, [fig.] très ingénieusement, très finement.

peracutus, *a, um*, très pointu || [fig.] très aigu, très perçant [en parl. de la voix] || fort ingénieux || très subtil.

peradulescens, *tis*, m., et **-centulus,** *i*, m., tout adolescent, tout jeune homme.

peræque, exactement de même.

peragitatus, *a, um*, part. de *peragito*.

peragito, *are, avi, atum*, tr., **1.** remuer en tout sens || [fig.] exciter || **2.** harceler sans répit.

perago, *ere, egi, actum*, tr., **1.** pousser à travers, percer de part en part [poét.] || **2.** pourchasser sans répit [rare] || **3.** accomplir entièrement, mener jusqu'au bout: *ætatem, vitam*, achever son existence; *consulatum*, exercer jusqu'au bout le consulat || **4.** [en justice] poursuivre jusqu'au bout || **5.** parcourir || exposer par la parole, énoncer entièrement.

peragratio, *onis*, f. *(peragro)*, action de parcourir.

peragratus, *a, um*, part. de *peragro*.

peragro, *are, avi, atum*, **1.** tr., parcourir, visiter successivement || **2.** intr., *per animos*, pénétrer dans les cœurs.

peramanter, adv., très affectueusement.

perambulo, *are, avi, atum*, tr., parcourir, traverser || visiter successivement.

peramplus, *a, um*, de très grandes proportions.

peranguste, d'une manière très resserrée, très étroite.

perangustus, *a, um*, très resserré, très étroit.

perantiquus, *a, um*, très ancien.

peraratus, *a, um*, part. de *peraro*.

perarduus, *a, um*, très difficile.

perargutus, *a, um*, [fig.] très spirituel.

peraro, *are, avi, atum*, tr., **1.** sillonner || **2.** tracer [avec le style], écrire.

perattente, avec beaucoup d'attention.

perattentus, *a, um*, très attentif.

perbeatus, *a, um*, très heureux.

perbelle, parfaitement bien, fort joliment.

perbene, adv., très bien, parfaitement.

perbenevolus, *a, um*, très bien intentionné pour, qui veut beaucoup de bien à *(alicui)*.

perbenigne, avec beaucoup de bonté.

perbibo, *ere, bibi*, tr., boire entièrement, absorber, s'imbiber, s'imprégner de || se pénétrer de, être imbu.

perblandus, *a, um*, très affable, très avenant.

perbonus, *a, um*, très bon, excellent.

perbrevi, adv., *perbrevi postea*, très peu de temps après.

perbrevis, *e*, très court, très bref.

perbreviter, très succinctement.

percalesco, *ere, calui*, intr., s'échauffer fortement.

percallesco, *ere, callui*, **1.** intr., s'endurcir [fig.] || se former solidement || **2.** tr., savoir à fond, posséder parfaitement.

percallui, pf. de *percallesco*.

percalui, pf. de *percalesco*.

percarus, *a, um*, [fig.] très cher, très aimé.

percautus, *a, um*, très circonspect.

percelebratus, *a, um*, part. de *percelebro*.

percelebro, *are, avi, atum*, tr., répandre par la parole.

perceler, *ere, eris*, très prompt.

perceleriter, très rapidement.

percello, *ere, culi, culsum*, tr., **1.** culbuter, renverser, abattre, terrasser || **2.** frapper, heurter || [fig.] secouer, ébranler, bouleverser.

percenseo, *ere, ui*, tr., faire le dénombrement complet de, passer en revue complètement || examiner successivement.

percepi, pf. de *percipio*.

perceptio, *onis*, f. *(percipio)*, récolte.

perceptus, *a, um*, part. de *percipio*.

percipio, *ere, cepi, ceptum (per* et *capio)*, tr., **1.** recueillir, recevoir || **2.** percevoir, éprouver: *aliquid auribus,* *oculis, aliquo sensu*, percevoir qqch. par l'ouïe, la vue, par qqn des sens || recueillir, écouter, apprendre || **3.** recueillir par l'intelligence, se pénétrer de.

percitus, *a, um*, part.-adj. de *percio*, mû fortement, agité, excité || fougueux, emporté.

percivilis, *e*, très bienveillant, plein de bonté.

percoctus, *a, um*, part. de *percoquo*.

percolatus, *a, um*, part. de *percolo 1*.

1. percolo, *are, avi, atum*, tr., filtrer, passer || digérer.

2. percolo, *ere, colui, cultum*, tr., [fig.] ***a)*** mettre la dernière main à, terminer; ***b)*** entourer d'égards, honorer; ***c)*** orner, parer.

percomis, *e*, très aimable.

percommode, fort à propos, très opportunément.

percommodus, *a, um*, tout à fait commode.

percontatio, *onis*, f. *(percontor)*, action de s'informer, question.

percontatus, *a, um*, part. de *percontor*.

percontor (-cunctor), *ari, atus sum*, tr., s'enquérir, interroger, questionner || [absol.] poser des questions || *aliquem de aliqua re*, questionner qqn sur qqch.; *aliquid*, s'informer de qqch. || *aliquem aliquid* || *ex aliquo* [et interr. ind.].

percoquo, *ere, coxi, coctum*, tr., faire cuire entièrement || échauffer [un liquide] || mûrir complètement.

percrebresco (-besco), *ere, brui* et *bui*, intr., se répandre partout, se divulguer || devenir fréquent, commun.

percrepo, *are, ui, itum*, intr., retentir tout entier de [abl.].

percucurri, pf. de *percurro*.

perculi, pf. de *percello*.

perculsus, *a, um*, part. de *percello*.

percultus, *a, um*, part. de *percolo 2*.

percunctor, v. *percontor*.

percupidus, *a, um*, très attaché à qqn [avec le gén.].

percuratus, *a, um*, part. de *percuro*.

percuriosus, *a, um*, très vigilant, qui a l'œil à tout, très curieux.

percuro, *are, avi, atum*, tr., guérir complètement.

percurro, *ere, cucurri* ou *curri, cursum*, intr. et tr.,

I. intr., courir à travers, passer en revue.

II. tr., parcourir || exposer successivement || parcourir [des yeux, par la pensée, en lisant].

percursatio, *onis*, f. *(percurso)*, action de parcourir.

percursio, *onis*, f. *(percurro)*, action de parcourir [fig.], revue rapide.

percurso, *are*, intr., courir çà et là || tr., parcourir.

percursus, *a, um*, part. de *percurro*.

percussi, pf. de *percutio*.

percussio, *onis*, f. *(percutio)*, action de frapper, coup.

percussor, *oris*, m. *(percutio)*, **1.** celui qui a frappé || **2.** assassin, sicaire.

percussus, *a, um*, part. de *percutio*.

percussus, *us*, m., action de frapper, coup, choc.

percutio, *ere, cussi, cussum (per* et *quatio)*, tr.

I. pénétrer en frappant, percer.

II. frapper, **1.** *percussus lapide*, frappé d'une pierre || **2.** [avec idée de tuer]: *aliquem securi*, frapper qqn de la hache [exécution capitale] || **3.** [sens divers]: frapper [monnaie] || frapper [les cordes de la lyre] || conclure un traité || **4.** [fig.] frapper vivement, émouvoir, affecter || berner, duper, *aliquem*, qqn.

perdidi, pf. de *perdo*.

perdidici, pf. de *perdisco*.

perdifficilis, *e*, très difficile.

perdifficiliter *(perdifficilis)*, très difficilement.

perdignus, *a, um*, très digne.

perdiligens, *tis*, très consciencieux.

perdiligenter, avec beaucoup d'exactitude.

perdisco, *ere, didici*, tr., apprendre à fond || [au pf.] savoir parfaitement.

perdiserte, très éloquemment.

perdite *(perditus)*, en homme perdu, d'une manière infâme.

perditor, *oris*, m. *(perdo)*, destructeur, fléau, peste.

perditus, *a, um*, **1.** part. de *perdo* || **2.** pris adj., perdu, dans un état désespéré, malheureux: *lacrimis ac mœrore*, abîmé dans les larmes et l'affliction || [fig.] d'un état moral désespéré, dépravé, perdu.

perdiu, pendant très longtemps.

perdiuturnus, *a, um*, qui dure très longtemps.

perdives, *itis*, très riche.

perdo, *ere, didi, ditum*, tr., **1.** détruire, ruiner, anéantir || perdre, employer inutilement: *tempus, operam*, perdre son temps, sa peine || causer la perte, la ruine, le malheur || **2.** faire une perte [irréparable, définitive]: *liberos*, perdre ses enfants || le passif, inusité en dehors de *perditus*, est remplacé par *pereo*.

perdoceo, *ere, cui, ctum*, tr., enseigner (instruire) à fond.

perdoctus, *a, um*, part.-adj. de *perdoceo*, très instruit, très savant.

perdolesco, *ere, dolui*, intr., ressentir une vive douleur [avec prop. inf.].

perdolui, v. *perdolesco*.

perdomitus, *a, um*, part. de *perdomo*.

perdomo, *are, ui, itum*, tr., dompter complètement, subjuguer, soumettre, réduire.

perduco, *ere, duxi, ductum*, tr., **1.** conduire d'un point à un autre, jusqu'à un but, à destination || *murum ab... ad...*, mener, prolonger un mur de... à... || **2.** [fig.] prolonger, poursuivre || faire parvenir à || amener à: *aliquid ad exitum*, mener qqch. à son terme || **3.** conduire par-dessus, recouvrir.

perductus, *a, um*, part. de *perduco*.

perduellio, *onis*, f., crime de haute trahison.

perduellis, *is*, m., celui avec qui on est en guerre, ennemi [= *hostis*].

perduxi, pf. de *perduco*.

peredo, *ere, edi, esum*, tr., dévorer || ronger, consumer.

peregi, pf. de *perago*.

peregre *(per, ager)*, dans un pays étranger, à l'étranger || [question *unde*] de l'étranger, du dehors || [question *quo*] (aller) à l'étranger.

peregrinabundus, *a, um*, aimant à voyager en pays étranger.

peregrinatio, *onis*, f. *(peregrinor)*, voyage à l'étranger, séjour à l'étranger.

peregrinator, *oris*, m. *(peregrinor)*, grand voyageur, amateur de voyages.

peregrinatus, *a, um*, part. de *peregrinor*.

peregrinitas, *atis*, f. *(peregrinus)*, pérégrinité, condition d'étranger || le goût étranger, c.-à-d. provincial.

peregrinor, *ari, atus sum (peregrinus)*, intr., **1.** voyager à l'étranger, en pays étranger || **2.** être en pays étranger, séjourner à l'étranger.

peregrinus, *a, um (peregre)*, **1.** de l'étranger, étranger: *peregrinus homo* ou *peregrinus* subst., un étranger; *peregrina mors*, mort à l'étranger || **2.** étranger, pérégrin [par opp. à citoyen]: *provincia* ou *jurisdictio peregrina*, fonctions du préteur pérégrin, qui rend la justice dans les procès où figurent des étrangers || **3.** novice, profane.

perelegans, *tis*, très distingué, de très bon goût.

pereloquens, *tis*, très éloquent.

peremi, pf. de *perimo*.

peremptus (-emt-), *a, um*, part. de *perimo*.

perendie, adv., après-demain.

perendinus, *a, um (perendie)*, du surlendemain: *perendino die*, le surlendemain.

perennis, *e (per, annus)*, **1.** qui dure toute l'année || **2.** qui dure, solide, durable: *perennis fons*, source qui ne tarit pas || [fig.] *perennis inimicus*, éternel ennemi.

perennitas, *atis*, f. *(perennis)*, durée continue, perpétuité.

pereo, *ire, ii* (rare *ivi*), *itum*, intr., **1.** périr, être détruit, anéanti || [fig.] être employé inutilement: *opera periit*, la peine est perdue, v. *perdo* auquel *pereo* sert de passif || **2.** périr, perdre la vie; *naufragio*, périr dans un naufrage || **3.** être perdu, être dans une position désespérée || *perii!* je suis perdu! c'est fait de moi!

perequito, *are, avi, atum*, **1.** intr., ***a)*** aller à cheval de côté et d'autre, voltiger; ***b)*** traverser à cheval: *per agmen hostium*, percer au galop la colonne des ennemis || **2.** tr., *aciem*, parcourir à cheval les rangs de l'armée.

pererratus, *a, um*, part. de *pererro*.

pererro, *are, avi, atum*, tr., errer à travers || parcourir [en tous sens, successivement].

pereruditus, *a, um*, très instruit.

peresus, *a, um*, part. de *peredo*.

perexcelsus, *a, um*, très élevé.

perexigue, très chichement.

perexiguus, *a, um*, très exigu, très étroit.

perexpeditus, *a, um*, très dégagé.

perfacete, d'une manière très plaisante.

perfacetus, *a, um*, très plaisant, très spirituel, plein de sel.

perfacile, très facilement.

perfacilis, *e*, très facile, très aisé || très complaisant.

perfamiliaris, *e*, très lié avec, très ami, intime (*alicui*, de qqn) || subst. m., ami intime.

perfeci, pf. de *perficio*.

perfecte, complètement, parfaitement.

perfectio, *onis*, f. *(perficio)*, complet achèvement || perfection.

perfector, *oris*, m. *(perficio)*, celui qui fait complètement, qui parachève.

perfectus, *a, um*, **1.** part. de *perficio* || **2.** pris adj., parfait, accompli.

perferens, *tis*, part.-adj. de *perfero: injuriarum*, supportant patiemment les injustices.

perfero, *ferre, tuli, latum*, tr., **1.** porter d'un point à un autre, jusqu'à un but || *litteris multorum perfertur ad me*, avec prop. inf., par maintes lettres il me revient que... || **2.** porter jusqu'au bout, accomplir || faire passer [une loi] || **3.** supporter jusqu'au bout, sans discontinuer: *famem et sitim*, supporter patiemment la faim et la soif || [avec prop. inf.] supporter que.

perficio, *ere, feci, fectum (per* et *facio)*, tr., **1.** faire complètement, achever, accomplir: *opere perfecto*, le travail étant achevé; *conata perficere*, mener une entreprise à bonne fin || **2.** faire complètement, de manière parfaite || **3.** [avec *ut (ut non)*, subj.] aboutir à ce que (à ce que... ne... pas); [avec *ne*] réussir à empêcher que.

perfide *(perfidus)*, perfidement, traîtreusement.

perfidelis, *e*, très sûr, très digne de confiance.

perfidia, *æ*, f. *(perfidus)*, perfidie, mauvaise foi.

perfidiose *(perfidiosus)*, perfidement.

perfidiosus, *a, um (perfidia)*, d'un caractère perfide, déloyal || perfide.

perfidus, *a, um (per, fides)*, perfide, sans foi, trompeur.

perflabilis, *e*, pénétrable (exposé) à l'air.

perflagitiosus, *a, um*, très déshonorant, infâme.

perflatus, *a, um*, part. de *perflo*.

perflo, *are, avi, atum*, **1.** intr., souffler en tous sens; souffler jusqu'à un point || **2.** tr. ***a)*** souffler à travers; [pass.] *perflari*, être traversé par l'air; ***b)*** souffler sur l'étendue de, sur la surface de.

perfluo, *ere, uxi, uxum*, intr., couler à travers.

perfodio, *ere, odi, ossum*, tr., percer d'outre en outre || blesser || creuser.

perforatus, *a, um*, part. de *perforo*.

perforo, *are, avi, atum*, tr., percer, trouer, perforer || pratiquer en trouant || ouvrir une vue à travers.

perfossus, *a, um*, part. de *perfodio*.

perfractus, *a, um*, part. de *perfringo*.

perfrequens, *tis*, très fréquenté.

perfregi, pf. de *perfringo*.

perfricatus, *a, um*, part. de *perfrico*.

perfrico, *are, avi, catum* ou *ctum*, tr., frotter complètement, frictionner || *caput*, se gratter la tête [en signe d'embarras] || [fig.] *perfricare os; frontem; faciem*, frotter son front pour l'empêcher de rougir = s'armer d'audace.

perfrictus, *a, um*, part. de *perfrico*.

perfricui, pf. de *perfrico*.

perfrigesco, *ere, frixi*, intr., devenir très froid || prendre froid, se refroidir.

perfrigidus, *a, um*, très froid.

perfringo, *ere, egi, actum (per, frango)*, tr., **1.** briser entièrement, mettre en pièces, rompre || [fig.] renverser, abattre, détruire || **2.** se frayer un chemin par la force, enfoncer || [fig.] *animos*, pénétrer de force dans les âmes (les forcer).

perfrixi, pf. de *perfrigesco*.

perfructus, *a, um*, part. de *perfruor*.

perfruor, *i, fructus sum*, intr., jouir complètement, sans interruption [avec abl.].

perfudi, pf. de *perfundo*.

perfuga, *æ*, m. *(perfugio)*, déserteur, transfuge.

perfugio, *ere, fugi*, intr., **1.** se réfugier vers: *ad aliquem; Corinthum*, se réfugier près de qqn, à Corinthe || **2.** déserter, passer au parti de qqn [*ad aliquem*] || **3.** [fig.] recourir à.

perfugium, *ii*, n. *(perfugio)*, refuge, asile, abri.

perfunctio, *onis*, f. *(perfungor)*, exercice [d'une charge] || accomplissement.

perfunctus, *a, um*, part. de *perfungor*.

perfundo, *ere, fude, fusum*, tr., verser sur, répandre sur, **1.** arroser, mouiller, tremper || teindre || saupoudrer, recouvrir: *pulvere perfusus*, souillé de poussière || **2.** verser dans || **3.** [fig.] ***a)*** teindre superficiellement; ***b)*** baigner, inonder.

perfungor, *fungi, functus sum*, intr., **1.** s'acquitter entièrement: *munere*, accomplir une mission || **2.** [au pf. et part.] avoir passé par, être arrivé au bout de: *vita perfunctus*, ayant achevé son existence || **3.** [part. à sens passif] *memoria perfuncti periculi*, le souvenir du danger couru.

perfuro, *ere*, intr., être transporté de fureur.

perfusio, *onis*, f. *(perfundo)*, action de mouiller, de baigner.

perfusorius, *a, um (perfundo)*, qui ne fait qu'humecter, superficiel || vague, imprécis.

perfusus, *a, um*, part. de *perfundo*.

Pergama, *orum*, n. (**-mum,** *i*, n.; **-mus,** *i*, f.; **-mos,** f.), Pergame [forteresse de Troie et par extension Troie] || **-meus,** *a, um*, de Pergame.

Pergamum, *i*, n., **1.** v. *Pergama* || **2.** ville de la Grande Mysie, qui fut capitale du royaume de Pergame et résidence des rois Attale || **-menus,** *a, um*, de Pergame; **-meni,** *orum*, m., habitants de Pergame.

pergaudeo, *ere*, intr., se réjouir fort, être fort aise.

pergo, *ere, perrexi, perrectum (per* et *rego)*, tr., **1.** diriger jusqu'au bout, mener à son terme, poursuivre jusqu'à achèvement || **2.** [avec inf.] continuer de, persister à || **3.** [absol.] aller plus loin, continuer d'aller || aller directement [sans désemparer] || *perge, ut instituisti*, continue comme tu as commencé.

pergrandis, *e*, très grand || très considérable.

pergratus, *a, um*, très agréable; *pergratum mihi feceris, si...*, tu me feras un très grand plaisir, si...

pergravis, *e*, très lourd, d'un très grand poids.

pergraviter, très gravement, très fortement.

perhibeo, *ere, bui, bitum (per* et *habeo)*, tr., **1.** présenter, fournir || **2.** rapporter, raconter: *ut Graii perhibent*, comme le rapportent les Grecs || mettre en avant, citer, nommer.

perhonorifice, d'une manière très honorable.

perhonorificus, *a, um*, très honorable || plein d'égards pour qqn *(in aliquem)*.

perhorresco, *ere, horrui*, **1.** intr., frissonner || **2.** tr., avoir en horreur, abhorrer, redouter.

perhorrui, pf. de *perhorresco*.

perhorridus, *a, um*, affreux, horrible.

perhumaniter, avec beaucoup d'obligeance.

perhumanus, *a, um*, plein d'obligeance, très aimable.

Periander, *dri*, m., Périandre [roi de Corinthe, l'un des Sept Sages de la Grèce].

Pericles, *is*, m., célèbre général et orateur d'Athènes.

periclitatio, *onis*, f., épreuve, expérience.

periclitatus, *a, um*, part. de *periclitor*.

periclitor, *ari, atus sum (periculum)*, intr. et tr.,
I. intr., **1.** faire un essai || **2.** être en danger || sous le rapport de qqch., *aliqua re*.
II. tr., **1.** faire l'essai de, éprouver || [part. à sens passif] *periclitatis moribus*, après épreuve faite du caractère || **2.** mettre en danger, risquer.

periculose *(periculosus)*, dangereusement, avec danger, risque, péril.

periculosus, *a, um (periculum)*, dangereux, périlleux.

periculum, *i*, n., **1.** essai, expérience, épreuve: *alicujus rei periculum facere*, faire l'essai de qqch. || **2.** danger, péril, risque: *alicui injicere, facessere, inferre, comparare, conflare*, susciter, créer des dangers à qqn; *meo periculo*, à mes risques et périls; *sui capitis periculo vindicant*, ils revendiquent au péril de leur vie || *periculum est, ne*, il y a danger que || **3.** [en part.] danger couru en justice, procès || **4.** protocole, procès-verbal de la condamnation.

peridoneus, *a, um*, très propre à.

perillustris, *e*, ***a)*** mis en pleine lumière; ***b)*** très considéré, très honoré.

perimbecillus, *a, um*, très faible, très débile.

perimo, *ere, emi, emptum* ou *emtum (per, emo)*, tr., **1.** détruire, anéantir || **2.** tuer, faire périr, faire mourir.

perincommode, tout à fait à contretemps, très malheureusement.

perincommodus, *a, um*, très incommode.

perinde, adv., **1.** pareillement, de la même manière || **2.** *perinde ut; perinde ac (atque);* de la même manière que; *perinde ac si; perinde quasi*, de même que si, comme si || *perinde ac = perinde ac si* || *haud perinde*, insuffisamment.

perindulgens, *tis*, indulgent à l'excès, très faible.

perinfirmus, *a, um*, très faible, très débile.

peringeniosus, *a, um*, très doué naturellement.

peringratus, *a, um*, très ingrat.

periniquus, *a, um*, très injuste.

perinsignis, *e*, très remarquable [en mauvaise part], très marquant.

perinvalidus, *a, um*, très faible.

perinvitus, *a, um*, tout à fait malgré soi.

Peripatetici, *orum*, m., Péripatéticiens, disciples d'Aristote || **-ticus,** *a, um*, des péripatéticiens.

peripetasma, *atis*, n., tapisserie, tapis.

periratus, *a, um,* très irrité, *alicui* contre qqn.

peristroma, *atis,* n., couverture ou garniture de lit.

peristylium, *ii,* n., c. *peristylum.*

peristylum, *i,* n., péristyle.

perite *(peritus),* en connaisseur, habilement, avec art.

peritia, *æ,* f. *(peritus),* connaissance, expérience || science, habileté, talent.

peritus, *a, um,* qui sait par expérience, qui s'y connaît, qui a la pratique; expérimenté, connaisseur || [avec inf.] habile à, qui sait.

perjucunde, très agréablement.

perjucundus, *a, um,* très agréable.

perjurium, *ii,* n., parjure.

perjuro, v. *pejero.*

perjurus, *a, um (per, jus),* parjure, menteur, imposteur.

perlabor, *i, lapsus sum,* **1.** intr., glisser à travers, dans || glisser (arriver) jusqu'à [avec *ad*] || **2.** tr., traverser || glisser à la surface de.

perlætus, *a, um,* très joyeux.

perlapsus, *a, um,* part. de *perlabor.*

perlate, très loin.

perlatus, *a, um,* part. de *perfero.*

perlectus (pell-), *a, um,* part. de *perlego.*

perlego (pell-), *ere, egi, ectum,* tr., **1.** parcourir des yeux, passer en revue || **2.** lire en entier, lire jusqu'au bout.

perlevis, *e,* très léger, très faible.

perleviter, très légèrement, très faiblement.

perlibens (-lubens), *tis,* part.-adj., qui fait très volontiers || *me perlubente,* à mon grand plaisir.

perlibenter (-lu-), très volontiers.

perliberaliter, adv., très généreusement, très obligeamment.

perlibet (-lubet), *ere, uit,* intr. [suivi de l'infin.], il est très agréable de.

perlito, *are, avi, atum,* intr., faire un sacrifice agréable aux dieux, obtenir des présages favorables.

perlongus, *a, um,* très long.

perluctuosus, *a, um,* très affligeant, très déplorable.

perluo, *ere, ui, utum,* tr., humecter à fond || laver, rincer, nettoyer || pass. *perlui,* se baigner.

perlustratus, *a, um,* part. de *perlustro.*

perlustro, *are, avi, atum,* tr., parcourir, explorer || [fig.] examiner avec soin, passer en revue; *oculis,* parcourir du regard.

perlutus, *a, um,* part. de *perluo.*

permadeo, *ere, dui,* intr. [souvent au pf.] *permadui,* être entièrement trempé, être inondé || *deliciis,* nager dans les délices.

permagni, gén. de prix de *permagnus* || [avec *interest*] il importe grandement.

permagno *(permagnus),* très cher, à un prix très élevé.

permagnus, *a, um,* très grand, très considérable, très important: *permagnum est* avec prop. inf., il est très beau que.

permanens, *entis,* part.-adj. de *permaneo,* permanent: *vox,* voix dont le ton se maintient sans défaillance.

permaneo, *ere, mansi, mansum,* intr., **1.** demeurer jusqu'au bout, rester de façon persistante || **2.** persister, persévérer.

permano, *are, avi, atum,* intr., **1.** couler à travers, s'insinuer, circuler || **2.** pénétrer dans, parvenir à, se répandre dans: [avec *in* acc. ou avec *ad*].

permansi, pf. de *permaneo.*

permansio, *onis,* f. *(permaneo),* action de séjourner, séjournement || [fig.] persistance.

permaturesco, *ere, rui,* intr., parvenir à une entière maturité.

permeatus, *a, um,* part. de *permeo.*

permediocris, *e,* très moyen.

permensus, *a, um,* part. de *permetior* || passivement, mesuré || [fig.] traversé, parcouru.

permeo, *are, avi, atum,* **1.** intr., aller jusqu'au bout, pénétrer jusqu'à (dans) || **2.** tr., traverser.

Permessus, *i,* m., le Permesse [fleuve de Béotie sortant de l'Hélicon et dont la source était consacrée aux Muses].

permetior, *iri, mensus sum,* tr., mesurer entièrement || [fig.] parcourir.

permirus, *a, um,* très étonnant: *permirum mihi videtur* et prop. inf., il me paraît très étonnant que.

permisceo, *ere, miscui, mixtum,* tr., **1.** mêler, mélanger (à, avec: dat., ou *cum* et abl.) || **2.** troubler, bouleverser.

permisi, pf. de *permitto.*

permissio, *onis,* f. *(permitto),* **1.** action de livrer à la discrétion, reddition || **2.** permission.

1. permissus, *a, um,* part. de *permitto.*

2. permissus, abl. *u*, m., permission.

permitto, *ere, misi, missum*, tr., **1.** lancer d'un point jusqu'à un autre, jusqu'à un but || **2.** ***a)*** faire aller jusqu'à un but; ***b)*** laisser aller: *habenas equo*, lâcher la bride à un cheval || **3.** remettre, abandonner, confier: *alicui imperium*, remettre à qqn le commandement en chef || abandonner, sacrifier || **4.** laisser libre, permettre || *alicui aliquid facere*, permettre à qqn de faire qqch. || *alicui permittere, ut*, permettre à qqn de.

permixte ou **permixtim** *(permixtus)*, confusément, pêle-mêle.

permixtio, *onis*, f., mixtion, mélange || [fig.] bouleversement, confusion.

permixtus, *a, um*, part. de *permisceo*, mêlé, mélangé, confondu.

permodestus, *a, um*, très modéré, très réservé, très modeste.

permoleste, avec le plus grand déplaisir.

permolestus, *a, um*, très à charge, insupportable.

permotio, *onis*, f., **1.** excitation, émotion || **2.** sentiment.

permotus, *a, um*, part. de *permoveo*.

permoveo, *ere, ovi, otum*, tr., **1.** agiter (remuer) fortement || **2.** [fig.] émouvoir, ébranler, toucher || *dolore, metu permotus*, affecté par la douleur, la crainte = sous le coup de... || exciter, susciter [une passion, un sentiment: haine, pitié, colère, etc.].

permulceo, *ere, lsi, lsum*, tr., **1.** caresser || toucher légèrement || **2.** [fig.] flatter, charmer: *aures*, charmer l'oreille; *aliquem*, charmer qqn || apaiser, calmer, adoucir.

permulsus, *a, um*, part. de *permulceo*.

permulto *(permultus)*, adv., extrêmement [devant un comparatif].

permultum (n. de *permultus)*, **1.** pris adv., extrêmement, très fort, beaucoup || **2.** pris subst., une très grande quantité.

permultus, *a, um*, **1.** v. *permultum* || **2.** en très grand nombre, beaucoup de || *permulti*, un très grand nombre de personnes; *permulta*, un très grand nombre de choses, de faits.

permunio, *ire, ivi, itum*, tr., achever de fortifier || fortifier solidement.

permutatio, *onis*, f. *(permuto)*, **1.** changement, modification || **2.** échange, troc.

permutatus, *a, um*, part. de *permuto*.

permuto, *are, avi, atum*, tr., **1.** changer complètement, mettre en sens inverse || **2.** échanger || troquer contre de l'argent, acheter.

perna, *æ*, f., cuisse [d'animal] || jambon.

pernecessarius, *a, um*, **1.** très nécessaire || **2.** intime ami, très intime.

pernecesse est, imp., il est très nécessaire.

pernego, *are, avi, atum*, tr., **1.** nier absolument || **2.** refuser absolument; [absol.] persister dans un refus; [pass. imp.] *pernegatur*, on refuse absolument.

perniciabilis, *e (pernicies)*, pernicieux, funeste.

pernicies, *ei*, f. *(per* et *nex)*, **1.** destruction, ruine, perte || **2.** cause de ruine, fléau.

perniciose, pernicieusement, d'une manière funeste.

perniciosus, *a, um*, pernicieux, funeste, dangereux.

pernicitas, *atis*, f. *(pernix)*, agilité et souplesse des membres; vitesse, légèreté.

perniciter *(pernix)*, avec agilité, légèrement.

pernix, *icis*, agile, preste, rapide, vif, léger, prompt.

pernobilis, *e*, très connu.

pernocto, *are, avi, atum*, intr., passer la nuit.

pernosco, *ere, novi*, tr., reconnaître parfaitement, [ou] apprendre à fond; approfondir.

pernotus, *a, um*, part. de *pernosco*, très connu.

pernovi, pf. de *pernosco*.

pernox, *octis*, qui dure toute la nuit.

pernumero, *are, avi, atum*, tr., compter entièrement.

pero, *onis*, m., demi-botte.

perobscurus, *a, um*, très obscur.

perodiosus, *a, um*, très fâcheux, très désagréable.

perofficiose, avec beaucoup d'égards.

peropportune, fort à propos, fort à point.

peropportunus, *a, um*, qui se présente fort à propos, très opportun.

peroptato, adv., fort à souhait.

peroratio, *onis*, f. *(peroro)*, péroraison [t. de rhét.], ***a)*** le dernier discours prononcé dans une cause comportant plusieurs plaidoiries; ***b)*** dernière partie (conclusion) d'un discours.

peroratus, *a, um*, part. de *peroro*.

perornatus, *a, um*, très orné.

peroro, *are, avi, atum*, tr., **1.** exposer

de bout en bout par la parole, plaider entièrement || **2.** ***a)*** achever un exposé, conclure, terminer || dire pour finir ; ***b)*** conclure un discours, faire la péroraison d'un discours ; ***c)*** faire le dernier discours, plaider le dernier.

perosus, *a, um (per, odi),* qui hait fort, qui abhorre, qui déteste [avec acc.].

perparvulus, *a, um,* tout petit.

perparvus, *a, um,* très petit.

perpastus, *a, um (per, pascor),* bien repu, gras.

perpauci, *æ, a,* **1.** adj., très peu nombreux || **2.** subst. m., *perpauci,* très peu de gens || subst. n., *perpauca,* très peu de choses.

perpaulum, **1.** subst., n., une très petite quantité || **2.** pris adv., très peu.

perpauper, *eris,* très pauvre.

perpello, *ere, puli, pulsum,* tr., [fig.] ***a)*** ébranler, émouvoir profondément ; ***b)*** décider à, déterminer à : *ad rem,* décider à qqch. ; *aliquem ut, ne,* décider qqn à, à ne pas || [avec inf.].

perpendiculum, *i,* n., fil à plomb : *ad perpendiculum,* suivant le fil à plomb.

perpendo, *ere, di, sum,* tr., [fig.] peser attentivement, apprécier, évaluer.

perpensus, *a, um,* part. de *perpendo.*

perperam, adv., de travers, mal, faussement.

perpessio, *onis,* f. *(perpetior),* action d'endurer [qqch.]; courage à endurer, fermeté.

perpessus, *a, um,* part. de *perpetior.*

perpetior, *eti, essus sum (per, patior),* tr., endurer jusqu'au bout, souffrir avec patience || [avec prop. inf.] supporter patiemment que.

perpetratus, *a, um,* part. de *perpetro.*

perpetro, *are, avi, atum (per, patro),* tr., faire entièrement, achever, exécuter, accomplir, consommer.

perpetuatus, *a, um,* part. de *perpetuo.*

perpetuitas, *atis,* f. *(perpetuus),* continuité.

1. perpetuo, adv., sans interruption, sans discontinuer, continuellement.

2. perpetuo, *are, avi, atum,* tr., faire continuer sans interruption, ne pas interrompre, rendre continu.

perpetuus, *a, um (peto),* **1.** continu, sans interruption, sans solution de continuité || *in perpetuum,* pour toujours, à jamais || **2.** qui dure toujours, d'un caractère éternel.

perplaceo, *ere, ui,* intr., plaire beaucoup.

perplexe, avec des détours || [fig.] d'une manière ambiguë, équivoque, entortillée.

perplexus, *a, um (per, plecto 2),* **1.** enchevêtré, entrelacé, confondu || sinueux, tortueux || **2.** [fig.] embrouillé, embarrassé, obscur.

perpluo, *ere,* intr., pleuvoir à travers.

perpolio, *ire, ivi, itum,* tr., **1.** polir entièrement || **2.** donner le fini à, traiter d'une manière achevée.

perpolitus, *a, um,* part. de *perpolio.*

perpopulatus, *a, um,* part. de *perpopulor.*

perpopulor, *ari, atus sum,* tr., ravager, dévaster entièrement.

perpotatio, *onis,* f., action de boire sans interruption, orgie.

perpoto, *are, avi, atum,* **1.** tr., boire entièrement || **2.** intr., boire sans interruption, faire des orgies.

perpropinquus, *a, um,* très proche parent.

perpugnax, *acis,* m., disputeur obstiné.

perpuli, pf. de *perpello.*

perpulsus, *a, um,* part. de *perpello.*

perpurgatus, *a, um,* part. de *perpurgo.*

perpurgo, *are, avi, atum,* tr., **1.** purger entièrement || **2.** [fig.] éclaircir [une question], tirer au clair, traiter à fond || apurer des comptes.

perpusillus, *a, um,* très petit || n. pris adv., très peu.

perquam, adv., tout à fait [employé le plus souvent avec adj. ou adv.].

perpuiro, *ere, sivi, situm,* tr., rechercher avec soin, chercher partout || s'informer avec soin, s'enquérir partout, demander.

perquisitus, *a, um,* part. de *perquiro.*

perraro, adv., très rarement.

perrarus, *a, um,* très rare.

perreconditus, *a, um,* très caché.

perrecturus, *a, um,* part. fut. de *pergo.*

perrectus, *a, um,* part. de *pergo.*

perrexi, pf. de *pergo.*

perridicule, de façon très plaisante, très spirituelle.

perridiculus, *a, um,* qui apprête fort à rire, très ridicule.

perrogo, *are, avi, atum,* tr., **1.** demander d'un bout à l'autre : *sententias,* recueillir tous les suffrages || **2.** *legem,* faire passer une loi.

perrumpo, *ere, rupi, ruptum,* tr., **1.** briser entièrement, fracasser ||

2. passer de force à travers || [absol.] percer, faire une trouée.

perrupi, pf. de *perrumpo.*

perruptus, *a, um,* part. de *perrumpo.*

Persa, *æ,* m., un Perse.

Persæ, *arum,* m., les Perses [peuple de l'Asie centrale] || [poét.] les Parthes.

persæpe, très souvent.

persalse, très spirituellement.

persalsus, *a, um,* très piquant, très spirituel.

persalutatio, *onis,* f., salutations à la ronde.

persaluto, *are, avi, atum,* tr., saluer sans exception.

persapiens, *tis,* très sage.

persapienter, très sagement.

perscienter, très savamment.

perscindo, *ere, scidi, scissum,* tr., déchirer (fendre) d'un bout à l'autre, ouvrir.

perscissus, *a, um,* part. de *perscindo.*

perscitus, *a, um,* très ingénieux, très fin.

perscribo, *ere, scripsi, scriptum,* tr., 1. écrire tout du long, en détail, exactement || *rem gestam perscribit,* il expose en détail [par écrit] ce qui s'est passé; [avec prop. inf.] exposer que || [en part.] écrire en toutes lettres (sans abréviation) || 2. reproduire par écrit, consigner || 3. [en part.] porter sur le livre de comptes, passer écriture de, inscrire.

perscriptio, *onis,* f. *(perscribo),* 1. écritures, livre de comptes || 2. procès-verbal, protocole.

perscriptor, *oris,* m., celui qui transcrit, qui passe écriture de.

perscriptus, *a, um,* part. de *perscribo.*

perscrutatus, *a, um,* part. de *perscrutor.*

perscrutor, *ari, atus sum,* tr., 1. fouiller, visiter avec attention || 2. [fig.] scruter, approfondir, sonder.

perseco, *are, cui, ctum,* tr., couper, disséquer || trancher, retrancher.

persecutio, *onis,* f., [fig.] poursuite judiciaire.

persecutus (-quu-), *a, um,* part. de *persequor.*

persedeo, *ere, edi,* intr., rester assis.

persedi, pf. de *persideo* et *persido.*

persentio, *ire, sensi,* tr., 1. ressentir || 2. s'apercevoir de, remarquer.

Persephone, *es,* f., nom grec de Proserpine.

Persepolis, *is,* f., capitale de la Perside.

persequens, *tis,* part. prés. de *persequor* || adj., acharné à poursuivre.

persequor, *sequi, secutus* et *sequutus sum,* tr., 1. suivre obstinément, de bout en bout || 2. poursuivre: *bello civitatem,* faire la guerre à outrance à une cité || [fig.] *a)* venger: *mortem alicujus,* venger la mort de qqn; *b)* poursuivre en justice || 3. [fig.] s'attacher à || 4. suivre qqn jusqu'à l'atteindre || [fig.] *a)* mener à bonne fin, accomplir; *b)* faire rentrer [de l'argent], encaisser || 5. parcourir par écrit, exposer, raconter.

1. **Perses,** *æ,* m., 1. fils de Persée et d'Andromède, fondateur de la nation perse || 2. Persée [fils de Philippe, roi de Macédoine, vaincu par Paul Émile].

2. **Perses,** *æ,* m., de Perse, Perse.

Perseus, *ei* ou *eos,* acc. *eum* ou *ea,* m., 1. Persée [fils de Jupiter et de Danaé, qui coupa la tête à Méduse] || 2. c. *Perses,* roi de Macédoine.

perseverans, *tis,* part.-adj. de *persevero,* qui persévère, persévérant, persistant || qui se tient attaché à [avec gén.].

perseveranter, avec persévérance, avec persistance, avec acharnement.

perseverantia, *æ,* f., persévérance, constance, persistance.

persevero, *are, avi, atum (per, severus),* intr. et tr.,
I. intr., 1. persévérer, persister || 2. continuer une action.
II. tr., 1. continuer, poursuivre || 2. [avec prop. inf.] persister à soutenir que || [avec inf.] continuer à, ne pas cesser de.

Persia, *æ,* f., la Perse [province de l'Asie] || **-icus,** *a, um,* de la Perse || **persicum,** *i,* n., pêche || **persicus,** *i,* f., pêcher.

Persica, *orum,* pl. n. pris subst., histoire des Perses.

1. **Persice,** adv., à la manière des Perses.

2. **Persice porticus,** f., portique de Sparte [orné des dépouilles des Perses].

persicum, -cus, v. *Persia.*

persideo, *ere,* intr., être assis; séjourner.

persido, *ere, sedi,* intr., s'asseoir qq. part, s'arrêter, se déposer, se fixer.

persigno, *are,* tr., tenir note ou registre de, enregistrer.

persimilis, *e,* fort ressemblant, tout à fait semblable: à [avec gén. ou avec dat.].

Persis, *idis* et *idos,* f., la Perse.

persisto, *ere, stiti,* intr., persister || souvent au pf., v. *persto.*

Persius, *ii,* m., Perse [poète satirique, époque de Néron].

persolutus, *a, um,* part. de *persolvo.*

persolvo, *ere, solvi, solutum,* tr., **1.** payer entièrement, acquitter || **2.** [fig.] s'acquitter de: *officium,* d'un devoir || *pœnas* et *pœnas alicui,* subir un châtiment en expiation, pour donner satisfaction à qqn || **3.** résoudre un problème.

persona, *æ,* f., **1.** masque de l'acteur || **2.** rôle, caractère [dans une pièce de théâtre] || **3.** [fig.] rôle, caractère, personnage: *personam tenere, tueri,* jouer, tenir un rôle || **4.** caractère, individualité, personnalité.

personatus, *a, um,* masqué.

persono, *are, sonui, sonitum,* intr. et tr.,
I. intr., **1.** résonner de toute part, retentir || **2.** faire du bruit, retentir.
II. tr., **1.** faire retentir || **2.** crier à voix retentissante que [avec prop. inf.].

perspecto, *are, avi, atum (perspicto),* tr., **1.** examiner attentivement || **2.** regarder jusqu'à la fin.

perspectus, *a, um,* part.-adj. de *perspicio* || [fig.] ***a)*** examiné à fond, sondé, approfondi, médité; ***b)*** reconnu, éprouvé, manifeste: *perspectum est alicui* et prop. inf., il est manifeste pour qqn que.

perspergo, *ere (per, spargo),* **1.** arroser complètement || **2.** [fig.] assaisonner (saupoudrer).

perspexi, pf. de *perspicio.*

perspicax, *acis (perspicio),* [fig.] clairvoyant, pénétrant.

perspicientia, *æ,* f. *(perspicio),* vue claire [fig.], parfaite connaissance.

perspicio, *ere, spexi, spectum (per* et *specio),* tr., **1.** regarder à travers, voir dans || **2.** regarder attentivement, examiner soigneusement: *urbis situm,* examiner (reconnaître) la position d'une ville; *mores hominum penitus,* étudier à fond les mœurs des hommes || **3.** voir pleinement, reconnaître clairement || [avec prop. inf.] voir clairement que; [pass. pers.] *perspectus est a me... cogitare,* il m'a laissé voir manifestement qu'il pensait...

perspicue, très nettement, très clairement || évidemment.

perspicuitas, *atis,* f. *(perspicuus),* **1.** transparence || clarté [de style] || **2.** évidence.

perspicuus, *a, um (perspicio),* **1.** transparent, diaphane || **2.** clair, évident, net.

perstiti, pf. de *persisto* et de *persto.*

persto, *are, stiti, staturus,* intr., **1.** se tenir en place, rester debout || **2.** subsister, demeurer || **3.** rester: *in sententia,* persister dans une opinion || [pass. imp.] *si perstaretur in bello,* si l'on s'obstinait à la guerre || **4.** [avec inf.] persister à.

perstrictus, *a, um,* part. de *perstringo.*

perstringo, *ere, strinxi, strictum,* tr.,
I. 1. resserrer || **2.** [fig.] *horror spectantes perstringit,* un frisson crispe les spectateurs, leur serre le cœur.
II. effleurer || toucher légèrement, piquer || raconter en peu de mots, effleurer.

perstudiose, avec beaucoup de zèle.

perstudiosus, *a, um, alicujus rei,* ayant un goût très vif pour qqch.

persuadeo, *ere, suasi, suasum,* persuader,
I. [sens hortatif] décider à faire qqch.: *alicui* et acc. de pron. n., persuader à qqn qqch., le déterminer à qqch. || [absol.] *persuadere alicui,* persuader qqn || [avec *ut, ne* subj.] persuader de, de ne pas; *alicui,* à qqn || [pass. imp.] *persuasum erat Cluvio, ut,* on avait persuadé à Cluvius de... || [avec le subj. seul] *huic persuadet... petat,* il lui persuade de demander || [avec inf.] || [pass. impers.] *persuasum est alicui* et inf., on a persuadé à qqn de.
II. persuader, convaincre, **1.** [absol.] || **2.** avec acc. de pron. n. [avec dat., *alicui,* à qqn] || [part. pass. n.] *persuasum est mihi,* c'est à l'état de chose persuadée à moi, je suis persuadé, et *persuasum habco,* même sens || **3.** [avec *de*] produire la conviction sur une chose || **4.** [avec prop. inf.] || [pass. imp.]: *mihi numquam persuaderi potuit...,* jamais je n'ai pu avoir la persuasion que.

persuasio, *onis,* f. *(persuadeo),* **1.** persuasion, action de persuader || **2.** conviction, croyance: *persuasio est* et prop. inf., c'est une opinion répandue que.

persuasus, *a, um,* v. *persuadeo.*

persubtilis, *e,* très ingénieux.

persulto, *are, avi, atum (per, salto),* ***a)*** intr., sauter, bondir || [fig.] prendre ses ébats, se promener à son aise [dans le territoire ennemi]; ***b)*** tr., sauter à travers, bondir dans; [fig.] *Italiam,* fouler l'Italie en tous sens.

pertædet, *ere, tæsum est,* impers. [ordin. au pf.], s'ennuyer fort, se lasser de [avec acc. du sujet logique et complément au gén.]: *me sermonis pertæsum est*, je suis dégoûté de l'entretien.

pertæsus, *a, um (pertædet)*, dégoûté de, las de.

pertendo, *ere, i,* **1.** tr., achever || **2.** intr., se diriger vers.

pertentatus, *a, um*, part. de *pertento*.

pertento, *are, avi, atum*, tr., **1.** essayer, tenter, éprouver || **2.** éprouver, affecter || pénétrer dans, envahir.

pertenuis, *e*, très fin || [fig.] très petit, très faible, très léger.

perterebro, *are, avi, atum*, tr., percer d'outre en outre, transpercer, perforer.

pertergeo, *ere, tersi, tersum*, tr., essuyer parfaitement.

pertero, *ere, tritum*, tr., broyer entièrement, concasser.

perterreo, *ere, terrui, territum*, tr., glacer d'épouvante, épouvanter.

perterritus, *a, um*, part. de *perterreo*.

perterrui, pf. de *perterreo*.

pertersi, pf. de *pertergeo*.

pertexo, *ere, ui, xtum*, tr., achever, développer entièrement.

pertextus, *a, um*, part. de *pertexo*.

pertica, *æ*, f., perche, gaule || surgeon, rejeton || perche d'arpenteur.

pertimesco, *ere, mui,* **1.** tr., craindre fortement, redouter || **2.** intr., *de se*, trembler pour soi-même || [avec *ne*] craindre que.

pertinacia, *æ*, f. *(pertinax)*, opiniâtreté || obstination, entêtement.

pertinaciter, avec ténacité, avec persistance || opiniâtrement, obstinément.

pertinax, *acis (per, tenax)*, **1.** qui tient bien, qui ne lâche pas prise || **2.** qui tient bon, qui dure longtemps, acharné || **3.** opiniâtre, obstiné, entêté || ferme, persévérant, constant.

pertinens, part. de *pertineo*.

pertineo, *ere, tinui (per, teneo)*, intr., **1.** s'étendre jusqu'à, aboutir à (avec *ad*) || **2.** revenir à, appartenir à: *ad eum culpa pertinet*, la faute retombe sur lui || être relatif à, concerner || **3.** tendre à, viser à || **4.** [impers.] il est important: *ad me maxime pertinet, neminem esse meorum...*, il m'importe au plus haut point qu'il n'y ait personne des miens...

pertractatio, *onis*, f. *(pertracto)*, maniement, administration || étude assidue.

pertractatus, *a, um*, part. de *pertracto*.

pertracto (qqf. **-trecto),** *are, avi, atum*, tr., palper, manier || [fig.] explorer attentivement || étudier à fond, approfondir.

pertractus, *a, um*, part. de *pertraho*.

pertraho, *ere, xi, ctum*, tr., **1.** tirer jusqu'à un point déterminé: *aliquem in castra*, traîner qqn au camp || traduire [devant le juge] || **2.** attirer vers ou dans.

pertraxi, pf. de *pertraho*.

pertristis, *e*, très sinistre || très sévère.

pertritus, *a, um*, part.-adj. de *pertero*, écrasé || [fig.] rebattu, banal, usé.

pertudi, pf. de *pertundo*.

pertuli, pf. de *perfero*.

pertundo, *ere, udi, usum*, tr., percer d'outre en outre, transpercer.

perturbate, confusément, pêle-mêle.

perturbatio, *onis*, f. *(perturbo)*, **1.** trouble, désordre, perturbation || **2.** émotion, passion [avec ou sans *animi, animorum*].

perturbator, *oris*, m., et **-trix,** *icis*, f., perturbateur, perturbatrice.

perturbatus, *a, um*, **1.** part. de *perturbo* || **2.** pris adj., ***a)*** troublé; ***b)*** bouleversé, dans l'agitation.

perturbo, *are, avi, atum*, tr., **1.** troubler à fond, mettre en un profond désordre, bouleverser: *contiones, aciem*, jeter le désordre dans les assemblées, dans les rangs de l'armée || **2.** troubler moralement, remuer profondément.

pertusus, *a, um*, part. de *pertundo*.

perunctus, *a, um*, part. de *perungo*.

perungo, *ere, unxi, unctum*, tr., enduire entièrement || barbouiller.

perurbanus, *a, um*, plein de goût || très spirituel.

peruro, *ere, ussi, ustum*, tr., **1.** brûler entièrement, consumer || brûler, saisir || **2.** enflammer, embraser.

Perusia, *æ*, f., Pérouse [ville d'Étrurie entre le lac Trasimène et le Tibre] || **-sinus,** *a, um*, de Pérouse || subst. m. pl., habitants de Pérouse.

perustus, *a, um*, part. de *peruro*.

perutilis, *e*, très utile.

pervado, *ere, vasi, vasum*, intr. et tr., **I.** intr., s'avancer à travers, se faire jour, pénétrer jusqu'à.
II. tr., envahir, pénétrer.

pervagatus, *a, um*, part.-adj. de *pervagor*, très connu, répandu, commun, banal, rebattu || général.

pervagor, *ari, atus sum*, intr., **1.** aller çà et là, errer || [fig.] se répandre, s'étendre || = devenir banal || **2.** tr., ***a)***

parcourir en tous sens (en errant çà et là) ; ***b)*** envahir.

pervarie, d'une manière très variée.

pervasi, pf. de *pervado.*

pervasto, *are, avi, atum,* tr., dévaster.

pervasus, *a, um,* part. de *pervado.*

pervectus, *a, um,* part. de *perveho.*

perveho, *ere, vexi, vectum,* tr., transporter jusqu'à un point déterminé || [pass. à sens moyen] se transporter, aller (à cheval, en voiture, par eau, par terre).

pervello, *vellere, velli,* tr., **1.** tirer en tous sens, pincer || **2.** [fig.] tirailler, harceler, exciter, stimuler, réveiller || secouer, maltraiter [qq. chose].

pervenio, *ire, veni, ventum,* intr., **1.** arriver d'un point à un autre, arriver jusqu'à un but, parvenir à || **2.** arriver dans (à) tel ou tel état : *ad manus pervenitur,* on en vient aux mains || **3.** revenir en partage à qqn.

perverse (arch. **-vorse**), de travers || tout de travers, d'une manière vicieuse.

perversitas, *atis,* f. *(perversus),* **1.** extravagance, absurdité || **2.** renversement [fig.].

perversus (-vorsus), *a, um,* **1.** part. de *perverto* || **2.** pris adj., tourné sens dessus dessous, renversé || de travers, défectueux, appliqué à contretemps || perverti, vicieux.

perverto (-vorto), *ere, ti, sum,* tr., **1.** mettre sens dessus dessous, bouleverser, renverser de fond en comble || **2.** [fig.] renverser, abattre || ruiner, anéantir.

pervestigatio, *onis,* f. *(pervestigo),* recherche approfondie.

pervestigo, *are, avi, atum,* tr., suivre à la piste : *aliquid,* qqch. || [fig.] rechercher avec soin, explorer, scruter.

pervetus, *eris,* très ancien, très vieux || qui a vécu il y a très longtemps.

pervexi, pf. de *perveho.*

pervicacia, *æ,* f. *(pervicax),* **1.** obstination, opiniâtreté || **2.** acharnement, fermeté, constance.

pervicaciter *(pervicax),* avec persistance, obstinément.

pervicax, *acis (pervinco),* **1.** obstiné, opiniâtre || **2.** ferme, solide, qui tient bon.

pervici, pf. de *pervinco.*

pervictus, *a, um,* part. de *pervinco.*

pervideo, *ere, vidi,* tr., **1.** voir d'un bout à l'autre, complètement || inspecter || **2.** voir clairement, distinguer nettement.

pervigil, *ilis,* éveillé toute la nuit, qui ne dort pas, qui veille.

pervigilatio, *onis,* f. *(pervigilo),* pieuses veillées, veilles religieuses.

pervigilium, *ii,* n. *(pervigil),* veillée prolongée || culte nocturne, pieuse veillée.

pervigilo, *are, avi, atum,* intr., veiller d'un bout à l'autre, passer la nuit en veillant, *très noctes,* passer trois nuits à veiller.

pervilis, *e,* qui est à très bas prix, à très bon marché.

pervinco, *ere, vici, victum,* tr., **1.** [absol.] vaincre complètement || **2.** surpasser, venir à bout de qqn, qqch. || **3.** finir par amener (décider) qqn à || [absol.] *pervincere ut,* parvenir à, réussir à, aboutir à.

pervium, *ii,* n., passage.

pervius, *a, um (per* et *via),* qu'on peut traverser, accessible, ouvert, praticable.

pervolito, *are, avi,* **1.** intr., voler à travers || **2.** tr., parcourir en volant, parcourir rapidement.

1. pervolo, *are, avi, atum,* **1.** intr., voler à travers || voler jusqu'à || **2.** tr., parcourir en volant, traverser rapidement.

2. pervolo, *velle, volui,* tr., désirer vivement, avoir un vif désir.

pervoluto, *are,* tr., feuilleter (lire) assidûment.

pervolutus, *a, um,* part. de *pervolvo.*

pervolvo, *ere, volvi, volutum,* tr., rouler.

pervulgate, adv., selon l'usage ordinaire.

pervulgatus, *a, um,* part.-adj. de *pervulgo,* commun, ordinaire, banal.

pervulgo (arch. **-volgo**), *are, avi, atum,* tr., répandre partout, divulguer, publier.

pes, *pedis,* m.,

I. 1. pied, patte, serre || **2.** [expr. diverses] : *pedem ferre,* porter ses pas, aller, venir || *pedibus,* à pied, [d'où] par voie de terre ; à gué || *ad pedes alicujus* ou *alicui accidere, procidere, jacere, se abjicere, se projicere, se prosternere,* tomber, être étendu, se jeter, se prosterner aux pieds de qqn || *sub pedibus esse, jacere,* être foulé aux pieds, être méprisé || [milit.] : *pedem conferre,* en venir aux mains, *ad pedes desilire,* sauter à bas de cheval || *pedibus ire in sententiam alicujus,* se ranger à l'avis de qqn.

II. [sens partic.] **1.** pied [mesure =

0,296 m = 4 palmes = 16 pouces *(digitus)*]: *pedem non discedere, non egredi*, ne pas s'éloigner, ne pas sortir d'un pas [de la longueur d'un pied] || **2.** écoute || **3.** tige d'un fruit.

pessimus (arch. **pessumus**), *a, um*, superl. de *malus*; [n. pris subst.] *in pessimis*, dans une situation si mauvaise.

Pessinus, *untis*, f., Pessinonte [ville de Galatie, célèbre par un temple de Cybèle] || **-nuntius,** *a, um*, de Pessinonte.

pessulus, *i*, m., verrou.

pessum, adv., **1.** au fond: *abire*, s'en aller au fond [de la mer] || **2.** [fig.] ***a)*** *pessum ire*, aller à sa ruine, à sa perte; ***b)*** *pessum dare*, v. *pessumdo*.

pessumdatus, *a, um*, part. de *pessumdo*.

pessumdo, pessundo, pessum do, *dare, dedi, datum*, tr., [fig.] perdre, ruiner.

pestifer, *era, erum (pestis, fero)*, qui apporte la ruine, désastreux, fatal: *res pestiferæ*, et pl. n. *pestifera*, les choses funestes || pestilentiel, empesté.

pestifere, d'une manière désastreuse.

pestilens, *tis (pestis)*, **1.** pestilentiel, empesté, insalubre, malsain || **2.** [fig.] pernicieux, funeste.

pestilentia, *æ*, f. *(pestilens)*, **1.** peste, épidémie, maladie contagieuse, contagion || **2.** insalubrité.

pestis, *is*, f., **1.** maladie contagieuse, épidémie, peste || fléau || **2.** [fig.] ruine, destruction.

petasatus, *a, um*, coiffé d'un pétase.

petasus, *i*, m., pétase [coiffure de Mercure, chapeau à grands bords et à coiffe basse dont se servaient les gens de la campagne et les voyageurs].

petesso, *ere (peto)*, tr., demander avec insistance, rechercher avidement.

petitio, *onis*, f. *(peto)*, **1.** attaque, assaut, botte || **2.** demande, requête || **3.** candidature, action de briguer || **4.** demande en justice, réclamation [en droit privé].

petitor, *oris, m. (peto)*, candidat, celui qui brigue, compétiteur || demandeur en justice [procès civils].

petiturio, *ire (peto)*, intr., avoir envie de briguer une charge, de se porter candidat.

petitus, *a, um*, part. de *peto*.

peto, *ere, ivi* ou *ii, itum*, tr.,
I. chercher à atteindre, **1.** diriger sa course vers, chercher à gagner || *iter terra petere*, prendre un chemin par terre || **2.** attaquer, assaillir, viser.
II. chercher à obtenir qqch., **1.** rechercher, aspirer à: *fuga salutem*, chercher son salut dans la fuite || [poét. avec inf.] chercher à || **2.** briguer [une magistrature] || **3.** demander, solliciter: *opem ab aliquo*, demander assistance à qqn; *ab aliquo aliquid alicui*, demander à qqn qqch. pour qqn; *ab aliquo* (et qqf. *ex aliquo) ut*, demander à qqn que || [avec *ne, ut ne*], demander que ne... pas || [avec subj. seul]... || **4.** demander, réclamer: *pœnas ab aliquo*, tirer vengeance de qqn || [en part.] demander en justice, réclamer || [absol.] être demandeur dans une affaire, poursuivre || **5.** chercher, faire venir de, tirer de.

petra, *æ*, f., roche, roc, rocher.

Petreius, *i*, m., lieutenant du consul Antonius, défit Catilina à Pistoie; plus tard lieutenant de Pompée en Espagne, fut vaincu par César à Thapsus et se donna la mort.

Petronius, *ii*, m., nom de famille; notamment Pétrone, *Petronius Arbiter* [poète latin favori de Néron; soupçonné d'avoir pris part au complot de Pison, fut arrêté et forcé de s'ouvrir les veines].

petrosus, *a, um (petra)*, pierreux, rocheux.

petulans, *tis (peto)*, toujours prêt à attaquer, effronté, impudent; pétulant.

petulanter *(petulans)*, impudemment, effrontément.

petulantia, *æ*, f. *(petulans)*, propension à attaquer, insolence, impudence, effronterie || fougue, pétulance.

petulcus, *a, um (peto)*, qui frappe de ses cornes, qui cosse.

pexi, pf. de *pecto*.

pexus, *a, um*, part.-adj. de *pecto*, neuf [en parl. d'un vêtement], bien peigné, qui a son poil, qui n'est pas râpé.

Phæaces, *um*, m., Phéaciens [peuple mythique, dont le roi Alcinoüs donna l'hospitalité à Ulysse, puis le fit reconduire à Ithaque].

Phæacia, *æ*, f., Phéacie, pays des Phéaciens.

Phædra, *æ*, f., Phèdre [fille de Minos et de Pasiphaé, femme de Thésée].

Phaethon, *ontis*, m., Phaéthon ou Phaéton [fils du Soleil, voulut conduire le char de son père; mais, ne sachant le diriger, il embrasa la terre et fut foudroyé par Jupiter] || le soleil || **-teus,** *a, um*, de Phaéton || **-tias,** *adis*, adj., f., de Phaéton.

Phaethontiades, *um*, f.. les sœurs de Phaéton [changées en aunes ou en peupliers].

Phaéthusa, *æ*, f., Phaétuse [une des sœurs de Phaéton].

phalangæ, *arum*, f., rouleaux de bois pour le déplacement des vaisseaux.

phalangites (-ta), *æ*, m., phalangite.

phalanx, *angis*, f., **1.** phalange || formation de combat des Gaulois et des Germains || **2.** troupe, bataillon, armée.

Phalaris, *idis* (acc. *idem* ou *im*), m., tyran d'Agrigente, célèbre par sa cruauté.

phaleræ, *arum*, f., phalères [plaques de métal brillant servant soit de décoration militaire soit d'ornement pour les chevaux].

phaleratus, *a, um (phaleræ)*, orné de phalères.

phantasma, *atis*, n., fantôme, spectre.

pharetra, *æ*, f., carquois.

pharetratus, *a, um (pharetra)*, qui porte un carquois; *pharetrata Virgo*, la Vierge au carquois = Diane.

pharmacopola, *æ*, m., pharmacien, apothicaire, droguiste.

Pharos (-rus), *i*, f., **1.** île d'Égypte, près d'Alexandrie || **2.** le phare [de Pharos] || l'Égypte || **3.** phare [en gén.], fanal || **-rius,** *a, um*, de Pharos.

Pharsalia, *æ*, f., la Pharsale [poème épique de Lucain].

Pharsalus (-los), *i*, f., Pharsale [ville de Thessalie, où Pompée fut vaincu par César] || **-licus,** *a, um*, **-lius,** *a, um*, de Pharsale.

phaselus (-os), *i*, m., f. barque, chaloupe, esquif, canot.

Phasis, *is* ou *idis*, m., le Phase [rivière] || **-sis,** *idis*, adj., f., du Phase: *Phasides volucres*, faisans || **-sianus,** *a, um*, du Phase: *Phasianæ aves*, faisans || subst. m. et f., faisan || **-siacus,** *a, um*, du Phase; de la Colchide; de Médée.

Pheræ, *arum*, f., **1.** Phères [ville de Thessalie, résidence d'Admète] || **2.** ville de Messénie || **-ræus,** *a, um*, de Phères, de Thessalie, d'Admète || subst. m. pl., habitants de Phères.

Phidias, *æ*, m., le plus célèbre des sculpteurs grecs.

phiditia, *orum*, n., phidities, repas publics des Lacédémoniens.

Philæni, *orum*, m., Philènes, deux frères carthaginois qui se dévouèrent pour leur patrie.

Philemo (-mon), *onis*, m., **1.** Philémon [mari de Baucis] || **2.** poète grec de la nouvelle comédie || **3.** nom d'un historien du temps d'Auguste.

1. philippi, *orum*, m., philippes, monnaie [d'or] à l'effigie du roi Philippe.

2. Philippi, *orum*, m., Philippes [ville de Macédoine, où Brutus et Cassius furent vaincus par Antoine et Octave] || **-peus,** *a, um*, de Philippes.

Philippus, *i*, m., Philippe [nom de plusieurs rois de Macédoine; notamment le père d'Alexandre le Grand] || **-icus,** *a, um*, de Philippe; *Philippicæ orationes*, les Philippiques.

philitia, *orum*, n., repas publics chez les Lacédémoniens.

Philoctetes (-ta), *æ*, m., Philoctète [héritier de l'arc et des flèches d'Hercule, abandonné dans l'île de Lemnos à cause d'une blessure fétide] || **-tæus,** *a, um*, de Philoctète.

philologia, *æ*, f., **1.** amour des lettres, application aux études || **2.** philologie, commentaire, explication des écrivains.

philologus, *a, um*, littéraire || subst. m., un lettré, un érudit, un savant.

Philomela, *æ*, f., Philomèle [fille de Pandion, enlevée par Térée, son beau-frère, fut changée en rossignol] || [poét.] = rossignol.

Philomelium, *ii*, n., ville de la Grande Phrygie || **-ienses,** *ium*, m., habitants de Philomélium.

Philopœmen, *enis*, m., chef de la ligue Achéenne.

philosophia, *æ*, f., philosophie || au pl., doctrines ou écoles philosophiques.

philosophor, *ari, atus, sum (philosophus)*, intr., parler philosophie, être philosophe, agir en philosophe.

1. philosophus, *i*, m., philosophe.

2. philosophus, *a, um*, de philosophe.

Philus, *i*, m., surnom dans la *gens Furia*; notamment L. Furius Philus [ami de Lælius et de Scipion, interlocuteur du *de Republica*].

Phintia (-as), *æ*, m., célèbre par son amitié pour Damon.

Phlegethon, *ontis*, m., fleuve des enfers qui roule des flammes.

Phlegra, *æ*, f., ville de Macédoine [postérieurement Pallène] où la fable place le combat des géants contre les dieux || **-græus,** *a, um*, de Phlégra || *Phlegræi campi*, les champs Phlégréens [canton de la Campanie, près de Pouzzoles].

Phlegyas, *æ*, m., fils de Mars, roi des

Lapithes, qu'un rocher menace éternellement dans les Enfers.

phoca, *æ*, et **-ce,** *es*, f., phoque.

Phocæa, *æ*, f., Phocée [ville maritime d'Ionie, d'où partit la colonie qui fonda Massilie, Marseille].

Phocæenses, *ium*, m., Phocéens, habitants de Phocée.

Phocaicus, *a, um*, **1.** de Phocée || de Marseille || **2.** de Phocide.

Phocenses, *ium*, m., habitants de la Phocide.

Phoceus, *a, um*, de Phocide.

Phocii, *orum*, m., Phocéens.

Phocion, *onis*, m., illustre citoyen d'Athènes.

Phocis, *idis*, f., la Phocide [partie de la Grèce, entre la Béotie et l'Étolie].

Phœbe, *es*, f., Phœbé ou Phébé, sœur de Phébus, Diane ou la Lune; [poét.] = la lune.

Phœbus, *i*, m., Phébus, Apollon || le soleil **-beus,** *a, um*, de Phébus, d'Apollon.

Phœnice, *es*, f., la Phénicie [contrée sur le littoral de la Syrie].

Phœnices, *um*, m., les Phéniciens [habitants de la Phénicie, fondateurs de Carthage].

phœniceus, *a, um*, qui est d'un rouge éclatant, pourpre.

Phœnissus, *a, um*, phénicien; carthaginois: *Phœnissa Dido*, la Phénicienne Didon [originaire de Tyr].

1. phœnix, *icis*, **1.** m., phénix [oiseau fabuleux] || **2.** f., le palmier.

2. Phœnix, *icis*, m., **1.** Phénix [fils d'Agénor et frère de Cadmus, donna son nom à la Phénicie] || **2.** fils d'Amyntor et gouverneur d'Achille, qu'il suivit au siège de Troie.

Phorcus, *i*, m., Phorcus ou Phorcys [fils de Neptune, père des Gorgones, changé en un dieu marin].

phrenesis, *is*, f., frénésie, délire frénétique.

phreneticus, *a, um*, frénétique.

Phrixus, *i*, m., fils d'Athamas, fut tué par Eétés, qui voulait s'emparer de la Toison d'or.

Phryges, *um*, m., les Phrygiens, habitants de la Phrygie; les Troyens.

Phrygia, *æ*, la Phrygie [contrée de l'Asie Mineure] || **Phrygius,** *a, um*, de Phrygie, des Phrygiens, Phrygien, Troyen: *Phrygia mater*, Cybèle.

Phryx, *ygis*, m., Phrygien, né en Phrygie.

Phthia, *æ*, f., Phthie [ville de Thessalie, patrie d'Achille].

Phthiotæ, *arum*, m., habitants de Phthie ou de la Phthiotide || sing. **Phthiota,** *æ*, m.

phthisicus, *a, um*, phtisique.

phthisis, *is*, f., phtisie [maladie].

phylarchus, *i*, m., phylarque, chef de brut.

1. physica, *æ*, f., la physique, les sciences naturelles.

2. physica, *orum*, n., c. le précédent.

physice, adv., en physicien.

physicus, *a, um*, physique, naturel, des sciences naturelles || **physicus,** *i*, m., physicien, naturaliste.

physiognomon, *onis*, m., physionomiste.

physiologia, *æ*, f., les sciences naturelles, la physique.

piacularis, *e (piaculum)*, piaculaire, expiatoire.

piaculum, *i*, n. *(pio)*, **1.** sacrifice expiatoire, moyen d'expiation, expiation || peine expiatoire, châtiment, vengeance || **2.** ce qui mérite expiation; impiété, sacrilège, chose indigne, abomination, crime, forfait.

piatus, *a, um*, part. de *pio*.

picaria, *æ*, f. *(pix)*, une fabrique (fonderie) de poix.

picatus, *a, um*, **1.** part. de *pico* || **2.** *(pix)*, ayant le goût de poix.

picea, *æ*, f., faux sapin, pesse [arbre.].

Picenum, *i*, n., le Picénum [contrée de l'Italie, sur la mer Adriatique] || **-cenus,** *a, um*, du Picénum: *Picenus ager*, le Picénum || **-cens,** *tis*, du Picénum || **-centes,** *ium*, m., les habitants du Picénum, les Picentins.

piceus, *a, um (pix)*, de poix || noir [comme la poix], sombre, obscur, ténébreux.

pico, *are, avi, atum (pix)*, tr., poisser, enduire de poix, boucher avec de la poix.

1. pictor, *oris*, m. *(pingo)*, peintre.

2. Pictor, *oris*, m., surnom romain, dans la famille des Fabius.

pictura, *æ*, f. *(pingo)*, **1.** la peinture || **2.** peinture, ouvrage de peinture, tableau, sujet représenté: *textilis*, tapisserie || **3.** [fig.] peinture, tableau, description.

pictus, *a, um*, **1.** part. de *pingo* || **2.** pris adj., coloré, orné.

1. picus, *i*, m., pivert [oiseau].

2. Picus, *i*, m., roi du Latium, fils de Saturne, changé en pivert par Circé.

pie *(pius)*, adv., avec les sentiments d'un homme *pius*, pieusement, religieusement || conformément aux sentiments naturels || avec affection, par tendresse.

Pierides, *um*, f., les Piérides, **1.** filles de Piérus [changées en pies par les Muses] || **2.** les Muses.

Pieris, *idis*, f., une Muse.

Pierus (-os), *i*, m., **1.** Piérus [père des Muses] || **2.** père des Piérides, changées en pies || **-rius,** *a, um*, des Muses || subst. f. pl., **Pieriæ,** les Muses || **3.** le mont Piérus [consacré aux Muses, aux confins de la Thessalie et de la Macédoine], d'où **Pierus,** *a, um*, du mont Piérus.

1. pietas, *atis*, f. *(pius)*, sentiment qui fait reconnaître et accomplir tous les devoirs envers les dieux, les parents, la patrie; piété, pieuse affection; amour de la patrie, patriotisme; [en gén.] amour respectueux, tendresse [envers = *adversus, erga, in* acc.].

2. Pietas, *atis*, f., Piété [déesse].

piger, *gra, grum*, qui répugne à; paresseux, indolent || *in labore militari, militiæ*, sans entrain sous le rapport du service militaire || [avec inf.] qui répugne à, inerte, stérile.

piget, *ere, guit* ou *gitum est*, impers., être mécontent, contrarié, ennuyé: [acc. de la pers. et gén. de la chose] *me piget stultitiæ meæ*, je suis chagriné de ma sottise || [avec inf.].

pigmentarius, *ii*, m., marchand de couleurs, de parfums.

pigmentum, *i*, n. et ordin. **-ta,** *orum*, n. pl. *(pingo)*, **1.** couleur pour peindre || **2.** fard || **3.** [fig.] couleurs [du style], ornements, fleurs || fard, clinquant.

pignerator (pignor-), *oris*, m., celui qui prend des gages, qui reçoit des hypothèques.

pigneror, *ari, atus sum (pignus)*, tr., prendre en gage, s'assurer en nantissement.

pignus, *oris* et *eris*, n., **1.** gage, nantissement: *pignori accipere*, recevoir en gage || **2.** ***a)*** gage, otage; ***b)*** garantie d'une gageure, enjeu || ***c)*** [poét.] gages de tendresse [= enfants, parents, amis], objets chéris || **3.** garantie.

pigre *(piger)*, adv., avec paresse || lentement.

pigresco, *ere*, intr., se ralentir.

pigritia, *æ*, f. *(piger)*, paresse.

pigror, *ari (piger)*, intr., être paresseux || [avec inf.] être lent à, tarder de.

piguit, pf. de *piget*.

1. pila, *æ*, f., pilier, colonne: *pontis*, pile d'un pont || colonnes des portiques où les libraires étalaient leurs livres.

2. pila, *æ*, f., **1.** paume, balle || **2.** globe de la terre || pelote de laine.

pilanus, *i*, m. *(pilum)*, soldat armé du pilum [triaire].

pilatus, *a, um (pilum)*, armé du javelot.

pileatus (pill-), *a, um*, part.-adj. de *pileo*, coiffé du *pileus*.

pilentum, *i*, n., char suspendu [d'origine espagnole]; voiture pour les dames romaines.

pileolus (pill-), *i*, m., dim. de *pileus*.

pileus (pill-), *i*, m. et qqf. **pileum (pill-),** *i*, n., **1.** piléus [sorte de bonnet phrygien en laine, dont on coiffait les esclaves qu'on affranchissait] || [porté par un citoyen comme signe de liberté, par exemple aux Saturnales, dans les festins, dans les fêtes] || **2.** [fig.] bonnet d'affranchi, [d'où] affranchissement, liberté.

pilosus, *a, um (pilus)*, couvert de poils, poilu, velu.

pilula, *æ*, f., dim. de *pila 2*, petit corps rond, boulette, pelote || pilule.

pilum, *i*, n., pilum, javelot [des soldats romains] || [en part.] *muralia pila; pila muralia*, javelots de siège.

1. pilus, *i*, m., poil || [fig.] un cheveu, un rien.

2. pilus, *i*, m., compagnie des pilaires ou triaires [armés de javelots].

pina, *æ*, f., pinne marine.

pinacotheca, *æ*, f., pinacothèque, galerie de tableaux, musée || **-thece,** *es*.

Pinarii, *orum*, m., ancienne famille du Latium, consacrée au culte d'Hercule || **-rius,** *a, um*, des Pinarii.

Pindarus, *i*, m., Pindare [le prince des poètes lyriques de la Grèce, né à Thèbes, en Béotie] || **-ricus,** *a, um*, de Pindare, pindarique, lyrique.

Pindos (-dus), *i*, m., le Pinde [montagne de Thrace, consacrée à Apollon et aux Muses].

pinea, *æ*, f., pomme de pin.

pinetum, *i*, n. *(pinus)*, pinède.

pineus, *a, um (pinus)*, de pin: *pinea nux*, pomme de pin.

pingo, *ere, pinxi, pictum*, tr., **1.** peindre, représenter par le pinceau: *aliquem*, ou *speciem alicujus*, ou *simulacrum alicujus*, faire le portrait de qqn || **2.** [avec ou sans *acu*] peindre à l'aiguille, broder || **3.** barbouiller de, couvrir de || **4.** embellir || **5.** rehausser de belles couleurs.

pingue, *is*, n. *(pinguis)*, graisse, embonpoint.

pinguedo, *inis*, f., graisse, embonpoint.

pinguefacio, *ere, feci, factum*, tr., engraisser.

pinguesco, *ere (pinguis)*, intr., s'engraisser.

pinguis, *e*, **1.** gras, bien nourri || **2.** gras, graisseux || **3.** gras, fertile, riche || **4.** épais, dense || **5.** épais, lourd, grossier || dans le bien-être, confortable.

pinguiter *(pinguis)*, grassement.

pinifer, *era, erum (pinus, fero)*, qui produit des pins, chargé ou planté de pins.

piniger, *era, erum*, c. *pinifer*.

pinna, *æ*, f., **1.** c. *penna*, plume, aile, nageoire de poisson || [poét.] flèche || **2.** créneau [de muraille, de palissade].

pinnatus, *a, um (pinna)*, qui a des ailes || [fig.] emplumé, empenné.

pinniger, *era, erum*, c. *penniger*.

pinnula, *æ*, f. *(pinna)*, petite plume || petite aile.

pinophylax, *acis*, m., et **pinoteres,** *æ*, m., pinnotère, petit crabe qui se loge dans la pinne marine.

pinsatus, *a, um*, part. de *pinso 1*.

pinsitus, *a, um*, part. de *pinso 2*.

1. pinso (piso), *are, atus*, tr., piler.

2. pinso (qqf. **piso**), *ere, sui* et *si, pinsum, pinsitum* et *pistum*, tr., battre, frapper || piler, broyer.

pinsus, *a, um*, part. de *pinso 2*.

pinus, *us*, et *i*, f., **1.** pin [arbre] || **2.** navire, vaisseau.

pinxi, pf. de *pingo*.

pio, *are, avi, atum (pius)*, tr., **1.** offrir des sacrifices expiatoires, apaiser par des sacrifices, rendre propice || **2.** honorer || **3.** purifier, expier || effacer, venger, punir.

piper, *eris*, n., poivre.

Piræeus, *ei* ou *eos*, m. (acc. *-eum* et *-ea*), et **Piræus,** *i*, le Pirée, port d'Athènes || **-æus,** *a, um*, du Pirée.

pirata, *æ*, m., pirate.

piraticus, *a, um*, de pirate: *piraticum bellum*, la guerre contre les pirates || **-tica,** *æ*, f., métier de pirate, piraterie.

Pirena, *æ*, et **-rene,** *es*, f., Pirène [fontaine de Corinthe, consacrée aux Muses] || **-nis,** *idis*, f., de la fontaine de Pirène; de Corinthe.

Pirithous, *i*, m., fils d'Ixion, ami de Thésée, descendit avec lui aux Enfers pour enlever Proserpine.

pirum, *i*, n., poire.

pirus, *i*, f., poirier.

piscator, *oris*, m. *(piscis)*, **1.** pêcheur || **2.** marchand de poisson.

piscatorius, *a, um (piscator)*, de pêcheur.

pisciculus, *i*, m., dim. de *piscis*, petit poisson.

piscina, *æ*, f. *(piscis)*, **1.** vivier || **2.** piscine, bassin || mare, abreuvoir || écluse || citerne, bassin, réservoir.

piscinarius, *ii*, m. *(piscina)*, qui a des viviers.

piscis, *is*, m., poisson.

piscor, *ari, atus sum (piscis)*, intr., pêcher.

piscosus, *a, um (piscis)*, poissonneux.

pisculentus, *a, um (piscis)*, poissonneux.

Pisistratidæ, *arum*, m., les fils de Pisistrate.

Pisistratus, *i*, m., Pisistrate [fils d'Hipparque, tyran d'Athènes].

Piso, *onis*, m., surnom dans la *gens Calpurnia*; notamment: Pison, surnommé Frugi, consul, orateur || C. Calpurnius Piso, accusé de concussion par les Allobroges, défendu par Cicéron.

pistillum, *i*, n., et **-llus,** *i*, m., pilon.

pistor, *oris*, m. *(pinso)*, **1.** celui qui pile le grain dans un mortier || **2.** boulanger, pâtissier || épithète de Jupiter [qui inspira aux Romains assiégés dans le Capitole l'idée de jeter des pains aux Gaulois].

pistrina, *æ*, f. *(pistor)*, boutique de boulanger ou de pâtissier.

pistrinum, *i*, n. *(pinso)*, **1.** moulin || **2.** boulangerie.

pistrix, *icis*, f., baleine || la Baleine [constellation].

pistura, *æ*, f. *(pinso 2)*, action de piler, de moudre, mouture.

pistus, *a, um*, part. de *pinso 2*.

Pittacus (-os), *i*, m., de Mitylène, un des sept sages de la Grèce.

pituita, *æ*, f., **1.** mucus, humeur, pituite, coryza || **2.** pus, humeur, sanie || **3.** pépie || **4.** écoulement des arbres, sève, gomme.

pituitosus, *a, um (pituita)*, pituiteux.

1. pius, *a, um*, **1.** qui reconnaît et remplit ses devoirs envers les dieux, les parents, la patrie, etc.: ***a)*** pieux: [m. pris subst.] *pii*, les gens pieux, les justes, les bienheureux aux Enfers || [choses servant au culte] pieux, sacré: *far pium*, orge sacré; *pium est immo-*

lare..., c'est un acte pieux que d'immoler... ; ***b)*** pieusement affectueux, ayant une tendresse respectueuse, affectionné, dévoué : *pius in parentes*, ayant de la piété filiale || **2.** conforme à la piété [en gén.], juste.

2. Pius, *ii*, m., surnom ; en part. du premier empereur Antonin.

pix, *icis*, f., poix.

placabilis, *e (placo)*, **1.** qui se laisse fléchir, qu'on peut apaiser || doux, bon, clément || **2.** propre à apaiser, capable d'apaiser, propitiatoire.

placabilitas, *atis*, f. *(placabilis)*, clémence, disposition à se laisser fléchir.

placabiliter, adv., d'une manière propre à fléchir.

placamen, *inis*, n. *(placo)*, moyen d'apaiser.

placamentum, *i*, n., c. *placamen*.

placate *(placatus)*, avec calme.

placatio, *onis*, f. *(placo)*, action d'apaiser, de fléchir.

placatus, *a, um*, part.-adj. de *placo*, **1.** apaisé, adouci, bienveillant || **2.** calme, paisible, tranquille ; *placatissima quies*, un repos si profond.

placens, *tis*, part. de *placeo*, plaisant, qui agrée.

placenta, *æ*, f., galette, gâteau.

Placentia, *æ*, f., ville d'Italie, sur le Pô [auj. Plaisance] || **-tinus,** *a, um*, de Placentie || **-tini,** *orum*, m., les habitants de Placentie.

placeo, *ere, ui, itum*, intr., **1.** plaire, être agréable, agréer ; *sibi placere*, être satisfait de soi || **2.** paraître bon à qqn., agréer ; *placet alicui rem facere, rem fieri, ut res fiat*, qqn trouve bon, est d'avis, décide de faire une chose, qu'une chose soit faite.

placide *(placidus)*, adv., avec douceur, avec bonté || avec calme, avec sang-froid, sans murmure.

placiditas, *atis*, f. *(placidus)*, humeur douce.

placidus, *a, um (placeo)*, doux, calme, paisible.

placitum, *i*, n. *(placitus)*, ce qui plaît, désir, agrément, souhait || [ordin. au pl.] préceptes, principes, maximes.

placiturus, *a, um*, part. fut. de *placeo*.

placitus, *a, um*, part.-adj. de *placeo*, qui a plu, qui plaît, agréable.

placo, *are, avi, atum*, tr., apaiser, calmer, adoucir || *aliquem alicui*, rendre qqn bienveillant à l'égard de qqn.

placui, pf. de *placeo*.

1. plaga, *æ*, f., coup, blessure : *alicui* ou *alicui rei plagam imponere, injicere, infligere*, porter un coup à qqn, à qqch.

2. plaga, *æ*, f., étendue, région.

3. plaga, *æ*, f., filet, piège.

plagiarius, *ii*, m., plagiaire, celui qui vole les esclaves d'autrui [ou] qui achète ou qui vend comme esclave une personne libre.

plagosus, *a, um (plaga)*, brutal.

plagula, *æ*, f., *(plaga)*, couverture de lit || rideau de lit ou de litière || tapisserie, tapis || feuille de papier.

Plancius, *ii*, m., nom de famille romaine ; not. Cn. Plancius, défendu par Cicéron.

planctus, *us*, m. *(plango)*, action de frapper avec bruit, coup, battement || action de se frapper dans la douleur || [fig.] lamentations, bruyante douleur.

plane *(planus)*, **1.** d'une façon unie, clairement || **2.** complètement, entièrement, exactement.

plango, *ere, planxi, planctum*, tr., **1.** frapper || **2.** *pectora*, se frapper la poitrine || [pass.] se frapper || **3.** [absol.] se livrer aux transports de la douleur, se lamenter.

plangor, *oris*, m. *(plango)*, coups que l'on se donne dans la douleur, lamentations bruyantes, gémissements.

planitia, *æ*, f. et **planities,** *ei*, f. *(planus)*, surface plane, plaine, pays plat.

planta, *æ*, f., **1.** plant, rejeton, bouture || **2.** plante, herbe, végétal || **3.** plante du pied, pied.

plantaria, *ium*, n. *(planta)*, **1.** jeunes plants, rejetons, boutures || plantes, légumes || **2.** ailerons [attachés aux pieds de Mercure], talonnières.

1. planus, *a, um*, **1.** plan, de surface plane, plat, uni, égal : *planæ manus*, le plat de la main [*cavæ*, creux de la main] || [n. pris subst.] terrain plat || [fig.] *in plano*, au ras du sol = dans la vie ordinaire || **2.** [fig.] ***a)*** sans aspérités, facile, aisé ; ***b)*** clair, net : *planum facere* avec prop. inf., montrer clairement que.

2. planus, *i*, m., vagabond || charlatan, saltimbanque.

planxi, pf. de *plango*.

plastes, *æ*, m., celui qui travaille l'argile, modeleur, sculpteur.

plastica, *æ*, et surtout **plastice,** *es*, f., la plastique, l'art de modeler en terre.

Platææ, *arum*, f., Platées ou Platée [ville de Béotie, célèbre par la victoire remportée par Pausanias sur les

Perses] || **-tæenses,** *ium*, m., habitants de Platées, Platéens.

platalea, *æ*, f., spatule [oiseau].

platanon, *onis*, m., lieu planté de platanes.

platanus, *i*, f., platane ou plane.

1. platea, *æ*, f., grande rue, place publique.

2. platea, *æ*, f., spatule [oiseau].

Plato, *onis*, m., Platon [célèbre philosophe grec, disciple de Socrate] || **-nicus,** *a, um*, de Platon, platonique || **-nici,** *orum*, m., les Platoniciens.

plaudo (plodo), *ere, si, sum*,
I. intr., **1.** abattre, frapper: *alis*, battre des ailes || **2.** [en part.] battre des mains, applaudir [à la fin des pièces]: *vos plaudite*, vous autres (spectateurs), applaudissez || approuvez, *alicui, alicui rei*, qqn, qqch.
II. tr., **1.** frapper.

plausi, pf. de *plaudo*.

plausibilis, *e (plaudo)*, digne d'être approuvé ou applaudi, louable.

plausor, *oris*, m. *(plaudo)*, celui qui applaudit, applaudisseur, claqueur.

plaustellum (plos-), *i*, n. *(plaustrum)*, petit chariot.

plaustrum (plos-), *i*, n., chariot, charrette, voiture || le Chariot [constellation].

1. plausus, *a, um*, part. de *plaudo*.

2. plausus, *us*, m., **1.** bruit produit en frappant, battement [des ailes, des pieds] || **2.** applaudissement || approbation.

Plautus, *i*, m., Plaute [*T. Maccius*, poète comique latin] || **-tinus,** *a, um*, de Plaute.

plebecula, *æ*, f., dim. de *plebs*, populace, menu peuple.

plebeius (-jus), *a, um*, plébéien, du peuple, de la plèbe, non patricien || [fig.] du commun; *plebeius sermo*, langage courant, commun.

plebes, *ei* et *i*, f., ancienne forme pour *plebs*.

plebicola, *æ*, m. *(plebes, colo)*, flatteur du peuple, courtisan de la plèbe.

plebiscitum, *i*, n., v. *scitum*.

plebs, *bis*, f., **1.** la plèbe, les plébéiens [oppos. aux patriciens] || **2.** [rare] les classes inférieures, la populace, le vulgaire.

1. plecto, *ere*, tr., infliger une peine, punir, châtier: *culpa plectitur*: la faute est punie || éprouver un dommage, souffrir.

2. plecto, *ere*, tr., entrelacer, tresser.

plectrum, *i*, n., plectre, petite verge d'ivoire pour toucher les cordes de la lyre || [par extens.] lyre, luth || [fig.] poésie lyrique.

Pleiades (Plia-), *um*, f., les Pléiades [sept filles d'Atlas et de Pléioné, changées en une constellation] || sing. **Pleias** et **Plias**.

Pleione, *es*, f., Pléioné [nymphe fille de l'Océan et de Téthys, femme d'Atlas et mère des Pléiades].

plene *(plenus)*, pleinement, complètement, tout à fait, absolument.

plenilunium, *ii*, n. *(plenus, luna)*, pleine lune.

plenus, *a, um (pleo)*, **1.** plein [avec gén.] [ou avec abl.] || [sans compl.]: *ædem plenam reliquit*, il laissa le temple dans son intégrité; *plenissimis velis*, toutes voiles dehors; *plena manu*, à pleines mains || **2.** rassasié; épais, gros, corpulent || abondant [style] || entier, complet || garni, abondamment pourvu || riche, abondant.

plerique, *æque, aque*, v. *plerusque*.

plerumque *(plerusque)*, **1.** adv., la plupart du temps, ordinairement, généralement || souvent || **2.** subst., v. *plerusque* I.

plerusque, *aque, umque*,
I. [rare au sing.] la plus grande partie de || n. pris subst.: *plerumque noctis*, la plus grande partie de la nuit.
II. pl., *plerique, æque, aque*, la plupart, le plus grand nombre: *plerique Belgæ*, la plupart des Belges; *plerique Pœnorum*, des Carthaginois; *plerique e Græcis*, d'entre les Grecs.

plicatus, *a, um*, part. de *plico*.

plico, *are, atum*, tr., plier, replier.

Plinius, *ii*, m., **1.** Pline l'Ancien [*C. Plinius Secundus Major*, mort lors de l'éruption du Vésuve en 79] || **2.** Pline le Jeune [*C. Plinius Cæcilius Secundus junior*, neveu du précédent, dont il nous reste des lettres et le Panégyrique de Trajan].

plodo, v. *plaudo*.

1. ploratus, *a, um*, part. de *ploro*.

2. ploratus, *us*, m., **1.** cris de douleur, lamentations || **2.** égouttement [d'un arbre], larmes.

ploro, *are, avi, atum*, intr. et tr., **1.** intr., crier en pleurant; se lamenter, pleurer en gémissant || **2.** tr., déplorer || [avec prop. inf.] déplorer que.

pluit, *ere, pluit*, impers., pleuvoir || [avec abl.] *sanguine*, pleuvoir du sang.

pluma, *æ*, f., **1.** plume || **2.** première barbe.

plumbago, *inis,* f. *(plumbum),* plombagine ou mine de plomb.

plumbarius, *a, um,* de plomb, de plombier.

plumbatus, *a, um (plumbum),* garni de plomb || de plomb, qui est en plomb.

plumbeus, *a, um (plumbum),* **1.** de plomb, qui est en plomb || lourd, accablant, pesant || **2.** stupide, lourdaud.

plumbum, *i,* n., **1.** plomb; *album,* étain || **2.** balle de plomb [lancée par la fronde] tuyau de plomb.

plumeus, *a, um (pluma),* de plumes, de duvet.

plures, n. *plura,* pl. de *plus,* **1.** plus nombreux, un plus grand nombre [sens comparatif]: *quid ego plura dicam?,* à quoi bon en dire davantage? *quid plura?,* à quoi bon davantage? abrégeons, bref; *ne plura,* pour n'en pas dire davantage, bref || **2.** un assez grand nombre, un trop grand nombre || **3.** plusieurs.

plurifariam, adv., en différents endroits.

plurimum, **1.** n. de *plurimus* pris subst., une très grande quantité, [ou] la plus grande quantité || [gén. de prix]: *plurimi esse,* avoir le plus de prix || [abl.] *quam plurimo vendere,* vendre le plus cher possible || **2.** [pris adv.] le plus, considérablement, beaucoup: *quam plurimum scribere,* écrire le plus possible; *plurimum valere, interesse,* avoir le plus de valeur, d'importance; *posse,* avoir le plus de pouvoir, d'influence.

plurimus, *a, um,* superl. de *plus* servant à *multus,* [rare au sing.] le plus grand nombre ou très grand nombre, le plus ou très nombreux, **1.** *plurimo sudore,* avec la plus grande peine || [poét.] *plurimus oleaster,* très grand nombre d'oliviers sauvages || **2.** [pl.] *plurimis verbis dicere,* dire très abondamment.

plus, *pluris,* n., compar. de *multus,*

I. pris subst., **1.** plus, une plus grande quantité: *plus debere alicui,* devoir davantage à qqn || [avec gén.]: *plus mali quam boni adferre,* apporter plus de mal que de bien || **2.** [gén. de prix]: *pluris esse; emere; vendere; facere; habere; æstimare; ducere; putare,* coûter plus, acheter, vendre plus cher, estimer plus, mettre à plus haut prix.

II. pris adv.: *plus valere; prodesse, nocere,* avoir plus d'influence, être plus utile, plus nuisible || *plus quam semel,* plus d'une fois || [sans *quam*]: *adferre non plus mille quingentos æris,* n'apporter pas plus de quinze cents as.

plusculus, *a, um (plus),* un peu plus de.

plusculum, *i,* n., un peu plus de: *negotii,* un peu plus de travail.

pluteus, *i,* m., **1.** [milit.] ***a)*** panneau, abri [monté sur roues]; ***b)*** panneau [fixe, ajouté comme revêtement au parapet] || **2.** panneaux à la tête des lits || dos ou dossier [d'un lit de table]; [par extens.] un lit [de table].

Pluto (-ton), *onis,* m., Pluton [fils de Saturne et d'Ops, frère de Jupiter et de Neptune, dieux des enfers] || **-tonius,** *a, um,* de Pluton.

Plutus, *i,* m., Plutus [dieu de la richesse].

pluvia, *æ,* f., pluie || eau de pluie.

pluvialis, *e (pluvia),* pluvieux || de pluie, pluvial.

pluvius, *a, um (pluo),* de pluie, pluvial || *arcus pluvius,* l'arc-en-ciel.

pocillum, *i,* n., dim. de *poculum,* petite coupe, petite tasse.

poculum, *i,* n. *(po-,* cf. *poto),* coupe || *in poculis,* la coupe en main.

podagra, *æ,* f., goutte aux pieds, podagre.

podagricus, *a, um,* goutteux.

Pœcile, *es,* f., le Pécile [portique d'Athènes, orné de peintures diverses].

poema, *atis,* n., **1.** poème, ouvrage de vers: *componere; condere; facere,* composer un poème || **2.** [en gén.] poésie [opposé à prose].

poematium, *ii,* n., petit poème.

pœna, *æ,* f., **1.** rançon destinée à racheter un meurtre, [d'où] compensation, réparation; vengeance, punition, châtiment, peine; *pœnam constituere,* fixer l'amende, les dommages-intérêts; *alicujus pœnas persequi,* venger qqn; *pœnas dare alicui,* subir un châtiment qui donne satisfaction à qqn, qui venge qqn; *pœnas pendere, dependere, luere, solvere,* être puni, expier; *pœnam capitis constituere, subire,* fixer, subir la peine de mort; *pœnam habere ab aliquo; aliquem pœna multare,* punir qqn || **2.** peine, tourment, souffrance.

Pœni, *orum,* m., les Carthaginois; au sing. *Pœnus* [Hannibal]; [sens collectif = les Carthaginois] || **-nus,** *a, um,* de Carthage, des Carthaginois, Africain || **Punicus,** *a, um,* punique: *fides punica,* foi punique [perfidie, mauvaise foi].

poesis, *is*, acc. *in*, f., œuvre poétique, ouvrage en vers.

poeta, *æ*, m., poète.

poetica, *æ*, f., **-tice,** *es*, f., poésie [travail du poète].

poetice *(poeticus)*, poétiquement, en poète.

poeticus, *a, um*, poétique.

poetria, *æ*, f., poétesse.

polenta, *æ*, f., polente, bouillie d'orge.

polio, *ire, ivi, itum*, tr., **1.** rendre uni, égaliser, aplanir || polir, fourbir, donner le poli à, rendre brillant || fouler, donner du lustre, calandrer || cultiver avec soin || **2.** polir, limer, orner.

Poliorcetes, *æ*, m., Démétrius Poliorcète [preneur de villes], roi de Macédoine.

polite *(politus)*, avec du fini, du poli, avec élégance.

politia, *æ*, f., la République [de Platon].

politicus, *a, um*, politique, relatif au gouvernement.

politura, *æ*, f. *(polio)*, action d'égaliser, polissage, polissure, poli || crépi.

politus, *a, um*, part-adj. de *polio*, poli, lisse, fourbi, brillant || [fig.] orné avec élégance || poli : *politior humanitas*, culture un peu raffinée || poli, limé, châtié, qui a du fini.

pollen, *inis*, n. et **pollis,** *inis*, m. f., **1.** fleur de farine, farine fine || **2.** poudre très fine.

pollens, *tis*, part.-adj. de *polleo*, puissant : *pollens vini*, [Bacchus] le seigneur (le dieu) du vin : *pollens cuncta*, tout-puissant || [avec inf.] capable de.

polleo, *ere*, intr., **1.** avoir beaucoup de pouvoir, être très puissant || **2.** ***a)*** avoir de la vertu, de l'énergie, être efficace ; ***b)*** avoir de la valeur, être estimé.

pollex, *icis*, m., pouce : *pollice verso*, avec le pouce renversé, tourné vers le sol [désapprobation ; en part., refus de gracier le gladiateur vaincu] || pouce du pied, gros orteil || [comme mesure] *digitus pollex = digitus.*

polliceor, *eri, citus sum (por = pro* et *liceor)*, tr., proposer, offrir, promettre : *alicui præsidium suum*, promettre son appui à qqn.

pollicitatio, *onis*, f., offre, proposition.

pollicitor, *ari, atus sum (polliceor)*, tr. et intr., promettre beaucoup, souvent.

pollicitum, *i*, n. *(pollicitus)*, promesse.

pollicitus, *a, um*, part. de *polliceor.*

Pollio, *onis*, m., surnom romain ; not. : Asinius Pollion, ami d'Auguste || Trebellius Pollion, un des écrivains de l'histoire Auguste.

polluceo, *ere, uxi, uctum*, tr., offrir en sacrifice, offrir.

polluctus, *a, um*, part. de *polluceo.*

polluo, *ere, ui, utum (por = pro* et *luo)*, tr., **1.** mouiller [de manière à salir], [d'où] salir, souiller || **2.** profaner, souiller.

pollutus, *a, um*, part. de *polluo* || adj., souiller, impur.

Pollux, *ucis*, m., fils de Léda, frère de Castor.

polluxi, pf. de *polluceo.*

polus, *i*, m., **1.** pôle [du monde] || le Nord || **2.** le ciel.

Polybius, *ii*, m., Polybe [historien grec, ami de Scipion l'Africain].

Polyclitus, *i*, m., Polyclète [de Sicyone, célèbre statuaire].

Polycrates, *is*, m., Polycrate [tyran de Samos].

Polyhymnia, *æ*, f., Polymnie [muse des rythmes multiples].

Polynices, *is*, m., Polynice [fils d'Œdïpe et frère d'Étéocle].

Polyphemus (-mos), *i*, m., Polyphème [géant, fils de Neptune, un des Cyclopes].

polypus, *i*, m., polype || homme rapace.

Polyxena, *æ*, f., Polyxène [fille de Priam, immolée sur le tombeau d'Achille].

pomarium, *ii*, n *(pomum)*, **1.** verger || **2.** fruiterie, fruitier.

pomarius, *a, um*, de verger || subst. m., marchand de fruits, fruitier.

pomifer, *era, erum (pomum, fero)*, qui produit des fruits, abondant en fruits.

pomœrium (pome-), *ii*, n., pomérium [espace consacré en dehors des murs de Rome, où il n'était permis ni de bâtir, ni de cultiver].

Pomona, *æ*, f., Pomone [déesse des fruits].

pompa, *æ*, f., **1.** procession [dans les solennités publiques, aux funérailles] || procession [dans les jeux du cirque, où l'on portait les images des dieux] || **2.** cortège, suite || **3.** apparat, pompe || parade.

Pompeii, *orum*, m., Pompéi [ville maritime de Campanie, ensevelie par le Vésuve en l'an 79 après J.-C.] || **-ianus,** *a, um*, de Pompéi || **-ianum,** *i*, n., maison de Pompéi [appartenant à Cicéron] || **-iani,** *orum*, m., habitants de Pompéi.

Pompeius, *i*, m., nom d'une *gens*; not. Cn. Pompée [surnommé le Grand *(Magnus)*, rival de César, vaincu à Pharsale et assassiné en Égypte] || **-ius,** *a, um*, ou **-ianus,** *a, um*, de Pompée, du parti de Pompée || **-iani,** *orum*, m., les soldats du parti de Pompée, les Pompéiens.

Pompilius, *ii*, m., nom de famille romaine; not. Numa [le second roi de Rome] || **-lius,** *a, um*, de Pompilius, des Pompilius, de la famille Pompilia.

Pomponius, *ii*, m., poète de Bologne, auteur d'Atellanes, contemporain de Lucrèce || Pomponius Atticus, ami de Cicéron.

Pomptinus (Pomt-, Pont-), *a, um*, Pontin (d'une contrée du Latium); *Pomptinus ager*, le territoire Pontin; *Pomptina palus*, ou *-tinæ paludes*, les Marais Pontins.

Pomptinum, *i*, n., territoire Pontin.

pomum, *i*, n., **1.** fruit [à pépin ou à noyau; figue, datte, noix, etc.] || **2.** arbre fruitier.

ponderatus, *a, um*, part. de *pondero*.

pondero, *are, avi, atum (pondus)*, tr., peser || mesurer, estimer, apprécier, juger: *aliquid ex aliqua re*, apprécier qqch. d'après qqch.

ponderosus, *a, um (pondus)*, pesant, lourd.

pondo, (abl. de l'inus. *pondus, i*), en poids || [s.-ent. *libra*] *pondo* = livre [et il reste invariable].

pondus, *eris*, n. *(pendo)*, **1.** poids [pour balance] || **2.** poids [en gén.]: *saxa magni ponderis*, pierres d'un grand poids, très lourdes || **3.** pesanteur || **4.** corps pesant || **5.** quantité, masse || **6.** poids, influence, autorité, importance || force [des mots, des pensées].

ponduscuIum, *i*, n. (dim. de *pondus*), faible poids.

pone *(post-ne)*, **1.** adv., en arrière, par-derrière || **2.** prép. acc., derrière.

pono, *ere, posui, positum*, tr.,
I. poser, **1.** poser [qq. part, *in* abl.]: *in fundo pedem*, poser son pied dans une propriété || **2.** [poét.] poser, étendre sur le lit funèbre || **3.** déposer: *tabulas in ærario*, déposer des tablettes aux archives || quitter [un vêtement, etc.]; *arma*, déposer les armes || poser sur la table, servir || **4.** poser, placer, disposer: *alicui custodem*, mettre un gardien à qqn; *castra*, poser son camp || **5.** [poét.] *tollere seu ponere freta*, soulever ou laisser reposer les flots || **6.** placer de l'argent || *beneficium apud aliquem*, placer un bienfait sur qqn || **7.** ***a)*** *quæstiunculam*, poser un misérable sujet de discussion; ***b)*** déposer, quitter: *dolorem*, déposer son chagrin.
II. établir, **1.** installer, ériger || **2.** ***a)*** mettre dans, faire consister dans; ***b)*** *in conspectu aliquid*, placer qqch. sous les regards, ou *ante oculos; ex altera parte... ex altera autem ponere*, mettre en regard d'une part... de l'autre; ***c)*** mettre dans, faire dépendre de: *spem in aliquo*, mettre son espoir dans qqn; [pass. fréq.] *positum esse in aliqua re*, être placé dans, dépendre de qqch.; ***d)*** mettre dans, compter comme: *aliquid in fraude*, mettre qqch. au rang des crimes; ***e)*** mettre dans, appliquer à: *curam in aliqua re*, mettre ses soins à (dans) qqch.; ***f)*** placer devant les yeux, présenter, exposer; *alicujus rei exempla*, donner des exemples de qqch.; ***g)*** établir, poser en principe, avancer, *aliquid*, qqch.; [avec prop. inf.] prétendre que.

pons, *tis*, m., **1.** pont: *pontem in Arare facere*, construire un pont sur l'Arar; *flumen ponte jungere*, jeter un pont sur un fleuve || **2.** pont volant [pour les sièges] || pont, planche pour communiquer d'un navire au rivage || étages des tours || pont de communication entre les tours || **3.** pont sur lequel passaient les électeurs pour aller voter.

Ponticum mare, n., le Pont-Euxin.

pontifex, *icis*, m., pontife: *collegium pontificum*, le collège des pontifes [prêtres surtout chargés de la jurisprudence religieuse]; *pontifex maximus*, le grand pontife [président du collège des pontifes].

pontificalis, *e (pontifex)*, de pontife, pontifical || du grand pontife.

pontificatus, *us*, m. *(pontifex)*, pontificat, dignité de pontife.

pontificius, *a, um*, de pontife, des pontifes: *pontificium jus*, le droit pontifical; *pontificii libri*, ou *pontificii* seul, livres des pontifes.

Pontius, *ii*, m., Pontius Hérennius [général des Samnites, qui fit passer les Romains sous le joug aux Fourches Caudines].

ponto, *onis*, m. *(pons)*, bateau de transport.

1. pontus, *i*, m. [mot poét.], **1.** la haute mer, la mer || *maris pontus*, l'immensité de la mer sans fond || **2.** vague énorme.

2. Pontus, *i*, m., **1.** la mer Noire, le Pont-Euxin || **2.** le Pont [contrée avoisinant la mer Noire] || **3.** le Pont [contrée au n.-e. de l'Asie Mineure, royaume de Mithridate, devenue province romaine].

popa, *æ*, m., victimaire.

popellus, *i*, m., dim. de *populus*, menu peuple, populace.

Popilius (-illius), *ii*, m., nom de famille romaine; not. Popilius Lénas [tribun militaire, qui tua Cicéron].

popina, *æ*, f. (cf. *coquina*), auberge, taverne, cabaret.

poples, *itis*, m., **1.** jarret || **2.** genou: *duplicato poplite*, en pliant le genou.

poposci, pf. de *posco*.

populabilis, *e (populor)*, qui peut être ravagé.

populabundus, *a, um (populor)*, ravageur, dévastateur.

popularia, *ium*, n. *(popularis)*, place des plébéiens dans l'amphithéâtre.

popularis, *e*,
I. 1. qui a trait au peuple, qui émane du peuple, fait pour le peuple || **2.** aimé du peuple, agréable au peuple: *consul popularis*, consul populaire || **3.** dévoué au peuple: *consul popularis*, consul dévoué au peuple || [subst.] *populares*, partisans du peuple.
II. 1. qui est du pays, indigène || **2.** du même pays, compatriote || [subst.] *tuus popularis*, ton compatriote || **3.** partenaire, associé, compagnon || *populares sceleris, conjurationis*, les complices du crime, de la conjuration.

popularitas, *atis*, f. *(popularis)*, **1.** recherche de la faveur du peuple || **2.** lien qui unit les compatriotes.

populariter *(popularis)*, **1.** à la manière du peuple, communément || en langage commun, pour la foule || **2.** de manière à gagner la faveur populaire, en démagogue || par action démagogique, séditieuse.

populatio, *onis*, f. *(populor)*, **1.** ravages [des troupes]; déprédation, dégât || **2.** butin, dépouilles || **3.** corruption, ruine, destruction.

populator, *oris*, m. *(populor)*, ravageur, dévastateur.

populatus, *a, um*, part. de *populor*.

populetum, *i*, n. *(populus 2)*, lieu planté de peupliers.

populeus, *a, um (populus)*, de peuplier.

populifer, *era, erum*, qui abonde en peupliers.

populiscitum, et mieux **populi scitum,** *i*, n., décret du peuple.

populo, *are, avi, atum (populus)*, tr., **1.** dépeupler || **2.** ravager, dévaster, porter le ravage dans || [pass.] *populata provincia*, province ravagée || **3.** [fig.] détruire.

populor, *ari, atus sum*, tr., ravager || détruire, ruiner.

1. populus, *i*, m., **1.** peuple [habitants d'un État constitué ou d'une ville]: *populus Romanus*, le peuple romain || **2.** [à Rome] le peuple [opposé au sénat]: *senatus populusque Romanus*, le sénat et le peuple romain [= les deux organes essentiels de l'État; abrév. *S. P. Q. R.*] || le peuple [ensemble des citoyens de tout ordre opposé à *plebs*, plèbe, comme le tout à la partie] || **3.** les gens, le monde || le public.

2. populus, *i*, f., peuplier.

porca, *æ*, f. *(porcus)*, **1.** truie || [poét.] porc || **2.** partie proéminente du sillon.

porcellus, *i*, m. *(porcus)*, petit porc, porcelet || marcassin.

porcinus, *a, um (porcus)*, de porc.

Porcius, *ii*, m., nom de famille romaine; not.: M. Porcius Cato [dit le Censeur, ou l'Ancien, *Major*] || Caton le Jeune ou Caton d'Utique [contemporain de Cicéron, qui se tua à Utique].

porculus, *i*, m., dim. de *porcus*, petit cochon, cochon de lait, jeune porc.

porcus, *i*, m., porc, cochon, pourceau || **2.** *porcus marinus* et *porcus*, marsouin.

porrectio, *onis*, f. *(porrigo)*, allongement, ligne droite.

1. porrectus, *a, um*, part. de *porricio*.

2. porrectus, *a, um*, **1.** part. de *porrigo* || **2.** pris adj., large, étendu: *in porrectum*, en étendue.

porrexi, pf. de *porrigo*.

porricio, *ere, ectum (por = pro* et *jacio)*, tr., offrir en sacrifice.

1. porrigo, *inis*, f., teigne.

2. porrigo, *ere, rexi, rectum (por = pro* et *rego)*, tr., **1.** diriger en avant, étendre: *manus in cælum*, étendre ses mains vers le ciel || [fig.] tendre ses mains, *ad aliquid*, pour s'emparer de qqch. || **2.** étendre, étirer, allonger || **3.** [poét.] étendre à terre: *hostem*, étendre un ennemi sur le sol, d'où *porrectus*, étendu, couché || **4.** tendre, présenter, offrir: *dextram alicui*, tendre la main à qqn || *præsidium alicui*, offrir une protection à qqn.

porro, adv. **1.** [sens local] en avant, plus loin, au loin || **2.** [temporel] plus loin, plus tard, à l'avenir || **3.** [rapports logiques]: ***a)*** en continuant [à la suite] || de proche en proche || *perge porro*, continue plus avant; ***b)*** [dans une énumération] en plus, en outre; [presque synonyme de «enfin»]; [analogue à *autem*] d'autre part || [dans une gradation] d'ailleurs, au surplus, allons plus loin : *age porro*, eh bien ! soit, continuons.

porrum, *i*, n., et **porrus,** *i*, m., au pl. toujours **porri,** *orum*, m., poireau.

Porsena (-sena, -sina, senna, sinna), *æ*, m., roi de Clusium [Étrurie], fit la guerre à Rome pour rétablir les Tarquins.

porta, *æ*, f., **1.** porte [de ville, de camp, de temple, de maison, d'appartement] || **2.** ouverture, issue || défilé, gorge, pas, v. *Portæ*.

Portæ, *arum*, f., sert souvent à désigner un défilé (c. *pylæ*).

portatio, *onis*, f. *(porto)*, port, transport.

portatus, *a, um*, part. de *porto*.

portendo, *di, tum, ere (por = pro* et *tendo)*, tr., présager, annoncer, pronostiquer, prédire [t. religieux].

portentose, d'une manière bizarre, étrange.

portentosus, *a, um (portentum)*, qui tient du prodige, merveilleux, prodigieux, monstrueux.

portentum, *i*, n. *(portendo)*, **1.** présage, pronostic, prodige, signe miraculeux || **2.** monstruosité, miracle, merveille || monstre || **3.** fait monstrueux, prodigieux.

portentus, *a, um*, part. de *portendo*.

porticula, *æ*, f. *(porticus)*, petit portique.

porticus, *us*, f. *(porta)*, **1.** portique, galerie (passage couvert) à colonnes || portique [où se trouvait le tribunal du préteur] || **2.** galerie couverte [pour la guerre de siège] || toit, auvent, abri.

portio, *onis*, f. (cf. *pars*), **1.** part, portion || **2.** *pro rata portione ; pro sua portione, pro virili portione*, pour sa part || **3.** proportion, rapport : *portione*, proportionnellement, ou *ad portionem, ad suam quisque portionem*, chacun proportionnellement || *pro portione ; pro portione alicujus rei*, proportionnellement ; proportionnellement à qqch.

1. portitor, *oris*, m. *(portus)*, receveur du péage, douanier d'un port.

2. portitor, *oris*, m. *(porto)*, batelier || le nocher des enfers.

porto, *are, avi, atum*, tr., porter, transporter.

portorium, *ii*, n. *(portus* ou *porto)*, péage d'un port, droit d'entrée et de sortie (douane) ; *portorium locare*, mettre en adjudication les droits de péage d'un port || péage [en gén.], droits.

portula, *æ*, f., dim. de *porta*, petite porte.

portulaca, *æ*, f., cloporte.

portuosus, *a, um (portus)*, qui a beaucoup de ports || qui trouve un port.

portus, *us*, m. (cf. *porta*), [sens premier] ouverture, passage, cf. *angiportus*, **1.** port : *portu solvere*, mettre à la voile, appareiller ; [fig.] asile, refuge, retraite || **2.** [poét.] bouches [d'un fleuve].

posco, *ere, poposci*, tr., **1.** demander, réclamer, exiger, revendiquer [comme un droit ou une chose due] || [avec 2 acc.] *parentes pretium pro sepultura liberum*, réclamer aux pères un paiement pour la sépulture de leurs enfants || *ab aliquo munus*, réclamer de qqn une tâche || [avec *ut*] || [avec prop. inf., poét.] || **2.** réclamer qqn en justice || **3.** [poét.] réclamer, appeler || **4.** demander.

positio, *onis*, f. *(pono)*, **1.** action de mettre en place, de planter, de greffer || **2.** position, situation, place.

positor, *oris*, m. *(pono)*, fondateur.

positura, *æ*, f. *(pono)*, position, disposition, arrangement.

1. positus, *a, um*, part. de *pono*.

2. positus, *us*, m., position, situation, place.

possedi, pf. de *possideo* et de *possido*.

possessio, *onis*, f. *(possideo)*, possession, jouissance, propriété || au pl., propriétés, domaines, biens, fortune.

possessiuncula, *æ*, f., dim. de *possessio*, petite propriété, petit bien.

possessor, *oris*, m. *(possideo)*, possesseur, propriétaire || défendeur [t. de droit].

possessus, *a, um*, part. de *possideo* et *possido*.

possideo, *ere, sedi, sessum (sedeo)*, tr., avoir en sa possession, être possesseur, posséder.

possido, *ere, sedi, sessum (sido)*, tr., **1.** prendre possession de, se rendre maître de || **2.** s'emparer de.

possum, *posse, potui (pot-sum*, cf. *potis, pote)*, **1.** pouvoir, être capable de ; [avec inf.] *non possum te non accusare*, je ne puis m'empêcher de t'accuser ; *non possum facere quin*, je ne puis m'empêcher de, ou *non possum quin* || *fieri potest ut*, il peut arriver que || [parenthèses] : *quantum, quoad possum*, autant que, dans la mesure où je le puis || *ut diligentissime potui*, le plus consciencieusement que j'ai pu || **2.** avoir du pouvoir, de l'influence, de l'efficacité; [avec pron. n. comme complément]: *unus potest omnia*, un seul a tout le pouvoir, est tout-puissant.

post, adv. et prép.,
I. adv., **1.** [sens local] en arrière, derrière || **2.** [temporel] après, ensuite; *multis post annis*, plusieurs années après; *paulo post, post paulo*, peu après.
II. prép. acc., **1.** [sens local] derrière: *post urbem*, derrière la ville || [fig.] [classement]; *post hunc*, après lui || **2.** [temporel] après, depuis: *post urbem conditam*, depuis la fondation de la ville || *post diem tertium... quam dixerat*, trois jours après qu'il avait prononcé ces paroles.

postea, adv., ensuite, après, puis.

posteaquam, conj., après que.

posterior, *us, oris*, compar. de *posterus*, **1.** postérieur, de derrière: *pedes priores, posteriores*, pieds de devant, de derrière || **2.** le dernier [opp. à *prior, superior*] || qui vient en second lieu, postérieur || **3.** [fig.] plus au-dessous, inférieur.

posteritas, *atis*, f. *(posterus)*, l'avenir || postérité.

posterius, adv., plus tard.

posterus [inus.], *a, um*, qui est après, suivant: *postero die mane*, le lendemain matin; *postera sæcula*, les siècles à venir; *in posterum*, pour l'avenir, pour la suite || **posteri,** *orum*, m., les descendants.

postfero, *ferre, fers*, tr., placer après, mettre au second rang, estimer moins.

postfuturus, *a, um*, qui viendra après, futur || *postfuturi*, m. pl., ceux qui doivent naître, qui ne sont pas encore nés.

postgenitus, *a, um*, né après || *postgeniti*, m. pl., les descendants, la postérité.

posthabeo, *ere, ui, itum*, tr., placer en seconde ligne, estimer moins.

posthac, adv., désormais, dorénavant, à l'avenir.

posthæc ou **post hæc,** ensuite, après cela.

posticum, *i*, n. *(posticus)*, le derrière [d'un édifice] || porte de derrière.

posticus, *a, um (post)*, de derrière.

postilio, *onis*, f. *(postulo)*, revendication par une divinité d'un sacrifice qui lui est dû; [d'où] satisfaction, expiation.

postis, *is*, m., **1.** jambage de porte || **2.** pl., porte.

postlatus, *a, um*, part. de *postfero*.

postliminium, *ii*, n. *(post, limen)*, retour, rentrée dans la patrie || **postliminio,** par l'effet du droit de rentrée, en vertu du *postliminium*.

postmeridianus et **posm-,** *a, um*, qui a lieu l'après-midi.

postmodo, adv., bientôt après, dans la suite, par la suite, un jour.

postmodum, adv., c. le précédent.

postpono, *ere, posui, positum*, tr., placer après = en seconde ligne, mettre au-dessous de, faire moins de cas de: *omnibus rebus postpositis*, laissant tout au second plan || *aliquid alicui rei*, sacrifier qqch. à qqch.

postquam, conj., après que || [avec impf. ind.] = comme.

postremo *(postremus)*, adv., enfin, après tout, en définitive || en dernier lieu.

postremum *(postremus)*, adv., pour la dernière fois.

postremus, *a, um*, sup. de *posterus*, le plus en arrière, le dernier [de plusieurs] || le dernier: *homines postremi*, les derniers des hommes.

postrīdie, adv. *(postero die)*, le lendemain; *postridie ejus diei*, le lendemain de ce jour.

postulatio, *onis*, f. *(postulo)*, **1.** demande, sollicitation, requête || **2.** réclamation, plainte || **3.** demande d'autorisation de poursuite, poursuite en justice.

postulator, *oris*, m. *(postulo)*, celui qui réclame justice, plaignant.

postulatum, *i*, n. *(postulo)*, demande, prétention [d'ordin. au pl.].

1. postulatus, *a, um*, part. de *postulo*.

2. postulatus, abl. *u*, m., demande en justice, plainte.

postulo, *are, avi, atum (posco)*, tr., **1.** demander (souhaiter): *quidvis ab amico*, demander n'importe quoi à un ami || [absol.] *de aliqua re postulare*, faire une demande au sujet de qqch.; *ab aliquo de aliqua re*, faire une demande à qqn sur qqch. || [avec deux acc.] *hæc prætorem postulabas*, tu demandais cela au préteur || [avec *ut*] demander que, [avec *ne* et *ut ne*] que ne pas || [avec subj. seul] || [avec inf. ou prop. inf.] demander de (à), vouloir, aspirer à, prétendre || **2.** demander en justice; poursuivre, *aliquem* qqn; *de pecuniis repetundis*, poursuivre qqn pour concussion, ou *repetundarum*, ou *repetundis*.

1. postumus, *a, um (post)*, le dernier.

2. postumus, *i*, m., enfant posthume.

posui, pf. de *pono.*

potatio, *onis (poto),* f., action de boire.

potaturus, *a, um,* part. fut. de *poto.*

potatus, *a, um,* part. de *poto.*

potens, *tis (poteo, potis,* cf. *possum),* **1.** qui peut, puissant, influent: *duo potentissimi reges,* les deux plus puissants rois || [pris subst.] *potentes,* les puissants || **2.** maître, souverain || [poét.] qui est en possession de: *voti,* qui a son vœu exaucé || **3.** capable de : *regni,* capable de régner.

potentatus, *us,* m. *(potens),* primauté, hégémonie d'un peuple.

potenter *(potens),* adv., puissamment, avec force, avec efficacité || selon ses forces.

potentia, *æ,* f. *(potens),* **1.** puissance, force, action, efficacité || **2.** puissance [politique], pouvoir, autorité, crédit, influence.

potestas, *atis,* f. *(pot-, potis, pote),* **1.** [en gén.] puissance, pouvoir: ***a)*** *alicujus,* de qqn: *tua potestas erat, ne,* tu avais le pouvoir d'empêcher que; *non est in nostra potestate, quin,* nous ne pouvons empêcher que: ***b)*** *alicujus rei,* pouvoir sur qqch.: *vitæ necisque potestatem in aliquem habere,* avoir droit de vie et de mort sur qqn; ***c)*** pouvoir, propriété (vertu) d'une chose: *potestates herbarum,* les vertus des plantes || signification, valeur d'un mot || **2.** pouvoir d'un magistrat [et en part. des magistratures inférieures, opp. à *imperium*]: *sacrosancta,* la puissance inviolable [tribuns de la plèbe et édiles plébéiens] || **3.** pouvoir, faculté, possibilité, occasion de faire qqch. || *potestas est* avec inf., il est possible de.

potio, *onis,* f. *(poto),* **1.** action de boire || **2.** boisson, breuvage.

1. potior, *iri, itus sum (potis),* tr. et intr., **1.** prendre en son pouvoir, se rendre maître de, s'emparer de: ***a)*** emploi transitif avec l'adj. verbal: *spes potiundi oppidi, potiundorum castrorum,* l'espoir de s'emparer de la place, du camp; ***b)*** intr. [avec abl.]: *imperio,* s'emparer du pouvoir || **2.** être en possession de, être maître de || [avec gén. dans l'expr.] *potiri rerum,* être maître des choses = avoir la suprématie, la souveraineté, le pouvoir.

2. potior, *ius, oris,* compar. de *potis,* **1.** meilleur, préférable: *aliquam rem potiorem habere, ducere,* trouver qqch. préférable || **2.** de plus de prix, plus estimable, supérieur.

potis, *e,* adj., arch. (compl. *potior,* superl. *potissimus*), d'ordin. indéclinable; *potis est = potest: potin ut,* est-il possible que; *quantum pote,* autant que possible.

potissimum *(potissimus),* adv., principalement, par-dessus tout, de préférence.

potissimus, *a, um,* superl. de *potis,* le principal, le plus important, l'essentiel.

potitus, *a, um,* part. de *potior.*

potius *(potior, potis),* adv., plutôt, de préférence || [avec *quam*] *potius... quam,* ou *potiusquam,* plutôt que [jouant le rôle de conj. avec subj.] || qqf. *potius quam ut* subj.

poto, *are, avi, atum* et *potum,* tr., boire: *sanguine poto,* le sang ayant été bu.

potor, *oris,* m., [poét.] buveur.

potorium, *ii,* n. *(potorius),* vase à boire [coupe].

potorius, *a, um (potor),* qui sert pour boire.

potrix, *icis,* f. *(potor),* buveuse (ivrognesse).

potui, pf. de *possum.*

potulentus, *a, um (potus),* bon à boire || **-tum,** *i,* n., ce qui se boit; *potulenta,* les boissons.

1. potus, *a, um,* **1.** part. de *poto* || **2.** qui a bu, ivre.

2. potus, *us,* m., **1.** action de boire || **2.** boisson, breuvage.

præ, prép. abl. **1.** devant, en avant || *præ se ferre,* montrer ostensiblement, étaler, produire au grand jour || **2.** au regard de, en comparaison de: *tu præ nobis beatus es,* toi, tu es heureux au regard de moi || **3.** en raison de [dans les phrases négatives ou de sens négatif]: *nec loqui præ mærore potuit,* il ne put parler à cause de sa douleur.

præacutus, *a, um,* pointu par le bout, qui se termine en pointe.

præaltus, *a, um,* très haut || très profond.

præbeo, *ere, ui, itum (præhibeo, præhabeo),* tr., **1.** présenter, porter en avant, tendre || **2.** [fig.] ***a)*** montrer, faire voir || surtout *se præbere* avec attribut, se montrer tel ou tel: *se severum,* se montrer sévère; ***b)*** présenter, offrir, fournir; ***c)*** faire naître, causer: *opinionem timoris,* donner l'impression de la crainte.

præbibo, *ere, bibi,* tr., boire auparavant || boire à la santé (*alicui,* de qqn).

præbitor, *oris,* m. *(præbeo),* fournisseur.

præbitus, *a, um,* part. de *præbeo* ||

-ta, *orum*, n., fourniture des choses nécessaires à la vie, l'entretien.

præbui, pf. de *præbeo.*

præcalidus, *a, um*, très chaud, très bouillant.

præcautus, *a, um*, part. de *præcaveo.*

præcaveo, *ere, cavi, cautum*, **1.** tr., empêcher par des mesures préventives || **2.** intr., se tenir sur ses gardes, se garder de, prendre ses précautions || [avec *ne*] prendre des mesures pour empêcher que.

præcecini, pf. de *præcino.*

præcedo, *ere, cessi, cessum*, **1.** tr., marcher devant, précéder, devancer || [fig.] l'emporter sur, être supérieur à || **2.** intr., précéder, ouvrir la marche.

præcellens, *tis*, part.-adj. de *præcello*, éminent, qui excelle, distingué, rare, extraordinaire.

præcello, *ere*, **1.** intr., exceller, être supérieur || **2.** tr., surpasser.

præcelsus, *a, um*, très élevé, très haut.

præcentio, *onis*, f. *(præcino)*, prélude.

præcento, *are (præ, canto)*, intr., réciter une formule magique préventive [*alicui*, à qqn].

præcepi, pf. de *præcipio.*

præceps, *cipitis (præ* et *caput)*,
I. adj. **1.** la tête en avant, la tête la première: *aliquem præcipitem dejicere*, jeter qqn en bas la tête la première || **2.** précipité || [fig.] qui se précipite, rapide || **3.** penché, [ou] qui se penche vers: *præcipiti jam die*, le jour étant déjà sur son déclin || [fig.] porté à || **4.** en déclivité, en pente rapide, escarpé || **5.** précipité, emporté violemment || [d'où] ***a)*** précipité à l'abîme; ***b)*** qui se précipite tête baissée, aveugle, inconsidéré.
II. n. pris subst., précipice, abîme: *in præceps dare; agere*, pousser à l'abîme; *turris stans in præcipiti*, tour dressée au bord de l'abîme.
III. adv., au fond, dans l'abîme: *aliquem præceps trahere*, entraîner dans sa chute qqn.

præceptio, *onis*, f. *(præcipio)*, action de donner des préceptes, enseignement.

præceptor, *oris*, m. *(præcipio)*, celui qui donne un ordre, qui commande || celui qui enseigne, maître.

præceptrix, *icis*, f. *(præceptor)*, celle qui enseigne, maîtresse.

præceptum, *i*, n. *(præcipio)*, précepte, leçon, règle || ordre, commandement, avis, instruction, prescription, recommandation.

præceptus, *a, um*, part. de *præcipio.*

præcerpo, *ere, psi, ptum (præ carpo)*, tr., **1.** cueillir avant le temps || **2.** arracher en avant, prélever en arrachant || extraire, faire des extraits de.

præcerptus, *a, um*, part. de *præcerpo.*

præcessi, pf. de *præcedo.*

præcidaneus, *a, um (præ, cædo)*, précidané, préalablement immolé [en parl. de victimes].

præcido, *ere, cidi, cisum (præ, cædo)*, tr., **1.** couper par-devant, couper, trancher, tailler || **2.** couper court: *præcide*, abrège || **3.** couper, retrancher, ôter || **4.** séparer en tranches.

præcinctus, *a, um*, part. de *præcingo.*

præcingo, *ere, nxi, nctum*, tr., **1.** ceindre || **2.** entourer.

præcino, *ere, cecini (cinui), (præ, cano)*, **1.** intr., résonner devant, jouer [d'un instrument] devant, à ou pour || **2.** tr., prédire.

præcinxi, pf. de *præcingo.*

præcipio, *ere, cepi, ceptum (præ* et *capio)*, tr., **1.** prendre avant, prendre le premier || **2.** [fig.] *animo victoriam*, se figurer d'avance la victoire || **3.** recommander, conseiller, donner des instructions, des conseils, prescrire || [avec *ut*] recommander de; [avec *ne*] recommander de ne pas || [avec prop. inf. au pass.] || **4.** donner des leçons, des préceptes, enseigner.

præcipitatio, *onis*, f., chute.

præcipitatus, *a, um*, part. de *præcipito.*

præcipito, *are, avi, atum (præceps)*, tr. et intr.,
I. tr., **1.** précipiter: *se e Leucata, se in flumen*, se précipiter dans le fleuve || pass. *præcipitari*, se précipiter || jeter en bas || **2.** faire retomber, abaisser, courber [la vigne, une plante] || **3.** précipiter, hâter || jeter au loin, écarter: *omnes moras*, supprimer tous les délais || [avec inf.] presser de, pousser vivement à.
II. intr., **1.** tomber, se précipiter || **2.** tirer à sa fin: *sol præcipitans*, le soleil à son déclin || **3.** [fig.] tomber, aller à sa ruine || dégringoler, tomber, faire une chute = se tromper || aller donner dans, tomber dans.

præcipue *(præcipuus)*, adv., au premier chef, surtout, principalement, en particulier.

præcipuus, *a, um (præ* et *capio),* **1.** particulier, spécial || **2.** particulier, devançant tout le reste, supérieur : *aliquem præcipuo honore habere,* honorer qqn plus que tous les autres || [pris subst.] : *præcipui, orum,* m., les premiers || *præcipua, orum,* n., les principales choses, le principal.

præcise *(præcisus),* adv., **1.** en peu de mots, brièvement || **2.** de façon tranchante, catégorique.

præcisus, *a, um,* part.-adj. de *præcido,* coupé à pic, abrupt, escarpé || coupé, abrégé || tronqué.

præclare, adv., **1.** très clairement, très nettement || **2.** excellemment, remarquablement, supérieurement, à merveille.

præclarus, *a, um,* **1.** très clair, lumineux, brillant, étincelant || **2.** brillant, remarquable : *nihil præclarius,* rien de plus admirable.

præcludo, *ere, si, sum,* tr., fermer [devant qqn, à qqn], barrer, boucher, obstruer || [fig.] fermer, interdire, empêcher.

præclusus, *a, um,* part. de *præcludo.*

præco, *onis,* m., crieur public, héraut : *per præconem vendere,* vendre à l'encan, à la criée || panégyriste, chantre.

præcoctus, *a, um,* part. de *præcoquo.*

præcogito, *are, avi, atum,* tr., penser d'avance à || préméditer.

præcognosco, *ere,* tr., connaître d'avance.

præcolo, *ere, ui, cultum,* tr., cultiver, préparer par avance || [fig.] courtiser par avance.

præconium, *ii,* n. *(præco),* **1.** office de crieur public || **2.** [fig.] publication, annonce, proclamation || éloge, louange, apologie, panégyrique.

præconius, *a, um (præco),* de crieur.

præconsumo, *ere, sumptum,* tr., épuiser d'avance [fig.].

præcoquo, *ere, coxi, coctum,* tr., hâter la maturité de || mûrir complètement.

præcordia, *orum,* n. *(præ, cor),* **1.** diaphragme [en t. d'anatomie] || **2.** viscères, entrailles || **3.** [poét.] poitrine, sein || [fig.] cœur, esprit, sentiments.

præcox, *ocis (præcoquo),* **1.** précoce || **2.** hâtif, prématuré.

præcoxi, pf. de *præcoquo.*

præcucurri, pf. de *præcurro.*

præcultus, *a, um (præ, colo),* prédisposé, préparé.

præcurro, *ere, curri* et *cucurri, cursum,* **1.** intr., courir devant, aller en avant promptement || précéder, devancer || *alicui,* l'emporter sur qqn, le surpasser || **2.** tr., précéder, devancer, prévenir || surpasser, l'emporter sur.

præcursio, *onis,* f., **1.** action de devancer, de précéder || **2.** préparation || premier engagement, escarmouche.

præcursor, *oris,* m., **1.** celui qui court devant, qui précède || **2.** éclaireur || fourrier, émissaire, agent.

præcursorius, *a, um,* envoyé en avant, qui précède.

1. præcursus, *a, um,* part. de *præcurro.*

2. præcursus, abl. *u,* m., action de devancer.

præcutio, *ere, cussi, cussum (præ, quatio),* tr., secouer devant soi, agiter.

præda, *æ,* f., **1.** proie [de guerre], butin, dépouilles : *prædam facere,* faire du butin || [en gén.] butin, vol, rapine || **2.** ***a)*** proie, prise faite à la chasse ou à la pêche ; ***b)*** proie, pâture des animaux ; ***c)*** gain, profit.

prædabundus, *a, um,* qui exerce le pillage.

prædamno, *are, avi, atum,* tr., condamner préalablement, d'avance.

prædatio, *onis,* f. *(prædor),* pillage, brigandage.

prædator, *oris,* subst. et adj. m. *(prædor),* pillard, voleur, brigand.

prædatorius, *a, um (prædator),* de pillards || de pirate.

prædatrix, *icis,* f., celle qui dérobe, qui ravit || adj., rapace.

prædatus, *a, um,* part. de *prædor.*

prædensus, *a, um,* très dru, très dense.

prædestino, *are, avi, atum,* tr., réserver par avance, destiner.

prædiator, *oris,* m. *(prædium),* acquéreur de fermes vendues à la criée, adjudicataire.

prædicabilis, *e (prædico 1),* qui mérite d'être publié, vanté.

prædicatio, *onis,* f. *(prædico 1),* **1.** action de crier [en public], publication, proclamation || **2.** action de vanter, apologie.

prædicatus, *a, um,* part. de *prædico 1.*

1. prædico, *are, avi, atum,* tr., **1.** dire à la face du public, proclamer, publier [en parl. du *præco,* crieur public] || dire devant tout le monde || [avec prop. inf.] publier que, proclamer que || **2.** vanter, célébrer, prôner.

2. prædico, *ere, dixi, dictum,* tr.,

1. dire d'avance, dire préalablement, commencer par dire || [d'où] *prædictus, a, um*, mentionné précédemment, précité || **2.** prédire || [avec prop. inf.] prédire que || **3.** fixer d'avance, ***a)*** fixer, déterminer; ***b)*** [avec *ut*] notifier, signifier, enjoindre que; *prædicere, ne*, ordonner de ne pas.

prædictio, *onis*, f., action de prédire || prédiction.

prædictum, *i*, n. *(prædictus)*, **1.** chose arrêtée, convention || **2.** prédiction || **3.** ordre, commandement.

prædidici, pf. de *prædico*.

prædictus, *a, um*, part. de *prædico 2*.

prædiolum, *i*, n. *(prædium)*, petite métairie, petit bien.

prædisco, *ere, didici*, tr., apprendre à l'avance, savoir d'avance.

præditus, *a, um (præ* et *do)*, [avec abl.] muni devant soi, portant devant soi, ayant || gratifié de, doté de, pourvu de, doué de: *præditus animo et sensibus*, pourvu d'une âme et de sens.

prædium, *ii*, n. *(præs)*, propriété, bien de campagne, biens-fonds, domaine.

prædives, *itis*, très opulent, très riche.

prædivinatio, *onis*, f., pressentiment, prévision.

prædivino, *are, avi*, tr., pressentir, prévoir, deviner.

prædivinus, *a, um*, prophétique.

prædixi, pf. de *prædico*.

prædo, *onis*, m. *(præda)*, faiseur de butin, auteur de razzias, pillard, pirate, corsaire || pilleur, voleur.

prædoceo, *ere, doctum*, tr., instruire d'avance.

prædomo, *are, domui*, tr., surmonter d'avance.

prædor, *ari, atus sum (præda)*, **1.** intr., faire du butin, se livrer au pillage || **2.** tr., piller, voler.

præduco, *ere, xi, ctum*, tr., tirer devant, mener en face de.

præductus, *a, um*, part. de *præduco*.

prædulcis, *e*, **1.** très doux [au goût] || *prædulcia, ium*, n., les douceurs || **2.** [fig.] très agréable.

præduratus, *a, um*, part. de *præduro*.

præduro, *are, avi, atum*, tr., durcir.

prædurus, *a, um*, **1.** très dur || **2.** endurci, résistant, vigoureux.

præduxi, pf. de *præduco*.

præemineo (præm-), *ere*, **1.** intr., être élevé au-dessus, être proéminent || **2.** tr., dépasser: *ceteros*, l'emporter sur tous les autres.

præeo, *ire, ivi* ou *ii, itum*, intr. et tr., **I.** intr., **1.** aller devant, précéder [dat.] || **2.** [fig.] guider.
II. tr., **1.** précéder: *aliquem*, marcher devant qqn || **2.** dire le premier à qqn une formule qu'il répétera || [absol.] *præire alicui*, ou *præire* seul, dicter la formule || **3.** [d'où en gén.] dicter || prescrire, dicter des instructions.

præfatio, *onis*, f. *(præfor)*, **1.** action de parler d'abord de || **2.** ce qui se dit d'abord: ***a)*** formule préliminaire; ***b)*** préambule, avant-propos, exorde, préface.

præfatus, *a, um*, part. de *præfor*.

præfeci, pf. de *præficio*.

præfectura, *æ*, f., **1.** charge de directeur, de préposé à la direction; administration, gouvernement, commandement || **2.** dignité de préfet || [sous l'empire] administration d'une province || **3.** ***a)*** préfecture, ville italienne administrée par un préfet envoyé de Rome; ***b)*** territoire d'une préfecture, district, province.

1. præfectus, *a, um*, part. de *præficio*.

2. præfectus, *i*, m., homme qui est à la tête d'une chose; gouverneur, intendant, administrateur, chef: *ærarii* ou *ærario*, intendant du trésor || *classis*, commandant d'une flotte, amiral; *equitum*, ou *præfectus* seul, commandant de contingents de cavalerie, ou chef de la cavalerie.

præfero, *ferre, tuli, latum*, tr., **1.** porter en avant, porter devant || **2.** pass. *præferri*, se porter en avant ou devant || **3.** [fig.] porter en avant: ***a)*** présenter, offrir; ***b)*** montrer, faire voir, manifester || **4.** porter avant: ***a)*** préférer, *aliquem alicui*, préférer un tel à un tel; *pecuniam amicitiæ*, mettre l'argent avant l'amitié; *se præferre alicui*, se mettre avant qqn; ***b)*** avancer.

præferox, *ocis*, très farouche [de caractère] || plein d'arrogance.

præferratus, *a, um*, ferré, garni de fer || ferré par le bout, à pointe de fer.

præfervidus, *a, um*, très chaud, torride || [fig.] très violent, bouillant.

præfestino, *are, avi, atum*, **1.** intr., se presser vivement [avec inf.] || **2.** tr., *sinum*, traverser rapidement un golfe.

præfica, *æ*, f. *(præficio)*, pleureuse.

præficio, *ere, feci, fectum (præ, facio)*, tr., préposer, mettre à la tête de, établir comme chef *(aliquem alicui rei)*; *aliquem bello gerendo*, confier la direction de la guerre à qqn.

præfidens, *tis*, qui a une très grande confiance.

præfigo, *ere, ixi, ixum,* tr., **1.** ficher (planter, enfoncer) au bout ou par-devant || attacher (fixer) au bout ou en avant || boucher, obturer || **2.** garnir en avant || [surtout au part.] *præfixus,* muni à l'extrémité.

præfinio, *ire, ivi* ou *ii,* tr., déterminer d'avance, fixer par avance.

præfinitus, *a, um,* part. de *præfinio.*

præfixi, pf. de *præfigo.*

præfixus, *a, um,* part. de *præfigo.*

præfloratus, *a, um,* part. de *præfloro.*

præfloreo, *ere, florui,* intr., fleurir hâtivement.

præfloro, *are, avi, atum,* tr., [fig.] faner avant le temps, ternir, amoindrir.

præfluo, *ere,* **1.** intr., couler par-devant || **2.** tr., couler devant, arroser.

præfluus, *a, um,* qui coule devant.

præfodio, *ere, fodi, fossum,* tr., creuser devant || creuser auparavant || enfouir auparavant.

præfor [inus.], *ari, præfatus sum,* tr., **1.** dire avant [t. relig.] || **2.** dire en commençant || [avec prop. inf.] commencer par dire que || dire comme préface || **3.** dire d'avance, préalablement.

præformatus, *a, um,* part. de *præformo.*

præformo, *are, avi, atum,* tr., former préalablement || tracer, esquisser.

præfossus, *a, um,* part. de *præfodio.*

præfracte *(præfractus),* inflexiblement, avec obstination, opiniâtreté.

præfractus, *a, um,* part.-adj. de *præfringo* || opiniâtre, obstiné, sévère, inflexible.

præfrigidus, *a, um,* très froid.

præfringo, *ere, fregi, fractum (præ, frango),* tr., briser par le bout, briser || émousser.

præfui, pf. de *præsum.*

præfulgeo, *ere, fulsi,* intr., briller en avant || briller en vedette, se faire remarquer.

præfulsi, pf. de *præfulgeo.*

prægelidus, *a, um,* très froid, glacial.

prægermino, *are,* intr., germer hâtivement.

prægestio, *ire,* intr., désirer vivement [suivi de l'inf.].

prægnans, *tis,* qui est près de produire.

prægracilis, *e,* très grêle, très fluet.

prægrandis, *e,* énorme, colossal.

prægravis, *e,* **1.** très lourd || alourdi, chargé de || **2.** [fig.] pesant, pénible, incommode.

prægravo, *are, avi, atum,* **1.** tr., surcharger || dépasser en poids || [fig.] éclipser, écraser || **2.** intr., être prépondérant, l'emporter.

prægredior, *gredi, gressus sum (præ, gradior),* **1.** intr., marcher devant, précéder, devancer [absol. ou datif] || **2.** tr., *aliquem,* précéder qqn || dépasser.

prægressio, *onis,* f., action de précéder.

1. prægressus, *a, um,* part. de *prægredior.*

2. prægressus, *us,* m., action de précéder.

prægustator, *oris,* m., esclave chargé de goûter préalablement les mets [dégustateur] || [fig.] celui qui a les prémices de.

prægusto, *are, avi, atum,* tr., goûter le premier ou préalablement.

præiens, *euntis,* part. de *præeo,* v. ce mot.

præjaceo, *ere, ui,* **1.** intr., être situé devant [avec dat.] || **2.** tr., *castra,* s'étendre devant le camp.

præjacio, *ere, jactum,* tr., jeter en avant.

præjudicatum, *i,* n., chose jugée d'avance || [fig.] préjugé, prévention.

præjudicatus, *a, um,* part.-adj. de *præjudico,* préjugé.

præjudicium, *ii,* n., **1.** jugement préalable, décision antérieure || **2.** action de préjuger, de présumer || précédent || **3.** préjudice.

præjudico, *are, avi, atum,* tr., juger préalablement, en premier ressort.

præjuvo, *are, juvi,* tr., aider auparavant.

prælabor, *labi, lapsus sum,* tr., **1.** glisser devant, passer rapidement devant ou le long de, raser || **2.** devancer en se glissant.

prælambo, *ere,* tr., déguster (goûter) auparavant.

prælapsus, *a, um,* part. de *prælabor.*

prælatus, *a, um,* part. de *præfero.*

prælectio, *onis,* f. *(prælego),* explications préalables [d'un maître].

prælector, *oris,* m. *(prælego),* maître qui explique en lisant.

prælectus, *a, um,* part. de *prælego.*

prælego, *ere, egi, ectum,* tr., **1.** côtoyer, longer || **2.** lire [le premier] en expliquant, expliquer [un auteur].

prælicenter, avec une très grande liberté.

præligo, *are, avi, atum,* tr., **1.** lier par-devant ou par-dessus || lier autour || **2.** couvrir, envelopper, bander.

prælino, *ere, litum,* tr., enduire par-devant.

prælongus, *a, um,* très long.

præloquor, *i, sum, locutus (loquutus),* **1.** intr., parler le premier || faire un préambule || **2.** tr., dire en préambule.

præluceo, *ere, luxi,* intr., luire devant || porter une lumière devant || briller davantage, surpasser en éclat.

prælucidus, *a, um,* très brillant.

præludo, *ere, lusi, lusum,* intr., préluder || [fig.] préluder à [avec dat.].

prælusi, pf. de *præludo.*

præluxi, pf. de *prælucco.*

præmandata, *orum,* n. *(præmando),* mandat d'arrêt.

præmature, adv., prématurément, trop tôt.

præmaturus, *a, um,* précoce, hâtif || [fig.] prématuré.

præmedicatus, *a, um,* qui a pris un préservatif.

præmeditatio, *onis,* f., action de méditer d'avance sur, prévision.

præmeditor, *ari, atus sum,* tr., méditer d'avance, se préparer par la réflexion; [avec prop. inf.] songer d'avance que.

præmetuo, *ere,* tr., craindre d'avance.

præministro, *are,* **1.** intr., être près de qqn pour le servir, être serviteur [avec dat.] || **2.** tr., procurer d'avance.

præmisi, pf. de *præmitto.*

præmissus, *a, um,* part. de *præmitto.*

præmitto, *ere, misi, missum,* tr., envoyer devant ou préalablement || [avec prop. inf.] annoncer d'avance que.

præmium, *ii,* n. *(præ* et *emo),* ce qu'on prend avant les autres, **1.** prérogative, avantage, faveur; *præmia,* privilèges || **2.** récompense: *præmia dare alicui pro aliqua re,* accorder à qqn des récompenses pour qqch. || **3.** prélèvement, butin || butin à la chasse.

præmolior, *iri,* tr., disposer préalablement.

præmollio, *ire, itum,* tr., adoucir d'avance.

præmollis, *e,* très mou, très tendre || [fig.] très doux, très agréable.

præmollitus, *a, um,* part. de *præmollio.*

præmoneo, *ere, ui, itum,* tr., **1.** annoncer d'avance, avertir auparavant, prévenir: *aliquem ut,* avertir qqn de || **2.** prédire, présager.

1. præmonitus, *a, um,* part. de *præmoneo* || n., *præmonitum,* avertissement.

2. præmonitus, *us,* m., avertissement.

præmonstro, *are, avi, atum,* tr., montrer d'avance || annoncer, présager.

præmonui, pf. de *præmoneo.*

præmordeo, *ere, mordi, morsum,* tr., mordre par le bout, mordre.

præmorsus, part. de *præmordeo.*

præmortuus, *a, um,* part.-adj. de *præmorior,* déjà mort || [fig.] épuisé, éteint.

præmunio (-mœnio), *ire, ivi, itum,* tr., fortifier d'avance [un lieu] || [fig.] prémunir, protéger || [absol.] prévenir des attaques || mettre en avant en guise de défense || *præmuniri* [avec dat.] être mis en avant de qqch.

præmunitio, *onis,* f., préparation, précaution oratoire.

præmunitus, *a, um,* part. de *præmunio.*

prænato, *are,* **1.** intr., nager devant || **2.** tr., couler le long de, baigner.

prænavigatio, *onis,* f., action de naviguer devant, de côtoyer en naviguant.

prænavigo, *are, avi, atum,* **1.** intr., naviguer devant || **2.** tr., côtoyer.

Præneste, *is,* n., Préneste [ville du Latium] || **-tinus,** *a, um,* de Préneste.

præniteo, *ere, ui,* intr., se signaler par son éclat || *alicui,* l'emporter sur qqn.

prænomen, *inis,* n., prénom.

prænosco, *ere, novi, notum,* tr., connaître par avance, apprendre d'avance.

prænuntia, *æ,* f., celle qui annonce, qui présage.

prænuntio, *are, avi, atum,* tr., annoncer d'avance, prévenir de, prédire || annoncer, signaler.

1. prænuntius, *a, um,* qui annonce.

2. prænuntius, *ii,* m., précurseur, avant-coureur || celui qui annonce, messager.

præoccupatio, *onis,* f., occupation préalable [d'un lieu].

præoccupatus, *a, um,* part. de *præoccupo.*

præoccupo, *are, avi, atum,* tr., occuper le premier, s'emparer auparavant de || envahir || prévenir, prendre l'initiative || [avec inf.] se hâter de faire qqch. avant qqn.

præopto, *are, avi, atum,* tr., préférer, choisir de préférence.

præparatio, *onis,* f., préparation.

1. præparatus, *a, um,* part. de *præparo* || adj., préparé, disposé, prêt.

2. præparatus, *us,* m., préparatifs, apprêts.

præparcus, *a, um,* très économe, avare, ladre.

præparo, *are, avi, atum,* tr., ménager d'avance, apprêter d'avance, préparer || *ex præparato,* grâce à des mesures prises d'avance; [et en gén.] *præparato, ex præparato* pris adv. = après préparation.

præpedio, *ire, ivi* et *ii (præ, pes),* tr., embarrasser, entraver, faire obstacle à.

præpeditus, *a, um,* part. de *præpedio.*

præpendeo, *ere,* intr., pendre en avant, être suspendu par-devant.

1. præpes, *etis (præ, peto),* adj., **1.** qui vole en avant, rapidement, rapide || rapide, prompt, ailé || **2.** dont le vol est d'heureux présage || heureux, favorable.

2. præpes, *etis,* **1.** f., oiseau [de proie]: *Jovis,* l'oiseau de Jupiter [l'aigle] || **2.** m., celui qui a des ailes, qui vole: *præpes Medusæus,* cheval ailé né du sang de Méduse (Pégase).

præpilatus, *a, um (præ, pila),* arrondi par le bout [en parl. des javelots, des lances] || inoffensif.

præpinguis, *e,* très gras.

præpollens, *tis,* part.-adj. de *præpolleo,* très puissant.

præpolleo, *ere, ui,* intr., être très puissant, être supérieur, l'emporter.

præponderatus, *a, um,* part. de *præpondero.*

præpondero, *are, avi, atum,* **1.** intr., être plus pesant || l'emporter, avoir l'avantage || faire pencher la balance, incliner vers (*in* acc.) || **2.** tr., surpasser en poids.

præpono, *ere, posui, positum,* tr., **1.** placer (mettre) devant || **2.** mettre à la tête de, préposer || **3.** [fig.] placer avant, préférer.

præporto, *are, avi, atum,* tr., porter devant soi, être armé de.

præpositio, *onis,* f. *(præpono),* action de préposer, de mettre en tête.

1. præpositus, *a, um,* part. de *præpono.*

2. præpositus, *i,* m., chef, commandant, officier || intendant, préposé.

præpostere *(præposterus),* adv., en intervertissant l'ordre, au rebours || maladroitement, mal.

præpostero, c. *præpostere.*

præposterus, *a, um,* renversé, interverti || *præposterus homo,* homme maladroit.

præposui, pf. de *præpono.*

præpotens, *tis,* très puissant || *-tentes, ium,* m., les puissants, les grands, les riches.

præpropere, en trop grande hâte, très précipitamment.

præproperus, *a, um,* très prompt, précipité, trop rapide || irréfléchi.

præquestus, *a, um,* qui s'est plaint auparavant.

prærapidus, *a, um,* très rapide, très léger || [fig.] très impatient, très ardent.

præreptus, *a, um,* part. de *præripio.*

prærigui, pf. de l'inus. *prærigesco,* intr., devenir entièrement raide [de froid].

præripio, *ere, ripui, reptum (præ* et *rapio),* tr., **1.** enlever devant la figure de qqn: *alicui laudem,* ravir la gloire à qqn || **2.** enlever avant: ***a)*** enlever avant le temps, prématurément; ***b)*** saisir le premier.

prærodo, *ere, rosum,* tr., ronger par-devant, par le bout || en partie, grignoter.

prærogativa, *æ,* f., **1.** v. *prærogativus* || **2.** choix préalable || gage, témoignage, indice, pronostic, présomption || prérogative, privilège.

prærogativus, *a, um (præ, rogo),* qui vote le premier.

prærosus, *a, um,* part. de *prærodo.*

prærumpo, *ere, rupi, ruptum,* tr., rompre par-devant.

pærupi, pf. de *prærumpo.*

præruptum, *i,* n. *(præruptus),* pl. **-ta,** *orum,* n., lieux escarpés, montagnes escarpées.

præruptus, *a, um,* part.-adj. de *prærumpo,* taillé à pic, escarpé, abrupt || fougueux, emporté, violent.

præs, *ædis,* m., garant, caution.

præsæp-, v. *præsep-.*

præsagio, *ire, ivi* ou *ii,* tr., **1.** deviner, prévoir, augurer || **2.** présager, annoncer.

præsagitio, *onis,* f., pressentiment.

præsagium, *ii,* n. *(præsagio),* connaissance anticipée, prévision, pressentiment || présage || prédiction, oracle.

præsagus, *a, um,* **1.** qui devine, qui

pressent, qui prévoit || **2.** qui présage, qui annonce, prophétique.

præscio, *ire, ivi, itum,* tr., savoir d'avance.

præscisco, *ere, scivi,* tr., chercher à savoir d'avance, deviner, prévoir, pressentir || décider d'avance.

præscitio, *onis,* f., connaissance de l'avenir, prévision.

præscitum, *i,* n., pronostic, prévision.

præscitus, *a, um,* part. de *præscio.*

præscius, *a, um,* instruit par avance || qui prévoit, qui pressent.

præcisvi, pf. de *præscio* et de *præscisco.*

præscribo, *ere, scripsi, scriptum,* tr., **1.** écrire en tête, mettre en titre || **2.** mentionner d'avance, indiquer préalablement || **3.** mettre en avant [comme prétexte, comme garant] || **4.** prescrire || avec *ut, ne,* prescrire de, de ne pas.

præscriptio, *onis,* f. *(præscribo),* **1.** titre, intitulé, préface || **2.** prescription, précepte, règle || **3.** allégation, prétexte, excuse || échappatoire, argutie.

præscriptum, *i,* n. *(præscriptus),* modèle d'écriture || précepte, ordre, injonction, instruction.

præscriptus, *a, um,* part. de *præscribo.*

præsecatus, *a, um,* part. de *præseco.*

præseco, *are, ui, secatum* et *sectum,* tr., couper [par le bout], rogner.

præsectus, *a, um,* part. de *præseco.*

præsedi, pf. de *præsideo.*

præsens, *entis (præsum),* **1.** présent, qui est là personnellement || **2.** présent, actuel : *res præsentes,* les événements présents, le présent || *in præsenti,* maintenant, pour le moment, ou *in præsens,* ou *ad præsens,* || n. pl., *præsentia, ium,* ***a)*** circonstances présentes, situation présente ; ***b)*** le présent || **3.** immédiat, sous les yeux : *pecunia præsens,* argent comptant || pressant || **4.** qui agit immédiatement, efficace || [en parl. des dieux] propice, favorable || **5.** [surtout avec *animus*] maître de soi, ferme, imperturbable, intrépide.

præsensi, pf. de *præsentio.*

præsensio, *onis,* f. *(præsentio),* pressentiment, divination.

præsensus, *a, um,* part. de *præsentio.*

præsentaneus, *a, um (præsens),* qui opère instantanément || **-eum,** *i,* n., remède qui opère immédiatement.

præsentia, *æ,* f. *(præsens),* **1.** présence || *animi,* présence d'esprit, sang-froid, intrépidité || *in præsentia,* pour le moment, dans le moment présent || **2.** efficacité, puissance.

præsentio, *sentire, sensi, sensum,* tr., pressentir, prévoir, se douter de.

præsepe (-sæpe), *is,* n., **præsepes (-sæpes),** *is,* f., **præsepis (-sæpis),** *is,* f., **præsepium (-sæpium),** *ii,* n., **1.** parc pour les bestiaux ; [ordin.] étable, écurie || crèche, mangeoire || **2.** [fig.] lieu où l'on mange, maison où l'on dîne, table || ruche.

præsepio (-sæpio), *ire, psi, ptum,* tr., clôturer (fermer) en avant, obstruer, barricader.

præseptus, *a, um,* part. de *præsepio.*

præsertim, adv. *(præ, sero 2),* surtout (entre autres choses), notamment || *præsertim cum* ind., surtout au moment où ; *præs. cum* subj., surtout étant donné que, vu que surtout ; *præs. cum* subj., quoique surtout, quand même notamment || *præs. quoniam,* surtout puisque || *præs. si,* surtout si.

præses, *idis,* m., f. *(sedeo),* **1.** celui ou celle qui est à la tête, qui préside ; chef : *præses belli,* déesse de la Guerre ; *provinciæ,* gouverneur de province || **2.** celui qui est en avant, protecteur, gardien.

præsideo, *ere, sedi (præ* et *sedeo),* intr. et tr.,

I. intr., **1.** être assis devant, en avant || **2.** [fig.] veiller sur, protéger : *urbi, libertati communi,* protéger la ville, la liberté commune || présider à : *urbanis rebus,* diriger les affaires de Rome.

II. tr., **1.** protéger || **2.** commander, diriger.

præsidiarius, *a, um (præsidium),* placé comme garde, pour protéger.

præsidium, *ii,* n. *(præses),* **1.** protection, défense, secours : *præsidio esse alicui,* servir de défense || **2.** garde, escorte : *cum præsidio venire,* venir avec une escorte || escorte militaire, détachement d'escorte || **3.** détachement, garnison, poste ; *præsidium ponere ; collocare,* établir un poste, installer une garnison || **4.** lieu défendu par une garnison, gardé par un poste, poste || camp, quartiers d'une armée, lignes : *in præsidiis esse,* être dans le camp, dans les lignes || **5.** [fig.] ce qui garde, protège, défend.

præsignifico, *are,* tr., faire connaître à l'avance.

præsigno, *are, avi, atum,* tr., marquer auparavant.

præstabilis, *e (præsto),* excellent,

remarquable, distingué [choses] || avantageux : *præstabilius est* et prop. inf., il est plus avantageux que.

præstans, *tis*, part.-adj. de *præsto*, [en parl. des pers. et des choses] qui excelle, qui l'emporte, supérieur, remarquable, distingué, éminent.

præstantia, *æ*, f. *(præstans)*, supériorité.

præstat, impers., v. *præsto*.

prestaturus, *a, um*, part. fut. de *præsto*.

præstes, *itis*, m. f. *(præsto)*, **1.** celui ou celle qui préside || **2.** défenseur, gardien, protecteur.

præstigiæ, *arum*, f., fantasmagories, illusions || prestiges, jongleries, tours de passe-passe, artifices, détours.

præstigiator, *oris*, m. *(præstigiæ)*, escamoteur.

præstigiosus, *a, um (præstigiæ)*, qui fait illusion, trompeur.

præstiti, pf. de *præsto*.

præstituo, *ere, ui, utum (præ, statuo)*, tr., fixer d'avance, déterminer, assigner.

præstitutus, *a, um*, part. de *præstituo*.

1. præsto, adv., presque toujours joint à *esse*, **1.** sous la main, là (ici) présent || **2.** (être) à la disposition : *præsto multis fuit*, il a été à la disposition d'un grand nombre.

2. præsto, *are, stiti, statum* (semble participer à une triple origine : *præ, sto ; præs, sto ; præsto*, adv.),
I. intr., **1.** se tenir en avant [fig.], se distinguer, se signaler, exceller : *in aliqua re*, exceller dans qqch. || **2.** l'emporter sur [avec dat.] ; *alicui aliqua re* || **3.** [impers.] *præstat* avec inf., il vaut mieux.
II. tr., **1.** l'emporter sur [non class.] || **2.** se porter garant de, répondre de : ***a)*** *alicui aliquem*, répondre à qqn de qqn ; ***b)*** *alicui aliquid*, répondre à qqn de qqch. ; ***c)*** *periculum judicii*, prendre sur soi les risques d'un procès ; *culpam*, prendre une faute sur soi ; ***d)*** [avec prop. inf.] répondre que || **3.** assurer, garantir [avec adj. attrib.] : *socios salvos*, garantir le salut des alliés || **4.** prouver, faire preuve de, montrer : *virtutem, benevolentiam*, faire preuve de courage, de bienveillance || *se* [avec attrib.], se montrer tel, tel || **5.** remplir, exécuter || *fidem alicui*, tenir parole à qqn || [avec *ne* subj.] s'employer pour empêcher que || [avec *ut* subj.] faire que, obtenir que || **6.** mettre à la disposition, procurer, fournir.

præstolor, *ari, atus sum*, intr. et tr., attendre : *alicui, aliquem*, attendre qqn.

præstrictus, *a, um*, part. de *præstringo*.

præstringo, *ere, strinxi, strictum*, tr., **1.** serrer en avant || **2.** effleurer || **3.** émousser.

præstructus, *a, um*, part. de *præstruo*.

præstruo, *ere, uxi, uctum*, tr., **1.** élever auparavant, construire d'abord || [fig.] fonder ou établir d'abord || préparer, disposer par avance || se proposer de, projeter || **2.** obstruer, boucher.

præsul, *ulis*, m., c. *præsultator*.

præsulsus, *a, um (præ, salsus)*, très salé.

præsultator, *oris*, m. *(præsulto)*, le chef des danseurs [dans les jeux].

præsulto, *are (præ, salto)*, intr., sauter devant || [fig.] se pavaner devant [dat.].

præsum, *fui, esse*, intr., être en avant, être à la tête [avec dat.] : *classi ; exercitui*, commander une flotte, l'armée || [absol.] *præesse in provincia*, être gouverneur dans une province || *his rebus præfuit*, il a tout mené.

præsumpsi, pf. de *præsumo*.

præsumo, *ere, sumpsi, sumptum*, tr., **1.** prendre avant, d'avance || **2.** prendre d'avance par la pensée, se représenter d'avance, conjecturer, présumer.

præsumptio, *onis*, f. *(præsumo)*, prise anticipée, conception anticipée.

præsumptus, *a, um*, part. de *præsumo*.

præsuo, *ere, sutum*, tr., coudre par-devant, recouvrir.

præsutus, *a, um*, part. de *præsuo*.

prætectus, *a, um*, part. de *prætego*.

prætego, *ere, xi, ctum*, tr., couvrir par-devant ; abriter.

prætendo, *ere, tendi tentum*, tr., **1.** tendre en avant, tendre devant || **2.** tendre devant soi || **3.** pass. *prætendi*, s'étendre devant, être situé devant || **4.** [fig.] : ***a)*** mettre en avant, *aliquid alicui rei* qqch. comme excuse à qqch. || [avec prop. inf.] alléguer que, prétexter que ; ***b)*** faire voir = faire briller aux yeux [comme une promesse].

prætener, *era, erum*, très tendre.

prætentatus, *a, um*, part. de *prætento*.

prætento (-tempto), *are, avi, atum*, tr., tâter par-devant, explorer en tâtant || sonder, essayer, éprouver.

prætentus, *a, um,* part. de *prætendo.*

prætenuis, *e,* très délié, très fin, très mince || très étroit || [fig.] très faible, minime.

præter *(præ),* prép. acc., **1.** devant, le long de || **2.** au-delà de, contre: *præter opinionem; spem,* contre toute attente, contre toute espérance || **3.** au-delà de, plus que || **4.** excepté || **5.** indépendamment de, outre.

præterago, *ere, actum,* tr., faire passer outre.

præterea, adv., en outre, outre cela, de plus, en sus || après cela, dès lors, désormais.

prætereo, *ire, ii* (qqf. *ivi*), *itum,*
I. intr., **1.** passer au-delà, passer devant || **2.** *nox quæ præteriit,* la nuit qui s'est écoulée.
II. tr., **1.** passer devant, le long de || dépasser [à la course] || [fig.] surpasser || **2.** [fig. au part.] *præteritus, a, um,* écoulé, passé: *præteritum tempus,* le temps écoulé || pl. n., *præterita, orum,* le passé || **3.** *me (te) non præterit,* avec prop. inf., il ne m'échappe pas, il ne t'échappe pas que; je sais bien, tu sais bien que || [avec intr. ind.] *te non præterit quam sit difficile,* tu sais combien il est difficile... || **4.** omettre, laisser de côté || [en part.] passer sous silence, ne pas mentionner || **5.** négliger de faire une chose || [avec négation et *quin*] *præterire non potui, quin,* je n'ai pu négliger de || **6.** omettre qqn, ne pas faire cas de.

prætereundus, *a, um,* verbal de *prætereo.*

præterferor, *ferri, latus sum,* pass., se porter au-delà de [avec acc.].

præterfluo, *ere,* **1.** tr., baigner || **2.** intr., [fig.] couler au-delà, s'échapper, se perdre.

prætergredior, *gredi, gressus sum (præter, gradior),* tr., dépasser.

præteriens, *euntis,* part. prés. de *prætereo.*

præteritus, *a, um,* part. de *prætereo.*

præterlabor, *i, lapsus sum,* tr., **1.** côtoyer || [absol.] couler auprès || **2.** échapper.

præterlambo, *ere,* tr., baigner.

præterlapsus, *a, um,* part. de *præterlabor.*

præterlatus, *a, um,* part. de *præterferor.*

prætermeo, *are,* **1.** intr., passer outre ou devant || **2.** tr., baigner, arroser.

prætermisi, pf. de *prætermitto.*

prætermissio, *onis,* f., **1.** action d'omettre, omission || **2.** action de négliger.

prætermissus, *a, um,* part. de *prætermitto.*

prætermitto, *ere, misi, missum,* tr., **1.** laisser passer: *neminem; nullum diem,* ne laisser passer personne, aucun jour || **2.** laisser de côté, négliger || [avec inf.] omettre de, négliger de || *nihil prætermittere quin* ou avec *quominus,* ne rien négliger pour que, mettre tout en œuvre pour que || **3.** omettre, passer sous silence, passer.

præternavigo, *are,* **1.** intr., passer outre en naviguant || **2.** tr., dépasser, passer [en naviguant], doubler.

præterquam, adv., **1.** excepté || **2.** en plus, en outre || **3.** *præterquam quod:* ***a)*** si ce n'est que, excepté que; ***b)*** outre que.

prætervectio, *onis,* f. *(prætervehο),* traversée.

prætervectus, *a, um,* part. de *prætervehor.*

prætervehens, tis, part. de *prætervehor,* intr., s'avançant au-delà.

prætervehor, *i, vectus sum,* tr., **1.** naviguer devant, passer outre en naviguant || [avec l'acc.]: ***a)*** passer devant, côtoyer; ***b)*** passer, dépasser, doubler || dépasser [à pied] || **2.** [fig.] passer outre.

prætervolo, *are, avi, atum,* voler au-delà de, tr., **1.** franchir à tire-d'aile, traverser rapidement || **2.** [fig.] passer inaperçu, échapper à, n'être pas remarqué de.

prætexo, *ere, texui, textum,* tr., **1.** border: *tunicæ purpura prætextæ,* tuniques bordées de pourpre || **2.** [fig.] mettre en tête: *voluminibus auctorum nomina,* mettre en tête des volumes les noms des auteurs || **3.** border de, garnir en avant de, pourvoir de, munir de || **4.** alléguer comme excuse, prétexter || [avec prop. inf.] prétexter que.

prætexta, *æ,* f. *(prætexo),* **1.** la prétexte, la toge ou la robe prétexte [toge blanche, bordée d'une bande de pourpre, portée par les enfants jusqu'à seize ans, et par les principaux magistrats dans les cérémonies publiques, etc.] || **2.** *prætexta* (s.-ent. *fabula*), tragédie romaine [pièce d'un genre élevé, dans laquelle les acteurs portaient la prétexte].

prætextatus, *a, um (prætexta),* vêtu de la prétexte [toge des enfants], encore enfant, dans l'adolescence || *prætextatus, i,* m., adolescent [jusqu'à seize ans].

prætextum, *i*, n., **1.** ornement || **2.** prétexte.

1. prætextus, *a, um*, part. de *prætexo* || adj., vêtu de la robe prétexte.

2. prætextus, *us*, m., prétexte.

prætor, *oris*, m. *(præitor, præeo)*, **1.** celui qui marche en tête, chef, commandant: ***a)*** préteur, magistrat suprême à Capoue; ***b)*** à Rome, primit., chef suprême surtout au titre militaire; ***c)*** général, chef d'armée [chez les étrangers]; ***d)*** [sous Aug.] *prætores ærarii*, intendants du trésor public || **2.** à Rome, à partir de 367, le préteur est un magistrat distinct, chargé de la juridiction civile. En 242, dédoublement de la juridiction et deux préteurs [urbain, pérégrin]; puis augmentation successive, 8 préteurs sous Sylla. Les préteurs tirent au sort leur *provincia*, département; le préteur qui a la *provincia* ou *sors* ou *jurisdictio urbana*, rend la justice entre les citoyens d'après les règles qu'il publie dans son *edictum* en entrant en charge; c'est le préteur le plus important; il remplace le consul absent, préside le sénat, convoque le peuple en assemblée ou aux comices, etc. Le pérégrin rend la justice entre citoyens et étrangers et entre étrangers, lui aussi d'après son édit. Les autres préteurs président les chambres d'enquêtes permanentes, *quæstiones perpetuæ*. Après leur sortie de charge au bout d'un an, ils vont dans une province comme propréteurs; mais souvent on les désigne encore du nom de préteur.

prætorianus, *a, um (prætorium)*, prétorien, de la garde prétorienne; *prætoriani, orum*, les prétoriens, la garde prétorienne.

prætorium, *ii*, n., **1.** tente du général et endroit du camp où est la tente du général || conseil du général; conseil de guerre || **2.** pl. *prætoria*, palais [du prince] || cellule de la reine [des abeilles] || **3.** palais du préteur [dans une province] || **4.** milice ou garde prétorienne, les prétoriens || **5.** maison de plaisance, villa.

prætorius, *a, um (prætor)*, **1.** de préteur, du préteur: *prætorium jus*, le droit prétorien [formé des édits du préteur]; *prætoria comitia*, comices pour l'élection des préteurs || subst. m., *prætorius*, celui qui a été préteur, ex-préteur || **2.** du préteur = du gouverneur de province (propréteur) || **3.** de chef, de commandant, de général: *prætoria porta*, porte prétorienne [porte de camp située en face de la tente du général]; *prætoria cohors*, la cohorte prétorienne, attachée au général en chef; *prætoria navis*, le vaisseau amiral.

prætrepidus, *a, um*, tout tremblant.

prætura, *æ*, f. *(prætor)*, préture, charge de préteur.

præuro, *ere, ussi, ustum*, tr. [employé surtout au part. *præstus*] brûlé par le bout.

præustus, *a, um*, part. de *præuro*.

præut *(præ, ut)*, v., *præ*.

prævalens, *tis (prævaleo)*, très robuste.

prævaleo, *ere, valui*, intr., **1.** valoir plus, prévaloir || **2.** avoir plus d'efficacité [remède].

prævalesco, *ere*, intr., devenir vigoureux.

prævalide, très fortement.

prævalidus, *a, um*, très fort, très vigoureux, très robuste || fort, redoutable || puissant, considérable, considéré || très fertile.

prævaricatio, *onis*, f. *(prævaricor)*, prévarication, intelligence avec la partie adverse, collusion.

prævaricator, *oris*, m. *(prævaricor)*, prévaricateur || [avec le gén.] *prævaricator Catilinæ*, faux accusateur de Catilina.

prævaricor, *ari, atus sum (præ, varico)*, intr., s'écarter de la ligne droite en labourant, dévier || [fig.] prévariquer [en parl. d'un juge ou d'un avocat].

prævehor, *i, vectus sum*, **1.** intr., prendre les devants (à cheval) || se porter en avant (à cheval) || **2.** tr., passer devant, dépasser.

prævectus, *a, um*, part. de *prævehor*.

prævelox, *ocis*, très rapide, très léger.

prævenio, *ire, veni, ventum*, **1.** intr., prendre les devants || **2.** tr., [fig.] prévenir, devancer || l'emporter sur, surpasser.

præventores, *um*, m. *(prævenio)*, éclaireurs, soldats d'avant-garde.

præventus, *a, um*, part. de *prævenio*.

præversus, *a, um*, part. de *præverto*.

præverto, *ere, ti, sum*, tr., **1.** faire passer avant || pass. *præverti*, être mis devant, passer devant || préférer, *rem rei*, une chose à une autre || **2.** devancer || se saisir d'avance || **3.** prévenir, aller au-devant de: [avec dat.] || [avec acc.] devancer.

prævertor (-vortor), *i*, **1.** dépon., mêmes sens que *præverto*: faire passer avant || devancer || **2.** sens réfléchi, se tourner d'abord vers, se rendre d'abord || s'occuper d'abord de.

prævideo, *ere, vidi, visum,* tr., **1.** voir auparavant, apercevoir d'avance || **2.** [fig.] prévoir.

prævisus, *a, um,* part. de *prævideo.*

prævitio, *are, atum,* tr., corrompre d'avance, empoisonner.

prævius, *a, um (præ, via),* qui précède, qui va devant, guide.

prævolo, *are, avi,* intr., voler devant.

pragmaticus, *a, um,* tr., **1.** relatif aux affaires politiques, intéressant la politique || **2.** habile, expérimenté en matière de droit.

prandeo, *ere, di, sum,* **1.** intr., déjeuner, faire le repas du matin || **2.** tr., manger à son déjeuner, déjeuner de ou avec.

prandium, *ii,* n., déjeuner [vers midi, repas composé en gén. de poisson, de légumes et fruits; *jentaculum,* petit déjeuner; *cena,* repas principal].

pransus, *a, um (prandeo),* ayant déjeuné, qui a déjeuné.

1. prasinus, *a, um,* vert.

2. Prasinus, *i,* m., celui qui est de la faction Prasine [écuyer ou cocher vêtu de vert].

pratensis, *e (pratum),* de pré.

pratulum, *i,* n., dim. de *pratum,* petit pré, pelouse.

pratum, *i,* n., pré, prairie.

prave *(pravus),* de travers, d'une manière tortue || mal, défectueusement.

pravitas, *atis,* f. *(pravus),* forme tortue, difformité, irrégularité || [fig.] défaut, vice: *mentis,* dépravation intellectuelle.

pravus, *a, um,* **1.** tortu, qui est de travers, difforme || **2.** de travers, défectueux, irrégulier, mauvais || mauvais, pl. n., *honesta, prava,* le bien, le mal.

Praxiteles, *is,* m., Praxitèle [sculpteur célèbre de la Grèce].

précans, *tis,* part. prés. de *precor.*

precario *(precarius),* adv., **1.** avec prière, avec instance || **2.** précairement.

precarius, *a, um (precor),* obtenu par prière || donné par complaisance || précaire, mal assuré, passager.

precatio, *onis,* f. *(precor),* prière.

precatus, *a, um,* part. de *precor.*

preces, *um,* f. (v. sing. *prex*), prières, supplications, instances: *omnibus precibus petere ut,* prier instamment de || prières aux dieux || imprécations.

precor, *ari, precatus sum,* tr., **1.** prier, supplier, ***a)*** un dieu, qqn: *aliquid alicui,* demander qqch. dans ses prières pour qqn; ***b)*** deux acc.: *aliquid precari deos,* demander qqch. aux dieux; ***c)*** *aliquid ab aliquo;* ***d)*** [avec *ut*] demander en priant que || [avec *ne*] supplier de ne pas || [intercalé] *precor* = je t'en prie, je vous en prie || **2.** souhaiter.

prehendo, et sync. **prendo,** *ere, di, sum,* tr., **1.** saisir, prendre || **2.** surprendre, prendre sur le fait || **3.** se saisir de qqn, opérer l'arrestation de qqn || **4.** occuper, prendre possession d'un lieu || **5.** atteindre.

prehenso (prenso), *are, avi, atum (prehendo),* tr., chercher à saisir [mouvements répétés] || [fig.] prendre par le bras pour solliciter; solliciter, presser, implorer || [d'où] *prensare,* briguer une charge, solliciter les suffrages.

prehensus (pren-), *a, um,* part. de *prehendo.*

prelum, *i,* n., pressoir.

premo, *ere, pressi, pressum,* tr.,

I. 1. presser || *ære alieno premi,* être pressé par les dettes || **2.** presser, toucher: *litus,* raser le rivage || presser de son corps || **3.** couvrir: *ossa,* enterrer || comprimer || **4.** faire en pressant: *caseum,* faire du fromage || **5.** presser, serrer de près, bloquer: *obsidione hostem,* bloquer l'ennemi || serrer de près || s'acharner contre qqn || *argumentum premere,* insister sur un argument; *vocem,* s'attacher à une parole, y appliquer sa réflexion || **6.** comprimer, charger: *pressæ carinæ,* navires chargés.

II. sens divers, **1.** imprimer, enfoncer || **2.** déprimer, abaisser || abattre, renverser, terrasser: *paucos,* abattre (tuer) qqs-uns || [fig.] rabaisser || peser sur ou tenir au-dessous de soi || **3.** enfoncer, planter || faire en enfonçant, creuser: *sulcum,* creuser un sillon || **4.** faire sortir en pressant, exprimer: *oleum,* presser de l'huile || **5.** comprimer, fermer par compression: *oculos,* fermer les yeux [d'un mort] || serrer les rênes || comprimer, resserrer || **6.** comprimer, retenir, arrêter: *sanguinem,* arrêter le sang [d'une blessure]; *vestigia,* suspendre sa marche: *vocem premere,* cesser de parler.

prendo, v. *prehend-.*

prensatio, *onis,* f. *(prenso),* efforts pour atteindre [fig.], démarche de candidature.

prenso, prensus, v. *prehen-.*

presse *(pressus),* en serrant, en pressant || [fig.] *presse loqui,* bien prononcer, bien articuler || d'une façon serrée = dans un style précis.

pressi, pf. de *premo.*

presso, *are,* fréq. de *premo,* tr., presser, serrer.

1. pressus, *a, um,* **1.** part. de *premo* || **2.** pris adj., ***a)*** comprimé: *presso gradu,* d'une marche appuyée, lente, ou *presso pede* || [fig.] *pressa voce,* d'une voix étouffée || *color pressior,* couleur plus sombre; ***b)*** serré, précis || bien articulé.

2. pressus, *us,* m., action de presser, pression.

pretiose *(pretiosus),* richement, magnifiquement.

pretiosus, *a, um (pretium),* **1.** précieux, qui a du prix || **2.** qui coûte cher.

pretium, *ii,* n., **1.** valeur d'une chose, prix: *pretium constituere; pacisci,* convenir d'un prix; *pretii magni, parvi esse,* être d'un grand, d'un faible prix || **2.** argent: *pretio aliquid mercari,* acheter qqch. à prix d'argent; *parvo pretio redimere,* racheter à vil prix || [en part.] rançon || **3.** prix, valeur [surtout dans l'expres. *operæ pretium est,* il vaut la peine de, avec inf.] || **4.** récompense, salaire.

prex [inus.], prière: *per precem; prece,* au moyen de prières, en priant; *cum magna prece,* en priant vivement (sur le ton de la prière).

Priamus, *i,* m., Priam [roi de Troie] || **-meius,** *a, um,* de Priam.

pridem, adv., il y a déjà quelque temps; *non ita pridem,* il n'y a pas si longtemps; *quam pridem,* depuis combien de temps || autrefois, dans le passé.

pridie, la veille: *pridie ejus diei,* la veille de ce jour, ou *pridie eum diem,* cf. *pridie Kalendas, Nonas, Idus,* la veille des Calendes, des Nones, des Ides, etc.

primævus, *a, um (primus, ævum),* qui est du premier âge.

primani, *orum,* m. *(primus),* soldats de la première légion.

primarius, *a, um (primus),* le premier [en rang], du premier rang.

primatus, *us,* m., premier rang, prééminence.

primigenius, *a, um (primus, geno),* primitif, originaire, premier de son espèce.

primipilaris, *is,* m. *(primipilus),* **1.** centurion primipile || **2.** celui qui a été primipile.

primipilus, *i,* m., primipile, centurion primipile [commandant la première centurie du premier manipule de la première cohorte, le plus haut grade des centurions].

primitiæ, *arum,* f. *(primus),* **1.** prémices || **2.** débuts, commencement.

primitivus, *a, um,* premier [en date], premier-né.

primo *(primus),* adv., sur le premier moment, au commencement, d'abord || en commençant.

primordium, *ii,* n. *(primus, ordior),* ordin. pl. **-dia,** *orum,* origine, commencement.

primoris, *e (primus),* adj., **1.** le premier, la première || *primores, um,* m., les premiers, qui sont au premier rang; *primores civitatis,* ou *primores* seul, les premiers de la cité, les grands || **2.** la première partie de, l'extrémité de: *in primore libro,* au commencement du livre; *primori in acie,* en première ligne.

primum *(primus),* adv., **1.** premièrement, d'abord, en premier lieu: *primum omnium,* avant tout || **2.** pour la première fois.

primus, *a, um (pris,* cf. *pristinus, etc.),* superl. correspondant au compar. *prior,*

I. 1. le plus en avant, le plus avancé, le premier [au point de vue du lieu, de la chronologie, du classement, etc.]: *primus inter, primus ex,* le premier parmi || [attribut] *primus venisti,* tu es le premier à être venu || *in primis, stare,* se tenir dans les premiers, aux premiers rangs; *primi,* les premiers, ceux qui sont le plus en avant || *primo quoque tempore,* à la première occasion, le plus tôt possible, incessamment || **2.** le premier, le plus important, le principal || *primas agere, tenere,* jouer, tenir le premier rôle; *primas deferre, dare, concedere,* accorder, attribuer, concéder le premier rang.

II. 1. la première partie de, la partie antérieure de: *in prima provincia,* à l'entrée de la province || **2.** le commencement de: *prima luce, prima nocte,* au commencement du jour, de la nuit; *primo vere,* au début du printemps || **3.** [d'où] *prima* [n. pl.], les commencements; *a primo,* dès le commencement; *in primo,* au commencement, ou en première ligne.

princeps, *cipis (primus* et *capio),* adj. et subst., qui occupe la première place, **1.** le premier || **2.** le plus important, la tête: *princeps Græciæ,* le principal citoyen de la Grèce || **3.** qui est en tête, qui guide, dirige, conseille, etc. || **4.** [sens particuliers]: ***a)*** *princeps senatus,* le prince du sénat [le premier de la liste]; ***b)*** [à partir d'Auguste] le prince = l'empereur; ***c)*** *principes* [t. milit.] [primit., soldats de première ligne] soldats de seconde ligne [placés derrière les *hastati*].

principalis, *e (princeps),* **1.** originaire, primitif, naturel || **2.** principal, fondamental, capital, supérieur || **3.** qui a trait au prince, à l'empereur, impérial || **4.** *via principalis,* la voie principale [longeant les tentes de l'état-major].

principatus, *us,* m. *(princeps),* **1.** premier rang, primauté, prééminence || [entre nations] suprématie, hégémonie || **2.** [sous l'empire] principat, dignité impériale ou exercice du pouvoir impérial.

principium, *ii,* n. *(princeps),* **1.** commencement: *principio,* en premier lieu, tout d'abord; *a principio,* dès le début, en commençant || [en part.] début d'un ouvrage, exorde || **2.** fondement, origine || **principia,** *orum,* n., les éléments, les principes: *naturæ,* penchants naturels, impulsions naturelles || **3.** [milit.] **principia,** *orum,* ***a)*** première ligne, front d'une armée; ***b)*** quartier général dans le camp.

1. prior, n., *prius, oris,* compar. dont *primus* est le superl., **1.** le plus en avant [en parl. de deux] || **2.** le premier de deux, précédent, antérieur: *priore nocte,* la nuit précédente || [subst.] *priores, um,* les prédécesseurs, les devanciers, les ancêtres || **3.** [fig.] supérieur, plus remarquable.

2. Prior, *oris,* m., le premier de deux, l'ancien: *Dionysius prior,* Denys l'Ancien.

prisce *(priscus),* sévèrement comme les anciens, à l'antique.

1. priscus, *a, um,* très ancien, des premiers temps, vieux, antique [qqch. d'oublié, qu'on ne retrouve plus]: **1.** [pers.] *prisci viri,* les hommes des premiers âges (d'un autre âge), ou *prisci* absol. || **2.** [choses] suranné || du temps passé.

2. Priscus, *i,* m., l'Ancien surnom de Tarquin.

pristinus, *a, um,* **1.** d'auparavant, d'autrefois, précédent, primitif || **2.** qui a précédé immédiatement || **3.** = *priscus: pristini mores,* les mœurs du vieux temps.

pristis, *is,* f., **1.** gros cétacé, baleine || **2.** petit navire rapide.

prius *(prior),* adv., plus tôt, auparavant: *prius... deinde,* une première fois... ensuite || [en parl. de deux] *respondebo priori (epistulæ) prius,* je répondrai d'abord à la première lettre || *prius... quam,* v. *priusquam.*

priusquam ou **prius... quam,** conj., **1.** avant que, avant le moment où || **2.** = *potius quam,* plutôt que.

privatim *(privatus),* adv., **1.** en particulier, dans son particulier, comme particulier, en son propre nom: *privatim, publice,* au titre privé, au titre officiel; *de suis privatim rebus,* sur leurs affaires privées || **2.** chez soi: *privatim se tenere,* rester chez soi || à part, séparément, particulièrement.

privatio, *onis,* f. *(privo),* suppression, absence [d'une chose].

1. privatus, *a, um,* part. de *privo.*

2. privatus, *a, um (privus),* privé, particulier, propre, individuel: *ex privato,* en prenant sur ses deniers; *in privato,* dans le privé; *privatus vir,* simple particulier || **privatus,** *i,* m., simple particulier, simple citoyen.

Privernum, *i,* n., Priverne [ville des Volsques, auj. Piperno] || **-nas,** *atis,* m. f. n., de Priverne || **-nates,** *ium,* m., les Privernates, habitants de Priverne.

privigna, *æ,* f. *(privignus),* fille d'un premier lit, belle-fille.

privignus, *i,* m. *(privus, geno),* fils d'un premier lit, beau-fils.

privilegium, *ii,* n. *(privus, lex),* **1.** loi exceptionnelle [qui concerne spécialement un particulier, et faite contre lui] || **2.** privilège, faveur.

privo, *are, avi, atum (privus),* tr., mettre à part, **1.** écarter de, ôter de: [av. abl.] *exsilio,* rappeler de l'exil || **2.** dépouiller, priver: *aliquem vita,* arracher la vie à qqn.

privus, *a, um,* **1.** particulier, propre, isolé, spécial || **2.** [distributif]: chacun.

1. pro *(pro-* et *prod-,* cf. *re-* et *red-, se* et *sed-*), prép. abl., **1.** devant: *pro æde Castoris,* devant le temple de Castor || **2.** du haut de et en avant || sur le devant, devant || **3.** pour, en faveur de: *contra aliquem, pro aliquo,* contre qqn, pour qqn || **4.** pour, à la place de, au lieu de: *pro consule,* en qualité de proconsul || **5.** pour = comme [identité]: *pro occiso relictus,* laissé pour mort || **6.** pour, en retour de: *aliquid pro carmine dare,* donner qqch. pour un poème || **7.** en proportion de: *pro mea, pro tua parte,* pour ma, ta part, dans la mesure de mes, de tes moyens || *pro eo ac,* en proportion de ce que, dans la mesure où || **8.** en raison de, en vertu de.

2. pro (moins bon *proh*), interj., oh! ah! **1.** [avec voc.]: *pro dii immortales!,* ah! dieux immortels! || **2.** [acc.] *pro deum hominumque fidem!*, que les dieux et les hommes m'assistent || **3.** [seul] hélas!

proagorus, *i*, m., proagore, premier magistrat d'une ville [en Sicile].

proavus, *i*, m., bisaïeul || [en gén.] ancêtre || pl., les ancêtres, les pères.

probabilis, *e (probo)*, **1.** probable, vraisemblable, plausible || **2.** digne d'approbation, louable, recommandable, estimable.

probabilitas, *atis*, f. *(probabilis)*, vraisemblance, probabilité.

probabiliter *(probabilis)*, adv., **1.** avec vraisemblance, probabilité || **2.** de manière à mériter l'approbation, bien, honorablement.

probatio, *onis*, f. *(probo)*, **1.** épreuve, essai, examen || **2.** approbation, assentiment || **3.** preuve, argumentation.

probator, *oris*, m. *(probo)*, approbateur, celui qui approuve, qui loue.

probatus, *a, um*, part. de *probo* || adj., **1.** approuvé, estimé, excellent || **2.** agréable, bienvenu [*alicui*, pour qqn].

probe *(probus)*, adv., bien, fort bien: *judicare*, juger sainement.

probitas, *atis*, f. *(probus)*, honnêteté, loyauté, droiture, intégrité, honneur.

probo, *are, avi, atum (probus)*, tr., **1.** faire l'essai, éprouver, vérifier || **2.** reconnaître, agréer, trouver bon, approuver: *probata re*, la proposition étant approuvée || [avec 2 acc.]: *aliquem imperatorem*, agréer qqn comme général en chef || priser, applaudir à || [avec inf.] trouver bon de || **3.** faire agréer, faire approuver, *aliquid alicui*, qqch. à qqn || *se probare alicui*, se faire approuver de qqn, obtenir le suffrage de qqn, se faire estimer de qqn || **4.** rendre croyable, faire accepter, prouver: *hoc difficile est probatu*, cela est difficile à prouver; *aliquem pro aliquo probare*, faire passer qqn pour un autre || *(alicui) probare* avec prop. inf., prouver (à qqn) que.

probrose *(probrosus)*, ignominieusement.

probrosus, *a, um (probrum)*, infâme, déshonoré || infamant, déshonorant.

probrum, *i*, n. *(prober)*, **1.** action honteuse (infamante), turpitude || **2.** honte, déshonneur, opprobre, infamie || **3.** insulte, injures, outrages.

probus, *a, um*, **1.** de bon aloi, de bonne qualité, bon || **2.** bon, probe, honnête, vertueux, intègre, loyal.

Proca, *æ*, m., v. *Procas*.

procacitas, *atis*, f. *(procax)*, audace, hardiesse, effronterie, insolence.

procaciter *(procax)*, avec hardiesse, audacieusement, effrontément, insolemment.

Procas, *æ*, m., roi d'Albe, grand-père de Romulus et de Rémus.

procax, *acis (proco)*, qui demande effrontément; effronté, impudent.

procedo, *ere, cessi, cessum*, intr., **1.** aller en avant, s'avancer || **2.** continuer, se prolonger || **3.** aller en avant, faire des progrès || **4.** avoir telle ou telle issue, tel ou tel succès: *ut omnia prospere procedant*, pour que tout marche bien, ait une heureuse issue || [en part.] avoir un bon succès, réussir.

procella, *æ*, f., orage, bourrasque, ouragan.

procellosus, *a, um (procella)*, orageux.

proceres, *um*, m., personnages éminents, les premiers citoyens, les nobles, les grands || les maîtres [dans un art].

proceritas, *atis*, f. *(procerus)*, **1.** allongement, longueur, forme allongée || **2.** haute taille || hauteur, élévation.

procerus, *a, um*, allongé, long, haut, grand.

processi, pf. de *procedo*.

processio, *onis*, f. *(procedo)*, action de s'avancer, d'aller en avant.

processus, *us*, m., action de s'avancer, progression, progrès.

procido, *ere, di*, intr. *(pro, cado)*, tomber en avant, s'écrouler.

1. procinctus, *a, um (procingo)*, qui est tout prêt.

2. procinctus, *us*, m. [seulement à l'acc. et à l'abl.], tenue du soldat équipé et prêt à combattre: *in procinctu habere*, tenir sous les armes, tenir en haleine, [fig.] avoir sous la main, tenir prêt.

proclamo, *are, avi, atum*, intr., crier fortement, pousser de grands cris || [avec prop. inf.] crier que || protester, réclamer à haute voix.

proclino, *are, avi, atum*, tr., faire pencher en avant, incliner.

proclive, n. pris adv., et **proclivi,** adv., en pente, en descendant, [d'où] très vite.

proclivis, *e (pro, clivus)*, **1.** penchant, qui penche, incliné || **2.** [fig.] ***a)*** prédisposé, sujet à, enclin: *natura ad morbum proclivior*, tempérament assez disposé à la maladie; ***b)*** facile, aisé à faire : *alicui est proclive*, av. inf., il est facile pour qqn de.

proclivitas, *atis*, f. *(proclivis)*, tendance, disposition, penchant naturel.

procliviter *(proclivis)*, [rar. au positif] facilement || *-clivius*.

proclivus, c. *proclivis*.

Procne (-gne), *es*, f. Procné [ville de Pandion, changée en hirondelle].

proco, *are*, tr., demander.

procœton, *onis*, m., antichambre.

proconsul, *ulis*, m., proconsul [magistrat qui gouverne une province au sortir du consulat, ou délégué dans cette charge] || proconsul [gouverneur d'une province proconsulaire, sous les empereurs].

proconsularis, *e (proconsul)*, proconsulaire.

proconsulatus, *us*, m. *(proconsul)*, proconsulat.

procor, *ari*, tr., c. *proco*.

procrastinatio, *onis*, f. *(procastino)*, ajournement, remise, délai.

procrastino, *are (pro, crastinus)*, tr., remettre au lendemain.

procreatio, *onis*, f. *(procreo)*, procréation.

procreator, *oris*, m. *(procreo)*, créateur.

procreatrix, *icis*, f., mère [fig.].

procreo, *are, avi, atum*, tr., procréer, engendrer, produire || créer || causer, faire naître, déterminer.

procresco, *ere*, intr., croître, grandir.

Procrustes, *æ*, m., Procruste ou Procuste, brigand de l'Attique, tué par Thésée.

procubo, *are*, intr., être couché à terre || se projeter, s'étendre.

procubui, pf. de *procumbo*.

procucurri, pf. de *procurro*.

procudo, *ere, cudi, cusum*, tr., **1.** travailler au marteau, forger || **2.** façonner.

procul, adv., loin,
I. 1. au loin [mouvem.] || **2.** de loin || **3.** dans un endroit lointain, au loin [sans mouvem.].
II. constr. : **1.** avec *a, ab* : *procul ab omni metu*, loin de toute crainte || **2.** avec abl. : *procul negotiis*, loin des affaires || **3.** *haud procul est, quin*, il s'en faut de peu que, ou *haud procul abest quin*.

proculcatus, *a, um*, part. de *proculco*.

proculco, *are, avi, atum (pro, calco)*, tr., fouler avec les pieds, piétiner, écraser || fouler aux pieds, mépriser, dédaigner.

procumbo, *ere, cubui, cubitum*, intr., **1.** se pencher en avant || **2.** se prosterner : *ad pedes alicui*, se prosterner aux pieds de qqn || se coucher à terre || **3.** tomber à terre || tomber, succomber || s'écrouler || **4.** tomber dans, s'abaisser à.

procuratio, *onis*, f. *(procuro)*, **1.** administration, direction, gestion || **2.** soin, souci de || **3.** cérémonie expiatoire, expiation.

procuratiuncula, *æ*, f., petit emploi.

procurator (pro-), *oris*, m., **1.** administrateur, intendant, mandataire || **2.** procurateur [gouverneur ou administrateur d'une province, fonctionnaire chargé des revenus de l'empire].

procuratrix, *icis*, f. *(procuro)*, surveillante.

procuratus, *a, um*, part. de *procuro*.

procuro, *are, avi, atum*, tr., **1.** donner ses soins à, s'occuper de : *sacrificia publica*, s'occuper des sacrifices publics || **2.** s'occuper de [à la place d'un autre] : *negotia alicujus*, être l'homme d'affaires de qqn || **3.** faire un sacrifice de purification et d'expiation à la suite d'un prodige, expier, conjurer : *monstra*, détourner l'effet des prodiges.

procurro, *ere, cucurri* et *curri, cursum*, intr., **1.** courir en avant || **2.** [en parl. de lieux] s'avancer, faire saillie.

procursatio, *onis*, f. *(procurso)*, combat d'avant-garde, escarmouche.

procursatores, *um*, m. soldats d'avant-garde, troupe qui escarmouche.

procurso, *are (procurro)*, intr., courir en avant [pour combattre], escarmoucher.

procursus, *us*, m. *(procurro)*, **1.** course en avant [d'une armée], marche rapide, vive attaque || **2.** saillie, avance || **3.** [fig.] explosion || manifestation.

procurvus, *a, um*, courbé, recourbé.

procus, *i*, m. *(proco)*, prétendant.

prodactus, *a, um*, part. de *prodigo*.

prodegi, pf. de *prodigo*.

prodeo, *ire, ii, itum*, intr., **1.** s'avancer : *in prœlium*, marcher au combat, *alicui obviam*, se porter à la rencontre de qqn || **2.** [plantes] sortir, pousser, lever || **3.** s'avancer, faire saillie ||

4. [fig.] ***a)*** s'avancer, aller de l'avant, progresser : *extra modum*, dépasser la mesure ; ***b)*** se montrer, se produire.

prodico, *ere, xi, ctum*, tr., *diem prodicere*, fixer plus loin une date ; ajourner, différer.

prodictus, *a, um*, part. de *prodico.*

prodidi, pf. de *prodo.*

prodige *(prodigus)*, avec prodigalité.

prodigentia, *æ*, f. *(prodigo)*, prodigalité, profusion.

prodigialis, *e (prodigium)*, qui tient du prodige, prodigieux, merveilleux.

prodigialiter, d'une manière prodigieuse, par des prodiges.

prodigiose, d'une manière prodigieuse.

prodigiosus, *a, um (prodigium)*, prodigieux, qui tient du prodige || monstrueux.

prodigium, *ii*, n., prodige, événement prodigieux, miracle || fléau, monstre, être monstrueux.

prodigo, *ere, egi, actum (prod, ago)*, tr., **1.** pousser devant soi, faire aller || **2.** dépenser avec profusion, prodiguer, dissiper.

prodigus, *a, um (prodigo)*, qui prodigue, qui gaspille, prodigue || qui produit en abondance.

prodii, pf. de *prodeo.*

proditio, *onis*, f. *(prodo)*, révélation, dénonciation || trahison.

proditor, *oris*, m. *(prodo)*, **1.** celui qui révèle || **2.** celui qui trahit, traître.

proditus, *a, um*, part. de *prodo.*

prodo, *ere, didi, ditum*, tr.,
I. placer en avant, **1.** présenter au jour, produire ; publier, proclamer || **2.** dévoiler, révéler || **3.** trahir, livrer par trahison || abandonner, exposer, mettre en péril, compromettre.
II. faire passer à autrui, **1.** transmettre, propager || **2.** transmettre, léguer || **3.** transmettre par écrit ou par la parole : *hoc memoriæ proditum est* avec prop. inf., on rapporte ceci, que.

prodoceo, *ere*, tr., enseigner publiquement.

prodromus, *i*, m., celui qui court devant ; vent du nord-nord-est qui souffle huit jours avant la canicule.

produco, *ere, duxi, ductum*, tr.,
I. conduire en avant, **1.** faire avancer, faire sortir || **2.** mener en avant, produire : *testes*, produire des témoins, ou *producere aliquem*, produire qqn comme témoin || **3.** présenter, exposer ; produire sur la scène || **4.** mener en avant, conduire || amener à, déterminer à.
II. mener en avant plus au loin, **1.** entraîner || **2.** étendre, allonger : *prima littera producta*, avec la première lettre allongée ; prolonger ; différer : *rem in hiemem*, ajourner l'affaire jusqu'à l'hiver ; ajourner, amuser || **3.** faire pousser ; développer, faire grandir || élever un enfant, faire l'éducation d'un enfant || [fig.] faire avancer, pousser, élever.

producte *(productus)*, en allongeant.

productio, *onis*, f. *(produco)*, allongement, prolongation.

productus, *a, um*, part. de *produco* || pris adj., étendu, allongé, long.

produxi, pf. de *produco.*

prœliator, *oris*, m. *(prœlior)*, combattant, guerrier.

prœlio, *are*, intr., c. *prœlior* || *prœliatum est* passif impers., on combattit.

prœlior, *ari, atus sum (prœlium)*, intr., combattre, livrer bataille || lutter, batailler.

prœlium, *ii*, n., combat, bataille : *committere cum aliquo*, engager le combat avec qqn ; *prœlio dimicare cum aliquo*, se mesurer avec qqn.

profanatus, *a, um*, part. de *profano.*

profano, *are, avi, atum (profanus)*, tr., **1.** rendre à l'usage profane [une chose, une pers. qui a été auparavant consacrée] || **2.** profaner, souiller.

profanus, *a, um*, **1.** en avant de l'enceinte consacrée *(pro, fanum)*, [d'où] profane, qui n'est pas consacré, ou qui n'est plus sacré : *profanum aliquid facere*, donner à un objet un caractère profane || **2.** impie, sacrilège, criminel.

profatum, *i*, n., maxime, sentence, précepte.

1. profatus, *a, um*, part. de *profor.*

2. profatus, abl. *u*, m., action de parler, débit, paroles.

profeci, pf. de *proficio.*

profectio, *onis*, f. *(proficiscor)*, départ.

profecto, adv. *(pro, facto)*, assurément, certainement, vraiment.

1. profecturus, *a, um*, part. fut. de *proficiscor.*

2. profecturus, *a, um*, part. fut. de *proficio.*

1. profectus, *a, um*, part. de *proficiscor.*

2. profectus, *us*, m. *(proficio)*, avancement, progrès || succès, profit.

profero, *ferre, tuli, latum*, tr.,
I. porter en avant, présenter || produire au jour, mettre devant les

yeux; citer; dévoiler, révéler, porter à la connaissance du public; faire paraître.

II. porter plus loin en avant, faire avancer: *crates, musculos*, faire sortir [pour une attaque] les fascines, les galeries couvertes || **1.** porter plus en avant, étendre || **2.** différer, ajourner.

professio, *onis*, f. *(profiteor)*, **1.** déclaration, manifestation || **2.** déclaration publique, officielle || **3.** action de faire profession de.

professor, *oris*, m. *(profiteor)*, celui qui fait profession de, qui s'adonne à, qui cultive || professeur de, maître de.

professorius, *a, um (professor)*, de professeur, de rhéteur.

professus, *a, um*, part. de *profiteor* || passivement, reconnu, avoué; *ex professo*, ouvertement.

profestus, *a, um*, **1.** non férié: *profestus dies*, jour ouvrable || **2.** profane, non initié, non cultivé.

proficio, *ere, feci, fectum (pro* et *facio)*, intr., **1.** avancer || **2.** faire des progrès, obtenir des résultats || [pass. impers.]: *nihil profici poterat*, il ne pouvait être obtenu de résultats || **3.** être utile.

proficiscor, *i, fectus sum* (inch. de *proficio*), intr., **1.** se mettre en marche, se mettre en route, partir, s'en aller: *ab urbe, ex castris*, partir de la ville, du camp; *ab aliquo*, quitter qqn || **2.** [fig.] ***a)*** venir de, émaner de, dériver de; ***b)*** partir de, commencer par; ***c)*** passer à, en venir à: *nunc proficiscemur ad reliqua*, maintenant nous allons aborder le reste.

profiteor, *eri, fessus sum (pro* et *fateor)*, tr., **1.** déclarer ouvertement, reconnaître hautement || [avec prop. inf.] déclarer que || **2.** [en part.]: ***a)*** *se* [avec attribut] se donner comme || [avec prop. inf.] se faire fort de, se piquer de; ***b)*** [avec acc.] faire profession de: *philosophiam*, professer la philosophie; [absol.] *qui profitentur*, les professeurs; ***c)*** produire || **3.** offrir, proposer || **4.** déclarer devant un magistrat || [en part.] *profiteri nomen*, ou *profiteri* seul, faire une déclaration officielle de candidature.

proflatus, *a, um*, part. de *proflo*.

proflictus, *a, um*, part. de *profligo 2*.

profligator, *oris*, m., destructeur || dissipateur, prodigue.

profligatus, *a, um*, **1.** part. de *profligo 1* || **2.** pris adj., ***a)*** perdu moralement, avili, dépravé, corrompu; ***b)*** avancé: *profligatæ ætatis*, d'un âge avancé.

1. profligo, *are, avi, atum (pro, fligere)*, tr., **1.** abattre, renverser, terrasser || **2.** [fig.] porter un coup décisif à une chose, en décider l'issue, rendre sa fin imminente.

2. profligo, *ere, flictus*, tr., abattre, ruiner.

proflo, *are, avi, atum*, tr., **1.** exhaler || **2.** fondre un métal.

profluens, *tis*, part.-adj. de *profluo*, **1.** qui coule: *aqua*, eau courante || *profluens*, f. pris subst., cours d'eau, eau courante, rivière || **2.** [rhét.] au cours rapide || au cours ininterrompu.

profluenter *(profluens)*, [fig.] abondamment.

profluentia, *æ*, f. *(profluens)*, flux [de paroles].

profluo, *ere, fluxi, fluxum*, intr., couler en avant, découler, s'écouler.

profluvium, *ii*, n. *(profluo)*, écoulement, flux.

profluxi, pf. de *profluo*.

profor [inus.] *profaris, ari, profatur, atus sum*, tr., dire || prédire.

profore, inf. fut. de *prosum*.

profudi, pf. de *profundo*.

profugio, *ere, fugi, fugitum*, **1.** intr., s'enfuir, s'échapper, se sauver: *domo*, s'enfuir de sa patrie; *ex oppido*, de la ville || **2.** tr., fuir, éviter || abandonner.

profugus, *a, um (profugio)*, **1.** fugitif, qui s'est enfui || **2.** errant, vagabond || **3.** chassé: ***a)*** mis en fuite; ***b)*** exilé, banni: *patria profugus*, exilé de sa patrie || **profugus,** *i*, m., un exilé, un proscrit.

profui, pf. de *prosum*.

profundo, *ere, fudi, fusum*, tr., **1.** répandre, épancher, verser || **2.** faire sortir: *clamorem*, pousser un cri || **3.** répandre, donner à profusion, donner sans compter: *pecuniam, vitam pro patria*, donner sans compter son argent, sa vie pour la patrie || prodiguer, dissiper || **4.** déchaîner || déployer, exposer une chose; s'étendre, s'expliquer sur un sujet || *se in questus profundere*, se répandre en plaintes || gaspiller, dépenser en pure perte.

profundum, *i*, n. de *profundus* pris subst., **1.** profondeur || [en part.]: ***a)*** les profondeurs de la mer, abîme; ***b)*** la mer || **2.** [fig.] abîme.

profundus, *a, um*, **1.** profond || qui est au fond, sous la terre || **2.** ***a)*** dense, épais; ***b)*** élevé || **3.** sans fond, sans bornes.

profuse *(profusus)*, **1.** en se répandant, sans ordre, pêle-mêle || **2.** abondamment, d'une manière prolixe || sans retenue || **3.** avec prodigalité, profusément.

profusio, *onis,* f. *(profundo),* **1.** épanchement, écoulement || **2.** profusion, prodigalité.

profusus, *a, um,* part. de *profundo* || pris adj., [fig.] ***a)*** débordant, excessif, sans frein: prodigué, qui se déploie avec profusion; ***b)*** prodigue, dissipateur, gaspilleur.

progenero, *are,* tr., engendrer, créer.

progenies, *ei,* f., **1.** race, souche, famille || **2.** progéniture, lignée, enfants || **3.** fils, fille || petits [d'animaux].

progenitor, *oris,* m. *(progigno),* aïeul, ancêtre.

progenitus, part. de *progigno.*

progenui, pf. de *progigno.*

progero, *ere, gessi, gestum,* tr., porter dehors, emporter.

progigno, *ere, genui, genitum,* tr., engendrer, créer, mettre au monde || produire.

prognatus, *a, um (pro, gnascor),* issu de, descendant de || **prognatus,** *i,* m., descendant.

progredior, *gredi, gressus sum (pro* et *gradior),* intr., **1.** aller en avant, s'avancer || **2.** se porter || faire des progrès.

progressio, *onis,* f. *(progredior),* progrès, accroissement.

1. progressus, *a, um,* part. de *progredior.*

2. progressus, *us,* m., **1.** marche en avant || **2.** [fig.] *ætatis,* le progrès de l'âge.

prohibeo, *ere, bui, bitum (pro* et *habeo),* tr., tenir éloigné, **1.** écarter, éloigner, détourner, empêcher: *aliquem, aliquid ab aliqua re; aliquem aliqua re,* écarter qqn, qqch. de qqch.; [avec inf.] *aliquem exire...,* empêcher qqn de sortir || [avec inf. pass.] || [avec acc. seul] || [absol.] empêcher, interdire, prohiber || **2.** préserver.

prohibitio, *onis,* f. *(prohibeo),* interdiction, défense.

prohibitus, *a, um,* part. de *prohibeo.*

prohibui, pf. de *prohibeo.*

proinde, adv., **1.** ainsi donc, par conséquent [surtout suivi de subj. ou impér.] || **2.** dans la même proportion [que], de même [que]: [avec *ac* ou *atque*] || *proinde ac si,* comme si || [avec *quasi*] de même que si, comme si.

projeci, pf. de *projicio.*

1. projectus, *a, um,*

I. part. de *projicio.*

II. adj., **1.** qui se lance en avant, proéminent, saillant || débordant, qui s'étale impudemment, forcené, sans mesure, effréné || **2.** lancé vers, porté sans mesure à || **3.** qui s'abaisse, qui s'avilit || **4.** abattu.

2. projectus, abl. *u,* m., action de s'étendre, extension.

projicio, *ere, jeci, jectum (pro* et *jacio),* tr., **1.** jeter en avant, projeter: *se ad pedes alicujus,* se jeter aux pieds de qqn || jeter à terre, déposer; [en part.] *arma,* jeter bas les armes, se rendre || **2.** jeter au-dehors, expulser || exiler, bannir || **3.** [fig.] jeter loin de soi, rejeter, abandonner || *aliquem,* abandonner qqn (le livrer à la merci...) || rejeter = ajourner.

prolabor, *labi, lapsus sum,* intr., **1.** glisser (se glisser) en avant || **2.** glisser en bas, tomber en glissant: *ex equo,* glisser de son cheval à terre || s'écrouler, tomber en ruine || **3.** [fig.] ***a)*** se laisser aller à, se laisser entraîner à; ***b)*** tomber, se tromper, faillir; ***c)*** tomber, s'affaisser, se perdre.

prolapsio, *onis,* f. *(prolabor),* **1.** glissade, faux pas || écroulement || **2.** erreur, faute.

prolapsus, *a, um,* part. de *prolabor.*

prolatatus, *a, um,* part. de *prolato.*

prolatio, *onis,* f. *(profero),* présentation, mention, citation || agrandissement || remise, ajournement.

prolato, *are, avi, atum (profero),* tr., **1.** étendre, agrandir || prolonger || **2.** ajourner, différer.

prolatus, *a, um,* part. de *profero.*

prolectatus, *a, um,* part. de *prolecto.*

prolecto, *are, avi, atum (prolicio),* tr., attirer, allécher, séduire.

proles, *is,* f., race, lignée, enfants, famille, postérité || jeunes gens, jeunes hommes.

proletarius, *ii,* m. *(proles),* prolétaire [citoyen pauvre, des dernières classes].

prolicio, *ere (pro, lacio),* tr., attirer, allécher, séduire.

prolixe *(prolixus),* largement, abondamment, avec empressement.

prolixus, *a, um (pro, liqueo),* qui s'épanche en avant, **1.** allongé, long || **2.** d'un cours heureux, favorable || coulant, obligeant, bienveillant.

prolocutus, *a, um,* part. de *proloquor.*

proloquor, *qui, cutus sum,* **1.** intr., parler hautement || **2.** tr., exposer à haute voix.

proludo, *ere, si, sum,* intr., s'exercer par avance, s'essayer, préluder.

proluo, *ere, i, utum,* tr., **1.** baigner, arroser || **2.** emporter [en inondant], entraîner dans son cours || balayer, emporter || dissiper.

prolusi, pf. de *proludo.*

prolusio, *onis,* f., préparation au combat, prélude.

prolutus, *a, um,* part. de *proluo.*

proluvies, *ei,* f. *(proluo),* débordement.

promereo, *ere, ui, itum* et **promereor,** *eri, itus sum,* **1.** tr., gagner, mériter || **2.** intr., être bien, mal méritant à l'égard de qqn, c.-à-d. rendre de bons, de mauvais services, se comporter bien ou mal à l'égard de qqn: *ad bene de multis promerendum,* pour bien mériter d'un grand nombre.

promeritum, *i,* n. *(promereo),* **1.** bon service, bienfait || **2.** mauvais service (procédé) à l'égard de qqn.

promeritus, *a, um,* part. de *promereo* et *-reor.*

Prometheus (trisyl.) *ei* ou *eos,* m. Prométhée [fils de Japet, frère d'Épiméthée, père de Deucalion, fit l'homme d'argile et l'anima avec le feu du ciel qu'il avait dérobé; en punition il fut attaché sur le Caucase, où un vautour lui rongeait le foie; il fut délivré par Hercule].

Promethiades, *æ,* m., fils de Prométhée (Deucalion).

prominens, *tis,* part.-adj. de *promineo,* qui s'avance, se projette, saillant || **prominens,** *tis,* n., saillie, éminence.

promineo, *ere, minui,* intr., **1.** être saillant, proéminent || faire saillie, s'avancer, déborder en avant || **2.** s'avancer, s'étendre, se prolonger dans la postérité.

promisce, c. *promiscue.*

promiscue *(promiscuus),* en commun, indistinctement, pêle-mêle.

promiscus, *a, um,* c. *promiscuus.*

promiscuus, *a, um (misceo),* **1.** mêlé, qui n'est pas distinct, qui n'est pas séparé, pas mis à part, indistinct, commun [entre patriciens et plébéiens]; *in promiscuo esse,* être le partage de tous indistinctement; *in promiscuo spectare,* assister au spectacle pêle-mêle avec la foule || **2.** confondu, indifférent.

promisi, pf. de *promitto.*

promissio, *onis,* f. *(promitto),* promesse.

promissor, *oris,* m. *(promitto),* prometteur.

promissum, *i,* n. *(promissus),* promesse: *promissis stare, promissis manere,* demeurer fidèle à sa parole.

promissus, *a, um,* part. de *promitto* || adj., qu'on a laissé pousser, qui pend, long.

promitto, *ere, misi, missum,*

I. pr., laisser aller en avant: *capillum, barbam,* laisser croître les cheveux, la barbe.

II. fig., promettre, garantir, assurer: *aliquid (alicui),* qqch. (à qqn) || [avec inf.] promettre de || [avec prop. inf., d'ordin. inf. fut. actif] promettre que.

promo, *ere, prompsi, promptum (pro* et *emo),* tr., **1.** tirer, retirer, faire sortir || **2.** produire au jour, exprimer par la parole, l'écriture, dévoiler, publier.

promotus, *a, um,* **1.** part. de *promoveo* || **2.** adj., avancé: *promota nocte,* la nuit étant avancée || pl. n. *promota,* pris subst., c. *producta.*

promoveo, *ere, movi, motum,* tr., **1.** pousser en avant, faire avancer: *turrim, machinationes,* faire avancer une tour, des machines || **2.** étendre, agrandir || **3.** faire monter en grade.

prompsi, pf. de *promo.*

prompte *(promptus),* vite, avec empressement || avec facilité, aisément || nettement.

1. promptus, *a, um,*

I. part. de *promo.*

II. pris adj., **1.** mis au grand jour, visible, manifeste || **2.** qui est sous la main, prêt, apprêté, disponible [en parl. de choses] || facile, à la portée de tout le monde, commode: *promptum est* avec inf., il est facile de || **3.** [en parl. de pers.] prêt, disposé, dispos, résolu || prêt à, disposé à, prompt à; *ad vim promptus,* prêt à la violence || *promptus in pavorem,* prompt à s'alarmer || *promptior veniæ dandæ,* plus porté à pardonner.

2. promptus, abl. *u,* m., [seul. dans l'expr. *in promptu*]: **1.** *in promptu esse,* être sous les yeux, visible || *hæc sunt in promptu,* cela tombe sous le sens, c'est évident || **2.** *in promptu esse alicui,* être sous la main de qqn, à sa disposition.

promulgatio, *onis,* f. *(promulgo),* affichage officiel, publication.

promulgo, *are, avi, atum,* tr., afficher, publier: *legem,* afficher, publier un projet de loi.

promulsis, *idis,* f. *(mulsum),* entrée, plat d'entrée.

promunturium, *ii,* n. *(promineo),* partie avancée d'une chaîne de montagnes, promontoire.

promus, *i*, m. *(promo)*, chef d'office, maître d'hôtel, cellérier, sommelier.

promutuus, *a, um*, perçu d'avance, par anticipation.

prone *(pronus)*, adv., en étant penché en avant.

pronepos, *otis*, m., arrière-petit-fils.

pronuntiatio, *onis*, f. *(pronuntio)*, **1.** publication, déclaration, annonce || arrêt, sentence [du juge] || proclamation du crieur public || **2.** déclamation, débit d'acteur, d'orateur.

pronuntiator, *oris*, m. *(pronuntio)*, celui qui raconte, narrateur.

pronuntiatus, *a, um*, part. de *pronuntio*.

pronuntio, *are, avi, atum*, tr., **I. 1.** annoncer ouvertement, à haute voix; raconter, exposer: *quæ gesta sunt*, exposer les événements || **2.** porter à la connaissance du public, exposer dans un écrit, discourir, s'exprimer.
II. 1. proclamer, publier [par héraut]; [dans une assemblée] *aliquem prætorem*, proclamer qqn élu préteur || publier l'ordre de [avec *ut* subj.]; [avec *ne*] l'ordre de ne pas..., la défense de || [avec prop. inf.] publier que, porter à l'ordre de l'armée que || **2.** prononcer [un arrêt, une sentence] || **3.** promettre publiquement || **4.** déclamer, débiter à haute voix || **5.** prononcer une lettre, un mot.

pronus, *a, um (pro)*, **1.** penché en avant || **2.** en pente, incliné: *prona via*, chemin en pente; *in prono*, sur un terrain en pente || **3.** [en parl. d'un astre] qui descend à l'horizon, qui décline || [en parl. du temps] *pronus annus*, le déclin de l'année, l'automne || **4.** ***a)*** incliné vers, porté vers, enclin à [avec *ad*]; ***b)*** bien disposé, bienveillant, favorable; *pronus in aliquem, alicui*, bien disposé pour qqn; ***c)*** facile, aisé.

procemium, *ii*, n., **1.** prélude || **2.** préface, introduction, préambule.

propagatio, *onis*, f. *(propago)*, **1.** provignement || propagation || **2.** extension, agrandissement, prolongation.

propagatus, *a, um*, part. de *propago*.

1. propago, *are, avi, atum (pro* et *pago, pango)*, tr., **1.** propager par bouture, provigner || propager, perpétuer || **2.** agrandir, étendre || **3.** étendre, prolonger, faire durer.

2. propago, *inis*, f. *(propago 1)*, **1.** marcotte, bouture || rejeton, pousse || **2.** [fig.] rejeton, lignée, race.

propalam, au grand jour, ostensiblement, ouvertement, publiquement.

propatulo, et ordin. **in propatulo,** (abl. n. de *propatulus*), en plein air, en public, à découvert, au vu de tout le monde.

propatulus, *a, um*, découvert.

prope, *propius, proxime*, **I.** adv., **1.** [lieu] près, auprès || **2.** presque, à peu près || *prope factum est ut*, il s'en fallut de peu que.
II. prép. acc.: *prope oppidum*, près de la ville; *prope me*, près de moi.

propediem ou **prope diem,** adv., au premier jour, bientôt, sous peu.

propello, *ere, puli, pulsum*, tr., **1.** pousser en avant, faire avancer || **2.** repousser, chasser.

propemodum, adv., presque à peu près.

propendeo, *ere, di, sum*, intr., **1.** être penché en avant || être pendant, pendre || **2.** descendre, pencher || être plus pesant, l'emporter || **3.** avoir une propension.

propensio, *onis*, f. *(propensus)*, penchant.

propensus, *a, um*, **1.** part. de *propendeo* || **2.** adj., prépondérant, lourd, important || incliné vers, porté à.

properans, *tis*, part.-adj. de *propero*, qui se hâte, prompt, rapide.

properanter, c. *propere*.

properantia, *æ*, f. *(properans)*, hâte, diligence || précipitation.

properatio, *onis*, c. *properantia*.

properato, adv., c. *propere*.

properatus, *a, um*, part. de *propero* || adj., fait à la hâte, rapide.

propere *(properus)*, à la hâte, vite, avec diligence, avec empressement.

propero, *are, avi, atum (properus)*, **I.** tr., hâter, presser, accélérer || *properato opus est*, il faut se hâter.
II. intr., se hâter, se dépêcher, faire diligence: *in Italiam, Romam*, se rendre en hâte en Italie, à Rome || *pervenire properat*, il se hâte d'arriver || [avec *ut*] se hâter de.

Propertius, *ii*, m., surnom romain; not. Properce, poète élégiaque latin.

properus, *a, um*, prompt, rapide, pressé, empressé || *clarescere*, impatient de s'illustrer || [avec gén.] *vindictæ*, avide de vengeance.

propexus, *a, um*, peigné en avant, qui pend, pendant, long.

propinatio, *onis*, f. *(propino)*, provocation (invitation) à boire, défi de buveurs.

propino, *are, avi, atum,* tr., **1.** boire le premier, boire avant qqn et lui présenter la coupe entamée: *tibi propino,* je bois à ta santé || **2.** offrir à boire.

propinquitas, *atis,* f. *(propinquus),* proximité, voisinage || [fig.] parenté, alliance.

propinquo, *are, avi, atum (propinquus),* **1.** intr., s'approcher, approcher || [avec acc., cf. *prope*] || **2.** tr., faire venir près, hâter.

propinquus, *a, um (prope),* **1.** rapproché, voisin || *ex propinquo,* de près; *propinquo esse,* être proche || **2.** proche, prochain, peu éloigné || voisin, approchant, analogue || proche par la parenté || [pris subst.]: *propinquus, propinqua,* parent, parente, *propinqui,* les proches, les parents.

propior, n., *propius, oris* (compar. d'un positif inus., cf. *prope*), **1.** plus rapproché, plus près, plus voisin de [avec dat., acc. ou *ab*] || **2.** plus rapproché, plus récent || plus près par la parenté: *alicui,* plus proche parent de qqn || qui se rapproche davantage || qui touche de plus près.

propitiatus, *a, um,* part. de *propitio.*

propitio, *are, avi, atum (propitius),* tr., rendre propice, favorable, fléchir par un sacrifice, offrir un sacrifice expiatoire à.

propitius, *a, um,* propice [surtout en parl. des dieux], favorable, bienveillant.

propius, compar. de *prope,* **1.** adv. *propius a terris,* plus près des terres || *nec quicquam propius est factum quam ut,* et il s'en fallut de bien peu que || **2.** prép., ***a)*** acc. *propius urbem,* plus près de la ville; ***b)*** dat.

propnigeum (-on), *i,* n., étuve [de bains].

propola, *æ,* m., boutiquier, détaillant, revendeur, brocanteur.

propolis, *is,* f., propolis.

propono, *ere, posui, positum,* tr., **1.** placer devant les yeux, exposer, présenter: *vexillum,* hisser, arborer l'étendard [signal du combat] || afficher || **2.** *sibi proponere aliquem, aliquid,* se représenter qqn, qqch. par la pensée || mettre en avant, faire voir, exposer: *rem gestam,* faire l'exposé des événements || exposer que [avec prop. inf.] || offrir, proposer: *præmium,* offrir une récompense || proposer une question, un sujet de discussion || se proposer qqch. [dessein, projet]: *sibi proponere, ut,* se proposer de || *mihi est propositum* avec inf. ou avec *ut* subj., mon dessein est de.

propositio, *onis,* f. *(propono),* action de mettre sous les yeux, présentation, représentation || proposition; exposé du sujet, thème.

propositum, *i,* n. *(propositus),* **1.** plan, dessein || **2.** objet, sujet traité, thème.

propositus, *a, um,* part. de *propono.*

proposui, pf. de *propono.*

pro prætore ou **proprætor,** *oris,* m., propréteur, suppléant du préteur.

proprie *(proprius),* **1.** particulièrement, en particulier || **2.** proprement, spécialement, personnellement || **3.** en termes appropriés, d'une manière propre.

proprietas, *atis,* f. *(proprius),* **1.** propriété, caractère propre || caractère spécifique || **2.** propriété, droit de possession.

proprium, *ii,* n. *(proprius),* propriété.

proprius, *a, um,* **1.** qui appartient en propre, qu'on ne partage pas avec d'autres; *populi Romani est propria libertas,* la liberté est le patrimoine des Romains || **2.** propre, spécial, caractéristique || **3.** *verbum proprium,* mot propre.

propter,

I. adv., à côté, auprès, à proximité.

II. prép. acc., à côté de, près de || à cause de: *propter metum,* par crainte.

propterea, adv., à cause de cela, **1.** [renvoyant à ce qui précède] *et propterea* et à cause de cela || **2.** [en corrélation] ***a)*** *propterea... quod, quia,* par cela que, parce que; ***b)*** *propterea... ut,* pour que, afin que.

propudiosus, *a, um,* qui est sans pudeur, éhonté, infâme.

propudium, *ii,* n. *(pro, pudet),* action déshonnête, infamie.

propugnaculum, *i,* n. *(propugno),* **1.** ouvrage de défense, retranchement, rempart, fortification || **2.** tout moyen de défense.

propugnatio, *onis,* f. *(propugno),* défense.

propugnator, *oris,* m. *(propugno),* celui qui défend en combattant, défenseur, combattant || protecteur, champion.

propugnatus, *a, um,* part. de *propugno.*

propugno, *are, avi, atum,* **1.** intr., ***a)*** combattre pour écarter, pour protéger; ***b)*** combattre pour, être le défenseur, le champion de: *pro aliqua re* ou *alicui rei* [pour qqch.] || **2.** tr., défendre, *aliquam rem,* qqch.

propuli, pf. de *propello.*

propulsatio, *onis,* f. *(propulso),* action de repousser [un danger].

propulsator, *oris,* m., celui qui éloigne [fig.], préservateur, défenseur.

propulso, *are, avi, atum (propello),* tr., repousser, écarter || éloigner, se garantir de, se préserver de: *periculum,* conjurer un péril.

propulsus, *a, um,* part. de *propello.*

propylæon, *i,* n. et **-læa,** *orum,* n. pl., les Propylées, portique de l'Acropole [à Athènes].

pro quæstore, m., proquesteur.

prora, *æ,* f., proue, avant d'un vaisseau || [poét.] nef, navire, vaisseau.

prorepo, *ere, psi, ptum,* intr., s'avancer en rampant ou en se traînant, ramper.

proreptus, *a, um,* part. de *proripio.*

proripio, *ere, ripui, reptum (pro* et *rapio),* tr., traîner dehors, entraîner.

prorito, *are, avi (pro, rito,* cf. *irrito),* tr., provoquer, exciter, stimuler || attirer, engager, inviter.

prorogatio, *onis,* f. *(prorogo),* prolongation, prorogation, remise, ajournement, délai.

prorogatus, *a, um,* part. de *prorogo.*

prorogo, *are, avi, atum,* tr., prolonger, proroger, étendre.

prorsus, adv. *(pro* et *vorsus),* **1.** tourné en avant, en avant; [fig.] *prorsus ibat res,* les affaires marchaient bien || **2.** tout à fait, absolument: *ita prorsus existimo,* c'est tout à fait mon avis; *verbum prorsus nullum,* absolument pas un mot || **3.** en un mot.

prorumpo, *ere, rupi, ruptum,* **1.** tr., faire sortir avec violence || *se prorumpere,* se précipiter, ou *prorumpi* || **2.** intr. [pr. et fig.] s'élancer: se précipiter || *lacrimæ prorumpunt,* les larmes jaillissent.

proruo, *ere, rui, rutum,* **1.** intr., ***a)*** se précipiter; ***b)*** s'écrouler || **2.** tr., renverser.

prorupi, pf. de *prorumpo.*

proruptus, *a, um,* part. de *prorumpo.*

prorutus, *a, um,* part. de *proruo.*

prosa, *æ,* f., prose.

proscenium (-cænium), *ii,* n., proscénium, le devant de la scène.

proscidi, pf. de *proscindo.*

proscindo, *ere, scidi, scissum,* tr., **1.** déchirer en avant, fendre en avant: ***a)*** labourer [premier labour]; ***b)*** fendre les flots || **2.** [fig.] déchirer, diffamer.

proscissus, *a, um,* part. de *proscindo.*

proscribo, *ere, scripsi, scriptum,* tr., **1.** publier par une affiche, afficher || [avec prop. inf.] annoncer par voie d'affiches que || [en gén.] publier, annoncer || **2.** [en part.] ***a)*** afficher qqch. pour une vente, mettre en vente; ***b)*** annoncer par affiches la confiscation et la vente des biens de qqn; ***c)*** mettre sur les listes de proscription, proscrire; *proscriptus,* un proscrit.

proscripsi, pf. de *proscribo.*

proscriptio, *onis,* f. *(proscribo),* affichage pour une vente || proscription [comportant exil et confiscation des biens].

1. proscriptus, *a, um,* part. de *proscribo.*

2. proscriptus, *i,* m., proscrit (v. *proscribo*).

proseco, (arch. **-sico**), *are, ui, sectum,* tr., **1.** couper, découper [les entrailles des victimes] || **2.** couper || fendre, labourer.

prosecta, *orum,* n. (s.-ent. *exta*), entrailles [coupées] de la victime.

prosectus, *a, um,* part. de *proseco.*

prosecui, pf. de *proseco.*

prosecutus, *a, um,* part. de *prosequor.*

prosemino, *are, avi, atum,* tr., semer, disséminer || [fig.] faire naître, créer, engendrer.

prosequor, *sequi, cutus (quutus) sum,* tr., **1.** accompagner, reconduire qqn en cortège || [en part.] accompagner un mort, un convoi funèbre || **2.** [idée d'hostilité] poursuivre: *hostem,* poursuivre l'ennemi || [sans hostilité] poursuivre, continuer || **3.** [en gén.] accompagner, escorter || **4.** poursuivre (accompagner) qqn de cris, de manifestations diverses || **5.** [fig.] accompagner qqn de qqch. = honorer de: *aliquem honcficis verbis* = adresser à qqn des compliments || **6.** s'attacher à décrire, à exposer qqch.

Proserpina, *æ,* f., Proserpine [fille de Cérès et de Jupiter, enlevée par Pluton].

proserpo, *ere,* intr., **1.** s'avancer en rampant, se traîner || **2.** sortir lentement, lever || **3.** s'étendre, se propager.

prosilio, *ire, ui* (plus rar. *ivi, ii*), *(pro* et *salio),* intr., **1.** sauter en avant, se jeter en sautant, se lancer, se précipiter || **2.** [fig.] ***a)*** jaillir; ***b)*** pousser, croître; ***c)*** s'avancer en saillie.

prosopopœia, *æ,* f., prosopopée [figure de rhét.] || discours supposé, prêté à un personnage.

prospecto, *are, avi, atum (prospicio),* tr., **1.** regarder en avant, devant soi, voir au loin, voir de loin || **2.** regarder [orientation], être tourné vers, avoir vue sur || **3.** attendre, épier.

1. prospectus, *a, um,* part. de *prospicio.*

2. prospectus, *us,* m., **1.** action de regarder en avant, au loin, vue, perspective || **2.** fait d'être en vue au loin: *in prospectu esse,* être visible au loin || [d'où] aspect || **3.** action de voir loin, portée de la vue.

prospeculor, *ari, atum,* **1.** intr., explorer, faire une reconnaissance || **2.** tr., épier, guetter.

prosper, mieux **prosperus,** *a, um (pro, spero),* qui répond aux espérances, heureux, prospère: *prospera adversaque fortuna,* la bonne et la mauvaise fortune; *prosperæ res,* le bonheur, la prospérité || n. pl. *prospera,* prospérité || [remplaçant un adv.]: *prospera omnia cedunt,* tout arrive heureusement.

prosperatus, *a, um,* part. de *prospero.*

prospere *(prosperus),* avec bonheur, heureusement, à souhait: *evenire, procedere,* réussir [en parl. des choses], bien tourner, bien aboutir.

prosperitas, *atis,* f. *(prosperus),* prospérité, bonheur.

prospero, *are, avi, atum (prosperus),* tr., rendre heureux, faire réussir *(rem alicui).*

prospexi, pf. de *prospicio.*

prospiciens, *entis,* part.-adj. de *prospicio,* qui se garde de qqch., qui se méfie.

prospicienter, prudemment, avec sagesse.

prospicientia, *æ,* f. *(prospicio),* prévoyance, circonspection, précaution.

prospicio, *ere, spexi, spectum (pro* et *specio),*
I. intr., **1.** regarder au loin, en avant || **2.** être aux aguets, avoir l'œil au guet || **3.** [fig.] avoir l'œil, faire attention, être attentif, veiller à, pourvoir à: *prospicite patriæ,* songez à la patrie; [avec *ut* subj.] veiller à ce que, avoir soin que: [avec *ne*] que ne pas.
II. tr., **1.** discerner (apercevoir, voir) qqch. au loin, devant soi || regarder au loin, épier || **2.** jeter un coup d'œil de loin sur qqch. || **3.** avoir vue sur [orientation], regarder || **4.** ***a)*** avoir devant les yeux; ***b)*** prévoir: *longe prospicere futuros casus rei publicæ,* prévoir de loin les malheurs qui menacent l'État: *multo ante,* longtemps à l'avance; ***c)*** avoir l'œil à, s'occuper de, préparer.

prosterno, *ere, stravi, stratum,* tr., **1.** coucher en avant, jeter bas, renverser, terrasser || **2.** abattre, ruiner.

prostiti, pf. de *prosto.*

prosto, *are, stiti,* intr., se tenir exposé aux regards du public, se mettre en vue || être exposé en vente [en parl. d'un livre].

prostratus, *a, um,* part. de *prosterno.*

prostravi, pf. de *prosterno.*

prosubigo, *ere,* tr., remuer devant soi (le sol) avec le pied, gratter le sol du pied.

prosum, *prodesse, profui,* intr., être utile: *prodesse omnibus,* être utile à tous; *ad rem aliquam alicui prodesse,* être utile à qqn pour (en vue de) qqch. || *multum prodest contemnere...,* il est très utile de mépriser...

protector, *oris,* m. *(protego),* garde du corps, satellite.

protectus, *a, um,* part. de *protego.*

protego, *ere, texi, tectum,* tr., **1.** couvrir devant, en avant, abriter || faire un avant-toit || **2.** [fig.] garantir, protéger.

protendo, *ere, tendi, tentum* et *tensum,* tr., tendre en avant, étendre, allonger || pass. *protendi,* s'étendre.

protentus, *a, um,* part. de *protendo.*

protenus, c. *protinus.*

protero, *ere, trivi, tritum,* tr., écraser, broyer [le grain] || fouler aux pieds || *protritus,* rebattu, usé par un fréquent usage.

proterreo, *ere, ui, itum,* tr., chasser devant soi en effrayant, mettre en fuite || *proterritus,* effrayé, chassé.

proterve *(protervus),* effrontément, impudemment, sans retenue.

protervitas, *atis,* f. *(protervus),* impudence, audace, effronterie.

protervus, *a, um,* **1.** [poét.] violent, véhément: *venti protervi,* vents impétueux || **2.** audacieux, sans mesure, impudent, effronté.

Proteus (disyl.), *ei* ou *eos,* m., Protée [dieu marin, sachant l'avenir, mais se dérobant aux consultations par mille métamorphoses] || [fig.] un protée, un homme versatile.

protexi, pf. de *protego.*

protinus (protenus), adv., **1.** tout droit en avant, droit devant soi || [fig.] en ligne droite, sans ambages || **2.** tout droit sans s'arrêter, en continuant d'avancer || chemin faisant, au cours de la marche || **3.** sans interruption ||

immédiatement après, aussitôt, sans désemparer.

Protogenes, *is*, m., Protogène [célèbre peintre grec, de Rhodes].

protractus, *a, um*, part. de *protraho.*

protraho, *ere, traxi, tractum*, tr., **1.** tirer en avant, faire sortir, traîner hors de || **2.** [fig.] produire au jour, révéler, dévoiler || traîner en longueur, prolonger || ajourner, différer.

protraxi, pf. de *protraho.*

protritus, *a, um*, part. de *protero.*

protrivi, pf. de *protero.*

protrudo, *ere, si, sum*, tr., **1.** pousser (lancer) en avant, donner l'impulsion || **2.** [fig.] différer, remettre.

protuli, pf. de *profero.*

proturbo, *are, avi, atum*, tr., chasser devant soi en bousculant, repousser [en désordre], chasser || [poét.], dévaster.

prout, conj., selon que, dans la mesure où.

provectus, *a, um*, **1.** part. de *proveho* || **2.** adj., avancé : *ætate provectus*, avancé en âge.

proveho, *ere, vexi, vectum*, tr., **1.** transporter en avant, mener en avant || pass. *provehi*, se transporter en avant, s'avancer [surtout en bateau] || **2.** [fig.] ***a)*** pousser en avant, faire avancer, entraîner ; ***b)*** faire monter, élever, faire progresser.

provenio, *ire, veni, ventum*, intr., [idée de production] naître, éclore, pousser, croître || [fig.] ***a)*** se produire, avoir lieu ; ***b)*** avoir une issue bonne ou mauvaise ; ***c)*** avoir une heureuse issue, tourner bien.

proventurus, *a, um*, part. fut. de *provenio.*

proventus, *us*, m. *(provenio)*, **1.** venue, croissance || production, récolte || [fig.] abondance || **2.** résultat, issue : *pugnæ*, issue du combat || [en part.] succès, réussite.

proverbialis, *e*, proverbial.

proverbium, *ii*, n. *(pro* et *verbum)*, proverbe, dicton ; *in proverbii consuetudinem venire ; in proverbium venire*, passer à l'état de proverbe ; *proverbii locum obtinere*, être passé en proverbe.

provexi, pf. de *proveho.*

providens, *tis*, part.-adj. de *provideo*, prévoyant, prudent, sage, précautionné || [en parl. des choses] sûr : *id est providentius*, c'est plus sûr.

providenter *(providens)*, en prévoyant, prudemment, sagement.

providentia, *æ*, f. *(provideo)*, **1.** prévision, connaissance de l'avenir || **2.** prévoyance || **3.** la Providence = Dieu.

provideo, *ere, vidi, visum*, tr., **1.** voir en avant, devant || voir le premier, être le premier à apercevoir, *aliquem*, qqn || **2.** prévoir ; *mala ante provisa*, maux prévus à l'avance ; *providere quid futurum sit*, prévoir ce qui arrivera ; [avec prop. inf.] prévoir que || **3.** organiser d'avance, pourvoir à : ***a)*** *frumento exercitui proviso*, les approvisionnements de blé étant faits d'avance pour l'armée ; ***b)*** [absol.] pourvoir, être prévoyant, se précautionner ; *in posterum*, se précautionner pour l'avenir || *saluti alicujus*, pourvoir au salut de qqn || [avec *ut*] veiller à ce que ; [avec *ne, ut ne*] prendre ses dispositions pour empêcher que, pourvoir à ce que ne pas.

providus, *a, um (provideo)*, **1.** qui prévoit : *rerum futurarum*, qui prévoit l'avenir || **2.** qui voit en avant, prévoyant, prudent || *parum providum est* avec inf., il n'est guère sage de... || **3.** qui pourvoit à.

1. provincia, *æ*, f., **1.** [en gén.] sphère d'activité, département, domaine d'attributions, mission déterminée, charge, fonction || **2.** [en part. t. officiel] : ***a)*** province = cercle des attributions d'un magistrat, compétence, département : *provincias dividere, decernere, sortiri*, partager, fixer, tirer au sort les provinces, les attributions : *provincia peregrina, urbana* = préture pérégrine, urbaine ; ***b)*** gouvernement d'une province romaine ; ***c)*** province = le pays lui-même, la circonscription territoriale : *in provinciam proficisci, de provincia decedere*, partir pour sa province, quitter sa province ; *provincia Gallia*, la province de Gaule.

2. Provincia, *æ*, f., la Province, c.-à-d. une partie de la Narbonnaise, la Provence.

provincialis, *e (provincia)*, **1.** de province, des provinces || **2.** de gouverneur [ou] de gouvernement d'une province || subst. m., provincial, habitant d'une province.

provinciatim, adv., par province.

provisio, *onis*, f. *(provideo)*, **1.** action de prévoir, prévision || **2.** action de pourvoir à, précautions, prévoyance.

provisor, *oris*, m. *(provideo)*, **1.** celui qui prévoit || **2.** celui qui pourvoit à.

1. provisus, *a, um*, part. de *provideo.*

2. provisus, abl. *u*, m., **1.** action de voir à distance || **2.** prévision || **3.** action de pourvoir ; *rei frumentariæ*, approvisionnement de blé.

provocatio, *onis*, f. *(provoco)*, **1.** provocation, défi || **2.** appel, droit d'appel.

provocator, *oris*, m. *(provoco)*, celui qui défie, provocateur || sorte de gladiateur.

provocatus, *a, um*, part. de *provoco*.

provoco, *are, avi, atum*, tr., **1.** appeler dehors, mander dehors, faire venir || **2.** appeler à, exciter, provoquer : *aliquem ad pugnam*, provoquer qqn au combat || **3.** faire naître || **4.** défier, le disputer à : *aliquem virtute*, rivaliser de vertu avec qqn || **5.** [t. de droit] en appeler, faire un appel : *ad populum*, en appeler au peuple ; *ad Catonem*, en appeler à Caton || [absol.] *provoco*, j'en appelle au peuple.

provolo, *are, avi, atum*, intr., **1.** s'envoler, s'enfuir en volant || **2.** [fig.] s'élancer (voler) en avant.

provolutus, *a, um*, part. de *provolvo*.

provolvo, *ere, volvi, volutum*, tr., **1.** rouler en avant, faire rouler devant soi, culbuter || **2.** *se provolvere* ou *provolvi alicui ad pedes*, se jeter aux pieds de qqn || **3.** [fig.] [pass. sens réfléchi], ***a)*** s'humilier, s'abaisser ; ***b)*** s'écrouler.

provulgatus, *a, um*, part. de *provulgo*.

provulgo (-volgo), *are, avi, atum*, tr., divulguer, rendre public, publier.

proxime (-xume), adv. et prép. ; superl. de propre,

I. adv., **1.** [lieu] le plus près, très près || **2.** [temps] le plus récemment, tout dernièrement || **3.** [rang] immédiatement après || **4.** [fig.] le plus approximativement, avec le plus de précision.

II. prép. acc., *quam proxime hostem*, le plus près possible de l'ennemi || [dat. par influence de l'adj. *proximus*] : *alicujus virtuti proxime accedere*, être bien près d'atteindre la vertu de qqn.

proximitas, *atis*, f. *(proximus)*, **1.** proximité, voisinage || **2.** affinité.

proximus (-umus), *a, um*, superl. de *propior*, **1.** [lieu] le plus proche, très proche ; le plus voisin, très voisin || le plus près de, *alicui*, de qqn || *ab aliqua re*, le plus près de qqch. || [avec acc.] *proximus mare*, le plus près de la mer || **2.** [temps] ; ***a)*** [passé] : *proxima nocte*, dans la nuit dernière ; *qui proximus ante me fuerat*, qui avait été [censeur] immédiatement avant moi ; ***b)*** [avenir] *triduo proximo*, dans les trois jours qui suivent immédiatement || **3.** [rang, succession, classement, etc.] : *alicui proximus*, le plus près de qqn [par le mérite] || *proximum est, ut doceam...*, il me reste immédiatement après à montrer || **proximi,** *orum*, m., les plus proches [parents ou amis].

prudens, *tis (providens)*, **1.** qui prévoit qui sait d'avance, qui agit en connaissance de cause || **2.** qui connaît, au courant, compétent, expérimenté : *in jure civili*, compétent en matière de droit civil || [avec gén.] *rei militaris*, qui a la science des choses militaires || [avec prop. inf.] sachant bien que || **3.** prudent, réfléchi, sagace, avisé ; *in disserendo prudentissimi*, très habiles dans la dialectique || *consilium prudens*, parti prudent.

prudenter, *(prudens)*, avec science, avec sagacité, avec prudence, avec clairvoyance.

prudentia, *æ*, f. *(prudens)*, **1.** prévoyance, prévision || **2.** connaissance pratique, compétence || **3.** sagesse, savoir-faire, sagacité, prudence.

pruina, *æ*, f., **1.** frimas, gelée blanche || **2.** neige || hiver.

pruinosus, *a, um (pruina)*, couvert de givre || glacé.

pruna, *æ*, f., charbon ardent, braise.

prunicius (-ceus), *a, um (prunus)*, de bois de prunier.

prunum, *i*, n., prune [fruit] || prunelle.

prunus, *i*, f., prunier.

Prusias, *æ*, m., Prusias [roi de Bithynie chez lequel Hannibal se réfugia et s'empoisonna].

prytaneum, *i*, n., prytanée.

prytanis, *is*, m., prytane || premier magistrat de Rhodes.

psallo *ere*, intr., jouer de la cithare, chanter en s'accompagnant de la cithare.

psalterium, *ii*, n., psaltérion, sorte de cithare.

psaltes, *æ*, m., joueur de cithare, chanteur, musicien.

psaltria, *æ*, f., joueuse de cithare, chanteuse, musicienne.

psithia (psy-), *æ*, et **psithia vitis,** f., sorte de vigne et de raisin [propre à faire le *passum*].

psithium vinum, n., vin psithien, de raisins secs.

psittacus, *i*, m., perroquet [oiseau].

psora, *æ* (**-ræ,** *arum*), f., gale.

psoricus, *a, um*, bon pour la gale.

psychomantium, *ii*, n., lieu où l'on évoque les âmes || évocation des âmes.

Psylli, *orum*, m., Psylles [peuple de Libye qui charmait les serpents et guérissait de leur morsure].

Ptolemæus, *i*, m., Ptolémée : **1.** fils de

Lagus, un des généraux d'Alexandre, qui devint roi d'Égypte || **2.** nom de ses descendants.

pubens, *tis (pubes),* adj., couvert de duvet.

pubertas, *atis,* f. *(puber),* **1.** puberté || **2.** signe de la puberté, poils, barbe; [fig.] duvet des plantes || jeunes gens.

1. pubes ou **puber,** *eris,* adj., pubère, adulte || *puberes,* les jeunes gens pubères || couvert de duvet.

2. pubes, *is,* f., jeunesse, jeunes gens.

pubesco, *ere, bui (pubes),* intr., **1.** entrer dans l'adolescence || **2.** pousser, se développer || [poét.] *prata pubescunt flore,* les prés se couvrent de fleurs.

publicanus, *i,* m., publicain, fermier de l'État, fermier d'un impôt public.

publicatio, *onis,* f. *(publico),* confiscation, vente à l'encan.

publicatus, *a, um,* part. de *publico.*

publice *(publicus),* **1.** au nom de l'État, ou pour l'État, officiellement: *aliquem publice laudare,* faire officiellement l'éloge de qqn || aux frais de l'État || par une décision officielle || **2.** publiquement.

Publicius, *ii,* m., nom de famille romaine || adj., *clivus Publicius,* nom d'une rue en pente de Rome.

publico, *are, avi, atum (publicus),* tr., **1.** adjuger à l'État, confisquer au profit de l'État || **2.** rendre public: ***a)*** mettre à la disposition du public; ***b)*** montrer au public; exposer en public; ***c)*** publier [un livre].

Publicola ou **Poplicola,** *æ,* m. [ami du peuple], surnom de P. Valérius, qui fut consul avec le premier Brutus, après l'abdication de Tarquin Collatin.

publicum, *i,* n. *(publicus),* **1.** domaine public, propriété de l'État || **2.** trésor public, caisse de l'État: *in publicum redigere,* verser au trésor public; *in publicum redempti,* [esclaves] rachetés pour devenir propriété de l'État || revenus publics: *publica conducere,* affermer les revenus de l'État || entrepôt public: *frumentum in publicum conferre,* faire des entrepôts de blé publics || **3.** intérêt public, la chose publique, l'État || **4.** archives publiques || **5.** public, foule: *carere publico,* ne pas paraître en public || lieu public.

publicus, *a, um (populus),* **1.** qui concerne le peuple, qui appartient à l'État, officiel, public: *tabulæ publicæ* ou *publicæ litteræ,* registres officiels, publics || **2.** de propriété publique, d'un usage public || **3.** commun à tous: *verba publica,* les mots de tout le monde; *publicus usus,* l'usage de chacun, de tout le monde || **4.** [poét.] ordinaire, banal, rebattu.

Publilius, *ii,* m., nom de fam. rom. || Publilius Syrus [auteur de mimes].

Publius, *ii,* m., prénom rom., en abrégé *P.*

pubui, pf. de *pubesco.*

pudendus, *a, um (pudeo),* dont on doit rougir, honteux, infamant.

pudens, *tis,* part.-adj. de *pudeo,* qui a de la pudeur, modeste, réservé, discret || honorable.

pudenter *(pudens),* avec pudeur, réserve, retenue, discrétion.

pudeo, *ere, dui, ditum,*
I. intr., avoir honte.
II. causer de la honte, **1.** tr., et pers. [arch.] || **2.** impers., [acc. de la pers. qui éprouve de la honte, gén. de l'objet qui cause de la honte]: *aliquem pudet alicujus rei,* m. à m. cela fait honte à qqn à cause de qqch., qqn a honte de qqch.; *non pudebat magistratus... escendere,* les magistrats n'avaient pas honte de monter || *pudet dictu,* on a honte de le dire || *pudendum est* avec prop. inf., on doit avoir honte de voir que.

pudibundus, *a, um (pudeo),* qui éprouve de la honte, de la confusion.

pudice *(pudicus),* pudiquement, avec honneur, vertueusement.

pudicitia, *æ,* f. *(pudicus),* pudicité, chasteté, pudeur.

pudicus, *a, um (pudeo),* pudique, chaste, timide, vertueux, modeste || pur, honnête, irréprochable.

pudor, *oris,* m. *(pudeo),* **1.** sentiment de pudeur, de honte, de réserve, de retenue, de délicatesse, de timidité || *pudor est* avec inf. = *pudet,* ou *pudori est,* j'ai honte de || **2.** sentiment moral, moralité, honneur || **3.** honneur, point d'honneur || **4.** honte, déshonneur, opprobre; *pudori esse alicui,* être un objet de honte pour qqn.

puella, *æ,* f. *(puellus),* jeune fille.

puellaris, *e (puella),* de jeune fille, tendre, délicat.

puellariter, en jeune fille, innocemment.

puellus, *i,* m. *(puerulus),* jeune enfant, petit garçon.

puer, *eri,* m., **1.** enfant [garçon ou fille]: || *a puero, a pueris,* dès l'enfance; *ex pueris excedere,* sortir de l'enfance || **2.** jeune homme [jusqu'à 17 ans] || **3.** enfant, fils || **4.** esclave, serviteur || page.

puerasco, *ere (puer),* intr., arriver à l'âge de l'enfance.

puerilis, *e (puer),* **1.** enfantin, de l'enfance: *ætas puerilis,* enfance || **2.** puéril, irréfléchi.

puerilitas, *atis,* f. *(puerilis),* **1.** enfance || **2.** puérilité.

pueriliter *(puerilis),* à la manière des enfants || puérilement, sans sérieuse réflexion.

pueritia, *æ,* f. *(puer),* enfance [âge jusqu'à 17 ans]; *jam a pueritia tua,* dès ton enfance.

puerperium, *ii,* n. *(puerpera),* mal d'enfant, accouchement, enfantement.

puerpera, *æ,* f. *(puer, pario),* accouchée, femme en couches.

puerperus, *a, um (puerpera),* d'accouchement, d'enfantement.

puerulus, *i,* m., dimin. de *puer.*

pugil, *ilis,* m. (cf. *pugnus*), athlète pour l'exercice du pugilat, pugiliste, boxeur.

pugilatus, *us,* m. *(pugil),* pugilat.

pugillares, *ium,* m., tablettes [à écrire].

pugillaria, *ium,* n., c. *pugillares.*

pugillus, *i,* m., dimin. de *pugnus,* le contenu de la main fermée, poignée.

pugio, *onis,* m. *(pungo),* poignard.

pugiunculus, *i,* m. *(pugio),* petit poignard.

pugna, *æ,* f. *(pugno, pugnus),* **1.** combat à coups de poing, pugilat || combat, action de se battre, engagement || combat singulier || **2.** combat, bataille: *pugna Cannensis,* bataille de Cannes || [aux jeux] tournoi || bataille = l'ordre de bataille || **3.** lutte, discussion.

pugnacitas, *atis,* f. *(pugnax),* ardeur au combat, combativité.

pugnaciter *(pugnax),* d'une manière combative, avec acharnement.

pugnaculum, *i,* n., c. *propugnaculum.*

pugnans, *tis,* part. de *pugno* || *pugnantes,* m., les combattants.

pugnator, *oris,* m. *(pugno),* combattant.

pugnatorius, *a, um,* qui sert aux combats.

pugnatrix, *icis,* f., guerrière.

pugnatus, *a, um,* part. de *pugno.*

pugnax, *acis (pugno),* **1.** belliqueux, ardent à la lutte || **2.** acharné, luttant âprement.

pugno, *are, avi, atum (pugnus),* intr., combattre à coups de poing, **1.** combattre, se battre [combats singuliers ou combats d'armées]: *eminus, cominus,* combattre de loin, de près || [avec *cum*], combattre avec (contre) qqn || [avec *contra*] || [avec *in* acc.] || [avec *adversus*] || [pass. imp.] *pugnatur,* on combat || **2.** *magnam pugnam pugnare,* livrer une grande bataille || **3.** être en lutte: *tecum pugnas,* tu es en contradiction avec toi-même || [poét., avec dat.] lutter contre, résister à || **4.** lutter, faire effort pour obtenir que [avec *ut* subj.]; [avec *ne*] pour empêcher que || [avec inf., poét.] lutter pour.

pugnus, *i,* m., **1.** poing: *pugnum facere,* serrer le poing || **2.** [mesure] poignée.

pulchellus, ou **pulcellus,** *a, um,* dimin. de *pulcher,* joli, tout charmant.

1. pulcher, *chra, chrum,* **1.** beau || **2.** beau, glorieux, noble, etc.; *pulchrum est* avec inf., il est beau de; *pulcherrimum judicare* avec prop. inf., juger très beau que.

2. Pulcher, *chri,* m., surnom rom.

pulchre ou **pulcre** *(pulcher),* de belle façon, bien, joliment, à merveille: *mihi pulchre est,* je me porte à merveille.

pulchritudo (pulcr-), *inis,* f. *(pulcher),* beauté.

puleium (-lejum), *i,* n., pouliot [plante aromatique du genre des menthes] || [fig.] odeur agréable, agrément, douceur.

pulex, *icis,* m., puce || puceron.

pulicosus, *a, um (pulex),* couvert de puces.

pullarius, *a, um (pullus 1),* **1.** qui concerne les petits des animaux || **2.** subst. *pullarius, ii,* m., pullaire, celui qui a la garde des poulets sacrés.

pullatus, *a, um (pullus 2),* vêtu de deuil || vêtu d'une toge brune = de bas étage; [d'où] **pullati,** *orum,* m., lie du peuple.

pullulo, *are, avi, atum (pullulus),* intr., avoir des rejetons, pulluler || se multiplier, se répandre.

pullum, *i,* n. *(pullus 2),* le sombre, la couleur sombre.

1. pullus, *a, um,* **1.** tout petit || **2.** [surtout pris subst.] **pullus,** *i,* m., ***a)*** petit d'un animal; ***b)*** poulet; *pulli,* poulets sacrés (servant à la divination).

2. pullus, *a, um,* noir, brun, sombre || *pulla toga,* toge sombre, de deuil || *tunica pulla,* tunique sombre des petites gens = vêtement négligé.

pulmentarium, *ii,* n., ce qui sert de *pulmentum,* ce qui se mange comme accompagnement d'un autre mets, fricot.

pulmentum, *i*, n. *(pulpamentum)*, plat de viande; fricot, ragoût || portion.

pulmo, *onis*, m., poumon || *pulmones*, lobes du poumon.

pulpa, *æ*, f., chair, viande.

pulpamentum, *i*, n. *(pulpa)*, **1.** morceau de viande ou de chair de poisson || **2.** plat de viande; accompagnement du pain, ragoût.

pulpitum, *i*, n., tréteau, estrade || la scène, les planches.

puls, *pultis*, f., bouillie de farine [nourriture des premiers Romains avant l'usage du pain] || [nourriture des pauvres] || pâtée des poulets sacrés.

pulsatio, *onis*, f. *(pulso)*, action de frapper, choc, heurt.

pulsatus, *a, um*, part. de *pulso*.

pulso, *are, avi, atum (pello)*, tr., **1.** bousculer, heurter || se livrer à des voies de fait sur qqn, maltraiter: *pulsare aliquem*, maltraiter qqn || **2.** pousser violemment, avec force || [fig.] secouer, agiter || **3.** frapper: *ostia*, frapper à la porte || *ariete muros*, battre les murs avec le bélier || *chordas*, faire vibrer les cordes.

1. pulsus, *a, um*, part. de *pello*.

2. pulsus, *us*, m., **1.** impulsion, ébranlement || **2.** heurt, choc: *pulsus venarum*, le pouls.

pultarius, *ii*, m. *(puls)*, sorte de pot [vase à cuire la bouillie *puls*, et en gén., vase à usages divers].

pulticula, *æ*, f. *(puls)*, bouillie, pâtée.

pulveratio, *onis*, f. *(pulvero)*, action de briser les mottes de terre.

pulvereus, *a, um (pulvis)*, de poussière || poudreux, couvert de poussière.

pulverulentus, *a, um (pulvis)*, couvert de poussière, poudreux.

pulvinar (polv-), *aris*, n., **1.** coussin de lit sur lequel on plaçait les statues des dieux pour un festin (un *lectisternium*); lit de parade || [fig.] *ad omnia pulvinaria supplicatio decreta est*, on décréta des supplications à tous les dieux [dans tous les temples] || **2.** loge impériale au cirque.

pulvinarium, *ii*, n., c. *pulvinar*.

pulvinatus, *a, um (pulvinus)*, rembourré, [d'où] renflé, rebondi, bombé.

pulvinus, *i*, m., **1.** coussin, oreiller || **2.** planche, plate-bande, massif, pelouse.

pulvis, *eris*, m. (qqf. f.), **1.** poussière || sable où les mathématiciens traçaient leurs figures; [d'où] *eruditum pulverem attingere*, toucher à la savante poussière, être mathématicien || [prov.] *sulcos in pulvere ducere*, labourer dans le sable, perdre sa peine || **2.** [en part.] poussière de la piste, du cirque: *Olympicus*, la poussière Olympique || [poét.] *sine pulvere*, [la palme] sans effort, sans peine.

pumex, *icis*, m., **1.** pierre ponce || **2.** [poét.] toute pierre poreuse, roche creuse || roche érodée.

pumiceus, *a, um (pumex)*, de pierre ponce.

pumicosus, *a, um (pumex)*, poreux, spongieux.

pumillio, *onis*, m., nain || f., naine.

pumilus, *i*, m., nain.

punctim *(pungo)*, de pointe, d'estoc.

punctio, *onis*, f. *(pungo)*, action de piquer, pointe, élancement [médec.].

punctiuncula, *æ*, f., dimin. de *punctio*.

punctum, *i*, n. *(pungo)*, **1.** piqûre || stigmate [au fer rouge] || **2.** petit trou fait par une piqûre, piqûre || **3.** point mathématique; [d'où] point, espace infime || **4.** [en parl. du temps]: *puncto temporis eodem*, au même instant; *ad punctum temporis*, et *puncto temporis*, en un clin d'œil || **5.** vote, suffrage [m. à m., point mis à côté de chaque nom par les scrutateurs au dépouillement].

punctus, *a, um*, part. de *pungo* || adj., formant un point: *puncto tempore*, en un instant.

pungo, *ere, pupugi, punctum*, tr., **1.** piquer || faire en piquant || piquer [saveur piquante] || **2.** tourmenter, faire souffrir, poindre || harceler.

Punicanus, *a, um*, carthaginois.

puniceus, *a, um*, rouge, pourpre, pourpré.

punicum, *i*, n., grenade

Punicus, *a, um*, des Carthaginois de Carthage: *litteræ Punicæ*, caractères puniques; *bello Punico secundo*, lors de la seconde guerre punique; *Punica fides*, la foi punique [mauvaise foi]; *Punica arbos*, grenadier; *Punicum malum*, grenade || [poét.] rouge.

punio (pœnio), *ire, ivi* ou *ii, itum (pœna)*, tr., **1.** punir, châtier: *aliquem*, punir qqn || **2.** venger.

punior (pœnior), *iri, itus sum*, tr., mêmes emplois que *punio*.

punitio, *onis*, f. *(punio)*, punition.

punitor, *oris*, m. *(punio)*, celui qui punit || vengeur.

punitus, *a, um*, part. de *punio*.

pupilla, *æ*, f. *(pupa)*, **1.** petite fille; pupille, mineure || **2.** pupille [de l'œil].

pupillaris, *e (pupillus)*, pupillaire, de pupille, de mineur [t. de droit].

pupillus, *i*, m. *(pupus)*, pupille, mineur.

puppis, *is*, f., poupe, arrière d'un vaisseau || navire, vaisseau.

pupugi, pf. de *pungo*.

pupula, *æ*, f. *(pupa)*, pupille [de l'œil].

pupulus, *i*, m. *(pupus)*, petit garçon.

pupus, *i*, m., petit garçon.

pure *(purus)*, **1.** proprement, purement || **2. *a)*** vertueusement, purement, de manière irréprochable; ***b)*** purement, correctement [langage]; ***c)*** clairement, nettement.

purgamen, *inis*, n. *(purgo)*, **1.** ordure, immondices || **2.** purification, expiation.

purgamentum, *i*, n. *(purgo)*, immondices.

purgatio, *onis*, f. *(purgo)*, **1.** nettoyage, curage || purgation || **2.** [fig.] justification || expiation.

purgatus, *a, um*, **1.** part. de *purgo* || **2.** pris adj., nettoyé, purifié.

purgo, *are, avi, atum* (primit. *purigo, purus*), tr., **1.** nettoyage || **2.** [médec.] débarrasser, purger || **3.** [fig.] *urbem*, débarrasser la ville || **4. *a)*** justifier, disculper: *aliquem de aliqua re*, justifier qqn au sujet de qqch.; *alicui se*, se justifier aux yeux de qqn || [avec prop. inf.] alléguer comme excuse que; ***b)*** [acc. de la chose dont on disculpe]: *crimina*, balayer des accusations; ***c)*** démontrer pour se justifier; ***d)*** purger d'un crime, d'une faute, purifier.

purificatio, *onis*, f. *(purifico)*, purification.

purifico, *are (purus, facio)*, tr., **1.** nettoyer || **2.** purifier.

purpura, *æ*, f., **1.** coquillage qui fournit la pourpre, pourprier || **2.** la pourpre [couleur] || **3.** la pourpre [vêtement] || ornement de pourpre, insigne des hautes magistratures ou de la royauté.

purpuratus, *a, um (purpura)*, **1.** vêtu de pourpre || **2.** m. pris subst., homme vêtu de pourpre, gens de la maison du roi || haut dignitaire || courtisan.

purpureus, *a, um (purpura)*, **1.** de pourpre || **2.** vêtu de pourpre || **3.** brillant, beau.

purulente *(purulentus)*, de façon purulente.

purulentus, *a, um (pus)*, purulent.

purus, *a, um*, **1.** sans tache, sans souillure, propre, net, pur || **2.** clair, pur, serein [en parl. de l'air, du ciel, du soleil, etc.] || n. pris subst.: *per purum*, dans l'air pur || **3.** pur, sans éléments étrangers: ***a)*** *pura vestis*, toge absolument blanche; *toga pura*, même sens; *purum argentum*, argenterie unie [sans ciselure]; ***b)*** *purus campus*, plaine à découvert [sans maisons ni arbres] || **4. *a)*** *animus parus*, âme pure, sans tache; *sceleris purus; vitio*, pur de tout crime, de tout défaut; ***b)*** sans mélange || sans ornements.

pus, *puris*, n., pus, humeur.

pusillus, *a, um*, dimin. de *pusus*, tout petit [de taille] || *pusilla epistula*, un bout de lettre || *pusillus animus*, esprit mesquin, petit esprit.

pusio, *onis*, m. *(pusus)*, petit garçon.

pustula, *æ*, f. *(pus)*, pustule, ampoule.

putamen, *inis*, n. *(puto)*, ce que l'on élague ou retranche: [coquille de noix], [cosse de fève], [coquille d'œuf, d'huître], [écailles] || taille.

putatio, *onis*, f. *(puto)*, élagage, émondage.

putator, *oris*, m. *(puto)*, élagueur.

putatus, *a, um*, part. de *puto*.

puteal, *alis*, n. *(puteus)*, **1.** margelle || **2.** putéal [balustrade entourant un lieu frappé par la foudre: en part. le putéal de Libon à l'est du forum, où se tenaient les banquiers, les usuriers, les marchands].

putealis, *e (puteus)*, de puits.

puteanus, *a, um*, c. *putealis*.

putearius, *ii*, m. *(puteus)*, ouvrier puisatier.

puteo, *ere, ui (pus)*, intr., être pourri, puer.

Puteoli, *orum*, m., Putéoles [ville maritime de la Campanie, près de Naples, auj. Pouzzoles] || **-anus,** *a, um*, de Putéoles || **-anum,** *i*, n., maison de campagne de Putéoles || **-ani,** *orum*, m., habitants de Putéoles.

puter ou **putris,** *putris, e (pus)*, **1.** pourri, gâté, corrompu, fétide || délabré, en ruines || **2.** désagrégé, friable.

putesco et **putisco,** *ere, tui (puteo)*, intr., se corrompre, tomber en pourriture.

puteus, *i*, m., **1.** trou, fosse || puits de mine || **2.** puits.

putide, avec affectation.

putidiusculus, *a, um (putidus)*, qq. peu importun.

putidus, *a, um (puteo)*, pourri, gâté, puant, fétide.

puto, *are, avi, atum (putus)*, tr., **1.** nettoyer, rendre propre || élaguer, émonder, tailler || [fig.] mettre au net, apurer: *rationem cum aliquo*, apurer un compte avec qqn || **2. *a)*** supputer, évaluer, estimer || *magni, pluris*, estimer beaucoup, davantage; ***b)*** estimer, considérer: *aliquem pro nihilo*, ne faire aucun cas de qqn || [avec 2 acc.]: *aliquem civem*, considérer qqn comme citoyen || **3.** estimer, penser, croire || [avec prop. inf.] penser que; [ellipse de *esse*]: *te reperturum putas?* tu crois que tu trouveras? || [en parenth.] *puto*, je pense, comme je pense.

putor, *oris*, m. *(puteo)*, puanteur, mauvaise odeur.

putrefacio, *ere, feci, factum (puter facio)*, tr., pourrir, gâter, corrompre || dissoudre.

putrefio, *fieri, factus*, pass. de *putrefacio*, se pourrir, se gâter, se corrompre, se dissoudre.

putresco, *ere, trui (puter)*, intr., se gâter, se corrompre, se putréfier, se pourrir || s'amollir, devenir friable [sol].

putridus, *a, um (puter)*, pourri || gâté, carié.

putrui, pf. de *putresco*.

putui, pf. de *puteo* et de *putesco*.

putus, *a, um*, pur, propre [d'ordin. on rencontre *purus putus* ensemble].

Pydna, *æ*, f., ville maritime de Macédoine.

Pylades, *æ*, m., Pylade [fidèle ami d'Oreste] || **-deus,** *a, um*, de Pylade.

1. Pylæ, *arum*, f., les Thermopyles.

2. pylæ, *arum*, f., portes [d'un pays], gorges, défilé, pas.

Pylos (-ius), *i*, f., ville de Messénie, patrie de Nestor || **-lius,** *a, um*, de Pylos, de Nestor || subst. m. sing. = Nestor.

1. pyra, *æ*, f., bûcher.

2. Pyra, *æ*, f., nom d'un lieu du mont Œta, où Hercule se brûla sur un bûcher.

pyramis, *idis*, f., pyramide.

Pyrene, *es*, f., fille de Bébryx, aimée d'Hercule, qui donna son nom aux Pyrénées où elle fut ensevelie || **Pyrenæus,** *a, um*, pyrénéen: ***a)*** *Pyrenæi montes*, ou *Pyrenæi saltus*, ou *saltus Pyrenæus, Pyrenæus saltus*, ou *Pyrenæus* seul, les monts Pyrénées.

pyropus, *i*, m., pyrope, alliage de cuivre et d'or.

Pyrrha, *æ*, f., femme de Deucalion.

pyrrhicha, *æ*, et **-che,** *es*, f., pyrrhique [danse guerrière des Lacédémoniens].

Pyrrhus, *i*, m., **1.** Pyrrhus ou Néoptolème [fils d'Achille et de Déidamie, fut tué par Oreste] || **2.** Pyrrhus [roi d'Épire, fameux par son expédition contre les Romains].

Pythagoras, Pythagore [de Samos, célèbre philosophe qui enseigna longtemps à Crotone] || **-reus (-rius),** *a, um*, de Pythagore, pythagoricien || **-rei (-rii),** *orum*, m., Pythagoriciens, disciples de Pythagore.

Pytheas, *æ*, m., Pythéas [de Marseille, célèbre navigateur et géographe du 4e siècle av. J.-C.].

1. Pythia, *æ*, f., la Pythie ou Pythonisse [prêtresse d'Apollon].

2. Pythia, *orum*, n., jeux pythiques.

Pythicus, *a, um*, pythique, pythien, d'Apollon.

1. Pythius, *a, um*, de Delphes, pythien.

2. Pythius, *ii*, m., Apollon Pythien.

Pytho, *us*, f., ancien nom de la région de Phocide où était Delphes, puis nom de la ville elle-même, célèbre par l'oracle d'Apollon.

Python, *onis*, m., serpent énorme tué par Apollon, d'où les jeux pythiques.

pyxis, *idis*, f., petite boîte, coffret.

Q, q [seizième lettre de l'alphabet romain] || abrév. du prénom *Quintus* et aussi de *que* dans la formule: *S.P.Q.R. senatus populusque Romanus.*

qua, adv. (abl. f. de *qui*), **1.** [relatif] par où || **2.** [interr.] ***a)*** [direct] par quel moyen? comment? ***b)*** [indirect] par où: *scire... qua ituri sint*, savoir par quel chemin (par où) ils partiront.

quacumque (et **-cunque**), **1.** [relatif] par n'importe quel endroit par où, par quelque endroit que || **2.** [indéfini] par n'importe quel moyen.

quadamtenus, adv., jusqu'à un certain point.

quadra, *æ*, f., **1.** carré, forme carrée || **2.** socle [de colonne] || morceau carré, quartier.

quadragenarius, *a, um*, qui contient quarante || qui a quarante ans, quadragénaire.

quadrageni, *æ, a*, distrib., quarante chacun.

quadragesima, *æ*, f. (s.-ent. *pars*), **1.** la quarantième partie || **2.** impôt du quarantième.

quadragesimus, *a, um*, quarantième.

quadragiens (-gies), quarante fois.

quadraginta, ind., quarante.

quadrans, *antis* (gén. pl. *antum*), m. *(quadro)*, **1.** la quatrième partie, le quart || **2.** [pièce de monnaie] quart d'as = trois *unciæ* || **3.** [comme mesure], quart d'arpent, quart de livre; quart du sextarius, trois cyathes; quart d'un pied.

quadrantal, *alis*, n., **1.** cube || **2.** mesure pour les liquides = *amphora* [8 conges].

quadrantalis, *e*, qui contient un quart.

quadrantarius, *a, um*, **1.** d'un quart, du quart || **2.** qui coûte le quart d'un as.

quadratio, *onis*, f. *(quadro)*, un carré.

quadratum, *i*, n. *(quadratus)*, **1.** un carré || **2.** [astron.] quadrat.

quadratus, *a, um (quadro)*, **1.** carré: *quadratum saxum*, pierre de taille || **2.** carré, bien proportionné [en parl. de la taille] || **3.** [fig.] bien équarri = bien arrondi [en parl. de la phrase].

quadriangulus, *a, um*, quadrangulaire.

quadriduum, *i*, n. *(quattuor, dies)*, espace de quatre jours.

quadriennium, *ii*, n. *(quattuor, annus)*, espace de quatre ans.

quadrifariam *(quattuor)*, en quatre parts.

quadrifidus, *a, um (quattuor, findo)*, fendu en quatre.

quadriforis, *e (puattuor, fores)*, qui a quatre ouvertures.

quadriga, *æ*, f., c. *quadrigæ*.

quadrigæ, *arum*, f. *(quadrijugæ)*, **1.** attelage à quatre || [en part.]: *quadrigas agitare*, conduire (diriger) des attelages à quatre chevaux || coursiers de l'aurore || **2.** le char lui-même, quadrige: *armatæ, falcatæ*, quadriges armés, munis de faux.

1. quadrigarius, *a, um (quadriga)*,

1. de quadrige || **2.** subst. m., cocher de quadrige.

2. Quadrigarius, *ii*, m., Q. Claudius Quadrigarius [historien latin].

quadrigatus, *a, um (quadriga)*, qui porte l'empreinte d'un quadrige || *quadrigatus*, subst. m. [s.-ent. *nummus*], monnaie marquée d'un quadrige.

quadrigeminus, *a, um*, quadruple.

quadrigula, *æ*, f. et **-læ,** *arum*, petit quadrige.

quadrijuges equi, m., quadrige.

quadrijugus, *a, um (quattuor, jugum)*, attelé de quatre chevaux || **quadrijugi,** *orum*, m., quadrige.

quadrimatus, *us*, m., l'âge de quatre ans.

quadrimestris, *e (quattuor, mensis)*, de quatre mois || âgé de quatre mois.

quadrimus, *a, um*, âgé de quatre ans.

quadringenarius, *a, um*, qui contient quatre cents.

quadringeni, *æ, a*, quatre cents chacun.

quadringentesimus, *a, um*, quatre-centième.

quadringenti, *æ, a*, quatre cents.

quadringenties (-iens), quatre cents fois.

quadrini, *æ, a (quattuor)*, chacun quatre.

quadripertitus, *a, um*, partagé en quatre.

quadriremis, *is*, f. *(quattuor, remus)*, quadrirème, vaisseau à quatre rangs de rames.

quadrivium, *ii*, n. *(quattuor, via)*, quadrivium, lieu où quatre chemins aboutissent, carrefour.

quadro, *are, avi, atum (quattuor)*, **1.** tr., ***a)*** équarrir; ***b)*** faire le carré, compléter de manière à former le carré, [d'où] parfaire || **2.** intr., ***a)*** [absol.] former un tout harmonieux, équilibré; ***b)*** cadrer; se rapporter parfaitement, *in aliquem*, à qqn; *hoc ad multa quadrat*, cela convient à maints égards; ***c)*** impers., *non sane quadrat*, cela ne cadre pas bien || être exact.

quadrum, *i*, n. *(quattuor)*, un carré.

quadrupedans, *tis (quattuor, pes)*, adj., qui va sur quatre pieds, qui galope || subst. m., cheval.

quadrupedus, *a, um*, c. *quadrupes; quadrupedo gradu*, en marchant à quatre pattes.

quadrupes, *edis*, **1.** qui va sur quatre pieds, qui galope || **2.** qui a quatre pieds; appuyé sur ses pieds et ses mains [à quatre pattes] || **3.** subst. m., f., quadrupède.

quadruplator, *oris*, m. *(quattuor)*, quadruplateur, délateur qui recevait le quart des biens de l'accusé.

quadruplex, *icis (quattuor, plico)*, quadruple || subst. n., le quadruple.

quadruplum, *i*, n. *(quattuor)*, le quadruple.

quærito, *are, avi, atum (quæro)*, tr., **1.** chercher avec ardeur, longuement || **2.** chercher à obtenir qqch., *ab aliquo*, de qqn || trouver avec peine, se procurer péniblement.

quæro, *ere, quæsivi* ou *ii, situm*, tr., **1.** chercher || **2.** chercher à retrouver, chercher en vain || réclamer || **3.** chercher à obtenir, se procurer || chercher à effectuer, préparer: *invidiam in aliquem*, susciter la haine contre qqn; *fugam*, chercher les moyens de fuir || faire dépendre de, penser trouver dans: *ex epistula crimen in aliquem*, chercher dans une lettre un grief contre qqn || [avec *ut* subj.] chercher à obtenir que, désirer que || **4.** rechercher, mettre en question: *de aliqua re quærere*, étudier une question || **5.** chercher à savoir, demander, *aliquid ex, ab, de aliquo*, demander qqch. à qqn; *quærere num* subj., demander si...; *utrum... an*, si... ou si || [expr.] *si quæris, si quærimus, si quæritis*, ou *si verum quæris*, etc., = pour tout dire, pour dire la vérité || **6.** chercher à savoir en justice, faire une enquête, instruire, informer: *rem*, informer une affaire, ou *de re* || *de servo in dominum*, mettre un esclave à la question touchant son maître.

quæsitio, *onis*, f., *(quæro)*, question, torture.

quæsitor, *oris*, m. *(quæro)*, celui qui cherche, qui fait une enquête, une instruction criminelle [président d'une chambre d'enquête permanente, *quæstio perpetua*, à défaut d'un préteur].

quæsitum, *i*, n. *(quæro)*, **1.** demande, question || **2.** ce qu'on a amassé, acquis.

quæsitus, *a, um*, **1.** part. de *quæro* || **2.** adj., recherché, raffiné, rare.

quæsivi ou *ii*, pf. de *quæro* et de *quæso*.

quæso, *ere, ivi* ou *ii (quæro)*, tr., demander || [d. la langue class. employé d'ordinaire à la 1re pers. du sing.]; [avec *ut* subj. ou subj. seul] demander que, prier de; [avec *ne*] demander que ne... pas || [absol., entre parenth.] *quæso, quæsumus*, je t'en prie, je vous en prie, de grâce, nous vous en prions.

quæsticulus, *i*, m. *(quæstus)*, petit gain.

quæstio, *onis*, f. *(quæro)*, **1.** recherche, interrogatoire || **2.** question, enquête; problème, thème, point de discussion || **3.** enquête judiciaire, information || *quæstiones perpetuæ*, chambres d'enquête permanentes [connaissant chacune d'un *crimen* particulier et présidées par un préteur ou à défaut par un *quæsitor*]; *quæstionem exercere inter sicarios*, présider la chambre d'enquête sur les assassinats || **4.** question, torture: *quæstionem habere ex aliquo* (ou *de*), soumettre qqn à la question.

quæstiuncula, *æ*, f., petite question.

quæstor, *oris*, m. *(quæro)*, questeur [magistrat romain], sous la république: à Rome les questeurs ont la garde du trésor public, et tiennent la caisse de l'État; ils accompagnent le gouverneur de province pour l'administration financière et peuvent le suppléer || sous l'empire, les deux *quæstores Cæsaris* représentent l'empereur au sénat.

quæstorium, *ii*, n. *(quæstorius)*, résidence du questeur en province || tente du questeur.

quæstorius, *a, um (quæstor)*, de questeur: *quæstoria ætas*, âge de la questure [après Sylla, 30 ans] || m. pris subst. **quæstorius,** *ii*, ancien questeur.

quæstuose *(quæstuosus)*, seul. au compar. *quæstuosius*, et au superl. *quæstuosissime*, avec du bénéfice, avantageusement.

quæstuosus, *a, um (quæstus)*, **1.** lucratif, avantageux || **2.** qui cherche le gain: *homo*, homme âpre au gain || **3.** qui gagne beaucoup, qui s'enrichit, riche.

quæstura, *æ*, f. *(quæstor)*, questure (charge, fonction de questeur).

questus, *us*, m. *(quæro)*, acquisition, gain, bénéfice.

qualibet (-lubet), adv., par qq. endroit que ce soit, partout.

qualis, *e*, **1.** interr., quel, quelle; de quelle sorte, de quelle espèce, de quelle nature || **2.** relatif [avec *talis* exprimé ou s.-ent.], tel que.

qualiscumque, *qualecumque*, **1.** relat., quel (quelle)... que, de quelque nature que || **2.** indéf., n'importe quel, quel qu'il soit, quelconque.

qualislibet, *qualelibet*, indéf., n'importe quel, tel qu'on voudra.

qualitas, *atis*, f. *(qualis)*, qualité, manière d'être.

qualiter *(qualis)*, **1.** interr., de quelle manière || **2.** relat., ainsi que, comme.

qualum, *i*, n. et **qualus,** *i*, m., corbeille, panier.

quam, adv.,

I. interr.-exclam., combien, à quel point, à quel degré.

II. en corrélation, **1.** [avec *tam*] *tam... quam*, autant... que...; *non tam... quam*, non pas tant... que, moins... que || [avec le superl.] *civitatem, quam minimam potuit, effecit*, il a fait la cité la plus petite qu'il a pu || [surtout sans *possum*]: *quam sæpissime*, le plus souvent possible; *quam primum*, le plus tôt possible; *quam plurimis prodesse*, être utile au plus grand nombre possible || [devant adj. ou adv.]: *quam magni æstimare*, estimer à tout à fait haut prix || **2.** avec un compar. ou l'expression d'une idée compar.: *magis quam*, plus que; *potius quam*, plutôt que || *libentius quam verius*, avec plus d'empressement que de vérité || *major quam ut, quam qui* et subj., trop grand pour.

quamdiu (quandiu), **1.** interr., depuis combien de temps? pendant combien de temps? || **2.** relat., aussi longtemps que.

quamdudum, depuis combien de temps?

quamlibet (-lubet), **1.** adv., autant qu'on veut, qu'on voudra; à loisir, à discrétion || **2.** conj. avec subj., à qq. degré que.

quamobrem ou **quam ob rem,** **1.** interr., pourquoi? || **2.** relat.: *multæ sunt causæ quamobrem*, il y a plusieurs raisons pourquoi || **3.** conjonction de coord., c'est pourquoi.

quamquam (quanq-) (= *quam quam*, à qq. degré que, de qq. quantité que, cf. *ut ut*).

I. conj., quoique, bien que: avec ind., || avec subj. || devant un part. ou un adj.: *omnia illa... quamquam expetenda*, toutes ces choses, quoique estimables.

II. conj. de coord., mais du reste, d'ailleurs || *quamquam o...!*, et pourtant, ô...!

quamvis,

I. adv., **1.** autant que tu veux, autant qu'on voudra || **2.** [av. idée concessive, devant un adj.], je veux bien; il est vrai, je vous l'accorde.

II. conj., **1.** avec subj., à qq. degré que || **2.** avec ind., quoique.

quanam, par quel endroit donc, par où donc || par quel moyen donc.

quando, adv. et conj.
I. adv., **1.** interr., quand, à quelle époque || **2.** indéfini = *aliquando* [après *num, ne, si*].
II. conj., **1.** [temporelle] quand: *tum, quando... misimus*, à l'époque où nous avons envoyé... || **2.** [causale] puisque.

quandocumque (-cunque), 1. conj., à qq. moment que, toutes les fois que || **2.** adv., à n'importe quel moment, un jour ou l'autre.

quandoque,
I. adv., **1.** qq. jour, un jour = [*aliquando*] || **2.** parfois.
II. conj., **1.** [temporelle] = *quandocumque* || **2.** [causale] du moment que, attendu que, puisque.

quandoquidem, conj., puisque.

quanquam, v. *quamquam*.

quantillus, *a, um*, combien petit.

quantitas, *atis*, f. *(quantus)*, quantité.

quanto, abl. de *quantum* pris adv., employé avec les compar. ou expressions impliquant comparaison, supériorité, **1.** [interr.-exclam.] combien: *quanto levior est acclamatio!* combien les acclamations sont plus faibles! || **2.** [rel., en corrél. avec *tanto* ou *tantum* exprimé ou s.-ent.] autant... que || *quanto diutius considero, tanto mihi res videtur obscurior*, plus je réfléchis longuement, plus la chose me paraît obscure.

quantopere et **quanto opere,** adv., **1.** interr., combien || **2.** rel., *tantopere... quantopere*, autant... que.

quantulum, *i*, n. de *quantulus*, **1.** interr., quelle petite quantité, combien peu || **2.** relat. [en corrél. avec *tantulum*], aussi peu que.

quantulus, *a, um*, dimin. de *quantus*, **1.** interr., combien petit || **2.** rel. [en corrél. avec *tantulus* exprimé ou s.-ent.], aussi petit que.

quantuluscumque (-cunque), *-acumque, -umcumque*, **1.** relat., qq. petit que, si petit que [avec ind.] || n. pris adv., si peu que || **2.** indéf., n. pris adv., en quantité si faible que ce soit.

1. quantum, n. de *quantus*, pris subst., **1.** interr.-exclamatif, quelle quantité, combien || gén. de prix *quanti*, à quel prix || **2.** rel. [en corrél. avec *tantum* exprimé ou s.-ent.], une aussi grande quantité que, autant que || gén. de prix; *pluris æstimavit quam quanti erat annona*, il évalua à un prix supérieur à celui du cours des blés.

2. quantum, pris adv., **1.** interr., combien || **2.** rel. [en corrél. avec *tantum* exprimé ou s.-ent.], autant que : *quantum in te est*, autant qu'il est en toi, dans la mesure de tes moyens, ou *quantum potes* || *quantum... tantum*, autant... autant || *id mirum quantum profuit*, cette mesure fut étonnamment utile; *nimium quantum*, étonnamment || *in quantum*, dans la mesure où, autant que.

quantumvis, 1. adv., autant que tu voudras, qu'on voudra || **2.** conj. = *quamvis*, qq. que, à qq. degré que.

quantus, *a, um (quam)*, **1.** interr.-exclamatif, quel relativement à la grandeur, combien grand: *quantum adiit periculum!* quel grand danger il a affronté! || = *quantulus*, combien petit || **2.** relat., [en corrél. avec *tantus* exprimé ou s.-ent.], m. à m. tel en grandeur (aussi grand) que.

quantuscumque, *-acumque, -umcumque*, **1.** relat., quel... que en grandeur, qq. grand que, si grand que: *eorum bona quantacumque erant*, leurs biens tout considérables qu'ils étaient || = *quantuluscumque* [formule de modestie]: *facultas quæ, quantacumque est in me*, le talent qui, si faible qu'il soit en moi || n. *quantumcumque*, pris adv., dans toute la mesure où || **2.** indéf., de n'importe quelle grandeur (qq. grand ou qq. peu grand qu'il soit).

quantuslibet, *-alibet, -umlibet*, aussi grand qu'on voudra.

quantusvis, *-avis, -umvis*, aussi grand qu'on voudra, de n'importe quelle grandeur.

quapropter, conj. de coord., c'est pourquoi.

quare, adv. *(qua, re)*, **1.** interr., pourquoi? pour quelle raison? *quare victus sis, quærere*, chercher pourquoi tu as été battu || **2.** relat., ***a)*** par quoi; ***b)*** pourquoi: *quid adfers, quare... putemus?* quelle raison apportes-tu pour que nous pensions...? || **3.** conj. de coord., c'est pourquoi.

quarta, *æ*, f. (s.-ent. *pars*), le quart.

quartadecimani (-decu-), *orum*, m., soldats de la 14e légion.

quartana febris, et absol. **quartana,** *æ*, f., fièvre quarte.

quartani, *orum*, m., soldats de la 4e légion.

quartarius, *ii*, m. *(quartus)*, un quart; mesure pour les solides et les liquides (le quart du *sextarius*).

quarto *(quartus)*, adv., **1.** en quatrième lieu || **2.** pour la quatrième fois.

1. quartum, *i*, n. *(quartus)*, le quart.

2. quartum, adv., pour la quatrième fois.

quartus, *a, um,* quatrième: *quarta pars,* le quart.

quartus *(a, um)* **decimus** *(a, um),* quatorzième.

quasi, **1.** conj., comme si: ***a)*** [verbe au subj.] || en corrél. avec *sic, ita, perinde, proinde, itidem*]; ***b)*** [av. un participe]: *sic avide... quasi cupiens,* aussi avidement que si je désirais; ***c)*** = *ut* [marquant la comparaison], comme: *quasi... sic,* de même que... de même || **2.** adv., ***a)*** [atténuation] en qq. sorte, pour ainsi dire; ***b)*** environ.

quasillum, *i,* n., corbeille à laine.

quasillus, *i,* m., corbeille [en gén.].

quassatio, *onis,* f. *(quasso),* action de secouer, secousse, ébranlement.

quassatus, *a, um,* part. de *quasso.*

quasso, *are, avi, atum (quatio),* tr., **1.** ***a)*** secouer, agiter fortement, brandir; ***b)*** frapper violemment, ébranler, battre en brèche, endommager || ***c)*** [fig.] ébranler, affaiblir || **2.** intr., branler, trembler: *capitibus quassantibus,* avec le chef branlant.

quassus, *a, um,* **1.** part. de *quatio* || **2.** adj., fracassé, mis en pièces || brisé, tremblant.

quatefacio, *ere, feci, factum (quatio, facio),* tr., ébranler [fig.].

quatenus, adv., **1.** jusqu'à quel point, à quel degré [seul. dans l'interr. indir.]: *in omnibus rebus videndum est quatenus,* en toute chose, il faut voir jusqu'où l'on peut aller || **2.** dans la mesure où, en tant que: *quatenus intellegit, putat...,* dans la mesure où il comprend, il croit que || **3.** jusqu'à quand, combien de temps? || **4.** conj. causale, puisque.

quater *(quattuor),* adv., quatre fois.

quaternarius, *a, um (quaterni),* quaternaire.

quaterni, *æ, a (quattuor),* distrib., chacun quatre, quatre chaque fois.

quatio, *ere, quassum,* tr., **1.** ***a)*** secouer, agiter; ***b)*** frapper, ébranler; ***c)*** bousculer, chasser; ***d)*** brandir || **2.** ébranler, agiter, émouvoir, troubler.

quattuor (mieux que **quatuor**), ind., quatre.

quattuordecim, ind., quatorze.

quattuorviri, *orum,* m., sénateurs des villes municipales et des colonies.

que, conj. copulative, enclitique, et: *senatus populusque Romanus,* le sénat et le peuple romains; *terra marique,* sur terre et sur mer || *domi bellique,* en paix comme en guerre; *longe lateque,* au loin et au large; *ferro ignique,* par le fer et le feu || [lie le dernier d'une série de termes juxtaposés]: *pacem, tranquillitatem, otium, concordiamque afferre,* apporter la paix, la tranquillité, le repos et la concorde.

quemadmodum ou **quem ad modum,** adv., **1.** interr., comment || **2.** rel., comme, de même que: *quemadmodum... sic,* de même que... de même || [en tête, pour introd. des exemples]: ainsi, par exemple.

queo, *ire, ivi* et *ii, itum* (composé de *ire*), pouvoir, être en état de [avec inf.].

querceus, *a, um (quercus),* de chêne.

quercus, *us,* f., **1.** chêne || **2.** couronne en feuilles de chêne.

querela (-ella), *æ,* f. *(queror),* **1.** plainte, lamentation || chant plaintif || **2.** doléances, réclamation.

queribundus, *a, um (queror),* plaintif.

querimonia, *æ,* f. *(queror),* **1.** plainte, lamentation || **2.** doléances, réclamation.

queritor, *ari (queror),* intr., se plaindre beaucoup.

querneus et **quernus,** *a, um,* de chêne.

queror, *queri, questus sum,* tr., se plaindre, **1.** *suum fatum,* se plaindre de sa destinée || [avec prop. inf.] ou [avec *quod*], se plaindre de ce que || *cum aliquo; apud aliquem,* se plaindre à qqn, auprès de qqn || **2.** faire entendre des plaintes, des sons plaintifs || **3.** se plaindre en justice.

querquedula, *æ,* f., sarcelle.

querquetum, *i,* n., chênaie, forêt de chênes.

querulus, *a, um (queror),* **1.** plaintif, gémissant, criard || **2.** qui se plaint, chagrin, maussade, morose.

questio, *onis,* f. *(queror),* [rhét.] plainte, pathétique; *questiones,* passages pathétiques.

1. questus, *a, um,* part. de *queror.*

2. questus, *us,* m., plainte, plaintes, gémissements || reproche || chant plaintif [du rossignol].

qui, *quæ, quod,*

I. relatif, qui, lequel, laquelle, [ayant un antécédent exprimé ou s.-ent., avec lequel il s'accorde en genre et en nombre, et prenant d'autre part le cas voulu par le verbe de la proposition qu'il introduit et qui s'appelle prop. relative].

A) [mode de la rel.] **1.** indic. [expression du fait dépouillé de toute nuance]

|| **2.** subj. [fait présenté subjectivement, avec des nuances diverses]: ***a)*** [causale] du moment qu'il, vu qu'il, puisqu'il, car il, etc.: *Antiochus, qui animo puerili esset...*, Antiochus, parce qu'il avait l'âme d'un enfant... || au rel. peuvent se joindre *quippe, upote, ut*, v. ces mots; ***b)*** [concessive adversative] quoiqu'il, qui pourtant: *egomet, qui sero Græcas litteras attigissem*, moi-même, bien que j'eusse abordé bien tard les lettres grecques; ***c)*** [finale] afin qu'il, pour qu'il: *illum ex omnibus delegistis, quem... præponeretis*, vous l'avez choisi entre tous pour le mettre à la tête de...; ***d)*** [consécutive] de telle sorte qu'il: *domus est, quæ nulli mearum villarum cedat*, c'est une maison telle qu'elle ne le cède à aucune de mes villas || [souvent en corrél. avec les démonstratifs *sic, tam, ita, talis, ejusmodi, tantus*, etc.]: *nemo est tam aversus a Musis, qui non... patiatur*, personne n'est hostile aux Muses au point de ne pas souffrir... (n'est assez... pour...) || *sunt qui*, il y a des gens pour, capables de; *quis est qui...?* quelle est la personne qui, capable de, qui ose, etc.? || v. constr. de *dignus, indignus, idoneus, aptus* || [tour du compar. suivi de *quam qui*] trop pour qu'il.

B) [agencement dans la phrase] **1.** [rapport avec l'antécéd.]; ***a)*** [verbe de l'antécéd. à s.-ent.]: *imitamur quos cuique visum est*, nous imitons chacun ceux qu'il nous paraît bon; ***b)*** [particularités d'accord]: *flumen Rhodanus, qui* [accord avec *Rhodanus* et non avec *flumen*]; ***c)*** [répét. du subst. antécéd. dans la relat.]: *erant omnino itinera duo, quibus itineribus domo exire possent*, il y avait en tout deux chemins, chemins de nature à leur permettre de sortir de leur pays; ***d)*** [antécéd. s.-ent. après *quam* suivant un compar.]: *naves humiliores quam quibus uti consuevimus*, vaisseaux un peu plus bas que ceux dont nous nous servons d'habitude; ***e)*** [antécéd. au gén. partitif dépendant du relatif *quod*]: *navium quod ubique fuerat, in unum locum coegerant*, ce qu'il y avait partout de navires, ils l'avaient réuni en un seul et même endroit || **2.** [constr. part.] ***a)*** [relat. compl. d'un compar.]: *simulacrum, quo non facile dixerim quicquam me vidisse pulchrius*, une statue dont je n'oserais dire que j'aie rien vu qui la surpassât en beauté; ***b)*** [relat. sans rapport avec le verbe apparent de la relative]: *non satis politus est iis artibus, quas qui tenent eruditi appellantur*, il n'est pas assez rompu dans les sciences dont les possesseurs sont appelés savants; ***c)*** [accord de genre non fait; attraction avec l'attribut]: *animal, quem vocamus hominem*, l'animal que nous appelons homme || [accord fait avec le sens]: *illa furia, qui*, cette furie [Clodius] qui; ***d)*** [accord de nombre suivant l'idée qui se dégage]: *est eo numero, qui semper... habiti sunt (eo = eorum)*, il est du nombre de ceux qui ont toujours passé pour...; [accord de genre]: *servili tumultu quos*, lors du soulèvement des esclaves que; ***e)*** [relative précédant la régissante]: *quibus excusationibus... defendere solebas, earum habere in hoc homine nullam potes*, des excuses avec lesquelles tu avais l'habitude de défendre..., tu n'en peux invoquer aucune à propos de cet homme; ***f)*** [au lieu d'un relatif répété et coordonné, emploi du démonstratif]: *Pythagoras, quem Phliuntem ferunt venisse eumque... disseruisse*, Pythagore, qui vint, dit-on, à Phlionte et discourut... || **3.** [relatives en parenth. ou apposition]: ***a)*** *Heraclius, is qui... habebat*, Héraclius, celui qui avait...; ***b)*** [relat. au n.]: *quod sæpe fiebat*, ce qui arrivait souvent; ***c)*** [subst. antécéd. enclavé]: *amici sunt firmi eligendi, cujus generis est magna penuria*, il faut choisir des amis sûrs, espèce fort rare; ***d)*** [en parenthèse] = eu égard à, vu, étant donné: *istud, qui meus amor in te est, confecissem*, ton affaire, vu mon amitié pour toi, je l'aurais arrangée || **4.** [relat. initial tenant lieu d'un démonstratif plus une particule de liaison]: *qui = is enim, is autem, et is*, etc.

II. interr. [avec valeur adj. et subst., sauf le n. *quod* qui est touj. adj.], qui, quel [sous le rapport de la condition, du caractère, etc.; *quis* demande le nom].

III. indéfini, quelque, quelqu'un, après *si nisi, num, ne* [avec valeur adj. et subst., sauf le n. *quod* qui est touj. adj.].

2. qui (anc. abl. de *quis*), adv. **1.** interr., en quoi, par quoi, comment: [direct] *qui potest?* comment est-ce possible? || [indic.] *quæsierat qui tantam bestiam percussisset*, il avait demandé comment il avait tué une si grosse bête || **2.** relatif [indic.], [subj. avec nuances].

quia, conj., parce que [mode normal indic.]; souvent en corrél. avec *eo, hoc, ideo, idcirco, ob id, propterea, ea re*, par cela, à cause de cela, pour cela, par cette raison que.

quicumque (-cunque), *quæc-, quodc-*, **1.** relatif, quel... que: *hoc præ-*

ceptum, cujuscumque est..., ce précepte, quel qu'en soit l'auteur... || **2.** indéfini, n'importe quel: *quamcumque in partem*, dans n'importe quel sens.

1. quid, n. de *quis*, **1.** interr. dir. ou indir., ***a)*** quelle chose, quoi: *quid est civitas nisi...?* qu'est-ce que la cité sinon...? ***b)*** *quid?* eh quoi? [formule oratoire de transition]; *quid ergo?* quoi donc? ***c)*** *quid, quod...?* que dire encore de ceci que...? ***d)*** *quid est quod...?* locution: [avec ind.] que signifie ce fait que...? [avec subj.] quelle raison y a-t-il pour que...? || **2.** indéf., quelque chose [d'ordin. arès *si, nisi, ne, num, cum*].

2. quid, n. de *quis* pris adv., pourquoi [interr. dir. et indir.]: *quid commemorem...?* à quoi bon rappeler...? *quid ita?* pourquoi cela?

quidam, *quædam, quoddam* adj. et *quiddam* subst., certain, un certain [qqn ou qqch. de précis, de bien déterminé, mais qu'on ne désigne pas plus clairement], **1.** adj., *furor quidam*, une sorte de, une forme de folie; *quasi quidam Roscius*, pour ainsi dire une façon de Roscius || **2.** subst.: *quidam*, certaine personne.

quidem, particule qui renforce une affirmation, **1.** [préparant une oppos.] certes, c'est vrai..., mais || **2.** [introduisant une limitation, opposition] le certain, c'est que; mais du moins; du moins || [en part.] *et... quidem, et is... quidem, ac... quidem*, et qui plus est, et il y a mieux, et encore || **3.** *ne... quidem*, v. *ne*.

quidni ou **quid ni,** pourquoi ne... pas?

quidquid ou **quicquid,** n. de *quisquis*, relat., quelque chose que, quoi que.

quidvis, n. de *quivis*, quoi que ce soit, n'importe quoi.

quies, *etis*, f., **1.** repos: *quietem capere*, se reposer || **2.** [en part.], ***a)*** vie calme en politique, neutralité; ***b)*** tranquillité, paix; ***c)*** calme, silence; *ventorum*, le calme des vents; ***d)*** repos, sommeil: *ire ad quietem; quieti se tradere*, aller se coucher, se livrer au repos; ***e)*** sommeil de la mort.

quiesco, *ere, evi, etum (quies)*, intr., **1.** se reposer || **2.** [en part.]: ***a)*** reposer, dormir; ***b)*** se tenir tranquille || [au point de vue polit.] rester neutre; ***c)*** garder le silence, se tenir coi; ***d)*** rester tranquille, rester en paix || ne pas combattre; ***e)*** être tranquille = ne pas être inquiété.

quiete *(quietus)*, tranquillement, paisiblement.

quieturus, part. fut. de *quiesco*.

quietus, *a, um (quies)*, **1.** qui est en repos, qui est dans le calme, qui n'est pas troublé || **2.** paisible, tranquille, qui ne s'agite pas || **3.** paisible, sans ambition, qui se tient dans le repos || **4.** n. pris subst.: *nihil quieti*, rien de calme.

quievi, pf. de *quiesco*.

quii, pf. de *queo*.

quilibet (-lubet), *quælibet, quodlibet* et [subst.] *quidlibet*, celui qu'on voudra, n'importe lequel, quelconque.

quin *(qui, ne)*,

I. adverbe, **1.** comment ne... pas? pourquoi ne... pas? || **2.** [pour renforcer une affirmation] il y a mieux, bien plus || *quin etiam*, même sens || **3.** = *ut non:* ***a)*** [avec subj., sens consécutif, général. la principale étant négative]: qui ne... pas: *nemo est quin, nihil est quin, quis est quin...?* il n'y a personne qui ne...; il n'y a rien qui ne; est-il qqn pour ne pas...? || sans que; ***b)*** *non quin* subj., non pas que ne... pas.

II. conj. avec subj., ***a)*** [après les verbes d'empêch. employés avec une négation ou avec une interrogation]: *facere non possum quin*, je ne puis m'empêcher de; ***b)*** [verbes de doute, d'ignorance employés avec une négation ou avec une interrogation]: *non dubitare quin, non est dubium quin*, ne pas douter que, il n'est pas douteux que; *non abest suspicio quin*, on soupçonne que.

quinam, *quænam, quodnam*, adj. et pron. interr. [*quodnam* touj. adj.], qui donc, quel donc.

Quinctius, *ii*, m., nom d'une famille rom.; not.: L. Quinctius Cincinnatus || T. Quinctius Flamininus, vainqueur de Philippe, roi de Macédoine || adj. **-tianus,** *a, um*, de Quinctius Cincinnatus || et **-tius,** *a, um*.

quincunx, *uncis*, m. *(quinqueuncia)*, **1.** les cinq douzièmes d'un tout; cinq onces || les cinq douzièmes d'un jugère || [poids] cinq onces || cinq douzièmes d'un héritage || **2.** quinconce.

quindecies (-ciens), quinze fois.

quindecim, ind. *(quinque, decem)*, quinze.

quindecimprimi, *orum*, m., les quinze premiers curions d'un municipe.

quindecimviralis, *e*, quindécimviral.

quindecimviri, *um* et *orum*, m., **1.** quindécimvirs [magistrats préposés à la garde des livres sibyllins] || **2.** commission de quinze membres [pour un but spécial].

quin etiam, v. *quin*.

quingenarius, *a, um*, de cinq cents chacun.
quingeni, *æ, a,* **1.** distrib., cinq cents chacun || **2.** cinq cents.
quingentesimus, *a, um*, cinq centième.
quingenti, *æ, a (quinque, centum)*, cinq cents || grand nombre indéterminé.
quingenties (-tiens), adv., cinq cents fois.
quini, *æ, a,* **1.** distrib., cinq chaque fois; [dans une multiplication] *quater quinæ minæ*, quatre fois cinq mines || **2.** cinq.
quinideni, *quinæ denæ*, etc., quinze chacun.
quiniviceni (quini viceni), *quinæviceneæ*, etc., chacun vingt-cinq.
quinquagenarius, *a, um (quinquageni)*, de cinquante.
quinquageni, *æ, a*, cinquante chacun.
quinquagesimus, *a, um*, cinquantième || **quinquagesima,** *æ*, f., impôt du cinquantième.
quinquagies (-iens), adv., cinquante fois.
quinquaginta, ind., cinquante.
Quinquatrus, *uum, ibus*, f. pl., **1.** grandes Quinquatries [fêtes en l'honneur de Minerve, qui avaient lieu cinq jours après les ides de Mars] || **2.** *Quinquatrus minusculæ; minores*, petites Quinquatries [cinq jours après les ides de juin].
quinque, ind., cinq.
quinquennalis, *e (quinquennis)*, **1.** quinquennal || **2.** qui dure cinq ans.
quinquennis, *e (quinque, annus)*, **1.** âgé de cinq ans || **2.** [poét.] quinquennal.
quinquennium, *ii*, n. *(quinquennis)*, espace de cinq ans, lustre.
quinqueprimi, ou **quinque primi,** m., les cinq premiers dignitaires [d'un municipe].
quinqueremis, *is*, f. *(quinque, remus)*, quinquérème, vaisseau à cinq rangs de rames.
quinquevir, *i*, m., un quinquévir; pl. **quinqueviri,** *orum*, m., **1.** commission de cinq magistrats chargés de différentes fonctions administratives: [partage des terres]; [liquidation des dettes]; [réfection des murs et des tours] || **2.** sous l'empire, commission affectée à la réduction des dépenses.
quinqueviratus, *us*, m., quinquévirat.
quinquies (-iens), cinq fois.
quinquiplico, *are (quinque, plico)*, tr., quintupler.
quintadecumani (-decimani), *orum*, m. *(quintus decimus)*, soldats de la 15e légion.
quintana, *æ*, f. *(quintus)*, voie quintane [une rue transversale du camp romain, derrière le *prætorium*, dans laquelle se tenait le marché] || [d'où] marché.
quintani, *orum (quintus)*, m., soldats de la 5e légion.
1. Quintilianus, *a, um*, de Quintilius.
2. Quintilianus, *i*, m., Quintilien [rhéteur célèbre, né en Hispanie, tint école publique à Rome].
Quintilis (Quinct-), *is*, m. *(quintus)*, [seul ou avec *mensis*] le mois de juillet [le 5e de l'année romaine] || adj., de juillet.
Quintilius (Quinct-), *ii*, m., nombreux personnages de la *gens Quintilia*, notamment Quintilius Varus de Crémone, ami d'Horace || Quintilius Varus, proconsul, anéanti avec son armée en Germanie.
quinto *(quintus)*, adv., pour la cinquième fois.
quintum *(quintus)*, adv., pour la cinquième fois.
1. quintus, *a, um (quinque)*, cinquième.
2. Quintus, *i*, m., prénom romain; abrév. *Q.*
quintusdecimus, *-tadecima*, etc., quinzième.
quippe *(quid* et *pe)*, primitiv., pourquoi donc? **1.** certainement, bien sûr, oui certes || **2.** de fait, le fait est que || [analogue à *nam, enim*] car, en effet || **3.** [joint aux conj. marquant la cause] || surtout avec *cum* subj., v. *cum* || **4.** [joint au rel.] *quippe qui* [avec subj., constr. la plus ordinaire].
Quirinalia, *ium* ou *iorum*, n., Quirinales, fêtes en l'honneur de Romulus *(Quirinus)*.
Quirinalis, *e*, de Quirinus [de Romulus]: *Quirinalis mons* ou *collis*, le mont Quirinal [une des collines de Rome].
Quirinus, *i* m., **1.** nom de Romulus après sa mort || **2.** surnom de Janus || **3.** [poét.] Auguste || adj. **Quirinus,** *a, um: Quirinus collis*, le Quirinal.
Quiris, *itis*, m., citoyen romain, simple particulier.
quiritatio, *onis*, f. *(quirito)*, action de crier au secours, cris de détresse ou d'effroi.
quiritatus, *us*, m., c. *quiritatio*.

Quirites, *ium* et *um*, m. *(Cures)*, Quirites, citoyens romains vivant dans la condition privée [il répond à notre mot «bourgeois»]: *jus Quiritium*, droit romain [droit civil].

quirito, *are, atum (Quirites)*, intr., appeler, invoquer les citoyens; crier au secours, appeler à son aide.

quis, quid [v. ce mot], **1.** pron. interr. [dir. et indir.], qui: *quis sim, cognosces*, tu apprendras qui je suis, mon nom || **2.** adj. interr., *quis senator...?* quel sénateur...? || **3.** pron. indéfini, quelqu'un; surtout après *si, nisi, ne, cum, num.*

quisnam, quidnam, 1. pron. interr., qui donc || **2.** indéfini après *num: numquisnam; numquidnam*, est-ce que qqn, est-ce que qqch.

quispiam, *quæpiam, quodpiam* et [subst.] *quidpiam* ou *quippiam*, quelque, quelqu'un, quelque chose: *quispiam dicet...*, qqn dira...

quisquam, *quæquam*, [subst.] *quidquam* ou *quicquam*, quelque, quelqu'un, quelque chose: *estne quisquam...?* est-il qqn...? *nec quisquam, nec quidquam*, et personne, et rien.

quisque, *quæque, quodque* et [subst.] *quidque*, chaque, chacun || *res familiaris sua quemque delectat*, chacun aime son bien; *pro se quisque*, chacun de son côté, chacun pour son compte || *optimum quidque rarissimum est*, l'excellent est toujours le plus rare || *quinto quoque anno*, tous les cinq ans || *primo quoque tempore; primo quoque die*, aussitôt que possible, à la première occasion, au premier jour.

quisquiliæ, *arum*, f., déchet, rebut.

quisquis [adj. ou subst.], *quidquid* ou *quicquid* [subst.], **1.** relatif, quelque... que, qui que ce soit qui || **2.** indéfini, n'importe quel, quelconque: *quoquo modo*, de n'importe quelle manière.

quivi, pf. de *queo*.

quivis, *quævis, quodvis*, adj. et *quidvis*, pron., n'importe quel, quiconque, quelconque: *cujusvis hominis est errare*, tout le monde peut se tromper || *quidvis generis ejusdem*, n'importe quoi du même genre.

quo,
I. adv. de lieu [mouvement], où, **1.** interr. [dir. ou indir.], ***a)*** *quo confugient?* où se réfugieront-ils? ***b)*** *quo = ad quam rem: quo hæc spectat oratio?* où tendent ces propos? || **2.** indéf., quelque part || **3.** relatif; *quo = ad quod = ad quos.*
II. abl. de *quod*, **1.** [en tête de phrase] = *et ea re, ea re autem*, or par là, à cause de cela [surtout suivi d'un compar.] || *quo factum est, ut*, d'où il résulta que... || **2.** adverbe, ***a)*** [en corrél. avec *eo, hoc*, et surtout accomp. d'un compar.] d'autant... que || *quo... eo* ou *hoc*, plus... plus; ***b)*** [suivi du subj. avec nuance finale] pour que par là; ***c)*** [tour négat. avec subj.] non pour la raison que: *non eo dico, quo* = si je parle ainsi, ce n'est pas que... || **3.** [d'où emploi comme conj.]; ***a)*** [avec subj., sens final] pour que par là [suivi d'un compar.]; ***b)*** *non quo* subj..., *sed ut*, non que... mais pour que; *non quo... sed quia*, non que... mais parce que.

quoad, adv. interr. et relat., **1.** jusqu'où, jusqu'à quel point, jusqu'au point où: *videte, quoad fecerit iter...*, voyez jusqu'où il s'est avancé || *quoad facere potui*, dans la mesure où j'ai pu le faire || **2.** [temps], ***a)*** jusqu'à quand; tant que: *tamdiu... quoad*, aussi longtemps que; *quoad vixit*, autant qu'il a vécu; ***b)*** jusqu'à ce que: *usque eo... quoad*, jusqu'au moment où.

quocirca, conj. de coord., c'est pourquoi, en conséquence.

quocumque, 1. adv. rel., en quelque lieu que, partout où [mouv.] || **2.** indéf., n'importe vers quel côté.

1. quod, acc. n. du rel. pris adv. [acc. de relation], **1.** relativement à quoi, [d'où] à cause de quoi, pour quoi: *quid est quod*, pourquoi...? || [avec subj. conséc. constr. ordin. de la prose classique], *nihil habeo quod*, je n'ai pas de raison pour || **2.** [part. de liaison, jointe à des conjonctions], *quod si*, que si, or si; *quod nisi, quod ni*, que si... ne pas.

2. quod, conj., dériv. du précéd., **1.** parce que; [souvent en corrél. avec des adv. ou loc. adv. *eo, ideo, idcirco, propterea*, pour cela, à cause de cela, v. ces mots]; *eo occisus est, quod*, il a été tué pour la raison que || [subj. du st. indir.]: parce que dans sa pensée || **2.** en ce que, de ce que: ***a)*** [après les v. exprimant un sentiment] *tibi gratias ago, quod me... coegisti*, je te remercie de ce que tu m'as forcé à...; ***b)*** *bene, male facis quod*, tu fais bien, mal en ce que || **3.** [introduisant une prop.], ***a)*** [qui joue le rôle de sujet, d'attribut ou de compl. d'un verbe principal] ce fait que: *illud me movet, quod video*, ce qui m'émeut, c'est que je vois || *huc accedit quod*, à cela s'ajoute que; *adde quod*, ajoutez que, v. *addo, adjicio, accedo, accido* || *quid quod...?* que dire de ce fait que? ***b)*** [apposition explicative d'un substantif], à savoir le fait que...;

c) [prop. reliée à un démonstr. compl. circonstanciel]: *ex hoc, quod,* de, d'après ce fait que; *pro eo, quod,* en raison de ce que; ***d)*** [exprimant une relation] relativement à ce fait que, quant à ce fait que [en tête d'une phrase].

quodammodo ou **quodam modo,** en quelque sorte, en quelque façon.

quolibet, adv. [mouv.], n'importe où, où l'on voudra.

quom, v. *cum,* conj.

quominus, employé comme conj., **1.** [après verbes d'empêchement] empêcher que, ou de, refuser de || **2.** afin que d'autant moins, ou pour que... ne pas, pour empêcher que.

quomodo, adv., **1.** interr., de quelle manière, comment || **2.** relatif, ***a)*** de la manière dont, comme: *nihil admirabilius quam quomodo... tulit,* rien de plus admirable que la manière dont il a supporté...; ***b)*** [en corrél. avec *sic, ita*], *ita... quomodo,* de la façon dont, de même que; *quomodo... sic* ou *ita,* de même que... de même.

quomodocumque (-cunque), adv., **1.** relat., de qq. manière que || **2.** indéf., de toute manière.

quonam, adv. interr. [dir. et indir.], où donc [avec mouv.].

quondam, adv. *(quom* et *dam),* **1.** à un certain moment, à une époque déterminée, un jour || parfois || **2.** autrefois, jadis, anciennement || **3.** [dans l'avenir] parfois || un jour.

quoniam, conj. *(quom, jam),* puisque, parce que [indic.] || [subj. du st. indir.]

quoquam, adv., qq. part [mouv.].

quoque, adv., [jamais en tête d'une phrase; mis après le mot qu'il souligne], aussi.

quoqueversus (-versum), v. *quoquov-.*

quoquo, adv., en qq. lieu que [mouv.], de qq. côté que.

quoquomodo ou **quoquo modo,** adv., **1.** relat., de qq. manière que || **2.** indéf., de n'importe quelle manière, d'une manière quelconque.

quoquoversus (-versum, -vorsum), adv., dans toutes les directions, de tous côtés [mouv.] || dans tous les sens.

quorsum (-sus), adv. *(quo, vorsus, vorsum),* interr. [dir. et indir.], **1.** dans quelle direction, de quel côté, où || **2.** [fig.] ***a)*** vers quoi, vers quel but; ***b)*** à quel résultat (aboutissement).

quot, pron. indécl., **1.** interr.-exclam. dir., [ou] interr. indir., combien [nombre] || **2.** relat., [en corrél. avec *tot* exprimé ou s.-ent.] aussi nombreux que, autant que: *quot homines, tot sententiæ,* autant de personnes, autant d'avis.

quotannis, adv., tous les ans.

quotcumque, pron. rel. indécl., quel que soit le nombre que.

quoteni, *æ, a,* interr. distributif, combien nombreux [respectivement].

quotidiano, adv., c. *quotidie.*

quotidianus, *a, um,* quotidien, de tous les jours, journalier || [fig.] familier, habituel, commun.

quotidie, adv., tous les jours, chaque jour.

quotiens et **quoties,** adv., **1.** interr. dir. et indir., combien de fois || **2.** relat. [en corrél. avec *totiens (toties)* exprimé ou s.-ent.], toutes les fois que.

quotienscumque, toutes les fois que.

quotquot, pron. rel. indécl., en quelque nombre que.

quotus, *a, um,* adj. interr. [dir. et indir.], en quel nombre: *hora quota est?* quelle heure est-il?

quotusquisque, *aquæque,* etc., combien peu.

quousque, adv. [interr. dir. et indir.], **1.** jusqu'où, jusqu'à quel point || **2.** jusqu'à quand? jusques à quand?

R

R, r || abréviation ; souvent = *Romanus : S. P. Q. R.* = *senatus populusque Romanus*, le sénat et le peuple romains ; = *Rufus ; R.P.* = *res publica*, etc.

rabide *(rabidus)*, avec fureur, avec rage.

rabidus, *a, um (rabies)*, furieux, enragé || [poét.] *ora rabida*, la bouche écumante de la Sibylle en délire || en fureur, forcené.

rabies, *em, e*, f., **1.** rage [maladie] || **2.** transport furieux, rage, fureur || délire de la Sibylle.

rabio, *ere*, intr., être furieux, emporté.

rabiose *(rabiosus)*, avec fureur.

rabiosulus, *a, um*, un peu furieux.

rabiosus, *a, um (rabies)*, **1.** enragé || **2.** [fig.] plein de rage, furieux, emporté.

Rabirius, *ii*, m., nom de famille rom. ; not. C. Rabirius Postumus et C. Rabirius, défendus par Cicéron.

rabula, *æ*, m. *(rabio)*, méchant orateur, mauvais avocat [criailleur, brailleur].

racematus, *a, um (racemus)*, qui a des grappes.

racemifer, *era, erum (racemus, fero)*, qui porte des grappes de raisin.

racemosus, *a, um (racemus)*, **1.** qui se rattache à une grappe || **2.** abondant en grappes.

racemus, *i*, m., **1.** grappe [en général] || **2.** grappe de raisin, raisin.

radians, *tis*, part. de *radio*, rayonnant, radieux.

radiatio, *onis*, f. *(radio)*, rayonnement.

radiatus, *a, um (radius)*, **1.** muni de rais, de rayons [roue] || **2.** muni de rayons lumineux, rayonnant.

radicatus, *a, um*, part. de *radicor*.

radicesco, *ere (radix)*, intr., prendre racine.

radicitus *(radix)*, adv., jusqu'à la racine, avec la racine || radicalement, à fond.

radicor, *ari, atus sum (radix)*, intr., prendre racine, pousser des racines, raciner.

radicosus, *a, um (radix)*, qui a beaucoup de racines.

radicula, *æ*, f. *(radix)*, **1.** petite racine, radicule || **2.** radis.

radio, *are, avi, atum (radius)*, **1.** tr., munir de rayons ; irradier || **2.** intr., envoyer des rayons, rayonner.

radiolus, *i*, m. *(radius)*, petit rayon, faible rayon || sorte d'olive.

radius, *ii*, m.,

I. 1. baguette, piquet || **2.** baguette de géomètre || **3.** rayon de roue || rayon de cercle || **4.** navette de tisserand || **5.** [zoologie] : ***a)*** ergot de certains oiseaux, éperon ; ***b)*** épine, dard d'un poisson || **6.** espèce d'olive longue || **7.** le radius.

II. 1. rayon projeté par un objet lumineux || **2.** rayons de la foudre || **3.** rayons d'une couronne.

radix, *icis*, f., **1.** racine ; [en part.] *radix Syriaca* ou *radix* seul, raifort || **2.** [fig.] ***a)*** *a Palatii radice*, du pied du mont Palatin ; ***b)*** racine, base ; ***c)*** racine = fondement, source, origine.

rado, *ere, rasi, rasum*, tr., **1.** raser || **2.** raboter, polir || racler, enlever l'écorce || balayer, nettoyer un parquet || ratisser, gratter le sol || gratter, rayer un nom || égratigner || [fig.] écorcher les oreilles || **3.** toucher en passant, effleurer, côtoyer.

ræda (reda), *æ*, f., chariot [à quatre roues].

rædarius (red-), *a, um*, de chariot || **rædarius,** *ii*, m., conducteur de chariot, cocher.

raia, *æ*, f., raie [poisson].

ramale, *is*, n. *(ramus)*, bois sec; branchages || surt. au pl. *ramalia*.

ramentum, *i*, n. *(radmentum, rado)*, raclure, parcelle || limaille, copeau.

rameus, *a, um (ramus)*, de branches [sèches].

ramex, *icis*, m. *(ramus)*, **1.** bâton || **2.** pl., (branches) vaisseaux de la poitrine, poumons || **3.** hernie, varicocèle.

ramosus, *a, um (ramus)*, **1.** branchu, rameux, qui a beaucoup de rameaux || **2.** [fig.] qui a plusieurs branches: *ramosa hydra*, l'hydre aux cent têtes.

ramulus, *i*, m. *(ramus)*, petite branche, tige.

ramus, *i*, m., **1.** rameau, branche || **2.** [fig.] ***a)*** ramure d'un cerf; ***b)*** ramification, branche [d'un fleuve].

rana, *æ*, f., **1.** grenouille || **2.** baudroie.

rancide *(rancidus)*, désagréablement.

rancidus, *a, um*, **1.** rance, qui sent, avancé || **2.** [fig.] déplaisant, insupportable.

ranunculus, *i*, m. *(rana)*, petite grenouille.

rapacitas, *atis*, f. *(rapax)*, rapacité, penchant au vol.

1. rapax, *acis (rapio)*, **1.** qui entraîne à soi [pr. et fig.], qui emporte, ravisseur; pillard, voleur || **2.** [avec le gén.] qui s'empare de.

2. Rapax, *acis*, adj., la Rapace [surnom d'une légion]; *Rapaces*, les soldats de cette légion.

raphaninus, *a, um*, de raifort.

raphanus, *i*, m., raifort, radis noir.

rapicius, *a, um (rapum)*, de raifort || **rapicii,** *orum*, m., feuilles de raifort.

rapide *(rapidus)*, rapidement || [fig.] avec une force torrentielle.

rapiditas, *atis*, f. *(rapidus)*, rapidité d'un courant, violence.

rapidus, *a, um (rapio)*, **1.** [poét.] qui entraîne || qui emporte tout comme une proie, dévorant || **2.** qui se lance rapidement, rapide, violent, impétueux, précipité, prompt: *rapidum venenum*, poison violent.

1. rapina, *æ*, f. *(rapio)*, rapine, vol, pillage.

2. rapina, *æ*, f., rave || champ de raves.

rapio, *ere, rapui, raptum*, tr., **1.** entraîner avec soi, emporter [précipitamment, violemment]: *rapere aliquem ad mortem*, traîner qqn à la mort || **2.** enlever de force [ou] par surprise, ravir, soustraire, voler, piller: *Sabinas virgines rapi jussit*, il fit enlever les jeunes Sabines || [en parl. de la mort] emporter brusquement || **3.** se saisir vivement de, prendre rapidement: *arma rapiat juventus*, que la jeunesse prenne vivement les armes.

rapistrum, *i*, n. *(rapum)*, rave sauvage.

raptim, adv. *(raptus, rapio)*, à la hâte, précipitamment.

raptatus, *a, um*, part. de *rapto*.

rapto, *are, avi, atum (rapio)*, tr., entraîner, emporter || piller, dévaster.

raptor, *oris*, m. *(rapio)*, ravisseur, voleur: *raptores lupi*, loups ravisseurs.

raptum, *i*, n. *(rapio)*, [usité à l'abl.] vol, rapine: *rapto vivere*, ou *ex rapto*, vivre de rapine.

1. raptus, *a, um*, part. de *rapio*.

2. raptus, *us*, m., enlèvement, rapt.

rapui, pf. de *rapio*.

rapulum, *i*, n., dimin. de *rapum*, petite rave.

rapum, *i*, n., rave, navet.

rare *(rarus)*, d'une manière peu dense, peu serrée.

rarefacio, *ere, feci, factum (rarus, facio)*, tr., raréfier || pass. **rarefio,** *factus*.

raresco, *ere (rarus)*, intr., se raréfier, devenir moins dense, moins épais || devenir moins serré, s'espacer.

raritas, *atis*, f. *(rarus)*, **1.** porosité || fait d'avoir des fentes || **2.** rareté, faible nombre || rareté, caractère exceptionnel.

raritudo, *inis*, f. *(rarus)*, fait d'avoir des cavités [de n'être pas compact] || fait d'être meuble, légèreté d'une terre.

raro *(rarus)*, d'une façon clairsemée, rarement, par-ci par-là.

rarus, *a, um*, **1.** peu serré, peu dense, qui a des jours dans sa contexture: *retia rara*, filets à larges mailles; *terra rara*, terre légère || **2.** espacé, clairsemé, distant, disséminé: *apparent rari nantes in gurgite vasto*, çà et là apparaissent des naufragés sur le vaste gouffre de la mer || **3.** peu nombreux, rare : *optimum quidque rarissimum*, ce qui est le meilleur est aussi le plus rare || **4.** peu fréquent : *rarum est, ut* subj., il arrive rarement que || **5.** [poét.] rare, remarquable, exceptionnel : *rara avis*, oiseau rare [le paon].

rasi, pf. de *rado*.

rasilis, *e (rado)*, **1.** qu'on peut polir || **2.** rendu poli ; poli.

rastellus, *i*, m. *(raster)*, petit hoyau.

raster, *-tri*, m. et ordin. **-tri,** *orum*, m. *(rado)*, instrument à deux ou plusieurs dents pour briser les mottes, hoyau.

rastra, *orum*, n. de l'inus. *rastrum* [rare] ; c. *raster*.

rasura, *æ*, f. *(rado)*, action de gratter, de racler.

1. rasus, *a, um*, part. de *rado*.

2. rasus, *us*, m., action de racler.

ratio, *onis*, f. *(reor)*,

I. A) 1. calcul, supputation : *ratione inita*, le calcul fait, tout compte fait ; [fig.] *vix ratio iniri potest...*, c'est à peine possible de calculer (de déterminer)... || résultat du calcul, évaluation, chiffre || **2.** compte : ***a)*** *rationem reddere*, rendre, remettre un compte ou *referre*, ou *rationes referre*, rendre, remettre des comptes ; ***b)*** [sens concret] registre, rôle : *ratio carceris*, le registre d'écrou.

B) [sens dérivés] : **1.** compte des opérations que l'on fait avec qqn, [d'où] relations commerciales, d'intérêts || [en gén.] affaires, intérêts || **2.** considération, égard : *rationem alicujus rei ducere*, tenir compte de qqch. || **3.** système, procédé, méthode, plan, etc. ; *novæ bellandi rationes*, de nouvelles méthodes de guerre || **4.** évaluation d'une chose : sa nature, son espèce, sa manière d'être, ses modalités, son système, son régime, etc. : *propter rationem Gallici belli*, à cause du caractère particulier de la guerre contre les Gaulois || *eadem ratione*, de la même manière : *omni ratione*, par tous les moyens.

II. 1. faculté de calculer, de raisonner, raison, jugement, intelligence || **2.** manière de faire raisonnable || **3.** explication qui rend compte d'une chose, explication, raison || **4.** raisonnement || **5.** théorie, principes théoriques, doctrine, système scientifique : *ratio atque usus belli*, la théorie et la pratique de la guerre.

ratiocinatio, *onis*, f. *(ratiocinor)*, raisonnement, calcul raisonné, réflexion.

ratiocinator, *oris*, m. *(ratiocinor)*, calculateur.

ratiocinor, *ari, atus sum*, intr. et tr., **1.** calculer || **2.** raisonner || examiner.

rationabilis, *e*, raisonnable, doué de raison.

rationalis, *e (ratio)*, raisonnable, doué de raison || où l'on emploie le raisonnement.

rationaliter, raisonnablement, par la raison.

ratis, *is*, f., **1.** radeau || pont volant || **2.** bateau, navire, vaisseau || barque [de Charon].

ratiuncula, *æ*, f. *(ratio)*, faible raisonnement || pl., petits arguments, subtilités.

ratus, *a, um*, **1.** part. de *reor*, ayant pensé, pensant, croyant, v. *reor* || **2.** [au sens pass.], ***a)*** compté, calculé : *pro rata parte*, dans des rapports déterminés, en proportion, à proportion ; ou *pro rata portione*, ou *pro rata* ; ***b)*** fixé, réglé, invariable, constant ; ***c)*** ratifié, valable.

raucitas, *atis*, f. *(raucus)*, enrouement || raucité, son rauque.

raucus, *a, um*, **1.** enroué || **2.** au cri rauque || au son rauque.

raudus (rodus), *eris*, n., objet brut, non travaillé || [en part.] morceau de cuivre brut, lingot non travaillé ; mais pl. **rodera,** lingots de cuivre servant de monnaie || pierre brute.

rauduscul um, *i*, n., petit lingot de cuivre || [fig.] petite dette.

ravidus, *a, um (ravus)*, grisâtre.

ravus, *a, um*, gris [tirant sur le jaune].

rea, *æ*, f. *(reus)*, accusée.

reapse *(re, eapse)* = *re ipsa*, réellement, en effet, au fond.

rebellatio, *onis*, f. *(rebello)*, révolte.

rebellatrix, *icis*, f., celle qui se révolte, rebelle.

rebellio, *onis*, f. *(rebellis)*, reprise des hostilités, rébellion, révolte.

rebellis, *e (re, bellum)*, qui recommence la guerre, rebelle, qui se révolte, qui se soulève || subst. m. pl., les rebelles.

rebello, *are, avi, atum*, intr., reprendre les armes, reprendre les hostilités, se révolter.

reboo, *are*, intr., répondre par un mugissement || [fig.] résonner, retentir.

recalcitro, *are, avi, atum*, intr., regimber [fig.] || [av. dat.], faire opposition à.

recalco, *are*, tr., fouler de nouveau avec les pieds.

recaleo, *ere*, intr., être réchauffé.

recalesco, *ere, calui*, intr., se réchauffer.

recalfacio, *ere, feci*, tr., réchauffer.

recalui, pf. de *recalesco*.

recandesco, *ere, candui*, intr., **1.** devenir blanc, blanchir || **2.** redevenir chaud, brûlant.

recandui, pf. de *recandesco*.

recano, *ere*, intr., répondre en chantant || détruire un enchantement.

recanto, *are*, tr., répéter [écho] || *recantatus*, rétracté, désavoué.

recasurus, *a, um*, part. fut. de *recido 1*.

recedo, *ere, cessi, cessum*, intr., s'éloigner par une marche en arrière, rétrograder, se retirer || se retirer qq. part, faire retraite || se détacher de, se séparer de; *ab officio recedere*, s'écarter du devoir.

recello, *ere*, intr., rebondir en arrière, se ramener en arrière.

1. recens, *tis*, **1.** frais, jeune, récent, nouveau; pl. n. *recentia*, faits récents; *recenti re*, ou *recenti negotio*, sur le fait, à l'instant || qui vient tout proche à la suite de || [avec *ex*] tout proche au sortir de || [avec abl.]: tout proche après; même sens qu'avec *in* || **2.** qui n'est pas fatigué, frais, dispos: *recentes atque integri*, des troupes fraîches et intactes [sans blessures].

2. recens, n. pris adv., récemment.

recenseo, *ere, censui, censum* ou *censitum*, tr., recenser, passer en revue || faire l'examen critique d'un écrit.

recensio, *onis*, f. *(recenseo)*, dénombrement, recensement.

recensitus (-census), *a, um*, part. de *recenseo*.

recepi, pf. de *recipio*.

receptaculum, *i*, n. *(recepto)*, **1.** réceptacle, magasin || **2.** refuge, asile.

receptatio, *onis*, f. *(recepto)*, action de reprendre [haleine].

recepto, *are, avi, atum (recipio)*, tr., **1.** retirer || reprendre || **2.** recevoir (qqn), donner retraite à || *se*, se retirer [qq. part].

receptor, *oris*, m. *(recipio)*, receleur.

receptrix, *icis*, f. *(receptor)*, receleuse.

receptum, *i*, n. *(recipio)*, engagement, promesse.

1. receptus, *a, um*, part. de *recipio* || adj., admis par l'usage, usité, reçu.

2. receptus, *us*, m., **1.** [milit.] retraite: *receptui canere*, sonner la retraite || retraite, refuge, asile || **2.** *receptum ad pœnitendum non habere*, n'avoir pas la possibilité du retour au repentir.

recessi, pf. de *recedo*.

recessus, *us*, m., **1.** action de se retirer, de s'éloigner || *fretorum recessus*, le reflux de la mer || **2.** endroit retiré, retraite || enfoncement || **3.** mouvement de retraite || mouvement de rétraction || fond, recoins de l'âme, replis secrets.

recidivus, *a, um (recido)*, qui revient, renaissant.

1. recido, *ere, reccidi* et *recidi, recasum (re* et *cado)*, intr., retomber: *consilia in ipsorum caput recidentia*, projets retombant sur la tête de leurs auteurs || tomber dans, passer à, en venir à, aboutir à || tomber dans telle, telle époque, coïncider avec.

2. recido, *ere, cidi, cisum (re* et *cædo)*, tr., ôter en coupant, trancher, rogner.

recinctus, *a, um*, part. de *recingo*.

recingo, *ere, cinxi, cinctum*, tr., **1.** dénouer || **2.** ceindre de nouveau.

recino, *ere (re* et *cano)*, **1.** intr., sonner de nouveau, résonner avec insistance || **2.** tr., faire retentir en retour || chanter en réplique [comme en écho] || répéter en écho, en refrain.

recipio, *ere, cepi, ceptum (re* et *capio)*, tr.,

I. *re* = en arrière, **1.** tirer en arrière à soi, retirer, ramener || *se recipere*, faire retraite, faire retour || [milit.] se rallier; se replier, battre en retraite: *se in castra*, se replier dans le camp || **2. *a)*** *spiritum recipere*, reprendre son souffle; ***b)*** revenir à.

II. *re* = en retour, de nouveau: prendre en retour de ce que l'on a donné, reprendre ce que l'on a perdu, etc.: *libertas recepta*, la liberté recouvrée || *a pavore, e pavore animum*, se remettre d'une alarme || *se recipere*, se reprendre, se ressaisir.

III. sens de la particule effacé, **1.** recevoir, accepter, accueillir || *aliquem civitate* ou *in civitatem recipere*, recevoir qqn au rang des citoyens, accorder le droit de cité à qqn || **2.** prendre possession de, recevoir la soumission de || **3.** retirer de l'argent, d'un produit || **4.** recevoir, admettre, accueillir; *non recipere ut* subj., ne pas admettre que || **5.** prendre sur soi de, se charger de, s'engager à, promettre *alicui* et inf. fut., promettre à qqn de, que || **6.** [justice] recevoir [en parl. du préteur]: *nomen*, recevoir le nom d'une personne qu'on accuse [contraire: *deferre nomen* = la déclarer recevable].

reciprocatus, *a, um*, part. de *reciproco.*

reciproco, *are, avi, atum (reciprocus)*, **1.** tr., ramener en arrière de nouveau, faire aller et venir || **2.** intr., avoir un mouvement alternatif, avoir un flux et un reflux.

reciprocus, *a, um*, qui revient au point de départ; *reciprocum mare*, mer qui reflue.

recisio, *onis*, f. *(recido)*, action de rogner, de couper.

recisus, *a, um*, part. de *recido* || adj., diminué, écourté, abrégé.

recitatio, *onis*, f. *(recito)*, **1.** action de lire à haute voix || **2.** lecture [faite par un auteur], lecture publique.

recitator, *oris*, m. *(recito)*, **1.** lecteur || **2.** auteur qui lit publiquement ses ouvrages.

recitatus, *a, um*, part. de *recito.*

recito, *are, avi, atum*, tr., **1.** lire à haute voix, produire, citer || **2.** prononcer [une formule] || **3.** faire une lecture publique.

reclamatio, *onis*, f. *(reclamo)*, acclamation.

reclamito, *are (reclamo)*, intr., crier contre || se récrier contre, protester contre [avec dat.].

reclamo, *are, avi, atum*, intr., crier contre, se récrier contre, protester hautement: *reclamante populo Romano*, au milieu des protestations du peuple romain || *alicui rei*, contre qqch. || *alicui*, contre qqn.

reclinatus, *a, um*, part. de *reclino* v. *reclinis.*

reclinis, *e (reclino)*, penché [en arrière ou de côté], appuyé sur, couché || étendu sur le lit de table.

reclino, *are, avi, atum*, tr., pencher en arrière, incliner en arrière.

recludo, *ere, clusi, clusum (re* et *claudo)*, tr., **1.** ouvrir: *portas*, ouvrir des portes: *ensem*, mettre l'épée à nu || **2.** enfermer || fermer.

reclusi, pf. de *recludo.*

reclusus, *a, um*, part. de *recludo.*

recoctus, *a, um*, part. de *recoquo.*

recogito, *are, avi*, intr., repasser dans son esprit || *de aliqua re*, réfléchir à nouveau sur qqch.

recognitio, *onis*, f. *(recognosco)*, **1.** revue, examen, inspection || **2.** reconnaissance.

recognitus, *a, um*, part. de *recognosco.*

recognosco, *ere, novi, nitum*, tr., **1.** reconnaître, retrouver || repasser dans son esprit, rappeler à sa mémoire || **2.** passer en revue, inspecter || faire un examen critique d'un ouvrage, reviser.

recollectus, *a, um*, part. de *recolligo.*

recolligo, *ere, egi, ectum*, tr., **1.** rassembler, réunir || **2.** ressaisir, reprendre; *se*, se ressaisir, reprendre courage || ramener (à de bons sentiments).

recolo, *ere, colui, cultum*, tr., **1.** cultiver de nouveau: *metalla*, reprendre l'exploitation des mines || **2.** visiter de nouveau || **3.** pratiquer de nouveau || exercer de nouveau l'esprit || restaurer || passer en revue.

recompono, *ere*, tr., remettre, raccommoder.

recompositus, *a, um*, part. de *recompono.*

reconciliatio, *onis*, f. *(reconcilio)*, **1.** rétablissement || **2.** réconciliation, raccommodement.

reconciliator, *oris*, m., celui qui rétablit || qui réconcilie.

reconciliatus, *a, um*, part. de *reconcilio.*

reconcilio, *are, avi, atum*, tr., **1.** remettre en état, rétablir || **2.** ramener || réconcilier.

reconcinno, *are*, tr., raccommoder, réparer.

recondidi, pf. de *recondo.*

reconditus, *a, um*,

I. part. de *recondo.*

II. adj., **1.** enfoncé, caché, reculé, secret || **2.** peu accessible, fermé || profond, abstrait || **3.** [caractère] fermé, peu expansif.

recondo, *ere, didi, ditum*, tr., **1.** replacer, remettre à la place primitivement occupée: *gladium in vaginam*, remettre l'épée au fourreau || **2.** placer en arrière, mettre en réserve, mettre de côté, serrer || se retirer à l'écart || **3.** placer loin des regards, cacher, dissimuler || cacher, enfouir.

recoquo, *ere, coxi, coctum*, tr., faire recuire || reforger || *se*, se retremper.

recordatio, *onis*, f. *(recordor)*, opération du souvenir, acte de se souvenir || souvenir.

recordatus, *a, um*, part. de *recordor* et du rare *recordo.*

recordo, *are, avi, atum*, tr., faire ressouvenir, rappeler au souvenir.

recordor, *ari, atus sum (re* et *cor)*, tr., **1.** rappeler à sa pensée, se rappeler:

rem, se rappeler une chose || [avec prop. inf.] se rappeler que || [pris int.] se souvenir: *de aliquo*, se souvenir de qqn; *de aliqua re*, de qqch. || **2.** se représenter par la pensée une chose.

recorrigo, *ere, rexi, rectum*, tr., corriger, réformer.

recoxi, pf. de *recoquo*.

recrastino, *are*, tr., remettre au lendemain.

recreatio, *onis*, f., rétablissement.

recreatus, *a, um*, part. de *recreo*.

recreo, *are, avi, atum*, tr., **1.** produire de nouveau || **2.** faire revivre, rétablir, préparer, refaire: *e gravi morbo recreari*, relever d'une grave maladie; *se recreare*, se remettre.

recresco, *ere, crevi, cretum*, intr., croître de nouveau, repousser, renaître.

recrudesco, *ere, crudui*, intr., [litt. redevenir saignant] se raviver || se ranimer.

recta *(rectus)*, adv., tout droit, en droite ligne.

recte *(rectus)*, adv., **1.** droit, en ligne droite || **2.** ***a)*** d'une façon droite, convenable, bien, justement; ***b)*** à bon droit = en toute sécurité, sans avoir rien à craindre; ***c)*** bien [en parl. de la santé]: *recte esse, recte valere*, se bien porter.

rectio, *onis*, f. *(rego)*, action de gérer, administration, gouvernement.

rector, *oris*, m. *(rego)*, celui qui régit, qui gouverne, guide, chef, maître; *navium rectores*, pilotes; *rector elephanti*, cornac || gouverneur, précepteur, tuteur || gouverneur d'une province.

rectrix, *icis*, f., directrice, maîtresse, reine.

rectum, *i*, n. de *rectus* pris subst., **1.** chose en ligne droite: *in rectum*, suivant la ligne droite || **2.** le bien, le correct, le droit, le juste.

rectus, *a, um (rego)*, **1.** droit [horizontalement ou verticalement], en ligne droite; *via rectissima*, la route la plus droite; *rectis lineis*, en lignes droites || **2.** ***a)*** droit, régulier, conforme à la règle, bien; ***b)*** qui va droit au fait, sans ornements ni développements de style || simple, non entortillé, non maniéré; ***c)*** bon, raisonnable: *rectius est committere...*, il vaut mieux, il est plus raisonnable de confier...; ***d)*** droit moralement, juste, conforme au bien.

recubo, *are*, intr., être couché sur le dos, être couché, être étendu.

recubui, pf. de *recumbo*.

recultus, *a, um*, part. de *recolo*.

recumbo, *ere, cubui (re* et *cumbo, cubo)*, intr., **1.** se coucher en arrière, se coucher || **2.** s'étendre sur le lit de festin, s'attabler || **3.** s'affaisser, s'écrouler.

recuperatio (reci-), *onis*, f. *(recupero)*, recouvrement.

recuperator, *oris*, m. *(recupero)*, **1.** celui qui recouvre, qui reprend || **2.** récupérateur, juge dans différentes affaires où il s'agit d'une restitution, d'indemnité.

recuperatorius, *a, um*, relatif aux récupérateurs, des récupérateurs.

recuperatus, *a, um*, part. de *recupero*.

recupero, *are, avi, atum (recipio)*, tr., **1.** recouvrer, reprendre, rentrer en possession de; *aliquid ex urbe hostium, aliquid ab aliquo*, reprendre qqch. à une ville ennemie, qqch. à qqn || **2.** regagner, ramener à soi.

recurro, *ere, curri, cursum*, intr., courir en arrière, **1.** revenir en courant, revenir vite || **2.** revenir dans sa course, dans son cours || **3.** revenir.

recurso, *are*, intr., courir en arrière, s'éloigner rapidement || [fig.] revenir souvent.

recursus, *us*, m. *(recurro)*, retour en courant, course rétrograde || possibilité de revenir, retour || chemin du retour.

recurvo, *are, atum*, tr., recourber.

recurvus, *a, um*, recourbé, crochu.

recusatio, *onis*, f. *(recuso)*, **1.** récusation, refus || **2.** protestation, réclamation.

recusatus, *a, um*, part. de *recuso*.

recuso, *are, avi, atum (re* et *causa)*, tr., repousser, décliner, refuser, ***a)*** *periculum*, se refuser à courir des dangers; ***b)*** [absol. avec *de*] s'opposer à, protester contre: *de stipendio*, se refuser à un tribut; ***c)*** [avec *ne* subj.] refuser de; ***d)*** *non recusare quin* ou *quominus*, ne pas s'opposer à ce que; ***e)*** *non recusare* avec inf., ne pas refuser de; [sans nég.] *recusare* avec inf., refuser de.

recussus, *a, um*, part. de *recutio*.

recutio, *ere, cussi, cussum (re, quatio)*, tr., faire rebondir.

redactus, *a, um*, part. de *redigo*.

redamo, *are*, tr., rendre amour pour amour à.

redarguo, *ere, gui, gutum*, tr., **1.** réfuter (*aliquem, aliquid*, qqn, qqch.) || **2.** dénoncer en retour, en réplique || démontrer à titre de réfutation.

reddidi, pf. de *reddo*.

redditus, *a, um*, part. de *reddo*.

reddo, *ere, didi, ditum (red* et *do)*, tr.,

1. donner en retour, rendre [à une pers. ce qu'elle vous a donné, confié, prêté] || **2.** donner en retour ce qu'on doit, ce qu'on a promis, etc.; payer, s'acquitter de; *alicui prœmia debita*, payer à qqn le salaire qui lui est dû || *reddere pœnas*, subir une punition || **3.** rendre [à qqn ce qu'on lui a pris, enlevé]: *reddere captivos*, rendre les prisonniers || restituer; *aliquem patriæ*, rendre qqn à sa patrie || **4.** donner en retour, en paiement, en récompense; *gratiam alicui*, payer qqn de retour, lui manifester sa reconnaissance || **5.** placer en regard, en réplique || **6.** retourner, traduire, rendre: *ea quæ legeram Græce, Latine reddebam*, je rendais en latin ce que j'avais lu en grec || **7.** donner en retour, répéter || **8.** donner en réponse, répliquer (repartir) || **9.** ***a)*** renvoyer des rayons lumineux; ***b)*** reproduire, imiter; ***c)*** exprimer, rendre; ***d)*** rendre [un son]; ***e)*** rendre, produire [en parl. du sol] || **10.** [avec deux acc.] amener d'un état à un autre, rendre: *tutiorem vitam reddere*, rendre la vie plus sûre || **11.** rendre [non pas à la même pers., mais à une autre] ce qu'on a reçu, remettre, transmettre || **12.** donner en retour d'une demande, accorder || [d'où] *reddere judicium*, rendre un jugement || **13.** = *referre*, rapporter, exposer || **14.** faire sortir au-dehors, rendre: *animas reddunt*, ils exhalent leur souffle, leur vie; *sanguinem*, vomir du sang.

redegi, pf. de *redigo.*

redemi, pf. de *redimo.*

redemptio, *onis*, f. *(redimo)*, action de racheter = de délivrer de || rachat, rançon.

redempto, *are (redimo)*, tr., racheter.

redemptor, *oris*, m. *(redimo)*, **1.** entrepreneur de travaux publics, de fournitures; celui qui prend à ferme [des recettes publiques], adjudicataire, soumissionnaire || **2.** celui qui rachète (de la servitude).

redemptura, *æ*, f. *(redimo)*, adjudication ou entreprise de travaux publics.

redemptus, *a, um*, part. de *redimo.*

redeo, *ire, ii, itum*, intr.,

I. avec valeur du préfixe, **1.** revenir || [pass. impers.]: *reditum est*, on revint || **2.** [fig.] ***a)*** redevenir, se rappeler; ***b)*** [dans un exposé]: *redeo ad propositum*, je reviens à mon propos, à mon objet || **3.** venir en retour, revenir comme bénéfice, être comme revenu.

II. aller à un autre endroit, **1.** passer d'un état à un autre, en venir à || **2.** revenir à, échoir à, appartenir à.

redhibeo, *ere, bui, bitum (red, habeo)*, tr., faire reprendre une chose vendue, rendre.

redhibitus, *a, um*, part. de *redhibeo.*

rediens, *tis*, part. prés. de *redeo.*

redigo, *ere, egi, actum (red, ago)*, tr.,

I. valeur du préfixe, **1.** pousser pour faire revenir, ramener, faire rentrer || **2.** ramener à un état inférieur, réduire à qqch. de moindre || **3.** faire rentrer [de l'argent], retirer: *in ærarium redigi*, être versé au trésor.

II. amener dans un autre état, amener à, réduire à; *aliquem, aliquid in suam potestatem*, soumettre qqn, qqch. à sa puissance; *aliquem in servitutem*, réduire qqn en servitude.

redii, pf. de *redeo.*

redimiculum, *i*, n. *(redimio)*, bandeau de front, cordon, bandelette, bande, ruban.

redimio, *ire, ii, itum*, tr., ceindre [ordin. la tête], couronner, orner.

redimitus, *a, um*, part. de *redimio.*

redimo, *ere, emi, emptum (emtum) (red* et *emo)*, tr., **1.** racheter || **2.** [en part.] ***a)*** délivrer, affranchir; ***b)*** racheter, compenser, effacer || **3.** prendre à ferme || **4.** acheter en retour de qqch., acheter, obtenir.

redintegro, *are, avi, atum*, tr., recommencer || renouveler, rétablir, restaurer.

reditio, *onis*, f. *(redeo)*, retour.

reditus, *us*, m. *(redeo)*, **1.** retour: *in cælum, domum, ad aliquem*, retour au ciel, à la maison, vers qqn || **2.** revenu.

redivivus, *a, um (red, vivus)*, **1.** qui revit, ressuscité || **2.** ***a)*** renouvelé, qui recommence; ***b)*** utilisé de nouveau.

redoleo, *ere, ui*, intr. et tr., exhaler une odeur, **1.** intr, *mella redolent thymo*, le miel sent le thym || **2.** tr., *vinum redolere*, exhaler l'odeur du vin.

redomitus, *a, um*, ramené à la raison.

redono, *are, avi, atum*, tr., **1.** gratifier de nouveau, *aliqua re aliquem*, qqn de qqch. || **2.** faire l'abandon, *aliquid alicui*, de qqch. à qqn.

reduco, *ere, duxi, ductum*, tr., **1.** ramener: *aliquem de exsilio*, faire revenir qqn d'exil; ramener le soleil, le jour, la nuit, l'été, etc. || **2.** ramener qqn, lui faire la conduite, le reconduire || **3.** ramener (rappeler) des troupes || **4.** *aliquem in gratiam cum aliquo*, réconcilier qqn avec qqn; *aliquem ad officium*, ramener qqn au devoir; *in memoriam alicujus rei*, rappeler qqch. || ramener, rétablir, restaurer.

reductio, *onis*, f. *(reduco)*, action de ramener.

reductor, *oris*, m. *(reduco)*, celui qui ramène || [fig.] qui rétablit, qui restaure.

reductus, *a, um*, **1.** part. de *reduco* || **2.** adj., retiré, à l'écart || en retrait, en recul.

redulcero, *are, avi, atum*, tr., ulcérer de nouveau.

reduncus, *a, um*, courbé en arrière || crochu.

redundans, *tis*, part.-adj. de *redundo*, débordant, superflu.

redundanter, trop abondamment || avec redondance, diffusion.

redundantia, *æ*, f. *(redundans)*, **1.** le trop-plein, excès || **2.** redondance.

redundatio, *onis*, f. *(redundo)*, le trop-plein, engorgement.

redundatus, *a, um*, part. de *redundo*.

redundo, *are, avi, atum (red* et *unda)*, intr., **1.** déborder, se déborder || *redundatus = redundans*, débordant || **2.** [avec abl.] être inondé de, ruisseler de || **3.** [fig.] ***a)*** être débordant, exubérant, surabondant; ***b)*** déborder, rejaillir, retomber sur: *in* ou *in aliquem*, rejaillir sur qqn; ***c)*** déborder, être en excédent || être de reste; ***d)*** [avec abl.] abonder en, regorger de.

reduvia (rediv-), *æ*, f., envie aux doigts.

redux, *ucis*, adj. m. f. *(reduco)*, **1.** qui est de retour, revenu || **2.** qui ramène, qui fait revenir.

reduxi, pf. de *reduco*.

refeci, pf. de *reficio*.

refectio, *onis*, f. *(reficio)*, **1.** réparation || **2.** action de refaire, réconfort, délassement, repos.

refector, *oris*, m. *(reficio)*, restaurateur [de monument].

refectus, *a, um*, part. de *reficio* || adj., réconforté.

refello, *ere, felli (re, fallo)*, tr., réfuter, démentir.

refercio, *ire, ersi, ertum (re, farcio)*, tr., **1.** bourrer, remplir entièrement, combler || **2.** entasser, accumuler.

referio, *ire*, tr., **1.** frapper à son tour, rendre un coup || **2.** refléter, réfléchir.

refero, *referre, retuli* et *rettuli, relatum*, tr.,

I. [pr.] **1.** porter en arrière, reporter: *Auster me Regium rettulit*, l'Auster m'a reporté à Régium || *se referre Romam*, se reporter, revenir à Rome [pass. même sens] || reporter, rendre, restituer || **2.** rapporter qqch. au point d'où l'on est parti || **3.** [milit.] *pedem referre*, se retirer, reculer, lâcher pied; ou *gradum referre* || **4.** apporter: *frumentum omne ad se referri jubet*, il ordonne qu'on lui apporte tout le blé.

II. **1.** ***a)*** rapporter, rendre, ramener: *ad philosophiam se referre*, revenir à la philosophie; ***b)*** remettre en état, rétablir || **2.** ***a)*** renvoyer: *sonum referre*, renvoyer les sons; ***b)*** *alicui pro aliqua re gratiam*, témoigner sa reconnaissance à qqn en retour de qqch.; ***c)*** répliquer, opposer en réplique, *aliquid alicui*, qqch. à qqn || **3.** rapporter: *in suam domum ignominiam*, rapporter chez soi le déshonneur || [avec prop. inf.] rapporter que || **4.** reproduire, renouveler: *mysteria*, recommencer la célébration des mystères || *naturam, mores parentum*, reproduire la nature, les mœurs de ses parents || *mente* ou *secum referre* ou *referre* seul, se rappeler, faire revivre dans son esprit || **5.** reporter: *oculos ad aliquem*, reporter ses yeux sur qqn || détourner de soi sur un autre || **6.** ***a)*** rapporter, raconter: *sermones ad me referebantur*, on me rapportait des propos; ***b)*** faire un rapport au sénat, mettre à l'ordre du jour de la séance: *ad senatum de aliqua re referre*, porter une question à l'ordre du jour du sénat || *rem ad senatum referre*, saisir d'une question le sénat; ***c)*** [en gén.] *referre rem ad aliquem*, consulter qqn sur qqch.; ***d)*** porter sur, consigner sur [un registre, etc.]: *in tabulas publicas refertur* avec prop. inf., il est porté sur les registres officiels cette mention que || [absol.] consigner sur un procès-verbal; ***e)*** faire rentrer parmi, mettre au nombre de: *aliquem in reos*, porter qqn au nombre des accusés; ***f)*** déposer: *ad ærarium rationes*, remettre ses comptes au trésor, ou *rationes referre* seul, rendre ses comptes; ***g)*** *aliquid ad aliquid*, rapporter qqch. à une autre chose prise comme mesure d'évaluation.

refersi, pf. de *refercio*.

refert, *referre, retulit*, intr. et impers.,

I. intr., être important, importer, intéresser || [avec prop. inf.] *illud parvi refert nos... reciperare*, il est de peu d'importance que nous recouvrions....

II. impers., il importe, etc.; *quid refert, si...* ? qu'importe, si... ?

refertus, *a, um*, part.-adj. *(refercio)*, plein, rempli de [avec abl. ou gén.] || [absol.]: *domus referta*, maison abondamment garnie.

refervens, *tis*, brûlant.

refervesco, *ere*, intr., s'échauffer fortement, bouillonner.

reficio, *ere, feci, fectum (re* et *facio)*, tr., **1.** refaire, réparer, restaurer [des murs, une maison, un temple, des navires, etc.] || refaire, reconstituer || rétablir, redonner des forces à : *aliquem*, rendre la santé à qqn ; *exercitum ex labore*, remettre l'armée de ses fatigues || pass. réfléchi *refici*, se remettre, se refaire || **2.** faire de nouveau : *arma, tela*, fabriquer de nouveau des armes défensives et offensives || renommer, réélire [des tribuns, un consul] || **3.** retirer [un revenu, un bénéfice].

refigo, *ere, xi, xum*, tr., **1.** desceller, déclouer, arracher || **2.** *leges*, abolir, abroger des lois.

refingo, *ere*, tr., façonner de nouveau, refaire.

refixi, pf. de *refigo*.

refixus, *a, um*, part. de *refigo*.

1. reflatus, *a, um*, part. de *reflo*.

2. reflatus, *us*, m., vent contraire.

reflecto, *ere, flexi, flexum*, tr., **1.** courber en arrière, recourber || tourner en arrière, retourner || **2.** ramener, détourner.

reflexi, pf. de *reflecto*.

reflexus, *a, um*, part. de *reflecto*.

reflo, *are, avi, atum*, **1.** intr., souffler en sens contraire, être contraire [en parl. du vent] || **2.** tr., renvoyer [un souffle].

refloresco, *ere, florui*, intr., refleurir.

refluo, *ere*, intr., refluer, se retirer.

refluus, *a, um (refluo)*, qui reflue.

refodio, *ere, fodi, fossum*, tr., creuser || déterrer, arracher.

reformatio, *onis*, f. *(reformo)*, **1.** métamorphose || **2.** réforme [des mœurs].

reformator, *oris*, m., réformateur.

reformatus, *a, um*, part. de *reformo*.

reformidatio, *onis*, f. *(reformido)*, appréhension.

reformido, *are, avi, atum*, tr., reculer de crainte devant qqn, qqch. ; craindre, redouter, appréhender (avec inf.).

reformo, *are, avi, atum*, tr., **1.** rendre à sa première forme, refaire || **2.** rétablir, restaurer || **3.** réformer, améliorer, corriger.

refossus, *a, um*, part. de *refodio*.

refotus, *a, um*, part. de *refoveo*.

refoveo, *ere, fovi, fotum*, tr., **1.** réchauffer || **2.** ranimer || refaire || faire revivre.

refractarius, *a, um (refringo)*, casseur d'assiettes, querelleur.

refractus, *a, um*, part. de *refringo*.

refragor, *ari, atus sum*, intr., **1.** voter contre, être d'avis contraire, s'opposer à, combattre [avec le dat.] || **2.** [fig.] être opposé à, être incompatible avec, répugner.

refregi, pf. de *refringo*.

refrenatio, *onis*, f., répression.

refreno, *are, avi, atum*, tr., **1.** arrêter par le frein || **2.** refréner, dompter, maîtriser [qqn, qqch.].

refricaturus, part. fut. de *refrico*.

refrico, *are, fricui, fricaturus*, tr., **1.** irriter par le frottement : *vulnus, cicatricem*, rouvrir une blessure, une plaie || **2.** renouveler, réveiller, raviver.

refrigeratio, *onis*, f., rafraîchissement, fraîcheur.

refrigeratorius, *a, um*, rafraîchissant.

refrigeratrix, *icis*, f., rafraîchissante.

refrigeratus, *a, um*, part. de *refrigero*.

refrigero, *are, avi, atum*, tr., **1.** refroidir || rafraîchir ; [pass. à sens réfléchi] *refrigerari*, se rafraîchir || **2.** [fig.] refroidir || affaiblir, diminuer l'intérêt de.

refrigesco, *ere, frixi*, intr., **1.** se refroidir, se rafraîchir || **2.** perdre de son intérêt ; diminuer, s'attiédir, se ralentir.

refringo, *ere, fregi, fractum (re* et *frango)*, tr., **1.** briser, enfoncer, abattre || **2.** déchirer, lacérer [vêtement] || casser, arracher en brisant || *refringi*, se réfracter.

refrixi, pf. de *refrigesco*.

refudi, pf. de *refundo*.

refugio, *ere, fugi*,

I. intr., **1.** fuir en arrière, reculer en fuyant, s'enfuir || être à l'écart || **2.** chercher un refuge, se réfugier || **3.** s'écarter de.

II. tr., éviter, fuir, *aliquem, aliquam rem*, qqn, qqch. || [avec inf.] refuser de.

refugium, *ii*, n. *(refugio)*, **1.** action de se réfugier, fuite || **2.** refuge, asile.

refugus, *a, um (refugio)*, fuyard, fugitif || subst. m. *refugi*, les fuyards.

refulgeo, *ere, fulsi*, intr., **1.** renvoyer un éclat, resplendir, briller || **2.** [fig.] briller en face de (à l'encontre) || resplendir.

refundo, *ere, fudi, fusum*, tr., **1.** renverser, répandre de nouveau || **2.** refouler, rejeter || **3.** rendre, restituer || **4.** faire répandre || pass. réfléchi *refundi*, se répandre.

refusus, *a, um*, part. de *refundo*.

refutatio, *onis*, f. *(refuto)*, réfutation.

refuto, *are, avi, atum,* tr., **1.** refouler, repousser || **2.** réfuter.

regales, *ium,* m., fils de rois, princes royaux ; famille royale.

regalis, *e (rex),* royal, de roi || digne d'un roi.

regaliter, royalement, en roi || en despote.

regelatus, *a, um,* part. de *regelo.*

regelo, *are, avi, atum,* tr., faire dégeler, réchauffer || *regelari,* se réchauffer.

regemo, *ere,* intr., répondre par un gémissement.

regenero, *are, avi, atum,* tr., reproduire [en soi], faire revivre.

regerminatio, *onis,* f. *(regermino),* action de repousser, nouvelle pousse.

regermino, *are,* intr., germer de nouveau, repousser.

regero, *ere, gessi, gestum,* tr., **1.** porter en arrière, emporter, enlever || porter de nouveau, reporter || introduire en retour, en remplacement || lancer en retour, renvoyer || *convicia,* riposter par des injures || **2.** porter ailleurs, [d'où] reporter, transcrire, consigner.

regestus, *a, um,* part. de *regero.*

1. regia, *æ,* f., **1.** résidence royale, palais || **2.** tente royale dans un camp || **3.** la cour, le trône [= la royauté] || **4.** capitale || **5.** puissance royale, royauté.

2. Regia, *æ,* f., la Regia [ancien palais de Numa, sur la voie Sacrée, près du temple de Vesta, devenu plus tard la résidence du Pontifex Maximus].

regibilis, *e (rego),* docile.

regie *(regius),* **1.** à la façon d'un roi, royalement, magnifiquement || **2.** à la manière d'un despote.

Regiensis, *e,* de Regium || **Regienses,** *ium,* m., habitants de Regium.

regificus, *a, um (rex, facio),* royal, magnifique.

Regillensis, m., surnom de Postumius [qui vainquit les Latins près du lac Régille].

Regillum, *i,* n., Régille [ville de la Sabine, près de Cures].

Regillus, *i,* m., ou **lacus Regillus,** le lac Régille [dans le Latium].

regimen, *inis,* n. *(rego),* **1.** direction || [poét.] gouvernail || **2.** direction, conduite, gouvernement, administration.

regimentum, *i,* n., c. *regimen.*

regina, *æ,* f., **1.** reine || *regina Pecunia,* le roi argent, l'argent roi || **2.** en parl. des déesses || **3.** fille de roi, princesse.

Reginus, *a, um,* de Regium [Bruttium] || **-ni,** *orum,* m., habitants de Regium.

regio, *onis,* f. *(rego),* **1.** direction : *recta regiones,* en ligne droite || expression adverbiale : *e regione* : ***a)*** en droite ligne ; ***b)*** vis-à-vis, du côté opposé, à l'opposite [avec gén. ou dat.] || **2.** ligne : ***a)*** limite, frontière [surt. au pl.] ; ***b)*** lignes imaginaires tracées dans le ciel au moyen du bâton augural, zones || **3.** zone, région || [fig.] sphère, domaine, champ || région, contrée, territoire, pays ; quartier, canton [divisions de la ville de Rome].

regionatim *(regio),* par contrée, par quartier.

1. Regium, *ii,* n., ville de la Gaule Cispadane, sur la voie Émilienne ; appelée aussi *Regium Lepidum* || d'où *Regienses.*

2. Regium, *ii,* n., ville du Bruttium ; d'où *Reginus.*

regius, *a, um (rex),* **1.** de roi, du roi, royal || **2.** despotique, tyrannique || **3.** royal, digne d'un roi, princier, magnifique || **4.** épithète de plantes, d'arbres || *regius morbus,* la jaunisse || **5.** m. pl., *regii* : ***a)*** les troupes du roi ; ***b)*** les satrapes.

regnator, *oris,* m. *(regno),* maître, souverain, roi, monarque.

regnatrix, *icis,* adj. f., [famille] régnante.

regno, *are, avi, atum,*

I. intr., **1.** régner, être roi ; *Servio Tullio regnante,* sous le règne de Servius Tullius || **2.** exercer le pouvoir absolu, dominer à la façon d'un roi.

II. tr. [seul. au pass.] *Gotones regnantur,* les Gotons sont en royauté, ont des rois.

regnum, *i,* n. *(rex),* **1.** autorité royale, royauté, monarchie, le trône || **2.** [en gén.] souveraineté, autorité toute-puissante || **3.** [en mauv. part chez les Romains de l'époque républicaine] : *regnum appetere,* aspirer à la royauté || despotisme, tyrannie || **4.** royaume, états d'un roi || domaine, empire, royaume.

rego, *ere, rexi, rectum,* tr., **1.** diriger, guider, mener : *equum,* diriger un cheval || [en part.] *fines regere,* fixer, tracer des limites || **2.** ***a)*** diriger, conduire, gouverner, régler ; ***b)*** [absol.] commander, exercer le pouvoir ; *Tiberio regente,* sous le gouvernement de Tibère ; ***c)*** diriger dans la bonne voie, guider.

regredior, *gredi, gressus sum (re* et *gradior),* intr, rétrograder, revenir.

1. regressus, *a, um,* part. de *regredior.*

2. regressus, *us,* m., **1.** marche rétrograde, retour || **2.** [fig.] ***a)*** moyen de revenir; ***b)*** recours (*ad aliquem,* à qqn).

regula, *æ,* f. *(rego),* **1.** règle servant à mettre droit, à mettre d'équerre || règle, étalon || **2.** bâton droit, barre, latte.

regularis, *e (regula),* en barre.

1. regulus, *i,* m. *(rex),* **1.** roi, enfant, jeune roi; jeune prince || **2.** roi d'un petit État, petit roi, petit prince.

2. Regulus, *i,* m., surnom rom.; not. **1.** M. Attilius Regulus, consul, fait prisonnier et mis à mort à Carthage || **2.** L. Livineius Regulus, lieut. de César dans la guerre d'Afrique.

regusto, *are, avi, atum,* tr., regoûter || savourer de nouveau, relire avec délices.

regyro, *are, avi,* intr., revenir [après un circuit].

rejeci, pf. de *rejicio.*

rejectio, *onis,* f. *(rejicio),* **1.** action de rejeter [au-dehors]: *sanguinis,* hémoptysie || **2.** [fig.] rejet, récusation.

rejecto, *are, avi (rejicio),* tr., répercuter.

rejectus, *a, um,* part. de *rejicio.*

rejicio (reicio), *ere, jeci, jectum (re* et *jacio),* tr., **1.** rejeter, ***a)*** jeter en retour; ***b)*** jeter en arrière || rejeter, placer en arrière; ***c)*** repousser, écarter: *hostes in urbem,* rejeter les ennemis dans la ville || **2.** repousser, rejeter, ne pas admettre, ne pas tolérer || récuser || **3.** envoyer ailleurs, se décharger || *aliquem ad aliquem,* renvoyer qqn à qqn, l'adresser à un autre; remettre, différer.

relabor, *labi, lapsus sum,* intr., **1.** couler en arrière, refluer || tomber en arrière, s'affaisser en arrière || **2.** [fig.] retomber dans, revenir à.

relanguesco, *ere, gui,* intr., s'affaisser [mourant] || s'affaiblir || se calmer.

relapsus, *a, um,* part. de *relabor.*

relatio, *onis,* f. *(refero),* **1.** action de porter à nouveau || **2.** témoignage || rapport d'un magistrat au sénat, mise à l'ordre du jour; *de aliqua re,* rapport sur une affaire || relation, narration.

relator, *oris,* m. *(refero),* rapporteur, celui qui fait un rapport [au sénat].

1. relatus, *a, um,* part. de *refero.*

2. relatus, *us,* m., **1.** rapport officiel, mise en délibération || **2.** relation, narration.

relaxatio, *onis,* f. *(relaxo),* détente, relâche, repos.

relaxatus, *a, um,* part. de *relaxo.*

relaxo, *are, avi, atum,* tr., **1.** desserrer, relâcher || ameublir la terre || dilater des pores || **2.** [fig.] ***a)*** détendre, épanouir; ***b)*** desserrer, relâcher; ***c)*** détendre, reposer; ***d)*** relâcher = diminuer, rabattre || [absol.] faire relâche || *relaxari,* être dans un moment de relâche; ***e)*** *se relaxare ab aliqua re,* ou *aliqua re,* se dégager d'une chose, s'en affranchir.

relectus, *a, um,* part. de *relego 2.*

relegatio, *onis,* f. *(relego 1),* relégation.

relegatus, *a, um,* part. de *relego 1.*

1. relego, *are, avi, atum,* tr., **1.** éloigner d'un lieu, écarter, éloigner, reléguer || [officiell.] frapper de relégation [exil dans un lieu déterminé pour une certaine durée] || **2.** [fig.] ***a)*** écarter, renvoyer au loin, bannir; ***b)*** renvoyer à, rejeter sur, faire retomber sur, imputer à: *in aliquem,* rejeter sur qqn.

2. relego, *ere, legi, lectum,* tr., **1.** recueillir de nouveau, rassembler de nouveau || **2.** parcourir de nouveau, repasser par un lieu || **3.** repasser par la lecture, relire, repasser par la pensée, repasser en revue.

relevatus, *a, um,* part. de *relevo.*

relevi, pf. de *relino.*

relevo, *are, avi, atum,* tr., **1.** soulever || [fig.] *caput* = reposer le cerveau, délasser l'esprit || **2.** alléger, décharger || **3.** [fig.] : ***a)*** *casum,* soulager le malheur; ***b)*** *aliquem,* soulager, réconforter qqn.

relictio, *onis,* f. *(relinquo),* abandon, délaissement.

1. relictus, *a, um,* part. de *relinquo.*

2. relictus, *us,* m., c. *relictio.*

relicuus, *a, um,* c. *reliquus.*

religatio, *onis,* f. *(religo),* action de lier.

religatus, *a, um,* part. de *religo.*

religio, *onis,* f., **1.** attention scrupuleuse, scrupule, délicatesse, conscience: *vir summa religione,* un homme de la plus haute conscience; *judicum religiones,* les scrupules des juges; *religionem adhibere,* montrer du scrupule || **2.** scrupule religieux, sentiment religieux, crainte pieuse || **3.** sentiment de respect, vénération, culte || **4.** croyance religieuse, religion : *superstitione tollenda religio non tollitur*, en supprimant la superstition, on ne supprime pas la religion || **5.** pratiques religieuses, culte : *natio dedita religionibus*, nation adonnée aux pratiques religieuses || **6.** respect (vénération) dont est entouré qqch., sainteté : *jurisjurandi religio*, le caractère sacré du serment || **7.** engagement sacré || **8.** [surtout au pl.] chose vénérée, chose sainte, objet sacré || **9.** scrupule de n'être pas en règle avec la divinité, impiété || **10.** consécration religieuse, qui fait qu'une chose appartient à la divinité et ne peut être d'un usage profane || interdiction frappant certains jours considérés comme malheureux.

religiose *(religiosus)*, **1.** scrupuleusement, consciencieusement || **2.** pieusement || **3.** avec un caractère de consécration religieuse.

religiosus, *a, um (religio)*, **1.** [en gén.] qui est d'une attention scrupuleuse, scrupuleux || **2.** religieux, pieux || **3.** qui a des scrupules religieux, des craintes religieuses || **4.** vénérable, respecté : *religiosissimum fanum*, sanctuaire vénéré entre tous || consacré par un mauvais présage, frappé d'interdiction || *religiosum est* avec inf., il est contraire à la religion de, c'est une impiété de.

religo, *are, avi, atum*, tr., lier en arrière (par-derrière) ; lier, attacher, amarrer.

relino, *ere, levi, litum*, tr., ôter l'enduit, ouvrir, décacheter.

relinquo, *ere, liqui, lictum*, tr., **1.** laisser en arrière, laisser [ne pas emmener] : *aliquem castris præsidio*, laisser qqn à la garde du camp || **2.** laisser [en héritage] : *nullam memoriam*, ne laisser aucun souvenir de soi || **3.** *relinquitur, ut* subj., il reste que... || abandonner : *urbem direptioni*, abandonner une ville au pillage || accorder, permettre || [avec prop. inf.] laisser, permettre || **4.** laisser dans tel ou tel état ; *Morinos pacatos*, laisser les Morins pacifiés || **5.** quitter qqn ou qqch. || [en parl. d'un auditoire] abandonner, délaisser, planter là [le lecteur, l'orateur] || [en parl. de navires] laisser à sec || **6.** délaisser, négliger || laisser de côté, ne pas faire état de.

reliqui, pf. de *relinquo*.

reliquiæ, *arum*, f. *(reliquus)*, ce qui reste, reste ou restes : *pugnæ*, les survivants du combat || débris, reliefs d'un repas || restes d'un mort, cendres.

reliquum (-quom, -cuom, -cum), *i*, n. de *reliquus* pris subst., **1.** reste, restant ; *breve vitæ reliquum*, le court restant de l'existence ; *relicum noctis*, le reste de la nuit || *reliquum est, ut* subj., il reste que, il reste à || *aliquid reliqui facere*, laisser qqch. de reste ; *nihil reliqui facere*, ne rien laisser || **2.** [en part., au pl.] ce qui reste à payer, reliquat, arrérages.

reliquus (relicuus), *a, um (relinquo)*, **1.** qui reste, restant ; *aliquid (alicui) reliquum facere*, laisser qqch. (à qqn) || futur : *in reliquum tempus*, à l'avenir [de même] *in reliquum* || **2.** le reste d'une chose : *relicuus populus*, le reste du peuple ; *reliqua Ægyptus*, le reste de l'Égypte || *reliqui*, les autres ; *reliqui omnes*, tous les autres ; pl. n., *reliqua*, le reste des choses, le reste.

rellig-, relliq-, v. *relig-, reliq-*.

reluceo, *ere, luxi*, intr., briller en retour, renvoyer de la lumière.

relucesco, *ere, luxi*, intr., recommencer à luire, à briller.

reluctatus, *a, um*, part. de *reluctor*.

reluctor, *ari, atus sum*, intr., lutter contre, opposer de la résistance.

reluxi, pf. de *reluceo* et de *relucesco*.

remando, *ere*, tr., remâcher, ruminer.

remaneo, *ere, mansi, mansum*, intr., **1.** s'arrêter, demeurer, séjourner || **2.** rester, subsister, durer || [avec un attribut].

remano, *are*, intr., refluer.

remansi, pf. de *remaneo*.

remansio, *onis*, f. *(remaneo)*, séjour.

remediabilis, *e (remedio)*, guérissable.

remedium, *ii*, n. *(re, medeor)*, **1.** remède, médicament || **2.** [fig.] remède, préservatif, expédient ; *quærere, invenire, etc., remedium ad aliquam rem*, ou *alicui rei*, chercher, trouver, etc., un remède pour, contre qqch. || *remedio esse alicui rei*, servir de remède à qqch.

remensus, *a, um*, part. de *remetior*.

remeo, *are, avi, atum*, intr., retourner, revenir.

remetior, *iri, mensus sum*, tr., **1.** mesurer de nouveau || parcourir de nouveau || **2.** repasser dans son esprit.

remex, *igis*, m. *(remus, ago)*, rameur.

Remi (Rh-), *orum*, m., les Rémois [peuple de la Gaule Belgique] || la capitale des Rémois [auj. Reims].

remigatio, *onis*, f. *(remigo)*, action de ramer, manœuvre à la rame.

remigium, *ii*, n. *(remex)*, **1.** rang de

rames, rames || **2.** manœuvre des rames, marche à la rame, navigation || **3.** rameurs, matelots, équipage.

remigo, *are, avi, atum (remex)*, intr., ramer.

remigro, *are, avi, atum*, intr., revenir habiter [avec *in* acc.] || revenir.

reminiscor, *i*, intr. et tr., **1.** intr., rappeler à son souvenir, faire acte de souvenir || [avec gén.] se ressouvenir de || **2.** tr., ***a)*** se rappeler qqch. || [avec prop. inf.] se rappeler que; ***b)*** imaginer par réminiscence.

remisceo, *ere, ui, mixtum* et *mistum*, tr., remêler || mêler, mélanger.

remisi, pf. de *remitto*.

remisse *(remissus)*, avec du relâchement, d'une façon libre, non rigoureuse || doucement, sans véhémence, d'une manière apaisée, sans âpreté.

remissio, *onis*, f. *(remitto)*, **1.** action de renvoyer, renvoi || **2.** action de détendre, de relâcher, ***a)*** abaissement de la voix; ***b)*** *morbi*, affaiblissement du mal; *pœnæ*, adoucissement de la peine || *remissio*, avec ou sans *animi*, délassement, détente de l'esprit || **3.** abandon, remise.

remissus, *a, um*, **1.** part. de *remitto* || **2.** adj., relâché, détendu || adouci, doux, indulgent || calme, tranquille, paisible || qui a de l'abandon, de l'enjouement || mou, apathique, sans énergie, indolent, indifférent || abaissé.

remitto, *ere, misi, missum*, tr., **1.** renvoyer, ***a)*** *aliquem domum*, qqn chez lui; *litteras alicui*, écrire une lettre en réponse à qqn; ***b)*** relancer des javelots; ***c)*** renvoyer un son, des paroles [écho]; ***d)*** rendre, restituer; ***e)*** renvoyer loin de soi || **2.** laisser aller en arrière, en retour, ***a)*** relâcher, défendre: *habenas adducere, remittere*, tirer sur les guides, les lâcher; ***b)*** relâcher, détendre l'esprit: *se remittere*, ou *remitti*, se distraire; ***c)*** laisser se détendre (se relâcher), laisser s'affaiblir; ***d)*** abandonner, renoncer à: *provinciam remitto*, je renonce à mon gouvernement de province || *aliquid iracundiæ, aliquid de severitate, aliquid ex aliqua re*, abandonner quelque chose de son emportement, de sa sévérité, etc. || [avec inf.] renoncer à; ***e)*** *multam*, faire remise d'une amende || concéder, faire l'abandon de (*alicui aliquid*, qqch. à qqn) || *alicui remittere atque concedere, ut*, permettre, concéder à qqn de || **3.** intr., se relâcher, s'adoucir, faire relâche: *ventus remittit*, le vent fait accalmie.

remixtus, *a, um*, part. de *remisceo*.

remolior, *iri, itus sum*, tr., déplacer.

remolitus, *a, um*, part. de *remolior*.

remollesco, *ere*, intr., **1.** se ramollir || **2.** s'amollir, s'énerver || s'apaiser, s'adoucir.

remollio, *ire, itum*, tr., **1.** amollir || **2.** énerver || adoucir, fléchir.

remoramen, *inis*, n. *(remoror)*, retard, empêchement.

remoratus, *a, um*, part. de *remoror*.

remordeo, *ere, morsum*, tr., mordre à son tour || ronger en retour, mordre de nouveau.

remoror, *ari, atus sum*, **1.** intr., s'arrêter, rester, séjourner || **2.** tr., retarder, arrêter, retenir, empêcher || avec *quominus* subj., empêcher de.

remote, inus.; *remotius*, plus au loin.

remotio, *onis*, f. *(removeo)*, action d'éloigner, d'écarter.

remotus, *a, um*, **1.** part. de *removeo* || **2.** adj., ***a)*** éloigné, retiré, écarté, situé à l'écart; ***b)*** éloigné de qqch., qui s'écarte de.

removeo, *ere, movi, motum*, tr., écarter, éloigner: *aliquid ab oculis*, éloigner qqch. des regards || *se ab omni negotio*, s'éloigner de toute affaire: *se ab amicitia alicujus*, rompre avec qqn || *remoto joco*, plaisanterie à part.

remugio, *ire*, intr., **1.** répondre par des mugissements || **2.** [fig.], ***a)*** gronder en retour; ***b)*** retentir, résonner.

remulceo, *ere, mulsi, mulsum*, tr., **1.** caresser || apaiser, calmer || **2.** replier, ramener.

remulcum, *i*, n. [le nomin. est inusité], corde pour hâler, câble pour remorquer; *remulco abstrahere, adducere, trahere*, remorquer.

remulsi, pf. de *remulceo*.

remulsus, *a, um*, part. de *remulceo*.

remuneratio, *onis*, f. *(remuneror)*, remunération, récompense, reconnaissance.

remuneratus, *a, um*, part. de *remuneror*.

remuneror, *ari, atus sum*, tr., donner un présent en retour, témoigner sa reconnaissance, récompenser, rémunérer: *aliquem*, payer qqn de retour.

remurmuro, *are, avi, atum*, intr., répondre par un murmure, murmurer, retentir.

1. remus, *i*, m., rame, aviron: *remis contendere*, faire force de rames.

2. Remus, *i*, m., un Rème [Gaule Belgique]; **Remi,** les Rèmes.

3. Remus, *i*, m., le frère de Romulus.

renarro, *are*, tr., faire le récit [à nouveau] de, renarrer.

renascor, *nasci, natus sum*, intr., renaître.

renatus, *a, um*, part. de *renascor.*

renavigo, *are, avi*, intr., revenir par mer à.

reneo, *ere*, tr., filer de nouveau.

renes, *um*, et qqf. *ium*, m., reins.

renideo, *ere*, intr., **1.** renvoyer des rayons, reluire, briller || **2.** rayonner, être épanoui, être riant.

renidesco, *ere*, intr., commencer à briller, briller [en retour].

renisus, *a, um*, part. de *renitor.*

renitor, *niti, nisus sum*, intr., faire effort contre, résister, s'opposer.

renodatus, *a, um*, part. de *renodo.*

renodo, *are, atum*, tr., dénouer.

renovamen, *inis*, n., métamorphose.

renovatio, *onis*, f. *(renovo)*, renouvellement || cumul des intérêts.

renovatus, *a, um*, part. de *renovo.*

renovo, *are, avi, atum*, tr., **1.** renouveler; *templum*, rétablir un temple || **2.** ***a)*** reprendre, recommencer: *bellum, prœlium, cursum*, reprendre les hostilités, recommencer le combat, reprendre sa course || faire reparaître; ***b)*** reprendre, répéter [une chose dite]; ***c)*** renouveler, rafraîchir, remettre en état.

renui, pf. de *renuo.*

renuntiatio, *onis*, f. *(renuntio)*, déclaration, annonce, publication || proclamation [solennelle du candidat élu, faite par le magistrat qui préside les comices].

renuntiatus, *a, um*, part. de *renuntio.*

renuntio, *are, avi, atum*, tr.,

I. 1. annoncer en retour, rapporter, annoncer || **2.** [officiell.] *aliquid ad senatum*, rapporter qqch. au sénat || [en part.] proclamer le nom du candidat élu; *aliquem consulem*, proclamer qqn consul || **3.** annoncer publiquement || proclamer.

II. renvoyer, renoncer à: *alicui*, donner contrordre à qqn; [absol.] dénoncer un contrat.

renuo, *ere, i*, **1.** intr., faire un signe négatif, ne pas consentir || **2.** tr., refuser || prohiber, défendre.

renuto, *are*, intr. *(renuo)*, refuser.

renutus, *us*, m. *(renuo)*, refus.

reor, *eri, ratus sum*, tr., penser, croire, être d'avis.

repagula, *orum*, n. *(re, pango)*, barres de clôture, barre de fermeture [de portes à deux battants] || barrière.

repandus, *a, um*, retroussé: *repandi calceoli*, souliers à pointes relevées || proéminent, saillant.

repango, *ere*, tr., mettre en terre, enfouir, semer.

reparabilis, *e (reparo)*, qu'on peut acquérir de nouveau || réparable.

reparatus, *a, um*, part. de *reparo.*

reparo, *are, avi, atum*, tr., **1.** préparer de nouveau || remettre en état || réparer, retrouver, rétablir || rafraîchir, refaire, rendre des forces à || **2.** acquérir à la place, en retour, en échange.

repastinatio, *onis*, f., binage, second labour.

repastino, *are, avi, atum*, tr., biner [ou simpl.] défoncer un terrain, défricher.

repecto, *ere, pexum*, tr., peigner de nouveau.

repello, *ere, reppuli* et *repuli, pulsum*, tr., repousser, écarter, refouler (avec *ab*).

rependo, *ere, pendi, pensum*, tr., **1.** contrepeser, contrebalancer || **2.** payer d'un poids égal, payer en échange || **3.** [fig.] contrebalancer, compenser || acheter en échange || payer en échange, donner comme compensation || payer en retour [ce qui est dû].

1. repens, *tis*, **1.** subit, imprévu, soudain || **2.** récent.

2. repens, *tis*, part. de *repo.*

repenso, *are, avi, atum*, tr., compenser.

repensus, *a, um*, part. de *rependo.*

repente *(repens)*, adv., tout à coup, soudainement, soudain.

repentino, c. *repente.*

repentinus, *a, um (repens)*, subit, imprévu, soudain.

repercussi, pf. de *repercutio.*

repercussio, *onis*, f. *(repercutio)*, réflexion de la lumière.

1. repercussus, *a, um*, part. de *repercutio.*

2. repercussus, *us*, m., action de repousser, de renvoyer || répercussion de la voix.

repercutio, *ere, cussi, cussum*, tr., **1.** repousser par un choc, refouler || rendre un coup [riposter à une attaque]; rétorquer || repousser || **2.** au pass.: ***a)*** être renvoyé, répercuté; ***b)*** être réfléchi, réverbéré, reflété.

reperio, *ire, repperi* et *reperi, pertum*, tr., **1.** retrouver; *mortui sunt reperti*, on les retrouva morts || découvrir, dénicher || **2.** trouver après recherche, découvrir, se procurer || [avec deux acc.]: *omnes inimicos mihi repperi*, je les ai tous trouvés mes ennemis || [avec prop. inf.]: *sic reperiebat, nullum aditum esse...*, il trouvait ceci, savoir qu'il n'y avait pas possibilité d'accès... || **3.** trouver du nouveau, imaginer || pl. n. *reperta*, découvertes, inventions.

repertor, *oris*, m. *(reperio)*, inventeur, auteur.

repertus, *a, um*, part. de *reperio*.

repetitio, *onis*, f. *(repeto)*, répétition, redite.

repetitus, *a, um*, part. de *repeto*.

repeto, *ere, ivi* ou *ii, itum*, tr.,

I. 1. chercher à atteindre de nouveau, attaquer de nouveau || assaillir en retour (à son tour) || poursuivre de nouveau en justice || **2.** chercher à gagner un lieu de nouveau, regagner.

II. [fig.] **1.** ramener, faire revenir, aller rechercher: *impedimenta*, reprendre les bagages [abandonnés] || aller chercher [après interruption, après intervalle] || **2.** reprendre, recommencer, se remettre à || [avec inf.] se remettre à faire qqch. || **3.** raconter en remontant à, en partant de: *juris ortum a fonte*, exposer l'origine du droit en remontant à sa source || faire partir de, tirer de || [absol.] remonter à || **4.** évoquer: ***a)*** *aliquid memoria*, évoquer qqch. dans sa mémoire; ***b)*** *repetere memoriam alicujus rei*, évoquer le souvenir de qqch.; ***c)*** sans le mot *memoria*: *præcepta repetere*, évoquer, se rappeler les leçons || **5.** revendiquer, réclamer || [d'où] *lex de pecuniis repetundis*, loi sur les concussions || [en gén.]: *promissa*, réclamer les choses promises || *ab aliquo pœnas repetere*, vouloir tirer un châtiment de qqn || [en parl. des féciaux] *res repetere*, demander satisfaction.

repetundæ pecuniæ, f. pl., concussion.

repexus, *a, um*, part. de *repecto*.

repleo, *ere, plevi, pletum*, tr., **1.** emplir de nouveau, remplir || **2.** compléter, parfaire || **3.** remplir || **4.** part. *repletus, a, um*, ***a)*** plein, rempli; ***b)*** [avec abl.] plein de || [qqf. avec gén.].

repletus, *a, um*, v. *repleo* fin.

replicatio, *onis*, f. *(replico)*, retour sur soi-même, révolution [céleste].

replicatus, *a, um*, part. de *replico*.

replico, *are, avi, atum*, tr.,

I. plier en arrière, **1.** replier, recourber || **2.** renvoyer, refléter [les rayons].

II. déplier, déployer, ***a)*** dérouler le manuscrit d'un auteur = lire; ***b)*** [fig.] parcourir, compulser.

replumbo, *are*, tr., dessouder.

repo, *ere, repsi, reptum*, intr., **1.** ramper || **2.** marcher difficilement, se traîner, faire ses premiers pas || marcher lentement || s'infiltrer, s'insinuer.

repono, *ere, posui, positum*, tr.

I. placer en retour, **1.** replacer, reposer, remettre || **2.** rétablir, restaurer, remplacer || **3.** rendre ce qui a été prêté, donné || [fig.] *injuriam*, rendre l'injustice|| **4.** mettre à la place de, substituer.

II. placer en arrière, **1.** ramener en arrière || **2.** placer à l'écart, mettre de côté, mettre en réserve, serrer || **3.** déposer.

III. mettre à une autre place que la place ordinaire, **1.** faire reposer sur || **2.** faire rentrer dans.

reportatus, *a, um*, part. de *reporto*.

reporto, *are, avi, atum*, tr., **1.** reporter, transporter en revenant, ramener || rapporter avec soi || **2.** rapporter une nouvelle, une réponse.

reposco, *ere*, tr., réclamer, ***a)*** *aliquid ab aliquo*, réclamer qqch. à qqn; ***b)*** [avec deux acc.] même sens.

repositorium, *ii*, n. *(repono)*, plateau.

repositus (poét. **repostus**), *a, um*, **1.** part. de *repono* || **2.** adj., ***a)*** écarté, éloigné, placé dans un lieu retiré; ***b)*** n., *repositum, i*, chose mise en réserve.

repostor, *oris*, m. *(repono)*, restaurateur [de temples].

reposui, pf. de *repono*.

repperi, pf. de *reperio*.

reppuli, pf. de *repello*.

repræsentatio, *onis*, f., **1.** action de mettre sous les yeux, représentation || **2.** paiement en argent comptant.

repræsentatus, *a, um*, part. de *repræsento*.

repræsento, *are, avi, atum*, tr., **1.** rendre présent, mettre devant les yeux || reproduire [par l'art] || reproduire par la parole, répéter || être l'image de || **2.** rendre effectif, faire sur-le-champ || *medicinam*, appliquer immédiatement un remède || **3.** payer sans délai, payer comptant.

reprehendo (reprendo), *ere, di, sum*, tr., **1.** saisir et empêcher d'avancer, retenir, arrêter || mettre la main sur qqch. qu'on a laissé échapper || **2.** reprendre, blâmer, critiquer: *aliquem, aliquid*, qqn, qqch. || *aliquid in* *aliquo*, reprendre qqch. dans qqn; *reprehendo, quod*, je blâme le fait que.

reprehensio, *onis*, f. *(reprehendo)*, **1.** reprise [de qqch. d'omis] || **2.** blâme, critique : *reprehensionis aliquid habere*, être l'objet de qq. critique; *in varias reprehensiones incurrere*, tomber sous le coup de critiques diverses || ce qui est blâmé, défaut.

reprehenso, *are*, tr. *(reprehendo)*, retenir sans se lasser.

reprehensor, *oris*, m. *(reprehendo)*, censeur, critique.

reprehensus, reprensus, *a, um*, part. de *reprehendo*.

reprendo, v. *reprehendo*.

represse, *repressius*, avec plus de retenue.

repressi, pf. de *reprimo*.

repressor, *oris*, m., celui qui réprime.

repressus, *a, um*, part. de *reprimo*.

reprimo, *ere, pressi, pressum (re* et *premo)*, tr., **1.** faire reculer en pressant, refouler, empêcher d'avancer, arrêter || **2.** refouler, réprimer, contenir, arrêter: *fugam*, arrêter la fuite.

repromissio, *onis*, f. *(repromitto)*, promesse en contrepartie.

repromitto, *ere, misi, missum*, tr., promettre à son tour, promettre en retour || promettre de nouveau.

repsi, pf. de *repo*.

reptabundus, *a, um (repto)*, qui se traîne.

reptatio, *onis*, f. *(repto)*, action de se traîner.

reptatus, *a, um*, part. de *repto*.

repto, *are, avi, atum*, intr. *(repo)*, ramper || être rampant || se traîner, marcher lentement ou difficilement.

repudiatio, *onis*, f., rejet, refus.

repudio, *are, avi, atum*, tr., **1.** repousser, *aliquem*, qqn || rejeter qqch.: *legem*, repousser une loi || **2.** [en parl. des fiancés ou des mariés] repousser, répudier.

repudium, *ii*, n., rejet d'un mariage ou d'une alliance, répudiation, séparation, divorce.

repuerasco, *ere*, intr., redevenir enfant.

repugnans, *tis*, part. prés. de *repugno*.

repugnanter, à contrecœur, de mauvaise grâce.

1. repugnantia, *æ*, f. *(repugno)*, moyen de défense || désaccord, antipathie, opposition, incompatibilité.

2. repugnantia, *ium*, n., v. *repugno* fin.

repugno, *are, avi, atum*, intr., **1.** opposer de la résistance, résister || **2.** [avec dat.] lutter contre: *naturæ*, lutter contre la nature || se défendre contre || *non repugnare quominus*, ne pas s'opposer à ce que || **3.** être incompatible avec qqch. *(alicui rei)* || *hæc inter se repugnant*, ces choses sont contradictoires, incompatibles || pl. n. *repugnantia, ium*, choses contradictoires.

repuli, pf. de *repello*.

repullulo, *are*, intr., repulluler, repousser.

repulsa, *æ*, f. *(repello)*, **1.** échec [d'une candidature] || *repulsam ferre*, subir un échec || **2.** refus, fin de non-recevoir.

repulsans, *tis*, part. de *repulso*.

repulsus, *a, um*, part. de *repello*.

repulsus, *us*, m., réverbération || répercussion.

repungo, *ere*, tr., piquer à son tour.

repurgatus, *a, um*, part. de *repurgo*.

repurgo, *are, avi, atum*, tr., **1.** nettoyer || **2.** enlever, ôter en nettoyant.

reputatio, *onis*, f. *(reputo)*, réflexion, examen, considération.

reputo, *are, avi, atum*, tr., **1.** supputer, calculer, compter || **2.** examiner, méditer, réfléchir || [avec prop. inf.] songer que, se dire que.

requies, *etis*, acc. *em* et *etem*, f., **1.** relâche d'un travail, d'une fatigue, etc., repos: *curarum*, trêve de soucis || **2.** poét. = *quies*.

requiesco, *ere, quievi, quietum*, intr., prendre du repos, se reposer.

requietus, *a, um (requiesco)*, reposé.

requievi, pf. de *requiesco*.

requiro, *ere, quisivi, quisitum (re* et *quæro)*, tr., **1.** rechercher, être à la recherche de, être en quête de (*aliquem, aliquid*, qqn, qqch.) || être en quête d'une réponse, d'une solution à une question, demander, s'informer: *ex aliquo aliquid*, demander qqch. à qqn || **2.** rechercher, réclamer || [d'où] regretter l'absence de, désirer qqch. qui fait faute || réclamer, avoir besoin de.

requisitio, *onis*, f. *(requiro)*, recherche.

requisitus, *a, um*, **1.** part. de *requiro* || **2.** pl. n. *requisita*, ***a)*** besoins; ***b)*** *ad requisita respondere*, être aux ordres de qqn.

requisivi, pf. de *requiro*.

res, *rei*, f.,

I. 1. chose, objet, être, affaire, fait, événement, circonstance: *his rebus fiebat* *ut...*, grâce à cela il arrivait que... ; *quarum rerum... nihil*, rien de tout cela ‖ [expressions]: *e re nata*, d'après la situation ; *pro re nata*, étant donné les circonstances ; *pro tempore et pro re*, selon le temps et les circonstances ; ou *ex re et ex tempore* ‖ [le gén. pl. *rerum* qqf. n'est pas rendu en français]: *omnium rerum desperatio*, désespérance complète ; *causæ rerum*, les causes ; *in natura rerum omnium*, dans toute la nature.

II. [sens part.], **1.** le fait, l'acte, la réalité : *non re, sed nomine*, non pas de fait, mais de nom ; *re quidem vera*, mais en réalité ; *re vera*, en réalité, en fait ‖ les idées, le fond ‖ **2.** ce qu'on possède bien, avoir ; *rem augere*, augmenter sa fortune ‖ **3.** intérêt, avantage, utilité : *in rem est* avec inf., il est utile de ‖ *e re publica*, dans l'intérêt général ‖ **4.** affaire, relations d'affaires : *res alicui est cum aliquo*, qqn a affaire à qqn ‖ **5.** affaire judiciaire, litige ‖ [expr.] *nihil ad rem*, cela ne se rapporte en rien à l'affaire, ce n'est pas la question, peu importe ; *quid ad rem ?* qu'importe ? ‖ **6.** actes, faits [militaires] ‖ *res populi Romani*, les faits (= l'histoire) du peuple romain ‖ **7.** cause, raison : *ea re*, à cause de cela ; *ea re, quod*, par cette raison que ; *ob eam rem*, v. *ob* ; v. *quamobrem, quare* ‖ **8.** ***a)*** *res publica*, la chose publique, l'État ‖ administration de l'État, affaires publiques, vie politique : *in media re publica versari*, se mêler entièrement à la vie politique ‖ forme de gouvernement ; ***b)*** *res* seul, même sens que *res publica* : *res Romana*, la puissance romaine, l'État romain ‖ pl. *res novæ*, révolution politique.

resacro, v. *resecro*.

resalutatio, *onis*, f., salut rendu.

resaluto, *are, avi, atum*, tr., rendre un salut à, saluer en retour *(aliquem)*.

resarcio, *ire, sarsi, sartum*, tr., **1.** raccommoder ‖ **2.** réparer [un dommage].

rescidi, pf. de *rescindo*.

rescindo, *ere, scidi, scissum*, tr., **1.** séparer en déchirant ou en coupant, couper, déchirer, ouvrir ‖ rompre ‖ **2.** détruire, annuler, casser, abolir.

rescio, *ire, ivi* ou *ii*, tr., savoir qqch. de caché, d'inattendu ‖ savoir après coup, de façon inopinée, découvrir.

rescisco, *ere*, tr., inch. de *rescio*, venir à savoir.

rescissus, *a, um*, part. de *rescindo*.

rescribo, *ere, scripsi, scriptum*, tr., **1.** écrire en retour, en réponse, ***a)*** *alicujus litteris*, écrire en réponse à une lettre de qqn, ou *ad litteras alicujus* ; ***b)*** écrire (composer) en réplique (*alicui, alicui rei*, à qqn, à qqch.) ; ***c)*** [officiell. en parl. des empereurs] répondre (par un rescrit) ‖ **2.** recomposer, refaire [un ouvrage] ‖ inscrire de nouveau, enrôler de nouveau ‖ **3.** reporter par écrit sur un registre.

rescripsi, pf. de *rescribo*.

rescriptum, *i*, n. *(rescribo)*, rescrit, réponse [par écrit] du prince.

rescriptus, *a, um*, part. de *rescribo*.

reseco, *are, secui, sectum*, tr., enlever en coupant, couper, tailler, rogner ‖ retrancher, supprimer.

resecro (resa-), *are, avi, atum (re, sacro)*, tr., relever qqn d'une interdiction, retirer les imprécations prononcées contre qqn.

resectio, *onis*, f. *(reseco)*, taille [de la vigne].

resectus, *a, um*, part. de *reseco*.

resecutus, *a, um*, part. de *resequor*.

reseda, *æ*, f., réséda [fleur].

resedi, pf. de *resideo* et de *resido*.

resedo, are, tr., calmer [un mal], guérir.

resegmen, *inis*, n. *(reseco)*, rognure.

resemino, *are*, tr., [fig.] reproduire.

resequor, *i, secutus*, tr., répondre immédiatement (*aliquem*, à qqn).

reseratus, *a, um*, part. de *resero*.

1. resero, *are, avi, atum*, tr., **1.** ouvrir ‖ **2.** rendre accessible ‖ dévoiler ‖ commencer.

2. resero, *ere, sevi*, tr., ensemencer de nouveau, replanter.

reservatus, *a, um*, part. de *reservo*.

reservo, *are, avi, atum*, tr., **1.** mettre de côté, réserver : *aliquid, aliquem ad aliquam rem*, réserver qqch., qqn en vue de qqch. ; *aliquid alicui*, réserver qqch. à qqn ‖ **2.** conserver, sauver.

reses, *idis (resideo)*, adj., qui reste, qui séjourne ‖ oisif, inactif.

resevi, pf. de *resero 2*.

resideo, *ere, sedi, sessum (re* et *sedeo)*, intr., **1.** rester assis, séjourner, rester : *corvus alto arbore residens*, un corbeau perché sur le haut d'un arbre ‖ **2.** rester, demeurer, subsister.

resido, *ere, sedi, sessum*, intr., **1.** s'asseoir ‖ s'arrêter : *in villa*, s'arrêter dans une villa ‖ **2.** s'abaisser, s'affaisser ‖ se calmer.

residuum, *i*, n. *(residuus)*, reste, restant.

residuus, *a, um (resideo),* qui reste en arrière, qui est de reste, qui subsiste encore || *residuæ pecuniæ,* reliquat d'argent.

resignatus, *a, um,* part. de *resigno.*

resigno, *are, avi, atum,* tr., **1.** rompre le sceau de, ouvrir || découvrir, dévoiler || **2.** ôter toute garantie à, rompre, annuler || **3.** rendre ce qu'on a reçu.

resilio, *ire, silui, sultum (re* et *salio),* intr., **1.** sauter en arrière, revenir en sautant || rebondir, rejaillir || **2.** se retirer sur soi-même, se replier, se réduire, se raccourcir || **3.** se reculer vivement (*ab aliqua re,* loin de qqch.).

resimus, *a, um,* retroussé || recourbé.

resina, *æ,* f., résine.

resinaceus, *a, um (resina),* résineux.

resinatus, *a, um (resina),* mélangé de résine.

resinosus, *a, um (resina),* résineux.

resipio, *ere (re* et *sapio),* tr., avoir la saveur de, le goût de, le parfum de.

resipisco, *ere, sipui (pii* et *pivi),* intr., reprendre ses sens, revenir à soi, se remettre.

resisto, *ere, restiti,* intr., **1.** s'arrêter, ne pas avancer davantage: *resiste,* arrête-toi || se tenir ferme, retrouver son aplomb || **2.** se tenir en faisant face, ***a)*** [t. milit.] résister, *alicui,* tenir tête à qqn; ***b)*** [en gén.] opposer de la résistance (*alicui, alicui rei,* à qqn, à qqch.) || [pass. impers.]: *omnibus his sententiis resistitur,* on reste insensible à tous ces avis || [avec *ne* subj.] s'opposer à ce que.

resolutus, *a, um,* **1.** part. de *resolvo* || **2.** adj., amolli; sans frein, sans retenue.

resolvo, *ere, solvi, solutum,* tr., **1.** dénouer, délier || **2.** ***a)*** ouvrir: *litteras,* ouvrir une lettre; ***b)*** résoudre, désagréger, dissoudre; ***c)*** s'acquitter de, payer; ***d)*** détendre || **3.** ***a)*** dissiper; ***b)*** résoudre, débrouiller, démêler || éclaircir, expliquer; ***c)*** libérer, dégager (*aliquem,* qqn); ***d)*** détruire les liens de, relâcher || rompre, briser.

resonabilis, *e (resono),* qui renvoie les sons.

resono, *are, sonui* et *sonavi,*
I. intr., **1.** renvoyer les sons, résonner || **2.** faire entendre des sons, retentir.
II. tr., **1.** répéter en écho || **2.** faire retentir.

resonus, *a, um,* qui renvoie un son, retentissant || qui produit un son.

respecto, *are, avi, atum (respicio),* **1.** intr., ***a)*** regarder derrière soi || *respectantes,* avec un regard en arrière; ***b)*** être dans l'attente || **2.** tr., avoir en vue; prendre en considération, se préoccuper.

1. respectus, *a, um,* part. de *respicio.*

2. respectus, *us,* m., **1.** action de regarder en arrière || **2.** considération, égard || *respectu alicujus rei,* en considération de qqch., par égard pour qqch. || **3.** recours, refuge.

respergo, *ere, spersi, spersum (re* et *spargo),* tr., faire rejaillir un liquide sur, éclabousser.

respexi, pf. de *respicio.*

respersio, *onis,* f. *(respergo),* action de répandre sur.

respersus, *a, um,* part. de *respergo.*

respicio, *ere, spexi, spectum (re* et *specio),* **1.** [intr.] regarder en arrière, regarder derrière soi, tourner la tête (se retourner) pour regarder; *ad aliquem, ad aliquid,* tourner la tête du côté de qqn, tourner les yeux du côté de qqch. || [fig.] ***a)*** tourner son attention; ***b)*** [en parl. de choses] regarder, concerner || **2.** tr., ***a)*** *respiciens Cæsarem,* se retournant vers César; ***b)*** avoir égard à, prendre en considération (*aliquem, aliquid,* qqn, qqch.) || [en part.] avoir l'œil sur qqn, le protéger || songer à, envisager.

respiramen, *inis,* n., canal de la respiration, trachée-artère.

respiratio, *onis,* f. *(respiro),* **1.** respiration || pause || **2.** exhalation, évaporation.

respiratus, *us,* m., respiration.

respiro, *are, avi, atum,* tr., **1.** renvoyer en soufflant, exhaler: *animam,* renvoyer le souffle || **2.** [absol.], ***a)*** respirer; ***b)*** reprendre haleine; ***c)*** se reposer, se remettre; [pass. impers.] *ita respiratum,* ainsi on respira, on eut du répit.

resplendeo, *ere, dui,* intr., renvoyer la clarté, resplendir, reluire.

respondeo, *ere, di, sum,* tr., répondre, **1.** faire une réponse [oral. ou par écrit], *alicui,* à qqn, *alicui rei,* à qqch. ou [*ad rem,* à qqch.] [ou *adversus aliquem, adversus aliquid*] || [avec prop. inf.] répondre que || [avec idée d'ordre; *ut* subj.] || **2.** [droit]: *jus respondere,* donner des consultations de droit || **3.** répondre à un appel || répondre à une citation en justice || **4.** répondre à, être digne de, égal à, à la hauteur de || cadrer avec, être proportionné à faire le pendant à || **5.** se refléter || **6.** produire.

responsio, *onis,* f. *(respondeo),* réponse.

responsito, *are, avi, atum (respondeo),* tr., donner des consultations de droit.

responso, *are, avi, atum (respondeo),* intr., **1.** répondre || **2.** ***a)*** répondre à, satisfaire à [dat.]; ***b)*** tenir tête, braver.

responsum, *i,* n. *(respondeo),* réponse || [d'un jurisconsulte] consultation.

responsus, *a, um,* part. de *respondeo.*

respublica, *reipublicæ,* v. *res.*

respuo, *ere, ui,* tr., **1.** recracher, rejeter de la bouche || [en gén.] rejeter || **2.** [fig.] rejeter, repousser.

restagno, *are,* intr., déborder, inonder || être inondé, former une nappe d'eau.

restauro, *are, avi, atum,* tr., rebâtir, réparer, refaire || reprendre, renouveler.

resticula, *æ,* f. *(restis),* cordelette, cordelle, corde.

restinctio, *onis,* f. *(restinguo),* étanchement.

restinctus, *a, um,* part. de *restinguo.*

restinguo, *ere, stinxi, stinctum,* tr., **1.** éteindre || **2.** ***a)*** adoucir, apaiser; ***b)*** anéantir, détruire.

restio, *onis,* m. *(restis),* cordier.

restis, *is,* acc. *im* et *em,* abl. *e,* f., **1.** corde || **2.** queue [d'ail, d'oignon].

restiti, pf. de *resisto.*

restito, *are (resto),* intr., s'arrêter [à plusieurs reprises] || faire des essais de résistance.

restituo, *ere, ui, utum (re* et *statuo),* tr., **1.** remettre à sa place primitive, replacer || **2.** remettre debout, remettre en son état primitif, relever, restaurer || rétablir: *prœlium,* rétablir le combat; *damma,* réparer des pertes || **3.** restituer, rendre: *aliquid, alicui,* qqch. à qqn.

restitutio, *onis,* f. *(restituo),* rétablissement, réparation, restauration || rappel [d'un exilé].

restitutor, *oris,* m. *(restituo),* restaurateur d'édifices || celui qui rétablit: *salutis,* sauveur.

restitutus, *a, um,* part. de *restituo.*

resto, *are, stiti,* intr., **1.** s'opposer, opposer de la résistance, résister: *alicui,* à qqn || **2.** rester, subsister, être de reste; *restat ut,* il reste que.

restricte *(restrictus),* avec ménagement, retenue, réserve || strictement, rigoureusement.

restrictus, *a, um,* **1.** part. de *restringo* || **2.** adj., ***a)*** étroit, resserré || court, ramassé; ***b)*** modeste, réservé; ***c)*** serré, économe, regardant; ***d)*** rigoureux, sévère.

restringo, *ere, strinxi, strictum,* tr., **I. 1.** serrer, attacher en ramenant en arrière || **2.** resserrer, restreindre. **II.** desserrer, ouvrir.

resudo, *are,* intr., renvoyer de la sueur, dégager de l'humidité.

resulto, *are, avi, atum,* intr., **1.** sauter en arrière, rebondir, rejaillir || revenir en écho || [poét.] retentir, faire écho || **2.** [fig.] regimber contre.

resumo, *ere, sumpsi, sumptum,* tr., **1.** prendre de nouveau, reprendre, ressaisir || recouvrer || **2.** recommencer, renouveler.

resumpsi, pf. de *resumo.*

resumptus, *a, um,* part. de *resumo.*

resuo, *ere, sutum,* tr., découdre.

resupino, *are, avi, atum,* tr., **1.** faire pencher en arrière || *resupinari,* se coucher sur le dos || **2.** *se resupinare,* se renverser en arrière, redresser fièrement la tête.

resupinus, *a, um,* **1.** penché en arrière, qui se renverse ou renversé || **2.** ***a)*** qui se tient renversé; fier, hautain; ***b)*** qui se tient couché; mou, efféminé.

resurrexi, pf. de *resurgo.*

resurgo, *ere, surrexi, surrectum,* intr., se relever || se rétablir, se ranimer, reprendre sa force, sa puissance.

resurrecturus, *a, um,* part. fut. de *resurgo.*

resuscito, *are, avi, atum,* tr., réveiller, rallumer.

resutus, *a, um,* part. de *resuo.*

retardatus, *a, um,* part. de *retardo.*

retardo, *are, avi, atum,* tr., **1.** retarder, arrêter || **2.** réprimer, paralyser, empêcher.

retaxo, *are,* tr., censurer à son tour.

rete, *is,* n. (abl. *e,* gén. pl. *ium*), rets, filet.

retectus, *a, um,* part. de *retego.*

retego, *ere, texi, tectum,* tr., découvrir, ouvrir, dévoiler || révéler.

retendo, *ere, tendi, tensum (tum),* tr., détendre || relâcher.

retensus, part. de *retendo.*

retentatus, *a, um,* part. de *retento.*

retentio, *onis,* f. *(retineo),* action de retenir || action de suspendre.

1. retento, *are, avi, atum,* fréq. de *retineo,* tr., retenir, contenir, arrêter || maîtriser, contenir || préserver, conserver.

2. retento (tempto), *are, avi, atum (re, tento),* tr., toucher de nouveau || essayer de nouveau, tenter une seconde fois || revenir sur [qqch.], repasser [dans son esprit].

retentus, *a, um,* part. de *retendo* et de *retineo.*

retergeo, *ere, tersi,* tr., nettoyer.

retexi, pf. de *retego.*

retexo, *ere, texui, textum,* tr.,
I. 1. défaire un tissu, détisser || défaire, décomposer, désagréger, détruire.
II. tisser de nouveau; renouveler, refaire, recommencer.

retextus, *a, um,* part. de *retexo.*

retiarius, *ii,* m. *(rete),* rétiaire [gladiateur armé d'un trident et d'un filet].

reticentia, *æ,* f., action de garder une chose par-devers soi, de la taire; silence.

reticeo, *ere, cui (re* et *taceo),* tr., **1.** garder une chose par-devers soi en se taisant, se taire sur, taire || pl. n., *reticenda,* les secrets || **2.** [absol.] garder le silence || *alicui,* se taire devant qqn, ne pas répondre à qqn.

reticulatus, *a, um (reticulum),* réticulaire.

reticulum, *i,* n. *(rete),* **1.** filet à petites mailles, réseau || **2.** sac à mailles, sachet, filoche || **3.** résille, réseau, coiffe à réseau.

reticulus, *i,* m., c. le précéd.

retinaculum, *i,* n. *(retineo),* toute espèce de lien, attache, corde; bride, rênes; amarres, cordage.

retinens, *tis,* part.-adj. de *retineo,* qui conserve, attaché à.

retinentia, *æ,* f. *(retineo),* souvenance, ressouvenir.

retineo, *ere, tinui, tentum (re* et *teneo),* tr., retenir, arrêter || maintenir: *oppidum,* conserver la place || *aliquid memoria,* ou *memoriam alicujus rei,* conserver le souvenir de qqch.; *retineri non potuerant quin... conjicerent,* ils n'avaient pu se retenir de jeter.

retinnio, *ire,* intr., tinter en retour, résonner.

retinui, pf. de *retineo.*

retonsus, *a, um,* fauché [blé].

retorqueo, *ere, torsi, tortum,* tr., **1.** tourner en arrière || **2.** faire retomber || *mentem,* changer ses dispositions d'esprit.

retorridus, *a, um,* brûlé par le soleil, desséché, ridé, recroquevillé || vieux, rabougri, ratatiné.

retorsi, pf. de *retorqueo.*

retortus, *a, um,* part. de *retorqueo.*

retractatio, *onis,* f. *(retracto),* **1.** remaniement, retouche, correction || **2.** résistance.

retractatus, *a, um,* part.-adj. de *retracto,* revu, corrigé.

retracto (retrecto), *are, avi, atum,* tr.,
I. de *re* et *tracto,* **1.** remanier, reprendre en mains || **2.** traiter de nouveau || pratiquer de nouveau || retoucher, reviser || renouveler || repasser dans son esprit.
II. fréquentatif de *retraho,* chercher à tirer en arrière, **1.** *dicta,* retirer sa parole || **2.** [absol.] ne pas vouloir avancer, être récalcitrant.

retractus, *a, um,* **1.** part. de *retraho* || **2.** adj., retré, éloigné, enfoncé, à l'écart.

retraho, *ere, traxi, tractum,* tr.
I. tirer en arrière, **1.** faire revenir en arrière; *manum,* retirer la main || *aliquem,* ramener qqn || **2.** [fig.] écarter, éloigner, retirer || ramener, réduire || tirer en arrière, retenir, ne pas donner libre cours à.
II. tirer de nouveau, traîner de nouveau; amener de nouveau.

retrecto, v. *retracto.*

retribuo, *ere, tribui, tributum,* tr., **1.** donner en échange, en retour || **2.** rendre, restituer.

retributus, *a, um,* part. de *retribuo.*

retro, adv., **1.** par-derrière, derrière [avec ou sans idée de mouv.] || **2.** [fig.] ***a)*** en reculant, en remontant dans le passé; ***b)*** en arrière: *ponere,* placer en arrière, rejeter, dédaigner || en sens contraire: *retro vivere,* vivre au rebours des autres.

retroago (retro ago), *ere, egi, actum,* tr., **1.** faire reculer || rejeter en arrière || refouler || **2.** faire rétrograder, annuler.

retrocedo (retro cedo), *ere, cessi,* intr., reculer, rétrograder, rebrousser chemin.

retroegi, pf. de *retroago.*

retroeo (retro eo), *ire,* intr., rétrograder.

retrogradior (retro gradior), *gradi, gressus sum,* intr., rétrograder.

retrogradus, *a, um,* rétrograde.

retrorsum (et **retrorsus**), adv. *(retroversum,* ou *vorsum, retroversus* ou *vorsus),* dans une direction rétrograde, en arrière || réciproquement, en sens inverse.

1. retrorsus, *a, um (retroversus* ou *vorsus),* tourné en arrière.

2. retrorsus, v. *retrorsum.*

retroversus, *a, um*, tourné en arrière.

retrusus, *a, um (retrudo)*, poussé à l'écart, relégué || enfermé, enfoui.

rettudi, pf. de *retundo*.

rettuli, pf. de *refero*.

retudi, pf. de *retundo*.

retuli, pf. de *refero*.

retulit, pf. de *refert*.

retundo, *ere, rettudi* et *retudi, tusum* et *tunsum*, tr., **1.** rabattre une pointe, un tranchant, émousser || **2.** rabattre, réprimer.

retusus (retunsus), *a, um*, part. de *retundo* || adj., émoussé, obtus.

reus, *i*, m. et **rea,** *æ*, f., **1.** partie en cause dans un procès [demandeur ou défendeur] || **2.** [en gén.] accusé [opposé à *petitor*, demandeur]; *rei capitalis reus*, accusé d'un crime capital; *de vi*, accusé de violence; *reum facere aliquem*, accuser qqn; *reum fieri*, être mis en accusation.

revalesco, *ere, valui*, intr., revenir à la santé, reprendre des forces, se relever, se rétablir.

revalui, pf. de *revalesco*.

reveho, *ere, vexi, vectum*, tr., **1.** ramener par moyen de transport || [pass.] revenir || **2.** ramener avec soi.

revelatus, *a, um*, part. de *revelo*.

revello, *ere, velli, vulsum*, tr., **1.** arracher, ôter de force || **2.** [fig.] détruire, effacer.

revelo, *are, avi, atum*, tr., dévoiler, découvrir, mettre à nu.

revenio, *ire, veni, ventum*, intr., revenir.

revera, ou **re vera,** réellement, en effet.

reverbero, *are*, tr., repousser, faire rebondir.

reverendus, *a, um*, part.-adj. *(revereor)*, vénérable.

reverens, *tis*, part.-adj. *(revereor)*, **1.** respectueux || **2.** respectable, vénérable.

reverenter, avec déférence, respectueusement.

reverentia, *æ*, f. *(revereor)*, crainte [provenant de défiance, de réserve, de discrétion] || respect, déférence: *alicui reverentiam habere præstare*, témoigner du respect à qqn.

revereor, *eri, veritus sum*, tr., **1.** craindre [avec idée de respect] || appréhender || **2.** respecter, révérer; avoir du respect, de la déférence, des égards pour.

reveritus, *a, um*, part. de *revereor*.

reversio, *onis*, f. *(reverto)*, **1.** action de rebrousser chemin (de faire demi-tour), retour en cours de route || **2.** réapparition.

reversus, *a, um*, part. de *revertor*.

reverto, *ere, i, sum* et **revertor,** *i, sus sum*, intr., **1.** retourner sur ses pas, rebrousser chemin, revenir || **2.** ***a)*** *ad sanitatem*, revenir à la raison; ***b)*** appartenir à.

revexi, pf. de *reveho*.

revici, pf. de *revinco*.

revictus, *a, um*, part. de *revinco*.

revilesco, *ere*, intr., perdre de nouveau sa valeur.

revincio, *ere, vinxi, vinctum*, tr., **1.** lier, attacher par-derrière || **2.** lier fortement.

revinco, *ere, vici, victum*, tr., **1.** vaincre en retour || **2.** réfuter, confondre.

revinctus, *a, um*, part. de *revincio*.

revinxi, pf. de *revincio*.

reviresco, *ere, virui (revireo)*, intr., **1.** redevenir vert, reverdir || **2.** ***a)*** rajeunir; ***b)*** reprendre des forces, se relever.

revisito, *are*, tr., revisiter.

reviso, *ere, visi, visum*, **1.** intr., revenir pour voir || **2.** tr., revisiter, revenir voir.

revivisco (-vesco), *ere, vixi*, intr., revivre, revenir à la vie.

revixi, pf. de *revivisco*.

revocabilis, *e*, qu'on peut faire revenir || sur quoi l'on peut revenir.

revocamen, *inis*, n. *(revoco)*, action de détourner, de dissuader.

revocatio, *onis*, f. *(revoco)*, rappel.

revocatus, *a, um*, part. de *revoco*.

revoco, *are, avi, atum*, tr.,

I. rappeler, faire revenir, **1.** *revocatus de exsilio*, rappelé d'exil || **2.** [milit.] rappeler, faire rétrograder, faire replier || **3.** [fig.] ramener || **4.** rappeler un acteur sur la scène || [en part.] demander la reprise d'une tirade || **5.** [poét.] rappeler de la mort, ramener à la vie || **6.** ***a)*** ramener, rétablir, faire revivre: *priscos mores*, ramener les anciennes mœurs; ***b)*** ramener, retenir: *me ipse revoco*, je me retiens moi-même; ***c)*** retirer, dégager: *aliquem a consuetudine*, détourner qqn d'une habitude; ***d)*** détourner de et ramener à; ***e)*** reprendre, rétracter: *promissum*, rétracter une promesse.

II. inviter de nouveau || citer de nouveau en justice || convoquer de nouveau à paraître devant une assemblée.

III. appeler en retour, appeler de son côté, inviter à son tour.

IV. 1. [cf. *referre*] ramener à, faire rentrer dans, rapporter à || **2.** faire venir à: *rem ad manus*, en venir à la violence || **3.** renvoyer à, adresser à.

revolo, *are, avi, atum*, intr., revenir en volant, revoler.

revolutus, *a, um*, part. de *revolvo*.

revolvo, *ere, volvi, volutum*, tr., **1.** rouler en arrière, faire rétrograder en roulant || [temps]: *dies revoluta*, le jour revenu || **2.** ***a)*** dérouler un manuscrit, feuilleter, consulter un livre; ***b)*** dérouler de nouveau, relire || **3.** [fig.] ***a)*** ramener; ***b)*** [surtout au pass. réfléchi] revenir (par la pensée, par la parole) || en revenir à, en venir à; ***c)*** rappeler, dérouler, raconter || avec ou sans *secum*, repasser dans son esprit.

revomo, *ere, vomui*, tr., revomir, rejeter.

revulsio (revol-), *onis*, f., action d'arracher.

revulsus, *a, um*, part. de *revello*.

rex, *regis*, m., **1.** roi, souverain, monarque; *rex Ancus, Ancus rex*, le roi Ancus || [sous la république, synon. de tyran, maître absolu, despote] || **2.** [t. relig.] *rex sacrorum, sacrificiorum, sacrificus, sacrificulus*, v. *sacrificulus* || **3.** [en part.] le roi de Perse, le grand roi || **4.** le roi des dieux et des hommes, Jupiter || *aquarum*, le roi des eaux, Neptune, ou *æquoreus* || *umbrarum, silentum, infernus, Stygius*, le roi des ombres, des Enfers, Pluton || **5.** [en gén.] souverain, chef, maître || [poét.] *reges*, les riches, les nababs || **6.** *reges*, le roi et la reine, le couple royal || la famille royale || les princes du sang ou les fils du roi.

rexi, pf. de *rego*.

Rhadamanthus (-thos), *i*, m., Rhadamanthe [fils de Jupiter et d'Europe, un des juges des Enfers].

Rhæti (Ræ-), *orum*, m., les Rhètes ou Rhétiens, habitants de la Rhétie.

Rhætia (Ræ-), *æ*, f., la Rhétie [contrée des Alpes orientales, entre le Rhin et le Danube, pays des Grisons] || **-ticus,** *a, um*, des Rhétiens, de la Rhétie.

Rhamnenses (Ram-), *ium*, m., et **Ramnes,** *ium*, m., les Rhamnenses ou Rhamnes, l'une des trois tribus primitives dont Romulus forma les trois centuries de chevaliers; l'ordre des chevaliers.

rhapsodia, *æ*, f., rapsodie, chant d'un poème homérique.

1. Rhea, *æ*, f., Rhéa, Ops ou Cybèle [fille du Ciel et de la Terre, femme de Saturne, mère des dieux].

2. Rhea, *æ*, f., Rhéa Sylvia ou Ilie, mère de Romulus et de Rémus.

rheda (red-, ræd-), *æ*, f., chariot [à quatre roues] || char, voiture [de voyage], carrosse.

1. rhedarius (red-, ræd-), *a, um*, de chariot.

2. rhedarius, *ii*, m., cocher.

rheno (re-), *onis*, m., rhénon, gilet fait d'une peau de renne.

Rhenum flumen, n., le Rhin.

Rhenus, *i*, m., le Rhin [grand fleuve entre la Gaule et la Germanie].

rhetor, *oris*, m., orateur || rhéteur.

rhetorica, *æ*, f., rhétorique || **rhetorice,** *es*, f.

rhetorice, **1.** adv., en orateur || **2.** c. *rhetorica*.

rhetoricus, *a, um*, qui concerne la rhétorique: *rhetorici doctores*, les maîtres de rhétorique, les rhéteurs.

rhinoceros, *otis*, m., rhinocéros.

rho, n. ind., rho [lettre de l'alphabet grec].

Rhodanus, *i*, m., le Rhône [grand fleuve de la Gaule, qui se jette dans la Méditerranée].

Rhodos (-dus), *i*, f., Rhodes [île et ville de la mer Égée, célèbre par son école de rhéteurs et par son colosse] || **-dius,** *a, um*, de Rhodes; **-dii,** *orum*, les Rhodiens || **-iacus,** *a, um* || **-iensis,** *e*, de Rhodes.

ricinus, *i*, m., **1.** tique [insecte] || **2.** ricin [plante].

rictum, *i*, n., c. *rictus*.

rictus, *us*, m. *(ringor)*, ouverture de la bouche, bouche ouverte [pour rire] || gueule béante, bord de la gueule.

rideo, *ere, risi, risum*, intr. et tr., **I.** intr., **1.** rire; *in aliqua re*, à propos de qqch. || **2.** rire amicalement, sourire; [poét.] *alicui, ad aliquem*, à qqn. **II.** tr., **1.** rire de qqch., de qqn || **2.** se moquer de: *aliquem*, se rire de qqn; *rem*, se moquer de qqch.

ridicule *(ridiculus)*, plaisamment.

ridiculum, *i*, n. *(ridiculus)*, ce qui fait rire, mot plaisant, plaisanterie, bouffonnerie.

ridiculus, *a, um (rideo)*, **1.** qui fait rire, plaisant, drôle || **2.** ridicule, absurde, extravagant; *ridiculum est* avec prop. inf., il est risible, comique que...; [avec inf.], il est ridicule de.

rigatus, *a, um*, part. de *rigo*.

rigeo, *ere*, intr., être roide, raidi, durci.

rigesco, *ere, gui (rigeo)*, intr., se raidir, se durcir || devenir raide de froid.

rigide *(rigidus)*, en se durcissant, solidement || *rigidius*, plus sévèrement.

rigido, *are*, tr., rendre raide, durcir, raidir.

rigidus, *a, um (rigeo)*, **1.** raide, dur || [surtout par le froid] || qui se tient raide, tendu, rigide || qui a de la raideur, qui manque de souplesse || **2.** dur, rigide, sévère, inflexible.

rigo, *are, avi, atum*, tr., **1.** faire couler en dirigeant, diriger || **2.** arroser, baigner || imprégner.

rigor, *oris*, m. *(rigeo)*, **1.** raideur, dureté, rigidité || raideur causée par le froid ; froid, gelée, frimas || **2.** rigueur, sévérité, inflexibilité.

rigui, pf. de *rigesco*.

riguus, *a, um (rigo)*, **1.** qui arrose, qui baigne || **2.** baigné, arrosé || pl. n. *rigua*, lieux couverts d'eau, endroits humides || subst. m. *riguus, i*, conduite d'eau.

rima, *æ*, f., fente, fissure, crevasse ; *rimas agere*, ou *ducere*, ou *facere*, se fendre, se lézarder.

rimatus, *a, um*, part. de *rimor*.

rimor, *ari, atus sum (rima)*, tr., **1.** fendre, ouvrir || fouiller, explorer || **2.** fouiller, scruter, sonder, rechercher.

rimosus, *a, um (rima)*, qui a des fentes, lézardé, crevassé.

ringor, *ringi*, intr., grogner en montrant les dents || enrager, être furieux.

ripa, *æ*, f., rive || rivage, côte.

ripula, *æ*, f. *(ripa)*, petite rive.

risi, pf. de *rideo*.

risor, *oris*, m. *(rideo)*, un plaisant, un bouffon.

1. risus, *a, um*, part. de *rideo*.

2. risus, *us*, m., rire, **1.** *movere risum alicui*, faire rire qqn ; *risus excitare*, provoquer les rires ; *miros risus edere*, se livrer à de merveilleux accès d'hilarité ; *risui esse alicui*, faire rire qqn, être la risée de qqn || **2.** [poét.] objet du rire.

rite, adv. (anc. abl. de *ritis* = *ritus*), **1.** selon les coutumes religieuses || **2.** [fig.] ***a)*** selon les formes, selon les règles ; ***b)*** bien, comme il faut || avec raison, à juste titre || [en parl. des dieux] favorablement ; ***c)*** selon l'usage, de la manière habituelle.

ritus, *us*, m., **1.** rite, cérémonie religieuse || **2.** [en gén.] usage, coutume || *ritu* avec le gén., à la manière de : *pecudum ritu*, à la façon des bêtes ; *latronum ritu*, comme les brigands.

rivalis, *e (rivus)*, **1.** de ruisseau || m. pl. : *rivales*, riverains || **2.** subst. m. *rivalis, is*, rival.

rivalitas, *atis*, f. *(rivalis)*, rivalité, jalousie.

rivulus, *i*, m. *(rivus)*, petit ruisseau.

rivus, *i*, m., **1.** ruisseau, petit cours d'eau || **2.** conduite d'eau, canal || tranchée.

rixa, *æ*, f., dispute, différend, contestation, rixe || lutte, combat.

rixator, *oris*, m. *(rixor)*, querelleur.

rixor, *ari, atus sum (rixa)*, intr., **1.** se quereller, quereller, avoir une rixe || **2.** lutter, être en lutte.

rixosus, *a, um (rixa)*, querelleur, batailleur.

1. robigo, *inis*, f., **1.** rouille || **2.** ***a)*** dépôt sur la pierre ; ***b)*** tartre des dents || **3.** rouille du blé, nielle || **4.** ***a)*** rouille, inaction ; ***b)*** rouille de l'âme, mauvaises habitudes.

2. Robigo, *inis*, f., et **Robigus,** *i*, m., divinité [déesse ou dieu] qu'on invoquait pour préserver les céréales de la nielle *(robigo)*.

roboratus, *a, um*, part. de *roboro*.

roboreus, *a, um (robur)*, de chêne.

roboro, *are, avi, atum (robur)*, tr., fortifier, rendre robuste, affermir, consolider.

robur, *oris*, n., **1.** rouvre [sorte de chêne très dur] || [poét.] l'olivier || **2.** bois de chêne, chêne || objets en chêne [banc, lance, bois de la charrue] || cachot d'une prison || **3.** [fig.] ***a)*** dureté, solidité, force de résistance ; ***b)*** force, résistance, vigueur ; ***c)*** cœur, noyau, élite.

robustus, *a, um (robur)*, **1.** de rouvre, de chêne || **2.** solide [comme le chêne], dur, fort, résistant, vigoureux, robuste.

rodo, *ere, rosi, rosum*, tr., **1.** ronger || **2.** ronger, miner, user || **3.** déchirer qqn, le mettre en pièces, médire de lui.

rogatio, *onis*, f. *(rogo)*, **1.** [rare] action de demander, demande, question || **2.** demande adressée au peuple au sujet d'une loi à voter, proposition, projet de loi : *rogationem ferre*, présenter un projet de loi [*ad populum*, au peuple] ; *promulgare rogationem*, publier une proposition de loi || **3.** prière, sollicitation, requête.

rogatiuncula, *æ*, f. *(rogatio)*, **1.** petite question || **2.** projet de loi peu important.

rogator, *oris*, m. *(rogo)*, **1.** celui qui propose une loi au peuple || **2.** celui qui recueillait les voix du peuple dans les comices.

rogatum, *i*, n. *(rogatus)*, question.

rogatus, *a, um*, part. de *rogo*.

rogatus, abl. *u*, m., demande, sollicitation, prière.

rogito, *are, avi, atum (rogo)*, tr., demander avec insistance, interroger de façon pressante.

rogo, *are, avi, atum*, tr.,
I. interroger, questionner, **1. a)** [avec int. indir.] *rogare num*, demander si; **b)** *aliquem: Stoicos roga*, interroge les Stoïciens; **c)** [acc. n. des pron.] *hoc responde, quo rogo*, réponds à ce que je te demande; **d)** *aliquem* et acc. n. des pron.: *rogare hoc unum te volo*, je veux te poser cette unique question || **2.** [officiell.] **a)** *rogare aliquem sententiam*, demander à qqn son avis; *sententiam rogari*, être consulté; **b)** *rogare populum*, consulter le peuple sur une loi, lui faire une proposition de loi; *rogare legem*, même sens; **c)** *rogare magistratum populum*, ou *plebem*, demander au peuple qu'il désigne un magistrat || [sans *populum* ni *plebem*]; **d)** [milit.] *rogare milites sacramento*, faire prêter serment, enrôler.
II. chercher à obtenir en priant, prier, solliciter, faire une requête, **1. a)** [rare]: *aliquid ab aliquo*, demander qqch. à qqn, solliciter qqch. de qqn; **b)** *aliquem* et acc. n. des pron.: *hoc te rogo*, je t'adresse cette requête || [poét., avec deux acc.] *otium divos*, demander aux dieux le repos; **c)** *mittit rogatum vasa*, il envoie demander les vases; **d)** *aliquem*, solliciter qqn: *de aliqua re*, pour qqch.; **e)** *rogare ut, ne* subj., demander que, que ne pas; [avec subj. seul] demander que; **f)** *rogare aliquem* (ou *illud, hoc... aliquem) ut, ne*, demander à qqn de, de ne pas || **2.** inviter qqn à venir faire visite.

rogus, *i*, m., bûcher [funèbre].

Roma, *æ*, f., Rome [ville d'Italie, capitale de l'Empire romain] || **-anus,** *a, um*, de Rome, romain: *Romano more* [opposé à *Græco, Punico*], à la romaine, franchement, nettement || *Romanum est facere...*, c'est le caractère romain de faire || **Romani,** *orum*, m., les Romains; *Romanus* [coll.] = les Romains; *Romana*, une Romaine.

Romulidæ, *arum* et *um*, m., descendants de Romulus, les Romains.

Romulus, *i*, m., fils de Mars et d'Ilie ou Rhéa Sylvia, frère jumeau de Rémus, fut avec lui fondateur de Rome, puis premier roi des Romains; ayant tué de sa main Acron, roi des Cæniniens, remporta les premières « dépouilles opimes »; fut mis après sa mort au rang des dieux || **-leus,** *a, um* ou **-lus,** *a, um*, de Romulus, des Romains, romain.

rorans, *tis*, de *roro*.

rorarii, *orum*, m., soldats armés à la légère, vélites.

roratus, *a, um*, part. de *roro*.

roro, *are, avi, atum (ros)*,
I. intr., **1.** répandre la rosée || [impers.] *rorat*, il fait de la rosée, la rosée tombe || **2. a)** être humecté, ruisseler, dégoutter de; **b)** tomber goutte à goutte.
II. tr., **1.** couvrir de rosée || **2.** [fig.] **a)** humecter, arroser; **b)** faire tomber goutte à goutte.

ros, *roris*, m., **1.** rosée || **2. a)** tout liquide qui dégoutte; **b)** *ros marinus* ou *rosmarinus*, le romarin; ou *ros maris*, ou simpl. *ros*.

rosa, *æ*, f., **1.** rose [fleur] || les roses: *in rosa*, parmi les roses || **2.** rosier.

rosaceus, *a, um (rosa)*, de rose, fait de roses.

rosarium, *ii*, n. *(rosarius)*, champ de roses, roseraie.

rosarius, *a, um (rosa)*, de roses.

roscidus, *a, um (ros)*, **1.** de rosée || **2.** couvert de rosée || **3.** [poét.] humecté, mouillé, baigné.

Roscius, *ii*, m., nom d'une famille rom.; not. Q. Roscius, célèbre comédien, ami de Cicéron, qui plaida pour lui || Sext. Roscius d'Amérie, défendu par Cicéron || L. Roscius, lieutenant de César || **-ianus,** *a, um*, de Roscius.

rosetum, *i*, n. *(rosa)*, roseraie || rosier.

roseus, *a, um (rosa)*, **1.** de rose, garni de roses || **2.** rose, rosé, vermeil, purpurin.

rosmarinus, *rorismarini*, m., romarin.

rostellum, *i*, n. *(rostrum)*, petit bec || museau.

rostra, *orum*, n. *(rostrum)*, **1.** les rostres, la tribune aux harangues [ornée des éperons de navires pris à l'ennemi]: *in rostra escendere*, monter à la tribune; *de rostris descendere*, descendre de la tribune || **2.** *rostra* = le forum.

rostratus, *a, um (rostrum)*, **1.** recourbé en forme de bec || **2.** garni d'un éperon: *columna rostrata*, colonne rostrale [colonne garnie des éperons de navires pris sur l'ennemi lors de la victoire de Duilius dans la première guerre punique].

rostrum, *i*, n. *(rodo)*, **1.** bec d'oiseau || groin des porcs || museau, mufle, gueule || **2. a)** éperon de navire [d'où] *rostra*, v. ce mot; **b)** pointe d'une

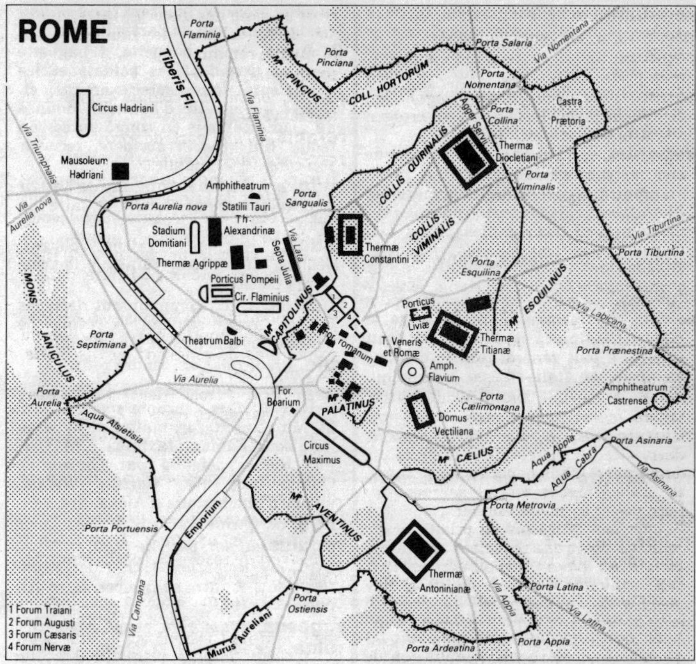

serpette || bec de charrue || bec de lampe.

rosi, pf. de *rodo.*

rosus, *a, um,* part. de *rodo.*

rota, *æ,* f., **1.** roue || **2.** [en part.] ***a)*** roue de potier; ***b)*** roue [instrument de supplice] || la roue d'Ixion; ***c)*** rouleau || **3.** ***a)*** char; ***b)*** disque du soleil || **4.** *fortunæ,* la roue de la fortune.

rotatus, *a, um,* part. de *roto.*

roto, *are, avi, atum (rota),* **1.** tr., mouvoir circulairement, faire tourner || faire tournoyer || faire rouler || [pass. sens réfl.] se mouvoir en rond, tourner, tournoyer || **2.** intr., rouler.

rotula, *æ,* f. *(rota),* petite roue.

rotundatus, *a, um,* part. de *rotundo.*

rotunde *(rotundus),* en rond || [fig.] d'une manière arrondie, élégamment.

rotunditas, *atis,* f. *(rotundus),* rondeur.

rotundo, *are, avi, atum (rotundus),* tr., former en rond, arrondir || compléter.

rotundus, *a, um (rota),* **1.** qui a la forme d'une roue, rond; *nihil rotundius,* rien de plus rond; *toga rotunda,* toge bien arrondie, qui tombe bien || **2.** [fig.] [en parl. du style] arrondi, poli, dont tous les éléments sont bien équilibrés.

Roxane (Rhox-), *es,* f., Roxane [femme d'Alexandre le Grand].

rubefacio, *ere, feci, factum (rubeo, facio),* tr., rendre rouge, rougir.

rubellio, *onis,* f. *(rubellus),* rouget.

rubellus, *a, um,* dimin. de *ruber,* tirant sur le rouge.

rubens, *tis,* part.-adj. *(rubeo),* **1.** rouge || **2.** rouge, rougissant de pudeur, de modestie.

rubeo, *ere, bui (ruber),* intr., **1.** être rouge || **2.** être rouge de pudeur, de honte.

1. ruber, *bra, brum (ru-,* cf. *rufus,* etc.), rouge.

2. Ruber, *bra, brum,* épithète: ***a)*** *Rubrum mare* || ou *Rubra æquora,* ou *mare Rubrum,* la mer Rouge, la mer des Indes, le golfe Persique; ***b)*** *Saxa Rubra*, bourg d'Étrurie, près de la Crémère.

rubesco, *ere, bui*, intr. *(rubus)*, **1.** devenir rouge, rougir || **2.** rougir [honte, timidité].

rubeta, *æ*, f. *(rubus)*, rainette.

rubetum, *i*, n. *(rubus)*, lieu couvert de ronces, buissons de ronces.

1. rubeus, *a, um (ruber)*, doux, roussâtre.

2. rubeus, *a, um (rubus)*, de ronce.

rubia, *æ*, f., garance [plante à teinture].

Rubico, *onis*, m., le Rubicon [petite rivière qui formait la limite entre la Gaule Cisalpine et l'Italie; il était interdit à tout général romain d'entrer en armes en Italie; César le franchit, donnant ainsi le signal de la guerre civile].

rubicundus, *a, um (rubeo)*, rouge, doré.

rubidus (ro-), *a, um (rubor)*, rouge-brun.

rubig, v. *robig-*.

rubor, *oris*, m. *(rubeo)*, **1.** rougeur, couleur rouge || **2.** réserve, pudeur, délicatesse || rougeur de la honte, honte, ignominie, déshonneur: *ruborem afferre alicui*, être une source de honte pour qqn; honte, confusion: *aliquid alicui rubori est*, qqch. remplit qqn de confusion.

rubrica, *æ*, f., **1.** rubrique, terre rouge || **2.** craie rouge || rouge, fard || ***a)*** rubrique, titre écrit en couleur rouge; ***b)*** recueil des lois où les titres de chapitres étaient inscrits en rouge.

rubricosus, *a, um (rubrica)*, qui a beaucoup de rubrique [de craie rouge].

rubui, pf. de *rubeo* et de *rubesco*.

rubus, *i*, m., ronce || framboisier.

ructo, *are, avi, atum (ructus)*, intr., roter; avoir des rapports sexuels.

ructor, *ari*, c. *ructo*.

ructus, *us*, m., rot, rapport sexuel.

1. rudens, *tis*, part. de *rudo*.

2. rudens, *tis*, m., cordage, câble; *laxare rudentes*, mettre à la voile || vaisseau.

rudimentum, *i*, n. *(rudis 1, erudio)*, **1.** apprentissage, débuts, essais || **2.** les premiers éléments.

Rudinus, *a, um*, de Rudies [ville de Calabrie, patrie d'Ennius].

1. rudis, *e*, **1.** qui n'est pas travaillé, brut || **2.** [fig.] qui n'est pas dégrossi, inculte, grossier, ignorant || *rei militaris*, ignorant tout de l'art militaire.

2. rudis, *is*, f., baguette, **1.** baguette dont se servaient les soldats et les gladiateurs dans leurs exercices, cf. fleuret || baguette d'honneur, donnée au gladiateur mis en congé après son temps fini: *rudem accipere*, recevoir son congé || **2.** spatule.

rudo, *ere, ivi, itum*, intr., braire || rugir || crier fortement, hurler || faire du bruit.

rudus, *eris*, n., gravois, plâtras, déblais, décombres, ruines || marne, terre grasse.

Rufinus, *i*, m., commandant dans les Gaules, ayant soutenu la révolte de Vindex, fut mis à mort par Vitellius.

rufo, *are (rufus)*, tr., rendre roux.

1. rufus, *a, um*, rougeâtre, roux.

2. Rufus, *i*, m., surnom romain; not. M. Minucius Rufus, maître de la cavalerie sous Fabius Maximus || M. Cælius Rufus, défendu par Cicéron || Quinte-Curce *(Q. Curtius Rufus)*, auteur d'une histoire d'Alexandre.

ruga, *æ*, f., ride.

rugatus, *a, um*, part. de *rugo*.

rugo, *are, avi, atum*, **1.** tr., rider: *rugatus*, ridé || **2.** intr., se froncer, faire des plis.

rugosus, *a, um*, ridé, plissé, rugueux.

ruina, *æ*, f. *(ruo)*, **1.** chute, écroulement: *ruinas facere, dare*, s'écrouler, crouler, s'effondrer || **2.** éboulement, ruine, effondrement de bâtiments || **3.** catastrophe, désastre, destruction, ruine; *Cannensis*, désastre de Cannes || **4.** ruines, décombres.

ruinosus, *a, um (ruina)*, ruineux, qui menace ruine.

ruiturus, *a, um*, part. fut. de *ruo*.

ruma, *æ*, f., œsophage ou premier estomac.

rumex, *icis*, **1.** m. f., rumex ou petite oseille || **2.** espèce de dard.

rumina ficus, f. *(ruma)*, le figuier ruminal [sous lequel furent allaités Romulus et Rémus].

ruminalis, *e (rumen)*, ruminant || *Ruminalis ficus* ou *arbor*, v. *rumina ficus*.

ruminatio, *onis*, f. *(rumino)*, **1.** rumination || **2.** réflexion, méditation.

rumino, *are (ruma)*, intr. et tr., ruminer.

ruminor, *ari*, c. *rumino*.

rumis, *is*, f., c. *ruma*.

rumor, *oris*, m., **1.** bruits vagues, bruit

qui court, rumeur, nouvelles sans certitude garantie || *rumor est* avec prop. inf., on dit que, le bruit court que || *de aliquo, de aliqua re*, bruits concernant qqn, qqch. || **2.** propos colportés, opinion courante : *rumor multitudinis*, opinion de la foule || renommée : *adverso rumore esse*, avoir contre soi l'opinion, avoir mauvaise réputation || mauvais propos, malveillance publique || *secundo rumore*, avec l'approbation générale.

rumpo, *ere, rupi, ruptum*, tr., **1.** rompre, briser, casser || fendre, séparer, ouvrir || **2. *a)*** *se rumpere*, se faire crever ; ***b)*** se tuer à faire une chose || pass. réfléchi *rumpi*, éclater, crever || **3.** rompre, enfoncer || **4.** faire en brisant : ***a)*** pratiquer, frayer, ouvrir ; ***b)*** faire jaillir ; *se rumpere*, s'élancer, jaillir impétueusement, ou *rumpi* || **5.** faire sortir (entendre) une parole, des mots, des plaintes || **6. *a)*** rompre, briser, détruire ; ***b)*** interrompre, couper court à.

rumusculus, *i*, m. *(rumor)*, menus bruits, propos insignifiants, cancans.

runcatio, *onis*, f. *(runco)*, sarclage.

runcator, *oris*, m. *(runco)*, sarcleur.

runcina, *æ*, f., rabot.

1. runco, *are*, tr., sarcler.

2. runco, *onis*, m., sarcloir.

ruo, *ere, rui, rutum (*part. fut. *ruiturus)*, **I.** intr., ***a)*** se précipiter, se ruer, s'élancer ; *ad interitum voluntarium*, courir volontairement à la mort || [pass. impers.] *in fata ruitur*, on court à son destin || courir à l'aveuglette, se précipiter trop ; ***b)*** tomber, s'écrouler, crouler, se renverser, s'effondrer.
II. tr., **1.** précipiter : ***a)*** bousculer, pousser violemment ; ***b)*** [avec *ex* ou *ab*] lancer hors de || **2.** faire tomber, faire crouler, renverser ; *naves*, faire couler des navires.

rupes, *is*, f. *(rumpo)*, paroi de rocher || défilé avec paroi rocheuse || précipice.

rupi, pf. de *rumpo*.

rupicapra, *æ*, f. *(rupes, capra)*, chamois.

ruptor, *oris*, m. *(rumpo)*, celui qui rompt, qui trouble, violateur.

ruptura, *æ*, f. *(rumpo)*, rupture, fracture.

ruptus, *a, um*, part. de *rumpo*.

ruralis, *e (rus)*, champêtre, rustique, rural.

ruricola, *æ*, m. f. *(rus, colo)*, qui cultive les champs.

rurigena, *æ*, m. f. *(rus, geno)*, né aux champs, habitant de la campagne.

rursus et **rursum,** adv., **1.** en arrière, en revenant sur ses pas || **2. *a)*** en revanche, inversement, en retour ; ***b)*** derechef, une seconde fois.

rus, *ruris*, n., **1.** campagne, propriété rurale || la campagne, les champs [opp. à la ville] || [locatif *ruri*] : *ruri habitare*, habiter la campagne ; *rure paterno*, dans la propriété paternelle || *rure redire*, revenir de la campagne || *rus ire*, aller à la campagne || **2.** [fig.] rusticité, grossièreté.

ruscum, *i*, n., et **ruscus,** *i*, f., fragon épineux.

russus, *a, um*, rouge, roux.

rusticanus, *a, um (rusticus)*, de campagne, rustique : *rusticanus homo*, paysan.

rusticatio, *onis*, f. *(rusticor)*, séjour à la campagne, vie des champs.

rustice *(rusticus)*, en paysan, en campagnard ; [fig.] grossièrement, maladroitement, gauchement.

rusticitas, *atis*, f. *(rusticus)*, les choses de la campagne, les mœurs de la campagne || rusticité, grossièreté || gaucherie, façons campagnardes, accent campagnard.

rusticor, *ari (rusticus)*, intr., **1.** rester, vivre à la campagne || **2.** s'occuper aux travaux des champs.

rusticula, *æ*, f., gélinotte.

rusticulus, *i*, m., un campagnard, un paysan.

1. rusticus, *a, um (rus)*, **1.** relatif à la campagne, de la campagne ; *res rusticæ*, agriculture || **2.** subst. m., *rusticus*, campagnard || **3.** qui rappelle la campagne, ***a)*** rustique, simple, naïf ; ***b)*** grossier, barbare, balourd, gauche, inculte.

2. Rusticus, *i*, m., L. Junius Arulénus Rusticus que Néron fit périr.

1. ruta, *æ*, f., rue.

2. ruta cæsa, n. pl. *(ruo, cædo)*, t. de droit ; les objets soit extraits du sol, soit coupés sur le sol, que le vendeur se réserve ; objets exceptés de la vente.

rutabulum, *i*, n. *(ruo)*, fourgon, râble [de boulanger] || spatule.

rutatus, *a, um (ruta)*, assaisonné de rue.

rutilans, *tis*, part. prés. de *rutilo*, brillant, éclatant.

rutilatus, *a, um (rutilo)*, [cheveux] rouge, roux, d'un blond ardent.

rutilesco, *ere*, intr. *(rutilus)*, devenir roux.

S, s, f., n., dix-huitième lettre de l'alphabet latin || [abrév.] *S.* = *Sextus*, prénom ; *Sp.* = *Spurius*, prénom ; *S.C.* = *senatus consultum* ; *S.P.Q.R.* = *senatus populusque Romanus.*

Sabazia, *orum*, n., Sabazies [fêtes en l'honneur de Bacchus].

Sabazius, *ii*, m., un des noms de Bacchus.

sabbatum, *i*, n., et ordin. **sabbata,** *orum*, n., sabbat.

Sabelli, *orum*, m., Sabelles [petite nation voisine des Sabins] || Sabins ; sing. **Sabellus,** le Sabin = Horace [propriétaire d'un bien dans la Sabine].

Sabellus, *a, um*, des Sabelles, des Sabins ; v. *Sabelli* || [fig.] sobre, frugal.

1. sabina herba, et abs. **sabina,** *æ*, f., sabine [plante].

2. Sabina, *æ*, f., surnom de Poppée.

Sabinæ, *arum*, f., les Sabines.

Sabini, *orum*, m., Sabins [peuple de l'Italie au N.-E. de Rome].

sabinum, *i*, n., vin du pays des Sabins [piquette].

1. Sabinus, *a, um*, des Sabins, sabin.

2. Sabinus, *i*, m., nom propre romain ; notamment Q. Titurius Sabinus, lieutenant de César en Gaule.

Sabis, *is*, m., fleuve de Belgique [la Sambre].

sabuletum, *i*, n. *(sabulum)*, sablonnière.

sabulo, *onis*, m., gros sable.

sabulosus, *a, um (sabulum)*, sablonneux || *sabulosa*, n. pl., terrains sablonneux.

sabulum et **sablum,** *i*, n., sable.

saburra, *æ*, f. *(sabulum)*, lest [de navire].

saburro, *are (saburra)*, tr., lester.

saccarius, *a, um (saccus)*, de sac.

saccharon (-um), *i*, n., saccharum, sucre.

saccatus, *a, um*, part. de *sacco.*

sacco, *are, avi, atum (saccus)*, tr., filtrer.

saccus, *i*, m., sac || sac à filtrer, chausse.

sacellum, *i*, n. (dimin. de *sacrum*), petite enceinte consacrée, avec un autel ; petit sanctuaire.

1. sacer, *cra, crum (sancio)*, **1.** consacré à une divinité, sacré || **2.** saint, vénéré, auguste || **3.** dévoué à un dieu [dans les imprécations] || voué aux dieux infernaux, maudit [celui qui était déclaré *sacer* pouvait être tué sans qu'il y eût crime de parricide] || maudit, exécrable : *auri sacra fames*, la soif exécrable de l'or.

2. Sacer, *cra, crum*, épithète : *mons Sacer*, le mont Sacré [près de Rome où le peuple fit retraite] ; *Sacra via*, la voie Sacrée [une rue de Rome] ou *Sacer clivus.*

sacerdos, *otis*, m. *(sacer)*, prêtre || f., prêtresse || ministre [de].

sacerdotalis, *e*, de prêtre, sacerdotal.

sacerdotium, *ii*, n. *(sacerdos)*, sacerdoce.

sacramentum, *i*, n. *(sacro)*, serment

militaire: *sacramento dicere*, prêter serment || [en gén.] serment.

sacrarium, *ii*, n. *(sacro)*, endroit où sont les objets sacrés, chapelle, sanctuaire || réduit secret.

sacratus, *a, um*, **1.** part. de *sacro* || **2.** adj., ***a)*** consacré, sanctifié, saint; ***b)*** auguste, sacré, vénérable.

sacrifer, *era, erum*, qui porte les choses sacrées.

sacrificatio, *onis*, f. *(sacrifico)*, cérémonies [du culte], sacrifice, culte.

sacrificatus, *a, um*, part. de *sacrifico*.

sacrificium, *ii*, n. *(sacrifico)*, sacrifice: *procurare*, veiller à l'accomplissement d'un sacrifice.

sacrifico, *are, avi, atum (sacrificus)*, **1.** intr., offrir un sacrifice || **2.** tr., offrir en sacrifice.

sacrificulus, *i*, m., prêtre [subalterne] chargé des sacrifices || *rex*, roi des sacrifices [chargé de certains sacrifices faits auparavant par les rois].

sacrificus, *a, um (sacrum* et *facio)*, qui sacrifie: *sacrifica securis*, la hache du sacrifice || de sacrifice.

sacrilegium, *ii*, n. *(sacrilegus)*, **1.** sacrilège, vol dans un temple || **2.** profanation, impiété.

sacrilegus, *a, um (sacra* et *lego 2)*, **1.** qui dérobe des objets sacrés || **2.** sacrilège, impie, profanateur.

sacro, *are, avi, atum (sacer)*, tr., **1.** consacrer à une divinité || **2.** dévouer à une divinité [comme malédiction] || **3.** consacrer (dédier) à qqn qqch. || **4.** rendre sacré, sanctifier par la consécration || **5.** [poét.] consacrer, immortaliser.

sacrosanctus, *a, um (sacer* et *sanctus)*, **1.** déclaré inviolable, sacré || **2.** auguste.

sacrum, *i*, n. *(sacer)*, **1.** chose sacrée, objet sacré, objet de culte || **2.** acte religieux: *Græco sacro*, d'après le rite grec, sacrifice: *sacrum facere*, faire un sacrifice || cérémonies religieuses, culte || sacrifices domestiques, culte domestique.

sæcularis, *e (sæculum)*, séculaire: *sæculares ludi*, ou *sæculares* seul, jeux séculaires, célébrés tous les cent ans; [d'où le *carmen sæculare* d'Horace].

sæculum (sync. **sæclum),** ou **seculum,** *i*, n., **1.** génération, race || **2.** durée d'une génération humaine [33 ans 4 mois] || **3.** âge, génération, époque, siècle || *sæcula aurea, sæculum aureum*, âge d'or || **4.** siècle, espace de cent ans || long espace de temps, siècle.

sæpe, adv., souvent, fréquemment.

sæpenumero ou **sæpe numero,** souvent.

sæpes (sepes), *is*, f., haie, enceinte, clôture.

sæpio (sepio), *ire, sæpsi, sæptum (sæpes)*, tr., **1.** entourer d'une haie, enclore, entourer || fermer || **2.** ***a)*** enclore : *aliquid memoria*, enfermer qqch. dans sa mémoire; ***b)*** protéger.

sæptum (sep-), *i*, n. *(sæpio)*, clôture, barrière, enceinte || en part. **sæpta,** *orum*, enclos de vote, où les citoyens étaient enfermés par centuries et d'où ils sortaient pour voter un à un.

sæptus (sep-), *a, um*, part. de *sæpio*.

sæta (seta), *æ*, f., soie de porc, de sanglier; poils du bouc; crinière de cheval || poils rudes d'un homme || piquants des conifères || pinceau.

sætiger (set-), *era, erum (sæta)*, hérissé de soies || subst. m. **sætiger,** sanglier.

sætosus (set-), *a, um (sæta)*, ***a)*** c. *sætiger*; ***b)*** couvert de poils.

sæve *(sævus)*, cruellement.

sævio, *ire, sævii, sævitum (sævus)*, intr., **1.** être en fureur, en furie, en rage || pousser des cris de fureur || **2.** [en parl. de l'homme] se démener, faire rage || *in aliquem sævire*, user de rigueur, sévir contre qqn || *sævit ventus*, le vent fait rage.

sævitia, *æ*, f. *(sævus)*, fureur, violence, furie || rigueur, dureté, cruauté.

sævus, *a, um*, **1.** en fureur, en rage || **2.** furieux, sauvage, cruel, inhumain, barbare || *sævum mare*, mer furieuse.

saga, *æ*, f. *(sagus)*, magicienne, sorcière.

sagacitas, *atis*, f. *(sagax)*, finesse de l'odorat || finesse, délicatesse, sagacité, pénétration.

sagaciter *(sagax)*, avec l'odorat subtil || avec pénétration, avec sagacité.

sagatus, *a, um (sagum)*, vêtu d'un sayon.

sagax, *acis (sagio)*, **1.** qui a l'odorat subtil || qui a l'oreille subtile ou fine, vigilant || **2.** qui a de la sagacité, sagace: *ad suspicandum sagacissimus*, très pénétrant pour deviner.

sagina, *æ*, f., **1.** engraissement || **2.** embonpoint || **3.** régime qui sert à engraisser, nourriture substantielle || bonne chère, bombance.

saginatio, *onis*, f. *(sagino)*, action d'engraisser.

saginatus, *a, um*, part. de *sagino*.

sagino, *are, avi, atum (sagina),* tr., engraisser.

sagio, *ire,* intr., avoir du flair, sentir finement.

sagitta, *æ,* f., flèche.

sagittarius, *ii,* m., archer.

sagittifer, *era, erum (sagitta, fero),* **1.** armé de flèches || **2.** qui contient des flèches.

sagitto, *are, avi, atum (sagitta),* intr., lancer des flèches.

sagmen, *inis,* n. *(sacer, sancio),* brin d'herbe sacrée, herbes sacrées.

Sagra, *æ,* m. ou f., rivière du Bruttium [auj. la Sagra] entre le pays des Locriens et celui des Crotoniates, célèbre par la victoire des Locriens sur les Crotoniates infiniment plus nombreux.

sagulatus, *a, um (sagulum),* vêtu d'un sayon.

sagulum, *i,* n. *(sagum),* sayon [surtout du général].

sagum, *i,* n., sayon ou saie, **1.** sorte de manteau des Germains || **2.** sayon, casaque militaire [des Romains], habit de guerre: *saga sumere,* prendre les armes; *esse in sagis,* être sous les armes; *ire ad saga,* courir aux armes; *saga ponere,* déposer les armes; [en parl. d'une seule pers.] *sagum sumere,* endosser l'habit de guerre.

Saguntum, *i,* n., et **Saguntus,** *i,* f., Sagonte, ville de la Tarraconnaise || **-tinus,** *a, um,* de Sagonte; **Saguntini,** *orum,* Sagontins, habitants de Sagonte.

sal, *salis,* m., **1.** sel || pl., *sales,* grains de sel || **2.** [poét.] onde salée, la mer || **3.** ***a)*** sel, esprit piquant, finesse caustique || pl., plaisanteries, bons mots; ***b)*** finesse d'esprit, bon goût.

Salamina, *æ,* f., c. *Salamis.*

Salaminius, *a, um,* de Salamine.

Salamis, *inis,* f., Salamine, **1.** île près du Péloponnèse, en face d'Eleusis [célèbre par la victoire de Thémistocle sur les Perses]; ville principale de l'île || **2.** ville de l'île de Chypre.

salarium, *ii,* n. *(sal),* ration de sel, [puis] solde pour acheter du sel; solde || émoluments, traitement, gages, salaire.

salarius, *a, um (sal),* de sel.

salebræ, *arum,* f. *(salio),* aspérités du sol || difficultés.

salebrosus, *a, um (salebræ),* âpre, raboteux, rocailleux || embarrassé, pénible.

Saliaris, *e (Salii),* des [prêtres] Saliens || à la façon des Saliens.

salictum, *i,* n. *(salicetum, salix),* saussaie, lieu planté de saules || saule.

saliens, *tis,* part. de *salio* || subst. m. pl. **salientes** (s.-ent. *fontes*), eaux jaillissantes.

saligneus, et mieux **salignus,** *a, um (salix),* de saule || d'osier.

Salii, *orum,* m. *(salio),* Saliens, prêtres de Mars.

salinæ, *arum,* f. *(salinus),* salines || **Salinæ,** *arum,* f., les Salines [quartier de Rome].

1. salinator, *oris,* m. *(salinæ),* saunier.

2. Salinator, *oris,* m., surnom romain.

salinum, *i,* n. *(sal),* salière.

salio, *ire, salui, saltum,* intr., sauter, bondir || palpiter, tressaillir, battre.

saliunca, *æ,* f., valériane celtique [plante].

saliva, *æ,* f., salive || bave des escargots || eau, suintement, écoulement.

salix, *icis,* f., saule [arbre].

Sallustianus, *a, um,* de Salluste || subst. m., admirateur de Salluste, Sallustien.

Sallustius, *ii,* m., Salluste [historien latin].

salmacidus, *a, um,* saumâtre.

salmo, *onis,* m., saumon.

salpa, *æ,* f., merluche.

salsamentarius, *a, um (salsamentum),* de salaison || subst. m., marchand de salaisons, marchand de marée.

salsamentum, *i,* n. *(salsus),* **1.** salaison, poisson salé || **2.** saumure.

salse *(salsus),* avec sel, avec esprit.

salsugo, *inis,* f. *(salsus),* **1.** eau salée, eau de mer || **2.** salure.

salsura, *æ,* f. *(salsus),* salaison || aigreur, mauvaise humeur.

salsus, *a, um (sal),* **1.** salé || **2.** piquant, spirituel, qui a du sel: *salsiores sales,* plaisanteries ayant plus de sel || pl. n. *salsa,* traits piquants.

saltabundus, *a, um (salto),* qui va sautant.

saltatim *(saltus 1),* en sautant.

saltatio, *onis,* f. *(salto),* danse.

saltator, *oris,* m. *(salto),* danseur.

saltatorius, *a, um,* de danse: *orbis,* ronde.

saltatricula, *æ,* f., dimin. de *saltatrix.*

saltatrix, *icis,* f. *(saltator),* danseuse, mime.

1. saltatus, *a, um,* part. de *salto.*

2. saltatus, *us,* m. [employé à l'abl. sing. et pl.], danse.

saltem, à tout le moins, au moins, du moins.

salto, *are, avi, atum (salio),* **1.** intr. danser || **2.** tr., exprimer (traduire, représenter) par la danse, par la pantomime.

saltuosus, *a, um (saltus 2),* boisé.

1. saltus, *us*, m. *(salio),* saut, bond: *saltum, saltus dare*, faire un bond, des bonds.

2. saltus, *us*, m., **1.** région de bois et de pacages || **2.** défilé, gorge, passage, pas: *saltus Pyrenæi*, ou *saltus Pyrenæus*, gorges des Pyrénées; *saltus Thermopylarum*, défilé des Thermopyles.

saluber et **salubris,** *bris, bre (salus),* **1.** utile à la santé, salutaire, sain, salubre || avantageux, favorable || **2.** sain, bien-portant.

salubritas, *atis*, f. *(salubris),* **1.** salubrité || moyens d'assurer la santé, conseils d'hygiène || **2.** état de santé, bon état du corps || pureté [du style].

salubriter *(salubris),* **1.** d'une manière salutaire, qui assure la santé, sainement || **2.** dans des conditions avantageuses.

salum, *i*, n., pleine mer, haute mer || agitation de la mer, roulis.

salui, pf. de *salio.*

salus, *utis*, f. *(salvus),* **1.** bon état physique, santé || **2.** salut, conservation: *saluti esse alicui*, sauver qqn; *salutem dare*, assurer le salut; *ferre* ou *afferre*, apporter le salut || moyen de salut; *una est salus* avec inf., il n'y a qu'une seule ressource, c'est de... || salut d'un citoyen, conservation des droits de citoyen, situation civile || bon état moral, santé morale, perfectionnement || **3.** action de saluer, salut, compliments: *alicui multam salutem impertire*, faire mille compliments à qqn, ou *alicui plurimam salutem dicere* || [titre des lettres]: *M. Cicero s. d. C. Curioni*, M. Cicéron adresse son salut à C. Curion; *Cicero Pæto s. d.*, Cicéron à Pætus salut; *Tullius Tironi s.*, Tullius [Cicéron] à Tiron salut; *s. d. m.; s. d. p.* = *salutem dicit multam, plurimam.*

Salus, *utis*, f., le Salut [divinité].

salutaris, *e (salus),* salutaire, utile, avantageux, favorable || *nihil est nobis salutarius*, rien n'est pour nous plus utile || [en part.] *salutaris littera*, la lettre heureuse [qui absout: *a*, abrév. de *absolvo*]; *digitus*, l'index [que les spectateurs levaient en l'air pour indiquer qu'ils accordaient sa grâce au gladiateur vaincu].

salutariter *(salutaris),* salutairement, utilement, avantageusement.

salutatio, *onis*, f. *(saluto),* **1.** salutation, salut || **2.** salutation qu'on fait à qqn chez lui, hommages, visite || hommages présentés aux empereurs.

salutator, *oris (saluto),* adj. m., qui salue || subst., celui qui vient saluer, client, courtisan.

salutatorius, *a, um (salutator),* qui concerne les salutations.

salutatrix, *icis*, adj. f. *(salutator),* qui salue.

salutatus, *a, um*, part. de *saluto.*

salutifer, *era, erum (salus, fero),* salutaire.

saluto, *are, avi, atum (salus),* tr., **1.** saluer qqn, lui faire ses compliments, lui adresser un salut || *aliquem Cæsarem*, saluer qqn du nom de César || **2.** venir saluer qqn chez lui, venir lui présenter ses hommages, lui faire visite || [pass.] recevoir des visites d'hommages || faire sa cour aux empereurs.

1. salve, impér. de *salveo*, salut! bonjour! je te salue || [à plusieurs] *salvete*, je vous salue || salut [à un mort].

2. salve *(salvus),* adv., en bonne santé, en bon état.

salveo, *ere (salvus),* intr. [défectif], être en bonne santé, se bien porter; [employé pour saluer qqn]: ***a)*** [à l'impér.] v. *salve, salveto*; ***b)*** *te salvere jubeo*, je t'envoie le bonjour; *Dionysium jube salvere*, donne le bonjour à Denys de ma part.

salveto, impér. fut de *salveo*, ; c. *salve.*

salvia, *æ*, f. *(salvus),* sauge [plante].

salvus, *a, um*, bien-portant, en bonne santé, en bon état, bien conservé, sauf.

sambuceus, *a, um (sambucus),* de sureau.

sambucus, *i*, f., sureau.

Samius, *a, um*, de Samos: *Samius senex* et subst. m. *Samius*, le vieillard de Samos [Pythagore] || *Samia*, n. pl., vaisselle en terre, poterie de Samos || m. pl., **Samii,** habitants de Samos.

Samnis, Samnites, v. *Samnium.*

Samnium, *ii*, n., le Samnium [contrée d'Italie] || **-nis,** *itis*, adj., du Samnium, Samnite || subst. m. sing., Samnite || **-nites,** *ium*, m., Samnites; [en part. désigne des gladiateurs].

Samos et **Samus,** *i*, f., Samos, île et ville de la mer Égée.

Samothracia, *æ*, f., Samothrace [île et ville de la mer Égée].

sampsuchum, *i*, n. et **sampsuchus,** *i*, f., marjolaine.

sanabilis, *e (sano)*, guérissable.

sanatio, *onis*, f. *(sano)*, guérison.

sanatus, *a, um*, part. de *sano*.

sancio, *ire, sanxi, sanctum (Sancus, sacer)*, tr., rendre inviolable par un acte religieux, **1.** consacrer, rendre irrévocable : *legem*, consacrer une loi ; *habent legibus sanctum, uti... neve* et subj., [les cités] ont un article de loi qui ordonne de... qui interdit de ; *lege sancire, ut*, prescrire par une loi que ; *lex sancit, ne*, la loi interdit que || [avec prop. inf.] || sanctionner, agréer, ratifier qqch. || **2.** interdire.

sancte *(sanctus)*, **1.** d'une façon sacrée, inviolable ; avec une garantie sacrée || **2.** religieusement, saintement || scrupuleusement, loyalement, consciencieusement, religieusement, fidèlement || avec honneur, honnêtement.

sanctimonia, *æ*, f. *(sanctus)*, sainteté des dieux || pureté, vertu, probité.

sanctio, *onis*, f. *(sancio)*, action de sanctionner, sanction || peine, punition.

sanctitas, *atis*, f. *(sanctus)*, sainteté, caractère sacré, inviolabilité || probité, droiture, intégrité || pureté.

sanctitudo, *inis*, f. *(sanctus)*, sainteté, caractère sacré.

sanctor, *oris*, m. *(sancio)*, celui qui établit.

sanctus, *a, um*,

I. part. de *sancio*.

II. adj., **1.** sacré, inviolable : *in ærario sanctiore*, dans la partie la plus inviolable (la plus réservée) des archives || **2.** saint, sacré, auguste || vénérable, pur, vertueux, intègre, irréprochable.

Sancus, *i*, m., correspond à Hercule chez les Sabins.

sandala, *æ*, f., blé blanc.

sandalium, *ii*, n., sandale.

sandapila, *æ*, f., cercueil, bière.

sandaraca (-cha), *æ*, f., réalgar, sulfure rouge d'arsenic.

sandix, *icis* ou **sandyx,** *ycis*, m. f., sorte de rouge artificiel.

sane *(sanus)*, **1.** d'une façon saine, raisonnable || **2.** vraiment, réellement || [dans les réponses] oui vraiment, sans doute, assurément || [dans les concessions] je veux bien || [avec impér.] *i sane, abi sane*, va seulement, va-t'en seulement || **3.** tout à fait, absolument, pleinement || *sane quam* [avec adj. ou verbe], complètement, absolument.

sanesco, *ere (sanus)*, intr., se guérir, guérir.

sanguiculus, *i*, m. *(sanguis)*, boudin.

sanguinarius, *a, um (sanguis)*, de sang : *herba sanguinaria*, sanguinaire.

sanguineus, *a, um (sanguis)*, de sang, sanglant, ensanglanté, teint de sang, sanguinaire, cruel || de la couleur du sang.

sanguino, *are (sanguis)*, intr., saigner, être sanglant, ensanglanté || être de couleur de sang.

sanguinolentus, *a, um*, **1.** sanguinolent, injecté de sang || de la teinte du sang || **2.** ensanglanté, sanglant, couvert de sang || qui a coûté du sang.

sanguis, *inis*, m., **1.** sang : *sanguinem (alicujus) haurire*, faire couler le sang [de qqn] jusqu'à épuisement ; *sanguinem mittere*, pratiquer une saignée || **2.** [fig.] ***a)*** force vitale, vigueur, sang, vie ; ***b)*** origine, descendance, race, parenté : *sanguine conjuncti*, unis par les liens du sang || [sens concret, poét.] rejeton, descendant ; ***c)*** jus, suc.

sanguisuga, *æ*, f. *(sanguis, sugo)*, sangsue.

sanies, *ei*, f., **1.** sang corrompu, sanie, pus, humeur || venin, bave du serpent || **2.** suc tinctorial du pourpre || toute espèce de liquide visqueux.

saniosus, *a, um (sanies)*, couvert de sanie.

sanitas, *atis*, f. *(sanus)*, **1.** santé || **2.** raison, bon sens || || **3.** pureté, correction, bon goût.

sanna, *æ*, f., grimace.

sannio, *onis*, m. *(sanna)*, bouffon, faiseur de grimaces, arlequin.

sano, *are, avi, atum (sanus)*, tr., **1.** guérir [qqn, une maladie] || **2.** [fig.] réparer, remédier à || remettre en bon état.

sanqualis, *is*, f. *(Sancus)*, orfraie.

sanus, *a, um*, **1.** sain, en bon état, bien-portant : *aliquem sanum facere*, rendre qqn à la santé || **2. *a)*** d'intelligence saine, raisonnable, sensé, sage ; ***b)*** [en parl. du style] sain, pur, de bon goût, naturel.

sanxi, pf. de *sancio*.

sapiens, *entis*, part.-adj. *(sapio)*, **1.** intelligent, sage, raisonnable, prudent || pris subst., l'homme sage, raisonnable || **2.** sage, adj. et subst. : *sapientium præcepta*, les préceptes des sages || les sept sages de la Grèce.

sapienter *(sapiens)*, sagement, judicieusement, raisonnablement.

sapientia, *æ*, f. *(sapiens)*, **1.** intelligence, jugement, bon sens, prudence || **2.** sagesse || **3.** science, savoir, philosophie.

sapineus (-ius) ou **sapp-,** *a, um*, de sapin.

sapinus (sapp-), *i*, f., sorte de sapin || partie inférieure du sapin, sans nœuds.

sapio, *ere, ii*, intr.
I. 1. avoir du goût: *oleum male sapit*, l'huile a un mauvais goût || **2.** sentir, exhaler une odeur.
II. 1. avoir du goût, sentir par le sens du goût || **2.** avoir de l'intelligence, du jugement: *nihil sapere*, être sans intelligence, être niais.

sapo, *onis*, m., savon.

sapor, *oris*, m. *(sapio)*, **1.** goût, saveur caractéristique d'une chose || [fig.] *homo sine sapore*, homme insipide || **2.** odeur, parfum.

Sappho, *us*, f., Sapho [poétesse de Lesbos].

saprus, *a, um*, pourri.

sarcina, *æ*, f. *(sarcio)*, bagage, paquet; d'ord. au pl. **sarcinæ,** *arum*, bagages personnels des soldats [on les rassemblait en un seul endroit sous la garde d'un détachement, avant d'engager le combat] || [fig.] charge, fardeau.

sarcinalia jumenta, c. *sarcinaria*.

sarcinaria jumenta, n., bêtes de somme.

sarcinula, *æ*, f. *(sarcina)*, léger bagage, hardes || trousseau d'une jeune fille.

sarcio, *ire, sarsi, sartum*, tr., raccommoder, ravauder, rapiécer, réparer || v. le part. *sartus, a, um*.

1. sarcophagus, *a, um*, qui consume les chairs: *sarcophagus lapis*, pierre sarcophage [servant de cercueil et consumant les chairs].

2. sarcophagus, *i*, m., sarcophage, tombeau.

sarculatio, *onis*, f. *(sarculo)*, sarclage.

sarculo, *are, avi, atum*, tr., sarcler.

sarculum, *i*, n. *(sarrio)*, sarcloir || houe.

sarda, *æ*, f., **1.** sardine || **2.** cornaline.

Sardanapalus ou **-pallus,** *i*, m., Sardanapale [dernier roi du premier empire d'Assyrie, célèbre par sa vie luxueuse; assiégé dans Ninive et sur le point d'être pris, il se fit brûler sur un bûcher avec son sérail et ses trésors].

Sardi, *orum*, m., Sardes, habitants de la Sardaigne.

Sardianus, *a, um (Sardis)*, de Sardes: *Sardiana balanus* ou *glans*, châtaigne || subst. m. plur., habitants de Sardes.

Sardinia, *æ*, f., la Sardaigne [île de la Méditerranée] || **-niensis,** *e*, de Sardaigne.

Sardis, *ium (acc. -dis)*, f., Sardes [capitale de la Lydie].

sardonia herba, f., renoncule.

sardonyx, *ychis*, m. f., sardoine-onyx [pierre précieuse].

Sardous, *a, um*, **Sardus,** *a, um*, de Sardaigne, Sarde.

sarissa ou **sarisa,** *æ*, f., sarisse, longue pique.

Sarmatæ, *arum*, m., Sarmates, habitants de la Sarmatie.

Sarmatia, *æ*, f., la Sarmatie [= la Pologne, la Moscovie, la Tartarie].

Sarmatice, à la manière des Sarmates.

Sarmaticus, *a, um*, des Sarmates.

sarmentosus, *a, um (sarmentum)*, sarmenteux.

sarmentum, *i*, n., sarment || pl., fagot de sarment, fascines.

Saronicus sinus, m., le golfe Saronique [entre l'Attique et le Péloponnèse].

sarrio (sario), *ire, ivi* et *ui, itum*, tr., sarcler.

sarritio, *onis*, f. *(sarrio)*, sarclage.

sarritor, *oris*, m. *(sarrio)*, sarcleur || celui qui herse.

sarritorius, *a, um*, qui concerne le sarclage.

sarritura, *æ*, f., sarclage.

sarritus, *a, um*, part. de *sarrio*.

sarsi, pf. de *sarcio*.

Sarsina ou **Sassina,** *æ*, f., Sarsine [ville d'Ombrie, patrie de Plaute] || **-nas,** *atis*, m. f. n., de Sarsine; **Sarsinates,** n., habitants de Sarsine.

sartago, *inis*, f., poêle à frire.

1. sartura, *æ*, f. *(sarcio)*, raccommodage, réparation.

2. sartura, *æ*, f. *(sarcio)*, sarclage.

sartus, *a, um (sarcio)*, dans l'expr. *sartus et tectus*, ou plus souvent *sartus tectus*, réparé et couvert [en parl. d'un édifice], c.-à-d. en bon état d'entretien || pl. n. *sarta tecta*, pris subst., bon état, bon entretien.

sat = *satis*, assez; [avec gén.] assez de || [attribut]: *sat habeo*, je suis content; *sat est* avec inf., il suffit de, ou, avec prop. inf., il suffit que || *sat prata biberunt*, les prés sont assez abreuvés.

sata, *orum*, n. *(satus, sero 3)*, terres ensemencées, moissons, récoltes.

satagius, *a, um (satago),* qui se crée des tourments.

satago, v. *satis ago.*

sategi, pf. de *satago.*

satelles, *itis,* **1.** m., garde [d'un prince], garde du corps, satellite, soldat; pl., la garde, l'escorte || *satellites regii,* les courtisans, la Cour || **2.** (m. f.) compagnon ou compagne, escorte, serviteur || défenseur, champion || ministre [de], auxiliaire, complice.

satias, *atis,* f. *(satis)* [ordin. au nom] satiété.

satiate *(satio),* jusqu'à satiété.

satiatus, *a, um,* part. de *satio.*

saties, *ei,* f. *(satis),* c. *satietas.*

satietas, *atis,* f. *(satis),* **1.** suffisance, quantité suffisante || **2.** rassasiement, satiété, dégoût, ennui; *ad satietatem,* jusqu'à satiété.

satin' = *satisne,* est-ce que..., assez?

1. satio, *are, avi, atum (satis),* tr., **1.** rassasier, satisfaire, assouvir, apaiser || pourvoir abondamment, saturer || **2.** *aviditatem legendi,* assouvir une passion de lecture || fatiguer, lasser, dégoûter.

2. satio, *onis,* f. *(sero 3),* semailles, plantation || pl. champs ensemencés.

satis, adv., assez, suffisamment, **1.** *satis superque,* assez et au-delà || [avec gén.] assez de || [attribut]: *satis est, si,* il suffit que; *satis est respondere,* il suffit de répondre; *satis est ut,* il suffit que || *satis præsidii est ut,* il y a assez de ressources pour que || *satis habeo* avec inf., je me contente de, il me suffit de; *satis habeo si,* il me suffit que || **2.** ***a)*** de manière suffisante, assez bien, bien: *satis ostendere,* montrer assez, bien faire voir; *satis constat,* c'est un fait bien établi, v. *constat;* ***b)*** de manière suffisante, passablement.

satis accipio, *ere,* tr., recevoir caution, garantie, *ab aliquo,* de qqn.

satis ago, et **satago,** intr. *egi satis,* je me suis donné du mal; [pass. imp.] *agitur satis,* on peine || *satagere,* se démener, s'agiter.

satisdatio, *onis,* f., action de donner caution.

satisdato, abl. n. pris adv., par caution, en donnant caution.

satisdo (satis do), *dare, dedi, datum,* intr., donner une garantie suffisante, donner une caution, *alicui,* à qqn: *damni infecti,* pour tout dommage éventuel.

satisfacio, *ere, feci, factum,* intr., **1.** satisfaire à, s'acquitter de, exécuter: [avec dat.] || **2.** [en part.] satisfaire un créancier: *alicui,* s'acquitter à l'égard de qqn || **3.** donner satisfaction à qqn, lui faire agréer des excuses, des explications, une justification || *de injuriis,* donner satisfaction pour les injustices commises.

satisfactio, *onis,* f. *(satisfacio),* **1.** excuse, disculpation, amende honorable: *alicujus satisfactionem accipere,* accepter la justification de qqn || **2.** satisfaction, réparation.

(satisfio), *satisfieri, satisfactum est,* pass. de *satisfacio* employé seulement c. imp., agréer des excuses.

satius, compar. *(satis),* préférable, plus à propos: *satius est* avec inf., il est préférable de, il vaut mieux; avec prop. inf., il vaut mieux que.

sativa, *orum,* n. *(sero 3),* plantes cultivées.

sativus, *a, um (sero 3),* semé, cultivé.

sator, *oris,* m. *(sero 3),* planteur || créateur, auteur, père || semeur, auteur, artisan.

satorius, *a, um (sator),* qui concerne les semailles.

satrapa, c. *satrapes.*

satrapea, *æ,* f., c. *satrapia.*

satrapes, *æ,* m., satrape, gouverneur de province chez les Perses.

satrapia, *æ,* f., satrapie, province gouvernée par un satrape.

satullus, *a, um,* dimin. de *satur,* assez rassasié.

satur, *ura, urum (satis),* **1.** rassasié || [avec gén.] rassasié de || **2.** ***a)*** saturé, chargé, foncé; ***b)*** riche, abondant, fertile.

satura, *æ,* f., **1.** d'après les anciens, *satura,* c'est un plat *(lanx)* garni de toute espèce de fruits et de légumes, une sorte de macédoine; ou un ragoût, un pot-pourri; ou une farce || *per saturam* = pêle-mêle || *legem per saturam ferre,* faire voter en bloc une loi comprenant plusieurs articles || **2.** forme de poésie: ***a)*** sorte de farce, satire dramatique; ***b)*** satire littéraire: d'abord mélange de divers mètres, puis poème uniforme qui critique les vices.

saturatus, *a, um,* part. de *saturo* || adj., foncé, saturé.

satureia, *æ,* f., et **satureium,** *i,* n., sarriette.

saturitas, *atis,* f. *(satur),* rassasiement || abondance || saturation [d'une couleur].

Saturnalia, *ium,* n., Saturnales, fêtes en l'honneur de Saturne [à partir du

17 décembre; jours de réjouissances, de liberté absolue, où l'on échange des cadeaux et où notamment les esclaves sont traités sur le pied d'égalité par les maîtres].

Saturnius, *a, um*, de Saturne: *Saturnia arva*, le Latium; *Saturnia tellus*, l'Italie; *Saturnia Juno*, Junon, fille de Saturne || *Saturnia virgo*, la fille de Saturne [Vesta]; *Saturnia stella*, Saturne [planète]; *Saturnia regna*, l'âge d'or || subst. m. **Saturnius,** *ii*, fils de Saturne [Jupiter, Pluton].

Saturnus, *i*, m., Saturne [fils d'Uranus et de Vesta, père de Jupiter, de Junon, de Pluton, de Neptune...; régna sur le Latium] || dieu du Temps || Saturne [planète].

saturo, *are, avi, atum (satur)*, tr., rassasier, repaître, nourrir || remplir de, pourvoir abondamment de, saturer.

1. satus, *a, um*, part. de *sero 3*.

2. satus, *us*, m., **1.** action de semer ou de planter || **2.** ***a)*** production, génération, paternité, race, souche; ***b)*** pl., semences.

Satyriscus, *i*, m., petit Satyre.

Satyrus, *i*, m., **1.** Satyre [compagnon de Bacchus, avec les oreilles, la queue, les pieds de chèvre; plus tard, génie rustique, confondu avec le Faune] || drame satirique [où jouaient des Satyres] || **2.** sorte de singe.

sauciatio, *onis*, f. *(saucio)*, blessure.

sauciatus, *a, um*, part. de *saucio*.

saucio, *are, avi, atum (saucius)*, tr., **1.** blesser, déchirer || frapper d'un coup mortel || **2.** déchirer, ouvrir la terre.

saucius, *a, um*, **1.** blessé || **2.** ***a)*** atteint, endommagé, maltraité; ***b)*** atteint; ***c)*** blessé = aigri || endommagé, entamé [de réputation].

saviatio, savior, savium, v. *suav-*.

saxatilis, *e (saxum)*, qui se tient dans la pierre.

saxetum, *i*, n. *(saxum)*, lieu pierreux.

saxeus, *a, um (saxum)*, **1.** de rocher, de pierre || **2.** qui a des rochers || **3.** dur, insensible.

saxifragum, *i*, n. *(saxum, frango)*, saxifrage.

saxosus, *a, um (saxum)*, pierreux; pl. n., *in saxosis*, dans les terrains pierreux.

saxulum, *i*, n. *(saxum)*, petit rocher.

saxum, *i*, n., **1.** pierre brute, rocher, roche, roc || la roche sacrée [sur l'Aventin, d'où Rémus avait consulté les auspices] || roche Tarpéienne || [poét.] *saxa*, terrains rocheux || bloc de pierre, de marbre || **2.** [poét.] mur de pierre.

scabellum ou **scabillum,** *i*, n. *(scamnum)*, **1.** escabeau || **2.** instrument de musique composé d'une semelle de bois dans laquelle était insérée une lame vibrante et que le joueur de flûte fait résonner par intervalles.

scaber, *bra, brum (scabo)*, **1.** rude [au toucher], raboteux, âpre, inégal, hérissé || **2.** couvert de malpropreté, de crasse, sale, malpropre || **3.** galeux.

scabies, *ei*, f., **1.** aspérité, rugosité || **2.** gale || **3.** démangeaison, vif désir, envie.

scabiosus, *a, um (scabies)*, raboteux, rugueux || galeux.

scabo, *scabi, ere*, tr., gratter.

scabritia, *æ*, et **scabrities,** *ei*, f. *(scaber)*, **1.** aspérité, rugosité || **2.** gale.

Scæa porta, *æ*, f. et **Scææ portæ,** pl., la porte Scée à Troie.

scæna, *æ*, f., **1.** scène, théâtre: *agitur res in scænis*, les faits se déroulent sur la scène || **2.** [poét.] lieu ombragé, berceau de verdure || **3.** ***a)*** scène du monde; ***b)*** écoles de rhétorique; ***c)*** mise en scène, comédie, intrigue [pour se jouer de qqn].

scænarius *ii*, adj. m., de théâtre, qui travaille pour la scène.

scænice *(scænicus)*, comme sur la scène.

scænicus, *a, um*, de la scène, de théâtre, *scænici ludi*, jeux scéniques, représentations théâtrales || subst. m. *scænicus*, acteur, comédien || qui étale une vaine pompe.

scævitas, *atis*, f., gaucherie, maladresse.

Scævola, *æ*, m., surnom dans la *gens Mucia*; notamment Mucius Scévola [Romain qui, venu pour tuer Porséna dans son camp, frappa un secrétaire, fut arrêté et, comme pour punir sa main droite de sa maladresse, la plaça sur un brasier ardent et la laissa brûler; d'où son surnom de *scævola*, gaucher].

scævus, *a, um*, **1.** gauche, à gauche || **2.** maladroit.

scalæ, *arum*, f. *(scando)*, **1.** échelle || degrés [d'escalier] || escalier.

scalmus, *i*, m., cheville qui retient l'aviron || aviron, rame.

scalpellum, *i*, n., dimin. de *scalprum*, scalpel, lancette, bistouri.

scalpo, *ere, psi, ptum*, tr., **1.** gratter || **2.** creuser || graver, tailler, sculpter.

scalprum, *i*, n. *(scalpo)*, outil tranchant, tranchet || burin, ciseau || serpe || lancette, bistouri, scalpel || canif.

scalpsi, pf. de *scalpo.*

scalptor, *oris,* m. *(scalpo),* graveur (sculpteur) sur bois, sur pierre.

scalptura, *æ,* f. *(scalpo),* action de graver, glyptique, gravure || sculpture.

scalptus, *a, um,* part. de *scalpo.*

scammonea ou **scammonia,** *æ,* f., et **scammoneum (-ium),** *ii,* n., scammonée.

scammonites, *æ,* m., de scammonée.

scamnum, *i,* n., **1.** escabeau, marchepied || **2.** banc || **3.** banquette de terre.

scando, *ere, di, sum,* intr. et tr., **1.** intr., monter || **2.** tr., escalader: *malos, muros,* escalader les mâts, les murs.

scandula, *æ,* f., bardeau.

scansilis, *e (scando),* où l'on peut monter || [fig.] qui va par degrés, graduel.

scansio, *onis,* f. *(scando),* action de monter || *scansiones sonorum,* gamme.

scapha, *æ,* f., esquif, canot, barque.

scaphium, *ii,* n., vase, vaisseau || coupe.

scapulæ, *arum,* f., **1.** épaules || **2.** bras.

scapus, *i,* m., tige || fût || montant || fléau, verge || ensouple de tisserand || cylindre sur lequel on roulait les manuscrits.

scarabæus, *i,* m., escarbot [sorte de scarabée].

scarifatio, v. *scarificatio.*

scarificatio, *onis,* f., scarification || incision de l'écorce || léger labour.

scarus, *i,* m., scare.

scatebra, *æ,* f., jaillissement; pl., eau jaillissante, cascade.

scateo, *ere,* et **scato,** *ere,* intr., sourdre, jaillir || être abondant, fourmiller, pulluler || regorger de, fourmiller de: [avec abl.].

scaturiginosus, *a, um,* abondant en sources.

scaturigo, et **scaturrigo,** *inis,* f., source, eau qui sourd || grande quantité, torrent.

scaturio, *ire, ivi,* intr., c. *scateo.*

Scaurus, *i,* m., surnom romain dans les familles Æmilia et Aurelia || notamment M. Æmilius Scaurus, qui, accusé de concussion, fut défendu par Cicéron.

scelerate, criminellement, méchamment.

sceleratus, *a, um,* part. adj. *(scelero),* **1.** souillé d'un crime || *sceleratus vicus,* rue Scélérate, rue du Crime [où la fille de Servius passa sur le cadavre de son père]; *sceleratum limen,* séjour du Crime [où les coupables sont châtiés dans les Enfers] || **2.** criminel, impie, infâme || **3.** désastreux, funeste, fatal || *scelerata porta,* porte maudite ou porte Carmentale [par laquelle les 300 Fabius sortirent pour leur fatale expédition].

scelero, *are, atum (scelus),* tr., souiller, profaner.

sceleste *(scelestus),* criminellement.

scelestus, *a, um (scelus),* scélérat, criminel, impie, sacrilège, affreux, horrible.

scelus, *eris,* n., **1.** crime, forfait, attentat; *facere,* commettre un crime || **2.** esprit de crime, scélératesse, intentions criminelles || **3.** méfait, action malfaisante, catastrophe || **4.** [personnif.] crime incarné, scélérat, brigand, vaurien.

scena, v. *scæna.*

sceptrum (scæptrum), *i,* n., sceptre || trône, royaume, royauté || le sceptre = la suprématie.

scheda ou **schida,** *æ,* f. feuillet.

schedia, *æ,* f., radeau.

schida, v. *scheda.*

schœnus, *i,* m., **1.** jonc || parfum à vil prix extrait du jonc || **2.** mesure itinéraire chez les Perses.

schola, *æ,* f., **1.** loisir consacré à l'étude, leçon, cours, conférence || **2.** lieu où l'on enseigne, école || *philosophorum scholæ,* les sectes philosophiques || **3.** galerie.

scholastica, *orum,* n., déclamations.

1. scholasticus, *a, um,* d'école.

2. scholasticus, *i,* m., **1.** déclamateur, rhéteur || **2.** étudiant, écolier.

scida, *æ,* f. *(scindo),* c. *scheda.*

scidi, pf. de *scindo.*

sciens, *tis,* **1.** part. prés. de *scio,* sachant, en connaissance de cause || **2.** adj., qui sait, instruit, habile || pris subst., un connaisseur.

scienter *(sciens),* **1.** avec du savoir || **2.** avec à propos, sagement, judicieusement.

scientia, *æ,* f. *(sciens),* **1.** connaissance: *futurorum malorum,* la connaissance des maux à venir || **2.** connaissance scientifique, savoir théorique, science: *rei militaris,* la science de l'art militaire.

scii, pf. de *scio.*

scilicet, adv. *(scire* et *licet)* [formant parenthèse] il va de soi, bien entendu, cela s'entend, naturellement || [préparant une oppos.] évidemment, bien sûr... mais || [dans une réponse] évidemment, naturellement, etc. || [ironiq.] sans doute, apparemment || [postclass.] à savoir, savoir.

scilla, *æ*, f., scille ou oignon marin.

scillinus, *a, um*, de scille.

scillites, *æ*, m. n., assaisonné de scille.

scindo, *ere, scidi, scissum*, tr., **1.** déchirer, fendre, lacérer || arracher || **2.** couper, trancher, découper [les mets] || **3.** séparer, diviser || pass. réfl. *scindi*, se diviser, se partager.

scintilla, *æ*, f., étincelle.

scintillatio, *onis*, f. *(scintillo)*, éblouissement.

scintillo, *are, avi (scintilla)*, intr., avoir une lueur [scintillante] || étinceler, briller.

scio, *ire, ivi* et *ii, itum*, tr., **1.** savoir, ***a)*** *omnem rem scio*, je sais toute l'affaire || *ab aliquo omnia scire*, savoir tout de (par) qqn; ***b)*** [avec prop. inf.] savoir que; ***c)*** [avec interr. ind.] || *haud scio an, nescio an*, v. *an* || *ab aliquo scire, quid agatur*, savoir de qqn ce qui se passe; ***d)*** [abst.] *ut scitis*, comme vous le savez || **2.** ***a)*** *litteras*, savoir, connaître ses lettres [lire et écrire]; ***b)*** [avec inf.]: *aliqua re uti scire*, savoir se servir de qqch. || **3.** [abst.]: *Græce, Latine*, savoir le grec, savoir le latin.

Scipiadas et **Scipiades,** *æ*, m., Scipion.

1. scipio, *onis*, m., bâton || bâton d'ivoire, bâton triomphal.

2. Scipio, *onis*, m., Scipion [surnom d'une branche illustre de la famille Cornelia]; notamment: *P. Cornelius Scipio Africanus major*, Scipion, le premier Africain || *P. Cornelius Scipio Æmilianus Africanus minor*, Scipion, le second Africain || *Scipio Asiaticus*, Scipion l'Asiatique, frère du premier Africain || Scipion Nasica, cousin du premier Africain.

scirpea ou **sirpea,** *æ*, f. *(scirpus)*, panier, manne.

scirpeus ou **sirpeus,** *a, um (scirpus)*, de jonc.

1. scirpiculus ou **sirpiculus,** *a, um*, qui concerne le jonc.

2. scirpiculus ou **sirpiculus,** *i*, m., panier, manne.

scirpo ou **sirpo,** *are, atum (scirpus)*, tr., lier [avec du jonc], attacher || tresser.

scirpus, qqf. **sirpus,** *i*, m., jonc.

sciscitator, *oris*, m., celui qui s'informe, qui s'enquiert || celui qui fait des recherches.

sciscitatus, *a, um*, part. de *sciscitor*.

sciscitor, *ari, atus sum (scisco)*, tr., questionner sur, s'informer de; ***a)*** [avec acc.]; ***b)*** [avec interr. indir.]: *ab aliquo, cur...*, demander à qqn pourquoi...; ***c)*** *de aliqua re*, s'informer de qqch.

scisco, *ere, scivi, scitum*, tr., [officiell.] ***a)*** [en parl. du peuple] agréer, décider, arrêter: *sciscere, ut*, décider que; *sciscere ne*, décider que ne... pas; ***b)*** agréer [en parl. d'un particulier]: *legem*, voter pour une loi.

scissura, *æ*, f. *(scindo)*, coupure, division, séparation || déchirure, égratignure.

scissus, *a, um*, **1.** part. de *scindo* || **2.** adj., fendu, qui a une fente, brisé.

scitatio, *onis*, f. *(scitor)*, enquête, recherche.

scitator, *oris*, m. *(scitor)*, chercheur, scrutateur.

scite *(scitus)*, en homme qui sait, habilement, artistement, avec finesse.

scitor, *ari, atus sum (scio)*, tr., s'informer, interroger: *ex aliquo, ab aliquo*, demander à qqn, interroger qqn.

scitum, *i*, n. *(scisco)*, décret: *plebis scitum, plebei scitum, scitum plebis*, décret du peuple || maxime, principe.

1. scitus, *a, um*, part. de *scio*.

2. scitus, *a, um*, **1.** part. de *scisco* || **2.** adj., ***a)*** expérimenté, avisé, fin, adroit; ***b)*** fin, spirituel: *scitum est* avec inf., il est habile de.

scitus, abl. *u*, m. *(scisco)*, c. *scitum*.

sciurus, *i*, m., écureuil.

scivi, pf. de *scio* et de *scisco*.

scobina, *æ*, f. *(scobis)*, râpe, lime.

scobis, *is*, f. *(scabo)*, râpure, raclure, copeau, limaille || sciure.

scola, etc., v. *schola*, etc.

scolopendra, *æ*, f. scolopendre.

scomber, *bri*, m., scombre, maquereau.

scopæ, *arum*, f., **1.** brins, brindilles || **2.** balai.

Scopas, *æ*, m., **1.** célèbre statuaire || **2.** vainqueur chanté par Simonide.

scopula, *æ*, f. et **scopulæ,** *arum*, f. *(scopæ)*, petit balai.

scopulosus, *a, um (scopulus)*, **1.** de rocher, de roc, rocheux || **2.** semé d'écueils; épineux, difficile.

scopulus, *i*, m., **1.** rocher, roc, roche || quartier de roc, grosse pierre || **2.** écueil || destructeur de, fléau.

scordalus, *i*, m., querelleur.

scoria, *æ*, f., scorie.

scorpio, *onis*, m., **1.** scorpion || le Scorpion [signe céleste] || **2.** plante, arbuste || **3.** sorte de machine de guerre.

scorpionius, *a, um*, de scorpion.

scorpios (-ius), *ii*, m., **1.** scorpion || le Scorpion || **2.** sorte de poisson de mer.

scortea, *æ*, f., manteau de peau.

scorteus, *a, um*, de cuir, de peau.

scriba, *æ*, m. *(scribo)*, **1.** copiste || **2.** scribe, greffier || **3.** secrétaire.

scribo, *ere, scripsi, scriptum*, tr., **1.** tracer, marquer avec le style, écrire: *lineam*, tracer une ligne || **2.** ***a)*** mettre par écrit, composer, écrire; ***b)*** [officiell.] rédiger, établir [des lois, un sénatus-consulte] [un testament, un traité] || [en part.] *scribendo adesse, ad scribendum esse*, assister à la rédaction d'un sénatus-consulte; ***c)*** rédiger [des discours déjà prononcés]; ***d)*** écrire = décrire, raconter; ***e)*** [avec prop. inf.] écrire que, mentionner que, raconter que; [pass.] *hæc avis scribitur solere...*, on raconte que cet oiseau a l'habitude...; ***f)*** [absol.] écrire, composer, faire des ouvrages || **3.** [en parl. de lettres] faire savoir par écrit, écrire; [avec prop. inf.] faire savoir par écrit que || [avec idée d'ordre, de conseil] ou subj. seul ou *ut* et subj.: *ad me scripsit, ut in Italiam quam primum venirem*, il m'a écrit de venir le plus tôt possible en Italie || **4.** [en part.] ***a)*** inscrire, enrôler des soldats; ***b)*** *aliquem heredem*, instituer qqn héritier.

scrinium, *ii*, n., coffret, cassette [boîte cylindrique où l'on serrait les livres, les papiers, les lettres] || coffret de toilette.

scripsi, pf. de *scribo*.

scriptilis, *e (scribo)*, qui peut être écrit.

scriptio, *onis*, f. *(scribo)*, **1.** action d'écrire || **2.** travail de rédaction, de composition; travail écrit || **3.** rédaction || **4.** termes employés, la lettre [opp. à l'esprit].

scriptito, *are, avi, atum (*fréq. de *scribo)*, tr., **1.** écrire souvent || **2.** composer souvent.

scriptor, *oris*, m. *(scribo)*, **1.** secrétaire || *librarius*, copiste || **2.** écrivain, auteur || [avec gén.]: *legum*, législateur; *rerum scriptor*, historien || *scriptoris voluntas*, la volonté du rédacteur [d'une loi], de l'auteur.

scriptum, *i*, n. *(scribo)*, **1.** écrit [en gén.]: *sine scripto*, sans note écrite; *de scripto*, en lisant, manuscrit en main || **2.** [en part.], ***a)*** le texte, la lettre [de la loi] || le texte écrit [opp. à l'équité]; ***b)*** rédaction d'une loi.

scriptura, *æ*, f. *(scribo)*, **1.** action de tracer des caractères, écriture || **2.** rédaction, travail de composition || composition écrite || manière d'écrire, style || **3.** teneur, texte [d'un testament] || texte de loi.

1. scriptus, *a, um*, part. de *scribo*.

2. scriptus, *us*, m., fonction de greffier, de secrétaire.

scripulum (scrup-), *i*, n. (cf. *scrupulus*), **1.** scrupule, ***a)*** 24ᵉ partie de l'once, 288ᵉ partie de l'as; ***b)*** 288ᵉ partie du jugerum || **2.** [fig.] faible poids, petite quantité, petite fraction.

scrobiculus, *i*, m., petite fosse.

scrobis, *is*, m. et f., trou, fosse.

scrofa, *æ*, f., truie.

scrofinus, *a, um (scrofa)*, de truie.

scrupeus, *a, um (scrupus)*, rocailleux, âpre.

scruplosus, c. *scrupulosus*.

scruposus, *a, um (scrupus)*, rocailleux.

scrupulose *(scrupulosus)*, minutieusement, scrupuleusement.

scrupulositas, *atis*, f. *(scrupulosus)*, exactitude minutieuse.

scrupulosus, *a, um (scrupulus)*, **1.** rocailleux, âpre || **2.** [fig.] minutieux, vétilleux, scrupuleux.

scrupulum, *i*, n., v. *scripulum*.

scrupulus, *i*, m. (dim. de *scrupus*), **1.** petite pierre pointue || **2.** [fig.] sentiment d'inquiétude, embarras, souci, scrupule: *scrupulum injicere alicui*, inspirer à qqn des inquiétudes || **3.** recherches subtiles, vétilles.

scrupus, *i*, m., **1.** pierre pointue || **2.** anxiété, souci, inquiétude.

scruta, *orum*, n., vieilles hardes, vieilles nippes, défroque, friperies.

scrutans, *tis*, part. prés. de *scrutor*.

scrutatio, *onis*, f. *(scrutor)*, action de scruter, recherche minutieuse.

scrutator, *oris*, m. *(scrutor)*, celui qui fouille, qui recherche.

scrutatus, *a, um*, part. de *scrutor*.

scrutor, *ari, atus sum*, tr., **1.** fouiller, visiter, explorer || **2.** rechercher || *scrutans* avec interr. indir., cherchant à savoir.

sculpo, *ere, psi, ptum* (cf. *scalpo*), tr., sculpter.

sculpsi, pf. de *sculpo*.

sculptilis, *e (sculpo)*, sculpté, ciselé.

sculptura, *æ*, f. *(sculpo)*, travail de sculpture || gravure sur pierre.

sculptus, *a, um,* part. de *sculpo.*

scurra, *æ,* m., **1.** bel esprit, petit-maître, gandin || **2.** bouffon.

scurrilis, *e (scurra),* de bouffon, qui sent le bouffon.

scurrilitas, *atis,* f. *(scurrilis),* bouffonnerie.

scurriliter, à la manière d'un bouffon.

scurror, *ari (scurra),* intr., flagorner.

scutale, *is,* n. *(scutum),* poche de la fronde.

scutarius, *a, um (scutum),* **1.** de bouclier || **2.** subst. m. pl. *scutarii,* scutaires [soldats formant la garde des empereurs].

scutatus, *a, um (scutum),* muni d'un bouclier || *scutati,* m. pl., soldats armés de boucliers.

scutella, *æ,* f., petite coupe.

scutica, *æ,* f., martinet, fouet, étrivières.

scutra, *æ,* f., écuelle.

1. scutula, *æ,* f., **1.** plat, écuelle || **2.** carreau [en losange, pour carrelage] || **3.** écusson.

2. scutula, *æ,* f., rouleau [pour transporter les fardeaux].

scutulatus, *a, um,* qui est en forme de losange, à mailles.

scutulum, *i,* n., petit bouclier.

scutum, *i,* n., bouclier || défense.

Scylla, *æ,* f., **1.** fille de Phorcus, changée en monstre marin || écueil voisin de Charybde, dans la mer de Sicile || **2.** fille de Nisus, roi de Mégare, changée en aigrette.

Scyllæus, *a, um,* **1.** de Scylla, de la mer de Sicile || **2.** de Scylla, de Mégare.

scyphus, *i,* m., vase à boire, coupe.

scytala, *æ* et **scytale,** *es,* f., scytale, **1.** une bande de parchemin était enroulée obliquement sur un bâton cylindrique; on écrivait dessus en long; la bande déroulée était illisible pour quiconque n'avait pas un bâton semblable au premier sur lequel il pût enrouler la bande || **2.** sorte de serpent.

Scythæ, *arum,* m., Scythes, habitants de la Scythie || sing. **Scythes,** *æ,* m., un Scythe.

Scythia, *æ,* f., Scythie [vaste contrée au nord du monde connu des anciens].

scythica, *æ,* et **scythice,** *es,* f., réglisse.

Scythicus, *a, um,* de Scythie, des Scythes, scythique.

Scythis, *idis,* f., femme scythe.

Scythissa, *æ,* f., femme scythe.

1. se, acc. et abl. de *sui.*

2. se *(sed),* prép. arch., **1.** [avec abl.] sans || **2.** [en compos.] ***a)*** sans: *securus,* sans souci; *sedulo,* sans tromperie, sans faire du tort; ***b)*** à part: *sepono, seditio,* etc.

sebalis, *e (sebum),* de suif.

sebo ou **sevo,** *are (sebum),* tr., suiffer, enduire de suif.

sebosus, *a, um (sebum),* de la nature du suif.

sebum (ou **sevum),** *i,* n., suif.

secale, *is,* n. *(seco),* seigle.

secamenta, *orum,* n. *(seco),* petits ouvrages de menuiserie, de boissellerie.

secedo, *ere, cessi, cessum,* intr., **1.** aller à part, s'écarter, s'éloigner, être éloigné || **2.** aller à l'écart, se retirer || faire sécession [en parl. du peuple]: *in Sacrum montem,* se retirer sur le mont Sacré || **3.** se séparer de qqn.

secerno, *ere, crevi, cretum,* tr., **1.** séparer, mettre à part || **2.** ***a)*** mettre à part; ***b)*** distinguer; ***c)*** rejeter, éliminer.

secessi, pf. de *secedo.*

secessio, *onis,* f. *(secedo),* **1.** action de se séparer, de s'éloigner || de se retirer à l'écart || **2.** sécession, retraite du peuple [au mont Sacré] || séparation politique.

secessus, *us,* m. *(secedo),* **1.** séparation || **2.** retraite, isolement || **3.** endroit retiré, enfoncement || **4.** retraite du peuple.

secius, setius, sequius, 1. moins: *nihilo setius,* néanmoins; *nihilo tamen setius,* pourtant malgré tout || **2.** moins bien, moins bon.

secludo, *ere, clusi, clusum (cludo = claudo),* tr., **1.** enfermer à part || isoler, séparer || **2.** séparer de || **3.** [fig.] mettre à part, bannir.

seclum, v. *sæculum.*

seclusorium, *ii,* n. *(secludo),* volière.

seclusus, *a, um,* part. de *secludo.*

seco, *are, secui, sectum (*part. fut. *secaturus),* tr., **1.** couper, découper, mettre en tranches, en morceaux || découper [à table] || **2.** couper, amputer [opération chirurgicale] || **3.** entamer, déchirer, écorcher || **4.** fendre, couper: ***a)*** fendre la mer, l'air || [poét.] *viam secare,* se frayer un chemin || *medium agmen,* fendre le milieu des troupes; ***b)*** = séparer, diviser || **5.** ***a)*** diviser, partager, morceler; ***b)*** trancher [un différend].

secretim *(secretus),* à part, à l'écart.

secretio, *onis,* f. *(secerno),* séparation.

secreto *(secretus)*, à part, à l'écart || en secret, sans témoins || entre soi.

secretum, *i*, n. de *secretus*, **1.** lieu écarté, retraite, solitude || *in secreto*, à l'écart, sans témoins || audience secrète, particulière || **2.** secret ; pensées, paroles secrètes || mystères [culte] || papiers secrets.

secretus, *a, um*, **1.** part. de *secerno* || **2.** adj., ***a)*** séparé, à part, particulier, spécial, distinct ; ***b)*** placé à l'écart, solitaire, isolé, retiré, reculé || *secreta studia*, études privées, faites isolément, à l'écart ; ***c)*** caché, secret ; ***d)*** rare, peu commun.

secrevi, pf. de *secerno*.

secta, *æ*, f. *(sequor)*, **1.** ligne de conduite, principes, manière de vivre || **2.** ligne de conduite politique, parti || **3.** secte, école philosophique || école [en médecine].

sectator, *oris*, m. *(sector)*, **1.** qui accompagne : *sectatores*, cortège qui accompagne le candidat, escorte, suite de clients || [en part.] celui accompagnait un magistrat dans sa province || visiteur assidu || **2.** sectateur, disciple.

sectatus, *a, um*, part. de *sector*.

sectilis, *e (seco)*, **1.** coupé, fendu, taillé || **2.** susceptible d'être coupé, sectile.

sectio, *onis*, f. *(seco)*, **1.** action de couper, coupure, amputation || **2.** vente à l'encan [par lots] || objets vendus, butin.

sectivus, *a, um (seco)*, sectile.

1. sector, *ari, atus sum (sequor)*, tr., **1.** suivre (accompagner) partout, escorter || visiter souvent, fréquenter un lieu || **2.** poursuivre un animal, faire la chasse à.

2. sector, *oris*, m. *(seco)*, **1.** celui qui tranche || **2.** acheteur (à l'encan) de biens confisqués.

sectura, *æ*, f. *(seco)*, coupure, action de couper || carrière.

sectus, *a, um*, part. de *seco*.

secui, pf. de *seco*.

secula, *æ*, f. *(seco)*, faucille.

secundani, *orum*, m., soldats de la deuxième légion.

secundarius, *a, um (secundus)*, secondaire || de seconde qualité.

1. secundo, *(secundus)*, en second lieu, en seconde ligne.

2. secundo, *are, avi (secundus)*, tr., favoriser, rendre heureux, seconder.

secundum, adv. et prép.,
I. adv., en suivant ; derrière || **II.** prép. acc. **1.** après, derrière || **2.** le long de : *secundum mare*, le long de la mer || **3.** immédiatement après, après || **4.** selon, suivant, d'après, conformément à : *secundum legem*, d'après la loi || [droit] conformément aux conclusions de, en faveur de, à l'avantage de, pour.

1. secundus, *a, um (sequor)*, **1.** qui suit, suivant || **2.** qui vient après, second || *secundæ, arum*, f., s.-ent. *partes*, second rôle, rôle secondaire || **3.** second par rapport à qqn, qqch. [pour la valeur] ; [abs.] secondaire, d'ordre inférieur : *panis secundus*, pain de deuxième qualité || **4.** ***a)*** qui suit = allant dans le même sens : *secundo flumine*, en suivant le cours du fleuve || [d'où] favorable ; ***b)*** propice, favorable : *secundo populo*, avec l'assentiment du peuple || heureux, prospère : *in secundissimis rebus*, quand les affaires ont le cours le plus favorable || pl. n. *secunda*, bonheur, prospérité.

2. Secundus, *i*, m., surnom des deux Pline.

secure *(securus)*, **1.** sans se faire de souci, tranquillement || **2.** en sécurité.

securifer et **securiger,** *era, erum (securis, fero, gero)*, qui porte une hache.

securis, *is*, f. *(seco)*, **1.** hache, cognée ; *securi ferire*, frapper de la hache, décapiter ; *eum securi percussisti*, tu lui fis trancher la tête || **2.** ***a)*** coup de hache ; ***b)*** les haches des faisceaux [symbole de l'autorité, d'où] puissance, domination : *Gallia securibus subjecta*, la Gaule soumise aux haches romaines, à la puissance romaine.

securitas, *atis (securus)*, **1.** exemption de soucis, tranquillité de l'âme || insouciance, indifférence || **2.** sûreté, sécurité.

securus, *a, um (se* et *cura)*, **1.** ***a)*** exempt de soucis, sans inquiétude, sans trouble, tranquille, calme || [avec gén., poét.] *securus pelagi*, tranquille du côté de la mer ; ***b)*** [en parl. des choses] : *secura quies*, sommeil sans trouble, paisible || **2.** exempt de danger, où l'on n'a rien à craindre, sûr, en sécurité : *domus secura*, maison où l'on est en sûreté || pl. n. *secura*, la sécurité.

1. secus, adv., **1.** autrement : *nemo dicet secus*, personne ne dira autrement, le contraire ; *haud secus*, pareillement, ainsi, de la même manière || **2.** [construction] : ***a)*** [sans nég.] : *paullo secus atque*, un peu autrement que ; ***b)*** [avec nég.] : *non secus ac (atque)*, non autrement que || *non* ou *haud secus quam* ; ***c)*** [poét.] *non secus ac*, pareillement, ainsi, de même || **3.** autrement qu'il ne faut, mal: *secus existimare de aliquo*, avoir une mauvaise opinion de qqn.

2. secus, n. indécl. = *sexus*, sexe [employé en gén. à l'acc. de relation].

secutor, *oris*, m. *(sequor)*, le poursuivant [gladiateur qui combattait avec le rétiaire].

secutus, *a, um*, part. de *sequor*.

sed, conj., mais **1.** [après une nég.]: *non... sed*, ne pas... mais || [tours] ***a)*** *non solum (non modo, non tantum)... sed (sed etiam)*, non seulement... mais (mais encore); ***b)*** *non modo non... sed (sed etiam, sed ne... quidem)*, non seulement ne... pas, mais; ***c)*** *non modo... sed ne... quidem*, non seulement ne... pas, mais pas même || **2.** [restriction, réserve] (oui), mais; [*sed* préparé par *quidem, sane*] certes, je veux bien soit... mais || **3.** [très souvent pour couper court à un développement et passer à un autre ordre d'idées]: *sed nimis hæc multa de me*, mais en voilà déjà trop sur ce qui me concerne || [ou pour revenir à un développement interrompu]: *sed redeamus ad Hortensium*, mais revenons à Hortensius.

sedate *(sedo)*, avec calme.

sedatio, *onis*, f. *(sedo)*, action d'apaiser, de calmer || calme.

sedatus, *a, um*, **1.** part. de *sedo* || **2.** adj. calme, paisible.

sedecim ou **sexdecim** ind. *(sex, decem)*, seize.

sedecula, *æ*, f. *(sedes)*, petit siège.

sedeo, *ere, sedi, sessum*, intr. **1.** être assis: *in equo*, être à cheval || **2.** siéger [en parl. de magistrats, de juges] || **3.** séjourner, demeurer, se tenir: *Corcyræ*, séjourner à Corcyre || demeurer oisif, inactif, être dans l'inaction || [en parl. de choses] || **4.** être arrêté, demeurer fixé [en parl. de choses]: *sedens humero toga*, la toge reposant sur l'épaule.

sedes, *is*, f., **1.** siège [chaise, banc, trône, etc.] || **2.** séjour, siège, habitation, domicile, résidence || **3.** [en parl. de choses ou d'abstractions] position, terrain, assiette, fondement, théâtre.

sedi, pf. de *sedeo* et de *sido*.

sedile, *is*, n. *(sedeo)*, siège, banc || sièges au théâtre.

seditio, *onis*, f. *(sed* et *itio)*, **1.** action d'aller à part, désunion, division, discorde || **2.** [polit. ou milit.] sédition, soulèvement, révolte.

seditiose, séditieusement.

seditiosus, *a, um (seditio)*, **1.** séditieux, factieux || **2.** exposé aux troubles.

sedo, *are, avi, atum* (causatif de *sedeo*), tr., **1.** faire asseoir, rasseoir: *pulverem*, abattre la poussière || **2.** faire tenir en repos, calmer, apaiser: *mare, flammam*, maîtriser la mer, des flammes || *discordias*, apaiser des discordes.

seduco, *ere, duxi, ductum*, tr., **1.** emmener à part, à l'écart || **2.** séparer, diviser, partager.

seductio, *onis*, f. *(seduco)*, action de prendre à part.

seductus, *a, um*, **1.** part. de *seduco* || **2.** adj., ***a)*** vivant retiré, dans la retraite; ***b)*** éloigné.

sedulitas, *atis*, f. *(sedulus)*, empressement, assiduité, application.

sedulo *(se, dolus)*, franchement, consciencieusement, avec application, avec empressement, avec zèle, de tout cœur.

sedulus, *a, um (sedulo)*, empressé, diligent, zélé, appliqué: *spectator sedulus*, le spectateur attentif.

sedum, *i*, n., joubarbe.

seduxi, pf. de *seduco*.

seges, *etis*, f., **1.** champ || **2.** ***a)*** le champ de céréales, les céréales sur pied, moisson; ***b)*** [en gén.] ce qui pousse dans un champ, production d'un champ; *seges lini, avenæ*, la pousse du lin, de l'avoine; les récoltes de lin, d'avoine.

Segesta, *æ*, f., Ségeste [ville de Sicile] || **-anus,** *a, um*, de Ségeste || **-anum,** *i*, n., territoire de Ségeste || **-ani,** *orum*, m., les Ségestains.

segestre, *is*, n., couverture de paille tressée.

segestria, *æ*, f., fourrure.

segmentum, *i*, n. *(seco)*, coupure, entaille, incision || [fig.] segment, bande || zone || chamarrure.

segne *(segnis)*, lentement, mollement.

segnis, *e*, lent, indolent, nonchalant, inactif, paresseux, apathique.

segnitas, *atis*, f., c. *segnitia*.

segniter, *(segnis)*, avec lenteur, avec paresse, avec indolence, nonchalamment.

segnitia, *æ*, f. *(segnis)*, lenteur, indolence, nonchalance, paresse, apathie.

segnities, *ei*, f., c. *segnitia*.

segregatus, *a, um*, part. *segrego*.

segrego, *are, avi, atum*, tr., séparer du troupeau || mettre à part, mettre à l'écart, séparer, isoler, éloigner.

segrex, *egis (se 2, grex),* séparé [des autres], placé à part, isolé, à l'écart.

Sejanus, *i,* m., favori de Tibère || **-nianus,** *a, um,* de Séjan.

sejugatus, *a, um,* part. de *sejugo.*

sejuges, m. pl., *(sex, jugum),* attelage de six chevaux.

sejugo, *are, atum,* tr., séparer || *sejugatus ab,* séparé de.

sejunctim *(sejunctus),* séparément.

sejunctio, *onis,* f. *(sejungo),* action de séparer, séparation.

sejunctus, *a, um,* part. de *sejungo.*

sejungo, *ere, junxi, junctum,* tr., **1.** disjoindre, désunir || séparer de [avec *ab*] || **2.** [fig.] distinguer, mettre à part.

selectio, *onis,* f. *(seligo),* choix, triage.

selegi, pf. de *seligo.*

selectus, *a, um,* part. de *seligo.*

Seleucus, *i,* m., général d'Alexandre, qui devint roi de la Syrie et fonda la dynastie des Séleucides [Seleucus Nicator, Seleucus Philopator].

selibra, *æ,* f. (pour *semilibra),* demi-livre.

seligo, *ere, legi, lectum (se* et *lego),* tr., choisir et mettre à part, trier.

sella, *æ,* f. *(sedla, sedeo),* **1.** siège, chaise || **2.** [en part.] ***a)*** siège des petits artisans; ***b)*** siège du professeur; ***c)*** chaise curule; ***d)*** chaise à porteurs; ***e)*** siège de cocher.

sellisternium, *ii,* n. *(sella, sterno),* sellisterne [repas sacré offert aux déesses, dont les statues étaient placées sur des sièges].

sellula, *æ,* f. *(sella),* petit siège || petite chaise [à porteurs].

sellularius, *a, um (sellula),* de profession sédentaire || *sellularii,* m., ouvriers qui travaillent assis.

semel *(cf. simplex, singuli),* une fois, **1.** une fois, une seule fois: *plus quam semel,* plus d'une fois; *semel atque iterum, semel iterumque,* à plusieurs reprises; *semel aut iterum,* une ou deux fois || **2.** une fois pour toutes, une bonne fois, en une fois || **3.** une première fois: *semel... iterum,* la première fois... la seconde fois || **4.** [avec des conj.]: *ut semel, cum semel,* une fois que.

Semele, *es,* et qqf. aux cas obl. **Semela,** *æ,* f., Sémélé [fille de Cadmus, mère de Bacchus] || **-eus,** ou **-eius,** *a, um,* de Sémélé [épith. de Bacchus].

semen, *inis,* n. *(cf. sero, sevi),* **1.** semence, graine || **2.** [poét.] pl., semences, éléments, atomes, particules || **3.** jeune plant || **4.** race, souche, sang || postérité, descendance, rejeton || **5.** origine, principe, source, cause.

sementis, *is,* f. *(semen),* acc. *im* et *em,* **1.** ensemencement, semailles: *sementes facere,* faire des ensemencements; *ut sementem feceris, ita metes,* comme tu auras semé, tu récolteras || **2.** époque des semailles || **3.** semence, semis || **4.** blé en herbe.

sementivus, *a, um (sementis),* relatif aux semailles.

semestris, *e (sex* et *mensis),* de six mois.

semesus, *a, um (semi, esus),* à demi mangé, à demi rongé.

semi (seulement dans les mots composés), demi, semi.

semiambustus ou **semambustus,** *a, um,* à demi brûlé.

semianimis, *e,* et **semianimus,** *a, um,* à demi mort.

semibarbarus, *a, um,* demi barbare.

semicaper, *pri,* m., homme qui est à moitié bouc [en parl. des Satyres].

semicrematus, *a, um* et **semicremus,** *a, um,* à demi brûlé.

semicubitalis, *e,* d'une demi-coudée.

semideus, m., demi-dieu.

semidoctus, *a, um,* demi savant.

semiermis ou **semermis,** *e (semi, arma),* et **semiermus,** *a, um,* qui est à moitié armé, armé à demi.

semifactus, *a, um,* à moitié fait, inachevé.

semifer, *era, erum (semi, ferus),* qui est moitié homme et moitié animal.

Semigermanus, *a, um,* à moitié Germain.

semigravis, *e,* à moitié appesanti.

semigro, *are,* intr., se séparer de, quitter [qqn, pour aller vivre ailleurs], avec *ab.*

semihomo, *inis,* m., qui est à moitié homme.

semihora, *æ,* f., demi-heure.

semiinanis (semin-), *e,* à moitié vide, à moitié plein.

semilacer, *era, erum,* à moitié déchiré.

semiliber, *era, erum,* à moitié libre.

semilixa, *æ,* m., espèce de goujat.

seminarium, *ii,* n. *(seminarius),* pépinière || source, principe, origine, cause.

seminator, *oris,* m. *(semino),* semeur.

seminatus, *a, um,* part. de *semino.*

seminex, *necis,* à demi mort, tué à demi.

semino, *are, avi, atum (semen),* tr., semer || produire || procréer, engendrer.

seminudus, *a, um,* à moitié vêtu, presque nu || presque désarmé.

semiorbis, *is,* m., demi-cercle.

semipedalis, *e,* et **semipedaneus,** *a, um,* d'un demi-pied.

semiperfectus, *a, um,* inachevé.

semipes, *edis,* m., demi-pied [mesure].

semiplenus, *a, um,* demi plein, à moitié plein.

semiputatus, *a, um,* à moitié taillé (émondé).

Semiramis, *is* et *idis,* f., femme de Ninus, reine des Assyriens ; embellit Babylone, la dota notamment de quais couverts, de jardins magnifiques et l'entoura de murs si larges que deux chariots pouvaient y passer de front || [fig.] homme sans énergie || **-ius,** *a, um,* de Sémiramis, de Babylone.

semirutus, *a, um,* à demi écroulé (ruiné).

semis, *issis* (*semi, as,* moitié de l'as considéré comme l'unité), subst. m., **1.** moitié || **2.** demi-as ; demi-arpent, demi-pied.

semisomnis, *e,* et **semisomnus,** *a, um,* à moitié endormi, assoupi.

semita, *æ,* f., sentier, petit chemin de traverse || ruelle.

semitectus, *a, um,* à moitié vêtu ou couvert, à moitié nu.

semito, *are (semita),* tr., diviser par des sentiers.

semiustulatus (mieux **semust-**), *a, um (semi, ustulo),* à demi brûlé.

semiustulo, *are,* tr., brûler à demi.

semiustus ou **semustus,** *a, um,* à demi brûlé.

semivir, *iri,* adj. et subst. m., qui est moitié homme et moitié animal [Centaure] || efféminé, amolli par les délices.

semivivus, *a, um,* à moitié mort.

semotus, *a, um,* **1.** part. de *semoveo* || **2.** adj., éloigné, retiré, à l'écart.

semoveo, *ere, movi, motum,* tr., écarter, éloigner, *ab aliquo, ab aliqua re,* de qqn, de qqch.

semper, une fois pour toutes ; toujours, tout le temps, de tout temps, sans cesse.

sempiternus, *a, um (semper),* qui dure toujours, éternel, perpétuel, sempiternel.

semuncia, *æ,* f., **1.** demi-once, vingt-quatrième partie (d'un as, d'un arpent, d'une livre).

semuncialis, *e,* d'une demi-once.

semunciarius, *a, um,* c. *semuncialis.*

senaculum, *i,* n. (cf. *senatus*), salle de séances pour le sénat.

senarioli, *orum,* m. *(senarius),* de petits sénaires, petite pièce en iambes.

senarius, *a, um (seni),* composé de six || *senarius versus* ou *senarius, ii,* m., vers sénaire, composé de six pieds.

senator, *oris,* m. *(senex),* sénateur.

senatorius, *a, um (senator),* sénatorial.

senatus, *us,* m. *(senex),* **1.** le conseil des anciens, le sénat || **2.** réunion du sénat : *in senatum venire,* venir au sénat ; *senatum habere,* tenir une réunion du sénat.

senatusconsultum, *i,* n., sénatus-consulte, décret du sénat || *senatusconsultum facere,* provoquer un sénatus-consulte.

Seneca, *æ,* m., nom de famille de la *gens Annæa* ; notamment **1.** Sénèque [philosophe, précepteur de Néron] || **2.** son père, dit le rhéteur, né à Cordoue.

senecta, *æ,* f. *(senex),* vieillesse || mue.

senectus, *utis,* f. *(senex),* vieillesse.

senesco, *ere, senui,* intr., **1.** vieillir [en parl. des pers. et des choses] || **2.** [fig.] ***a)*** blanchir ; ***b)*** s'affaiblir || *otio,* languir dans l'inaction ; ***c)*** décliner.

senex, *senis,* **1.** adj., avec compar. *senior, senius,* vieux || **2.** subst. m., vieillard || f., vieille femme || [en part.] *seniores* opp. à *juniores,* soldats de réserve ; [d'après la constitution de Servius Tullius, pour les comices électoraux, les hommes à partir de 45 ans étaient classés dans les centuries des vieillards].

seni, *æ, a* (gén. *-um),* distributif de *sex,* **1.** chacun six || **2.** [poét.] = *sex.*

senilis, *e (senex),* de vieillard.

seniliter, à la manière des vieillards.

senio, *onis,* m. *(seni),* le six [coup de dés].

senium, *ii,* n. *(senex),* **1.** grand âge, sénilité || déclin, décrépitude, épuisement || **2.** ***a)*** caractère morose, gravité maussade ; ***b)*** chagrin, douleur.

sensa, *orum,* n. *(sentio),* sentiments.

sensibilis, *e (sentio),* sensible.

sensi, pf. de *sentio.*

sensim *(sentio),* insensiblement, sans qu'on s'en aperçoive, peu à peu, graduellement.

1. sensus, *a, um,* part. de *sentio* ; v. pl. n. *sensa.*

2. sensus, *us,* m. *(sentio),* **1.** [en gén.] action de sentir, de s'apercevoir || **2.** action de percevoir par les sens, de sentir, faculté de sentir || **3.** sens : *sensus oculorum, aurium, vivendi, audiendi,* sens de la vue, de l'ouïe || **4.** [au sens moral] sentiment || manière de sentir, disposition d'esprit, sentiment || **5.** [au sens intellectuel] manière de voir, de concevoir || intelligence, faculté d'appréciation || **6.** faculté de penser, de comprendre, intelligence.

sententia, *æ,* f. *(sentio),* **1.** sentiment, opinion, idée, manière de voir : *in hac sum sententia, ut* subj., mon avis est que ; *quot homines, tot sententiæ,* autant d'hommes, autant d'opinions ; *mea sententia,* à mon avis || [avec l'idée de volonté, de désir] : *ex sententia,* selon les vœux || **2.** [officiellement] ***a)*** avis [donné au sénat] : *sententiam dicere, rogare,* donner son avis, demander l'avis de qqn ; *factum est senatus consultum in meam sententiam,* un sénatus-consulte fut pris conformément à mon avis ; *in sententiam alicujus ire* ou *pedibus ire,* se ranger à l'avis de qqn ; ***b)*** vote, suffrage [dans les comices] : *de aliqua re sententiam ferre,* voter sur une chose || [en parl. des juges] sentence : *sententiam ferre, dicere,* prononcer sa sentence || **3.** sens, signification, idée, pensée : *in eam sententiam* || phrase, sentence, maxime.

sententiola, *æ,* f. *(sententia),* petite maxime.

sententiose *(sententiosus),* avec une grande richesse d'idées, de pensées || de façon sentencieuse.

sententiosus, *a, um (sententia),* riche d'idées, de pensées.

sentina, *æ,* f., sentine || bas-fond, lie, rebut.

sentio, *ire, sensi, sensum,* tr.,
I. percevoir par les sens, **1.** sentir [abs.] ou [avec acc.] : *voluptatem, dolorem, suavitatem cibi,* sentir le plaisir, la douleur, la saveur d'un mets || **2.** percevoir les effets d'une chose, être affecté par qqch., éprouver.
II. percevoir par l'intelligence, **1.** sentir, se rendre compte [avec prop. inf.] sentir que || **2.** avoir dans l'esprit, penser : *recte sentire,* avoir des pensées justes || [avec acc.] *dicam quod sentio,* je dirai ce que je pense || **3.** juger, avoir telle opinion || [avec prop. inf.] être d'avis que, penser que || *aliquem bonum civem,* juger qqn bon citoyen.

sentis, *is,* m., d'ord. au pl., ronces, buissons épineux.

sentus, *a, um (sentis),* épineux, buissonneux || hérissé.

senui, pf. de *senesco.*

seorsum et **seorsus** *(se, vorsum, -us),* adv., séparément, à part.

separabilis, *e (separo),* séparable.

separatim, *(separatus),* séparément, à part, isolément || *separatim ab,* à part de.

separatio, *onis,* f. *(separo),* séparation.

separatus, *a, um,* part. de *separo* || adj., à part, distinct.

separo, *are, avi, atum (se, paro),* tr., mettre à part, séparer || [avec *ab*] séparer de, distinguer de.

sepelio, *ire, pelivi* et *pelii, pultum,* tr., **1.** ensevelir || **2.** enterrer, faire disparaître || *sepultus,* endormi.

sepes, *is,* v. *sæpes.*

sepia, *æ,* f., sèche [poisson].

sepono, *ere, posui, positum,* tr., **1.** placer à part, mettre à l'écart : *seponi,* se tenir à l'écart || **2.** réserver [pour un usage déterminé] || **3.** séparer : *rem ab re,* séparer une chose d'une autre ; *rem re,* distinguer une chose d'une autre || **4.** éloigner, exclure || reléguer, exiler.

sepositus, *a, um,* part. de *sepono.*

seposui, pf. de *sepono.*

seps, *sepis,* m. et f., acc. *sepa,* sorte de serpent venimeux || insecte.

septem, ind., sept : *septem et triginta,* trente-sept ; *viginti et septem,* vingt-sept || *unus e septem,* un des sept sages [de la Grèce] ; *sapientissimus in septem,* le plus sage parmi les sept.

September, *bris,* m., septembre [mois] || adj. *mense Septembri,* au mois de septembre ; *Kalendis Septembribus,* aux calendes de septembre.

septemdecim ou **septendecim** ind., dix-sept.

septemfluus, *a, um,* qui a sept embouchures [Nil].

septemgeminus, *a, um,* au nombre de sept.

septemplex, *icis,* septuple.

septemvir, *i,* m., **1.** un septemvir, et pl. **-viri,** *um,* septemvirs, commission de sept membres chargés du partage des terres || **2.** les septemvirs épulons, v. *epulo.*

septemviralis, *e,* septemviral, de septemvir, pl. *septemvirales,* anciens septemvirs.

septemviratus, *us*, m. *(septemviri)*, septemvirat, dignité de septemvir.

septenarius, *a, um (septem)*, septénaire composé de sept.

septeni, *æ, a*, distrib. de *septem*, chacun sept || [poét.] = *septem*.

septentrio ou **septemtrio,** *onis*, m., et ordin. **septentriones,** *um*, m., **1.** les sept étoiles de la petite Ourse || **2.** le septentrion, vent du nord || le septentrion, les contrées septentrionales || le pôle Nord.

septentrionalis, *e*, septentrional; *septentrionalia*, n. pl., contrées septentrionales.

septies ou **septiens** *(septem)*, adv., sept fois.

septimani, *orum*, m. *(septimanus)*, soldats de la 7e légion.

septimanus, *a, um*, relatif au nombre sept: *nonæ septimanæ*, nones qui tombent le sept du mois.

Septimatrus, *uum*, f., Septimatries, fêtes du 7e jour après les ides.

Septimontium, *ii*, n. *(septem, mons)*, **1.** enceinte des sept collines constituant Rome || **2.** fête des sept collines.

septimum, n. pris adv., pour la septième fois.

septimus (-umus), *a, um*, septième.

septingeni, *æ, a*, chacun sept cents.

septingentesimus, *a, um*, sept centième.

septingenti, *æ, a*, sept cents.

septingenties (-tiens), sept cents fois.

septiremis *(septem, remus)*, adj. f., qui a sept rangs de rames.

septuageni, *æ, a*, chacun soixante-dix.

septuagesimus, *a, um*, soixante-dixième.

septuagies, soixante-dix fois.

septuaginta, ind., soixante-dix.

septunx, *uncis*, m. *(septem, uncia)*, poids de sept onces.

sepulcralis, *e (sepulcrum)*, sépulcral.

sepulcrum (sepulchrum), *i*, n. *(sepelio)*, **1.** tombe, sépulcre, tombeau || tertre || emplacement du bûcher, bûcher || **2.** monument funéraire, pierre tombale avec son inscription funéraire || **3.** les morts.

sepultura, *æ*, f. *(sepelio)*, derniers devoirs, sépulture.

sepultus, *a, um*, part. de *sepelio*.

Sequana, *æ*, m., la Seine [Gaule], ou *flumen Sequana*.

Sequani, *orum*, m., Séquanais ou Séquanes [Bourgogne et Franche-Comté].

sequax, *acis (sequor)*, **1.** qui suit facilement ou promptement || *sequaces curæ*, soucis tenaces || **2.** docile, obéissant, souple, flexible.

sequens, *tis*, part. prés. de *sequor* || adj., suivant, qui suit.

1. sequester, *tra, trum* et **sequester,** *tris, tre*, qui intervient, médiateur.

2. sequester, *tris* ou *tri*, m., **1.** intermédiaire, entremetteur [recevant de l'argent à charge de le distribuer pour acheter les juges, les électeurs, etc.] || **2.** médiateur.

sequor, *sequi, secutus (sequutus) sum*, tr., **1.** suivre: ***a)*** *aliquem*, suivre, accompagner qqn; ***b)*** *naturam ducem*, suivre la nature comme guide || **2.** poursuivre, chercher à atteindre: ***a)*** *hostes*, poursuivre les ennemis; ***b)*** *Formias*, se diriger vers Formies; ***c)*** *platani umbram*, rechercher l'ombre d'un platane || **3.** venir après: ***a)*** *secutum est bellum Africanum*, vint ensuite la guerre d'Afrique || *sequitur ut... doceam*, ma tâche est ensuite de montrer...; ***b)*** suivre comme conséquence, comme résultat; ***c)*** s'ensuivre logiquement: [avec prop. inf.] *sequitur nihil deos ignorare*, il s'ensuit que les dieux n'ignorent rien; [avec *ut* subj.] || **4.** suivre de soi-même, céder sans résistance, obéir à une impulsion || **5.** échoir comme possession, tomber en partage.

sequut-, v. *secut-*.

1. Ser, *eris*, m., **Seres,** *um*, m. pl., les Sères [peuple de l'Inde orientale].

2. Ser., abrév. de *Servius*.

sera, *æ*, f., barre pour fermer une porte || [par extens.] serrure, verrou.

Serapis et **Sarapis,** *is* ou *idis*, m., Sérapis [divinité égyptienne adoptée dans le monde gréco-romain].

serenatus, *a, um*, part. de *sereno*.

serenitas, *atis*, f. *(serenus)*, sérénité || calme.

sereno, *are, avi, atum (serenus)*, tr., rendre serein, rasséréner.

serenum, *i*, n. *(serenus)*, temps serein.

serenus, *a, um*, **1.** serein, pur, sans nuages || **2.** serein, calme, paisible.

Seres, *um*, m., v. *Ser*.

seria, *æ*, f., jarre, cruche.

sericatus, *a, um (sericum)*, vêtu de soie.

sericeus, *a, um*, de soie.

sericum, *i*, n., la soie || n. pl. *serica*, étoffes ou vêtements de soie.

Sericus, *a, um*, des Sères || de soie.

series, acc. *em*, abl. *e*, f., **1.** file, suite, rangée, enchaînement || *series rerum sententiarumque*, suite, enchaînement de faits et de pensées || **2.** lignée des descendants, descendance.

serio, sérieusement.

seris, *idis*, f., endive, chicorée des jardins.

serius, *a, um*, sérieux || **serium,** *ii*, n., et surtout **seria,** *orum*, les choses sérieuses.

sermo, *onis*, m. *(sero 2)*, **1.** paroles échangées entre plusieurs personnes, entretien, conversation : *alicui sermo est cum aliquo*, qqn a une conversation avec qqn ; *esse in sermone omnium*, être l'objet de toutes les conversations || [en part.] propos [surtout malveillants] : *sermo vulgi*, les propos de la foule ; pl., *sermones hominum*, les critiques de la foule ; *sermones lacessere, reprimere*, provoquer, arrêter des propos (les faire taire) || **2.** conversation littéraire, dialogue, discussion || **3.** langage familier, ton de la conversation || **4.** manière de s'exprimer, ***a)*** style : *sermo quotidianus*, le style ordinaire, courant, de la conversation ; ***b)*** langue, idiome : *Latinus sermo*, la langue latine.

sermocinatio, *onis*, f. *(sermocinor)*, entretien, conversation.

sermocinor, *ari, atus sum*, intr., converser, s'entretenir, causer [*cum aliquo*].

sermunculus, *i*, m. *(sermo)*, racontars.

1. sero, adv., **1.** tard || **2.** trop tard.

2. sero, *ere (ui), sertum*, tr., entrelacer, tresser, **1.** [au prés. seulement le part. *sertus, a, um*] : *lorica serta*, cotte de maille || v. *sertum* || **2.** [fig.] joindre, enchaîner, unir, attacher.

3. sero, *ere, sevi, satum* (cf. *semen)*, tr., **1.** planter, semer ; v. *sata* || **2.** ensemencer || **3.** procréer || [poét.] : *satus Anchisa*, fils d'Anchise ; *stirpe divina satus*, issu d'une souche divine || **4.** [fig.] semer, répandre, engendrer, faire naître.

serotinus, *a, um (serus)*, tardif, qui vient tard || tardif, qui produit tardivement.

serpens, *tis*, f., m. *(serpo)*, serpent.

serpentigena, *æ*, m. *(serpens, geno)*, né d'un serpent.

serpo, *ere, serpsi*, intr., **1.** ramper || **2.** [fig.] se glisser, avancer lentement, se répandre insensiblement, s'insinuer, gagner de proche en proche : *serpit hic rumor*, sourdement circulent ces propos.

serpullum, serpyllum et **serpillum,** *i*, n., serpolet.

serra, *æ*, f., **1.** scie || **2.** ***a)*** manœuvre militaire ; ***b)*** scie [poisson].

serrabilis, *e (serra)*, sciable.

serratus, *a, um (serra)*, en forme de scie, dentelé || *serrati*, m. (s.-ent. *nummi*), écus dentelés.

serrula, *æ*, f. *(serra)*, petite scie.

serta, *æ*, f., c. *sertum.*

Sertorius, *ii*, m., général romain, partisan de Marius, se rendit dans sa province d'Espagne quand Sylla fut maître de l'Italie ; il se constitua un véritable royaume indépendant, résista longtemps aux généraux romains, fut assassiné par son lieutenant Perpenna || **-ianus,** *a, um*, de Sertorius.

sertum, *i*, n., ordin. **serta,** *orum*, n. *(sero 2)*, guirlandes, tresses, couronnes.

sertus, *a, um*, part. de *sero 2.*

1. serum, *i*, n., petit-lait || [en gén.] liquide séreux.

2. serum, *i*, n. de *serus*, pris subst., tard : *serum erat diei*, le jour était avancé.

serus, *a, um*, **1.** qui a lieu tardivement, tardif : *pœna sera venit*, le châtiment vient tard || *seri studiorum*, gens qui apprennent sur le tard || **2.** qui a de la durée || **3.** trop tardif, trop retardé.

serva, *æ*, f., une esclave.

servabilis, *e (servo)*, qui peut être sauvé.

servans, *tis*, part. prés. de *servo* || adj., qui observe.

servatio, *onis*, f. *(servo)*, observation d'une règle.

servator, *oris*, m. *(servo)*, **1.** observateur, guetteur || **2.** sauveur, libérateur, conservateur || Sauveur [épith. de Jupiter].

servatrix, *icis*, f. de *servator.*

servatus, *a, um*, part. de *servo.*

servilis, *e (servus)*, d'esclaves, qui appartient aux esclaves : *bellum servile*, la guerre des esclaves ; *servilis vestis*, vêtement d'esclave.

serviliter *(servilis)*, à la manière des esclaves, servilement.

1. Servilius, *ii*, m., nom d'une famille romaine ; notamment *C. Servilius Ahala*, qui tua Spurius Mélius ; *C.* et *P. Servilius Casca*, meurtriers de César.

2. Servilius, *a, um*, de Servilius.

servio, *ire, ivi* et *ii, itum (servus)*, intr. **1.** être esclave, vivre dans la servitude

|| *alicui*, être esclave de qqn, être asservi à qqn || [acc. objet intér.]: *servitutem servire*, être dans la condition d'esclave; *servitutem servire alicui*, être l'esclave de qqn || **2.** [en parl. de choses] être frappé de servitude || **3.** ***a)*** être sous la dépendance de, être esclave de, être soumis à [avec dat.]; ***b)*** se mettre au service de, être dévoué à [avec dat.].

servitium, *ii*, n. *(servus)*, **1.** servitude, condition d'esclave, esclavage || **2.** [sens sing. collectif] ou pl., la gent esclave, les esclaves.

servitus, *utis*, f. *(servus)*, **1.** condition d'esclave, servitude || **2.** servitude politique, sujétion, asservissement || **3.** ***a)*** sujétion, état de dépendance; ***b)*** servitude de terres, d'immeubles.

Servius, *ii*, m., [abrév. *Ser*] prénom dans la famille des Sulpicius et des Galba || Servius Tullius, sixième roi de Rome.

servo, *are, avi, atum*, tr., **1.** observer, faire attention à, être attentif à; *aliquem*, avoir l'œil sur qqn || [l. augurale]: *de cælo servare*, observer le ciel || [avec *ut, ne*] veiller à ce que, à ce que ne pas || **2.** [poét.] garder un lieu = y séjourner, l'habiter || **3.** observer, garder, conserver, maintenir: *ordines*, garder ses rangs; *fidem*, observer ses engagements || **4.** conserver, sauver, préserver, maintenir intact || *cives integros*, maintenir les citoyens sains et saufs || **5.** conserver, réserver.

servula, *æ*, f., une misérable esclave.

servulus, *i*, m., petit esclave, jeune esclave.

1. servus, *a, um*, d'esclave, esclave, asservi: *serva capita = servi*, esclaves.

2. servus, *i*, m., esclave.

sescen-, sescent- v. *sexc-*.

sescuplex et **sesquiplex,** *icis (sesqui, plico)*, qui contient une fois et demie.

seseli, n., **seselium,** *ii*, n., et **seselis,** *is*, f., séséli [plante ombellifère].

sesqui, *(semis)*, [adv. employé surtout en compos.], dans un rapport sesquialtère, un demi en plus.

sesquialter, *era, erum*, sesquialtère: *sesquialter numerus*, nombre sesquialtère, qui en contient un autre une fois et demie.

sesquihora, *æ*, f., une heure et demie.

sesquijugerum, *i*, n., un jugérum et demi.

sesquimensis, *is*, m., un mois et demi.

sesquimodius, *ii*, m., un modius et demi.

sesquiobolus, *i*, m., une obole et demie.

sesquipedalis, *e*, d'un pied et demi || d'une longueur démesurée.

sesquipes, *edis*, m., un pied et demi.

sesquiplaga, *æ*, f., une blessure et demie.

sessilis, *e (sedeo)*, sur quoi l'on peut s'asseoir.

sessio, *onis*, f. *(sedeo)*, **1.** action de s'asseoir || **2.** siège || **3.** pause, halte.

sessito, *are, avi*, (fréq. de *sedeo)*, intr., être assis habituellement.

sessiuncula, *æ*, f. *(sessio)*, petit cercle.

sessor, *oris*, m. *(sedeo)*, **1.** spectateur [au théâtre] || **2.** cavalier || **3.** habitant.

sessum, supin de *sedeo* et *sido*.

1. sestertius, *a, um (semis, tertius)*, qui contient deux et demi: *sestertius nummus*, sesterce [gén. pl. *sestertium nummum*], v. *sestertius 2* || [fig.] de faible valeur: *sestertio nummo æstimare aliquid*, estimer qqch. un rien.

2. sestertius, *ii*, m., sesterce, monnaie d'argent valant deux as et demi ou le quart du denier, en abrégé II et S *(semis)*, devenu HS || **1.** de 1 à 1 000 la forme *sestertius* est d'usage; *quattuor sestertii*, quatre sesterces || **2.** à partir de 1 000: ***a)*** gén. pl. *sestertium: bina milia sestertium*, 2 000 sesterces; rarement *sestertiorum*; ***b)*** *sestertium* n'étant plus senti comme génitif a été pris comme un subst. neutre = 1 000 sesterces; d'où *tria sestertia*, 3 000 sesterces || **3.** les millions sont désignés de deux façons: ***a)*** *decies, vicies milia sestertium*, 10 fois, 20 fois, 100 000 sesterces = 1,2 million de sesterces; ***b)*** suppression de *centena milia* avec *sestertium* se déclinant, toujours au sing. et signifiant 100 000 sesterces: *ei sestertium milies relinquitur*, il lui est laissé 100 millions de sesterces. || **4.** abréviations: HS XX = 20 sesterces; HS $\overline{\text{XX}}$ = 20 000 sesterces; HS $|\overline{\text{XX}}|$ = 2 000 000 de sesterces.

seu, conj., v. *sive*, **1.** ou si || **2.** *seu... seu*, soit que... soit que; ou *sive... seu* ou *seu... sive* ou *seu... aut*.

severe *(severus)*, sévèrement, gravement, rigoureusement, durement.

severitas, *atis*, f. *(severus)*, sévérité, austérité, gravité, sérieux || rigueur, dureté.

severus, *a, um*, **1.** sévère, grave, sérieux, austère || **2.** dur, rigoureux.

sevi, pf. de *sero 3.*

sevocatus, *a, um,* part. de *sevoco.*

sevoco, *are, avi, atum,* tr., **1.** appeler à part, tirer à l'écart, prendre à part || **2.** détacher, séparer, *ab aliqua re,* de qqch., *ab aliquo,* de qqn.

1. sex, ind., six.

2. Sex, abrév. de *Sextus.*

sexagenarius, *a, um (sexageni),* qui contient soixante || sexagénaire.

sexageni, *æ, a,* chacun soixante.

sexagesimus, *a, um,* soixantième || subst. f., le soixantième [d'un tout].

sexagies (-ens), soixante fois.

sexaginta, ind., soixante.

sexangulus, *a, um,* hexagonal.

sexcenarius, *a, um,* composé de six cents.

sexceni et **sexcenteni,** *æ, a,* six cents chacun ou chaque fois.

sexcentesimus, *a, um,* six centième.

sexcenti, *æ, a,* six cents || mille.

sexcenties (-ens), six cents fois.

sexennis, *e (sex, annus),* (âgé) de six ans.

sexennium, *ii,* n. *(sexennis),* espace de six ans.

sexies (-ens), six fois.

sexprimi, *orum,* m., les six premiers, bureau des six greffiers du questeur.

sextadecimani, *orum,* m., soldats de la 16e légion.

sextani, *orum,* m., soldats de la 6e légion.

sextans, *tis,* m. *(sex),* **1.** sextant, 1/6 de l'as || **2.** un sixième : ***a)*** d'une somme : *in sextante heres,* héritier pour un sixième ; ***b)*** d'une livre [poids] ; ***c)*** d'un arpent ; ***d)*** du sextarius = deux cyathes.

sextarius, *ii,* m. *(sextus),* sixième partie, un sixième, **1.** setier, 1/6 du conge || **2.** 1/4 du modius.

sextilis, *is,* m., août [qui était primitivement le 6e mois de l'année romaine].

sextula, *æ,* f., sextule, le 1/6 de l'once, le 1/72 de l'as || le 1/72 du jugerum || le 1/72 d'un tout.

1. sextus, *a, um,* sixième.

2. Sextus, *i,* m., prénom romain [abrév. *Sex.*] ; notamment Sextus Roscius Amerinus ; Sextus Pompeius.

sextus *(a, um),* **decimus** *(a, um),* seizième.

sexus, *us,* m., sexe.

si (prim. **sei**), conj., si, **1.** [conditionnel, avec ind. ou subj.] si, quand, toutes les fois que, même si || *si non... at tamen,* sinon... du moins ; *si minus,* sinon || *ita... si,* sous cette condition que || *ne sim salvus, si aliter scribo ac sentio,* que je meure, si je ne le dis pas comme je le pense || **2.** [restrictif] si seulement, si du moins, v. *modo, forte* || tours elliptiques : *aut nemo, aut, si quisquam, ille sapiens fuit,* ou il n'y eut jamais de sage, ou, s'il y en eut un, ce fut lui || **3.** = *si quidem : si est ita necesse,* puisque c'est inévitable, v. *siquidem* || **4.** *si quis, quae, quid* = le rel. *qui, quae, quod* || **5.** [explicatif] : *summa gloria constat ex tribus his, si diligit multitudo, si... si...,* le plus haut degré de gloire résulte de cette triple condition, que la foule nous aime, que... que... || **6.** = *etiam si,* même si || **7.** [avec subj.] pour le cas où, dans l'hypothèse que, avec l'idée que || surtout après les v. qui signifient attendre, essayer, faire effort, v. *exspecto, experior, conor,* etc. || **8.** [souhait] : *o si* subj., ah ! si ; oh ! si seulement.

sibi, dat. de *sui.*

sibilo, *are (sibilus),* **1.** intr., siffler, produire un sifflement || **2.** tr., siffler qqn, *aliquem.*

1. sibilus, *a, um,* sifflant || pl. n. **sibila,** *orum,* sifflements.

2. sibilus, *i,* m., sifflement, sifflets, huées.

Sibylla, *æ,* f., [sens premier] femme qui a le don de prophétie, notamment la Sibylle de Marpessos en Asie Mineure, près de l'Ida ; la Sibylle d'Érythrée en Ionie || pour les Romains, c'était la Sibylle de Cumes, prêtresse d'Apollon, qui constituait le grand oracle national || sous le nom de la Sibylle circulaient des prédictions fort obscures, les vers sibyllins ; à Rome, depuis Tarquin l'Ancien, il y en avait un recueil, les livres sibyllins, déposé au Capitole, et à sa garde était préposé un collège spécial de prêtres, d'abord des *duumviri,* puis des *decemviri,* enfin des *quindecemviri* || une devineresse.

sibyllinus, *a, um (Sibylla),* sibyllin || [abs.] *in sibyllinis* (s.-ent. *libris*), dans les livres sibyllins, v. *Sibylla.*

sic (arch. **sice**), adv., ainsi, de cette manière, **1.** [renvoyant à ce qui précède] ainsi, c'est ainsi, voilà comment || [en parenth.] *sic enim nunc loquuntur,* car c'est ainsi qu'on s'exprime maintenant || **2.** [annonçant ce qui suit] : *ingressus est sic loqui : Catonis hos senis est...,* il commença à parler en ces termes : voici une pensée du vieillard Caton... || *sic sentio, naturam adferre...,* mon sentiment est que la nature apporte... || **3.** [en corrélation] ***a)*** sic... *ut*, de même que, comme; *ut... sic*, de même que... de même, ou *quemadmodum... sic*; ***b)*** *ut quisque* (superl.)... *sic* (superl.), plus... plus; ***c)*** *sic... ut* subj., de telle sorte que, à tel point que || [restrictif]: *sic tamen ut*, mais de telle façon pourtant que.

sica, *æ*, f., poignard || [fig.] *sicæ*, les assassinats.

sicarius, *ii*, m. *(sica)*, sicaire, assassin: *inter sicarios defendere*, plaider dans une affaire d'assassinat.

siccanea, n. pl., *(siccaneus)*, endroits secs.

siccaneus et **siccanus** *a, um (siccus)*, d'une nature sèche, sec.

siccatio, *onis*, f. *(sicco)*, dessiccation.

siccatus, *a, um*, part. de *sicco*.

sicce *(siccus)*, en lieu sec.

siccesco, *ere (siccus)*, intr., devenir sec.

siccine, sicine ou **sicin** *(sice* et *ne)*, est-ce ainsi que?

siccitas, *atis*, f. *(siccus)*, **1.** sécheresse, état de sécheresse, siccité || temps de sécheresse || **2.** complexion sèche du corps, état dispos, sain [d'une pers. sobre] || **3.** sécheresse du style.

sicco, *are, avi, atum (siccus)*, tr., **1.** rendre sec, faire sécher || **2.** assécher, épuiser, vider complètement.

siccum, *i*, n. *(siccus)*, lieu sec: *in sicco*, sur le rivage, sur la terre ferme.

siccus, *a, um*, **1.** sec, sans humidité || **2.** ferme, sain || **3.** ***a)*** sec, altéré; ***b)*** qui n'a pas bu, à jeun.

Sicelis, *idis*, f., de Sicile.

Sichæus, *i*, m., Sichée [époux de Didon, reine de Carthage].

Sicilia, *æ*, f., la Sicile, île à l'O. de l'Italie.

sicilicus, *i*, m., sicilique, le quart de l'once, le 1/48 de la livre || un quart de pouce || le 1/48 du jugerum || le 1/48 d'une heure.

Siciliensis, *e*, de Sicile, Sicilien.

sicilio, *ire (sicilis)*, tr., faucher.

sicilis, *is*, f., faucille.

sicin, sicine, v. *siccine*.

sicinnium, *ii*, n., sorte de danse dans le drame satyrique.

sicubi, = *si alicubi*, si qq. part.

sicula, *æ*, f. *(sica)*, petit poignard.

Siculi, *orum*, m., **1.** Sicules [anciens peuples de la Gaule Cisalpine, puis du Latium] || **2.** les Siciliens || sing. *Siculus*, un Sicilien.

Siculus, *a, um*, de Sicile, Sicilien.

sicunde = *si alicunde*, si de qq. part.

sicut et **sicuti,** adv., de même que, comme, **1.** ***a)*** [avec un verbe]: *sicut ait Ennius*, comme dit Ennius || en corrél.: *sicut... ita*, de même que... de même, ou *sicut... sic;* ***b)*** [sans verbe] || **2.** [en parenth., réflexion qui confirme]: *sicut feci*, comme je l'ai fait d'ailleurs || **3.** [introd. un mot de comparaison] comme, pour ainsi dire, en qq. sorte: *in capite sicut in arce*, dans la tête comme dans une citadelle || **4.** [introd. un exemple] comme, par exemple || **5.** *sicut eram, erat*, comme j'étais, comme il était || dans la tenue, dans la position, dans l'état où || **6.** *sicuti* = *sicuti si*, comme si [avec subj.].

Sicyon, *onis*, f. m., Sicyone [ancienne ville d'Achaïe], riche en oliviers, patrie d'Aratus.

Sicyonius, *a, um*, de Sicyone: *Sicyonii calcei*, chaussures de Sicyone [élégantes] || *Sicyonii*, m. pl., Sicyoniens.

sidereus, *a, um (sidus)*, **1.** étoilé || relatif aux astres || **2.** relatif au soleil || **3.** divin || brillant, étincelant..

sido, *ere, sidi* et *sedi, sessum*, intr., **1.** s'asseoir, se poser, se percher, etc.: *sessum ire*, aller s'asseoir || **2.** se fixer, s'arrêter || toucher le fond de l'eau, s'engraver, s'échouer **3.** s'affaisser, crouler.

Sidon, *onis* et *onis*, f., Sidon [ville de Phénicie]; Tyr.

Sidonia, *æ*, f., le pays de Sidon.

Sidonis (-onis), *idis*, f., de Sidon, de Tyr || subst. f., la Tyrienne = Europe, Didon et sa sœur Anne [originaires de Sidon].

Sidonius, *a, um*, de Sidon, de Tyr, de Phénicie || *Sidonii, orum*, m., Tyriens || *Sidonium ostrum*, pourpre.

sidus, *eris*, n., **1.** étoile ou groupe d'étoiles, constellation || **2.** ***a)*** pl., les astres, le ciel; ***b)*** pl., la nuit; ***c)*** éclat, beauté, ornement; ***d)*** saison, époque || climat, ciel, contrée || état atmosphérique, tempête.

Sigeum, *i*, n., promontoire de Sigée, dans la Troade, où se trouvait le tombeau d'Achille.

Sigeus et **-eius,** *a, um*, de Sigée, Troyen.

sigillatin, v. *singillatim*.

sigillatus, *a, um (sigillum)*, orné de figurines, de reliefs, ciselé.

sigillum, *i*, n. *(signum)*, **1.** petite figure, figurine, statuette || **2.** empreinte d'un cachet || cachet, sceau.

signate *(signo)*, d'une manière caractéristique, expressive.

signator, *oris*, m. *(signo)*, celui qui scelle un acte pour en garantir l'authenticité, signataire; *falsi signatores*, faussaires.

signatorius, *a, um*, qui sert à sceller.

signatus, *a, um*, part. de *signo*.

1. signifer, *era, erum (signum, fero)*, **1.** portant des statues, des figurines || **2.** parsemé d'astres, étoilé.

2. signifer, *eri*, m. *(signum, fero)*, porte-enseigne || chef, guide.

significans, *tis*, **1.** part. prés. de *significo* || **2.** adj., qui exprime bien, expressif.

significanter *(significans)*, d'une manière expressive, significative.

significantia, *æ*, f. *(significans)*, force d'expression, valeur expressive.

significatio, *onis*, f. *(significo)*, **1.** action d'indiquer, de signaler, indication, annonce, signal || **2.** [en part.] ***a)*** marque d'approbation, signe d'assentiment, manifestation favorable; ***b)*** action de faire entendre, allusion: *significatione aliquem appellare*, nommer (désigner) qqn par allusion; ***c)*** signification d'un mot, sens, acceptation.

significatus, *a, um*, part. de *significo*.

significo, *are, avi, atum (signum* et *facio)*, tr., **1.** indiquer [par signe], faire connaître, faire comprendre, montrer, donner à entendre || [avec prop. inf.] laisser entendre que || [en part.] désigner, faire allusion à (*aliquem*, à qqn): *Zenonem significabat*, il faisait allusion à Zénon || [abs.] faire des signes, donner des indications || **2.** annoncer, présager || **3.** signifier, vouloir dire, avoir tel, tel sens.

signo, *are, avi, atum (signum)*, tr., **1.** marquer d'un signe, marquer, caractériser, distinguer; mettre à la façon d'une marque (d'une empreinte), empreindre, graver, tracer || **2.** marquer d'une empreinte: ***a)*** marquer d'un sceau, sceller: *signatus libellus*, billet scellé, cacheté; ***b)*** *argentum signatum*, argent frappé || **3.** signaler, désigner, indiquer || **4.** remarquer, distinguer.

signum, *i*, n., **1.** marque, signe, empreinte: *pecori signum imprimere*, marquer un troupeau || **2.** signal: *signum tuba dare*, donner le signal avec la trompette; *prœlii committendi signum dare*, donner le signal d'engager le combat; *recipiendi*, signal de la retraite || **3.** mot d'ordre || **4.** enseigne, drapeau, étendard: *signa subsequi*, suivre les enseignes, rester avec les soldats de son manipule; *ab signis discedere*, fuir; *ferre signa*; *inferre*; *convertere*; *constituere*, se mettre en route, attaquer (charger), faire une conversion, faire halte || **5.** signe, présage, pronostic, symptôme || **6.** signe, marque, indice [ce qui démontre, prouve qqch.]: *hoc signum est* avec prop. inf., c'est un signe (une preuve) que || **7.** statue: *æneum, marmoreum, eburneum*, statue d'airain, de marbre, d'ivoire; *ex ære*, statue d'airain || figure [effectuée par un travail artistique] || **8.** cachet, sceau: *integris signis*, avec les cachets intacts || **9.** signe (du zodiaque), constellation, astre; *in signo Leonis*, dans le signe du Lion.

silens, *tis*, **1.** part. prés. de *sileo* || **2.** adj., silencieux || *silentes, um*, m., les ombres, les mânes.

silentium, *ii*, n. *(sileo)*, **1.** silence: *ceteris silentium fuit*, les autres firent silence; *silentium facere*, faire faire silence || abl. *silentio*, en silence || **2.** repos, inaction, oisiveté.

Silenus, *i*, m., Silène [père nourricier de Bacchus] || pl., *Sileni*, les Silènes [génies des forêts, voisins des Satyres, mais ayant les oreilles velues avec les pieds du cheval].

sileo, *ere, ui*, **1.** intr., se taire, garder le silence: *de nobis silent*, ils se taisent sur notre compte || être en repos, chômer: *silent leges inter arma*, les lois sont muettes au milieu des armes || **2.** tr., passer sous silence: *omnia silere*, taire tout; *silenda, orum*, n., mystères || secrets.

siler, *eris*, n., osier.

silesco, *ere (sileo)*, intr., devenir silencieux.

silex, *icis*, m. f., **1.** silex, caillou; *lapides silices*, pierres de silex; *saxo silice*, avec une pierre de silex || [fig.] *natus silice*, né d'un rocher, avec un cœur de pierre || **2.** roc, roche.

siliceus, *a, um*, de silex.

siligineus, *a, um (siligo)*, du plus pur froment || de fleur de farine.

siligo, *inis*, f., froment de première qualité || fleur de farine.

siliqua, *æ*, f., **1.** cosse; d'où **siliquæ,** *arum*, légumes, plantes légumineuses || **2.** caroube.

siliquastrum, *i*, n., piment.

Silius, *ii*, m., nom de famille romaine, notamment Silius Italicus [auteur d'une épopée sur la 2e guerre punique].

silui, pf. de *sileo*.

silurus, *i*, m., silure.

silus, *a, um,* camus, camard.

silva (mieux que **sylva),** *æ,* f., **1.** forêt, bois || **2.** parc, bosquet || **3.** pl., arbres, arbustes, plantes || **4.** [fig.] ***a)*** grande quantité, abondante matière, ample moisson || forêt de traits; ***b)*** brouillon, esquisse; ***c)*** *Silva* ou *Silvæ*, titre d'ouvrage; notamment les Silves de Stace.

Silvanus, *i,* m. *(silva),* Silvain [dieu des forêts]; pl., les Silvains.

silvaticus, *a, um (silva),* qui est fait pour le bois || sauvage [en parl. des végétaux].

silvesco, *ere (silva),* intr., pousser trop de bois.

silvestris (qqf. **silvester),** *is, e (silva),* **1.** de forêt, couvert de forêts, boisé || pl. n. *silvestria*, endroits boisés || **2.** qui vit dans les forêts, appartenant aux forêts || **3.** sauvage.

silvicola, *æ,* m. f. *(silva, colo),* qui habite les forêts.

silviger, *era, erum (silva, gero),* boisé.

Silvius ou **Sylvius,** *ii,* m., fils d'Enée || fils d'Ascagne, deuxième roi d'Albe || ensuite nom donné à tous les rois d'Albe.

silvosus, *a, um (silva),* boisé.

silvula, *æ,* f. *(silva),* bosquet.

simia, *æ,* f. *(simus),* singe || [fig.] imitateur.

simile, *is,* n. de *similis* pris subst., chose semblable, analogue, analogie, comparaison.

similis, *e,* semblable, ressemblant, pareil || ***a)*** [avec gén.]: *alii vestri similes*, d'autres qui vous ressemblent; *quid est simillimum veri ?*, qu'est-ce qui est le plus vraisemblable?; ***b)*** avec dat. [rare]: *alicui*, semblable à qqn; ***c)*** *homines inter se similes*, hommes semblables entre eux; ***d)*** avec acc. *(atque)*, le même que.

similiter *(similis),* semblablement, pareillement || *similiter ac (atque)*, de la même manière que; *similiter ac si*; *et si*; *ut si*, comme si; *similius, simillime.*

similitudo, *inis,* f. *(similis),* **1.** ressemblance, analogie, similitude || pl., *similitudines*, cas semblables, faits analogues || **2.** représentation, portrait, image ressemblante || **3.** comparaison, rapprochement.

simiolus, *i,* m. *(simius),* petit singe.

simius, *ii,* m. *(simus),* singe || imitateur servile.

Simois, *entis* ou *entos*, m., le Simoïs [rivière de la campagne de Troie].

simplex, *icis (sem,* cf. *semel* et *plex),* **1.** simple || **2.** seul, isolé, un; *simplici ordine*, sur une file, un à un || **3.** naturel, non artificiel || **4.** sans détours, ingénu, naïf.

simplicitas, *atis,* f. *(simplex),* **1.** simplicité = substance simple || **2.** ingénuité, droiture, franchise || candeur, naïveté.

simpliciter *(simplex),* **1.** simplement, isolément, séparément || purement et simplement, tout bonnement || **2.** sans apprêt, sans ornement || d'une manière facile à comprendre, sans longueurs, sans détours || **3.** avec franchise, ingénument.

simplus, *a, um,* simple, un, unique || **simplum,** n., l'unité.

simpulum, *i,* n., petite coupe pour les libations; *excitare fluctus in simpulo*, [prov.] faire une tempête dans un verre d'eau.

simpuvium, *ii,* n., c. *simpulum.*

simul,

I. adv., **1.** dans le même temps, en même temps, ensemble || **2.** [constr.] ***a)*** *simul cum aliquo (aliqua re)*, en même temps que qqn, que qqch.; ***b)*** *simul et*, en même temps que, ou *simul ac, atque*; ***c)*** *simul* développé par *et... et*; ***d)*** *et simul*; *simulque*, et en même temps; ***e)*** *simul etiam*, en même temps encore || *simul et*, en même temps aussi; ***f)*** *simul... simul*, à la fois... à la fois, d'une part... d'autre part en même temps.

II. prép. avec abl., en même temps que.

III. conj., **1.** *simul ac, simul atque*, aussitôt que, dès que || **2.** *simul*, seul, aussitôt que.

simulac, simulatque, v. *simul.*

simulacrum, *i,* n. *(simulo),* **1.** représentation figurée de qqch., [d'où] image, portrait, effigie, statue; *simulacrum ex ære Dianæ*, statue de Diane en airain || [en part.] mannequins d'osier [dans lesquels on enfermait des hommes vivants et que l'on brûlait en l'honneur des dieux] || **2.** [fig.] ***a)*** fantôme, ombre, spectre; ***b)*** simulacre, apparence.

simulamen, *inis,* n *(simulo),* imitation, représentation.

simulamentum, *i,* n. *(simulo),* artifice, stratagème.

simulans, *tis,* part. prés. de *simulo* || adj. avec gén., imitateur.

simulate *(simulo),* d'une manière simulée, par feinte.

simulatio, *onis,* f. *(simulo),* simulation, faux semblant, feinte.

simulator, *oris,* m. *(simulo),* **1.** celui

qui représente, qui copie, imitateur || **2.** celui qui feint, qui simule.

simulatus, *a, um*, part. de *simulo.*

simulo, *are, avi, atum (similis)*, tr., **1.** rendre semblable: *Minerva simulata Mentori*, Minerve ayant pris les traits de Mentor || [d'où] reproduire, copier, imiter || **2.** simuler, feindre, *aliquid*, qqch.; *simulata amicitia*, sous prétexte d'amitié || [avec prop. inf.] *simulat se proficisci*, il feint de partir || [avec inf., poét.]: *simulat abire*, il feint de partir.

simultas, *atis*, f. *(simul)*, **1.** rivalité, compétition || **2.** inimitié, haine, différend: sing., *simultatem deponere*, faire trêve à son inimitié || pl., *simultates exercere cum aliquo*, être en mauvais termes avec qqn.

simus, *a, um*, camard, camus.

sin, conj., mais si, si au contraire.

sinapi, n. ind.; **senapis,** f. ou **sinapis,** f., sénevé, grain de moutarde.

sincere *(sincerus)*, **1.** de façon nette, sans altération || **2.** franchement, sincèrement.

sinceritas, *atis*, f. *(sincerus)*, pureté, intégrité.

sinceriter, c. *sincere.*

sincerus, *a, um*, **1.** pur, intact, naturel, non altéré, non corrompu, non fardé || **2.** ***a)*** style probe; ***b)*** *sincerum judicium*, goût sûr.

sinciput, *itis*, n. *(semi, caput)*, demi-tête, la moitié de la tête.

sine, prép. abl., sans.

singillatim et **sigillatim,** isolément, un à un, individuellement.

singulares, *ium*, m. *(singularis)*, corps d'élite de cavalerie, gardes du corps.

singularis, *e (singuli)*, **1.** unique, seul, isolé, solitaire: *homo*, homme isolé, marchant isolément || **2.** qui se rapporte à un seul: *imperium singulare*, autocratie || [gram.] singulier: *singularis numerus*, le singulier || **3.** unique (en son genre), singulier, exceptionnel, extraordinaire, rare.

singulariter *(singularis)*, **1.** individuellement, isolément || **2.** extraordinairement.

singuli, *æ, a (sem, semel, simplex)*, un par un, **1.** [distrib.] chacun un: *in singulos homines*, par tête || *in singulos annos*, pour chaque année; *in singula diei tempora*, heure par heure || **2.** chacun en particulier, un à un, un seul: *ne agam de singulis*, pour ne pas entrer dans le détail.

singultatus, *a, um*, part. de *singulto.*

singultim *(singultus)*, d'une façon entrecoupée, par saccades.

singultio, *ire (singultus)*, intr., avoir des hoquets || glousser.

singulto, *are (singultus)*, **1.** intr., ***a)*** avoir des hoquets; ***b)*** râler; ***c)*** *verba singultantia*, paroles saccadées || **2.** tr., rendre avec des hoquets, en râlant || entrecouper [de sanglots].

singultus, *us*, m., **1.** hoquet, sanglot || **2.** râle, râlement || **3.** gloussement || croassement || **4.** gargouillement de l'eau.

sinister, *tra, trum*, **1.** gauche, qui est du côté gauche || *sinistri*, les soldats de l'aile gauche || **2.** ***a)*** gauche, maladroit, mal tourné, de travers; ***b)*** malheureux, fâcheux, sinistre || **3.** [t. religieux] ***a)*** [chez les Romains] à gauche = de bon présage, favorable, heureux; ***b)*** [chez les Grecs] de mauvais présage.

sinisteritas, *atis*, f. *(sinister)*, maladresse.

sinistra, *æ*, f. (s.-ent. *manus)*, **1.** main gauche || main gauche [faite pour le vol]: *duæ sinistræ Pisonis*, les deux mains gauches (agents) de Pison || **2.** [locutions]: *a sinistra*, du côté gauche; *sub sinistra*, vers la gauche; *dextera ac sinistra*, à droite et à gauche.

sinistre *(sinister)*, mal, de travers.

sinistrorsum et **sinistrorsus,** vers la gauche, du côté de la gauche, à gauche.

sino, *ere, sivi, situm*, tr., poser [sens premier conservé dans le part. *situs, a, um* et dans *pono* = *posino*]; [d'où] laisser, laisser libre de, permettre: ***a)*** [avec prop. inf.] || [au pass.]; ***b)*** [avec subj.] *sine sciam*, laisse-moi savoir; ***c)*** [avec *ut*]; ***d)*** [avec acc.] *sine me*, laisse-moi tranquille; ***e)*** [abst.]: *sinentibus nobis*, avec notre agrément.

Sinon, *onis*, m., Grec qui conseilla aux Troyens de faire entrer dans leur ville le cheval de bois.

Sinope, *es*, ou **Sinopa,** *æ*, f., Sinope [ville et port de Paphlagonie, patrie de Diogène].

Sinopeus, *eos, ei* ou *ei*, de Sinope: *Sinopeus cynicus*, Diogène.

Sinopis, *idis*, f., terre de Sinope, terre sinopienne, sorte de rubrique.

sinuatus, *a, um*, part. de *sinuo.*

sinum, *i*, n., jatte.

sinuo, *are, avi, atum (sinus)*, tr., rendre courbe, rendre sinueux, courber.

sinuose *(sinuosus)*, d'une manière sinueuse.

sinuosus, *a, um (sinus)*, courbé,

recourbé, sinueux || [fig.] avec des digressions, contourné, compliqué.

sinus, *us*, m., **1.** courbure, sinuosité, pli || **2.** ***a)*** concavité, creux ; ***b)*** golfe, anse, baie || **3.** [en part.] le pli de la toge [quand, ayant passé derrière l'épaule droite, elle remonte sur l'épaule gauche pour pendre le long du dos, elle forme en travers sur la poitrine un large pli] ; ***a)*** *aliquid ferre sinu laxo*, porter qqch. dans le pli trop lâche de sa toge [au risque de le perdre ; le pli servait en effet de poche et de bourse] ; ***b)*** vêtements ; ***c)*** sein, poitrine ; *in sinu gaudere*, se réjouir au fond de soi, intérieurement ; *in sinu urbis*, au sein, au cœur de la ville.

siparium, *ii*, n., **1.** rideau [manœuvré entre les scènes, tandis que l'*aulæum* ne l'était qu'au début ou à la fin de la pièce] || [fig.] *post siparium*, en cachette [derrière le rideau, dans la coulisse] || **2.** style comique, comédie.

siparum, *i*, n. ou **sipharum,** c. *supparum*, petite voile de perroquet.

sipho, *onis*, m., **1.** siphon || **2.** pompe à incendie || **3.** petit tube.

siphunculus, *i*, m., petit tuyau.

siqua ou **si qua,** si par qq. côté, etc., v. *qua*, adv.

siquando ou **si quando,** v. *quando*.

siqui ou **si qui,** si de qq. manière, v. *qui*, adv.

siquidem ou **si quidem,** si vraiment, puisque.

siquo ou **si quo,** v. *quo*, adv.

Siren, *enis*, f., **1.** Sirène [d'après la tradition de l'Odyssée, les Sirènes sont des divinités de la mer qui, à l'entrée du détroit de Sicile, attiraient à elles par leurs chants les navigateurs passant dans leurs parages et les entraînaient à la mort ; on les représente avec un corps d'oiseau et une tête de femme] ; d'ordin. pl. *Sirenes, um* || **2.** [fig.] Sirène = qui chante agréablement.

Sirius, *ii*, m., Sirius [une des étoiles de la canicule], la canicule || *Sirius, a, um*, de Sirius.

Sirmio, *onis*, f., péninsule du lac Bénacus où Catulle avait une propriété.

sis = *si vis*, si tu veux, s'il te plaît, de grâce.

Sisenna, *æ*, m., surnom romain ; notamment L. Cornélius Sisenna, orateur et historien latin, contemporain de Cicéron.

siser, *eris*, n., raiponce.

sisto, *ere, stiti (steti* douteux*), statum (sto)*,

I. tr., **1.** faire se tenir, placer, poser, mettre, établir || élever, dresser, ériger || **2.** faire comparaître devant le tribunal à une date fixée ; *se sistere* ou *sisti*, comparaître, se présenter au jour dit || *vadimonium sistere*, tenir l'engagement pris, comparaître, se présenter || **3.** arrêter : *se sistere*, s'arrêter ; *gradum*, arrêter sa marche, *fugam*, arrêter la fuite || *lacrimas, querelas*, cesser ses larmes, ses plaintes || **4.** affermir, consolider.

II. intr., **1.** se poser, se placer, se tenir || **2.** comparaître devant le tribunal || **3.** s'arrêter || **4.** tenir bon, tenir ferme || résister, *alicui*, à qqn || [fig.] subsister, se maintenir || **5.** pass. impers. : *non sisti potest*, on ne peut tenir.

sistrum, *i*, n., sistre.

sisurna et **sisura,** *æ*, f., fourrure grossière.

sisymbrium, *ii*, n., menthe.

Sisyphius, *a, um*, de Sisyphe.

Sisyphus (-os), *i*, m., Sisyphe [fils d'Éole, brigand tué par Thésée].

sitella, *æ*, f. *(situla)*, urne [de scrutin].

siticen, *inis*, m. *(situs 1 § 3, cano)*, trompette qui joue aux funérailles.

siticulosus, *a, um (sitis)*, desséché || aride || altérant.

sitienter *(sitiens)*, avidement, ardemment.

sitio, *ire, ivi* ou *ii, itum*, **1.** intr., avoir soif ; *sitiens*, ayant soif, avec la soif || = avoir besoin d'eau, être à sec || **2.** tr., avoir soif de, désirer boire ; [fig.] *honores*, avoir soif d'honneurs || [d'où le part.] *sitiens*, avide ; [avec le gén.] *sitiens virtutis tuæ*, avide de tes talents.

sitis, *is*, f., **1.** soif : *sitim depellere, explere*, chasser la soif, étancher sa soif || manque d'eau || **2.** [fig.] *libertatis*, la soif de la liberté.

situla, *æ*, f., seau || urne [de vote].

situlus, *i*, m., seau.

siturus, *a, um*, part. fut. de *sino*.

1. situs, *a, um (sino)*, **1.** placé, posé : *in ore sita lingua est*, la langue est placée dans la bouche || établi || **2.** situé || **3.** [en parl. des morts] placé dans la tombe, enseveli : *hic situs est*, ci-gît ; *hic siti sunt*, ici reposent || **4.** bâti, élevé, dressé || **5.** *aliquid situm est in aliquo*, qqch. repose sur qqn, dépend de qqn, est en son pouvoir ; *quantum est situm in nobis*, autant qu'il dépend de nous ; *est situm in nobis, ut*, il dépend de nous de.

2. situs, *us*, m. *(sino)*, **1.** position, situation || place, disposition des membres dans le corps humain || pl., *situs oppidorum*, l'assiette des places fortes || région, contrée || **2.** situation prolongée [d'où]: ***a)*** état d'abandon, de délaissement, jachère; ***b)*** moisissure, rouille, pourriture, détérioration; ***c)*** saleté corporelle, malpropreté; ***d)*** inaction, oisiveté.

sive ou **seu, 1.** ou si: *si... sive*, si... ou si || *postulo, sive æquumst, te oro*, je te demande, ou, s'il le faut je te prie || **2.** *sive... sive*, soit que... soit que || ***a)*** [avec un verbe dans chaque membre]; ***b)*** [avec un verbe commun]; *sive iracundia, sive dolore, sive metu permotus*, sous l'empire soit de la colère, soit de la douleur, soit de la crainte || **3.** = ou: *sive etiam*, ou même.

sivi, pf. de *sino*.

smaragdus, *i*, m. et f., émeraude.

smilax, *acis*, f., **1.** if || **2.** sorte d'yeuse || **3.** liseron.

Smyntheus, *ei* ou *eos*, m., Sminthée [surnom d'Apollon].

Smyrna (Zmy-), *æ*, f., Smyrne en Ionie [une des villes qui prétendaient avoir donné le jour à Homère] || **-næus,** *a, um*, de Smyrne || **Smyrnæi,** les habitants de Smyrne.

soboles *is*, f., v. *suboles*.

sobrie *(sobrius)*, sobrement.

sobrietas, *atis*, f. *(sobrius)*, tempérance dans l'usage du vin || prudence.

sobrina, *æ*, f., cousine germaine.

sobrinus, *i*, m., cousin germain.

sobrius, *a, um (se* et *ebrius)*, **1.** qui n'a pas bu, à jeun || **2.** sobre, frugal, tempérant || **3.** modéré, réservé, rassis.

soccatus, *a, um (soccus)*, chaussé de brodequins.

socculus, *i*, m., dimin. v. *soccus*.

soccus, *i*, m., socque, espèce de pantoufle || portée dans la maison par les femmes; portée par un homme, marque un caractère efféminé || chaussure propre aux comédiens || [par extens.] genre comique, comédie.

socer, *eri*, m., beau-père.

socia, *æ*, f., compagne.

sociabilis, *e (socio)*, qui peut être uni || uni || sociable.

sociale bellum, la guerre sociale [que Rome soutint contre ses alliés italiens qui réclamaient le droit de cité].

socialis, *e (socius)*, **1.** fait pour la société, sociable, social: *(homo) sociale animal*, (l'homme) animal sociable || **2.** d'allié || **3.** nuptial, conjugal.

socialitas, *atis*, f. *(socialis)*, compagnie, entourage.

socialiter *(socialis)*, en bon compagnon.

sociatus, *a, um*, part. de *socio*.

societas, *atis*, f. *(socius)*, **1.** association, réunion, communauté, société: *societatem cum aliquo coire, dirimere*, nouer une association avec qqn, la rompre || **2.** association commerciale, industrielle; société, compagnie || société fermière, compagnie des fermiers publics || **3.** union politique, alliance.

socio, *are, avi, atum (socius)*, tr., **1.** faire partager, mettre en commun, *cum aliquo*, avec qqn || **2.** associer, mettre ensemble || joindre, unir.

1. socius, *a, um* (cf. *sequor)*, **1.** associé, en commun || **2.** allié.

2. socius, *ii*, m., compagnon, associé || allié: *socii et Latini*, les alliés et les Latins, ou *socii et nomen Latinum*, les alliés et les villes de nom latin.

socordia (secordia), *æ*, f. *(socors)*, **1.** défaut d'intelligence, stupidité || **2.** défaut de cœur, d'énergie; insouciance, indolence, lâcheté.

socorditer, inus.; *socordius*, avec plus de nonchalance, de négligence.

socors, *dis (se* et *cor)*, **1.** qui manque d'intelligence, qui est d'esprit borné, stupide || **2.** qui manque de cœur, d'énergie; insouciant, indolent, apathique || *futuri*, insouciant de l'avenir.

Socrates, *is*, m., Socrate [philosophe athénien] || **Socraticus,** *a, um*, de Socrate, socratique || **Socratici,** les disciples de Socrate.

socrus, *us*, f., belle-mère.

sodalicium, *ii*, n. *(sodalis)*, **1.** camaraderie || **2.** repas de corps || **3.** club politique, société secrète.

sodalicius, *a, um (sodalis)*, de camarade || de corporation.

1. sodalis, *is*, adj. m. f., de compagnon, de camarade || compagnon.

2. sodalis, *is*, m., **1.** camarade, compagnon || **2.** membre d'une corporation, d'un collège || **3.** compagnon de club politique [en mauv. part.]; acolyte.

sodalitas, *atis*, f. *(sodalis)*, **1.** camaraderie || **2.** corporation, confrérie, collège || **3.** réunion de camarades, cercle || **4.** club politique, association secrète.

sodaliti-, v. *sodalici-*.

sodes *(= si audes)*, s'il te plaît, de grâce.

1. sol, *solis*, m., **1.** soleil: *sol oriens, occidens*, soleil levant, couchant || jour, journée || **2.** [fig.] ***a)*** la lumière du soleil, le plein jour, la vie publique; ***b)*** = grand homme (un astre).

2. Sol, *Solis*, m., le Soleil [divinité].

solacium, *ii*, n. *(solor)*, soulagement, adoucissement || *alicui solacia dare*, donner des consolations à qqn.

solamen, *inis*, n. *(solor)*, consolation, soulagement.

solaris, *e (sol)*, du soleil, solaire || tourné vers le soleil.

solarium, *ii (sol)*, n., **1.** cadran solaire || à Rome, sur le forum, se trouvait un cadran solaire qui était un point de réunion: *ad solarium versari*, fréquenter les environs du cadran solaire || **2.** clepsydre || **3.** (endroit exposé au soleil) terrasse, balcon.

solarius, *a, um (sol)*, solaire.

solatium, v. *solac-*.

1. solatus, *a, um*, part. de *solor*.

2. solatus, *a, um (sol)*, qui a reçu un coup de soleil.

soldurii, *orum*, m., soldures [compagnons dévoués à un chef jusqu'à la mort].

solea, *æ*, f. *(solum)*, **1.** sandale || **2.** entraves || **3.** garniture du sabot || **4.** pressoir || **5.** sole.

soleatus, *a, um (solea)*, chaussé de sandales [en public, signe de relâchement].

solemn-, v. *soll-*.

solennis, etc., v. *sollemnis*, etc.

soleo, *ere, itus sum*, intr., avoir coutume, être habitué, avec inf.: *coli soliti sunt*, ils ont eu l'habitude d'être honorés.

solers, etc., v. *soll-*.

solidatio, *onis*, f. *(solido)*, consolidation || pl., fondations.

solidatus, *a, um*, part. de *solido*.

solide *(solidus)*, solidement.

solidesco, *ere (solidus)*, intr., devenir solide.

solidipes, *edis (solidus, pes)*, solipède.

soliditas, *atis*, f. *(solidus)*, **1.** qualité de ce qui est massif, dense, compact, solide || **2.** solidité, dureté, fermeté.

solido, *are, avi, atum (solidus)*, tr., rendre solide, consolider, affermir, donner de la consistance, durcir.

solidum, *i*, n., pris subst. *(solidus)*, le solide; *solida*, les solides || *solido procedere*, avancer sur un terrain solide || totalité d'une somme.

solidus, *a, um*, **1.** dense, solide, massif, compact, consistant || **2.** entier, complet || **3.** ***a)*** solide, réel; ***b)*** ferme, inébranlable.

soliferreum (sollif-), *i (sollus, ferreus)*, n., javelot tout de fer.

solistimum ou **sollistimum tripudium,** *ii*, n. *(sollus)*, augure favorable [tiré de ce que les oiseaux sacrés laissaient tomber des grains à terre en mangeant].

solistitium, etc., v. *solstitium*.

solitanæ (solitannæ) cochleæ, f. pl., sorte d'escargots [d'Afrique].

solitarius, *a, um (solus)*, isolé, solitaire.

solitudo, *inis*, f. *(solus)*, **1.** solitude; *vastæ solitudines*, déserts immenses || **2.** solitude de qqn, état d'abandon, vie isolée sans protection || **3.** absence, manque.

solitum, *i (soleo)*, n. pris subst., chose habituelle: *præter solitum*; *supra solitum*; *ultra solitum*; *plus solito*; *magis solito*, plus que d'ordinaire.

solitus, *a, um*, part. de *soleo*, qui a l'habitude || adj., habituel, ordinaire.

solium, *ii*, n., **1.** siège, trône || fauteuil [du père de famille, du patron, du jurisconsulte] || trône = royauté || **2.** cuve || **3.** sarcophage, cercueil.

solivagus, *a, um (solus, vagus)*, **1.** qui erre isolément || **2.** isolé, solitaire.

sollemne, *is*, n. de *sollemnis*, solennité, fête (cérémonie) solennelle || pl., *sollemnia* || habitude, usage.

sollemnis (mieux que **sollennis, solemnis**), *e*, de *sollus* et *annus*, **1.** qui revient tous les ans, solennel, consacré || **2.** habituel, ordinaire, commun.

sollemnitas, *atis*, f. *(sollemnis)*, solennité, fête solennelle.

sollemniter *(sollemnis)*, solennellement || selon le rite, selon la coutume.

sollers (mieux que **solers),** *tis*, de *sollus* et *ars*, **1.** tout à fait industrieux, habile, adroit || [avec gén.] *lyræ sollers*, qui a la science de la lyre || **2.** [en parl. de choses] ingénieux, intelligent, habile.

sollerter (mieux que **solerter**), adroitement, habilement, ingénieusement.

sollertia (mieux que **solertia**), *æ*, f., industrie, adresse, habileté, savoir-faire.

sollicitatio, *onis*, f. *(sollicito)*, sollicitation, instigation.

sollicitatus, *a, um*, part. de *sollicito*.

sollicite *(sollicitus)*, avec inquiétude || avec soin, avec précaution, avec sollicitude.

sollicito, *are, avi, atum (sollicitus),* tr., **1.** remuer totalement, agiter fortement, remuer, agiter, ébranler || **2.** troubler, inquiéter, tourmenter; *multa me sollicitant,* beaucoup de choses m'inquiètent || *de aliqua re sollicitari,* s'inquiéter de qqch. || **3.** exciter, provoquer, soulever || [avec *ad*] exciter à, provoquer à || [avec *ut*] engager vivement à, presser de; [avec *ne*] engager à ne pas || [poét. avec inf.] exciter à || **4.** solliciter, attirer.

sollicitudo, *inis,* f. *(sollicitus),* inquiétude, sollicitude, souci.

sollicitus, *a, um (sollus* et *cieo),* **1.** entièrement remué, agité; sans cesse remué: *mare sollicitum,* mer agitée || **2.** plein d'anxiété, de souci, troublé, inquiet, alarmé, agité: *sollicitum habere aliquem,* tenir qqn dans l'inquiétude || *de aliqua re,* inquiet de, au sujet de qqch.; *pro aliquo,* pour qqn || [avec *ex*], à la suite de || **3.** craintif.

sollus, *a, um,* ancien mot = *totus,* entier, intact.

solœcus, *a, um,* qui pèche contre la langue.

Solon et **Solo,** *onis,* m., Solon, législateur célèbre d'Athènes [lois de Solon, constitution de Solon], un des sept sages de la Grèce.

solor, *ari, atus sum,* tr., **1.** réconforter, fortifier || dédommager || **2.** consoler || **3.** adoucir, soulager, calmer: *famem,* apaiser sa faim.

solstitialis, *e (solstitium),* **1.** du solstice d'été, solsticial || **2.** = de l'été, de la plus grande chaleur || solaire, annuel.

solstitium, *ii,* n. *(sol, status),* **1.** solstice: *brumale* ou *hibernum,* solstice d'hiver || **2.** solstice d'été || été, chaleurs de l'été.

solubilis, *e (solvo),* qui se dissout, se désagrège.

1. solum, *i,* n., **1.** la partie la plus basse d'un objet, base, fondement, fond || la mer || **2.** plante des pieds || **3.** base (surface) de la terre, aire, sol || **4.** pays, contrée.

2. solum, adv. *(solus),* **1.** seulement, uniquement || **2.** *non solum... sed* ou *verum etiam,* non seulement... mais encore || ou *non solum... sed,* non seulement... mais; *non solum... sed ne... quidem,* non seulement ne... pas..., mais pas même; v. *ne quidem.*

solus, *a, um,* **1.** seul, unique || **2.** isolé, délaissé || **3.** solitaire, désert: *in locis solis,* dans des lieux déserts.

solute *(solutus),* **1.** d'une manière dégagée, avec aisance || librement, sans entraves || **2.** d'une manière lâche, relâchée, négligée.

solutilis, *e (solutus),* qui peut se défaire.

solutio, *onis,* f. *(solvo),* **1.** dissolution, désagrégation || **2.** dégagement, aisance || **3.** paiement, acquittement || **4.** solution, explication.

solutus, *a, um,*
I. part. de *solvo,*
II. adj., **1.** sans liens, libre, non enchaîné || **2.** disjoint, de contexture relâchée || **3.** ***a)*** dégagé, libre, sans entraves; ***b)*** qui a de l'aisance, de la facilité: *solutissimus in dicendo,* ayant une très grande aisance de parole; ***c)*** sans bride, sans retenue; ***d)*** relâché, négligent, insouciant || sans énergie.

solvo, *ere, solvi, solutum (se* et *luo),* tr., **1.** délier, dénouer, détacher: *nodum,* défaire un nœud; *vinculum epistulæ* ou *epistulam,* ouvrir une lettre || *ancoram,* lever l'ancre, ou *naves,* appareiller, ou *naves a terra,* ou *solvere* abs., mettre à la voile; *Alexandrea solverunt,* ils ont fait voile d'Alexandrie; [rarement] *naves e portu solverunt,* les navires quittèrent le port || **2.** [fig.] délier, détacher, dégager, délivrer; *scelere solvi,* être dégagé du crime || **3.** payer, acquitter: *pecuniam debitam,* payer une dette; *pecuniam, nummos,* payer une somme d'argent, s'acquitter en versant des écus || [abs.] *solvere (alicui),* payer (qqn); *solvendo non esse,* ne pas être solvable || *præmia solvere,* donner les récompenses promises; *justa,* rendre les honneurs funèbres ou *suprema* ou *exsequias*; *pœnas solvere,* subir des châtiments; *capite pœnas,* être puni de mort || **4.** désagréger, dissoudre, rompre, résoudre: *ordines,* rompre les rangs || **5.** relâcher, énerver, amollir || **6.** dissiper, réduire en poudre, anéantir, réfuter || résoudre une question, une difficulté, etc. || **7.** briser, rompre, détruire.

somniculosus, *a, um (somnus),* dormeur || endormi, engourdi.

somnifer, *era, erum (somnus, fero),* assoupissant, somnifère, narcotique || qui cause un engourdissement mortel.

somnificus, *a, um (somnus, facio),* c. *somnifer.*

somnio, *are, avi, atum (somnium),* **1.** intr., rêver, avoir un songe: *de aliqua re,* rêver de qqch. || **2.** tr., voir en rêve; [avec prop. inf.] rêver que.

somnium, *ii,* n. *(somnus),* **1.** songe,

rêve || 2. chimère, extravagance || *somnia!*, rêveries! chansons!

somnus, *i*, m., 1. sommeil: *somnum capere*, dormir; *somna se dare*, se livrer au sommeil; *ducere somnos*, prolonger son sommeil; *per somnum* et surtout *in somnis*, pendant le sommeil, en songe || le Sommeil [divinité] || 2. [fig.] *a)* = inaction, paresse, oisiveté; *b)* = la nuit.

sonabilis, *e (sono)*, sonore, retentissant.

sonans, *tis*, 1. part. prés. de *sono* || 2. adj., retentissant, sonore.

sonipes, *edis (sonus, pes)*, au pied bruyant || subst. m., cheval, coursier.

sonitus, *us*, m. *(sono)*, retentissement, son, bruit, fracas: *sonitum dare* ou *reddere*, faire entendre un bruit.

sono, *are, sonui, sonitum (sonus)*, I. intr., 1. rendre un son, sonner, retentir, résonner; *graviter, acute*, rendre un son grave, aigu || 2. renvoyer un son, retentir || 3. avoir tel, tel accent.
II. tr., 1. *a)* émettre par des sons, faire entendre; *b)* [poét.] faire entendre avec éclat, faire sonner, vanter, chanter, célébrer || 2. [en parl. des mots] faire entendre, signifier: *quid sonat hæc vox voluptatis?*, que signifie ce mot plaisir?

sonor, *oris*, m. *(sono)*, son bruit.

sonore *(sonorus)*, d'une manière sonore.

sonorus, *a, um (sonor)*, retentissant, sonore.

sons, *sontis*, adj., coupable, criminel || [subst.] *sons*, m., un coupable.

sonui, pf. de *sono*.

sonus, *i*, m., 1. son, retentissement, bruit || 2. accent [de la voix, dans la prononciation] || 3. sonorité, éclat du style || ton, caractère propre.

sophisma, *atis*, n., sophisme.

sophistes, sophista, *æ*, m., sophiste.

sophisticus, *a, um*, sophistique, captieux.

Sophocles, *is (*et *i)*, m., Sophocle, poète tragique grec || **-eus,** *a, um*, de Sophocle.

sophus, *i*, m., sage.

sopio, *ire, ivi* ou *ii, itum* (cf. *sopor)*, tr., assoupir, endormir || [poét.] = faire périr.

sopitus, *a, um*, part. de *sopio*.

1. sopor, *oris*, m., 1. sommeil profond, sommeil || sommeil de la mort || 2. *a)* torpeur, engourdissement; *b)* torpeur morale; *c)* narcotique, breuvage soporifique.

2. Sopor, *oris*, m., Sommeil [divinité].

soporatus, *a, um*, 1. part. de *soporo* || 2. adj., *a)* endormi, engourdi; *b)* qui a une vertu soporifique.

soporifer, *era, erum (sopor, fero)*, soporifique, somnifère.

soporo, *are, avi, atum (sopor)*, tr., assoupir, endormir.

soporus, *a, um (sopor)*, qui apporte le sommeil.

Soracte, *is*, n., le Soracte [mont des Falisques consacré à Apollon].

sorbeo, *ere, ui*, tr., 1. avaler, gober, humer || 2. absorber, engloutir.

sorbitio, *onis*, f. *(sorbeo)*, 1. absorption || 2. breuvage, tisane, potion || bouillie, pâtée.

sorbui, pf. de *sorbeo*.

sorbum, *i*, n., sorbe, fruit du sorbier.

sorbus, *i*, f., sorbier.

sordeo, *ere, ui (sordes)*, intr., 1. être sale, malpropre || 2. [fig.] être misérable, sans valeur: *alicui*, pour quelqu'un.

1. sordes, *is*, f., [rare].

2. sordes, *ium*, f., 1. ordure, saleté, crasse || cérumen des oreilles || 2. habits négligés [de deuil], deuil || 3. personne sale, ignoble || crasse, lie du peuple || 4. bassesse de condition || bassesse, trivialité du style || 5. avarice sordide, lésinerie || bassesse d'âme, vilenie, fange.

sordesco, *ere, dui (sordeo)*, intr., se salir || se couvrir de mauvaises herbes.

1. sordidatus, *a, um (sordidus)*, 1. vêtu salement, sale, [ou] d'une tenue négligée || 2. en vêtements de deuil.

2. sordidatus, *a, um*, part. de *sordido*.

sordide *(sordidus)*, de basse condition: *sordidius* || d'un style bas, trivial || sordidement, mesquinement.

sordidus, *a, um (sordes)*, 1. sale, crasseux, malpropre || 2. bas, insignifiant, infime, méprisable || bas, trivial [style] || *sordidiores artes*, arts moins nobles [manuels] || 3. bas, vil, ignoble || crasseux, avare, sordide.

sordui, pf. de *sordeo* et de *sordesco*.

soror, *oris*, f., 1. sœur: *doctæ sorores*, les doctes sœurs [les Muses appelées aussi *novem sorores*, les neuf sœurs]; *sorores tres*, les trois sœurs [les Parques]; *vipereæ sorores*, les sœurs à la chevelure de serpents [les Furies] || 2. cousine.

sororicida, *æ*, m. *(soror, cædo)*, meurtrier de sa sœur.

sororius, *a, um (soror),* de sœur.

sors, *tis,* f. *(sero),* **1.** sort [objet qu'on mettait dans une urne pour tirer au sort: caillou, tablette, lamelle, baguette, portant des inscriptions]: *sors ducitur,* on tire au sort; *sors alicujus exit, excidit,* le nom de qqn sort de l'urne || [en part. tablettes de bois portant des sentences et déposées dans les temples; leur diminution de volume *(sortes attenuatæ* ou *extenuatæ)* était interprétée comme un mauvais présage] || **2.** tirage au sort, sort: *ei sorte provincia Sicilia obvenit,* il obtint du sort la province de Sicile [ou *evenit*]; *extra sortem,* sans tirer au sort || **3.** le résultat du tirage: ***a)*** oracle, prophétie [portés sur les tablettes qu'un enfant mêlait et dans lesquelles il effectuait le tirage]: *dictæ per carmina sortes,* oracles exprimés en vers; ***b)*** charge attribuée par le sort: *sors urbana, peregrina,* etc. = *provincia urbana, peregrina,* fonction du préteur urbain, pérégrin || **4.** sort, destin, destinée, lot || [d'où] condition, rang || lot, partage || **5.** capital prêté à intérêts.

sorticula, *æ,* f. *(sors),* bulletin de vote.

sortilegus, *a, um (sors* et *lego),* prophétique || subst. m., devin.

sortior, *iri, itus sum (sors),* **1.** intr., tirer au sort || **2.** tr., ***a)*** fixer par le sort: *provincias,* tirer les provinces au sort; ***b)*** obtenir par le sort; obtenir de la destinée; ***c)*** choisir; ***d)*** répartir.

sortitio, *onis,* f. *(sortior),* tirage au sort.

sortito *(sortitus),* après tirage au sort.

sortitus, *us,* m., tirage au sort.

Sosius, *ii,* m., nom d'homme; **Sosii,** m. pl., les Sosies [libraires célèbres sous Auguste].

sospes, *itis,* adj., sauvé, échappé au danger.

sospita, *æ,* f. *(sospes),* protectrice, libératrice [épith. de Junon].

sospito, *are (sospes),* tr., conserver sain et sauf, sauver, protéger.

Soter, *eris,* m., Sauveur, **1.** surnom de Jupiter || **2.** surnom de Ptolémée Ier, roi d'Égypte.

spargo, *ere, sparsi, sparsum,* tr., **1.** jeter çà et là, répandre, éparpiller, semer: *semen,* répandre la semence; *nummos populo,* jeter des écus à la volée au peuple || répandre un liquide || **2.** disperser, disséminer || [fig.] jeter au vent, dissiper || **3.** parsemer, joncher || arroser, éclabousser || **4.** répandre un bruit, colporter.

sparsi, pf. de *spargo.*

sparsim *(sparsus),* çà et là.

sparsio, *onis,* f. *(spargo),* aspersion [de parfums dans le cirque et dans le théâtre].

sparsus, *a, um,* **1.** part. de *spargo* || **2.** adj. épars.

Sparta, *æ,* f., et **Sparte,** *es,* f., Sparte, Lacédémone.

Spartacus, *i,* m., qui soutint contre les Romains la guerre dite des gladiateurs.

Spartanus, *a, um,* de Sparte || subst. m., Spartiate.

spartarius, *a, um,* plein de spartes.

sparteus, *a, um (spartum),* fait de sparte || subst. f., **spartea,** semelle de sparte.

Spartiatæ, *arum,* m., Spartiates, habitants de Sparte.

spartum (-on), *i,* n., **1.** sparte [jonc] || **2.** corde en sparte.

sparus, *i,* m., petit javelot, dard.

spasma, *atis,* n., et **spasmus,** *i,* m., spasme.

spasticus, *a, um,* qui a des spasmes.

spatha, *æ,* f., **1.** battoir || **2.** spatule || **3.** spathe [du palmier] || **4.** sorte de palmier || **5.** épée longue, sorte de latte.

spathe, *es,* f., spathe du palmier.

spatiatus, *a, um,* part. de *spatior.*

spatior, *ari, atus sum (spatium),* intr. **1.** aller de côté et d'autre, de long en large, aller et venir, se promener || **2.** marcher, s'avancer || **3.** s'étendre.

spatiose *(spatiosus),* au large.

spatiosus, *a, um (spatium),* spacieux, étendu, vaste.

spatium, *ii,* n., **1.** champ de course, carrière, arène || *spatia,* tours de piste || **2.** étendue, distance, espace: *magno spatio confecto,* une grande étendue de terrain ayant été parcourue; *tanto spatio* ou *ab tanto spatio,* à une distance si grande; *æquo spatio,* à égale distance; *magnum spatium abesse,* être à une grande distance || **3.** lieu de promenade, place; *Academiæ spatia,* les promenades (les jardins) de l'Académie || tour de promenade, promenade || **4.** espace || grandeur, étendue, dimensions || **5.** espace de temps, laps de temps || **6.** temps, délai, répit: *dare alicui spatium ad scribendum,* donner à qqn le temps d'écrire.

specialis, *e (species),* spécial, particulier.

specialiter *(specialis),* en particulier, spécialement, notamment.

species, *ei,* f., **1.** ensemble des traits qui caractérisent et font reconnaître un objet; aspect || **2.** ce qui apparaît aux regards, aspect, extérieur, air, dehors ||

3. bel aspect, grand air, éclat, lustre || **4.** apparition, vision nocturne, fantôme || **5.** apparence, semblant : *ad speciem, in speciem*, pour l'apparence, pour faire illusion ; *specie... reapse*, en apparence... en réalité ; *specie, sub specie*, sous prétexte.

specillum, *i*, n., sonde.

specimen, *inis*, n., **1.** preuve, indice, exemple, échantillon || **2.** exemplaire, modèle, idéal, type.

speciose *(speciosus)*, **1.** avec un aspect brillant, magnifiquement || **2.** avec grâce, élégance.

speciosus, *a, um (species)*, **1.** de bel aspect, d'extérieur brillant || **2.** spécieux.

spectabilis, *e (specto)*, **1.** visible, qui est en vue || **2.** remarquable, brillant.

spectaculum, *i*, n. *(specto)*, **1.** spectacle, vue, aspect : *o spectaculum miserum !*, ô spectacle lamentable ! *alicui spectaculum præbere*, offrir un spectacle à qqn || **2.** spectacle [au cirque, théâtre, etc.] || **3.** pl. *spectacula*, places au cirque, au théâtre.

spectate, d'une manière remarquable [usité seulement au superl.] : *spectatissime*.

spectatio, *onis*, f. *(specto)*, **1.** action de regarder, vue || **2.** examen, essai de l'argent.

spectator, *oris*, m. *(specto)*, **1.** qui a l'habitude de regarder, d'observer, observateur, contemplateur || **2.** spectateur, témoin || **3.** spectateur [au théâtre].

spectatrix, *icis*, f. *(spectator)*, spectatrice || juge.

spectatus, *a, um*, **1.** part. de *specto* || **2.** adj., ***a)*** éprouvé, à l'épreuve ; ***b)*** estimé, considéré, en vue ; ***c)*** remarquable.

spectio, *onis*, f., action d'observer [les auspices].

specto, *are, avi, atum*, tr. et intr., **1.** regarder, observer, contempler : ***a)*** tr. avec acc. ; ***b)*** intr., *spectantibus omnibus*, sous les regards de tous ; *spectare in aliquem*, avoir les yeux sur qqn || **2.** regarder un spectacle || **3.** considérer, faire attention à : *rem, non verba*, considérer les idées, non les mots || **4.** éprouver, faire l'essai de : *spectatur in ignibus aurum*, on éprouve l'or au feu || apprécier, juger || **5.** avoir en vue, viser à : ***a)*** tr., se proposer un but : *fugam*, avoir en vue la fuite ; ***b)*** intr., *ad aliquid*, aspirer à qqch. || **6.** [en parl. de choses] tendre à, avoir en vue *(aliquid* ou *ad aliquid)* || avoir trait à, se rapporter à || **7.** [en parl. de lieux] regarder, donner sur, avoir vue sur : ***a)*** tr. ; ***b)*** intr., *(pars) quæ ad fretum spectat* (la partie du rivage) qui regarde le détroit.

1. specula, *æ*, f., **1.** lieu d'observation, hauteur, observatoire || **2.** ***a)*** *in speculis esse*, être aux aguets ; ***b)*** [poét.] lieu élevé, montagne.

2. specula, *æ*, f. *(spes)*, lueur d'espoir.

speculabundus, *a, um*, qui est aux aguets.

specularia, *ium* ou *iorum*, n. *(specularis)*, vitres, carreaux.

specularis, *e (speculum)*, de miroir || transparent : *specularis lapis*, pierre spéculaire [sélinite transparente, qui se distribuait en feuilles minces et dont les anciens faisaient des vitres].

speculatio, *onis*, f. *(speculor)*, espionnage ; rapport d'un espion.

speculator, *oris*, m. *(speculor)*, **1.** observateur, espion || pl., éclaireurs || messager, courrier, garde du corps auprès du général || garde || **2.** observateur.

speculatorius, *a, um (speculator)*, d'observation, d'éclaireur : *speculatoria navigia* ou *speculatoriæ*, f. [s.-ent. *naves*], navires servant d'éclaireurs.

speculatrix, *icis*, f. *(speculator)*, observatrice.

speculatus, *a, um*, part. de *speculor*.

speculor, *ari, atus sum (specula)*, **1.** tr., observer, guetter, épier, surveiller, espionner || **2.** intr., observer d'en haut.

speculum, *i*, n., **1.** miroir || **2.** [fig.] = reproduction fidèle, image.

specus, *us*, m., **1.** grotte, caverne, antre || **2.** conduite d'eau || **3.** souterrain || cavité, creux.

spelæum, *i*, n., tanière, repaire.

spelunca, *æ*, f., caverne, antre, grotte.

speratus, *a, um*, part. de *spero*.

sperno, *ere, sprevi, spretum*, tr., **1.** écarter, éloigner || **2.** rejeter, dédaigner.

spero, *are, avi, atum*, tr., attendre, s'attendre à, espérer, **1.** [absol.] : *bene sperare de re publica*, avoir bon espoir de la direction des affaires publiques || **2.** [avec un acc.] : *omnia ex victoria*, espérer tout de la victoire || **3.** avec prop. inf., surtout à l'inf. futur : *spero vos... esse visuros*, j'espère que vous verrez... ; *spero fore ut*, j'espère qu'il arrivera que, j'espère que.

1. spes, *spei*, f., attente,

I. [d'une chose favorable] espérance,

espoir, **1.** *præter spem, præter spem omnium*, contre l'espérance, contre toute espérance || **2.** [constr.]: *in aliqua re, in aliquo spem collocare*, fonder une espérance sur qqch., sur qqn ; *in aliquo, in aliqua re spem habere*, avoir espoir en qqn, en qqch. ; *in spem alicujus rei venire*, ou *de aliqua re*, en venir à espérer, se prendre à espérer qqch. ; *spes aliquem fefellit de aliqua re*, qqn est déçu dans ses espérances touchant qqch. ; *ea spe dejectus, ab hac spe re pulsus, hac spe lapsus*, déçu de cette espérance || [avec prop. inf.]: *magnam habere spem Ariovistum finem facturum*, avoir le ferme espoir qu'Arioviste mettra un terme... ; *magnam in spem veniebat fore uti*, il se prenait à espérer fortement [qu'il arriverait] que || **3.** espoir, objet de l'espoir.

II. attente, perspective : *omnium spe celerius*, plus vite qu'on ne s'y attendait.

2. Spes, *ei*, f., l'Espérance [divinité].

sphacos, *i*, m., sauge [plante].

sphæra, *æ*, f., **1.** sphère, globe || boule, boulette || **2.** sphère céleste || **3.** sphère de révolution des planètes.

sphæristerium, *ii*, n., salle de jeu de paume.

sphæromachia, *æ*, f., le jeu de paume.

sphinx, *gis*, f., **1.** sphinx : ***a)*** [d'Égypte ; monstre ayant un corps de lion et une tête d'homme] ; ***b)*** [de Thèbes ; corps de lion, tête de femme et des ailes ; proposait des énigmes] || **2.** espèce de singe.

spica, *æ*, f., **1.** pointe, épi || **2.** tête, gousse.

spicatus, *a, um*, part. de *spico*.

spiceus, *a, um (spica)*, d'épi.

spico, *are, atum (spica)*, tr., fournir un épi.

spiculatus, *a, um*, part. de *spiculo*.

spiculo, *are (spiculum)*, tr., rendre pointu.

spiculum, *i*, n. *(spicum)*, **1.** dard || **2.** pointe d'un trait || **3.** dard, javelot || flèche.

spicum, *i*, n., épi.

spina, *æ*, f., **1.** épine || *solstitialis*, ou *alba spina*, aubépine || [fig.] difficultés, subtilités || soucis || défauts || **2.** épines, piquants d'animaux || épine dorsale || [poét.] le dos || arête de poisson.

spinetum, *i*, n. [au pl.], buisson d'épines.

spineus, *a, um*, d'épine [bois].

spinosus, *a, um (spina)*, **1.** couvert d'épines, épineux || **2.** ***a)*** piquant, cuisant ; ***b)*** pointu, subtil.

spinus, *i*, f. *(spina)*, prunier sauvage.

spira, *æ*, f., **1.** spirale, anneaux, replis || nœuds des arbres || **2.** tore d'une colonne || pâtisserie en spirale || natte, tresse.

spirabilis, *e (spiro)*, respirable, aérien.

spiraculum, *i*, n. *(spiro)*, soupirail, ouverture.

spiramen, *inis*, n. *(spiro)*, **1.** ouverture par où passe l'air ; fosse nasale, narines || soupirail || **2.** souffle, haleine.

spiramentum, *i*, n. *(spiro)*, **1.** canal, conduit, pore, soupirail || **2.** ***a)*** souffle, exhalaison ; ***b)*** temps de respirer, pause.

spiritus, *us*, m. *(spiro)*, **1.** souffle [de l'air, du vent] || air aspiré (respiré) ; *spiritum haurire*, respirer ; *spiritum ducere*, respirer, vivre || souffle, respiration, haleine ; *uno spiritu*, d'une seule haleine ; *spiritum intercludere*, couper la respiration || acte de la respiration || **2.** vie || **3.** ***a)*** soupir ; ***b)*** exhalaison, émanation, odeur || **4.** [métaph.] souffle, inspiration || **5.** ***a)*** suffisance, assurance, présomption, arrogance, orgueil ; ***b)*** disposition d'esprit, sentiment ; ***c)*** souffle créateur, esprit poétique, génie, inspiration ; ***d)*** esprit, âme || personne.

spiro, *are, avi, atum*,

I. intr., **1.** souffler || **2.** bouillonner || **3.** respirer, vivre : *spirantia signa*, statues qui semblent vivantes || **4.** ***a)*** avoir le souffle poétique, être inspiré ; ***b)*** exhaler une odeur.

II. tr., **1.** souffler, émettre en soufflant, chevaux soufflant le feu par leurs naseaux || exhaler une odeur || **2.** respirer : ***a)*** aspirer à, être avide de ; ***b)*** donner des signes de, manifester, annoncer.

spissatus, *a, um*, part. de *spisso*.

spisse *(spissus)*, **1.** d'une manière serrée, en tassant || **2.** d'une façon lente.

spissesco, *ere (spissus)*, intr., se condenser, s'épaissir.

spissitas, *atis*, f. *(spissus)*, densité.

spissitudo, *inis*, f., condensation.

spisso, *are, avi, atum (spissus)*, tr., **1.** rendre épais, épaissir, condenser, coaguler.

spissus, *a, um*, **1.** serré, dense, compact, dru || *spissæ*, s.-ent. *vestes*, robes épaisses || **2.** lent, qui va lentement, qui avance péniblement.

splen, *splenis*, m., rate.

splendens, *tis*, part. prés. de *splendeo.*

splendeo, *ere*, intr., briller, étinceler, être éclatant.

splendesco, *ere, dui*, intr., devenir brillant, prendre de l'éclat.

splendide *(splendidus)*, d'une façon brillante, avec éclat, magnifiquement, splendidement.

splendidus, *a, um (splendeo)*, brillant, éclatant, resplendissant.

splendor, *oris*, m. *(splendeo)*, **1.** l'éclat, le brillant, le poli éclatant || **2.** [fig.] splendeur, magnificence, considération, lustre, gloire.

splendui, pf. de *splendesco.*

spodium, *ii*, n., cendre.

spoliarium, *ii*, n. *(spolium)*, spoliaire, endroit où l'on dépouillait les gladiateurs tués || repaire de brigands.

spoliatio, *onis*, f. *(spolio)*, pillage, spoliation.

spoliator, *oris*, f. *(spolio)*, spoliateur.

spoliatrix, *icis*, f. *(spoliator)*, spoliatrice.

spoliatus, *a, um*, **1.** part. de *spolio* || **2.** adj., dépouillé, vidé.

spolio, *are, avi, atum (spolium)*, tr., **1.** dépouiller [du vêtement], déshabiller || **2.** dépouiller, déposséder; *aliquem aliqua re*, dépouiller qqn de qqch. || dévaliser: *fana*, dévaliser les temples || **3.** prendre comme dépouille.

spolium, *ii*, n., **1.** dépouille d'un animal || toison || peau d'un serpent qui mue || **2.** au pl., dépouille guerrière, butin: *opima spolia*, dépouilles opimes.

sponda, *æ*, f., bois de lit || lit.

spondeo, *ere, spopondi, sponsum*, tr., **1.** [t. de droit]: promettre [solennellement, dans les formes prescrites] pour qqn, promettre à titre de caution, de répondant || **2.** [en gén.] promettre sur l'honneur, assurer, garantir, se porter fort, etc.; ***a)*** avec acc., prendre l'engagement de donner; ***b)*** avec prop. inf. et inf. fut., donner l'assurance que.

spongia (ou **-ea),** *æ*, f., **1.** éponge || **2.** [fig.]: ***a)*** plastron, cotte de mailles des gladiateurs; ***b)*** racine d'asperge || racine de menthe; ***c)*** pierre ponce.

spongiosus (-geosus), *a, um*, spongieux, poreux.

sponsa, *æ*, f. *(spondeo)*, fiancée.

sponsalis, *e (sponsus)*, de fiançailles || **sponsalia,** *ium* ou *iorum*, n., ***a)*** fiançailles; ***b)*** fête de fiançailles, repas de noces.

sponsio, *onis*, f. *(spondeo)*, **1.** engagement oral et solennel, promesse, assurance, garantie || **2.** [en droit] promesse verbale et réciproque entre deux parties de payer une certaine somme si telle condition n'est pas remplie || promesse réciproque, engagement réciproque.

sponsor, *oris*, m. *(spondeo)*, répondant, caution.

sponsum, *i*, n. *(spondeo)*, **1.** chose promise, engagement || **2.** = *sponsio.*

1. sponsus, *a, um*, part. de *spondeo.*

2. sponsus, *i*, m., fiancé.

3. sponsus, *us*, m., promesse, engagement.

sponte (cf. *spondeo*), abl. de l'inus. *spons*, **1.** d'après la volonté, *alicujus*, de qqn || **2.** [tour classique]: *mea, tua, sua sponte*, ***a)*** spontanément, volontairement, de mon, de ton, de son propre mouvement || [sans adj. poss.]: *sponte properant*, ils se hâtent de leur propre mouvement; ***b)*** par soi-même, par ses seules forces, sans appui: *nec sua sponte, sed eorum auxilio qui*, [il a agi] non par lui-même, mais avec l'appui de ceux qui...; ***c)*** par soi-même, de sa propre nature, naturellement.

spopondi, pf. de *spondeo.*

Sporades, *um*, f., les Sporades, dix-neuf îles de la mer Égée, entre les Cyclades et la Crète.

sporta, *æ*, f., **1.** panier, corbeille || **2.** filtre.

sportella, *æ*, f. *(sporta)*, sportelle, petite corbeille, aliment froid.

sportula, *æ*, f. *(sporta)*, **1.** petit panier || **2.** c'est dans des paniers de cette sorte que les patrons distribuaient des présents, en nature ou en argent, à leurs clients, sportule || **3.** largesses, libéralités, cadeaux.

spretor, *oris*, m. *(sperno)*, celui qui méprise, contempteur.

spretus, *a, um*, part. de *sperno.*

sprevi, pf. de *sperno.*

spuma, *æ*, f. *(spuo)*, écume, bave.

spumans, *tis*, part. prés. de *spumo.*

spumatus, *a, um*, part. de *spumo.*

spumeus, *a, um (spuma)*, écumant.

spumifer, *era, erum (spuma, fero)*, écumeux.

spumo, *are, avi, atum (spuma)*, **1.** intr., ***a)*** écumer, jeter de l'écume, mousser; ***b)*** écumer de colère || **2.** tr., ***a)*** couvrir d'écume; ***b)*** jeter en écume, exhaler en écume.

spumosus, *a, um (spuma)*, écumant.

spuo, *ere, spui, sputum*, **1.** intr., cracher || **2.** tr., rejeter en crachant, cracher.

spurcatus, *a, um*, part. de *spurco* pris adj.: *spurcatissimus*, le plus sale qui soit.

spurce *(spurcus)*, salement.

spurcitia, *æ*, f., et **spurcitias,** *ei*, f. *(spurcus)*, saleté, ordures, immondices.

spurcus, *a, um*, sale, malpropre, immonde.

sputo, *are (spuo)*, tr., cracher.

sputum, *i*, n. *(spuo)*, crachat.

squaleo, *ere*, intr., **1.** être rude, hérissé, âpre || **2.** être sale, négligé, malpropre || en friche, aride || **3.** porter des vêtements sombres [de deuil].

squalide, [fig.] *squalidius*, d'un style plus négligé.

squaliditas, *atis*, f., [fig.] négligence, désordre.

squalidus, *a, um (squaleo)*, **1.** âpre, hérissé, rugueux || **2.** sale, malpropre || inculte, aride || en vêtements négligés, de deuil.

squaler, *oris*, m. *(squaleo)*, **1.** âpreté, état rugueux, aspérité || **2.** saleté, malpropreté, crasse || état négligé, inculte, désolé || **3.** état négligé des vêtements || deuil.

squalus, *i*, m., squale.

squama, *æ*, f., **1.** écaille || **2.** ***a)*** maille de cuirasse; ***b)*** *(in oculis)* cataracte; ***c)*** pellicule || paillette [de fer].

squameus, *a, um (squama)*, écailleux, couvert d'écailles.

squamifer et **squamiger,** *era, erum (squama, fero, gero)*, c. *squameus* || **squamigeri** *um*, m., poissons.

squamma, etc., v. *squama*.

squamosus (-ossus), *a, um*, c. *squameus*.

squamula, *æ*, f. *(squama)*, petite écaille.

squilla, *æ*, f., squille [sorte de crustacé].

st, interj., chut! paix! silence!

stabilimentum, *i*, n., soutien.

stabilio, *ire, ivi, itum (stabilis)*, tr., **1.** faire se tenir solidement, maintenir solide, affermir || **2.** [fig.] soutenir, étayer, appuyer, consolider.

stabilis, *e (sto)*, **1.** propre à la station droite, où l'on peut se tenir droit || qui se tient ferme, solide: *stabili gradu*, de pied ferme || **2.** [fig.] ferme, solide, inébranlable, durable, etc.: *stabilis sententia*, opinion ferme.

stabilitas, *atis*, f. *(stabilis)*, stabilité, solidité, fermeté, fixité, consistance, etc.

stabiliter *(stabilis)*, solidement, fermement.

stabilitor, *oris*, m. *(stabilio)*, appui, soutien.

stabilitus, *a, um*, part. de *stabilio*.

stabularius, *ii*, m. *(stabulum)*, **1.** palefrenier || **2.** aubergiste, logeur.

stabulatio, *onis*, f. *(stabulor)*, séjour dans l'étable || demeure [d'hommes].

stabulatus, *a, um*, part. de *stabulor* et de *stabulo*.

stabulo, *are (stabulum)*, **1.** tr., garder dans une étable || **2.** intr., être à l'étable, habiter, séjourner.

stabulor, *ari, atus sum (stabulum)*, intr., avoir son étable, habiter, séjourner.

stabulum, *i*, n. *(sto)*, lieu où l'on séjourne || **1.** étable, écurie, parc, bergerie || poulailler || vivier || ruche || **2.** auberge, hôtellerie.

stacta, *æ*, f., ou **stacte,** *es*, f., stacté, essence de myrrhe, myrrhe.

stadium, *ii*, n., **1.** stade [mesure: 125 pas ou 625 pieds, le huitième du mille] || **2.** le stade [carrière]: *stadium currere*, faire la course du stade.

Stagira, *orum*, n., Stagire [en Macédoine, patrie d'Aristote] || **-rites,** *æ*, m., le Stagirite, Aristote.

stagnans, *is*, part. prés. de *stagno*.

stagnatus, *a, um*, part. de *stagno*.

1. stagno, *are, avi, atum (stagnum)*, **1.** intr., être stagnant, former une nappe stagnante || **2.** être couvert d'une nappe stagnante, être inondé, submergé || *stagnantia, ium*, n., endroits inondés || **3.** tr., ***a)*** rendre stagnant, immobiliser; ***b)*** inonder, submerger.

2. stagno, *are, avi, atum (stagnum 2)*, tr., recouvrir d'étain, souder.

stagnosus, *a, um (stagnum)*, couvert d'eau, inondé; pl. n. *stagnosa*, lieux marécageux.

1. stagnum, *i*, n., eau stagnante, nappe d'eau || lac, étang.

2. stagnum, *i*, n. = *stannum*.

stamen, *inis*, n., **1.** chaîne [du métier vertical des tisserands anciens], ourdissure || **2.** fil d'une quenouille || fil des Parques || destinée || **3.** toute espèce de fils: fil d'Ariane || fil d'araignée || fil de filet || fibre, filament, corde d'instrument.

stanneus, *a, um (stannum)*, d'étain.

stannum, *i*, n., plomb d'œuvre, plomb argentifère || étain.

statarius, *a, um (sto)*, **1.** qui reste en place || **2.** *statarius orator*, orateur posé ; *stataria (comœdia)*, comédie avec peu d'action ; *statarii, orum*, m., acteurs d'une stataria.

statera, *æ*, f., balance, trébuchet || [fig.] valeur, prix d'une chose.

staticulum, *i*, n. *(statua)*, statuette, figurine.

statim *(sto)*, sans désemparer, incontinent, sur-le-champ, aussitôt || *statim ut* ou *ut... statim* ; *statim... simul ac*, aussitôt que || *statim post*, aussitôt après.

statio, *onis*, f. *(sto)*, **1.** position permanente, état d'immobilité || [fig.] état de choses fixe || **2.** station, lieu de séjournement, séjournement, résidence || **3.** station navale, mouillage, rade || **4.** poste militaire : *in statione esse*, être de garde ; *cohors in statione*, cohorte de garde ; *de statione vitæ decedere*, quitter le poste de la vie || **5.** les hommes de garde, poste, garde, sentinelles, détachement.

stationarius, *a, um (statio)*, de garde.

Statius, *ii*, m., **1.** Cæcilius Statius [poète comique] || **2.** Stace [auteur des Silves, de la Thébaïde].

stativa, *orum*, n. *(sto)*, **1.** campement fixe, quartiers || **2.** lieu de séjour, station.

stativus, *a, um (sto)*, qui reste en place, qui séjourne, stationnaire : *præsidium stativum*, poste militaire ; *stativa castra*, c. *stativa*.

1. Stator, *oris*, m. *(sisto)*, surnom de Jupiter [qui arrête les fuyards].

2. stator, *oris*, m. *(sto)*, esclave public qui faisait l'office de planton, ordonnance.

statua, *æ*, f. *(statuo)*, statue : *statuam ponere* ; *statuere*, placer, dresser une statue.

statuaria ars, et absol. **statuaria,** *æ*, f., la statuaire.

statuarius, *ii*, m. *(statua)*, statuaire.

statumen, *inis*, n. *(statuo)*, **1.** échalas || **2.** varangue ; pl. membrure de vaisseau || **3.** fondation en pierres || **4.** première couche, base.

statumino, *are (statumen)*, tr., étayer, soutenir, échalasser, faire une fondation.

statuo, *ere, ui, utum (status)*, tr., **1.** ***a)*** établir, poser, placer, mettre dans une position déterminée ; ***b)*** élever, ériger, dresser, mettre debout : *tabernacula, statuam*, dresser des tentes, une statue ; *tropæum*, élever un trophée || **2.** [fig.] établir : *documentum statuere*, faire un exemple || **3.** décider, fixer, déterminer : ***a)*** *modum alicui rei*, ou *alicujus rei*, fixer une limite à qqch., *condicionem alicui*, fixer des conditions à qqn ; *diem alicui, alicui rei*, assigner un jour à qqn, à qqch. ; ***b)*** [avec intr. ind.] *statuere utrum sint an...*, décider, trancher, s'ils sont ou si... || **4.** poser en principe, être d'avis, juger, estimer : ***a)*** [avec deux acc.] *aliquem hostem*, juger qqn un ennemi ; ***b)*** [avec prop. inf.] *statuerant se... numquam esse visuros*, ils avaient dans l'idée qu'ils ne verraient jamais || **5.** décider, arrêter, résoudre ; ***a)*** [avec inf.] : *statuit jus non dicere*, il décida de ne pas rendre la justice ; ***b)*** [avec *ut, ne*] : *statuunt ut... mittantur*, ils décident que soient envoyés... ; *statuitur, ne... sit Creta provincia*, on décide que la Crète ne sera plus province ; ***c)*** décider, décréter, statuer : *aliquid de aliquo*, prendre une décision sur qqn, ou [absol.] *de aliquo statuere*.

statura, *æ*, f. *(sto)*, stature, taille || hauteur.

staturus, *a, um*, part. futur de *sto*.

status, *us*, m. *(sto)*, **1.** action de se tenir, posture, attitude, pose || **2.** position du combattant || **3.** ***a)*** état, position, situation : *vitæ*, situation sociale : *amplus status*, situation considérable, haut rang ; *eo tum statu res erat, ut*, la situation était alors la suivante ; ***b)*** forme de gouvernement ; ***c)*** bon état, stabilité, assiette solide.

statutus, *a, um*, part. de *statuo*.

stela, *æ*, f., stèle [t. d'arch.].

stella, *æ*, f., **1.** étoile : *sidera et stellæ*, les constellations et les étoiles ; *stellæ errantes*, planètes ; *stella comans*, comète || étoile filante || **2.** ver luisant ; étoile de mer.

stellans, *tis*, part. prés. de *stello* || adj., garni (parsemé) d'étoiles.

stellatus, *a, um (stella)*, **1.** étoilé, parsemé d'étoiles || **2.** aux cent yeux [Argus] || étincelant.

stellifer, *era, erum (stella, fero)*, étoilé.

stelliger, *era, erum (stella, gero)*, étoilé.

stellio (stelio), *onis*, m., stellion, sorte de lézard || fourbe [cf. *versipellis*].

stello, *are, atum (stella)*, tr., semer d'étoiles.

stemma, *atis*, n., guirlande || arbre généalogique, tableau généalogique.

Stentor, *oris*, m., Stentor [héros de l'Iliade dont la voix, selon Homère, était aussi puissante que celle de 50 hommes criant à la fois].

stercilinum, *i*, n., c. *sterculinum*.

stercorarius, *a, um (stercus),* qui concerne le fumier ou les excréments.

stercoratio, *onis,* f. *(stercoro),* action de fumer; fumage des terres.

stercoratus, *a, um (stercus),* fumé.

stercoro, *are, avi, atum (stercus),* tr., fumer.

stercorosus, *a, um (stercus),* bien fumé || fangeux, vaseux, sale.

sterculinum, *i,* n. *(stercus),* tas de fumier, fosse à fumier.

stercus, *oris,* n., excrément, fiente, fumier || [injure] fumier! ordure!

sterilesco, *ere (sterilis),* intr., devenir stérile.

sterilis, *e,* **1.** infécond, stérile || qui rend stérile || **2.** qui ne rapporte rien.

sterilitas, *atis,* f. *(sterilis),* **1.** stérilité, infécondité || **2.** impuissance, néant.

sternax, *acis (sterno),* adj., qui terrasse, qui renverse [son cavalier].

sterno, *ere, stravi, stratum,* tr.,
I. étendre sur le sol, **1.** répandre, étendre: *humi strati,* étendus à terre; *stratus ad pedes alicui,* prosterné aux pieds de qqn || **2.** abattre sur le sol, terrasser, renverser: *aliquem cæde, leto, morte,* étendre mort qqn, abattre d'un coup mortel, faire mordre à qqn la poussière || **3.** aplanir, niveler || [fig.] calmer, apaiser.
II. recouvrir, joncher, **1.** *lectum sternere,* dresser un lit [le garnir de tapis] || **2.** garnir de pierres, paver: *emporium lapide,* daller le marché || [d'où] *sternere* [absol.], paver; *via strata,* chemin pavé; *locum sternendum locare,* mettre en adjudication le pavage d'un lieu || **3.** seller, harnacher des chevaux || **4.** [en gén.] couvrir, joncher.

sternumentum, *i,* n. *(sternuo),* **1.** éternuement || **2.** un sternutatoire.

sternuo, *ere, ui,* intr., éternuer.

sternutamentum, *i,* n. *(sternuto),* éternuement.

sternuto, *are, avi,* intr. *(sternuo),* éternuer souvent.

sterto, *ere,* intr., ronfler ou dormir en ronflant = dormir profondément.

steti, pf. de *sto* et qqf. de *sisto.*

stibadium, *ii,* n., lit semi-circulaire.

stibi, *is,* n., v. *stibium.*

stibium, *ii,* n., antimoine.

stigma, *atis,* n., **1.** stigmate, marque faite au fer rouge || **2.** flétrissure, marque d'infamie.

stigmatias, *æ,* m., esclave stigmatisé (marqué).

stilla, *æ,* f. *(stiria),* goutte.

stillarium, *ii,* n. *(stilla),* petite addition.

stillatus, *a, um,* part. de *stillo.*

stillicidium, *ii,* n. *(stilla* et *cado),* **1.** eau qui tombe goutte à goutte || écoulement lent, gouttes || **2.** eaux de pluie; eaux de toit, de gouttière.

stillo, *are, avi, atum (stilla),*
I. intr., **1.** tomber goutte à goutte || **2.** être dégouttant de.
II. tr., faire couler goutte à goutte || pass. *stillatus, a, um,* tombé goutte à goutte.

stilus (non stylus), *i,* m., tout objet en forme de tige pointue, **1.** pieu || tige de plante || **2.** style, poinçon pour écrire: *stilum prendere,* prendre son style, sa plume || **3.** [fig.] ***a)*** travail du poinçon, de la plume, c.-à-d. de la composition; ***b)*** manière, style; ***c)*** œuvre littéraire.

stimulatio, *onis,* f. *(stimulo),* action d'aiguillonner; [fig.] aiguillon, stimulant.

stimulatus, *a, um,* part. de *stimulo.*

stimulo, *are, avi, atum (stimulus),* tr., **1.** piquer de l'aiguillon || **2.** [fig.] ***a)*** aiguillonner, tourmenter; ***b)*** stimuler, exciter; *stimulare aliquem, ut,* exciter qqn à; *stimulari ne,* être poussé à éviter || [absol.] *stimulante fame,* sous l'aiguillon de la faim.

stimulus, *i,* m., **1.** aiguillon [pour exciter les bêtes] || **2.** ***a)*** tourment, piqûre; ***b)*** stimulant, excitation, encouragement: *stimulos admovere alicui,* stimuler qqn || **3.** sorte de chausse-trappe.

stinguo, *ere,* tr., éteindre.

stipatio, *onis,* f. *(stipo),* action de se presser autour de qqn, foule entassée, foule pressée.

stipator, *oris,* m. *(stipo),* celui qui fait cortège, qui escorte; *stipatores corporis,* gardes du corps, satellites.

stipatus, *a, um,* part. de *stipo.*

stipendiarius, *a, um (stipendium),* **1.** soumis à un tribu, tributaire, qui paie une contribution en argent || *stipendiarii orum,* m., les tributaires [versant une contribution en argent] || **2.** qui est à la solde, stipendié.

stipendiatus, *a, um,* part. de *stipendior.*

stipendior, *ari, atus sum (stipendium),* intr., toucher une solde || *alicui,* être à la solde de qqn.

stipendium, *ii,* n. *(stips, pendo),*
I. 1. impôt, tribut, contribution [en argent]: *stipendium pendere,* payer une contribution de guerre || **2.** réparation, rançon.
II. 1. solde militaire, paie: *stipendium*

numerare militibus, payer la solde aux soldats, ou *persolvere* || **2.** [surtout au pl.] = service militaire: *stipendia merere*, faire son service militaire, servir, ou *facere*; *emereri*, achever son temps de service || **3.** année de solde, campagne: *tricena, quadragena stipendia*, trente, quarante années de service; *milites stipendiis confecti*, les soldats accablés d'années de campagne || **4.** *vitæ stipendia*, les obligations de la vie.

stipes, *itis*, m., **1.** tronc, souche || bûche, souche = imbécile || arbre || **2.** pieu (massif) || bâton || poteau.

stipo, *are, avi, atum*, tr., **1.** mettre dru, mettre serré, entasser, [surtout au part. *stipatus*]: *Græci stipati*, les Grecs entassés, serrés les uns contre les autres || **2.** mettre serré autour, entourer de façon compacte: *senatum armatis*, investir le sénat d'hommes armés || escorter, faire cortège à.

stips, *stipis*, f., **1.** petite pièce de monnaie, obole: *stipem cogere*, faire la quête; *stipem tollere*, supprimer les quêtes || **2.** [fig.] = argent, gain, profit.

stipula, *æ*, f., tige des céréales, chaume, paille || chalumeau, pipeau || tige des fèves.

stipulatio, *onis*, f. *(stipulor)*, stipulation, obligation verbale [promesse faite solennellement par le débiteur].

stipulatiuncula, *æ*, f., stipulation insignifiante.

stipulator, *oris*, m. *(stipulor)*, celui qui se fait faire une promesse solennelle.

stipulatus, *a, um*, part. de *stipulor*; sens pass. v. *stipulor*.

stipulor, *ari, atus sum*, tr., **1.** se faire promettre verbalement et solennellement, exiger un engagement formel || **2.** promettre par stipulation || part. *stipulatus* à sens pass., promis par stipulation.

stiria, *æ*, f., goutte congelée.

stirpesco, *ere (stirps)*, intr., pousser des rejetons.

stirpitus *(stirps)*, adv. [fig.] radicalement.

stirps, *stirpis*, f., **1.** souche, racine || **2.** [surtout au pl.] plantes || rejeton, surgeon || **3.** ***a)*** souche, origine, race, famille, sang || rejeton, lignée, progéniture, descendants; ***b)*** racine, origine, principe, source, fondement.

stiti, pf. de *sisto*.

stiva, *æ*, f., manche de charrue.

sto, *stare, steti, staturus*, intr.,
I. se tenir debout, **1.** *stant, non sedent*, ils sont debout, pas assis || *statua, quæ Delphis stabat*, la statue qui se dressait à Delphes || **2.** se tenir, ***a)*** [en parl. de troupes]: *ex eo, quo stabant, loco recesserunt*, ils quittèrent le lieu où ils se tenaient; ***b)*** se tenir à l'ancre, au mouillage; ***c)*** se tenir droit, hérissé: *steterunt comæ*, les cheveux se tinrent dressés || [avec abl.] *stat nive Soracte*, le Soracte dresse son bloc de neige; ***d)*** se tenir à tel, tel prix, coûter || **3.** se tenir du parti de qqn: *cum aliquo*, être aux côtés de qqn, être avec, pour qqn, ou *pro aliquo, pro aliqua re*, ou surtout *ab aliquo, ab aliqua re; ab aliquo contra aliquem*, soutenir le parti de qqn contre qqn || **4.** *per aliquem stat quominus*, il dépend de qqn d'empêcher que || *per aliquem non stat quin*, ou *quominus*, il ne dépend pas de qqn que...
II. 1. se tenir immobile || **2.** demeurer immobile, s'arrêter || **3.** stationner séjourner.
III. se tenir solidement, ferme, **1.** [dans le combat] tenir bon, faire bonne contenance || se maintenir, ne pas s'effondrer || **2.** se tenir debout, subsister || **3.** [fig.] se tenir ferme, persévérer: ***a)*** *stare oportet in eo quod sit judicatum*, il faut s'en tenir à ce qu'on a jugé; ***b)*** [surtout avec abl.] se tenir fermement à, être fidèle à: *promissis, conventis*, être fidèle aux promesses, aux engagements; *decreto non stare*, ne pas rester soumis à une décision || **4.** être établi; arrêté, fixé: *mihi stat... desinere*, je suis résolu à cesser...

Stoice, adv., à la façon des Stoïciens.

Stoicus, *a, um*, des Stoïciens, stoïcien || subst. m., un Stoïcien || **Stoica,** *orum*, n., la philosophie des Stoïciens.

stola, *æ*, f., **1.** longue robe [pour hommes et femmes] || **2.** robe des matrones romaines.

stolatus, *a, um (stola)*, vêtu de la stola.

stolide *(stolidus)*, sottement, stupidement || d'une manière insensée.

stoliditas, *atis*, f. *(stolidus)*, sottise, stupidité.

stolidus, *a, um*, lourd, grossier, sot, niais.

stolo, *onis*, m., surgeon, rejet.

stomachatus, *a, um*, part. de *stomachor*.

stomachicus, *i*, m., celui qui souffre de l'estomac.

stomachor, *ari, atus sum (stomachus)*, intr., **1.** avoir de la bile, s'irriter, se formaliser, prendre mal les choses || *stomachari cum aliquo*, se chamailler avec qqn || **2.** [avec acc. pron. n.] *omnia, aliquid*, se formaliser de tout, de qqch.

stomachose *(stomachosus)*, avec humeur.

stomachosus, *a, um (stomachus)*, qui a de l'humeur, qui témoigne de l'irritation.

stomachus, *i*, m., **1.** œsophage || **2.** estomac || **3.** ***a)*** goût : *ludi non tui stomachi*, jeux qui ne sont pas de ton goût ; ***b)*** *bonus stomachus*, bonne humeur ; ***c)*** mauvaise humeur, mécontentement, irritation : *stomachum movere alicui*, ou *facere*, donner de l'humeur à qqn ; *alicui esse majori stomacho*, donner plus d'humeur à qqn.

storea (-ia), *æ*, f., natte [de jonc ou de corde].

storia, v. *storea*.

strabo, *onis*, m., louche, affligé de strabisme.

strages, *is*, f. *(sterno, stratus)*, **1.** jonchée, monceau : *armorum* ; *stragem facere*, ravager, dévaster || débris, ruines : *muri*, décombres d'un mur écroulé || **2.** massacre, carnage : *stragem ciere, strages facere*, ou *edere*, provoquer un carnage, faire exercer des ravages.

stragulum, *i*, n. *(sterno)*, tapis, couverture || couverture de lit || linceul.

stragulus, *a, um (sterno)*, qu'on étend.

stramen, *inis*, n. *(sterno)*, ce qu'on étend à terre, lit de paille, d'herbe, de feuillage, litière.

stramentum, *i*, n. *(sterno)*, **1.** ce dont on jonche le sol, [surtout] paille ; chaume || **2.** couverture, housse, bât.

stramineus, *a, um (stramen)*, fait de paille, couvert de chaume.

strangulatio, *onis*, f. *(strangulo)*, étranglement, resserrement, rétrécissement.

strangulatus, *a, um*, part. de *strangulo*.

strangulatus, *us*, m., c. *strangulatio*.

strangulo, *are, avi, atum*, tr., **1.** étrangler || suffoquer, étouffer.

stranguria, *æ*, f., rétention d'urine.

strategema, *atis*, n., stratagème, ruse.

strategia, *æ*, f., stratégie, préfecture militaire.

strator, *oris*, m. *(sterno)*, écuyer.

stratum, *i*, et **strata,** *orum*, n. *(sterno)*, **1.** couverture de lit || **2.** lit, couche || **3.** housse, selle, bât || **4.** pavage.

stratura, *æ*, f. *(sterno)*, pavement.

1. stratus, *a, um*, part. de *sterno*.

2. stratus, *us*, m., **1.** action d'étendre, de joncher || **2.** couverture, tapis.

stravi, pf. de *sterno*.

strena, *æ*, f., **1.** pronostic, présage, signe || **2.** présent qu'on fait un jour de fête pour servir de bon présage, étrenne.

strenue *(strenuus)*, vivement, diligemment.

strenuitas, *atis*, f. *(strenuus)*, activité, diligence, entrain.

strenuus, *a, um*, **1.** diligent, actif, agissant, vif, empressé || **2.** remuant, turbulent.

strepito, *are (strepo)*, intr., faire grand bruit.

strepitus, *us*, m. *(strepo)*, **1.** bruit, vacarme, tumulte || manifestations bruyantes || **2.** *fluminum*, murmure des eaux courantes ; *rotarum*, fracas des roues || craquement, grincement des portes || son de la lyre.

strepo, *ere, pui, pitum*, intr., ***a)*** faire du bruit ; ***b)*** résonner, retentir.

stria, *æ*, f., sillon || cannelure.

striatus, *a, um*, part. de *strio*.

stribiligo et **stribligo,** *inis*, f., solécisme.

stricte *(strictus)*, étroitement.

strictim *(strictus)*, [fig.] en effleurant légèrement, rapidement.

strictus, *a, um*, **1.** part. de *stringo* || **2.** adj., ***a)*** serré, étroit ; ***b)*** de style serré, concis.

strideo, *ere, di* et **strido,** *ere, di*, intr., produire un bruit aigu, perçant, strident.

stridor, *oris*, m. *(strido)*, son aigu, perçant, strident || sifflement || barrissement || grincement.

stridulus, *a, um (strido)*, qui rend un son aigu, strident, perçant, sifflant, grinçant.

striga, *æ*, f. *(stringo)*, rangée de tas, tas, meule.

strigilis, *is*, f. *(stringo)*, **1.** strigile [sorte d'étrille pour nettoyer la peau après le bain] || **2.** sorte de seringue pour les oreilles.

strigmentum, *i*, n. *(stringo)*, **1.** raclure || **2.** ordure de la peau, crasse.

strigo, *are*, intr., faire halte, se reposer.

strigosus, *a, um*, efflanqué, maigre.

stringo, *ere, strinxi, strictum*, tr., **1.** étreindre, serrer, resserrer, lier || pincer, serrer le cœur || blesser, offenser || **2.** pincer, couper, arracher, cueillir || **3.** serrer l'extrémité de, toucher légèrement, effleurer, raser : *undas*, raser les flots || toucher à || **4.** tirer, dégainer : *strictus ensis*, épée nue.

strio, *are, avi, atum (stria)*, tr., faire des cannelures || **striatus,** *a, um*, cannelé, strié.

strix, *strigis*, f., strige [oiseau qui passait chez les anciens pour sucer le sang des enfants], vampire.

stropha, *æ*, f., **1.** strophe [partie chantée par le chœur évoluant de droite à gauche ; opp. *antistrophe*] || **2.** [au pl.] détour, ruse, artifice.

Strophades, *um*, f., les Strophades [deux îles de la mer Ionienne, séjour des Harpies].

structor, *oris*, m. *(struo)*, **1.** constructeur, architecte, maçon || **2.** esclave ordonnateur d'un banquet, maître d'hôtel.

structura, *æ*, f. *(struo)*, arrangement, disposition || construction, maçonnerie || bâtiment.

structus, *a, um*, part. de *struo*.

strues, *is*, f. *(struo)*, **1.** amas, monceau, tas || **2.** sorte de gâteaux sacrés.

struma, *æ*, f. *(struo)*, scrofules, écrouelles.

strumosus, *a, um (struma)*, scrofuleux.

struo, *ere, struxi, structum*, tr., **1.** disposer par couches, assembler, arranger || **2.** disposer avec ordre, ranger : *copias*, mettre ses troupes en ordre de bataille || *verba*, disposer les mots avec ordre || **3.** faire en disposant par couches, construire, bâtir, élever, ériger, dresser : *fornacem*, construire un four || **4.** tramer, préparer, machiner : *insidias*, tendre des pièges ; *mortem alicui*, machiner la mort de qqn.

struthiocamelinus, *a, um*, d'autruche.

struthiocamelus (ou **struthoc-**), *i*, m. f., autruche [oiseau].

struthion, *ii*, n., saponaire [plante].

struxi, pf. de *struo*.

Strymo (-on), *onis* et *onos*, m., le Strymon [fleuve de Thrace] || [par extens.] la Thrace || **-nis,** *idis*, f., du Strymon, de Thrace, amazone || **-nius,** *a, um*, du Strymon, de Thrace.

studeo, *ere, dui*, intr., **1.** s'appliquer à, s'attacher à, rechercher [avec dat.] : *agriculturæ*, s'appliquer à l'agriculture ; *pecuniæ, imperiis, opibus, gloriæ*, rechercher la fortune, les commandements, la puissance, la gloire || [avec inf. ou prop. inf.] désirer, souhaiter de, aspirer à : *scire studeo*, je désire savoir ; *gratum se videri studet*, il veut se montrer reconnaissant || **2.** s'intéresser à qqn, le soutenir, le favoriser : *Scauro studet*, il est pour Scaurus || **3.** étudier, s'instruire.

studiose *(studiosus)*, avec application, avec empressement, avec ardeur || avec passion.

studiosus, *a, um (studium)*, **1.** appliqué à, attaché à, qui a du goût pour, etc. ; ***a)*** [avec gén.] *venandi aut pilæ*, qui aime la chasse ou le jeu de paume ; ***b)*** [avec *in* abl.] ; ***c)*** [absol.] *homo studiosus ac diligens*, homme plein d'ardeur et d'activité || **2.** qui s'intéresse à qqn, attaché à, dévoué à, partisan, ami, admirateur || [pris subst.] *studiosi*, admirateurs, partisans de qqn, de qqch. || **3.** appliqué à l'étude, studieux.

studium, *ii*, n. *(studeo)*, **1.** application zélée, empressée à une chose, zèle, ardeur ; goût, passion, etc. : ***a)*** [absol.] *studium ponere in aliqua re*, mettre son application dans une chose ; ***b)*** [avec le gén.] || **2.** zèle pour qqn, dévouement, affection, attachement : *alicujus studio incensus*, enflammé de sympathie pour qqn ; *studium erga aliquem, in aliquem*, dévouement à l'égard de qqn || esprit de parti, partialité || *studia*, sentiments manifestés || **3.** application à l'étude, étude : *natura, studium, exercitatio*, les dons naturels, l'étude, l'exercice || *bonarum artium studia*, la pratique des belles-lettres.

stulte *(stultus)*, sottement, follement.

stultitia, *æ*, f. *(stultus)*, sottise, déraison, niaiserie, folie.

stultus, *a, um* (cf. *stolidus)*, sot, qui n'a point de raison, insensé, fou.

stupefacio, *ere, feci, factum (stupeo, facio)*, tr., étourdir, paralyser.

stupefio, *fieri, factus sum* (pass. de *stupefacio*), être interdit, stupéfié, étonné.

stupendus, *a, um* (adj. v. de *stupeo*), étonnant, merveilleux.

stupens, *tis*, part. prés. de *stupeo* || adj., stupéfait, interdit.

stupeo, *ere, ui*, **1.** intr., être engourdi, demeurer immobile ; être interdit, demeurer stupide, être frappé de stupeur || *novitate*, être paralysé par la nouveauté || s'arrêter || **2.** tr., regarder avec étonnement, s'extasier sur || [avec prop. inf.] voir avec étonnement que.

stupesco, *ere (stupeo)*, intr., s'étonner.

stupiditas, *atis*, f. *(stupidus)*, stupidité.

stupidus, *a, um (stupeo)*, **1.** étourdi,

stupéfait, interdit || immobile, en extase || **2.** stupide, sot, niais.

stupor, *oris*, m. *(stupeo)*, **1.** paralysie || stupeur || **2.** stupidité.

stuppa (-upa), *æ*, f., étoupe.

stupparius (stupa-), *a, um*, servant à faire l'étoupe.

stuppeus (stup-), *a, um (stuppa)*, d'étoupe.

stupui, pf. de *stupeo*.

sturnus, *i*, m., étourneau [oiseau].

Stymphalis, *idis*, f., du Stymphale || *-ides aves*, et [absol.] *-ides, um*, f., oiseaux du Stymphale [ayant des plumes d'airain, exterminés par Hercule].

Stymphalos (-us), m. et **Stymphalum,** *i*, n., le Stymphale [montagne et lac d'Arcadie].

stypticus, *a, um*, styptique, astringent.

styrax, *acis*, m. f., styrax, ou storax || le baume ou le parfum qu'on en tire.

Styx, *ygis* et *ygos*, f., le Styx: **1.** fontaine d'Arcadie, dont l'eau était mortelle || **2.** fleuve des Enfers, par qui juraient les dieux || les Enfers || **-ygius,** *a, um*, du Styx, des Enfers || fatal, pernicieux, funeste.

suadela, *æ*, f. *(suadeo)*, persuasion, talent de persuasion || déesse de la persuasion.

suadeo, *ere, suasi, suasum*, **1.** intr. conseiller, donner un conseil: *amici bene suadentes*, amis de bon conseil, donnant de sages avis; *alicui*, conseiller qqn || *autumno suadente*, sur le conseil, l'invitation de l'automne || **2.** tr., ***a)*** *pacem*, conseiller la paix; [en part.] parler en faveur d'une loi, soutenir, appuyer; ***b)*** [avec inf.] conseiller de, engager à; ***c)*** *alicui, ut*, conseiller à qqn de; *alicui, ne*, conseiller à qqn de ne pas; ***d)*** *capias... suadeo*, je te conseille de prendre...; ***e)*** [avec prop. inf.] persuader que.

1. suarius, *a, um (sus)*, de porcs.

2. suarius, *ii*, m., porcher.

suasi, pf. de *suadeo*.

suasio, *onis*, f. *(suadeo)*, action de conseiller || *legis*, appui donné à une loi.

suasor, *oris*, m. *(suadeo)*, conseiller || celui qui appuie une loi.

suasorius, *a, um (suadeo)*, qui conseille, qui tend à persuader || subst. f. **suasoria,** *æ*, discours pour conseiller [sorte de déclamation où le rhéteur visait à persuader un personnage historique ou mythologique de prendre un parti déterminé].

suasus, *a, um*, part. de *suadeo*.

suave *(suavis)*, n. pris adv., agréablement.

suaviatus (sav-), *a, um*, part. de *suavior*.

suavior ou **savior,** *ari, atus sum*, tr., embrasser, baiser.

suavis, *e*, doux, agréable.

suavitas, *atis*, f. *(suavis)*, **1.** douceur, qualité agéable, suavité || **2.** charme, agrément.

suaviter *(suavis)*, d'une façon douce, agréable.

suavium ou **savium,** *ii*, n., baiser.

sub (subs), prép. avec abl. et acc., **I.** abl., **1.** [sens local]: ***a)*** sous: *sub terra habitare*, habiter sous terre || *sub armis*, sous les armes; *sub sarcinis*, avec ses bagages ou *sub onere, sub corona, sub hasta vendere*, mettre à l'encan; *sub jugo mittere*, envoyer sous le joug; ***b)*** sous, au bas de, au pied de: *sub monte; sub mœnibus*, au pied d'une montagne, des remparts; ***c)*** immédiatement après: *sub ipso*, après lui; ***d)*** au fond de: *sub pectore*, au fond du cœur || **2.** [temporel] au moment de: *sub bruma*, au moment du solstice d'hiver || **3.** [idée de sujétion]: *sub alicujus dicione atque imperio*, être sous la domination et l'autorité de qqn. **II.** acc., **1.** [local]: *sub jugum mittere*, envoyer sous le joug || au pied de [avec mouvement]: *sub montem succedere*, s'avancer au pied de la montagne || **2.** [temporel]: ***a)*** vers, tout proche de: *sub noctem, sub vesperum, sub lucem*, à l'approche de la nuit, du soir, du jour; ***b)*** immédiatement après || **3.** [idée de sujétion, avec v. de mouvement]: *sub alicujus imperium dicionemque cadere*, tomber sous l'autorité et la domination de qqn.
III. en composition *sub* apporte l'idée de: ***a)*** sous, dessous, par-dessous: *subjaceo, subjicio*, etc.; ***b)*** de bas en haut: *sublatus, sublevo*; ***c)*** immédiatement après: *suboles, succurro, subvenio*; ***d)*** secrètement, à la dérobée: *subrepo*; ***e)*** un peu: *subiratus* || *subs* devient *sus* devant *c, t, p*: *suscipio, sustineo, suspendo*.

subabsurde, d'une manière quelque peu absurde.

subabsurdus, *a, um*, un peu absurde, un peu étrange, un peu inepte.

subaccuso, *are*, tr., accuser quelque peu, légèrement.

subacidus, *a, um*, aigrelet.

subactus, *a, um,* part. de *subigo.*

subadroganter, avec un peu de présomption.

subagrestis, *e,* un peu agreste.

subamarus, *a, um,* un peu amer.

subausculto, *are,* tr., écouter furtivement, surprendre en écoutant, épier en écoutant.

subcenturio, *onis,* m., sous-centurion, remplaçant du centurion.

subcerno (succer-), *ere, crevi, cretum,* tr., passer au crible, au tamis, tamiser.

subcresco, v. *succresco.*

subcretus, *a, um,* part. de *subcerno.*

subcrispus, *a, um,* un peu crépu.

subdeficio, *ere,* intr., s'affaiblir, défaillir.

subdidi, pf. de *subdo.*

subdifficilis, *e,* un peu difficile.

subditivus, *a, um (subdo),* supposé, substitué, faux.

subditus, *a, um,* part. de *subdo.*

subdivalis, *e,* qui est en plein air.

subdo, *ere, didi, ditum,* tr., **1.** mettre sous, placer dessous, poser sous || **2.** soumettre, assujettir || exposer à || **3.** mettre en remplacement : ***a)*** *aliquem in locum alicujus,* mettre qqn à la place de qqn, le substituer à qqn ; ***b)*** mettre faussement à la place, supposer || d'où *subditus, a, um,* enfant supposé.

subdoceo, *ere,* tr., instruire qqn à la place d'un maître.

subdole *(subdolus),* un peu artificieusement.

subdolus, *a, um,* astucieux, fourbe, artificieux.

subduco, *ere, duxi, ductum,* tr.,
I. tirer de bas en haut, **1.** soulever || **2.** amener les vaisseaux sur le rivage.
II. tirer de dessous, **1.** retirer de dessous, retirer, soustraire || **2.** retirer, emmener || **3.** retirer secrètement, enlever à la dérobée, furtivement.
III. *subducere rationem,* faire un compte, calculer, supputer.

subductio, *onis,* f. *(subduco),* **1.** action de tirer les navires sur le rivage, mise à sec || **2.** calcul, supputation.

subductus, *a, um,* part. de *subduco.*

subduxi, pf. de *subduco.*

subedo, *ere, edi,* tr., miner.

subegi, pf. de *subigo.*

subeo, *ire, ii, itum,*
I. intr., **1.** aller sous || *feretro,* porter la civière sur ses épaules || **2.** aller en s'approchant de bas en haut, s'approcher en montant, s'avancer d'en bas : *testudine facta subeunt,* faisant la tortue ils avancent ; *muro,* arriver au pied du mur || **3.** venir en remplacement, venir prendre la place [avec dat.] || **4.** s'approcher furtivement, se glisser, s'insinuer || **5.** [fig.] se présenter à l'esprit, venir à la pensée || *subit* [avec prop. inf.], il vient à l'esprit que.
II. tr., **1.** aller sous : *tectum,* entrer sous un toit || supporter || **2.** approcher de [en allant de bas en haut] || escalader || **3.** prendre la place de, remplacer || **4.** pénétrer dans, s'emparer || **5.** [fig.] se charger de, supporter, subir : *injuriam,* supporter l'injustice || affronter, s'exposer à.

suber, *eris,* n., liège || bouchon de liège.

subereus, *a, um (suber),* de liège.

subf-, v. *suff-.*

subg-, v. *sugg-.*

subhæreo, *ere,* intr., rester attaché à.

subhorridus, *a, um,* un peu hirsute.

subigo, *ere, egi, actum (sub* et *ago),* tr., **1.** pousser vers le haut [de bas en haut], faire avancer || **2.** pousser de force, contraindre : ***a)*** *ad deditionem, in deditionem,* forcer à se rendre ; *simili inopia subacti,* sous la contrainte d'une pareille disette ; ***b)*** *aliquem, ut,* forcer qqn à ; *aliquem decernere...* forcer qqn à décréter... || **3.** soumettre, réduire, assujettir, subjuguer || **4.** remuer en dessous le sol, le travailler en soulevant la terre, [d'où] retourner, travailler, ameublir || *panem,* pétrir le pain || façonner, travailler, discipliner.

subii, pf. de *subeo.*

subinde, **1.** immédiatement après, tout aussitôt || **2.** de temps en temps, souvent.

subinsulsus, *a, um,* assez dépourvu de goût.

subirascor, *i,* intr., s'irriter un peu, se fâcher ; [avec *quod,* de ce que].

subiratus, *a, um,* un peu irrité, fâché, *alicui,* contre qqn.

subitarius, *a, um (subitus),* fait à l'improviste, fait subitement.

subito (abl. de *subitus),* subitement, soudain ; *dicere,* improviser || *cum subito...,* quant tout à coup...

subitus, *a, um,* **1.** part. de *subeo* || **2.** adj., ***a)*** subit, soudain, imprévu, improvisé || *subitus irrupit,* il fit soudain irruption ; ***b)*** n. pris subst. *subitum,* chose soudaine, imprévue, et surtout pl. *subita.*

subjaceo, *ere, jacui,* intr., **1.** être couché dessous, être placé dessous || **2.** être soumis à, subordonné à.

subjeci, pf. de *subjicio.*

subjecte *(subjectus),* inus.; *subjectissime,* le plus humblement.

subjectio, *onis,* f. *(subjicio),* **1.** action de mettre sous, devant || **2.** supposition, substitution [de testament] || **3.** action de mettre à la suite, adjonction.

subjecto, *are (subjicio),* tr., **1.** mettre sous, approcher || *alicui stimulos,* donner de l'aiguillon à qqn || **2.** jeter en haut, soulever.

subjector, *oris,* m. *(subjicio),* qui suppose: *testamentorum,* fabricateur de testaments.

subjectus, *a, um,* **1.** part. de *subjicio* || **2.** adj., ***a)*** voisin, proche, limitrophe, *alicui rei,* de qqch.; ***b)*** *subjecta,* n. pl., lieux bas, fonds, vallées; ***c)*** soumis, assujetti || *subjecti,* m. pl., les sujets; ***d)*** exposé.

subjicio (subicio), *ere jeci, jectum (sub* et *jacio),* tr.,

I. jeter ou mettre sous, **1.** placer dessous || placer sous || **2.** mettre sous, au pied de, amener à proximité de || **3.** soumettre: ***a)*** assujettir; ***b)*** mettre sous la dépendance de, subordonner; ***c)*** exposer à.

II. jeter de bas en haut, **1.** *aliquem in equum,* soulever qqn et le mettre à cheval || **2.** *vere novo se subjicit alnus,* au retour du printemps l'aune s'élève, pousse.

III. mettre à la place de, **1.** substituer || **2.** supposer, substituer [faussement]: *testamenta,* supposer des testaments || **3.** suborner des témoins.

IV. mettre après, **1.** ajouter; *subjecerunt,* avec prop. inf., ils ajoutèrent que... || **2.** faire suivre.

V. soumettre = présenter, **1.** *libellum alicui,* présenter une supplique à qqn || **2.** mettre devant l'esprit, rappeler || **3.** suggérer, insinuer: *subjectum est* avec prop. inf., il fut suggéré que.

subjungo, *ere, junxi, junctum,* tr., **1.** assujettir par un joug, atteler || subjuguer, soumettre || **2.** attacher dessous; placer dessous; subordonner, mettre sous la dépendance de, rattacher à || **3.** mettre à la place de, substituer || mettre ensuite, ajouter.

sublabor, *labi, lapsus sum,* intr., **1.** glisser par-dessous, s'affaisser || s'écrouler || **2.** se glisser dans, s'insinuer.

sublapsus, *a, um,* part. de *sublabor.*

sublate *(sublatus),* **1.** à une grande hauteur || **2.** *sublatius,* avec trop d'orgueil.

sublatus, *a, um,* **1.** part. de *tollo* || **2.** adj., ***a)*** élevé; ***b)*** enflé, enorgueilli.

sublego, *ere, legi, lectum,* tr., **1.** ramasser sous, ramasser à terre || **2.** soustraire, ravir || **3.** élire en remplacement || choisir en outre, adjoindre.

sublevatio, *onis,* f. *(sublevo),* soulagement.

sublevatus, *a, um,* part. de *sublevo.*

sublevo, *are, avi, atum,* tr., **1.** soulever, lever, exhausser || **2.** [fig.] ***a)*** alléger, soulager; ***b)*** affaiblir, atténuer, diminuer; ***c)*** aider qqn.

sublica, *æ,* f., pieu, piquet || pilotis.

sublices, *um,* f., pilotis.

sublicius pons, m., pont de charpente, pont sur pilotis [construit à Rome par Ancus Martius].

subligaculum, *i,* n., c. *subligar.*

subligar, *aris,* n. *(subligo),* sorte de caleçon.

subligo, *are, avi, atum,* tr., **1.** attacher en dessous || **2.** *lateri ensem,* attacher l'épée au côté [ceindre l'épée].

1. sublime *(sublimis),* adv., en l'air, **1.** dans les airs, en haut || **2.** en style sublime.

2. sublime, *is,* n. de *sublimis* pris subst., hauteur.

sublimis, *e,* **1.** suspendu en l'air, qui est dans l'air || **2.** haut, élevé || placé en haut || **3.** élevé, grand, sublime.

sublimitas, *atis,* f. *(sublimis),* **1.** hauteur || **2.** élévation, grandeur.

sublimiter *(sublimis),* en haut.

sublino, *ere, levi, litum,* tr., **1.** oindre par-dessous, enduire, appliquer pardessous || **2.** recouvrir, crépir.

sublitus, *a, um,* part. de *sublino.*

subluceo, *ere, luxi,* intr., briller pardessous, de dessous, à travers.

subluo, *ere, lui, lutum,* tr., **1.** laver en dessous || **2.** baigner le pied de.

sublustris, *e,* à peine éclairé, ayant un soupçon de clarté || ayant un faible éclat.

sublutus, *a, um,* part. de *subluo.*

subluvies, *ei,* f. *(sub, luo),* **1.** boue, vase || **2.** abcès au pied.

submergo (summergo), *ere, mersi, mersum,* tr., submerger, engloutir || *navis submersa,* navire englouti.

submersus, *a, um,* part. de *submergo.*

subministrator, *oris,* m. *(subministro),* fournisseur, pourvoyeur.

subministratus, *a, um,* part. de *subministro.*

subministro (summ-), *are, avi, atum,* tr., apporter à pied d'œuvre, fournir, procurer: *alicui pecuniam,* de l'argent à qqn.

submisi, pf. de *submitto.*

submisse (summ-) *(submitto),* d'une manière abaissée, ***a)*** dans un style simple, modeste, sans éclat; ***b)*** d'une façon modeste, humble.

submissim (summ-), doucement, tout bas.

submissio (summ-), *onis,* f. *(submitto),* abaissement [de la voix] || simplicité [du style] || infériorité.

submissus (summissus), *a, um,* **1.** part. de *submitto* || **2.** adj., ***a)*** baissé, abaissé; ***b)*** abaissé: *voce summissa,* d'un ton de voix modéré; ***c)*** bas, rampant; ***d)*** humble.

submitto (summitto), *ere, misi, missum,* tr.,

I. envoyer dessous, **1.** mettre dessous, placer sous || [fig.] soumettre || **2.** faire ou laisser aller en bas: ***a)*** baisser, abaisser: *se ad pedes,* se prosterner aux pieds de qqn || [fig.] *se in amicitia,* s'abaisser avec ses amis || *furorem,* calmer son emportement || *pretia,* faire baisser les prix; ***b)*** laisser croître, pousser [barbe, cheveux].

II. envoyer de dessous, de bas en haut, **1.** produire, faire surgir || **2.** faire ou laisser croître, pousser; élever || **3.** lever, élever.

III. envoyer à la place de, **1.** envoyer remplacer: [absol.] *alicui,* envoyer un remplaçant à qqn || **2.** envoyer à l'aide [dans la bataille] || [avec compl. dir.]: *subsidia alicui,* envoyer des soutiens à qqn.

IV. envoyer en sous-main || suborner.

submoleste, avec un peu de peine, de désagrément.

submolestus, *a, um,* un peu désagréable.

submoneo (summ-), *ere, ui,* tr., avertir secrètement.

submorosus, *a, um,* un peu grincheux.

submotus (summ-), *a, um,* part. de *submoveo.*

submoveo (summ-), *ere, movi, motum,* tr., **1.** écarter, repousser, éloigner: ***a)*** *hostes ex muro,* écarter les ennemis de dessus le rempart; ***b)*** écarter de; ***c)*** [en parl. du licteur] faire écarter, faire faire place || [part. n. abl. absol.] *summoto = cum summotum esset,* après qu'on eut fait faire place || **2.** [fig.] éloigner, écarter, tenir éloigné || détourner: *aliquem a maleficio,* détourner du crime qqn.

submuto (summ-), *are,* tr., échanger.

subnascor, *nasci, natus sum,* intr., naître en dessous || repousser, renaître.

subnatus, *a, um,* part. de *subnascor.*

subnecto, *ere, nexui, nexum,* tr., attacher par-dessous, attacher || ajouter.

subnexus, *a, um,* part. de *subnecto.*

subnixus (-nisus), *a, um (sub* et *nitor),* **1.** appuyé sur [avec abl.] || **2.** qui se repose sur, soutenu par, confiant dans [abl.] || [absol.] confiant.

subnoto, *are, avi, atum,* tr., noter en dessous, annoter || *nomina,* prendre des noms en note.

subnubilus, *a, um,* un peu obscur, un peu ténébreux.

subobscure, d'une manière un peu obscure.

subobscurus, *a, um,* un peu obscur [fig.].

suboles (mieux que **soboles**), *is,* f., **1.** rejeton, pousse || **2.** descendants, rejetons, postérité, race, lignée.

subolesco, *ere,* intr., former une génération nouvelle.

suborno, *are, avi, atum,* tr., **1.** équiper, pourvoir, armer, munir: *a natura subornatus,* doué par la nature || **2.** préparer en dessous, en secret, suborner.

subp-, v. *supp-.*

subrado, *ere, si, sum,* tr., **1.** racler en dessous || **2.** arroser, baigner le pied de.

subrasus, *a, um,* part. de *subrado.*

subraucus, *a, um, vox subrauca,* voix un peu creuse [de basse-taille], caverneuse.

subrectus ou **surrectus** *a, um,* part. de *subrigo.*

subremigo, *are,* intr., ramer sous, en dessous.

subrepo ou **surrepo,** *ere, repsi, reptum,* intr., **1.** se glisser sous || **2.** *alicui subrepere,* surprendre qqn [cf. prendre en traître].

subreptus, *a, um,* part. de *subripio.*

subrexi, pf. de *subrigo.*

subrideo, *ere, risi, risum,* intr., sourire.

subridicule, assez plaisamment.

subrigo ou **surrigo,** *ere, rexi, rectum (sub* et *rego),* tr., dresser, redresser.

subringor, *i,* intr., faire la grimace, gronder à part soi.

subripio (surr-), *ere, ripui, reptum,* tr., dérober furtivement, soustraire: *ali-*

quid ab aliquo, dérober furtivement qqch. à qqn ; [*alicui aliquid*].

subrisi, pf. de *subrideo*.

subrogo (surr-), *are, avi, atum*, tr., faire choisir qqn à la place d'un autre, élire en remplacement ou en plus : *sibi aliquem collegam*, se faire adjoindre qqn comme collègue.

subrostrani, *orum*, m., nouvellistes de la place publique [du pied des rostres].

subrubicundus, *a, um*, rougeâtre.

subruo (surr-), *ere, rui, rutum*, tr., abattre par la base, renverser, saper les fondements : *murum*, saper un mur.

subrusticus, *a, um*, quelque peu rustique.

subrutus, *a, um*, part. de *subruo*.

subscribo, *ere, scripsi, scriptum*, tr., **1.** écrire dessous, écrire au bas, mettre en inscription || **2.** signer en second une accusation, être accusateur secondaire || [ou simplement] signer une accusation, rédiger une accusation, *in aliquem*, contre qqn || **3.** [en parl. des censeurs] inscrire au-dessous du nom d'une pers. le motif d'un blâme || **4.** signer un document || [d'où] approuver || [absol.] apposer sa signature || [fig.] adhérer à, souscrire à, approuver || **5.** écrire à la suite, ajouter || **6.** inscrire à la dérobée, à la volée.

subscriptio, *onis*, f. *(subscribo)*, **1.** inscription [au bas d'une statue, etc.] || **2.** action d'être accusateur en second || action de signer une accusation ; [d'où] accusation || **3.** indication du délit, grief, objet du blâme || **4.** signature.

subscriptor, *oris*, m. *(subscribo)*, **1.** accusateur || **2.** approbateur, partisan.

subscriptus, *a, um*, part. de *subscribo*.

subsecivus, v. *subsicivus*.

subseco, *are, cui, ctum*, tr., couper par-dessous, en bas.

subsecutus, *a, um*, part. de *subsequor*.

subsedi, pf. de *subsido*.

subsellium, *ii*, n. *(sub* et *sella)*, **1.** siège peu élevé, petit banc || **2.** banc, banquette || **3.** *subsellia* : ***a)*** bancs du théâtre ; ***b)*** bancs des sénateurs dans la curie ; ***c)*** enceinte du tribunal || = les tribunaux, la justice.

subsequor, *i, secutus sum*, tr., **1.** suivre immédiatement, être sur les talons de qqn || [absol.] venir ensuite || **2.** suivre, accompagner || **3.** marcher sur les traces de = se régler sur, imiter.

subsicivus (mieux que **subsecivus**), *a, um (sub, seco)*, **1.** litt. ce qui est retranché du partage comme étant en sus de la mesure, ce qui reste après mesurage, en surplus || **2.** [fig.] ***a)*** *subsiciva tempora*, moments de reste, moments perdus ; ***b)*** *subsicivæ operæ*, travaux secondaires [faits aux moments perdus].

subsidialis, *e*, c. *subsidiarius*.

subsidiarius, *a, um (subsidium)*, qui forme la réserve || *subsidiarii, orum*, m., troupes de réserve.

subsidior, *ari*, intr., former la réserve.

subsidium, *ii*, n. *(subsido)*, **1.** ligne de réserve [dans l'ordre de bataille] || réserve, troupes de réserve || **2.** [d'où] soutien, renfort, secours : *subsidio mittere, proficisci*, envoyer en renfort, partir pour renfort || **3.** [fig.] aide, appui, soutien, assistance || moyen de remédier, ressources, arme || **4.** lieu de refuge, asile.

subsido, *ere, sedi, sessum*,

I. intr., **1.** se baisser, s'accroupir || s'affaisser, s'abaisser [en parl. de vallées, de flots] || tomber, se calmer || tomber au fond, se déposer, faire un dépôt || **2.** s'arrêter, faire halte || se poster [en embuscade].

I. tr., tendre des embûches à, attendre dans une embuscade.

subsignanus, *a, um (sub, signum)*, groupé sous les drapeaux, légionnaire.

subsigno, *are, avi, atum*, tr., **1.** inscrire au bas, à la suite, consigner après || **2.** consigner sur les rôles des propriétés gardés au trésor ou par le censeur || **3.** engager, offrir en garantie || *fidem*, donner sa parole || **4.** garantir formellement, répondre de.

subsilio, *ire, silui (sub* et *salio)*, **1.** sauter en l'air, sauter || **2.** s'élancer dans [avec acc.].

subsisto, *ere, stiti*,

I. intr., **1.** s'arrêter, faire halte || se tenir en embuscade || s'arrêter || [fig.] s'arrêter, s'interrompre || **2.** rester, demeurer, séjourner || **3.** opposer de la résistance, tenir bon : *alicui*, résister à qqn.

II. tr., tenir tête à : *feras subsistere*, tenir tête aux bêtes sauvages.

subsolanus, *i*, m., vent d'est.

subsortior, *iri, itus sum*, tr., tirer au sort pour remplacement, tirer au sort de nouveau.

subsortitio, *onis*, f. *(subsortior)*, tirage au sort en remplacement, second tirage de noms.

substantia, *æ*, f. *(sub, sto)*, **1.** substance, être, essence; existence, réalité d'une chose || 2. soutien, support.

substerno, *ere, stravi, stratum,* tr., 1. étendre dessous || étendre sous || 2. [fig.] soumettre, subordonner, *aliquid alicui rei,* qqch. à une chose || sacrifier misérablement: *aliquid alicui,* abandonner honteusement qqch. à qqn || 3. joncher, recouvrir || garnir par-dessous, à la base.

substiti, pf. de *subsisto.*

substituo, *ere, ui, utum,* tr., 1. mettre sous: *substituerat animo,* il s'était représenté (mis sous l'esprit) || 2. mettre à la place, substituer: **a)** *aliquem alicui,* substituer qqn à qqn, ou *aliquem pro aliquo;* **b)** donner en substitution.

substitutus, *a, um,* part. de *substituo.*

substratus, *a, um,* part. de *substerno.*

substravi, pf. de *substerno.*

substrictus, *a, um,* 1. part. de *substringo* || 2. adj., étroit, serré, grêle, maigre.

substringo, *ere, strinxi, strictum,* tr., 1. attacher par en bas, en relevant, lier, serrer, nouer || 2. resserrer, arrêter, contenir.

substructio, *onis,* f. *(substruo),* substruction, construction en sous-sol, fondation.

substructus, *a, um,* part. de *substruo.*

substruo, *ere, struxi, structum,* tr., 1. construire en sous-sol: [fig.] *fundamentum,* établir des fondations dans le sol || 2. donner des fondations à, construire avec fondation

subsulto, *are, avi (subsilio),* intr., bondir en l'air || être sautillant, saccadé.

subsum, *esse,* intr., 1. être dessous: *nihil subest,* il n'y a rien dessous || être sous || [fig.] être par-dessous, à la base, au fond: *in ea re nulla subest suspicio,* dans cette affaire, il n'y a rien au fond qu'on puisse soupçonner || 2. être dans le voisinage: *subest Rhenus,* le Rhin est proche || *mari,* être près de la mer.

subtemen (subtegmen), *inis,* n. *(subtexo),* 1. trame d'un tissage || 2. fil || fil des Parques.

subter, 1. adv., au-dessous, par-dessous || 2. prép. avec acc., sous || [poét.] avec abl.

subterfluo, *ere,* intr. et tr., couler au-dessous, au bas, au pied.

subterfugio, *ere, fugi,* 1. intr., fuir subrepticement: *alicui,* fuir sous le nez de qqn || 2. tr., se dérober à, échapper à, esquiver.

subterlabor, *labi,* tr., couler sous, au pied de [avec acc.] || glisser, s'esquiver.

subterraneus, *a, um,* souterrain.

subtervacans, *tis,* qui est vide en dessous.

subtervolvo, *ere,* tr., faire rouler sous.

subtexo, *ere, texui, textum,* tr., 1. tisser dessous || [fig.] **a)** étendre un tissu par-dessous, par-devant; **b)** couvrir d'un tissu, voiler || 2. tisser dans, ajouter en tissant; **a)** adapter à; **b)** insérer, ajouter.

subtextus, *a, um,* part. de *subtexo.*

subtilis, *e (tela),* 1. fin, délié, menu, subtil, bien affilé || 2. [fig.]: **a)** fin, délicat; **b)** pénétrant, d'une précision stricte; **c)** simple, sans apprêt.

subtilitas, *atis,* f. *(subtilis),* 1. finesse, ténuité || 2. **a)** finesse, pénétration, précision stricte; **b)** simplicité du style.

subtiliter *(subtilis),* 1. d'une manière fine, déliée, ténue || d'une manière menue || 2. **a)** finement, subtilement, avec pénétration || avec une précision minutieuse; **b)** avec un style simple, sobre.

subtimeo, *ere,* tr., appréhender secrètement.

subtractus, *a, um,* part. de *subtraho.*

subtraho, *ere, traxi, tractum,* tr., 1. tirer par-dessous || tirer de dessous || [pass.] se dérober par-dessous || 2. enlever par-dessous, soustraire, emmener sous main || 3. [fig.] enlever, soustraire, retirer: se dérober à une tâche.

subturpis, *e,* un peu laid.

subtus, adv., en dessous, par-dessous.

subucula, *æ,* f., tunique de dessous, chemise.

subula, *æ,* f., alène.

subulcus, *i,* m. *(sus),* porcher.

Subura, *æ,* f., Subure [quartier populeux, bruyant, avec des tavernes mal famées] || **-anus,** *a, um,* de Subure.

suburbanitas, *atis,* f., proximité de la ville, de Rome; banlieue.

suburbanus, *a, um,* aux portes de la ville, voisin de la ville || **suburbanum,** n. pris subst., propriété près de Rome || **suburbani,** *orum,* m., habitants de la banlieue de Rome.

suburbium, *ii,* n. *(sub, urbs),* faubourg.

suburgeo, *ere,* tr., rapprocher.

subvectio, *onis,* f. *(subveho),* transport [par eau, par charroi, etc.].

subvecto, *are (subveho),* tr., transporter, charrier.

1. subvectus, *a, um,* part. de *subveho.*

2. subvectus, *us,* m., transport par eau.

subveho, *ere, vexi, vectum,* tr., transporter de bas en haut, en remontant.

subvenio, *ire, veni, ventum,* intr., **1.** survenir || [fig.] se présenter || **2.** venir à la rescousse, venir au secours [t. milit.]: *alicui,* venir au secours de qqn || **3.** ***a)*** secourir, venir en aide à : *patriæ,* secourir la patrie ; ***b)*** remédier à, secourir contre : *tempestati,* combattre la tempête.

subventurus, *a, um,* part. fut. de *subvenio.*

subversus, *a, um,* part. de *subverto.*

subverto (-vorto), *ere, i, sum,* tr., **1.** mettre sens dessus dessous, retourner, renverser || **2.** bouleverser, ruiner, détruire, anéantir.

subvexi, pf. de *subveho.*

subvolo, *are,* intr., s'élever en volant.

subvolvo, *ere,* tr., rouler de bas en haut.

succedaneus ou **succidaneus,** *a, um,* substitué, qui remplace.

succedo, *ere, cessi, cessum (sub* et *cedo),* intr. et qqf. tr.,

I. aller sous, pénétrer sous, s'avancer sous, s'abriter sous || *oneri,* se mettre sous un fardeau = s'en charger.

II. aller de bas en haut, gravir, monter, escalader ; [avec acc.] *succedere muros,* monter à l'assaut des murs ; [absol.] *succedere,* monter à l'assaut ; *succedentes,* les assaillants.

III. aller près de, au pied de, s'approcher, s'avancer : *ad urbem,* s'avancer vers la ville [qui est sur une éminence] || [avec acc.] *murum,* venir au pied des murailles.

IV. venir à la place de, **1.** venir remplacer, succéder : *in stationem,* venir relever un poste ; *defatigatis,* prendre la place des troupes fatiguées || **2.** [fig.]: ***a)*** succéder dans une fonction : *alicui,* succéder à qqn ; [pass. imp.] *tibi successum est,* tu as un successeur ; ***b)*** *in locum alicujus, alicujus rei,* prendre la place de qqn, de qqch.

V. venir à la suite [fig.], **1.** succéder || **2.** aboutir à tel, tel résultat, avoir telle, telle issue : ***a)*** *res nulla successerat,* rien n'avait réussi ; ***b)*** [imp.] *si quando minus succedet,* si par hasard le succès est moindre ; [avec dat.] ; *si successisset cœptis,* si l'entreprise réussissait.

succendo, *ere, cendi, censum (sub* et *cando,* cf. *candeo, candidus),* tr., **1.** mettre le feu (incendier) par-dessous, à la base || **2.** enflammer.

succenseo, v. *suscenseo.*

succensio, *onis,* f. *(succendo),* embrasement, incendie.

succensus, *a, um,* part. de *succendo.*

succentor, *oris,* m. *(succino),* conseiller, instigateur.

successio, *onis,* f. *(succedo),* **1.** action de succéder, de prendre la place, succession || **2.** héritage.

successor, *oris,* m. *(succedo),* successeur dans une fonction || héritier.

successus, *us,* m. *(succedo),* **1.** approche, arrivée || **2.** suite, succession [du temps] || **3.** succès, réussite.

succidaneus, v. *succedaneus.*

succidia, *æ,* f. *(succido 2),* quartier de porc salé || ressource, réserve.

1. succido, *ere, cidi (sub* et *cado),* intr., s'affaisser.

2. succido, *ere, cidi, cisum (sub* et *cædo),* tr., couper au bas, tailler pardessous : *frumentis succisis,* le blé étant fauché.

succiduus, *a, um (succido 1),* qui s'affaisse.

succincte *(succinctus),* succinctement, brièvement, d'une façon concise.

succinctus, *a, um,* **1.** part. de *succingo* || **2.** adj., ***a)*** préparé, armé pour qqch. ; ***b)*** serré, ramassé, court.

succingo, *ere, cinxi, cinctum (sub* et *cingo),* tr., **1.** retrousser et attacher d'une ceinture, agrafer en retroussant ; part. *succinctus, a, um,* ayant son vêtement [robe, tunique, etc.] retroussé, relevé || **2.** ceindre, entourer, environner || part. *succinctus, a, um,* ceint, armé à la ceinture || **3.** [fig.] garnir, entourer, munir : *se canibus,* s'environner de chiens [d'espions].

succino, *ere (sub, cano),* intr., chanter après, répondre à un chant || faire écho, chanter à son tour || répondre.

succinxi, pf. de *succingo.*

succisus, *a, um,* part. de *succido 2.*

succlamatio, *onis,* f., action de crier à la suite, en réponse ; cris, clameurs.

succlamatus, *a, um,* part. de *succlamo.*

succlamo, *are, avi, atum,* intr., crier à la suite, en réponse : *alicui,* à qqn.

succollo, *are, avi, atum (sub, collum),* tr., charger sur ses épaules.

succresco (subc-), *ere, crevi, cretum,* intr., **1.** pousser en dessous || **2.** repousser.

succretus, v. *subcretus.*

succrevi, pf. de *subcerno* et de *succresco.*

succubui, pf. de *succumbo.*

succumbo, *ere, cubui, cubitum (sub* et *cumbo,* cf. *accumbo,* etc.*),* intr., **1.** s'affaisser sous || s'affaisser, fléchir || s'aliter || **2.** [fig.] ***a)*** succomber, se laisser abattre ; ***b)*** [avec dat.] succomber à (devant, sous), céder à.

succurro, *ere, curri, cursum (sub* et *curro),*
I. courir sous, **1.** se trouver dessous dans sa course || [fig.] être au-dessous, derrière || **2.** ***a)*** aller dessous, affronter ; ***b)*** se présenter à l'esprit.
II. courir vers, **1.** courir au secours : *alicui auxilio,* accourir au secours de qqn || **2.** [fig.] ***a)*** secourir, porter secours à : *alicui* ; ***b)*** accourir à l'appel de, donner satisfaction à ; ***c)*** remédier à.

succursurus, *a, um,* part. fut. de *succurro.*

succussi, pf. de *succutio.*

succussio, *onis,* f., secousse tellurique.

succussus, *a, um,* part. de *succutio.*

succutio, *ere, cussi, cussum (sub, quatio),* tr., secouer par-dessous, ébranler, agiter.

sucidus, *a, um (sucus),* humide, moite.

sucinum, *i,* n., ambre jaune, succin [*electrum*] || pl. *sucina,* parures en ambre.

sucinus, *a, um (sucinum),* de succin.

sucosus, *a, um (sucus),* qui a du suc.

suctus, *a, um,* part. de *sugo.*

sucus (succus), *i,* m., **1.** suc, sève || suc extrait de poissons || potion, décoction, jus divers || **2.** goût, saveur || **3.** ***a)*** force, bonne santé ; ***b)*** caractère général, ensemble de la constitution de qqch.

sudatio, *onis,* f. *(sudo),* **1.** action de suer, sueur, transpiration || **2.** étuve.

sudator, *oris,* m. *(sudo),* sujet à suer, à transpirer.

sudatorium, *ii,* n. *(sudatorius),* étuve.

sudatus, *a, um,* part. de *sudo.*

sudis, *is,* f., pieu, piquet.

sudo, *are, avi, atum,*
I. intr., **1.** suer, être en sueur, transpirer || [avec abl.] être humide de || suinter || **2.** se donner de la peine, cf. suer sang et eau.
II. tr., **1.** épancher comme une sueur, distiller || **2.** faire avec sueur, avec peine.

sudor, *oris,* m., sueur, transpiration : *sudorem excutere* ; *movere* ; *facere* ; *ciere,* faire suer || humidité, suintement || travail pénible, peine, fatigue.

sudus, *a, um,* sans humidité, sec, serein || *sudum* n., subst. : temps clair, ciel pur.

suesco, *ere, suevi, suetum,* **1.** intr., s'accoutumer, s'habituer || **2.** tr., habituer.

Suetonius, *ii,* m., nom d'une famille romaine ; notamment Suétonius Paulinus, général d'Othon || Suétonius Tranquillus, l'historien latin Suétone.

suetus, *a, um,* part. de *suesco,* **1.** habitué, accoutumé [avec dat.] || **2.** habituel, ordinaire.

suevi, pf. de *suesco.*

sufes, *etis,* m., sufète [magistrats suprêmes à Carthage].

suffeci, pf. de *sufficio.*

suffectus, *a, um,* part. de *sufficio.*

suffero (subfero), *ferre, sustuli,* tr., [fig.] supporter, prendre la charge de, endurer : *laborem, solem, sitim,* la fatigue, le soleil, la soif ; [en part.] *pœnas alicujus rei,* être puni de qqch. ; *multam,* subir une punition.

sufficiens, *tis (sufficio),* part. pris adj., suffisant, adéquat.

sufficio, *ere, feci, fectum (sub, facio),*
I. tr., **1.** mettre sous, ***a)*** imprégner ; ***b)*** fournir, mettre à la disposition || **2.** mettre après, ***a)*** mettre, élire à la place de : *collegam,* faire élire un nouveau collègue || *suffectus consul,* consul subrogé ; ***b)*** mettre en remplacement.
II. intr., suffire, être suffisant (avec dat. ou *ad*) ; [avec inf.] se contenter de.

suffigo (subf-), *ere, fixi, fixum,* tr., fixer par-dessous, attacher, clouer.

suffimen, *inis,* n., c. *suffimentum.*

suffimentum, *i,* n. *(suffio),* fumigation, parfum.

suffio (subf-), *ire, ivi* ou *ii, itum* (cf. *fumus*), tr., **1.** ***a)*** fumiger, parfumer ; ***b)*** exposer à la fumée || **2.** [poét.] échauffer.

suffitio, *onis,* f. *(suffio),* fumigation, action de parfumer par la vapeur.

suffitor, *oris,* m. *(suffio),* celui qui fumige.

1. suffitus, *a, um,* part. de *suffio.*

2. suffitus, *us,* m., fumigation.

suffixus, *a, um,* part. de *suffigo.*

sufflamen, *inis,* n. *(sufflo),* sabot pour enrayer || obstacle, entrave.

sufflatus, *a, um,* **1.** part. de *sufflo* || **2.** pris adj., gonflé de colère || bouffi d'orgueil || plein d'enflure [style], boursouflé.

sufflo, *are, avi, atum (sub* et *flo),*
I. intr., **1.** souffler || **2.** se gonfler [d'orgueil].
II. tr., **1.** gonfler : *sibi buccas,* se gonfler les joues || **2.** souffler sur.

suffocatio, *onis,* f. *(suffoco),* suffocation, étouffement.

suffoco, *are, avi, atum (fauces),* tr., serrer la gorge de, étouffer, étrangler.

suffodio (subf-), *ere, fodi, fossum,* tr., **1.** creuser sous, fouiller, percer, saper || **2.** percer par-dessous, de bas en haut, transpercer || **3.** faire en creusant, creuser.

suffossio (subf-), *onis,* f. *(suffodio),* creusement, excavation.

suffossus, *a, um,* part. de *suffodio.*

suffragatio, *onis,* f. *(suffragor),* action de donner son suffrage, vote favorable, appui, suffrages.

suffragator, *oris,* m. *(suffragor),* qui vote pour, qui soutient une candidature, partisan.

suffragatorius, *a, um (suffragor),* qui appuie une candidature.

suffragium, *ii,* n. *(suffragor),* **1.** suffrage, vote, voix qu'on donne : *ferre,* voter ; *suffragium inire,* aller voter ; *in suffragium mittere,* faire voter || **2.** droit de suffrage || **3.** jugement, opinion || approbation, suffrages.

suffragor, *ari, atus sum,* intr., **1.** voter pour, donner sa voix, soutenir une candidature || **2.** faire campagne pour, soutenir, appuyer, favoriser [avec dat.] : *alicui, legi,* faire campagne pour qqn, pour une loi || [absol.] *fortuna suffragante,* avec l'appui de la fortune.

suffregi, pf. de *suffringo.*

suffringo (subf-), *ere, fregi, fractum (sub, frango),* tr., rompre en bas, briser par le bas.

suffudi, pf. de *suffundo.*

suffugio, *ere, fugi (sub, fugio),* **1.** intr., s'enfuir sous (pour s'abriter sous) || **2.** tr., se dérober à, échapper à.

suffugium, *ii,* n. *(suffugio),* refuge ; *hiemi,* abri pour l'hiver ; [avec gén. plus souvent] *imbris,* refuge contre la pluie.

suffulcio (subf-), *ire, fulsi, fultum,* tr., soutenir, étayer.

suffultus, *a, um,* part. de *suffulcio.*

suffundo (subf-), *ere, fudi, fusum,* tr., **1.** verser par-dessous, répandre sous, en bas || **2.** baigner, inonder [pardessous] : *suffusi cruore oculi,* yeux injectés de sang || **3.** répandre sous || **4.** [fig.] pénétrer de, imprégner de.

suffusio (subf-), *onis,* f. *(suffundo),* suffusion, épanchement par-dessous.

suffusus, *a, um,* part. de *suffundo.*

suggero (subg-), *ere, gessi, gestum,* tr.,
I. porter sous, **1.** mettre sous || **2.** mettre sous la main, fournir || **3.** ***a)*** fournir, produire ; ***b)*** suggérer.
II. porter à la place de, à la suite de, **1.** suppléer || **2.** mettre à la suite de.

suggessi, pf. de *suggero.*

suggestum, *i,* n. *(suggero),* **1.** lieu élevé, hauteur || **2.** tribune, estrade.

1. suggestus, *a, um,* part. de *suggero.*

2. suggestus, *us,* m., c. *suggestum.*

suggillatio (sugil-), *onis,* f. *(suggillo),* meurtrissure || raillerie mordante ; *alicujus,* contre qqn || outrage, insulte.

suggillatus (sugil-), *a, um,* part. de *suggillo.*

suggillo (sugil-), *are, avi, atum,* tr., **1.** meurtrir, contusionner || pl. n., *sugillata,* contusions || **2.** se moquer de, insulter, outrager : *aliquem,* qqn.

suggredior (subg-), *i, gressus sum,* **1.** intr., s'avancer à la dérobée || **2.** tr., attaquer en montant, donner l'assaut à.

sugill-, v. *suggill-.*

sugo, *ere, xi, ctum,* tr., sucer.

sui gén., **sibi** dat., **se** acc. et abl., pour tous les genres, sing. et pl. ; pron. réfléchi, de soi, à soi, soi ; d'eux, d'elles, à eux, à elles, etc. **1.** [renvoyant au sujet] : *ferrum se inflexit,* le fer s'est infléchi || **2.** [renvoyant dans une subordonnée, au sujet (grammatical ou logique) de la prop. principale] : *a Cæsare invitor, sibi ut sim legatus,* je reçois de César l'invitation d'être son lieutenant || **3.** *inter se* = pron. réciproque ; *inter se diligunt,* ils s'aiment l'un l'autre, réciproquement.

suile, *is,* n. *(sus),* porcherie.

suilla, *æ,* f., viande de porc.

suillus, *a, um (sus),* de porc, de cochon.

sulcatus, *a, um,* part. de *sulco.*

sulco, *are, avi, atum (sulcus),* tr., **1.** mettre en sillons, labourer || **2.** ***a)*** creuser ; ***b)*** sillonner.

sulcus, *i,* m., **1.** sillon || **2.** ***a)*** labour ; ***b)*** excavation, trous alignés ; ***c)*** sillons sur l'eau ; ***d)*** rides ; ***e)*** sillon de lumière.

sulfur (sulphur, sulpur), *uris,* n., soufre.

sulfuratum, *i,* n. *(sulfuratus),* **1.** brin soufré, allumette || **2.** mine de soufre.

sulfuratus, *a, um (sulfur),* soufré.

sulfureus (sulphu-, sulpu-), *a, um,* de soufre, du soufre || sulfureux.

Sulla (mieux que **Sylla),** *æ,* m., surnom de la *gens Cornelia*; notamment Sylla (L. Cornélius), vainqueur de Mithridate, rival de Marius et dictateur perpétuel, surnommé *Felix* || **Sullanus,** *a, um,* de Sylla || subst. m. pl., **Sullani,** les partisans de Sylla.

sullaturio, *ire,* intr., avoir envie d'imiter Sylla, de faire son Sylla [de proscrire].

Sulmo, *onis,* m., Sulmone [ville du Bruttium, patrie d'Ovide] || **-onensis,** *e,* de Sulmone || **-onenses,** *ium,* m., habitants de Sulmone.

sulphur, etc., v. *sulfur,* etc.

sulpur, etc., v. *sulfur,* etc.

sum, *esse, fui,* être,

I. verbe substantif, **1.** être, exister: *homines qui nunc sunt,* les contemporains; *omnium qui sunt, qui fuerunt, qui futuri sunt,* de tous ceux qui existent, qui ont existé, qui doivent exister || [traduit souvent par «il y a»]: *flumen est Arar...,* il y a un fleuve, l'Arar... || [en part.]: *sunt qui* indic., il y a des gens qui; *sunt qui* subj., il y a des gens pour, capables de, etc. || **2.** être dans un lieu, dans une situation, etc.: *esse cum aliquo,* être, vivre avec qqn; *esse apud aliquem,* se trouver chez qqn || *esse in aliquo, in aliqua re,* sens divers: *in lege est, ut,* il y a dans la loi un article qui veut que || *esse in ære alieno, in servitute, in odio,* être endetté, esclave, détesté || *esse ab aliquo,* être partisan de qqn || [avec *sic, ita*] se trouver de telle, telle manière; *sic est vulgus,* telle est la nature de la foule; [avec adv. attribut, sans sujet]: *bene, male est,* cela va bien, mal; *ita est,* il en est ainsi || **3.** être réellement: ***a)*** *est, ut dicis,* c'est bien comme tu dis; *sunt ista,* tu dis vrai; ***b)*** formules: *esto,* soit; *verum esto,* mais admettons; ***c)*** *est, ut* subj., il arrive vraiment que, il y a lieu de; ***d)*** [avec inf.] il est possible de; ***e)*** *in eo res est, ut,* ou *in eo est, ut,* les choses en sont au point que, [d'où] être sur le point de || **4.** [avec dat.] appartenir à, s'appliquer à: *accusatori præmia sunt,* l'accusateur a des récompenses; *nihil est mihi cum eo,* je n'ai rien à faire avec lui.

II. verbe copulatif, **1.** [avec un attribut]: *et præclara res est et sumus otiosi,* d'abord le sujet est beau, puis nous sommes de loisir; *nos numerus sumus,* nous, nous sommes le nombre, la foule; *aliquid sum,* je suis qqch. || [tour] *hoc est, id est,* c'est-à-dire || [ellipse de *esse* avec *volo*]: *se Atticos volunt,* ils veulent être des orateurs attiques || ellipse de *esse* très ordinaire à l'inf. fut., à l'inf. pf. passif, avec l'adj. verbal || **2.** avec gén.: ***a)*** [gén. poss.] *Pompei totus sum,* je suis tout entier à Pompée || [suivi d'un inf.] c'est le propre de, il appartient à, c'est le fait de, le devoir de: *sapientis est explicare,* c'est le fait du sage de développer, [qqf. suivi de *ut*]; ***b)*** [gén. de qualité]: *res est magni laboris,* la chose est très pénible; ***c)*** [gén. de prix]: *ager pluris est,* le champ vaut plus || **3.** [avec abl. de prix] || [de qualité]: *tenuissima valetudine esse,* avoir une très faible santé || **4.** avec dat. ou *ad*: *solvendo esse,* être solvable || **5.** [tour des 2 dat.]: *civitas prædæ tibi et quæstui fuit,* la cité fut pour toi une proie et une source de profits.

summa, *æ,* f. *(summus),* **1.** la place la plus haute, le point le plus élevé || **2.** ***a)*** le point culminant, l'apogée; ***b)*** la partie essentielle, le principal || **3.** total, somme, montant: *summam subducere, facere,* faire la somme, le total || somme d'argent: *pecuniæ summa* ou *summa* seul || **4.** [fig.] totalité, tout, ensemble || *imperii,* le commandement suprême || **5.** expr. adv.: *ad summam;* ***a)*** en somme; ***b)*** pour ne pas entrer dans le détail || *in summa,* au total.

summarium, *ii,* n., sommaire, abrégé.

summatim *(summa),* **1.** à la surface, sans enfoncer, légèrement || **2.** sommairement || superficiellement, en gros.

summe *(summus),* au plus haut degré.

summiss-, summitto, v. *subm-.*

summoneo, v. *subm-.*

summoveo, v. *subm-.*

summula, *æ,* f. *(summa),* petite somme.

1. summum, *i,* n. de *summus* pris subst., **1.** le sommet, le haut || la surface || **2.** le point le plus élevé, le plus parfait.

2. summum, adv., au plus, tout au plus.

summus, *a, um* (superl. formé sur *super),* **1.** le plus haut, le plus élevé || le sommet de, l'extrémité de, la surface de: *summus mons,* le sommet de la montagne; *aqua summa,* la surface de l'eau || **2.** ***a)*** *summa voce,* sur le ton le plus élevé de la voix; ***b)*** [temps]: *hieme summa,* au cœur de l'hiver; ***c)*** [le degré]: *summi et infimi,* les hommes du rang le plus élevé et le plus bas || *summum bonum*, le souverain bien.

sumo, *ere, sumpsi, sumptum (subs* et *emo)*, tr., **1.** prendre à soi, prendre, se saisir de : *pecuniam mutuam*, emprunter de l'argent ; *sumpta virili toga*, après avoir pris la toge virile ; *arma*, prendre les armes || **2.** [fig.] ***a)*** *spatium ad cogitandum*, prendre du temps pour réfléchir ; ***b)*** *frustra laborem*, prendre une peine inutile ; ***c)*** *animum*, prendre courage ; ***d)*** *de aliquo supplicium*, soumettre qqn à un supplice || **3.** prendre pour soi, choisir : ***a)*** *sumite materiam vestris æquam viribus*, choisissez un sujet proportionné à vos forces ; ***b)*** assumer : *operam*, assumer une tâche || *bellum*, entreprendre une guerre ; ***c)*** choisir pour une argumentation, s'arrêter à, retenir [un fait, un nom] || **4.** s'arroger, s'attribuer, s'approprier : *sumpsi hoc mihi, ut ad te... scriberem*, j'ai pris sur moi de t'écrire... || **5.** poser en principe, admettre || [avec prop. inf.] : *beatos esse deos sumpsisti*, tu as posé comme prémisses que les dieux sont heureux.

sumpsi, pf. de *sumo*.

sumptuarius, *a, um (sumptus)*, qui concerne la dépense.

sumptuose *(sumptuosus)*, à grands frais, somptueusement, avec magnificence.

sumptuosus, *a, um (sumptus)*, **1.** coûteux, onéreux, somptueux || **2.** dépensier, prodigue, fastueux.

1. sumptus, *a, um*, part. de *sumo*.

2. sumptus, *us*, m., coût, dépense, frais : *suo sumptu*, à ses frais ; *sumptu publico*, aux frais de l'État.

suo, *ere, sui, sutum*, tr., coudre.

suovetaurilia (suovi-), *ium*, n. *(sus, ovis, taurus)*, suovétaurilies, sacrifice d'une truie, d'une brebis et d'un taureau dans les lustrations.

supellex, *lectilis*, f., **1.** ustensiles de ménage, vaisselle || **2.** matériel, mobilier, bagage.

super,

I. adv., **1.** en dessus, par-dessus || du dessus, d'en haut || **2.** [fig.] ***a)*** en plus, au-delà : *satis superque vixisse*, avoir vécu assez et au-delà, assez et même trop ; ***b)*** en outre : *super quam quod*, outre que || là-dessus ; ***c)*** en plus, de reste.

II. prép., **A)** acc., **1.** sur, au-dessus de [avec ou sans mouvement] : *stricto super capita gladio*, avec l'épée nue sur les têtes || au-dessus, au-delà de [géographiquement] || au-dessus de [sur le lit de table] || **2.** ***a)*** pendant : *super cenam*, pendant le repas ; ***b)*** en sus de, outre : *super dotem*, en plus de la dot ; ***c)*** au-dessus de : *super omnia*, par-dessus tout, plus que tout ; ***d)*** *super armamentarium positus*, préposé à l'arsenal.

B) abl., **1.** *super cervice*, sur la tête || **2.** ***a)*** sur, au sujet de : *super aliqua re scribere*, écrire sur un sujet ; ***b)*** en plus de : *super his*, en plus de cela.

superabilis, *e (supero)*, **1.** qui peut être franchi || **2.** dont on peut triompher.

superaddo (ou **super addo),** *ere, itum*, tr., mettre par-dessus, ajouter sur [*aliquid alicui rei*].

superans, *tis*, part.-adj. de *supero*, prédominant.

superator, *oris*, m. *(supero)*, vainqueur.

superatus, *a, um*, part. de *supero*.

superbe *(superbus)*, orgueilleusement, superbement, avec arrogance.

superbia, *æ*, f. *(superbus)*, orgueil, fierté, hauteur, insolence || noble fierté.

superbibo, *ere*, tr., boire par-dessus (après).

superbio, *ire (superbus)*, intr., **1.** être orgueilleux, s'enorgueillir || [avec *quod*], s'enorgueillir à l'idée que || **2.** être fier, superbe, éclatant.

1. superbus, *a, um (super)*, **1.** orgueilleux, superbe, fier, altier, hautain, insolent || [avec abl.] fier de || *superbum est*, c'est un acte de superbe, de despotisme [suivi d'un inf.] || **2.** [en bonne part] magnifique, brillant, fier, glorieux, imposant.

2. Superbus, *i*, m., le Superbe [surnom de Tarquin, dernier roi de Rome].

superciliosus, *a, um (supercilium)*, renfrogné, rébarbatif.

supercilium, *ii*, n., **1.** sourcil || partie saillante, saillie, proéminence, sommet || hauteur, crête || **2.** fierté, orgueil, morgue, arrogance || sévérité, air sourcilleux.

superemineo, *ere*, **1.** tr., s'élever au-dessus de, surpasser, *aliquem*, qqn || **2.** intr., s'élever au-dessus, à la surface.

superfero, *ferre, tuli, latum*, tr., **1.** porter au-dessus ; pass. *superferri*, être porté à la surface || **2.** dépasser, reculer.

superficies, *ei*, f. *(super* et *facies)*, **1.** partie supérieure, surface || **2.** constructions sur la surface d'un sol dont on n'a que l'usufruit || **3.** superficie.

superfixus, *a, um,* fiché sur, superposé.

superfluens, *tis,* part. prés. de *superfluo.*

superfluo, *ere, fluxi,* intr., déborder || [fig.] surabonder, être de trop.

superfudi, pf. de *superfundo.*

superfui, pf. de *supersum.*

superfundo, *ere, fudi, fusum,* tr., **1.** répandre sur, verser sur || faire pleuvoir || **2.** pass. *superfundi,* se répandre sur, déborder || **3.** *se superfundere in Asiam,* s'étendre en Asie || **4.** recouvrir de *(aliqua re)* || envelopper, submerger [les troupes ennemies].

superfusus, *a, um,* part. de *superfundo.*

supergredior, *gredi, gressus sum (super* et *gradior),* tr., **1.** passer au-delà, dépasser || **2.** surpasser || surmonter.

supergressus, *a, um,* part. de *supergredior.*

superimmineo, *ere,* intr., menacer.

superimpono, *ere, positum,* tr., mettre sur, superposer.

superimpositus, *a, um,* part. de *superimpono.*

superincido, *ere,* intr., employé au part. prés. *superincidens,* tomber d'en haut sur.

superinduco, *ere, duxi, ductum,* tr., recouvrir par en haut || répandre pardessus.

superinductus, part. de *superinduco.*

superinduo, *ere, ui, utum,* tr., endosser par-dessus.

superinfundo, *ere, fusum,* tr., verser par-dessus.

superingero, *ere, gestum,* tr., entasser par-dessus || mettre sur.

superinjicio, *ere, jeci, jectum,* tr., jeter par-dessus || mettre sur.

superinsterno, *ere, stravi, stratum,* tr., étendre sur, couvrir.

superinstratus, *a, um,* part. de *superinsterno.*

superinstravi, pf. de *superinsterno.*

1. superior, *ius, oris,* compar. de *superus,* **1.** plus au-dessus, plus haut, plus élevé [ou] la partie supérieure, le plus haut de; *de loco superiore dicere,* parler du haut du tribunal ou *de loco superiore agere,* plaider du haut de la tribune ou *superiore e loco contionari,* haranguer du haut de la tribune || **2.** antérieur, précédent, plus âgé: ***a)*** *omnes superiores dies* [acc.], durant tous les jours précédents; *superioribus diebus,* les jours précédents; *superiores,* les devanciers; *Africanus superior, superior Africanus,* le premier Africain; ***b)*** la partie antérieure de: *in superiore vita,* dans la partie antérieure de la vie; ***c)*** pl. n., *superiora,* actes antérieurs || **3.** [en parl. du rang] supérieur: *superiores ordines,* grades supérieurs; *loco, fortuna, fama superiores,* supérieurs par la naissance, par la fortune, par la réputation || **4.** plus puissant, plus fort, supérieur.

2. Superior, *ius,* épith. ajoutée à un nom de pays, Supérieur.

superjacio, *ere, jeci, jectum,* tr., **1.** jeter dessus, placer dessus || **2.** ajouter, enchérir || **3.** jeter pardessus.

superjacto, *are,* tr., **1.** jeter par-dessus || **2.** dépasser, franchir.

superjeci, pf. de *superjaccio.*

superlatio, *onis,* f. *(superfero),* exagération.

superlatus, *a, um,* part. de *superfero.*

superlino, *ere, levi, litum,* tr., oindre par-dessus, appliquer sur [comme enduit].

superlitus, *a, um,* part. de *superlino.*

supernas, *atis,* m. f. n. *(supernus),* qui vient d'en haut, de l'Adriatique.

supernato, *are, avi,* intr., flotter sur || surnager, venir à la surface.

supernatus, *a, um,* né par-dessus, survenu.

superne *(supernus),* d'en haut, de dessus || en haut, par en haut.

supernus, *a, um (super),* placé en haut, d'en haut, supérieur.

supero, *are, avi, atum (super),*
I. intr., **1.** s'élever au-dessus || **2.** [fig.] ***a)*** être supérieur, avoir le dessus, l'emporter; ***b)*** être en abondance, à profusion, surabonder; ***c)*** être de reste, rester.
II. tr., **1.** aller au-delà, dépasser, franchir || **2.** doubler un cap || **3.** ***a)*** surpasser, dominer, l'emporter sur: *aliquem virtute,* surpasser qqn en vertu; ***b)*** vaincre, triompher de, battre: *terra marique superati,* vaincus sur terre et sur mer.

superpono, *ere, posui, positum,* tr., **1.** placer, mettre sur, *aliquid alicui rei,* qqch. sur qqch. || **2.** [fig.] mettre audessus, préférer: *aliquid alicui rei* || placer après.

superpositus, *a, um,* part. de *superpono.*

superposui, pf. de *superpono.*

superscando, *ere,* tr., escalader pardessus, franchir.

superscribo, *ere, psi, ptum*, tr., écrire par-dessus, surcharger.

supersedeo, *ere, sedi, sessum*, intr. et tr., **1.** être assis sur, être posé sur || **2.** présider: *alicui rei* || **3.** [fig.] se dispenser de: ***a)*** *a prœlio*, s'abstenir de combattre; *labore itineris*, s'épargner les fatigues d'un voyage || [pass. imp.] *narratione supersedendum est*, il faut supprimer la narration; ***b)*** tr., remettre, ne pas accorder; ***c)*** [avec inf.]: *supersedissem loqui*, je me serais dispensé de parler.

supersessus, *a, um*, part. de *supersedeo.*

supersido, *ere*, intr., s'asseoir sur.

supersisto, *ere, stiti*, tr., s'arrêter au-dessus de [avec l'acc.].

superstagno, *are, avi*, intr., former un lac.

supersterno, *ere, stravi, stratum*, tr., étendre sur.

superstes, *itis (super sto)*, **1.** qui est présent, témoin || **2.** qui reste, survivant || *alicui* ou *alicujus*, qui survit à qqn.

supersteti, pf. de *supersto.*

superstitio, *onis*, f., **1.** superstition || **2.** observation trop scrupuleuse || **3.** objet de crainte religieuse || **4.** culte religieux, vénération.

superstitiose *(superstitiosus)*, superstitieusement || trop scrupuleusement.

superstitiosus, *a, um*, superstitieux.

supersto, *stare, steti*, **1.** intr., se tenir au-dessus || [avec dat.] se tenir sur || **2.** tr., *aliquem*, se tenir sur qqn.

superstratus, *a, um*, part. de *supersterno.*

superstravi, pf. de *supersterno.*

superstruo, *ere, struxi, structum*, tr., bâtir par-dessus.

supersum, *esse, fui*, **1.** être de reste, rester, subsister: *non multum æstatis supererat*, l'été tirait à sa fin || *superest* avec inf. ou avec *ut* subj., il reste à || **2.** [en part.] survivre: *patri*, survivre à son père || **3.** être en surabondance || **4.** [poét.] être en quantité suffisante, suffire: *labori superesse*, suffire à une tâche || **5.** être de trop, être superflu.

superurgens, *tis (super, urgeo)*, qui presse d'en haut.

superus, *a, um (super)*, **1.** qui est au-dessus, qui est en haut, d'en haut, supérieur: *superi dii*, les dieux d'en haut; *superæ res*, les choses du ciel, le ciel || **Superi,** *orum*, m., les dieux d'en haut || **supera,** *orum*, n., les astres, [ou] les régions supérieures, les hauteurs || **2.** qui est en haut par rapport aux Enfers, qui occupe la région supérieure = la terre; d'où *superi*, ceux d'en haut, les hommes, le monde.

supervacaneus, *a, um (supervacuus)*, **1.** qui est en plus, en surplus || **2.** surabondant, inutile, superflu || *supervacaneum est* avec inf., il est inutile de.

supervaco, *are*, intr., surabonder, être de trop.

supervacuo, adv., surabondamment, sans nécessité, inutilement.

supervacuus, *a, um*, surabondant, superflu; pl. n., *supervacua*, des choses inutiles || *supervacuum est* avec inf., il est inutile de.

supervado, *ere*, tr., franchir, escalader.

supervehor, *vehi, vectus sum*, pass., être transporté au-delà de, franchir || doubler un cap.

supervenio, *ire, veni, ventum*, **1.** venir par-dessus, ***a)*** tr., avec acc.; ***b)*** intr. avec dat. || **2.** intr., survenir || arriver en outre, par surcroît; [avec dat.] arriver comme appui, comme secours pour qqn; surprendre.

superventus, *us (supervenio)*, venue subite, arrivée imprévue.

supervivo, *ere, vixi*, intr., survivre, *alicui, alicui rei*, à qqn, à qqch.

supervolito, *are, avi*, tr., voltiger au-dessus [avec l'acc.].

supervolo, *are*, intr., voler au-dessus, dans les airs.

supinatus, *a, um*, part. de *supino.*

supine *(supinus)*, avec nonchalance.

supino, *are, avi, atum (supinus)*, tr., renverser sur le dos, renverser en arrière || retourner [la terre].

supinus, *a, um (sub)*, **1.** tourné vers le haut, penché en arrière || tourné en arrière, tourné vers le haut: *supinæ manus*, mains renversées [pour supplier] || couché sur le dos || **2.** ***a)*** tourné en sens inverse, qui reflue, qui rétrograde; ***b)*** incliné, qui va en pente douce || **3.** ***a)*** paresseux, nonchalant, négligent; ***b)*** qui renverse la tête en arrière, orgueilleux, guindé.

suppænitet, *ere (sub, pænitet)*, imp., être un peu mécontent, avoir quelque repentir.

suppar, *aris (sub, par)*, à peu près égal.

supparum, *i*, n., **1.** petite voile de perroquet || **2.** voile, sorte de châle.

suppeditatio, *onis*, f. *(suppedito)*, abondance, affluence.

suppeditatus, *a, um*, part. de *suppedito.*

suppedito (subped-), *are, avi, atum*, intr. et tr., **I.** intr., être en abondance à la disposition, être en quantité suffisante sous la main. **II.** tr., **1.** fournir à suffisance, en abondance : *sumptum*, fournir aux dépenses || **2.** [absol.] : *alicui sumptibus*, fournir aux dépenses de qqn || **3.** pass. *suppeditari aliqua re*, être fourni, pourvu en abondance de qqch.

suppeto (subp-), *ere, ivi* ou *ii, itum*, intr., **1.** être sous la main, à la disposition || être en abondance à la disposition || **2.** être en quantité suffisante, suffire.

supplanto (subp-), *are, avi, atum*, tr., **1.** donner un croc-en-jambe, *aliquem*, à qqn || **2.** renverser à terre.

supplau-, v. *supplo-*.

supplementum (subpl-), *i*, n. *(suppleo)*, **1.** fait de compléter, complément, *ad* (ou *in*) *supplementum* : pour compléter ; *supplementi nomine*, sous couleur de compléter les effectifs || **2.** renfort || aide, secours.

suppleo, *ere, plevi, pletum*, tr. *(sub, pleo)*, compléter en ajoutant ce qui manque || suppléer, remplacer || *vicem solis*, remplir l'office du soleil.

suppletus, *a, um*, part. de *suppleo.*

supplex, *icis*, qui plie les genoux, qui se prosterne, suppliant : *manus supplices*, mains suppliantes ; *supplicia verba*, paroles suppliantes ; *cum Alcibiades Socrati supplex esset ut*, Alcibiade suppliant Socrate de.

supplicatio, *onis*, f. *(supplico)*, prières publiques, actions de grâces rendues aux dieux : *dierum viginti supplicatio*, une fête d'actions de grâces de vingt jours.

suppliciter *(supplex)*, en suppliant, d'une manière suppliante, humblement.

supplicium (subpl-), *ii (supplex)*, **1.** [sens arch.] action de ployer les genoux, ***a)*** supplications aux dieux ; ***b)*** offrande, sacrifice que l'on fait dans la supplication ; ***c)*** prières || **2.** punition, peine, châtiment, supplice ; *ad supplicium dari*, subir un supplice ; *supplicium sumere de aliquo*, châtier qqn ; *supplicio affici*, subir un supplice, un châtiment.

supplico (subp-), *are, avi, atum (supplex)*, intr., plier sur ses genoux, se prosterner, **1.** prier, supplier, *alicui*, qqn || **2.** adresser des prières aux dieux [avec dat.].

supplodo (subp-) ou **-plaudo,** *ere, si, sum*, tr., frapper sur le sol : *pedem*, frapper du pied.

supplosio ou **-plausio,** *onis*, f., action de frapper [sur le sol].

suppono (subp-), *ere, posui, positum*, tr., **1.** mettre (placer) dessous : *aliquid alicui rei*, mettre une chose sous une autre || mettre au pied, au bas, à la base || **2.** mettre, mettre au bas, à la suite de || mettre après, préférer || **3.** mettre à la place : ***a)*** *aliquem alicui*, ou *in locum alicujus*, mettre qqn à la place d'un autre ; ***b)*** mettre à la place faussement, supposer.

supporto, *are, avi, atum (sub, porto)*, tr., apporter de bas en haut, apporter à pied d'œuvre, amener.

suppositus, *a, um*, part. de *suppono.*

supposui, pf. de *suppono.*

suppressi, pf. de *supprimo.*

suppressio (subp-), *onis*, f. *(supprimo)*, **1.** appropriation frauduleuse, détournement || **2.** étouffement, oppression.

suppressus, *a, um*, **1.** part. de *supprimo* || **2.** pris adj., ***a)*** abaissé, bas [ton, en parlant de la voix] ; *suppressior* ; ***b)*** rentrant, effacé [menton].

supprimo (subp-), *ere, pressi, pressum (sub, premo)*, tr., **1.** faire enfoncer, couler à fond ; couler bas des navires || **2.** contenir (arrêter) dans son mouvement || **3.** retenir, détourner [de l'argent] || étouffer, supprimer.

suppudet (subp-), *ere*, imp., éprouver qq. honte, rougir un peu.

suppuratio, *onis*, f. *(suppuro)*, suppuration, écoulement, plaie suppurante, abcès.

suppuratus, *a, um*, part. de *suppuro.*

suppuro, *are, avi, atum (sub, pus)*, **1.** intr., suppurer, être en suppuration || **2.** tr., engendrer un abcès ; part. *suppuratus, a, um*, qui est en abcès, suppurant.

supputatus, *a, um*, part. de *supputo.*

supputo, *are, avi, atum (sub, puto)*, tr., **1.** tailler, émonder || **2.** supputer.

supra *(superus)*, **I.** adv., **1.** à la partie supérieure, en haut, au-dessus || **2.** plus haut, précédemment, ci-dessus : *ut supra dixi*, comme je l'ai dit plus haut || **3.** ***a)*** en plus, en sus, plus ; ***b)*** *supra... quam*, ou *supra quam*, plus que. **II.** prép. acc., **1.** au-dessus de, sur, par-dessus || *accumbere supra aliquem*, être couché (placé à table) au-dessus de qqn || [géographiquement] au-dessus de, au-delà de || **2.** [temps] avant: *supra hanc memoriam*, avant notre époque || **3.** plus de || **4.** au-delà de.

suprascando, *ere*, tr., franchir.

suprema, *orum*, n. pl. de *supremus*, **1.** les derniers instants || **2.** les derniers devoirs || **3.** les dernières volontés, testament || les restes du corps brûlé.

supremitas, *atis*, f. *(supremus)*, l'extrémité.

supremo *(supremus)*, enfin, à la fin.

1. supremum, n. de *supremus* pris adv., **1.** pour la dernière fois || **2.** une dernière fois; à jamais, pour toujours.

2. supremum, *i*, n. de *supremus* pris subst.: *ventum ad supremum est*, nous voici à l'heure suprême, décisive.

supremus, *a, um*, superl. de *superus*, **1.** le plus au-dessus, le plus haut; le sommet de: *supremi montes*, le sommet des montagnes || **2.** le plus au-delà, à l'extrémité, le dernier: *supremo vitæ die*, au dernier jour de la vie; *supremum iter*, le dernier voyage || **3.** le plus haut, le plus grand, suprême; *supremum supplicium*, le dernier supplice.

sura, *æ*, f., le mollet || petit os de la jambe.

surculosus, *a, um (surculus)*, ligneux.

surculus, *i*, m., **1.** rejeton, drageon, scion || **2.** greffe, bouture, marcotte || **3.** écharde, épine || baguette || **4.** arbrisseau.

surdaster, *tra, trum (surdus)*, un peu sourd, dur d'oreille.

surditas, *atis (surdus)*, surdité.

surdus, *a, um*, **1.** qui n'entend pas, sourd || **2.** qui ne veut pas entendre, sourd, insensible || **3.** qui n'est pas sonore, qui n'a pas de retentissement: *vox surda*, voix sourde || **4.** assourdi, faible, peu perceptible, terne || muet, silencieux || inconnu, ignoré.

surgo, *surgere, surrexi, surrectum (surrigo, sub* et *rego)*, intr., se lever, se mettre debout: **1.** *de sella*, se lever de son siège; *e lectulo*, de son lit || [en parl. d'un orateur] se lever pour prendre la parole || se lever, quitter le lit || **2.** *ignis surgit ab ara*, le feu s'élève de l'autel; *mare surgit*, la mer se soulève; *surgente die*, au point du jour; *messes surgunt*, le blé lève.

Surrentum, *i*, n., ville de la Campanie renommée pour ses vins, auj. Sorrente || **-inus,** *a, um*, de Surrentum.

surrexi, pf. de *surgo*.

sursum, adv. *(sub* et *versum)*, **1.** de dessous vers le haut; en haut, en montant: *sursum deorsum commeare*, circuler de haut en bas || **2.** en haut [sans mouvement].

sus, *suis*, m. f., porc, truie, pourceau, cochon [prov.] *sus Minervam (docet)*, c'est un pourceau qui en remontre à Minerve.

suscenseo (succ-), *ere, censui, censum*, intr., être enflammé || être irrité, courroucé, en colère || *alicui, quod*, s'irriter contre qqn, en raison de ce que || avec pron, n., *id, nihil, aliquid*, en cela, en rien, en qqch.

suscepi, pf. de *suscipio*.

susceptio, *onis*, f. *(suscipio)*, action de se charger de.

susceptum, *i*, n. *(suscipio)*, entreprise.

suscipio, *ere, cepi, ceptum (subs* et *capio)*, tr.,

I. 1. prendre par-dessous, en bas; recevoir par-dessous, soutenir || étayer || **2.** soulever en l'air; [en part.] soulever l'enfant qui vient de naître pour témoigner qu'on le reconnaît comme son fils et qu'on veut l'élever; d'où: ***a)*** reconnaître, accueillir: *a parentibus suscepti educatique*, reconnus et élevés par leurs parents; ***b)*** engendrer, mettre au monde || **3. *a)*** prendre, adopter; ***b)*** adopter, accueillir: *querimonias alicujus*, accueillir les plaintes de qqn, s'en faire l'interprète; ***c)*** admettre [une idée, un raisonnement] || **4.** reprendre: *sermonem*, reprendre la parole || [absol.] reprendre, répondre.

II. prendre sur soi, **1.** se charger de, assumer: *causam, patrocinium, negotium*, se charger d'une cause, d'une défense, d'une affaire || entreprendre: *bellum*, entreprendre une guerre || *in se scelus*, se charger d'un crime, s'en rendre coupable [*facinus* sans *in se*, même sens] || **2.** subir, supporter, affronter: *inimicitias, invidiam, dolores*, affronter les haines, le discrédit, les douleurs; *pœnam*, subir un châtiment.

suscitatus, *a, um*, part. de *suscito*.

suscito, *are, avi, atum*, tr. *(subs, cito)*, **1.** lever, soulever, élever || **2.** faire se dresser, ***a)*** bâtir; ***b)*** *aliquem e somno*, tirer qqn de son sommeil; ***c)*** éveiller, exciter, ranimer.

susinus, *a, um*, de lis, fait de lis.

suspecto, *are, avi, atum (suspicio)*, tr., **1.** regarder en haut, en l'air || **2.** suspecter, soupçonner || [pass.] *alicui suspectari*, être suspect à qqn.

1. suspectus, *a, um*, **1.** part. de *suspi-*

cio || **2.** adj., suspect, soupçonné : *alicui*, suspect à qqn ; *aliqua re, propter aliquid, rei*, suspect, à cause de qqch., relativement à qqch., de qqch. ; [avec inf.] *suspectus fovisse*, suspect d'avoir favorisé.

2. suspectus, *us*, m. *(suspicio)*, **1.** action de regarder en haut, vue de bas en haut || hauteur || **2.** estime, admiration.

suspendium, *ii*, n. *(suspendo)*, action de se pendre, pendaison.

suspendo, *ere, pendi, pensum (subs, pendo)*, tr., **1.** suspendre : *aliquid ex alta pinu*, qqch. au sommet d'un pin ; *malo ab alto*, au sommet d'un mât ; *collo, e collo*, à son cou || *aliquem arbori infelici, in oleastro*, suspendre, pendre qqn au poteau fatal, à un olivier ; *se de ficu, e ficu*, se pendre à un figuier || **2.** suspendre en offrande || **3.** tenir en l'air, en hauteur, attacher par-dessous à ; *suspenso gradu*, [*suspenso pede*], en marchant sur la pointe des pieds, à pas de loup || **4.** [fig.] ***a)*** tenir en suspens, dans l'incertitude ; *animos*, tenir les esprits en suspens ; *exspectationem*, maintenir dans l'attente ; ***b)*** suspendre, retenir : *spiritum, fletum*, son souffle, ses larmes.

suspensura, *æ*, f., voûte.

suspensus, *a, um*,

I. part. de suspendo.

II. pris adj., **1.** suspendu, qui plane, qui flotte : *suspensis alis*, en vol plané || **2.** suspendu à, subordonné à, dépendant de || **3.** en suspens, incertain, indécis, flottant : *suspensum aliquem habere, tenere*, tenir qqn dans l'incertitude.

suspexi, pf. de *suspicio*.

suspicatus, *a, um*, part. de *suspicor*.

suspicax, *acis (suspicor)*, soupçonneux, défiant || où perce le soupçon.

1. suspicio, *ere, spexi, spectum (subs, specio)*, **1.** intr., regarder de bas en haut || **2.** tr., ***a)*** *cælum, astra*, regarder au-dessus de soi le ciel, les astres ; ***b)*** élever ses regards (sa pensée) vers ; ***c)*** admirer.

2. suspicio (mieux que **-tio),** *onis*, f. *(suspicor)*, **1.** soupçon, suspicion : *in aliquem convenit*, le soupçon porte, tombe sur qqn, ou *cadit* ; *in suspicionem venire alicui*, exciter les soupçons de qqn ; *suspicio est* avec prop. inf., on soupçonne que || *neque abest suspicio quin*, on ne laisse pas de soupçonner que || **2.** soupçon, conjecture.

suspiciose, de manière à faire naître des soupçons.

suspiciosus, *a, um (suspicio 2)*, **1.** soupçonneux, ombrageux ; *in aliquem*, défiant à l'égard de qqn || **2.** qui fait naître, qui inspire des soupçons.

suspicor, *ari, atus sum (suspicio 1)*, tr., **1.** soupçonner : *nihil mali*, ne soupçonner rien de mal || [avec prop. inf.] soupçonner que || **2.** soupçonner, conjecturer, se douter de : *aliquid de aliquo, de aliqua re*, faire une conjecture au sujet de qqn, de qqch.

suspiratio, *onis*, f. *(suspiro)*, soupir.

1. suspiratus, *a, um*, part. de *suspiro*.

2. suspiratus, *us*, m., soupir.

suspiritus, *us*, m. *(suspiro)*, profond soupir.

suspirium, *ii*, n. *(suspiro)*, **1.** respiration [profonde] || soupir || **2.** asthme.

suspiro, *are, avi, atum (subs, spiro)*, **1.** intr., respirer profondément || soupirer || **2.** tr., exhaler.

sustentaculum, *i*, n. *(sustento)*, soutien, support.

sustentatus, *a, um*, part. de *sustento*.

sustento, *are, avi, atum* (fréq. de *sustineo*), tr., **1.** tenir par-dessous, soutenir, supporter || **2.** [fig.] ***a)*** soutenir, maintenir, conserver en bon état ; ***b)*** sustenter, alimenter, nourrir ; ***c)*** résister à, supporter : *ægre sustentatum est*, on résista avec peine || *dolorem*, supporter la douleur ; ***d)*** différer, ajourner, prolonger.

sustineo, *ere, tinui, tentum (subs, teneo)*, tr., **1.** tenir par-dessous, tenir en l'air, soutenir, maintenir || **2.** porter, supporter || **3.** arrêter, retenir : *incitatos equos*, arrêter des chevaux lancés au galop || **4.** [fig.] ***a)*** maintenir, soutenir, conserver en bon état || entretenir, sustenter, nourrir ; ***b)*** avoir la charge de, porter, soutenir || tenir bon contre : *impetum hostis*, soutenir le choc de l'ennemi || [absol.] tenir bon ; ***c)*** supporter, endurer : *labores*, supporter des fatigues ; ***d)*** [avec inf.] prendre sur soi de, gagner sur soi de ; ***e)*** suspendre ; différer : *rem in noctem*, remettre la chose à la nuit.

sustollo, *ere*, tr. *(subs, tollo)*, lever en haut, élever || soulever.

sustuli, sert de pf. à *tollo*.

susurrator, *oris*, m. *(susurro)*, celui qui chuchote, qui colporte des histoires.

sussuro, *are (susurrus)*, **1.** intr., murmurer, bourdonner || **2.** tr., fredonner || chuchoter.

1. susurrus, *a, um*, qui chuchote.

2. susurrus, *i*, m., murmure, bourdonnement des abeilles || chuchotement ||

Susurri, les Chuchotements, cortège de la Renommée.

suta, *orum (sutus, suo)*, objets cousus, [d'où] assemblage.

sutilis, *e (suo)*, cousu : *balteus*, baudrier fait de pièces cousues.

sutor, *oris*, m. *(suo)*, cordonnier || homme du bas peuple.

sutorius, *a, um (sutor)*, de cordonnier || subst. m., ex-cordonnier.

sutrina, *æ (sutrinus)*, **1.** boutique de cordonnier || **2.** métier de cordonnier.

sutrinum, *i*, n. *(sutrinus)*, boutique ou métier de cordonnier.

sutrinus, *a, um (sutor)*, de cordonnier.

sutura, *æ (suo)*, couture || suture.

sutus, *a, um*, part. de *suo*.

suus, *a, um*, son, sa, sien, sienne, leur, leurs,

I. réfléchi, *si Cæsarem beneficii sui pæniteret*, si César regrettait son bienfait || *nihil erit iis domo sua dulcius*, rien ne leur sera plus doux que leur maison.

II. sens possessif, **1.** son propre : *hunc sui cives e civitate ejecerunt*, ses propres concitoyens l'ont banni || propre, particulier, personnel : *quid suum, quid alienum sit, ignorare*, ignorer ce qui est à soi personnellement ou à autrui || **2.** favorable, avantageux, propice || **3.** *sui*, les siens || *suum*, n. et surtout pl. *sua*, son bien, ses biens, leurs biens : *suaque defendunt*, ils protègent eux et leurs biens.

suus, renforcé de *met* ou de *pte*, son propre ; *suapte manu*, de sa propre main ; *suopte pondere*, de son propre poids.

suxi, pf. de *sugo*.

Sybaris, *is*, f., ville de l'Italie méridionale sur le golfe de Tarente [plus tard Thurium], célèbre par le luxe et la mollesse de ses habitants, dont le nom est devenu le synonyme d'efféminé || **-itæ,** *arum*, les Sybarites.

Syene, *es*, f., ville de la Haute Égypte, célèbre pour son granit rouge || [poét.] granit rouge || **Syenites,** *æ*, ***a)*** adj. m., de Syène ; ***b)*** subst. m., syénite, granit rouge || **-nitæ,** *arum*, m., habitants de Syène.

Sylla, -anus, v. *Sulla*, etc.

syllaba, *æ*, f., syllabe.

syllabatim, adv. *(syllaba)*, mot à mot, mot pour mot ; textuellement.

syllogismus, *i*, m., syllogisme.

sylv-, Sylv-, v. *sil-, Sil-*.

symbolus, *i*, m., pièce justificative d'identité, signe de reconnaissance.

symphonia, *æ*, f., concert, musique d'harmonie.

symphoniacus, *a, um*, de concert, de musique : *symphoniaci pueri* ou *servi*, esclaves symphonistes, musiciens d'orchestre.

symposion (-sium), *ii*, n., banquet || **Symp-,** le Banquet [titre d'un livre de Platon et d'un autre de Xénophon].

synedrus, *i*, m., synèdre [sénateur chez les Macédoniens].

Synephebi, *orum*, m., les Synéphèbes [comédie de Ménandre, imitée par Cæcilius].

syngrapha, *æ*, f., billet, obligation, reconnaissance.

Syphax, *acis*, m., roi des Numides.

Syracusæ, *arum*, f., Syracuse, ville principale de la Sicile || **-cosius,** *a, um*, de Syracuse, syracusain ; **-cosii,** *orum*, m., Syracusains || **-cusanus,** *a, um*, de Syracuse || **-sani,** *orum*, m., les Syracusains || **-cusius,** *a, um*, de Syracuse || **-cusii,** *orum*, m., Syracusains.

Syria, *æ*, f., la Syrie [contrée de l'Asie entre la Méditerranée et l'Euphrate] || **-rius,** *a, um*, de la Syrie, syrien || **Syrii,** *orum*, les Syriens || ou **-iacus,** *a, um*, ou **-icus,** *a, um*.

syrinx, *ingis*, acc. *inga*, f., **1.** roseau ; flûte de roseau, flûte de Pan || **2.** pl. **syringes,** *um*, f., cavernes ou passages souterrains.

Syrtis, *is*, f., [litt.] banc de sable, **1. Syrtes,** *ium*, les Syrtes [deux bas-fonds sur la côte nord de l'Afrique, entre Cyrène et Carthage] ; *Syrtis major* et *Syrtes majores*, la grande Syrte ; *Syrtis minor* et *Syrtes minores*, la petite Syrte || **2.** bas-fond, écueil || **Syrticus,** *a, um*, des Syrtes : *Syrticæ gentes*, peuples voisins des Syrtes.

T, t, f. n. [dix-neuvième lettre de l'alphabet latin] || *T.*, abréviation de Titus || *Ti.*, abréviation de *Tiberius*.

tabanus, *i*, m., taon [sorte de mouche].

tabefactus, *a, um (tabeo, facio)*, fondu, liquéfié.

tabella, *æ*, f., dimin. de *tabula*, **1.** petite planche, planchette || **2.** table de jeu || **3.** ***a)*** tablette à écrire; ***b)*** pl., écrit de toute sorte || **4.** tablette de vote, bulletin; ***a)*** dans les comices: s'il s'agissait de l'élection d'un magistrat, le votant mettait le nom de son candidat sur le bulletin; s'il s'agissait d'une proposition de loi, le votant recevait deux bulletins, l'un portant les deux lettres U. R. = *uti rogas*, comme tu le proposes, mention d'adoption, l'autre portant la lettre A. = *antiquo*, je rejette, mention de refus; ***b)*** dans les tribunaux, où chaque juge recevait trois bulletins, l'un avec la lettre A. = *absolvo*, j'absous, l'autre avec C. = *condemno*, je condamne, le troisième avec N. L. = *non liquet*, ce n'est pas clair = je ne me prononce pas: *ternas tabellas dare*, remettre à chacun les trois tablettes de vote || **5.** petit tableau || **6.** tablette votive, petit tableau déposé dans un temple en ex-voto.

1. tabellarius, *a, um (tabella)*, **1.** qui a rapport aux lettres || **2.** relatif aux bulletins de vote.

2. tabellarius, *ii*, m., messager, courrier.

tabeo, *ere*, intr., se liquéfier, se fondre, se putréfier, se décomposer || se désagréger, se dissoudre || ruisseler.

taberna, *æ*, f., **1.** échoppe, cabane || **2.** estrade, loge au cirque || **3.** boutique, magasin || *libraria*, ou *taberna* seul, boutique de libraire; *argentaria*, comptoir de banquier.

tabernaculum, *i*, n., tente: *ponere, collocare, statuere*, établir, dresser une tente, des tentes; *tabernacula detendere*, plier les tentes || tente augurale.

tabernarius, *ii*, m., boutiquier.

tabes, *is*, f. *(tabeo)*, **1.** corruption, putréfaction || désagrégation, décomposition || **2.** déliquescence, gâchis, bourbe || bave venimeuse d'un serpent || *oculorum*, sanie des yeux || **3.** consomption, dépérissement || **4.** maladie contagieuse, épidémie || fléau || **5.** maladie qui ronge (qui mine) moralement, langueur.

tabesco, *ere, bui*, intr., **1.** se liquéfier, se fondre || se putréfier, se corrompre || **2.** ***a)*** diminuer, dépérir; ***b)*** se consumer, croupir.

tabidus, *a, um (tabes)*, **1.** fondu || corrompu, en putréfaction || **2.** infectieux.

tabificus, *a, um (tabes, facio)*, qui fait fondre || qui corrompt, qui désagrège || pestilentiel, infectieux || qui mine.

tabitudo, *inis*, f. *(tabes)*, consomption, dépérissement.

tabui, pf. de *tabesco*.

tabula, *æ*, f., **1.** planche, ais || **2.** table de jeu || **3.** tablette à écrire || pl., tablettes = écrit de toute sorte; registres de comptes, livres; *in tabulas referre aliquid*, porter qqch. sur ses registres; *tabulas conficere*, tenir des livres de comptes à jour: *publicæ*, registres officiels, archives || *duodecim tabulæ*, les douze tables [lois] || *in tabulas referre*, établir un procès-verbal || tables, listes de proscription || testament || **4.** table affichée, affiche || **5.** liste || liste des censeurs || **6.** bureau de change || **7.** avec ou sans *picta*, tableau, peinture || **8.** tableau votif.

tabularium, *ii*, n. *(tabula)*, archives publiques.

tabularius, *ii*, m., teneur de livres [de comptes], caissier.

tabulatio, *onis*, f. *(tabula)*, assemblage de planches, plancher, étage.

tabulatum, *i*, n. *(tabula)*, plancher, étage || plancher où l'on dépose les fruits || étages ménagés pour faire grimper la vigne.

tabulatus, *a, um (tabula)*, planchéié.

tabum (inus. au nomin.), *i*, n., **1.** sang corrompu, sanie, pus || **2.** peste.

taceo, *ere, cui, citum*, **1.** intr., ***a)*** se taire, garder le silence: *de aliqua re tacere*, garder le silence sur qqch.; ***b)*** *silere*, être silencieux, calme || **2.** tr., taire, ne point dire, ne pas parler de: [acc. de pron. n.] *quod tacui et tacendum putavi*, ce que j'ai tu et cru devoir taire || *aliquem tacere*, ne pas parler de qqn || *dicenda tacenda loqui*, parler à tort et à travers.

tacite *(tacitus)*, tacitement, sans rien dire || sans bruit, silencieusement, en secret.

tacitum, *i*, n. *(tacitus)*, secret || silence: *per tacitum*, silencieusement.

taciturnitas, *atis*, f. *(taciturnus)*, action de garder le silence, silence || discrétion || caractère renfermé.

taciturnus, *a, um (tacitus)*, taciturne || silencieux.

taciturus, *a, um*, part. fut. de *taceo*.

1. tacitus, *a, um*,

I. 1. dont on ne parle pas: *aliquid tacitum relinquere, tenere*, garder, tenir qqch. caché, secret || **2.** tacite || **3.** secret, tenu caché.

II. 1. qui ne parle pas; qui garde le silence: *tacitis nobis*, sans que nous disions rien || **2.** silencieux, calme, sans bruit.

2. Tacitus, *i*, m. Tacite [historien latin].

tactio, *onis*, f. *(tango)*, **1.** action de toucher || **2.** tact, sens du toucher.

1. tactus, *a, um*, part. de *tango*.

2. tactus, *us*, m., **1.** action de toucher || **2.** influence || **3.** sens du toucher, tact.

tacui, pf. de *taceo*.

tæda (teda), *æ*, f., **1.** pin || **2.** branche de pin, morceau de pin || **3.** torche || torche nuptiale, [d'où] noces, hymen, mariage || instrument de torture.

tædet, *ere, tæduit* et *tæsum est*, impers., ***a)*** *aliquem alicujus rei*, être dégoûté, fatigué de qqch.: *eos vitæ tædet*, ils sont dégoûtés de la vie; ***b)*** [avec inf.] *tædet audire...*, cela vous dégoûte d'entendre...

tædium, *ii*, n. *(tædet)*, dégoût, ennui, lassitude, fatigue; aversion, répugnance.

tæduit, pf. de *tædet*.

Tænarius, *a, um*, de Ténare, de Laconie, de Sparte; *deus* = Neptune; *Tænariæ fauces*, les gouffres du Ténare [entrée des Enfers].

Tænarum, *i*, n., Ténare [promontoire de Laconie et ville du même nom, avec un temple de Neptune, des marbres noirs réputés et, suivant la tradition, une des entrées des Enfers] || les Enfers.

tænea, v. *tænia*.

tænia, *æ*, f., **1.** bande, bandeau, bandelette || **2.** [fig.] ténia, ver solitaire.

tæsum est, pf. de *tædet*.

tæter (teter), *tra, trum*, **1.** qui affecte désagréablement les sens; repoussant, hideux, affreux, horrible || **2.** détestable, odieux, abominable.

tætre *(tæter)*, d'une façon affreuse, hideuse.

tætricus (tetr-), *a, um (tæter)*, sombre, sévère.

tagax, *acis*, m. *(tango)*, qui touche à, voleur.

talaria, *ium*, n. *(talaris)*, **1.** chevilles du pied || **2.** talonnières, brodequins munis d'ailes || **3.** robe longue, traînante || **4.** brodequins.

talaris, *e (talus)*, long, traînant.

talea, *æ*, f., **1.** pieu, piquet || **2.** bouture, rejeton || solive, tenon.

talentum, *i*, n., **1.** talent [poids grec; environ 50 livres] || **2.** talent [somme d'argent variable; en Attique 60 mines].

talio, *onis*, f. *(talis)*, talion, peine du talion.

talis, *e*, démonstr. de qualité, **1.** tel = de cette qualité, de cette nature, de ce genre || **2.** [en corrélation] ***a)*** avec *qualis*, tel que: *cum esset talis, qualem te esse video*, alors qu'il était tel que je te vois; ***b)*** avec *ac, atque*, le même... que; ***c)*** avec *ut* ou *qui* et subj. conséc.: *talem* *esse, qui te sejungas...* être tel, que tu te sépares...

talpa, *æ*, f., taupe.

talus, *i*, m., **1.** cheville du pied || **2.** talon: *a vertice ad imos talos*, de la tête au bas des talons || **3.** [primit.] osselet à jouer, [puis] dé [rond de deux côtés avec les quatre autres marqués, on jouait avec quatre *tali*].

tam, adv. démonstratif, **1.** tant, autant, si, à ce degré, à ce point: *tot tam nobiles disciplinæ*, tant d'écoles si célèbres || **2.** [en corrélation] ***a)*** [avec *quam*] autant (aussi)... que: *tam ferre... quam contemnere*, supporter... autant que mépriser; ***b)*** [avec *ut* ou *qui, quæ, quod* et le subj. conséc.] tellement que, assez pour, etc.: *tam variæ sunt sententiæ, ut*, les opinions sont si diverses que; *nemo tam sine oculis, tam sine mente vivit ut...*, aucun être vivant n'est assez dépourvu d'yeux, assez dépourvu d'intelligence pour... || [avec *qui*, la principale ayant valeur négative]: *nemo est tam senex, qui...*, personne n'est assez vieux pour...; ***c)*** [avec *quin* et subj. conséc., quand la principale est négative].

tamdiu ou **tam diu,** aussi longtemps, si longtemps || [en corrélation avec *quamdiu, quam, quoad, dum, donec*] aussi longtemps que, tant que || [avec *ut* consécutif] tellement longtemps que.

tamen, adv., cependant, pourtant, toutefois, **1.** [restriction à une affirmation]: [oui, c'est entendu] pourtant || [fortifié souvent par *sed* ou *verum*] mais pourtant || **2.** après une subordonnée de sens concessif: ***a)*** *quamquam... tamen*, quoique... pourtant; ***b)*** *quamvis... tamen*, à quelque degré que..., pourtant; ***c)*** *etsi, tametsi... tamen*, quoique... pourtant; ***d)*** *etiam si... tamen*; ***e)*** *ut* subj... *tamen*, à supposer que... pourtant; ***f)*** *si... tamen*; ***g)*** *cum... tamen*, v. *cum*.

tamenetsi ou **tamen etsi,** conj., quoique, bien que, c. *tametsi*.

tametsi, **1.** conj., quoique, bien que || **2.** adv., cependant, du reste, mais.

tamquam (tanquam), adv., **1.** comme, de même que || [en corrél. avec *sic* ou *ita*]: comme; *tamquam... sic*, de même que... de même; *ita... tamquam*, de même que; *tamquam... ita*, de même que... de même || **2.** pour ainsi dire: *dare tamquam ansas ad reprehendendum*, donner pour ainsi dire des anses à la critique [prêter le flanc] || **3.** *tamquam si* et subj., comme si || *tamquam* seul et subj., comme si.

tandem, adv. *(tam, dem)*, **1.** enfin, à la fin: *tandem aliquando*, enfin une bonne fois, ou *aliquando tandem* || **2.** [dans les interr. pressantes] enfin, donc: *quousque tandem...?* jusqu'à quel point enfin...?

tandiu, v. *tamdiu*.

tango, *ere, tetigi, tactum*, tr.,

I. [prop.] **1.** toucher: *aliquem digitulo*, toucher qqn du bout du doigt || **2.** toucher à: ***a)*** prendre; ***b)*** goûter, manger || **3.** toucher: ***a)*** aborder un lieu, atteindre; ***b)*** être contigu à: *hæc civitas Rhenum tangit*, ce pays touche au Rhin || **4.** frapper: ***a)*** toucher les cordes d'une lyre; ***b)*** porter la main, *aliquem*, sur qqn; ***c)*** [au participe] *de cælo tactus*, frappé de la foudre.

II. [fig.] **1.** affecter, impressionner, émouvoir: *minæ Clodii modice me tangunt*, les menaces de Clodius me touchent médiocrement || **2.** toucher, traiter, parler de.

tanquam, v. *tamquam*.

Tantalides, *æ*, m., fils ou descendant de Tantale [Pélops, Atrée, Thyeste, Agamemnon, Oreste, etc.]

Tantalus, *i*, m., Tantale [fils de Jupiter, père de Pélops et de Niobé].

tanti, gén. n. de *tantus*, marquant le prix: *frumentum tanti fuit, quanti iste æstimavit*, le blé fut au prix auquel cet homme l'évalua || [fig.] *tanti esse, ut* subj., avoir une valeur si grande que: *est mihi tanti...*, cela vaut la peine pour moi.

tantidem, de même prix.

tantisper *(tantus)*, adv., **1.** aussi longtemps, pendant tout ce temps || en attendant, jusqu'à nouvel ordre || **2.** [en corrél. avec *dum*] pendant tout le temps que || [avec *quoad*] jusqu'à ce que.

tanto *(tantus)*, adv. [avec comparatif ou expression de comparaison], autant, tant de cette quantité: **1.** *tanto ante*, si longtemps avant; *post tanto*, si longtemps après || **2.** [en corrél. avec *quanto*] autant que.

tantopere et **tanto opere,** à ce point, tellement || *tantopere... quantopere*, autant... que; *quantopere... tantopere*, autant... autant || *tantopere, ut* subj., à tel point que.

tantulo, abl. n. de prix, à si bas prix, si bon marché.

1. tantulum, n. pris adv., si peu que ce soit.

2. tantulum, n. pris subst., une aussi petite quantité || aussi peu que cela, pas plus que cela.

tantulus, *a, um*, aussi petit || *tantulus, ut* subj., tellement petit (faible) que.

1. tantum, n. de *tantus* pris adv., **1.** ***a)*** [absol.] m. à m., relativement à cette grandeur, à cette quantité ; autant, à ce point ; ***b)*** [corrél. de *quantum*] *tantum... quantum*, autant... que, dans la mesure où || [avec *ut* subj.] : *id tantum abest ab officio, ut*, cette conduite est tellement éloignée du devoir que || **2.** seulement : *non tantum... sed, sed etiam*, etc., non seulement, mais, mais encore || *tantum non*, presque.

2. tantum, n. pris subst., cette grandeur, cette quantité, autant, tant : ***a)*** *tantum debuit*, c'est la somme qu'il devait || *cum tantum belli in manibus esset*, ayant une si grande guerre sur les bras ; ***b)*** *tantum... quantum*, autant... que : *tantum verborum est, quantum necesse est*, il y a la quantité de mots nécessaire ; ***c)*** [avec *ut* subj.] *tantum animi, ut*, assez de courage pour || [expression] *tantum abest ut... ut*, v. *absum*.

tantumdem, n. pris subst., cette même quantité, juste autant || *tantumdem... quantum*, juste autant... que.

tantummodo, seulement.

tantus, *a, um*, démonstratif de quantité, de grandeur, **1.** de cette quantité, de cette grandeur, aussi grand : *tot tantaque vitia*, tant de vices si graves || [pour conclure en renvoyant à ce qui précède, c. *hic*] : *tanta lubido in partibus erat*, telle était la passion des partis || **2.** en corrél., ***a)*** *tantus... quantus*, aussi grand... que ; ***b)*** [avec *ut* ou le relatif suivis du subj. conséc.] si grand que, de telle importance que : *tanta erat operis firmitudo, ut*, la solidité de l'ouvrage était si grande que.

tapete, *is*, n., et **tapetum,** *i*, n., tapis, tapisserie.

tardatus, *a, um*, part. de *tardo*.

tarde, **1.** lentement || **2.** tardivement, tard.

tardesco, *ere, dui (tardus)*, intr., devenir lent, s'engourdir.

tardiloquus, *a, um (tardus, loquor)*, à la parole lente.

tarditas, *atis*, f. *(tardus)*, **1.** lenteur || **2.** lenteur d'esprit, facultés bornées.

tardo, *are, avi, atum (tardus)*, tr., retarder, mettre du retard à, ralentir, arrêter dans sa marche : *impetum hostium*, arrêter l'élan de l'ennemi || (avec *ad*) gêner relativement à ; (avec *ab*) retenir qqn de.

tardus, *a, um*, **1.** lent, traînant, qui tarde : *(homo) tardus*, un homme lent [un lambin] || *pœna tardior*, punition plus lente à venir || **2.** lourd, bouché, borné.

Tarentinus, *a, um*, Tarentin, de Tarente || **-tini,** *orum*, m., Tarentins, habitants de Tarente.

Tarentum, *i*, n., Tarente [ville de la Grande Grèce].

Tarpeia, *æ*, f., jeune fille qui livra la citadelle de Rome (le Capitole) aux Sabins || [d'où] ***a)*** **Tarpeius** *mons*, le mont Tarpéien [pour désigner le Capitole] ; ***b)*** [en part.] la roche Tarpéienne, point de la montagne duquel on précipitait les criminels : *saxum Tarpeium ; Tarpeia rupes*, ou absol. *Tarpeium*.

Tarquinii, *orum*, m., Tarquinies [ville d'Étrurie, patrie des Tarquins] || **-iensis,** *e*, de Tarquinies || **-ienses,** *ium*, habitants de Tarquinies.

1. Tarquinius, *ii*, m., Tarquin [nom de deux rois de Rome, Tarquin l'Ancien, Tarquin le Superbe] ; pl. **Tarquinii,** *orum*, m., les Tarquins.

2. Tarquinius, *a, um*, de Tarquin.

Tarraco, *onis*, f., ville principale de la Tarraconnaise || **-conensis,** *e*, de la Tarraconnaise.

Tartarus et **Tartaros,** *i*, m., et **Tartara,** *orum*, n., le Tartare, les Enfers || **-areus,** *a, um*, du Tartare, des Enfers || infernal = effrayant, horrible.

taureus, *a, um (taurus)*, de taureau, de cuir.

taurinus, *a, um (taurus)*, de taureau, de bœuf.

taurus, *i*, m., **1.** taureau || **2.** [fig.] ***a)*** taureau d'airain de Phalaris ; ***b)*** le Taureau [constellation] ; ***c)*** butor.

taxa, *æ*, f., sorte de laurier.

taxatio, *onis*, f. *(taxo)*, estimation, appréciation.

taxatus, *a, um*, part. de *taxo*.

taxillus, *i*, m. *(talus)*, petit dé à jouer.

taxo, *are, avi, atum (tango)*, tr., **1.** toucher souvent et fortement || **2.** ***a)*** blâmer, reprendre ; ***b)*** estimer, évaluer, taxer || apprécier.

taxus, *i*, f., if.

te, acc. et abl. de *tu*.

tecte *(tectus)*, **1.** à couvert, en restant protégé || **2.** en cachette, secrètement.

tector, *oris*, m. *(tego)*, badigeonneur.

tectoriolum, *i*, n. *(tectorium)*, petit ouvrage de stuc.

tectorium, *ii*, n. *(tector)*, revêtement de stuc || enduit, plâtrage, fard.

tectorius, *a, um (tector)*, **1.** qui sert à couvrir || **2.** qui sert à revêtir, à crépir.

tectum, *i*, n. *(tego)*, **1.** toit, toiture de maison || plafond, lambris || **2.** abri, maison : ***a)*** *in tecto*, à l'abri, sous un toit || *tectum non subire*, n'avoir pas de domicile fixe ; ***b)*** asile, repaire de bêtes sauvages || nid d'oiseau.

tectus, *a, um*, **1.** part. de *tego* || **2.** adj., ***a)*** caché, couvert, souterrain ; ***b)*** *verba tecta*, mots couverts || *in dicendo tectissimus*, très circonspect dans ses discours.

Tegea, *æ*, f., Tégée [ville d'Arcadie].

Tegeæus, *a, um*, de Tégée, d'Arcadie || **Tegeæa,** l'Arcadienne [Atalante].

Tegeatæ, *arum*, m., Tégéates, habitants de Tégée || **-aticus,** d'Arcadie.

teges, *etis*, f. *(tego)*, natte, couverture.

tegeticula, *æ*, f. *(teges)*, petite natte.

tegimen, v. *tegmen*.

tegimentum, v. *tegumentum*.

tegmen (tegimen, tegu-), *inis*, n. *(tego)*, **1.** tout ce qui sert à couvrir : ***a)*** vêtement ; ***b)*** cuirasse, armure ; ***c)*** casque ; ***d)*** abri pour la vigne ; ***e)*** enveloppe du grain || **2.** protection, défense.

tegmentum, v. *tegumentum*.

tego, *ere, texi, tectum*, tr., **1.** couvrir, recouvrir : *tectæ naves*, navires pontés || [en parl. de sépulture] *ossa tegebat humus*, la terre recouvrait ses os || **2.** cacher, abriter || voiler, cacher, dissimuler || **3.** garantir, protéger || [fig.] *excusatione amicitiæ tegere*, abriter, protéger sous l'excuse de l'amitié ; *innocentia tectus*, couvert de son innocence.

tegula, *æ*, f. *(tego)*, tuile || [surt. au pl.] tuiles, [d'où] toit, toiture.

tegulum, *i*, n. *(tego)*, toiture.

tegumen, v. *tegmen*.

tegumentum (tegim-, tegm-), *i*, n. *(tego)*, ce qui couvre, ce qui enveloppe.

Teius, *a, um*, de Téos || **Teii,** *orum*, m., habitants de Téos.

tela, *æ*, f. *(texla, texo)*, **1.** toile || toile d'araignée || **2.** ***a)*** chaîne de la toile ; ***b)*** métier de tisserand || **3.** trame, intrigue, manœuvre, machination.

Telemachus, *i*, m., Télémaque [fils d'Ulysse et de Pénélope].

tellus, *uris*, f., **1.** la terre, le globe terrestre || *Tellus*, la Terre, déesse || **2.** ***a)*** terre, sol, terrain ; ***b)*** bien, propriété, domaine ; ***c)*** pays, contrée.

telum, *i*, n., **1.** arme de jet, trait : *telum jacere, mittere*, lancer un trait ; *tela conjicere, jacere, mittere*, lancer des traits ; *ad conjectum teli venire*, venir à portée de trait || **2.** [en gén.] toute arme offensive, arme : *esse cum telo*, avoir une arme, être armé || **3.** [fig.] ***a)*** rayons du soleil ; ***b)*** traits, carreaux de la foudre || **4.** arme, moyen pour faire une chose || *tela fortunæ*, les coups de la fortune.

Temenites, *æ*, m., Téménite [Apollon].

Temenos, (-us), *i*, m., lieu voisin de Syracuse où Apollon avait un temple.

temerarie *(temerarius)*, à la légère.

temerarius, *a, um (temere)*, **1.** qui arrive au hasard, accidentel || **2.** inconsidéré, irréfléchi : *homines temerarii atque imperiti*, des hommes irréfléchis et sans expérience || qui n'est pas pesé || *temerarium est* avec inf., c'est folie que de.

temeratus, *a, um*, part. de *temero*.

temere (abl. instrumental de l'inusité *temus, eris* = dans les ténèbres), **1.** au hasard, à l'aventure, au petit bonheur, à la légère, sans réflexion || **2.** *non temere*, non pas sans de sérieuses raisons, non aisément, rarement.

temeritas, *atis*, f. *(temere)*, **1.** hasard aveugle, absence de combinaison, de calcul || **2.** irréflexion, témérité.

temero, *are, avi, atum* (cf. *temere)*, tr., déshonorer, profaner, outrager.

Temese, *es*, f., Témèse [ville du Bruttium].

Temesæus, *a, um*, de Témèse.

temetum, *i*, n. (cf. *temulentus, abstemius)*, boisson capiteuse, vin pur.

temno, *ere*, tr., mépriser, dédaigner.

temo, *onis*, m., **1.** timon, flèche d'un char, d'une charrue || **2.** [fig.] ***a)*** char ; ***b)*** Chariot, Grande Ourse.

Tempe, n. pl. [nomin. et acc.], la vallée de Tempé [en Thessalie] || toute vallée délicieuse.

temperamentum, *i*, n. *(tempero)*, combinaison proportionnée des éléments d'un tout, combinaison, proportion, mesure.

temperans, *tis*, **1.** part. prés. de *tempero* || **2.** adj., ***a)*** retenu, modéré ; ***b)*** [avec gén.] ménager de.

temperanter *(temperans)*, avec mesure, avec modération.

temperantia, *æ*, f. *(temperans)*, modération, mesure, retenue || *in victu*, tempérance, sobriété, ou *temperantia* seul.

temperate *(temperatus)*, avec mesure, modération, retenue.

temperatio, *onis*, f. *(tempero)*, **1.** combinaison bien proportionnée des éléments qui constituent une chose, constitution bien équilibrée : *rei publicæ*, bonne organisation politique || distribution mesurée d'une chose, juste proportion : *cæli*, équilibre du climat || **2.** action de régler, de mesurer, de tempérer, régulation.

temperator, *oris*, m. *(tempero)*, qui mesure, qui dose.

temperatura, *æ*, f. *(tempero)*, constitution régulière, composition bien équilibrée.

temperatus, *a, um*, **1.** part. de *tempero* || **2.** adj., ***a)*** bien disposé, bien réglé ; ***b)*** tempéré, modéré, mesuré.

temperies, *ei*, f. *(tempero)*, **1.** mélange, alliage, combinaison || juste proportion, équilibre || **2.** *cæli*, température.

temperius, compar. de *temperi*, plus tôt.

tempero, *are, avi, atum (tempus)*,

I. tr., **1.** disposer convenablement les éléments d'un tout, combiner (allier, mélanger, unir) dans de justes proportions || faire en combinant : *venenum*, composer un poison ; [d'où, au pass.] *temperatus*, formé (*ex :* de) || **2.** organiser, régler : *rem publicam*, organiser un État politiquement || diriger, gouverner || **3.** modérer, tempérer, équilibrer, régulariser || *annonam*, régulariser les cours du marché.

II. intr., **1.** garder la mesure, l'équilibre, être modéré || *ab injuria*, s'abstenir de l'injustice || *non temperare quin*, ne pas se retenir de || **2.** être modéré : ***a)*** *alicui in aliqua re*, ménager qqn en qqch. ; ***b)*** *ab sociis*, épargner les alliés || **3.** [avec dat.] maîtriser : ***a)*** *sibi non temperare, quin*, ne pas se retenir de ; ***b)*** *linguæ tempera*, tiens ta langue.

tempestas, *atis*, f. *(tempus)*, **1.** époque, temps : *ea tempestate*, à cette époque ; *eadem tempestate*, à la même époque || saison || pl., *multis tempestatibus*, pendant de longues périodes, longtemps || circonstances || **2.** temps, température : *idonea ad navigandum tempestas*, un temps favorable à la navigation || **3.** mauvais temps, tempête, orage || **4.** trouble, malheur, calamité.

tempestive *(tempestivus)*, en son temps, à propos, à point.

tempestivitas, *atis*, f. *(tempestivus)*, **1.** temps opportun, favorable, opportunité || **2.** disposition appropriée, appropriation.

tempestivus, *a, um (tempus)*, **1.** qui vient en son temps, qui arrive à propos, opportun, favorable, approprié || **2.** qui est au temps voulu, mûr : *tempestivi fructus*, fruits mûrs, à point || **3.** prématuré, précoce, hâtif || prolongé, plantureux.

templum, *i*, n., **1.** espace circonscrit, délimité ; espace tracé dans l'air par le bâton de l'augure comme champ d'observation en vue des auspices || **2.** espace que la vue embrasse, champ de l'espace, enceinte, circonscription || **3.** espace consacré inauguré [en parl. de la tribune aux harangues] || **4.** temple || **5.** traverse.

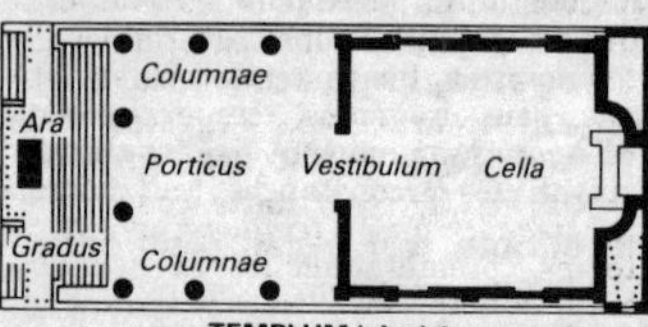

TEMPLUM (plan) 4

temporalis, *e (tempus)*, temporaire.

temporarius, *a, um (tempus)*, **1.** approprié aux circonstances, dépendant des circonstances ; *amicitiæ temporariæ*, amitiés de circonstance || capricieux, variable || **2.** temporaire.

tempori (locatif de *tempus*), adv., à temps.

temptabundus, *a, um (tempto)*, tâtonnant.

temptamen, *inis*, n., c. *temptamentum* || tentative de corruption.

temptamentum, *i*, n. *(tempto)*, essai, tentative.

temptatio, *onis*, f. *(tempto)*, **1.** atteinte, attaque de maladie || **2.** essai, expérience.

temptator, *oris*, m. *(tempto)*, qui attente, séducteur.

temptatus, *a, um*, part. de *tempto*.

tempto (tento), *are, avi, atum*, tr.,

I. 1. toucher, tâter || **2.** attaquer, assaillir : *morbo temptari*, être attaqué par la maladie.

II. 1. examiner, sonder, essayer, tenter, mettre à l'épreuve || [avec intr. indir.] : *tentavi, quid... possem*, j'ai essayé de quoi j'étais capable... || [avec inf.] essayer de || **2.** tâter, essayer de venir à bout de qqn, tâcher de gagner qqn.

1. tempus, *oris*, n., **1.** division de la durée, moment, instant, temps : *ad extremum tempus diei*, jusqu'à la dernière heure du jour ; *tempus anni*, saison || intervalle de temps, période ; *longo post tempore*, un long temps après || **2.** le temps [en général] : *in reliquum tempus*, pour la suite ; *uno tempore*, en même temps, du même coup ; *illis temporibus, temporibus illis*, en ce temps-là ; *quibusdam temporibus ; certis temporibus*, à certaines époques, à des époques fixes || **3.** époque favorable, occasion ; *tempore capto*, ayant saisi le moment propice || **4.** circonstance, conjoncture, situation : *nostræ civitatis temporibus optimis*, aux temps les meilleurs de notre cité || circonstances critiques, difficiles ; *summo rei publicæ tempore*, dans les circonstances politiques les plus critiques || **5.** expressions adverbiales : *in tempore*, en temps opportun ; *in tempus*, pour un temps, temporairement ; *ad tempus*, au moment fixé, voulu ; [ou] suivant les circonstances ; [ou] momentanément ; *ante tempus*, avant le temps, prématurément ; *ex tempore*, sur-le-champ, [ou] en s'inspirant du moment ; *pro tempore*, conformément aux circonstances.

2. tempus, *oris*, n., tempe ; [surtout] *tempora*, les tempes.

temulenter *(temulentus)*, dans l'ivresse.

temulentia, *æ*, f. *(temulentus)*, ivresse.

temulentus, *a, um* (de *temum*), ivre.

tenacitas, *atis*, f. *(tenax)*, **1.** action de tenir solidement || **2.** parcimonie, avarice.

tenaciter *(tenax)*, **1.** en tenant solidement, fortement || **2.** opiniâtrement, obstinément.

tenax, *acis (teneo)*, **1.** qui tient fortement || **2.** parcimonieux, dur à la détente || **3.** tenace, adhérent || **4.** obstiné, opiniâtre, ferme.

tendicula, *æ*, f. *(tendo)*, petit piège.

tendo, *ere, tetendi, tentum* et *tensum*,
I. tr., **1.** tendre, étendre, déployer : *arcum*, bander un arc ; *manus ad aliquem* ou *alicui*, tendre les mains à qqn [en suppliant] || **2.** *insidiæ tenduntur alicui*, on tend des pièges à qqn ; *cursum, iter*, diriger sa course.
II. intr., **1.** tendre, se diriger ; *Venusiam*, aller à Venouse ; *ad castra ; in castra*, se porter vers le camp ; *quod tendis ?* où vas-tu ? || **2.** tendre vers, viser à : *ad aliquid* || incliner vers || [avec inf.] chercher à, s'efforcer de || **3.** faire des efforts, déployer de l'énergie, tendre ses ressorts || [avec *ut*] faire effort pour obtenir que || **4.** dresser une tente ou des tentes, camper.

tenebræ, *arum*, f., **1.** obscurité, ténèbres || **2.** = nuit || **3.** nuage sur les yeux || **4.** ténèbres de la mort || de la cécité || **5.** prison || cachette || Enfers || **6.** obscurité dans l'esprit || ténèbres de l'oubli || ténèbres d'une situation embrouillée du malheur.

tenebricosus, *a, um (tenebricus)*, ténébreux, enveloppé d'obscurité, de ténèbres.

tenebricus, *a, um (tenebræ)*, ténébreux, sombre, obscur.

tenebrosus, *a, um*, c. *tenebricus*.

teneo, *ere, tenui, tentum*, tr. et intr.,
A) tr., **I. 1.** tenir : *aliquid in manu* ou *manu*, tenir dans sa main || **2.** tenir, diriger : *cursum tenere*, accomplir sa course || **3.** atteindre || avec *ut (ne)*, obtenir que (que ne... pas) || **4.** [fig.] tenir dans son esprit, comprendre || savoir, posséder.
II. 1. tenir, occuper : *cornu*, commander une aile || **2.** occuper, habiter || tenir en son pouvoir [milit.] || **3.** tenir en soi, embrasser, contenir || [surtout au pass.] *teneri*, être compris dans, fondé sur.
III. 1. tenir, garder || **2.** [fig.] *consuetudinem, morem* ; garder une habitude, une coutume ; *fœdus*, observer un traité || **3.** *memoria tenere*, se souvenir.
IV. 1. maintenir : *castris se tenere*, se tenir dans son camp || **2.** soutenir, maintenir, conserver || **3.** tenir à, s'attacher à : *hoc teneo, hic hæreo*, voilà où je m'en tiens, voilà où je m'attache || **4.** tenir, retenir, captiver : *me omni tuo sermone tenuisti*, tu m'as captivé par tout ce que tu as dit || **5.** astreindre, lier : *promisso teneri*, être lié par une promesse || **6.** au pass. *teneri*, être pris = n'avoir point d'échappatoire, ne pouvoir nier : *in aliqua re manifesto*, ou *in manifesta re*, être convaincu de tel ou tel délit ; [avec gén.] *ejusdem cupiditatis teneri*, être convaincu de la même passion.
V. 1. retenir, arrêter, retarder : *aliquem*, retenir qqn [l'empêcher de partir] ; *Corcyræ tenebamur*, [impf. du style épistolaire] nous sommes retenus à Corcyre || **2.** retenir, empêcher : *metu legum teneri*, être retenu par la crainte des lois ; *risum, sommum vix tenere*, avoir peine à s'empêcher de rire, de dormir ; *iracundiam*, retenir son penchant à la colère || *se non tenere, quin*, ne pas se tenir de.
B) intr., **1.** tenir, occuper un lieu, se tenir || **2.** tenir une route, une direction, se diriger, se porter à un endroit || **3.** subsister, se maintenir, durer.

tener, *era, erum*, **1.** tendre, délicat, frêle || **2.** = jeune, du premier âge || [pris subst.] m., *parcendum est teneris*, il faut ménager le jeune âge || [expressions] *a teneris unguiculis*, ou *de* *tenero ungui*, ou *a tenero*, dès le jeune âge; *in teneris*, dans l'âge tendre || **3.** *tener poeta*, poète délicat; *animi teneri*, âmes tendres.

tenerasco, *ere (tener)*, intr., devenir tendre.

tenere *(tener)*, mollement, délicatement.

teneresco, *ere (tener)*, intr., s'amollir.

teneritas, *atis*, f. *(tener)*, tendreté, qualité de ce qui est tendre, mollesse.

teneritudo, *inis*, f. *(tener)*, qualité de ce qui est tendre, mollesse.

tenor, *oris*, m. *(teneo)*, **1.** cours non interrompu, marche continue || **2.** suite non interrompue, continuité: *eodem tenore*, dans le même esprit || **3.** accent de la voix, ton || **4.** [expression] *uno tenore*, d'un même cours, d'une manière égale || sans interruption.

tensa, *æ*, f., tensa, char sacré [sur lequel on promenait les images des dieux dans les *ludi circenses*].

tensus, *a, um*, part. de *tendo*.

tento, v. *tempto*.

tentorium, *ii*, n. *(tendo)*, tente.

tentus, *a, um*, part. de *tendo* et de *teneo*.

tenuatus, *a, um*, part. de *tenuo*.

tenui, pf. de *teneo*.

tenuiculus, *a, um (tenuis)*, mince, chétif.

tenuis, *e*, **1.** mince, délié, fin, grêle, ténu || *tenue cœlum*, air subtil, léger; *tenues pluviæ*, pluies fines || *tenui agmine*, en file; *tenuis nitedula*, mulot efflanqué; *tenues animæ (defunctorum)*, les ombres ténues (des morts) || **2.** petit, chétif, de peu d'importance, faible: *tenuis murus*, faible rempart || *tenuissima valetudo*, santé précaire || *homines tenues*, gens de peu || **3.** fin, subtil, délicat.

tenuitas, *atis*, f. *(tenuis)*, **1.** qualité de ce qui est mince, grêle, fin, ténu || **2.** faiblesse, insignifiance, pauvreté || **3.** ***a)*** simplicité du style; ***b)*** finesse, subtilité.

tenuiter, **1.** d'une façon mince, fine || avec finesse, subtilité: *tenuius* || **2.** maigrement, chétivement; *tenuissime*.

tenuo, *are, avi, atum (tenuis)*, tr., **1.** amincir, amenuiser, amoindrir || amaigrir || **2.** amoindrir, diminuer, affaiblir.

tenus, prép., qui suit son régime, jusqu'à. **1.** avec gén.: *Corcyræ tenus*, jusqu'à Corcyre || **2.** avec abl., ***a)*** *Tauro tenus*, jusqu'au Taurus; ***b)*** *verbo tenus*, en paroles seulement, ou *nomine tenus*.

Teos, *i*, f., ville d'Ionie, patrie d'Anacréon.

tepefacio, *ere, feci, factum (tepeo, facio)*, tr., faire tiédir, échauffer || pass. *tepefieri*, devenir tiède; *tepefactus*, échauffé.

tepefeci, pf. de *tepefacio*.

tepefieri, pass. de *tepefacio*.

tepeo, *ere*, intr., être tiède (chaud modérément).

tepesco, *ere, pui (tepeo)*, intr., devenir tiède.

tepidarium, *ii*, n. *(tepidarius)*, salle où l'on prend des bains tièdes.

tepide *(tepidus)*, tièdement.

tepido, *are (tepidus)*, tr., faire tiédir.

tepidus, *a, um (tepeo)*, tiède || refroidi.

tepor, *oris*, m. *(tepeo)*, **1.** chaleur modérée, tiédeur || **2.** chaleur insuffisante || langueur du style.

tepui, pf. de *tepesco*.

ter *(tres)* adv., trois fois.

terdecies ou **ter decies (-ciens),** treize fois.

terebinthus, *i*, f., térébinthe, arbre résineux.

terebra, *æ*, f. *(tero)*, **1.** tarière, foret, vrille || **2.** trépan || **3.** machine de guerre.

terebratio, *onis*, f. *(terebro)*, **1.** percement, action de percer || **2.** trou, percée.

terebratus, *a, um*, part. de *terebro*.

terebro, *are, avi, atum (terebra)*, tr., **1.** percer avec la tarière || percer avec le trépan || **2.** trouer || creuser.

teredo, *inis*, f., ver (dans le bois, l'étoffe, la viande, la farine) || teigne.

Terentia, *æ*, f., Térentia [femme de Cicéron].

Terentianus, *a, um*, **1.** de Térence (poète): *ille Terentianus ipse se puniens*, ce personnage de Térence qui se punit lui-même = *Heautontimorumenos* || **2.** de Terentius Varron.

Terentius, *ii*, m., nom de famille romain; notamment **1.** *P. Terentius Afer* [le poète comique, affranchi de Terentius Lucanus] || **2.** *M. Terentius Varro* [polygraphe] || **3.** *C. Terentius Varro* [défait à Cannes].

teres, *etis (tero)*, **1.** arrondi, rond || *teres puer*, garçon bien fait || **2.** poli, fin, délicat: *teretes aures*, oreilles exercées.

tergeminus, trigeminus, *a, um*, **1.** né le troisième du même enfantement : *trigemina spolia*, les dépouilles des trois frères jumeaux [des Curiaces] || **2.** triple : *tergemini honores*, les trois hautes charges curules [questure, préture, consulat] || le triple Géryon || le triple Cerbère.

tergeo (plus rar. **tergo**), *ere, tersi, tersum*, tr., **1.** essuyer || frotter, nettoyer || **2.** ***a)*** *aures terget sonus*, le son racle les oreilles ; ***b)*** *tergere palatum*, flatter le palais.

tergiversatio, *onis*, f. *(tergiversor)*, tergiversation, lenteur calculée, détour.

tergiversator, *oris*, m. *(tergiversor)*, celui qui tergiverse, qui use de faux fuyants.

tergiversor, *ari, atus sum (tergum* et *verto)*, intr., tourner le dos, [d'où] user de détours, tergiverser.

tergo, v. *tergeo*.

tergum, *i*, n., **1.** dos || *terga vertere*, tourner le dos, fuir, ou *terga dare ; a tergo*, par-derrière ; *post tergum*, sur les derrières || **2.** [fig.] ***a)*** face postérieure ; ***b)*** dos, surface ; ***c)*** corps d'un animal ; ***d)*** peau, cuir ; ***e)*** objets faits de cuir ou de peau || ceste ; ***f)*** *ferri terga*, les lames de fer [du bouclier].

tergus, *oris*, n., **1.** dos || **2.** corps d'un animal || **3.** peau, cuir, dépouille || peaux d'un bouclier.

termes, *itis*, m., branche, rameau.

Terminalia, *ium* ou *iorum*, n. *(terminalis)*, Terminalies [fêtes en l'honneur du dieu Terme].

terminalis, *e*, relatif aux frontières.

terminatio, *onis*, f. *(termino)*, **1.** délimitation || **2.** borne ; limite.

terminatus, *a, um*, part. de *termino*.

termino, *are, avi, atum (terminus)*, tr., **1.** borner, limiter : *agrum publicum a privato*, séparer le domaine public des propriétés privées || **2.** terminer, clore, finir.

terminus, *i*, m., **1.** borne, limite || **2.** terme, fin.

Terminus, *i*, m., le dieu Terme, qui préside aux bornes.

terni, *æ, a (ter)*, **1.** distributif, chacun trois, chaque fois trois, par trois || **2.** trois : *tres turmæ, terni ductores*, trois escadrons, leurs trois chefs.

ternideni, *ternæ denæ, terna dena*, pl., chaque fois treize.

ternus, *a, um*, v. *terni*.

tero, *ere, trivi, tritum*, tr., **1.** frotter || **2.** polir : *radios*, façonner des rayons pour des roues || **3.** battre le blé || **4.** frotter de manière à broyer, triturer, broyer || **5.** frotter de manière à user, user, émousser || *librum*, user un livre à force de le manier, le lire souvent || **6.** fouler souvent un lieu : *Appiam mannis terit*, il use, il fatigue avec ses chevaux la voie Appienne || **7.** ***a)*** consumer, user : *in his discendis rebus ætatem*, user sa vie à apprendre cela || employer, passer le temps || au pass. ; *in foro terimur*, nous nous usons, nous usons notre vie au barreau ; ***b)*** user, épuiser ; ***c)*** employer souvent ; rendre banal, commun.

1. terra, *æ*, f., **1.** la terre, le globe terrestre || **2.** la terre [matière] || **3.** la terre, la surface de la terre, le sol : *terræ motus*, tremblement de terre || **4.** terre, continent [opp. à la mer et au ciel] : *terra marique*, par terre et par mer ; *et terra et mari*, à la fois sur terre et sur mer ; *iter terra petere*, faire route par terre || pl., *sub terras penetrare*, pénétrer sous terre [dans les Enfers] ; *in terris*, sur terre = dans le monde, ici-bas ; *orbis terrarum*, l'univers, et *orbis terræ* || **5.** pays, contrée : *in hac terra*, dans ce pays ; *in ceteris terris*, dans les autres contrées (pays) ; *terra Gallia*, la Gaule.

2. Terra, *æ* , f., la Terre [divinité].

terrenus, *a, um (terra)*, **1.** formé de terre, de terre : *terrenus tumulus*, tertre || *terrenum, i*, n., terre, terrain || **2.** terrestre || pl. n., *terrena*, animaux terrestres.

terreo, *ere, ui, itum*, tr., **1.** effrayer, épouvanter || passif avec *ne* = craindre que || actif avec *ne* = faire craindre que : *terruit gentes, ne rediret sæculum Pyrrhæ*, il fit craindre aux nations le retour du siècle de Pyrrha || **2.** mettre en fuite par la crainte, chasser, faire fuir || **3.** détourner par la crainte, détourner || avec *quominus*, ou avec *ne*, empêcher par la crainte de.

terrestris, *e (terra)*, **1.** relatif à la terre, au globe terrestre, terrestre || **2.** qui vit sur la terre : *animantium genus terrestre*, l'espèce des animaux terrestres.

terribilis, *e (terreo)*, effrayant, épouvantable, terrible : *terribilis aspectu*, effrayant à voir (d'aspect terrible) ; *alicui terribilis*, terrible pour qqn.

terrifico, *are (terrificus)*, tr., effrayer, épouvanter.

terrificus, *a, um (terreo, facio)*, effrayant, terrible.

terrigena, *æ*, m. f. *(terra, gigno)*, né de la terre, fils de la terre.

territo, *are, avi (terreo)*, tr., épouvanter.

territorium, *ii*, n. *(terra)*, territoire.

territus, *a, um*, part. de *terreo*.

terror, *oris*, m. *(terreo)*, **1.** terreur, effroi, épouvante : *terrorem alicui injicere ; inferre, esse terrori alicui*, inspirer de l'effroi à qqn, frapper d'effroi qqn ; ou *terrorem alicui incutere*, ou *facere*, ou *afferre ; peregrinus, externus, servilis*, effroi venant de l'étranger, de l'extérieur, des esclaves (que causent...) ; *belli*, crainte de la guerre || **2.** objet qui inspire la terreur || sujet d'effroi [au pl.], des nouvelles effrayantes, événements terrifiants.

tersi, pf. de *tergeo*.

tersus, *a, um*, **1.** part de *tergeo* || **2.** adj., ***a)*** propre, net ; ***b)*** pur, élégant, soigné.

tertia, *æ*, f., s.-ent. *hora*, la troisième heure || **tertiæ** (s.-ent. **partes**), ***a)*** le tiers ; ***b)*** le troisième rôle.

tertiadecimani ou **-decumani,** *orum*, m., soldats de la treizième légion.

tertiani, *orum*, m., soldats de la troisième légion.

tertianus, *a, um (tertius)*, qui revient le troisième jour || *tertianus, tertiani*, un soldat, les soldats de la troisième légion.

tertiarius, *a, um (tertius)*, de la contenance d'un tiers, d'un tiers.

tertiatus, *a, um*, part. de *tertio 2*.

1. tertio, adv., **1.** pour la troisième fois || **2.** en troisième lieu, troisièmement.

2. tertio, *are, avi, atum (tertius)*, tr., donner un troisième labour.

tertium *(tertius)*, adv., pour la troisième fois.

tertius, *a, um (ter)*, troisième || *tertia regna, tertia numina*, le royaume des Enfers, les divinités infernales.

tertius decimus, *-a, -a, -um, -um*, treizième.

tertius vicesimus, *-a, -a, -um, -um*, vingt-troisième.

teruncius, *ii*, m. *(ter* et *uncia)*, **1.** le quart d'un as || [en gén.] désigne une valeur minime || **2.** le quart d'une somme : *heredem facere aliquem ex teruncio*, faire qqn héritier du quart.

tesca (tesqua), *orum*, n., contrées sauvages, lieux déserts.

tessella, *æ*, f. *(tessera)*, petite pièce carrée, carreau || cube pour les ouvrages de marqueterie, de mosaïque || dé à jouer.

tessello, *are, avi, atum (tessella)*, tr., paver en mosaïque : *tessellatus*, fait en mosaïque.

tessera, *æ*, f., **1.** dé à jouer [marqué sur les six côtés] || **2.** tessère [tablette portant le mot d'ordre ou les ordres dans l'armée] || **3.** tessère [servant de reconnaissance entre hôtes], tessère d'hospitalité || **4.** tessère [en échange de laquelle le peuple recevait de l'argent ou du blé] || **5.** tessère [servant à la marqueterie ou à la mosaïque].

tesserarius, *a, um (tessera)*, **1.** relatif aux dés || **2. tesserarius,** *ii*, m., tesséraire, qui porte la tessère = les ordres du général.

tesserula, *æ*, f. (dimin. de *tessera*), **1.** pl., petits morceaux de pierre ou de marbre employés dans une mosaïque || **2.** tablette de vote, bulletin.

testa, *æ*, f., **1.** brique, tuile || **2.** vase en terre cuite, pot, cruche || amphore || lampe d'argile || **3.** tesson, débris de tuile, etc. || esquille d'os || tache de rouge au visage || **4.** écaille, coquille [servant au vote chez les Grecs] || **5.** coquille des mollusques || huître || carapace de tortue || **6.** pl. *testæ*, [sorte d'applaudissement inventé par Néron] le plat des mains.

testaceus, *a, um (testa)*, **1.** de terre cuite, de brique || **2.** de couleur de brique || **3.** qui a une écaille, une coquille.

testamentarius, *a, um (testamentum)*, de testament, testamentaire || m. pris subst., fabricant de testament [faussaire].

testamentum, *i*, n. *(testor)*, testament : *tabulæ testamenti*, tablettes d'un testament ; *testamentum facere, obsignare*, faire un testament, le sceller ; *testamentum conscribere, scribere*, rédiger un testament.

testatio, *onis*, f. *(testor)*, **1.** action de prendre à témoin || **2.** déposition, témoignage.

testato, abl. n. du part. *testatus*, **1.** devant témoins, en présence de témoins || **2.** la chose étant attestée, indiscutable.

testator, *oris*, m. *(testor)*, testateur.

testatus, *a, um*, **1.** part. de *testor* || **2.** adj., attesté, prouvé, avéré, reconnu, incontestable, manifeste.

testificatio, *onis*, f. *(testificor)*, déposition, témoignage || attestation, preuve.

testificatus, *a, um*, part. de *testificor*.

testificor, *ari, atus sum (testis* et *facio)*, tr., **1.** déposer, témoigner, certifier, attester qqch. || [avec prop. inf.] attester que || **2.** témoigner, montrer, prouver || **3.** prendre à témoin, attester qqn.

testimonium, *ii*, n. *(testis)*, **1.** témoignage, déposition, attestation : *testimo-*

nium dicere, faire une déposition ; *aliquid pro testimonio dicere*, dire qqch. en témoignage || **2.** [en gén.] témoignage, preuve : *id testimonio est* avec prop. inf., cela prouve que ; *ejus rei testimonio est, quod bellum non intulit*, la preuve de cela est qu'il n'a pas apporté la guerre.

testis, *is*, m., témoin : *gravis*, témoin de poids ; *religiosus*, scrupuleux ; *testes dare, proferre, adhibere*, produire des témoins || *sidera sunt testes*, les astres sont témoins.

testor, *ari, atus sum (testis)*, tr., **1.** [absol.] déposer comme témoin, témoigner || [avec acc.] témoigner de : *alicujus furtum*, attester le vol de qqn || [surtout avec prop. inf.] témoigner que, attester que, affirmer que || prouver, démontrer || **2.** prendre à témoin, attester qqn, qqch. || [avec prop. inf.] : *vos testor me defendere...*, je vous prends à témoin que je défends || [avec un pron. n.] *hoc vos testor*, je vous prends à témoin de ceci || *aliquem de aliqua re*, attester qqn au sujet de qqch. || **3.** tester, faire son testament.

testu, n. indécl., couvercle d'argile || vase d'argile.

testudinatus, *a, um* et **-neatus,** *a, um (testudo)*, voûté, en voûte.

testudineus, *a, um (testudo)*, de tortue ou d'écaille de tortue.

testudo, *inis*, f. *(testa)*, **1.** tortue || **2.** écaille, carapace de tortue ; ***a)*** incrustations d'écaille de tortue ; ***b)*** tout instrument à cordes voûté, lyre, luth, cithare ; ***c)*** réduit avec plafond voûté ; ***d)*** [milit.] tortue [machine de guerre : galerie montée sur roues] [ou] [formation d'attaque des soldats faisant une voûte avec leurs boucliers] : *testudine facta*, ayant fait la tortue.

testula, *æ*, f. *(testa)*, fragment de poterie || tablette de vote à Athènes.

testum, *i*, n., c. *testu*.

tetanicus, *a, um*, qui est atteint du tétanos.

tetanus, *i*, m., crampe, tétanos.

tetendi, pf. de *tendo*.

teter, v. *tæter*.

Tethys, *yos* (acc. *yn*), f., **1.** Thétis [femme de l'Océan, mère des fleuves] || **2.** la mer.

tetigi, pf. de *tango*.

tetrachmum, *i*, n., pièce d'argent grecque de quatre drachmes.

tetrao, *onis*, m., tétras ou coq de bruyère.

tetrarches, *æ*, m., tétrarque.

tetrarchia, *æ*, f., tétrarchie.

tetre, tetricus, v. *tæt-*.

Teucer (Teucrus), *cri*, m., Teucer, **1.** fils du fleuve Scamandre et de la nymphe du mont Ida, premier roi de la Troade [d'où le nom de *Teucri* donné aux Troyens], beau-père de Dardanos || **2.** fils de Télamon, roi de Salamine et frère d'Ajax.

Teucri, *orum*, m., les Troyens.

Teucria, *æ*, f., la Troade.

Teucrus, *a, um*, de Troie, troyen || v. *Teucer*.

Teutoni, *orum*, m., Teutons [peuple de la Germanie] || **Teutonicus,** *a, um*, des Teutons.

texi, pf. de *tego*.

texo, *ere, texui, textum*, tr., **1.** tisser || **2.** tresser || entrelacer [des fleurs] || faire, construire en entrelaçant || bâtir : *basilicam*, construire une basilique || *sermones*, échanger des propos ; *epistulas cottidianis verbis*, composer les lettres en langage usuel.

textile, *is (textilis)*, n. pris subst., tissu.

textilis, *e (texo)*, tissé, tissu || tressé, entrelacé.

textor, *oris*, m. *(texo)*, tisserand.

textorius, *a, um (textor)*, de tisserand, de tissu.

textrinum, *i*, n. *(textor)*, **1.** atelier de tissage || **2.** art de tisser, tissage.

textrix, *icis*, f. *(textor)*, tisserande.

textum, *i*, n. *(texo)*, **1.** tissu, étoffe || **2.** assemblage : *clipei*, d'un bouclier.

textura, *æ*, f. *(texo)*, tissu.

1. textus, *a, um*, part. de *texo*.

2. textus, *us*, m., enlacement, tissu.

texui, pf. de *texo*.

thalamus, *i*, m., **1.** chambre || chambre à coucher || **2.** mariage, hymen.

Thales, *letis* et *lis*, m., Thalès de Milet [un des sept sages de la Grèce].

Thalia, *æ*, f., Thalie [muse de la comédie] || muse de la poésie || une des Grâces || une des Néréides.

Thamyras, *æ*, m. (**Thamyris,** *is*, m.), poète de Thrace qui, ayant fait assaut de chants avec les Muses, fut battu, puis privé de la voix et de la vue.

Thamyris, *is*, **1.** m., v. *Thamyras* || **2.** f., v. *Tomyris*.

theatralis, *e (theatrum)*, de théâtre, relatif au théâtre ; *theatrales operæ*, claqueurs || théâtral, faux, feint.

theatrum, *i*, n., **1.** théâtre, lieu de représentations || théâtre grec qui servait de salle de conseil || amphithéâtre

|| 2. le théâtre = les spectateurs, le public || 3. théâtre, scène.

Thebæ, *arum,* f., 1. Thèbes [aux cent portes, capitale de la Haute Égypte] || 2. ville de Mysie détruite par Achille || 3. ville de Béotie, fondée par Cadmus, patrie de Pindare.

1. Thebais, *idis,* adj. f., de Thèbes [en Béotie] || subst. f., ***a)*** *Thebaides, um,* les Thébaines; ***b)*** *Thebais, idos,* titre d'un poème de Stace.

2. Thebais, *idis,* f., Thébaïde [Haute Égypte].

Thebani, *orum,* m., Thébains [en Béotie] || **-banus,** *a, um,* thébain: *Thebani duces,* Étéocle et Polynice.

theca, *æ,* f., 1. étui, gaine, fourreau || 2. cassette || boîte, coffre || étui pour mettre les roseaux à écrire.

thema, *atis,* 1. thème, proposition, sujet, thèse || 2. thème de nativité, horoscope.

Themis, *idis,* acc. *in,* f., fille du Ciel et de la Terre, déesse de la Justice.

Themistocles, *i* et *is,* m., célèbre général athénien || **-eus,** *a, um,* de Thémistocle.

thensaurus, v. *thesaurus.*

Theocritus, *i,* m., Théocrite [poète bucolique de Syracuse].

Theodectes, *is* ou *i,* m., orateur cilicien, célèbre pour sa mémoire.

Theogonia, *æ,* f., Théogonie, généalogie des dieux [titre d'un poème d'Hésiode].

theologus, *i,* m., théologien.

Theophanes, *is,* m., Théophane de Mitylène [qui écrivait l'histoire de Pompée de son vivant].

Theophrastus, *i,* m., Théophraste [philosophe grec].

Theramenes, *is* ou *æ,* m., Théramène [un des trente tyrans d'Athènes].

1. thermæ, *arum,* f., thermes.

2. Thermæ, *arum,* f., ville de Sicile, près d'Himère || **-tani,** *orum,* m., habitants de Thermes.

Thermodon, *ontis,* m., fleuve de Cappadoce, près duquel habitaient les Amazones.

Thermopylæ, *arum,* f., les Thermopyles [« Portes chaudes », à cause des sources chaudes et sulfureuses, consacrées à Hercule; défilé du mont Œta, célèbre par le dévouement de Léonidas et des trois cents Spartiates, et aussi par la victoire des Romains sur Antiochus le Grand].

Thersites, *æ,* m., Thersite = une mauvaise langue.

thesaurus (thens-), *i,* m., 1. trésor || 2. une quantité de, une infinité de || 3. lieu où l'on conserve des richesses, où l'on emmagasine || [en parl. des cellules d'abeilles] || 4. dépôt, magasin.

Theseius, *a, um,* de Thésée.

1. Theseus, *ei* ou *eos,* m., Thésée [père d'Hippolyte].

2. Theseus, *a, um,* de Thésée.

Thesides, *æ,* m., descendant de Thésée [Hippolyte], **-dæ,** *arum,* m., les Athéniens.

thesis, *is,* acc. *in,* f., sujet, proposition, thèse, thème.

Thesmophoria, *orum,* n., Thesmophories [fêtes en l'honneur de Cérès].

Thespiades, *um,* f., 1. les filles de Thespius || 2. les Muses [honorées à Thespies].

Thespiæ, *arum,* f., Thespies [ville de Béotie].

Thespis, *is* ou *idis,* m., fondateur du drame grec.

Thessali, *orum,* m., Thessaliens.

Thessalia, *æ,* f., la Thessalie [grande province au nord de la Grèce].

Thessalus, *a, um,* de Thessalie, thessalien.

Thetis, *idis,* f., Thétis [nymphe de la mer, fille de Nérée, femme de Pélée, mère d'Achille].

thiasus, *i,* m., thiase, danse en l'honneur de Bacchus.

Thisbe, *es,* f., jeune fille de Babylone, aimée de Pyrame.

tholus, *i,* m., voûte [de temple] || temple de forme ronde || édifice avec une coupole.

thorax, *acis,* acc. *acem* et [poét.] *aca,* m., 1. poitrine, thorax. 2. cuirasse || tout vêtement qui couvre la poitrine, pourpoint.

Thoth ou **Thot,** m., nom d'une divinité et du premier mois des Égyptiens.

Thraca, *æ,* f., et **Thrace,** *es,* c. *Thracia.*

Thraces, *um,* m., Thraces, habitants de la Thrace || sing. **Thrax,** *acis.*

Thracia, *æ,* f., la Thrace [contrée au Nord de la Grèce].

Thracius, *a, um,* de Thrace.

Thracus, *a, um,* de Thrace.

Thræcidica, *orum,* n. *(Thræcidicus),* armes d'un gladiateur thrace.

Thræcidicus, *a, um,* de gladiateur thrace.

Thræcius, *a, um,* c. *Thracius.*

Thræissa (Threis-), *æ,* ou **Thræssa,** *æ,* f., femme thrace.

Thræx ou **Threx,** *cis*, m., Thrace, sorte de gladiateur.

Thrasybulus, *i*, m., Thrasybule [Athénien qui chassa les trente tyrans].

Thrax, *acis*, m., v. *Thraces.*

Thre-, v. *Thra-.*

thronus, *i*, m., trône.

Thucydides, *i* et *is*, m., Thucydide [célèbre historien grec] || **-didius,** *a, um*, de Thucydide || **-didii,** *orum*, m., imitateurs de Thucydide.

Thule, *es*, f., île imprécise formant la limite septentrionale du monde connu des anciens.

thunnus, *i*, m., v. *thynus.*

thureus, thurifer, etc., v. *tur-.*

Thuriæ, *arum*, f., v. *Thurium.*

Thurium, *ii*, n., ville de la Grande-Grèce || **-rinus,** *a, um*, de Thurium.

thus, v. *tus.*

thya, *æ*, f., thuya [arbre].

Thyas ou **Thyias,** *adis*, f., et **Thyiades,** *um*, pl., une bacchante, les bacchantes.

Thybris, *idis*, m., v. *Tiberis.*

Thyestes, *æ*, et rar. *is*, m., Thyeste [fils de Pélops, frère d'Atrée, lequel par vengeance lui fit manger la chair de ses fils] || **-tæus** ou **-teus,** *a, um*, de Thyeste || **Thyestiades,** *æ*, m., fils de Thyeste [Égisthe].

1. thymbra, *æ*, sarriette.

2. Thymbra, *æ*, et **-bre,** *es*, f., Thymbrée [ville de la Troade, avec un temple d'Apollon].

Thymbræus, *a, um*, de Thymbrée, Thymbréen.

thymosus, *a, um (thymum)*, de thym.

thymum, *i*, n. et **thymus,** *i*, m., thym.

thynnus ou **thunnus,** *i*, m., thon.

thyrsus, *i*, m., **1.** tige des plantes || **2.** thyrse [bâton couronné de feuilles de lierre ou de vigne, attribut de Bacchus].

tiara, *æ*, f. et **tiaras,** *æ*, m., tiare.

Tiberianus, *a, um*, de Tibère.

1. Tiberinus, *i*, m., **1.** roi d'Albe, qui donna son nom au Tibre || **2.** le Tibre.

2. Tiberinus, *a, um*, du Tibre || *Tiberinum ostium*, la bouche (l'embouchure) du Tibre || *Tiberina ostia*, n., le port d'Ostie.

Tiberis, *is*, acc. *im*, et **Thybris,** *idis*, acc. *im* ou *in*, m., le Tibre [qui traverse Rome] || le Tibre, dieu du fleuve.

Tiberius, *ii*, m., prénom romain; abrégé *Ti.* || notamment Tibère [empereur romain, successeur d'Auguste].

tibia, *æ*, f., **1.** os antérieur de la jambe, tibia || jambe || **2.** flûte || souv. au pl., parce qu'on jouait de deux flûtes à la fois.

tibicen, *inis*, m. *(tibia* et *cano)*, **1.** joueur de flûte || **2.** soutien, pilier, support.

tibicina, *æ*, f. *(tibicen)*, joueuse de flûte.

tibicinium, *ii*, n. *(tibicen)*, art de jouer de la flûte.

Tibullus, *i*, m., Tibulle [poète, ami d'Horace et d'Ovide].

Tibur, *uris*, n., ville voisine de Rome, sur l'Anio [auj. Tivoli].

Tiburnus, *i*, m., ***a)*** habitant de Tibur; ***b)*** le fondateur de Tibur || **Tiburnus,** *a, um*, de Tibur.

Tiburs, *urtis*, m. f. n., de Tibur || *in Tiburti; in Tiburte*, dans une propriété à Tibur || **-tes,** *ium*, m., habitants de Tibur.

Tiburtinus, *a, um*, de Tibur || **Tiburtinum,** *i*, n., maison de campagne de Tibur.

Tiburtus, *i*, m., nom du fondateur de Tibur.

Ticinum, *i*, n., ville de l'Insubrie [Gaule Cisalpine] sur le *Ticinus*, auj. Pavie.

Ticinus, *i*, m., le Tessin.

Tigellinus, *i*, m., nom d'un préfet du prétoire, favori de Néron.

Tigellius, *ii*, m., nom de deux musiciens, **1.** Tigellius de Sardes [favori de César] || **2.** Tigellius Hermogène [contemporain d'Horace].

tigillum, *i*, n., petite poutre, chevron.

tignarius, *a, um (tignum)*, de charpente.

tignum, *i*, n., poutre, solive.

Tigranes, *is*, m., Tigrane, roi d'Arménie.

Tigranocerta, *æ*, f. ou **-ta,** *orum*, n., Tigranocerte [ville d'Arménie].

tigrinus, *a, um*, tigré, moucheté, tacheté.

1. tigris, *is* et *idis*, m. et f., tigre.

2. Tigris, *is* ou *idis*, m., le Tigre [fleuve d'Asie qui reçoit l'Euphrate].

tilia, *æ*, f., tilleul.

Timæus, *i*, m., **1.** Timée [historien de Sicile, sous Agathocle] || **2.** philosophe pythagoricien, contemporain de Platon || **3.** titre d'un dialogue de Platon.

Timagenes, *is*, m., Timagène [rhéteur de l'époque d'Auguste].

Timavus, *i*, m., le Timave [fleuve de Vénétie].

timefactus, *a, um (timeo, facio)*, effrayé.

timendus, *a, um (timeo),* pris adj., redoutable.

timens, *tis,* pris adj. avec gén.: *mortis timentes,* craignant la mort || [pris subst.] *timentes confirmat,* il rassure ceux qui ont peur.

timeo, *ere, ui,* **1.** tr., craindre, ***a)*** avec acc.: *aliquem; aliquam rem,* craindre qqn, craindre qqch. || *de se nihil timere,* ne rien craindre pour soi || *ab aliquo aliquid,* craindre qqch. de la part de qqn; ***b)*** [avec interr. indir.] se demander avec inquiétude; ***c)*** [avec inf.] craindre de || [avec prop. inf.] craindre que; ***d)*** [avec *ne*] craindre que... ne; [avec *ut*] craindre que ne... pas; *timere, ne non,* craindre que ne... pas || **2.** [absol.] craindre, être dans la crainte: *timentibus ceteris,* les autres étant remplis d'inquiétude || [avec dat.] craindre pour, *alicui, alicui rei,* pour qqn, pour qqch. || [avec *a, ab*]: *timere a suis,* être dans la crainte du fait des siens, redouter les siens || [avec *de*] *de re publica,* avoir des craintes pour l'État.

timide *(timidus),* avec crainte, timidement.

timiditas, *atis,* f. *(timidus),* timidité, manque d'assurance || marques de timidité.

timidus, *a, um (timeo),* qui craint, craintif, timide, circonspect.

Timoleo ou **-leon,** *ontis,* m., citoyen de Corinthe; délivra les Syracusains de la tyrannie de Denys le Jeune || **-onteus,** *a, um,* de Timoléon.

Timon, *onis,* m., Timon d'Athènes [surnommé le Misanthrope] || **-oneus,** *a, um,* de Timon.

timor, *oris,* m. *(timeo),* crainte, appréhension, effroi; *timorem habere,* avoir peur [*in aliquo,* pour qqn]: *facere timorem alicui,* ou *injicere,* inspirer de la crainte à qqn || *vester timor,* la crainte que vous éprouvez.

Timotheus, *i,* m., Timothée [fils de Conon, restaurateur des murs d'Athènes].

timui, pf. de *timeo.*

tincta, *orum,* pl. n. de *tinctus,* étoffes teintes.

tinctilis, *e (tingo),* qui sert à imprégner.

tinctorius, *a, um (tingo),* tinctorial.

tinctura, *æ,* f. *(tingo),* teinture.

tinctus, *a, um,* part. de *tingo.*

tinea, *æ,* f., teigne ou mite.

tingo (tinguo), *ere, tinxi, tinctum,* tr., **1.** mouiller, baigner, tremper || imprégner; [surt. au pass.] *tinctus litteris,* imprégné de connaissances, de belles-lettres || **2.** teindre: *lanas murice,* teindre de pourpre des laines; *tingi sole,* être bronzé par le soleil || **3.** produire une teinte, une couleur.

tinia, *æ,* f., v. *tinea.*

tinnio (qqf. **tinio**), *ire, ivi* ou *ii, itum,* intr., tinter, rendre un son clair.

tinnitus, *us,* m. *(tinnio),* tintement, son || bourdonnement d'oreilles.

tinnulus, *a, um (tinnio),* qui tinte.

tinnunculus, *i,* m., crécerelle.

tintinnabulum, *i,* n., espèce de crécelle en métal, grelot, clochette.

tinxi, pf. de *tingo.*

Tiresias, *æ,* m., célèbre devin de Thèbes qui était aveugle.

1. tiro, *onis,* m., **1.** jeune soldat, recrue || [pris adj.] *tiro exercitus; tirones milites,* armée de recrues, recrues || **2.** débutant, apprenti, novice.

2. Tiro, *onis,* m., M. Tullius Tiron [affranchi de Cicéron] || **-ronianus,** *a, um,* Tironien, de Tiron.

tirocinium, *ii,* n. *(tiro),* **1.** apprentissage du métier militaire, inexpérience militaire || recrues, jeunes soldats || **2.** apprentissage, coup d'essai, débuts.

tirunculus, *i,* m. *(tiro),* nouveau soldat.

Tiryns, *nthis,* f., Tirynthe [ville d'Argolide, où Hercule fut élevé] || **Tirynthius,** *a, um,* de Tirynthe || subst. m. = Hercule.

Tisiphone, *es,* f., l'une des Furies || **Tisiphoneus,** *a, um,* de Tisiphone, des Furies.

Tissaphernes, *is,* m., Tissapherne [un des satrapes d'Artaxerxès].

Titan, m., un des Titans, v. *Titanes.*

Titanes, *um,* m., les Titans [fils du Ciel et de la Terre furent vaincus dans la lutte contre Jupiter].

Titani, *orum,* m., c. *Titanes.*

Titania, *æ,* f., fille d'un Titan [Circé, Pyrrha, Latone, Diane] || sœur d'un Titan.

Titanius, *a, um,* de Titan ou des Titans.

Tithonia, *æ,* f., **-nis,** *idis,* f., l'Aurore, épouse de Tithon.

Tithonius, *a, um,* de Tithon.

Tithonus, *i,* m., Tithon [fils de Laomédon et époux de l'Aurore].

Titienses, *ium,* m. *(Titus),* les Titienses, **1.** une des 3 tribus primitives de Rome || **2.** une des centuries de chevaliers instituées par Romulus du nom de Titus Tatius.

titillatio, *onis*, f. *(titillo)*, chatouillement.

titillo, *are, avi, atum*, tr., chatouiller, charmer.

titubanter *(titubo)*, en balançant, en hésitant.

titubantia, *æ*, f. *(titubo)*, hésitation || *linguæ* ou *oris*, bégaiement.

titubatio, *onis*, f. *(titubo)*, **1.** démarche chancelante || **2.** hésitation.

titubatus, *a, um*, part. de *titubo*.

titubo, *are, avi, atum*, intr., **1.** chanceler, faire des faux pas, tituber || *titubat lingua*, la langue bégaie || **2.** [fig.] chanceler, être hésitant, broncher.

titulus, *i*, m., **1.** titre, inscription; [en part.] sous le portrait de chaque ancêtre, inscription portant son nom, ses actes, ses magistratures, etc. || épitaphe || titre d'un livre || écriteau, affiche [de vente, de location] || [fig.] étiquette || **2.** [fig.] ***a)*** titre, titre d'honneur, titre honorifique; ***b)*** titre = honneur; ***c)*** prétexte.

Titus, *i*, m., prénom romain; abréviation *T.*; notamment **1.** *T. Livius*, Tite Live [historien] || **2.** *T. Flavius Vespasianus*, Titus [empereur romain].

Tityos, *i*, m., géant précipité dans les Enfers où un vautour lui ronge le foie.

Tityrus, *i*, m., Tityre [nom de berger].

tofus (tophus), *i*, m., tuf.

toga, *æ*, f. *(tego)*, primit., ce qui couvre, toge, **1.** vêtement des citoyens romains en temps de paix: *toga pura*, [ou surtout] *toga virilis*, ou *toga libera*, toge virile [prise par les jeunes gens après la robe prétexte, à dix-sept ans]; *toga picta*, toge brodée [des triomphateurs]; *candida*, toge blanche des candidats; *pulla*, sombre de deuil || **2.** ***a)*** vêtement national, nationalité romaine; ***b)*** vêtement de paix, paix: *cedant arma togæ*, que les armes le cèdent à la toge || vêtement du citoyen, vie civile: *in armis, in toga*, sous les armes, sous la toge = comme guerrier, comme citoyen.

Togata Gallia, f., la Gaule Romaine ou Cisalpine.

togatarius, *ii*, m. *(togatus)*, acteur de *fabula togata*.

togatulus, *i*, m., chétif client.

togatus, *a, um (toga)*, **1.** vêtu de la toge, en toge || [en part.] citoyen, civil [opp. à guerrier] || *togati, orum*, m., citoyens romains || **2. togata,** *æ*, f., s.-ent. *fabula*, pièce de théâtre à sujet romain, opp. à *palliata*, sujet grec.

togula, *æ*, f. *(toga)*, petite toge.

tolerabilis, *e (tolero)*, tolérable, supportable.

tolerabiliter *(tolerabilis)*, **1.** d'une manière supportable, passable || **2.** avec endurance, avec patience.

tolerandus, *a, um (tolero)*, adj. verbal pris adj., supportable.

tolerans, *tis*, **1.** part. prés. de *tolero* || **2.** adj. avec gén., qui supporte, endurant.

toleranter *(tolerans)*, patiemment, avec résignation || d'une façon tolérable.

tolerantia, *æ*, f. *(tolero)*, constance à supporter, endurance || patience.

toleratio, *onis*, f., capacité de supporter.

toleratus, *a, um*, **1.** part de *tolero* || **2.** adj., supportable.

tolero, *are, avi, atum* (rac. *tol*, cf. *tollo*), tr., **1.** porter, supporter [au pr.] un poids, un fardeau || **2.** ***a)*** supporter, endurer: *hiemem*, supporter le froid; *militiam*, les fatigues militaires; [avec inf.] supporter de; [avec prop. inf.] supporter que; ***b)*** [absol.] tenir bon, rester, persister; ***c)*** soutenir, maintenir, sustenter, entretenir; ***d)*** soutenir = résister à, combattre.

tolleno, *onis*, m. *(tollo)*, **1.** machine à puiser de l'eau, à l'aide d'une bascule || **2.** machine de guerre pour enlever des objets lourds.

tollo, *ere, sustuli, sublatum*, tr.,

I. soulever, élever, **1.** *saxa de terra*, ramasser des pierres par terre; *aliquem in equum; in currum*, monter qqn sur un cheval, sur un char || **2.** *ancoras*, lever l'ancre || *signa*, lever de terre les enseignes, se mettre en marche || **3.** porter, embarquer || **4.** ***a)*** *in cælum aliquem*, porter qqn aux nues; ***b)*** *clamorem in cælum, ad sidera*, pousser des cris vers les cieux; ***c)*** *cachinnum; risum*, pousser des éclats de rire; ***d)*** élever, relever qqch. par la parole: *animos alicui*, relever le courage de qqn; ***e)*** se charger de; ***f)*** [propr. soulever de terre l'enfant, par là le reconnaître et marquer son intention de l'élever], élever un enfant.

II. lever, enlever, **1.** *e fano aliquid*, enlever un objet d'un temple || **2.** enlever d'une table les plats, les mets, etc. || enlever la table elle-même || **3.** supprimer, faire disparaître: *aliquem de medio*, ou *e medio*, faire disparaître qqn; *aliquem veneno*, supprimer qqn par le poison || enlever qqch., écarter, supprimer: *veteres leges novis* *legibus sublatæ*, anciennes lois abolies par des lois nouvelles.

Tolosa, *æ*, f., ville célèbre de la Narbonnaise [Toulouse] || **Tolosanus,** *a, um*, de Tolosa || **-sani,** *orum*, m., habitants de Tolosa || **Tolosates,** *um* ou *ium*, m., Tolosates || **Tolosensis,** *e*, de Tolosa.

tolutarius equus, m. *(tolutim)*, trotteur.

tolutilis, *e (tolutim)*, qui va au trot.

tolutim, au trot.

tomentum, *i*, n., bourre.

Tomi, *orum*, m., Tomes [ville à l'embouchure de l'Ister, où Ovide mourut exilé] || **-itæ,** *arum*, m., habitants de Tomes || **-itanus,** *a, um*, de Tomes.

Tomis, *is*, f., c. *Tomi.*

tomix, *icis*, f., corde de jonc ou de chanvre.

Tomyris, et **Thamyris,** *is*, f., reine des Massagètes.

tonans, *tis*, part. prés. de *tono: Jupiter Tonans, Capitolinus Tonans* [ou *Tonans* seul], Jupiter Tonnant.

tondeo, *ere, totondi, tonsum*, tr., **1.** tondre, raser, couper || **2.** élaguer, émonder, couper || **3.** brouter || dévorer.

tonitrus, *us*, m., et **tonitruum,** *i*, n., tonnerre.

tono, *are, ui*, intr., **1.** tonner, faire entendre le bruit du tonnerre || **2.** faire un grand bruit, retentir fortement || **3.** [avec acc.] appeler d'une voix de tonnerre.

tonsa, *æ*, f., et **tonsæ,** *arum*, f., aviron, rame, rames.

tonsilis, *e (tondeo)*, qui peut être rasé, tondu || tondu, coupé.

tonsillæ, *arum*, f., amygdales.

tonsor, *oris*, m., barbier, perruquier.

tonsorius, *a, um (tonsor)*, qui sert à tondre, à raser: *tonsorius culter*, rasoir.

tonstricula, *æ*, f. *(tonstrix)*, barbière.

tonstrina, *æ*, f. *(tonsor)*, échoppe de barbier.

tonstrix, *icis*, f. *(tonsor)*, barbière.

tonsura, *æ*, f. *(tondeo)*, action de tondre, tonte || taille des arbres.

tonsus, *a, um*, part. de *tondeo.*

tonui, pf. de *tono.*

topazos (-us), *i*, f., topaze.

topiaria, *æ*, f. *(topia)*, art du jardinier décorateur.

topiarium, *ii*, n., œuvre du jardinier décorateur.

topiarius, *ii*, m., jardinier décorateur.

Topica, *orum*, n., les Topiques [titre d'un traité de Cicéron traduit d'Aristote].

topice, *es*, f., la topique, art de trouver les arguments.

toral, *alis*, n. *(torus)*, jeté de lit.

torcular, *aris*, n. *(torqueo)*, pressoir || lieu où est le pressoir, pressoir.

torcularis, *e (torcular)*, de pressoir.

torcularium, *ii*, n. *(torcularius)*, pressoir.

1. torcularius, *a, um (torcular)*, qui sert à tordre; qui concerne le pressoir.

2. torcularius, *ii*, m., pressureur.

torculum, *i*, n. = *torcular.*

torculus, *a, um* = *torcularius.*

toreuma, *atis*, n., tout ouvrage ciselé, vase d'or, d'argent.

tormentum, *i*, n. *(torqueo)*, **1.** machine de guerre à lancer les traits || projectile [lancé par la machine] || **2.** treuil, cabestan || **3.** machine à refouler l'eau || **4.** cordage || **5.** instrument de torture, torture || tourments, souffrance.

tormina, *um*, n. *(torqueo)*, colique.

torminosus, *a, um (tormina)*, qui est sujet aux tranchées, aux coliques.

tornatus, *a, um*, part. de *torno.*

torno, *are, avi, atum*, tr., tourner, arrondir.

tornus, *i*, m., tour, instrument de tourneur.

torosus, *a, um (torus)*, musculeux || charnu, épais, noueux.

torpedo, *inis*, f. *(torpeo)*, **1.** torpeur, engourdissement || **2.** torpille.

torpeo, *ere*, intr., **1.** être engourdi, raidi, immobile || **2.** être engourdi, être paralysé, inerte.

torpesco, *ere, pui (torpeo)*, intr., s'engourdir.

torpidus, *a, um (torpeo)*, engourdi.

torpor, *oris*, m. *(torpeo)*, engourdissement.

torpui, pf. de *torpesco.*

1. torquatus, *a, um (torques)*, qui porte un collier.

2. Torquatus, *i*, m., surnom de T. Manlius, qui dépouilla de son collier un Gaulois qu'il avait terrassé en combat singulier; comme son père, le dictateur T. Manlius, il portait le surnom d'*Imperiosus*, pour sa réputation de sévérité.

torqueo, *ere, torsi, tortum*, tr., **I. 1.** tordre, tourner || **2.** imprimer un mouvement de rotation: ***a)*** rouler, faire rouler || faire tournoyer les cordes d'une fronde; ***b)*** lancer après avoir brandi || [poét.]: *Atlas axem humero* *torquet*, Atlas porte sur ses épaules le ciel qui tourne || faire par torsion, former par enroulement; ***c)*** tourner, faire tourner.

II. tordre, tourner de travers, **1.** contourner: *ora*, faire grimacer || **2.** torturer; tourmenter; mettre à l'épreuve.

torquis ou qqf. **torques,** *is*, m., collier: *sibi torquem induere*, se mettre un collier || [marque honorifique] *aliquem phaleris et torque donare*, gratifier qqn des phalères et du collier || collier d'attelage pour les bœufs || guirlande, feston.

torrefacio, *ere, feci, factum (torreo, facio)*, tr., torréfier, dessécher.

1. torrens, *tis*, **1.** part. prés. de *torreo* || **2.** adj., ***a)*** brûlant || brûlé; ***b)*** impétueux, torrentueux.

2. torrens, *tis*, m., torrent.

torreo, *ere, ui, tostum*, tr., **1.** sécher, dessécher || griller, rôtir || brûler, consumer.

torridus, *a, um (torreo)*, **1.** desséché, sec, aride || tari || maigre, étique || brûlé, basané || engourdi, saisi || **2.** brûlant.

torris, *is*, m. *(torreo)*, tison.

torrui, pf. de *torreo*.

torsi, pf. de *torqueo*.

torte *(tortus)*, de côté, de travers.

tortilis, *e (torqueo)*, tortillé, qui s'enroule || *tortile aurum*, collier d'or.

tortor, *oris*, m. *(torqueo)*, bourreau.

tortuosus, *a, um (tortus)*, tortueux, sinueux, qui forme des replis || entortillé, embarrassé, compliqué.

1. tortus, *a, um*, **1.** part de *torqueo* || **2.** adj., tordu || sinueux, tortueux.

2. tortus, *us*, m., repli d'un serpent.

torus, *i*, m., objet qui fait saillie, **1.** *funis tres toros habeat*, que le câble ait trois renflements = trois brins || [d'où] toron || **2.** renflement, bourrelet, protubérance: ***a)*** *lacertorum tori*, muscles saillants, muscles; ***b)*** éminence; ***c)*** [architecture] tore, bâton, moulure à la base d'une colonne || **3.** coussin, couche || lit de table || lit || lit funèbre.

torvitas, *atis*, f. *(torvus)*, expression farouche, caractère menaçant de qqn, de qqch.

torvum *(torvus)*, n. sing., et **torva,** n. pl., pris adv. [poét.], de travers, d'une façon farouche, menaçante.

torvus, *a, um*, farouche, menaçant.

tostus, *a, um*, part. de *torreo*.

tot, dém. indécl. pl., **1.** ce nombre de, autant de, tant de, un aussi grand nombre de: *tot viri ac tales*, tant d'hommes de cette force || **2.** en corrél. ***a)*** [avec *quot*]: *quot homines, tot sententiæ*, autant d'hommes, autant d'avis; ***b)*** [avec *quotiens*]: autant que; ***c)*** [avec *ut* conséc.] tellement nombreux que.

totidem *(tot* et *dem*, cf. *idem)*, dém. indécl. pl., ce même nombre de, tout autant de: **1.** *totidem fere verbis*, avec à peu près le même nombre de mots || **2.** en corrél.: ***a)*** [avec *quot*]: *totidem... quot*, autant... que; *quot... totidem*, autant... autant; ***b)*** [avec *atque*]: autant que.

totiens (toties), adv. dém., **1.** autant de fois, tant de fois, aussi souvent, si souvent: *scribere tam multa totiens*, écrire tant et si souvent [en corrél.] || **2.** *totiens... quotiens*, autant de fois... que; *quotiens... totiens*, toutes les fois que... autant de fois.

totondi, pf. de *tondeo*.

totus, *a, um*, tout, entier, tout entier, **1.** *tota res publica*, l'État tout entier; *tota nocte*, pendant la nuit entière; *urbe tota, tota Sicilia, toto cælo*, (dans) par toute la ville, toute la Sicile, tout le ciel || = totalement, entièrement; *totus ex fraude factus*, (entièrement) tout pétri de fraude || **2.** n. *totum* pris subst.: *totum in eo est, ut tibi imperes*, toute la question est de savoir se commander || *ex toto*, pris adv., en totalité, totalement; *in totum*, entièrement, [ou] en général.

toxicum, ou **-on,** *i*, n., **1.** poison || **2.** sorte de laudanum.

trabalis, *e (trabs)*, **1.** relatif aux poutres: *trabalis clavus*, clou à poutres; clou solide || **2.** de la grosseur d'une poutre.

1. trabea, *æ*, f., trabée [manteau blanc orné de bandes de pourpre].

2. Trabea, *æ*, m., Q. Trabéa [ancien poète comique latin].

trabeatus, *a, um (trabea)*, **1.** vêtu de la trabée || **2.** *trabeata, æ*, f. [s.-ent. *fabula*], sorte de comédie où les personnages étaient des Romains de condition.

trabs, *trabis*, f., **1.** poutre || **2.** ***a)*** arbre élevé, de futaie; ***b)*** navire; ***c)*** javelot énorme.

1. tracta, *æ*, f., pâte allongée, tracte.

2. tracta, *orum*, n., **1.** c. *tracta 1* || **2.** laine cardée qui entoure le fuseau.

tractabilis, *e (tracto)*, **1.** qu'on peut toucher ou manier, palpable, maniable || **2.** maniable, traitable, flexible, souple.

tractatio, *onis (tracto),* **1.** action de manier : maniement || **2. *a)*** action de s'occuper de : *philosophiæ*, l'étude de la philosophie ; ***b)*** emploi, mise en œuvre ; ***c)*** traitement, procédé, manière d'agir.

tractator, *oris*, m. *(tracto)*, masseur.

1. tractatus, *a, um*, part. de *tracto*.

2. tractatus, *us*, m., **1.** action de toucher || **2. *a)*** action de cultiver, de manier, de s'occuper de ; ***b)*** mise en œuvre, emploi ; ***c)*** accomplissement d'une fonction ; ***d)*** action de traiter un sujet, développement.

tractim *(traho)*, en traînant ; lentement || d'une façon prolongée.

tracto, *are, avi, atum (traho)*, tr., **I.** [poét.], **1.** traîner avec violence || **2.** traîner, mener difficilement. **II.** toucher souvent, **1.** toucher || manier || = se servir de : *arma*, manier les armes || traiter : *vites*, traiter la vigne || **2.** prendre soin de, s'occuper de, administrer, gérer : *condiciones*, discuter des conditions [de paix] ; *artem*, pratiquer un art || *aliquid animo*, méditer qqch. || *tractare de aliqua re*, s'occuper de, discuter de, traiter de qqch. || manier, façonner : *animos*, les esprits || **3.** traiter qqn = se comporter, se conduire envers qqn de telle, telle manière : *aliquem ita, ut* subj., traiter qqn de telle manière que ; *aliquem ut consulem*, traiter qqn en consul [qu'il est] || **4.** manier, traiter une question, un sujet, l'exposer.

1. tractus, *a, um*, part. de *traho*.

2. tractus, *us*, m., **1.** action de tirer, de traîner || étirage de la laine || action de se traîner, de se tirer || **2. *a)*** traînée ; ***b)*** tracé d'un mur || allongement, développement ; ***c)*** étendue déterminée, espace déterminé : *oppidi*, quartier d'une ville || **3.** [fig.] idée d'une chose qui s'étire, qui se traîne ; acheminement lent, mouvement lent et progressif, lenteur.

tradidi, pf. de *trado*.

traditio, *onis*, f. *(trado)*, **1.** action de remettre, de transmettre, remise, livraison || livraison, reddition d'une ville || **2.** transmission, enseignement || relation, rapport, mention || tradition.

traditor, *oris*, m. *(trado)*, traître.

traditus, *a, um*, part. de *trado*.

trado (transdo), *ere, didi, ditum*, tr., **1.** faire passer à un autre, transmettre, remettre : *poculum alicui*, faire passer la coupe à qqn ; *alicui hereditatem*, transmettre à qqn un héritage || **2.** remettre, ***a)*** confier : *aliquem alicui*, confier (recommander) qqn à qqn ; *cui res publica traditur sustinenda*, à qui est confié le soin de soutenir l'État ; ***b)*** livrer : *obsides, arma*, livrer des otages, ses armes ; ***c)*** abandonner, laisser à la merci ; ***d)*** [av. le réfléchi] se donner, se livrer, s'adonner : *se quieti*, se livrer au sommeil || **3.** transmettre oralement ou par écrit : *ita nobis majores nostri tradiderunt*, telle est la tradition qui nous vient de nos ancêtres ; *nobis poetæ tradiderunt* [avec prop. inf.], les poètes nous ont transmis la tradition que || [surtout au passif pers. ou impers.] on raconte, on rapporte : *utrumque traditur*, les deux versions existent ; *traditum est* avec prop. inf., la tradition est que, on rapporte que ; de même *traditur memoriæ*, et *traditur* seul || **4.** transmettre, enseigner.

traduco (transduco), *ere, duxi, ductum*, tr., **1.** conduire au-delà, faire passer, traverser [avec acc.] [avec deux acc.] *copias flumen traducere*, faire traverser le fleuve aux troupes || **2.** faire passer à travers || **3.** faire passer devant, faire passer outre : *copias præter castra*, faire passer les troupes au-delà du camp de César || [en part.] *equum traducere*, n'être pas privé de son cheval par le censeur [en parl. d'un chevalier] || conduire devant les yeux de la foule : *victimas in triumpho*, faire défiler des victimes dans le cortège du triomphe || **4.** faire passer d'un point à un autre || **5. *a)*** mener de bout en bout : *otiosam ætatem*, couler ses jours dans le repos || *munus summa abstinentia*, remplir une fonction jusqu'au bout avec le plus grand désintéressement ; ***b)*** faire passer d'un point à un autre || *animos in hilaritatem a severitate*, faire passer les esprits du sérieux à la gaieté, ou *ad hilaritatem* || traduire : *aliquid in linguam Romanam*, traduire qqch. dans la langue des Romains || dériver.

traductio, *onis*, f. *(traduco)*, [fig.] ***a)*** action de faire passer d'un point à un autre : *ad plebem*, action de faire passer dans la plèbe ; ***b)*** *temporis*, écoulement du temps ; ***c)*** exhibition publique, exhibition au mépris : *ad traductionem nostram*, pour nous exposer à la risée.

traductor, *oris*, m. *(traduco)*, qui fait passer.

1. traductus, *a, um*, part. de *traduco*.

2. traductus, *us*, m., passage.

tradux, *ucis*, m. *(traduco)*, sarment.

traduxi, pf. de *traduco*.

tragice, à la manière tragique.

tragicus, *a, um*, **1.** tragique, de tragédie || **tragicus,** *i*, m., poète tragique ||

2. tragique, véhément, pathétique || digne de la tragédie, terrible, horrible.

tragœdia, *æ*, f., **1.** la tragédie || **2.** [pl.] effets oratoires, mouvements pathétiques || déclamations || grands mots.

tragœdus, *i*, m., acteur tragique.

tragula, *æ*, f., **1.** espèce de javelot muni d'une courroie || **2.** herse || **3.** sorte de filet.

traho, *ere, traxi, tractum*, tr.,
I. [idée de tirer] tirer || ***a)*** solliciter, attirer : *trahimur studio laudis*, l'amour de la gloire nous tire, nous sollicite ; ***b)*** *in se crimen*, chercher à prendre sur soi une accusation ; ***c)*** interpréter : *cuncta in deterius*, interpréter tout à mal.
II. [idée de traîner] **1.** ***a)*** traîner : *vinctus trahebatur*, il était traîné chargé de chaînes ; ***b)*** entraîner ; ***c)*** tirailler : *animis trahebant* avec prop. inf., ils tournaient et retournaient dans leur esprit cette idée que || **2.** traîner avec soi || [avec violence] *prædam ex agris*, emmener du butin des campagnes ; [absol.] *trahere*, emporter de force || **3.** traîner derrière soi || **4.** tirer à soi, entraîner à soi : *navigium aquam trahit*, le navire fait eau || *auras ore*, aspirer l'air || *legio Martia, quæ a deo traxit nomen*, la légion de Mars, qui a tiré son nom d'un dieu || **5.** extraire : ***a)*** *ex puteis aquam*, tirer de l'eau des puits ; ***b)*** *vocem a pectore*, tirer sa voix du fond de sa poitrine ; ***c)*** [fig.] faire dériver, faire découler || **6.** rassembler ; ***a)*** resserrer, contracter ; ***b)*** former par contraction || **7.** allonger : ***a)*** *verba*, traîner sur les mots ; ***b)*** traîner en longueur, prolonger : *sin trahitur bellum*, mais si la guerre traîne en longueur ; ***c)*** prolonger ; ***d)*** différer, retarder.

Trajanus, *i*, m., Trajan, empereur romain.

trajeci, pf. de *trajicio*.

trajectio, *onis*, f. *(trajicio)*, traversée || *trajectio in alium*, action de faire passer qqch. sur un autre.

1. trajectus, *a, um*, part. de *trajicio*.

2. trajectus, *us*, m., traversée || lieu d'embarquement.

trajicio (traicio, transjicio), *ere, jeci, jectum (trans* et *jacio)*, tr.,
I. jeter au-delà, **1.** lancer au-delà : *telum*, lancer un trait par-delà || **2.** faire passer d'un endroit à un autre || transvaser || faire passer [un fleuve, la mer, etc.], faire traverser : *equitatum trajecit*, il fit passer la cavalerie || *sese ex regia ad aliquem*, se transporter du palais vers qqn || *invidiam in alium*, faire passer la haine sur un autre.
II. traverser, **1.** passer au-delà : *murum jaculo*, lancer un javelot par-dessus un mur || **2.** traverser [un fleuve, la mer, etc.] : *Padum, mare*, traverser le Pô, la mer || transpercer : *aliquem*, transpercer qqn ; *pilis trajecti*, percés de traits || **3.** effectuer une traversée.

tralat-, v. *translat-*.

trama, *æ*, f., chaîne, trame, tissu || toile.

trames, *itis*, m., **1.** chemin de traverse (détourné), sentier || **2.** route, chemin, voie.

tranato (transnato), *are, avi*, tr., traverser à la nage || [absol.] effectuer une traversée à la nage.

trano (transno), *are, avi, atum*, tr., **1.** traverser en nageant || [absol.] effectuer une traversée à la nage || **2.** traverser, passer à travers.

tranquillatus, *a, um*, part. de *tranquillo*.

tranquille *(tranquillus)*, tranquillement, paisiblement.

tranquillitas, *atis*, f. *(tranquillus)*, **1.** calme de la mer, bonace || **2.** calme, tranquillité.

1. tranquillo, *are, avi, atum (tranquillus)*, tr., calmer, apaiser.

2. tranquillo, adv., c. *tranquille*.

tranquillum, *i*, n. *(tranquillus)*, **1.** calme de la mer, temps calme : *tranquillo*, par mer calme || **2.** calme, tranquillité ; *in tranquillum conferre, redigere*, ramener au calme.

1. tranquillus, *a, um*, calme, paisible, tranquille.

2. Tranquillus, *i*, m., surnom de Suétone.

trans, prép. avec acc., au-delà de, par-delà : *trans Rhenum*, au-delà du Rhin [avec ou sans mouv.] || de l'autre côté de, par-dessus.

transabeo, *ire, ii, itum*, tr., **1.** aller au-delà de, traverser, dépasser || **2.** transpercer.

transactor, *oris*, m. *(transigo)*, entremetteur, intermédiaire.

transactus, *a, um*, part. de *transigo*.

transadigo, *ere, egi, actum*, tr., **1.** [avec deux acc.] faire passer à travers, faire pénétrer || **2.** transpercer, percer de part en part.

transalpinus, *a, um*, transalpin, qui est au-delà des Alpes || **-ni,** *orum*, m., les peuples transalpins.

transcendo (transscendo), *ere, scendi, scensum (trans*, et *scando)*,

I. intr., **1.** monter en passant par-delà : *in Italiam*, passer en Italie en franchissant les Alpes || **2.** passer d'un endroit à un autre, d'une chose à une autre.
II. tr., **1.** franchir, escalader : *Alpes*, franchir les Alpes ; *flumen*, passer un fleuve || **2.** outrepasser ; *prohibita*, enfreindre les défenses.

transcensus, *a, um*, part. de *transcendo.*

transcribo (transscribo), *ere, scripsi, scriptum*, tr., **1.** transcrire : *testamentum in alias tabulas*, transcrire un testament sur d'autres tablettes || copier || **2.** faire passer à || faire passer dans, enregistrer dans, copier.

transcriptus, *a, um*, part. de *transcribo.*

transcurro, *ere, cucurri* et *curri, cursum*,
I. intr., **1.** courir par-delà || passer devant rapidement || **2.** passer vivement d'une chose à une autre || s'écouler [en parl. du temps].
II. tr., **1.** traverser rapidement, au pas de course || **2.** traiter [un sujet] rapidement, légèrement, effleurer.

1. transcursus, *a, um*, part. de *transcurro.*

2. transcursus, *us*, m., **1.** action de parcourir, de traverser || action de passer devant, passage, course || **2.** [fig.] exposé rapide.

transdi-, transdo, transdu-, v. *trad-.*

transegi, pf. de *transigo.*

transenna, *æ*, f., **1.** lacet, lacs, filet || **2.** treillage, grillage.

transeo, *ii* (rar. *ivi*), *ire, itum*,
I. intr., **1.** aller au-delà, par-delà ; passer de l'autre côté, passer : ***a)*** *ex Italia in Siciliam*, passer d'Italie en Sicile ; passer à un autre sujet ; ***b)*** passer d'un parti, d'un état dans un autre : *ad Pompeium*, passer du côté de Pompée || [fig.] *in sententiam alicujus*, se ranger à l'avis de qqn ; ***c)*** se changer, se transformer : *in humum saxumque*, se changer en terre et en pierre ; ***d)*** *odor transit in vestes*, l'odeur passe dans les vêtements ; *in mores*, passer dans les mœurs || **2.** passer à travers || **3.** passer devant, passer outre || se passer, s'écouler.
II. tr., **1.** ***a)*** traverser, passer : *Taurum*, passer le mont Taurus ; *maria*, traverser les mers ; ***b)*** dépasser [passer de l'autre côté], devancer : *equum cursu*, dépasser un cheval à la course ; *modum*, passer la mesure || surpasser ; ***c)*** venir à bout de || **2.** traverser = passer à travers : ***a)*** *Formias*, traverser Formies ; ***b)*** transpercer ; ***c)*** passer rapidement sur un sujet || parcourir rapidement un livre ; ***d)*** passer : *vitam silentio*, traverser la vie sans faire de bruit || **3.** passer devant, passer outre, longer || passer sous silence, négliger, omettre : *aliquid silentio*, passer qqch. sous silence ; *multa transi*, laisse de côté maints détails [ne les lis pas].

transfero, *ferre, tuli, latum* (et *tralatum*), tr., **1.** porter d'un lieu à un autre, transporter || transplanter || promener, montrer aux regards || **2.** transcrire, reporter || **3.** ***a)*** transporter : *culpam in alios*, rejeter une faute sur d'autres ; *se ad artes componendas*, se mettre à composer des traités ; ***b)*** différer, reporter ; ***c)*** faire passer d'une langue dans une autre, traduire ; ***d)*** faire passer un mot d'un emploi à un autre, employer métaphoriquement ; *verbum tralatum*, mot employé métaphoriquement ; ***e)*** changer, transformer.

transfigo, *ere, fixi, fixum*, tr., **1.** transpercer, percer de part en part || **2.** enfoncer à travers.

transfiguro, *are, avi, atum*, tr., transfigurer, transformer, métamorphoser, changer.

transfixi, pf. de *transfigo.*

transfixus, *a, um*, part. de *transfigo.*

transfluo, *ere, fluxi*, intr., couler au travers.

transfodio, *ere, fodi, fossum*, tr., transpercer.

transformatus, *a, um*, part. de *transformo.*

transformis, *e (forma)*, qui se transforme.

transformo, *are, avi, atum*, tr., transformer, métamorphoser, *in rem*, en qqch.

transforo, *are*, tr., transpercer.

transfossus, *a, um*, part. de *transfodio.*

transfretatio, *onis*, f. *(transfreto)*, traversée.

transfreto, *are, avi, atum (fretum)*, **1.** intr., faire une traversée || **2.** tr., transporter qqn par bateau.

transfudi, pf. de *transfundo.*

transfuga, *æ*, m. *(transfugio)*, transfuge, déserteur, celui qui passe à l'ennemi.

transfugio, *ere, fugi, fugitum*, intr., passer à l'ennemi, déserter.

transfugium, *ii*, n. *(transfugio)*, désertion.

transfundo, *ere, fudi, fusum*, tr.,

1. transvaser || pass. *transfundi*, se répandre || **2.** [fig.] déverser sur, reporter sur : *in aliquem, ad aliquem.*

transfusio, *onis*, f. *(transfundo)*, action de transvaser || apport étranger, mélange.

transfusus, *a, um*, part. de *transfundo.*

transgredior, *gredi, gressus sum (trans* et *gradior)*,
I. intr., **1.** passer de l'autre côté, traverser : *in Italiam*, passer en Italie ; *transgressus*, ayant fait la traversée || *ad aliquem* ou *in partes alicujus*, passer du côté de qqn, au parti de qqn || **2.** [fig.] passer d'une chose à une autre.
II. tr., **1.** traverser, franchir : *flumen*, traverser un fleuve || **2. *a)*** dépasser : *mensuram*, excéder la mesure || surpasser ; ***b)*** exposer complètement ; ***c)*** passer sous silence.

transgressio, *onis*, f. *(transgredior)*, action de passer de l'autre côté, de traverser.

1. transgressus, *a, um*, part. de *transgredior.*

2. transgressus, *us*, m., action de franchir, traversée.

transigo, *ere, egi, actum (trans* et *ago)*, tr., **1. *a)*** faire passer à travers ; ***b)*** transpercer : *aliquem gladio*, percer qqn d'une épée || **2. *a)*** mener à bonne fin : *negotium*, terminer une affaire ; ***b)*** arranger, accommoder, conclure, transiger : *rem cum aliquo*, ou absol. *cum aliquo transigere*, traiter avec qqn, en terminer avec qqn ; ***c)*** *cum aliqua re transigere*, mettre fin à qqch. ; ***d)*** passer [le temps].

transii, pf. de *transeo.*

transilio (transsilio), *ire, ui* ou *ii* ou *ivi (trans* et *salio)*, **1.** intr., sauter d'un lieu dans un autre || **2.** tr., sauter pardessus, franchir || dépasser, excéder.

transitio, *onis*, f. *(transeo)*, action de passer, passage || passage à l'ennemi, défection.

transitor, *oris*, m. *(transeo)*, un passant.

transitorius, *a, um (transeo)*, qui offre un passage, de passage.

1. transitus, *a, um*, part. de *transeo.*

2. transitus, *us*, m., **1.** action de franchir, passage || **2.** transition || **3.** lieu de passage || **4.** action de passer, d'aller au-delà : *tempestatis*, achèvement de l'orage || *in transitu*, en passant, au passage.

transivi, pf. de *transeo.*

translaticius (tralaticius), *a, um (translatus)*, **1.** transmis par la tradition || **2.** traditionnel, consacré, ordinaire, commun.

translatio (tralatio), *onis*, f. *(transfero)*, **1.** action de transporter, de transférer || transplantation || greffe par incision || **2. *a)*** action de rejeter sur un autre ; ***b)*** métaphore ; ***c)*** traduction ; ***d)*** transposition, changement.

translativus (tralativus), *a, um (trans, fero)*, qui transporte ailleurs, qui détourne, qui récuse.

translator, *oris*, m. *(transfero)*, qui transporte ailleurs.

1. translatus (tralatus), *a, um*, part. de *transfero.*

2. translatus (tralatus), *us*, m., action de transporter, de promener en exhibant.

transluceo (traluceo), *ere*, intr., **1.** se refléter, se réfléchir || briller à travers || **2.** être transparent, diaphane.

translucidus, *a, um*, transparent, diaphane.

transmarinus (trama-), *a, um*, d'outre-mer.

transmeo (trameo), *are, avi, atum*, tr., traverser || [absol.] effectuer un passage, une traversée || pénétrer un vêtement [en parl. du froid].

transmigratus, *a, um*, part. de *transmigro.*

transmigro, *are, avi, atum*, intr., passer d'un lieu à un autre, émigrer || changer d'habitation.

transmisi, pf. de *transmitto.*

transmissio, *onis*, f. *(transmitto)*, trajet, traversée, passage.

1. transmissus (tramissus), *a, um*, part. de *transmitto.*

2. transmissus (tramissus), *us*, m., traversée.

transmitto (tramitto), *ere, misi, missum*, tr.,
I. envoyer de l'autre côté, **1.** envoyer par-delà, transporter, faire passer || *bellum in Italiam*, faire passer la guerre en Italie || **2.** faire ou laisser passer par-delà (à travers) : *imbres*, laisser la pluie passer à travers || **3.** transmettre : *bellum alicui*, remettre à qqn la direction de la guerre || laisser de côté || consacrer.
II. passer de l'autre côté, **1.** traverser, franchir : *mare*, traverser la mer || [absol.] effectuer une traversée : *inde tramittebam*, c'est de là que je faisais la traversée || **2. *a)*** passer sous silence, négliger, laisser de côté ; ***b)*** passer,

mener: *tempus quiete*, vivre dans le repos; ***c)*** passer par.

transmontanus, *a, um*, qui se trouve au-delà des monts; subst. m. pl. *transmontani, orum*, les peuples d'au-delà des monts.

transmoveo, *ere, motum*, tr., transporter.

transmuto, *are*, tr., transférer.

transnomino, *are, avi*, tr., appeler qqn, qqch. d'un autre nom [avec deux acc.].

Transpadanus, *a, um*, qui se trouve au-delà du Pô || **-dani,** *orum*, m., habitants de l'Italie Transpadane, Transpadans.

transpicio et **traspicio,** *ere (trans, specio)*, tr., voir au travers.

transpono, *ere, posui, positum*, tr., transporter, transposer || transplanter.

transportatio, *onis*, f., émigration.

transportatus, *a, um*, part. de *transporto*.

transporto, *are, avi, atum*, tr., **1.** transporter || déporter || [avec 2 acc.] transporter de l'autre côté de: *exercitum Rhenum*, lui faire traverser le Rhin || **2.** [fig.] transporter = donner le passage à.

transpositus, *a, um*, part. de *transpono*.

transposui, pf. de *transpono*.

Transrhenanus, *a, um*, qui habite ou qui est situé au-delà du Rhin || **-nani,** *orum*, m., ceux qui habitent au-delà du Rhin.

transs-, v. *trans-*.

Transtiberinus, *a, um*, qui se trouve au-delà du Tibre || **-ini,** *orum*, m., habitants d'au-delà du Tibre.

transtrum, *i*, n., **1.** banc des rameurs; [plus souv. au pl.] *transtra* || **2.** poutre transversale allant d'une paroi à l'autre, traverse.

transtuli, pf. de *transfero*.

transulto et **transsulto,** *are*, intr. *(trans, salto)*, sauter [d'un cheval sur un autre].

transuo et **transsuo,** *ere, ui, utum*, tr., percer avec une aiguille, coudre.

transvectio (travectio), *onis*, f. *(transveho)*, **1.** traversée || **2.** action de transporter, transport || **3.** action de se transporter devant [le censeur].

transvectus, *a, um*, part. de *transveho*.

transveho (traveho), *ere, vexi, vectum*, tr., **1.** transporter au-delà, faire passer || **2.** faire passer (défiler) devant les yeux en parade || *equites transvehuntur*, les chevaliers défilent [devant le censeur] || **3.** pass. *transvehi*, passer, s'écouler.

transverbero, *are, avi, atum*, tr., transpercer.

transversarius (trav-), *a, um*, placé en travers, transversal.

transverse (-vorse), de travers, obliquement.

transversus (transvorsus, traversus), *a, um*, part. de *transverto* || pris adj., oblique, transversal: *transversis tramitibus*, par des chemins de traverse || [expr. adv.]: *in transversum positus*, placé en travers; *per transversum*, dans un sens transversal; *e transverso*, transversalement || *de* ou *e transverso*, inopinément.

transvexi, pf. de *transveho*.

transvolo (travolo), *are, avi, atum*, tr., **1.** voler de l'autre côté de, traverser en volant || **2.** franchir comme en volant || passer d'un bond par-dessus || se porter qq. part rapidement || **3.** voler par-dessus, ***a)*** négliger, ne pas faire cas de; ***b)*** ne pas frapper l'attention, ne pas faire impression sur.

trapetum, *i*, n., et **trapetus,** *i*, m., et **trapetes,** *um*, pl. m., meule de pressoir à olives, pressoir.

trapezita, *æ*, m., changeur, banquier.

trapezophorum, *i*, n., trapézophore, pied de table.

Trasumenus (-mennus), ou moins correctement **Trasimenus,** *i*, m., le Trasimène [lac d'Étrurie, célèbre par la victoire d'Hannibal].

traxi, pf. de *traho*.

Trebatius, *ii*, m., C. Trebatius Testa [jurisconsulte, ami de Cicéron].

Trebia, *æ*, m., la Trébie [affluent du Pô, célèbre par la victoire d'Hannibal sur les Romains].

Trebonius, *ii*, m., nom d'une famille romaine; notamment C. Trebonius [légat de César en Gaule et ami de Cicéron].

treceni, *æ, a*, **1.** distrib., chacun trois cents, chaque fois trois cents || **2.** = *trecenti*.

trecentesimus, *a, um*, trois centième.

trecenti, *æ, a (tres* et *centum)*, trois cents || beaucoup.

trecenties (-tiens), trois cents fois.

tredecim, ind. *(tres, decem)*, treize.

tremebundus (tremibundus), *a, um*, qui tremble.

tremefacio, *ere, feci, factum (tremo, facio)*, tr., faire trembler, ébranler || *se* *tremefacere* [en parl. de la terre], trembler.

tremendus, *a, um,* **1.** adj. verbal de *tremo* || **2.** adj., redoutable, effrayant.

tremesco (tremisco), *ere,* inchoat. de *tremo,* **1.** intr., commencer à trembler || **2.** tr., trembler devant (à cause de) qqch., redouter: *aliquam rem,* qqch. || [avec prop. inf.].

tremibundus, v. *tremebundus.*

tremo, *ere, ui,* **1.** intr., trembler, être agité || trembler d'effroi || **2.** tr., trembler devant qqch., devant qqn, redouter: *aliquem,* trembler devant qqn; *arma,* redouter les armes.

tremor, *oris,* m. *(tremo),* tremblement, agitation, ébranlement || séisme.

tremulus, *a, um (tremo),* **1.** tremblant, agité, vacillant || **2.** qui fait trembler.

trepidanter *(trepido),* de façon troublée, embarrassée, craintive.

trepidatio, *onis,* f. *(trepido),* agitation, désordre, trouble || tremblement.

trepide *(trepidus),* en désordre, en s'agitant || avec crainte.

trepido, *are, avi, atum (trepidus),* intr., qqf. tr., **1.** s'agiter, vaciller, se démener || [pass. imp.]: *totis trepidatur castris,* c'est le désarroi par tout le camp || **2.** [en part.] être agité par la crainte, trembler || tr., craindre.

trepidus, *a, um,* **1.** qui s'agite, qui se démène, affairé || **2.** inquiet, alarmé, tremblant || [avec gén. de rel.] *trepidi rerum suarum,* tremblants pour leurs affaires || **3.** frémissant, bouillonnant, éperdu.

tres, *tria,* trois.

Tres Tabernæ, f., les Trois Tavernes.

tresviri ou **tres viri,** *trium virorum,* m., triumvirs [chargés de la police des rues et du service des prisons] || prêtres subalternes: *tresviri epulones,* les triumvirs épulons [chargés des banquets offerts aux dieux] || présidant à la fabrication de la monnaie || chargés des colonies.

Treveri ou **Treviri,** *orum,* m., les Trévères ou Trévires, peuple de la Belgique || **Trevir,** m., un Trévère.

triangulum, *i,* n., triangle.

triangulus, *a, um,* triangulaire.

triarii, *orum,* m. *(tres),* triaires [corps de vétérans de l'armée romaine qui formait la troisième ligne, en réserve].

tribuarius, *a, um (tribus),* qui concerne une tribu.

tribulatus, *a, um,* part. de *tribulo.*

tribulis, *is,* m. *(tribus),* **1.** qui est de la même tribu || **2.** pauvre, misérable.

tribulo, *are, avi, atum (tribulum),* tr., presser avec la herse.

tribulum, *i,* n. *(tero),* sorte de herse destinée à séparer le grain de la balle.

tribulus (tribolus), *i,* m., **1.** chausse-trappe || **2.** tribule.

tribunal, *alis,* n. *(tribunus),* **1.** estrade en demi-cercle où siégeaient les magistrats || **2.** tribune du général dans le camp || **3.** loge du préteur au théâtre || **4.** tribunal [monument funèbre en l'honneur d'un mort] || **5.** chaussée, digue.

tribunatus, *us,* m., tribunat, dignité de tribun, ***a)*** de la plèbe; ***b)*** des soldats.

tribunicius, *a, um (tribunus),* **1.** relatif aux tribuns de la plèbe, tribunitien || m. pris subst., *tribunicius,* un ancien tribun || **2.** relatif aux tribuns militaires.

tribunus, *i,* m. *(tribus),* primitivement chef d'une des trois tribus de Rome, **1.** *tribuni plebis* ou *tribuni* seul, tribuns de la plèbe [magistrats chargés des intérêts de la plèbe] || **2.** *tribuni militares* ou *militum,* tribuns des soldats [officiers au nombre de 6 par légion, qui la commandaient alternativement pendant deux mois] || *tribuni consulares,* tribuns militaires investis de la puissance consulaire || **3.** *tribuni ærarii,* tribuns du trésor [adjoints aux questeurs] || [depuis la loi Aurelia, faisant partie des jurys des *quæstiones perpetuæ*] || **4.** *tribunus Celerum,* commandant des Célères.

tribuo, *ere, bui, butum (tribus),* tr., **1.** [sens premier] «répartir entre les tribus» [en parl. de l'impôt]; [d'où] répartir, distribuer; attribuer, accorder, donner: *suum cuique,* attribuer à chacun ce qui lui revient || **2.** accorder, concéder || **3.** assigner, attribuer, imputer || avec *multum, magnopere,* etc., faire une large part à, avoir une grande considération pour: *alicui plurimum,* faire le plus de cas de qqn; *suæ magnopere virtuti,* mettre à très haut prix sa propre valeur || [absol.] avoir de la déférence, de la considération pour || **4.** assigner, affecter [un laps de temps à une chose] || **5.** distribuer, partager.

tribus, *us,* f., tribu [division du peuple romain; primitiv. au nombre de trois]: *tribus urbanæ, rusticæ,* tribus urbaines, rustiques; *tribu movere,* exclure de la tribu; *in tribus discurrere,* aller voter [dans les comices par tribus]; *in tribus populus convocatus,* le peuple convoqué par tribus || *grammaticas ambire tribus,* briguer les suffrages des tribus lettrées [du peuple des critiques] || pl. *tribus*, les tribus = la foule, la masse du peuple.

tributarius, *a, um (tributum)*, qui concerne le tribut, tributaire.

tributim *(tribus)*, par tribus.

tributio, *onis*, f. *(tribuo)*, division, partage.

tributum, *i*, n. *(tribuo)*, taxe, impôt, contribution, tribut: *tributum conferre*, payer une contribution, ou *pendere; imponere, exigere*, imposer, lever une contribution.

1. tributus, *a, um*, part. de *tribuo*.

2. tributus, *a, um (tribus)*, qui se fait par tribus: *tributa comitia*, comices par tribus.

tricæ, *arum*, f., **1.** bagatelles, sornettes, niaiseries || **2.** embarras, difficultés.

triceni, *æ, a (triginta)*, **1.** distrib., chacun trente, chaque fois trente || **2.** = *triginta*, trente.

triceps, *cipitis (tres, caput)*, qui a trois têtes.

tricesimus, *a, um*, trentième.

trichila, *æ*, f., berceau de treille, de verdure, tonnelle.

tricies (-iens), adv., trente fois.

tricliniaria, *ium*, n. *(tricliniaris)*, **1.** tapis des lits de table || **2.** salles à manger.

tricliniaris, *e (triclinium)*, qui concerne les lits de tables ou les salles à manger.

triclinium, *ii*, n., **1.** lit de table pour trois personnes [qqf. pour quatre ou cinq]: *triclinium sternere*, dresser le lit ou les lits de table || **2.** salle à manger.

tricor, *ari, atus sum*, intr., chicaner.

tricorpor, *oris*, qui a trois corps.

tricuspis, *idis*, qui a trois pointes.

1. tridens, *tis (tres, dens)*, adj., qui a trois pointes (dents).

2. tridens, *tis*, m., harpon, [instrument de pêche] || trident de Neptune || trident des rétiaires.

tridentifer et **tridentiger,** *era, erum (tridens, fero, gero)*, qui porte un trident.

triduum (-duom), *i*, n. *(tres, dies)*, espace de trois jours || abl. *triduo: hoc triduo*, pendant ces trois derniers jours.

triennia, *ium*, n. *(tres, annus)*, fêtes de Bacchus célébrées à Thèbes tous les trois ans.

triennium, *ii*, n. *(tres, annus)*, espace de trois ans.

triens, *tis (tres)*,

I. le tiers, un tiers.

II. [en part.] **1.** comme monnaie, le tiers d'un as || **2.** intérêt d'un tiers pour cent par mois = quatre pour cent par an || **3.** mesure de longueur, ***a)*** le tiers d'un jugerum; ***b)*** le tiers d'un pied || **4.** mesure de liquide, le tiers d'un sextarius [= 4 cyathes] || **5.** [mathém.] le tiers de six, deux.

trientalis, *e (triens)*, d'un tiers de pied = de quatre pouces de long.

trierarchus, *i*, m., triérarque, commandant d'une trirème.

trieris, *is*, f., c. *triremis*.

trietericus, *a, um*, qui a lieu tous les trois ans.

trifariam *(trifarius)*, de trois côtés, en trois endroits || en trois parties, en trois corps.

trifaux, *aucis (tres, faux)*, adj., de trois gosiers, triple.

trifax, *acis*, f., trait long [envoyé par la catapulte].

trifer, *era, erum (ter, fero)*, qui donne des fruits trois fois l'an.

trifidus, *a, um (ter, findo)*, fendu en trois, qui a trois pointes.

trifolium, *ii*, n. *(tres, folium)*, trèfle.

triformis, *e (tres, forma)*, qui a trois formes, triple: *triformis diva*, la triple déesse [à la fois Diane, la Lune, Hécate].

trigeminus, *a, um*, v. *tergeminus*.

trigemmis, *e (tres, gemma)*, qui a trois boutons ou bourgeons.

trigesimus, v. *tricesimus*.

triginta, ind., trente.

trigonum, *i*, n., triangle.

trilibris, *e (tres, libra)*, qui pèse trois livres.

trilinguis, *e (tres, lingua)*, qui a trois langues.

trilix, *icis (tres, licium)*, adj., tissu de trois fils || qui a un triple tissu.

trimestris, *e (tres, mensis)*, de trois mois.

trimodia, *æ*, f. (**trimodium,** *ii*, n.) *(tres, modius)*, vase qui contient trois modius.

trimus, *a, um (tres)*, âgé de trois ans.

Trinacria, *æ*, f., la Sicile || **Trinacris,** *idis*, f., de Sicile || subst. f., la Sicile || **Trinacrius,** *a, um*, de Sicile.

trini, *æ, a (tres)*, **1.** [employé avec les subst. qui n'ont pas de sing.] au nombre de trois: *trinæ litteræ*, trois lettres; *trina castra*, trois camps; *trinæ catenæ*, trois chaînes || **2.** trois || **3.** sing. *trinus, a, um*, rare.

trinoctium, *ii*, n., espace de trois nuits.

trinodis, *e (tres, nodus)*, qui a trois nœuds.

trinundinum, ou mieux **trinum nundinum,** n., espace de temps comprenant trois marchés [dix-sept jours ou vingt-quatre].

trinus, *a, um,* v. *trini.*

triobolus, *i,* m., triobole, pièce de monnaie valant trois oboles || demi-drachme.

triones, *um,* m., bœufs de labour || les deux Ourses [constellations] = *gemini Triones.*

tripartito, mieux **tripertito,** adv., en trois parties; sur trois points différents.

tripartitus, mieux **tripertitus,** *a, um,* divisé en trois.

tripedalis, *e,* et **tripedaneus,** *a, um,* de trois pieds, qui a une dimension de trois pieds.

tripertito, -pertitus, v. *tripart-.*

1. tripes, *edis,* adj., qui a trois pieds || qui porte sur trois pieds.

2. tripes, *edis,* m., trépied, vase à trois pieds.

triplex, *icis,* **1.** adj., triple: *triplex cuspis,* trident de Neptune || = trois: *triplices sorores,* les trois sœurs, les Parques || **2.** subst. n., le triple.

triplicatus, *a, um,* part. de *triplico.*

triplices, *um,* m., tablette à trois feuilles, tablette à écrire.

triplico, *are, avi, atum,* tr., tripler.

Triptolemus, *i,* m., Triptolème [inventeur de l'agriculture].

tripudio, *are,* intr., danser, sauter || bondir || se trémousser.

tripudium, *ii,* n., **1.** danse trépidante || saut, bond || **2.** augure favorable, quand les poulets sacrés mangeaient si avidement qu'ils laissaient tomber les grains.

tripus, *odis,* m., trépied [souvent donné en prix dans les jeux de la Grèce] || trépied de la Pythie [à Delphes]; [d'où] = oracle de Delphes, ou oracle.

triquetrus, *a, um,* triangulaire || relatif à la Sicile [à cause des 3 pointes de cette île], Sicilien.

triremis, *e (tres, remus),* **1.** qui a trois rangs de rames || **2.** subst. *triremis, is,* f., trirème, vaisseau à trois rangs de rames.

triste *(tristis),* n. pris adv., **1.** tristement || **2.** avec beaucoup de difficulté || durement.

tristiculus, *a, um (tristis),* qq. peu triste, sombre.

tristis, *e,* **1.** triste, affligé, chagrin || **2.** *tristibus temporibus,* dans l'adversité; *tristissima exta,* les entrailles du plus funeste augure; *tristis eventus alicujus,* fin tragique de qqn || amer, désagréable || funeste || **3.** sombre, sévère, austère, qui ne badine pas: *tristes sorores,* les sombres sœurs, les Parques || **4.** renfrogné, morose.

tristitia, *æ,* f. *(tristis),* **1.** tristesse, affliction || **2.** *temporum,* temps malheureux || **3.** caractère sombre, sévère || **4.** mauvaise humeur.

tristities, *ei,* f., c. *tristitia.*

trisulcus, *a, um (tres* et *sulcus),* qui a trois pointes, trois parties, triple.

triticeius et **triticeus,** *a, um,* de froment.

triticum, *i,* n., froment, blé-froment.

Triton, *onis,* m., **1.** dieu marin, fils de Neptune || **2.** espèce de poisson.

Tritonia, *æ,* f., surnom de Minerve.

Tritoniacus, *a, um,* **1.** de Minerve || **2.** *Tritoniaca palus,* le lac Triton [en Macédoine].

1. Tritonis, *idis,* f., **1.** Tritonienne (Minerve) || **2.** marais du Triton.

2. tritonis, *idis,* f., l'olivier.

Tritonius, *a, um,* Tritonien: *Tritonia Pallas,* ou *Tritonia Virgo,* ou *Tritonia* = Minerve.

tritor, *oris,* m. *(tero),* broyeur de couleurs.

tritura, *æ,* f. *(tero),* frottement || battage du blé.

1. tritus, *a, um,* **1.** part. de *tero* || **2.** adj., ***a)*** foulé souvent, battu, fréquenté; ***b)*** souvent employé, usité, commun: *verba non trita Romæ,* mots qui ne sont pas d'emploi courant à Rome; ***c)*** habitué, rompu à, brisé à.

2. tritus, *us,* m., frottement, broiement.

triumphalis, *e (triumphus),* triomphal, de triomphe: *ornamenta triumphalia,* ou *triumphalia* seul., ornements du triomphe [couronne d'or, toge brodée, tunique palmée, bâton d'ivoire, etc., décernés sous les empereurs même sans triomphe, à titre purement honorifique].

triumphatus, *a, um,* part. de *triumpho.*

triumpho, *are, avi, atum (triumphus),* intr., et tr.,

I. intr., **1.** obtenir les honneurs du triomphe, triompher || [pass. impers.] *triumphari vidimus,* nous avons vu les honneurs du triomphe décernés || **2.** triompher, exulter, être transporté.

II. tr., **1.** [actif] *aliquem, aliquid,* triompher de qqn, de qqch. || **2.** [passif] *gentes triumphatæ,* nations dont la défaite a donné lieu à des triomphes ||

[en parl. d'un vaincu] *triumphari*, être mené en triomphe || *triumphatus*, conquis par la victoire.

triumphus (anc. **triumpus**), *i*, m., **1.** *io triumphe!* exclamation des soldats et de la foule pendant le défilé des troupes et du général victorieux se rendant à travers la ville au Capitole; *triumphum clamare*, pousser le cri de *io triumphe!* || **2.** triomphe [entrée solennelle à Rome du général victorieux qui monte au Capitole sur un char traîné de chevaux blancs, revêtu lui-même de la *toga picta* et de la *tunica palmata* et la tête ceinte de lauriers (tenue de Jupiter Capitolin), cependant que les soldats qui l'accompagnent poussent le *io triumphe!* et chantent des chants élogieux ou satiriques à l'adresse de leur général], *triumphum decernere alicui*, décerner le triomphe à qqn; *triumphum agere de aliquo*, ou *ex aliquo*, remporter le triomphe sur qqn || **3.** triomphe, victoire.

triumvir, *iri*, m., pl. **triumviri,** *orum*, triumvir, membre d'une commission de trois personnes, triumvirs: *triumvir agrarius*, commissaire agraire [chargé de la répartition des terres entre les habitants des colonies] || *triumviri capitales*, triumvirs chargés de la police, de l'exécution des sentences criminelles et de la surveillance des prisons.

triumviralis, *e*, **1.** des triumvirs *(capitales)*; *triumvirale supplicium*, pendaison || **2.** des triumvirs [triumvirat].

triumviratus, *us*, m., **1.** commission de triumvirs || **2.** le triumvirat.

trivi, pf. de *tero*.

Trivia, *æ*, f. *(trivius)*, surnom de Diane (déesse des carrefours).

trivialis, *e (trivium)*, trivial, vulgaire.

trivium, *ii*, n. *(ter* et *via)*, carrefour, endroit où aboutissent trois chemins || [en gén.] = endroit fréquenté, place publique.

trivius, *a, um (trivium)*, de carrefour [épithète des divinités qui avaient des chapelles dans les carrefours].

Troas, *adis*, f., de Troie, de la Troade || subst. f., ***a)*** Troyenne; ***b)*** la Troade, le pays de Troie.

trochæus, *i*, m., trochée ou chorée [pied composé d'une longue et d'une brève].

trochus, *i*, m., trochus, cerceau de métal garni d'anneaux cliquetants avec lequel jouent les enfants.

Troes, *um*, m., les Troyens.

Troglodytæ, *arum*, m., Troglodytes [en gén. habitants des cavernes] || **-dytice,** *es*, f., la Troglodytique [contrée au-delà de l'Éthiopie] || **-dyticus,** *a, um*, de la Troglodytique.

Trogus Pompeius, m., Trogue Pompée [historien du temps d'Auguste, abrégé par Justin].

Troicus, *a, um*, troyen.

Troius, *a, um*, de Troie.

Troja, *æ*, f., Troie, **1.** ville de Phrygie || **2.** ville fondée en Italie par Énée || **3.** ville d'Épire fondée par Hélénus.

Trojanus, *a, um*, de Troie, troyen || **-ni,** *orum*, m., Troyens.

Trojugena, *æ (Troja, geno)*, adj., troyen; **Trojugenæ,** *arum*, m., Troyens.

tropæatus, *a, um (tropæum)*, honoré d'un trophée.

tropæum, *i*, n., **1.** trophée [primit. un arbre abattu et élagué auquel on suspendait les armes des vaincus, puis un monument élevé sur un champ de bataille] || **2.** victoire, triomphe || **3.** [métaphor.] monument, souvenir, trophée.

Trophonius, *ii*, m., **1.** architecte qui, avec son frère Agamède, bâtit le temple d'Apollon à Delphes || **2.** dieu qui habitait un souterrain près de Labadée en Béotie et rendait des oracles.

Tros, *ois*, m., roi de Phrygie, qui donna son nom à Troie.

trucidatio, *onis*, f. *(trucido)*, carnage, massacre || taille des arbres.

trucido, *are, avi, atum (trux, cædo)*, tr., égorger, massacrer, tuer.

truculentia, *æ*, f. *(truculentus)*, dureté, manières farouches, âpreté.

truculentus, *a, um (trux)*, farouche, dur, bourru; cruel, menaçant, terrible, redoutable.

trudis, *is*, f., pique garnie de fer || perche ferrée, croc.

trudo, *ere, trusi, trusum*, tr., **1.** pousser [avec force, avec violence], bousculer || **2.** faire sortir || **3.** *in mortem trudi*, être mené à la mort; *truditur dies die*, le jour chasse le jour.

trulla, *æ*, f., **1.** petite écumoire || vase à puiser le vin || **2.** espèce de poêle.

trulleus, *i*, m., cuvette.

truncatus, *a, um*, part. de *trunco*.

trunco, *are, avi, atum (truncus)*, tr., tronquer, amputer: *olus foliis*, éplucher les légumes.

1. truncus, *a, um*, coupé, mutilé, tronqué || *urbs trunca*, ville mutilée.

2. truncus, *i*, m., **1.** tronc [d'arbre],

souche || **2.** tronc, buste d'une personne; fragment, morceau détaché, souche.

trusi, pf. de *trudo.*

trusus, *a, um,* part. de *trudo.*

trutina, *æ,* f., aiguille de la balance || balance.

trux, *trucis,* farouche, sauvage.

tu, *tui, tibi, te,* tu, toi || **1.** [renforcé] ***a)*** par *te: tute*; acc. *tete*; ***b)*** par *met* au pl.: *vosmet; vobismet* || **2.** dat. éthique: *alter tibi descendit de Palatio,* le second vous effectue sa descente du Palatin.

tuapte, tuopte, v. *tuus.*

tuba, *æ,* f. *(tubus),* trompette, trompe; trompette militaire || instigateur.

1. tuber, *eris,* n. *(tumeo),* **1.** tumeur, excroissance, bosse || **2.** nœud, excroissance du bois || **3.** espèce de champignon.

2. tuber, *eris,* **1.** f., azerolier || **2.** m., azerole, fruit de l'azerolier.

tuberculum, *i,* n. *(tuber 1),* petite saillie, petit gonflement.

tuberosus, *a, um (tuber 1),* rempli de proéminences.

tubicen, *inis,* m. *(tuba, cano),* trompette.

tubula, *æ,* f. *(tuba),* petite trompette.

tubulatus, *a, um (tubulus),* pourvu de tuyaux || creux comme un tube.

tubulus, *i,* m. *(tubus),* petit tuyau, petit conduit || masse de métal.

tubus, *i,* m., **1.** tuyau, canal, tube, conduit || **2.** trompette [dans les sacrifices].

Tucca, *æ,* m., surnom; notamment M. Plotius Tucca [ami de Virgile qui publia l'Énéide avec Varius].

tueor, *tueri, tuitus sum,* tr.,
I. avoir les yeux sur, regarder, observer || [avec prop. inf.] observer que, constater que.
II. avoir l'œil à, veiller sur, **1.** protéger, défendre, garder, sauvegarder: *se, vitam corpusque,* se préserver, préserver sa vie et son corps || **2.** protéger contre.

tugurium, *ii,* n. *(tego),* cabane, hutte, chaumière.

tui, **1.** gén. du *tu* || **2.** v. *tuus.*

tuli, pf. de *fero.*

Tullia, *æ,* f., fille de Servius, qui fit passer son char sur le cadavre de son père || **2.** fille de Cicéron.

Tullianum, *i,* n., le Tullianum [cachot dans la prison d'État, construit par Servius Tullius].

Tullianus, *a, um,* de Tullius.

Tulliola, *æ,* f. (dimin. de *Tullia*), petite Tullia.

Tullius, *ii,* m., nom de famille; notamment: Servius Tullius, sixième roi de Rome || M. Tullius Cicéron et son frère Q. Tullius Cicéron.

Tullus, *i,* m., Tullus Hostilius, troisième roi de Rome.

tum, adv., alors, **1.** [seul] alors, à cette époque-là, à ce moment-là; [av. gén.] *tum temporis,* à ce moment-là || [en part., après un fait exprimé] alors, après cela || [dans le dial.] *tum Scipio,* alors, sur quoi Scipion... || **2.** [en corrélation]: ***a)*** *tum... cum...,* alors que, au moment où, quand; *tum ipsum... cum,* juste au moment où || *cum... tum,* quand... alors; ***b)*** *cum... tum,* d'une part... d'autre part en particulier; *cum... tum maxime; tum præcipue; tum inprimis,* d'une part... d'autre part surtout; ***c)*** *tum... tum...,* tantôt... tantôt || **3.** [marquant des rapports divers]: ***a)*** [succession] puis, ensuite || d'autre part aussi, en outre: ***b)*** [comme *ita*] dans ces conditions || alors, dès lors; ***c)*** *quid tum?* eh bien! après? et puis après? que s'ensuit-il? || [simple formule de liaison] et puis.

tumefacio, *ere, feci, factum (tumeo, facio),* tr., gonfler.

tumeo, *ere,* intr., **1.** être gonflé, enflé || *tumentia* pl. n. pris subst., abcès, tumeurs || **2.** être gonflé par une passion; colère; orgueil || être en fermentation, être menaçant.

tumesco, *ere, tumui (tumeo),* intr., s'enfler, se gonfler (de colère, d'orgueil).

tumet, v. *tu.*

tumidus, *a, um (tumeo),* **1.** enflé, gonflé || **2.** ***a)*** gonflé de colère, gonflé d'orgueil || *cum tumidum est cor,* quand ton cœur est gonflé d'ambition; ***b)*** gonflé de menaces; ***c)*** [rhét.] enflé, boursouflé, emphatique || **3.** [poét.]: *tumidus Auster,* l'Auster qui gonfle [la voile].

tumor, *oris,* m. *(tumeo),* **1.** enflure, gonflement, bouffissure || **2.** ***a)*** *animi,* agitation de l'âme, trouble; ***b)*** effervescence, emportement, courroux; ***c)*** orgueil; ***d)*** fermentation, état menaçant.

tumui, pf. de *tumesco.*

tumulo, *are, avi, atum (tumulus),* tr., couvrir d'un amas de terre, ensevelir.

tumulosus, *a, um (tumulus),* où il y a beaucoup d'éminences.

tumultuarius, *a, um (tumultus),* **1.** enrôlé précipitamment, armé en hâte || **2.** tumultuaire, fait précipitamment, à la hâte.

tumultuatio, *onis*, f. *(tumultuor)*, trouble, désarroi.

tumultuo, *are*, intr., être agité, faire du bruit.

tumultuor, *ari, atus sum*, intr., être dans le trouble, dans l'agitation, faire du bruit.

tumultuose *(tumultuosus)*, avec bruit, avec désordre, en tumulte.

tumultuosus, *a, um (tumultus)*, plein d'agitation, de trouble, de tumulte.

tumultus, *us*, m. *(tumeo)*, **1.** désordre, trouble, tumulte: *tumultum injicere civitati*, jeter le désarroi dans la cité || fracas dans l'air [tempête, orage] || **2.** tumulte [trouble causé à Rome par le déchaînement soudain d'une guerre soit dans l'Italie soit sur ses frontières]; d'où *tumultus Italicus, Gallicus*, tumulte italien, gaulois = guerre soudaine des Italiens, des Gaulois; *decernere tumultum*, décréter l'état de tumulte [la patrie en danger], c.-à-d. la levée en masse || [par extens.] soulèvement soudain, hostilités soudaines || **3.** agitation, trouble de l'esprit || désordre, confusion dans la prononciation.

tumulus, *i*, m. *(tumeo)*, **1.** éminence, élévation, tertre || *tumuli*, collines, hauteurs || **2.** tombeau de terre amoncelée, tombeau.

tunc, adv. *(tum-ce)*, **1.** [seul] ***a)*** alors, à ce moment-là, à cette époque-là [surtout dans le passé] || [av. gén.] *tunc temporis*, à ce moment-là || *tunc erat... nunc est*, alors c'était... maintenant c'est; *jam tunc*, dès lors; ***b)*** alors, sur quoi, ensuite de quoi [dans le passé] || **2.** [en corrél.] *tunc... cum*, au moment où [dans le passé].

tundo, *ere, tutudi, tunsum* et *tusum*, tr., frapper, battre || assommer, fatiguer, importuner.

tunica, *æ*, f., **1.** tunique [vêtement de dessous des Romains à l'usage des deux sexes] || *tunicæ manicatæ*, les tuniques à longues manches [signe de mœurs efféminées] || **2.** cosse, gousse, coque, silique, coquille.

tunicatus, *a, um (tunica)*, vêtu d'une tunique || qui n'a que la tunique = de petite condition, du bas peuple.

tunicula, *æ*, f., petite tunique.

tunsus, *a, um*, part. de *tundo*.

turba, *æ*, f., **1.** trouble d'une foule en désordre, mêlée, désordre, confusion; *turbas efficere*, faire éclater des désordres || **2.** foule en désordre, cohue, multitude || foule, tourbe || troupe [des Muses] || foule, amas de choses diverses.

turbamentum, *i*, n. *(turbo 1)*, occasion de trouble.

turbate *(turbatus)*, en désordre.

turbatio, *onis*, f. *(turbo 1)*, trouble, désordre, perturbation.

turbator, *oris*, m. *(turbo 1)*, celui qui trouble, qui agite, soulève || *turbatores belli*, fomentateurs de la guerre.

turbatus, *a, um*, **1.** part. de *turbo* || **2.** adj., troublé, agité.

turbide *(turbidus)*, avec trouble.

turbidum, acc. n. de *turbidus* pris adv., de façon trouble.

turbidus, *a, um (turba)*, **1.** troublé, agité, confus || troublé, fangeux, limoneux, louche: *aqua turbida*, eau trouble || **2. *a)*** troublé, bouleversé, désemparé || désordonné; ***b)*** emporté, violent, plein de furie || en effervescence; ***c)*** troublé, orageux, plein d'alarmes.

turbinatio, *onis*, f. *(turbinatus)*, cône.

turbinatus, *a, um (turbo 2)*, de forme conique.

turbineus, *a, um (turbo 2)*, tourbillonnant.

1. turbo, *are, avi, atum (turba)*, tr., **1.** troubler, agiter, mettre en désordre || [absol.] s'agiter || **2.** troubler, rendre louche, trouble || **3.** troubler, bouleverser, brouiller, jeter la perturbation dans || [sans compl.] mettre du désordre, du trouble || [pass. imp.] *si in Hispania turbatum esset*, s'il y avait eu des troubles en Espagne.

2. turbo, *binis*, m., **1.** ce qui tourne en rond, tourbillon, tournoiement, tourbillonnement || **2.** toupie, sabot || **3.** forme ronde, forme circulaire || bobine, fuseau dans les opérations magiques || cône || **4.** mouvement circulaire, tourbillon circulaire.

turbulente *(turbulentus)*, en perdant la tête, en se troublant.

turbulenter, avec emportement, d'une façon désordonnée.

turbulentus, *a, um (turba)*, **1.** troublé, agité, en désordre || **2.** qui trouble, qui cause du désordre, turbulent, remuant, factieux.

turdus, *i*, m., **1.** grive || **2.** labre.

tureus (thur-), *a, um (tus)*, d'encens.

turgeo, *ere*, intr., **1.** être gonflé, enflé || **2.** être boursouflé, enflé, emphatique.

turgesco, *ere*, intr., **1.** se gonfler, s'enfler || **2.** devenir enflé, boursouflé, emphatique.

turgidus, *a, um (turgeo)*, **1.** gonflé,

enflé || **2.** enflé, boursouflé, emphatique.

turibulum (thur-), *i*, n. *(tus)*, brûle-parfums, cassolette.

turicremus (thur-), *a, um (tus, cremo)*, qui brûle de l'encens.

turifer (thur-), *era, erum (tus, fero)*, qui produit de l'encens.

turilegus (thur-), *a, um (tus, lego)*, qui récolte de l'encens.

turma, *æ*, f., turme, escadron [dixième partie d'une aile, primitiv. trente hommes] || troupe, bataillon, foule, multitude.

turmalis, *e (turma)*, relatif à une turme, d'escadron || subst. pl. *turmales, ium*, m., soldats d'un escadron; compagnons nombreux.

turmatim, par escadrons || par bandes.

Turnus, *i*, m., **1.** chef des Rutules || **2.** Turnus Herdonius, ennemi de Tarquin le Superbe.

Turones, *um*, et **Turoni,** *orum*, m., les Turons [peuple riverain de la Loire].

turpatus, *a, um*, part. de *turpo*.

turpe, n. pris subst., v. *turpis* fin.

turpiculus, *a, um*, qq. peu laid.

turpificatus, *a, um (turpis, facio)*, souillé.

Turpilius, *ii*, m., ancien poète comique latin, ami de Térence.

Turpio, *onis*, m., Ambivius Turpio, acteur comique.

turpis, *e*, **1.** laid, vilain, difforme || laid, désagréable à l'oreille, déplaisant || **2.** laid, honteux, dégoûtant, ignoble, déshonorant, indigne, infâme || *turpe est* avec inf., c'est une honte de || **turpe,** *is*, n. pris subst.; *turpia*, les choses honteuses.

turpiter *(turpis)*, **1.** d'une manière laide, hideuse, difforme || **2.** [moral.] d'une manière honteuse, etc. || *turpiter præterii*, à ma honte, j'ai oublié.

turpitudo, *inis*, f. *(turpis)*, **1.** laideur, difformité || **2.** laideur morale, honte, turpitude, indignité, déshonneur, infamie; *per turpitudinem*, honteusement.

turpo, *are, avi, atum (turpis)*, tr., salir, souiller || défigurer, enlaidir.

Turranius, *ii*, m., nom de famille romain, notamment Turranius Niger, ami de Varron et de Cicéron, éminent agriculteur.

turricula, *æ*, f. *(turris)*, petite tour, tourelle.

turriger, *era, erum (turris, gero)*, porteur de tours || garni de tours || *turrigera* [épith. de Cybèle], à la couronne crénelée.

turris, *is*, f., **1.** tour || tour en bois [avec étages, ouvrage de siège; souvent sur roues] || tour portée par un éléphant || **2.** maison élevée, château, palais || colombier, pigeonnier || [formation de combat] carré.

turritus, *a, um (turris)*, muni de tours || qui porte une tour [éléphant] || *turrita*, c. *turrigera* || en forme de tour.

turtur, *uris*, m., f., tourterelle.

turunda, *æ*, f., pâtée || sorte de gâteau.

tus ou **thus,** *uris*, n., encens.

Tuscanicus et **Tuscanus,** *a, um*, des Toscans, étrusque, toscan.

Tusce, à la manière des Toscans, en toscan, en étrusque.

Tusci, *orum*, m., les Toscans ou Étrusques, habitants de l'Étrurie || **-cus,** *a, um*, toscan, étrusque.

Tuscia, *æ*, f., l'Étrurie, la Toscane.

Tusculanum, *i*, n., nom de plusieurs campagnes (villas) situées près de Tusculum; par ex. villa de Tusculum de Cicéron || campagne, villa.

Tusculanus, *a, um*, de Tusculum || *Tusculani, orum*, m., habitants de Tusculum || *-anæ disputationes*, les Tusculanes, ouvrage philos. de Cicéron.

Tusculum, *i*, n., ville du Latium.

tussicula, *æ*, f. *(tussis)*, petite toux, toux légère.

tussilago, *inis*, f., tussilage.

tussio, *ire (tussis)*, intr., tousser.

tussis, *is*, f., toux || pl., quintes de toux.

tusus, *a, um*, part. de *tundo*.

tutamen, *inis*, n. *(tutor)*, défense, abri.

tutamentum, *i*, n. *(tutor)*, défense, abri.

tutatus, *a, um*, part. de *tutor*.

tute, toi-même, v. *tu*.

tutela, *æ*, f. *(tueor)*, **1.** action de veiller sur, protection, défense, garde: *aliquem tutelæ alicujus commendare; subjicere*, confier qqn à la protection de qqn; *in tutela alicujus esse*, être sous la protection de qqn || **2.** [droit] tutelle; *in suam tutelam venire*, devenir son propre tuteur = être majeur || **3.** [sens concret] gardien, défenseur, protecteur || le protégé, la protégée.

tuto, adv. *(tutus)*, en sûreté, sans danger; *tuto esse*, être en sûreté; *tuto ab incursu*, à l'abri d'une attaque || *tutius; tutissime; tutissimo*.

1. tutor, *ari, atus sum (tueor)*, tr., **1.** veiller sur, couvrir de sa protection, garder, défendre, sauvegarder, garantir || *ab aliqua re*, protéger contre qqch. || **2.** se préserver de, se protéger contre, chercher à écarter: *inopiam*, combattre la disette.

2. tutor, *oris*, m. *(tueor)*, **1.** défenseur, protecteur, gardien || **2.** tuteur, curateur.

tutudi, pf. de *tundo*.

tutus, *a, um*, part. de *tueor* pris adj., **1.** protégé, en sûreté, à l'abri, qui ne court aucun danger || *tutus ab*, protégé contre, à l'abri de, qui n'a rien à craindre de; [avec *ad*] par rapport à || *tutius est... potiri*, il est plus sûr de s'emparer... || *in tuto aliquem collocare*, mettre qqn en sûreté; *in tuto esse*, être en sûreté || **2.** prudent, circonspect.

tuus, *a, um (tu)*, **1.** ton, tien, ta, tienne: *Panætius tuus*, ton cher Panétius || [pris subst.]: ***a)*** *tui*, les tiens [famille, amis, partisans]; ***b)*** *tuum*, n., ton bien; *de tuo*, en prenant sur ton bien; pl., *tua*, tes affaires, ta conduite [ou] tes actes [ou] tes idées || **2.** qui te convient, qui t'est favorable: *tempore tuo*, à ton moment.

Tycha, *æ*, f., Tycha [quartier de Syracuse].

Tydeus, *ei* ou *eos*, m., Tydée [fils d'Œnée, père de Diomède] || **Tydides,** *æ*, m., le fils de Tydée, Diomède.

tympanizo, *are*, intr., jouer du tambour.

tympanum, *i*, n., **1.** tambourin || [remplaçant la *tuba* chez les Parthes] || symbolise qqch. d'efféminé || **2.** ***a)*** roue pleine; ***b)*** machine élévatoire, grue.

Tyndareus, *i*, m., Tyndare [époux de Léda, père de Castor et Pollux, d'Hélène et de Clytemnestre].

Tyndarides, *æ*, m., fils de Tyndare || pl., les Tyndarides [Castor et Pollux ou, en gén., tous les enfants de Tyndare].

1. Tyndaris, *idis*, f., la fille de Tyndare: [Hélène] [Clytemnestre].

2. Tyndaris, *idis*, f., ville sur la côte nord de Sicile || **Tyndaritanus,** *a, um*, de Tyndaris; **-ani,** *orum*, m., habitants de Tyndaris.

Typhoeus, *ei*, ou *eos*, m., Typhoée ou Typhée [un des géants, enseveli sous l'Etna].

Typhoius, *a, um*, de Typhée.

1. typhon, *onis*, m., tourbillon || comète.

2. Typhon, *onis*, m., géant, v. Typhoeus.

typus, *i*, m., figure, image, statue.

tyrannice *(tyrannicus)*, en tyran.

tyrannicida, *æ*, m., tyrannicide.

tyrannicidium, *ii*, n., meurtre d'un tyran.

tyrannicus, *a, um (tyrannus)*, de tyran.

tyrannis, *idis*, f., **1.** royauté absolue, pouvoir d'un tyran [sens grec] || **2.** pouvoir absolu, despotisme, tyrannie: acc. *tyrannida*, ou *tyrannidem* || **3.** royaume, richesse du royaume.

tyrannoctonus, *i*, m., c. *tyrannicida*.

tyrannus, *i*, m., **1.** tyran, roi, souverain, monarque || **2.** despote, usurpateur.

Tyrius, *a, um*, **1.** de Tyr, de Phénicie, Tyrien: *Tyria puella* = Europe [fille du roi de Tyr, Agénor] || **2.** carthaginois || **3.** pourpre || **Tyrii,** *orum*, m., habitants de Tyr, Tyriens || Carthaginois.

Tyrrhenia, *æ*, f., Tyrrhénie, l'Étrurie.

Tyrrhenicus, *a, um*, tyrrhénien, de la Méditerranée.

Tyrrhenus, *a, um*, de Tyrrhénie, Tyrrhénien, d'Étrurie, étrusque: *Tyrrhenum mare*, ou *Tyrrhenum æquor*, ou *Tyrrhenus*, m., la mer Tyrrhénienne || **-ni,** *orum*, m., Tyrrhéniens, Étrusques.

Tyrus ou **Tyros,** *i*, f., **1.** Tyr [ville maritime de Phénicie, renommée pour sa pourpre] || **2.** pourpre.

u, f. n., u [vingtième lettre de l'alphabet latin] || en capitale il s'écrivait V; *V. C.* ou *u. c. = urbis conditæ; ab u. c. = ab urbe condita*, à partir de la fondation de Rome.

1. uber, *eris*, adj., **1.** abondant, plein, bien nourri, productif.

2. uber, *eris*, n., **1.** mamelle, sein, pis || **2.** richesse, fécondité.

uberius, uberrime [positif inusité], plus abondamment, très (le plus) abondamment.

ubertas, *atis*, f. *(uber 1)*, puissance de produire, nature riche, féconde; abondance, richesse, fécondité || abondance produite, abondance, richesse: *frugum et fructuum*, abondance des moissons et des fruits.

ubertim *(uber 1)*, abondamment.

ubi (primit. **cubi**), adverbe de lieu relatif-interrogatif, employé aussi comme conjonction,

I. adv., **A)** relatif, où [sans mouv.]; (là, dans le lieu) où, **1.** [avec l'antécéd. *ibi*] *ibi... ubi*, là... où; *ubi... ibi*, où... là || [avec d'autres antécédents de lieu]: *agri, ubi*, les champs où || **2.** [substitut du relatif construit avec *in* abl. ou *apud*]: *multa... ubi (= in quibus)*, beaucoup de choses, dans lesquelles; *per illum ipsum, ubi (= apud quem)*, par l'intermédiaire de celui-là précisément chez qui || **3.** avec subj. consèc.: *est ubi plus tepeant hiemes?* est-il un endroit pour avoir des hivers plus tièdes [capable d'avoir]? || **4.** *ubi* initial = *ibi autem, ibi enim, et ibi*, etc.

B) *ubi*, interr. direct: *ubi sunt qui...?* où sont ceux qui...? || [avec gén.]: *ubi terrarum sumus?* à quel endroit du monde sommes-nous? || interr. indir.: *investigare, ubi sit*, chercher où il est.

II. emploi comme conj., quand, lorsque: *ubi videt*, quand il voit; *ubi... tum*, quand... alors || *ubi primum*, aussitôt que, dès que.

ubicumque ou **-cunque** ou **-quomque, 1.** adv. rel., en quelque lieu que, partout où [sans mouv.]: *ubicumque es, in eadem es navi*, en quelque endroit que tu sois, tu es dans le même vaisseau que nous || **2.** adv. indéfini, en tout lieu, partout.

Ubii, *orum*, m., les Ubiens [peuple du Rhin, capitale Cologne].

ubilibet, n'importe où.

ubinam, adv., où donc? en quel lieu? *ubinam gentium sumus?* en quel endroit du monde sommes-nous donc?

1. ubique, adv. corresp. à *quisque*, partout, en tout lieu: *omnes agri, qui ubique sunt*, toutes les terres sans exception.

2. ubique, = *et ubi*.

ubiquomque, v. *ubicumque*.

ubivis, adv. indéf., n'importe où, partout [sans mouv.].

Ucalegon, *onis*, m., Ucalégon [nom d'un Troyen dont la maison fut incendiée].

udus, *a, um (uvidus)*, chargé d'eau, humecté || *udum*, n. pris subst., humidité.

ulceratio, *onis*, f. *(ulcero)*, ulcération, ulcère.

ulcero, *are, avi, atum (ulcus),* tr., blesser, faire une plaie à.

ulcerosus, *a, um (ulcus),* couvert d'ulcères || couvert de plaies.

ulciscor, *ulcisci, ultus sum,* tr., **1.** venger [= venger sur autrui]: *patrem,* venger son père; *se ulcisci,* se venger || **2.** se venger de, punir en tirant vengeance: ***a)*** *aliquem pro scelere,* tirer vengeance de qqn pour un crime; ***b)*** *injurias alicujus,* se venger des injustices qu'on a subies de la part de qqn.

ulcus (hulcus), *eris,* n., ulcère, plaie || écorchure d'un arbre || blessure.

ulcusculum, *i,* n., dimin. de *ulcus,* petit ulcère.

uliginosus, *a, um (uligo),* plein d'humidité, marécageux.

uligo, *inis,* f. (contr. de *uviligo, uveo*), humidité [naturelle] de la terre.

Ulixes, *is,* acc. *em,* m., Ulysse [époux de Pénélope, père de Télémaque].

ullus, *a, um (unulus,* dim. de *unus),* [employé dans les prop. négatives ou hypothétiques ou interrogatives, et rarement ailleurs], quelque, quelqu'un, **1.** adj.: *non ulla causa,* pas une seule cause; *neque ullam in partem disputo,* et je ne me prononce dans aucun sens, ni pour ni contre || *est ulla res tanti, ut...?* y a-t-il rien d'assez grande valeur pour que...? || **2.** subst. m.: *numquam ulli supplicabo,* jamais je ne supplierai personne.

ulmeus, *a, um (ulmus),* d'orme.

ulmus, *i,* f., orme, ormeau.

ulna, *æ,* f., **1.** l'avant-bras || **2.** bras || **3.** [mesure de longueur] brasse.

ulterior, *ius,* (compar. d'un inus. *ulter* qui se retrouve dans les adv. *ultra, ultro*), qui est au-delà, de l'autre côté, ultérieur: *Gallia ulterior,* la Gaule ultérieure; *ulterior ripa,* la rive opposée || *ulteriores,* m., ceux qui sont plus éloignés [opp. à *proximi,* les plus proches] || *ulteriora,* pl. n., ***a)*** les points plus éloignés; ***b)*** le passé; ***c)*** le futur, la suite.

ulterius, **1.** n. de *ulterior* || **2.** compar. de *ultra,* plus au-delà, plus loin.

ultime, adv. *(ultimus),* enfin, en dernier lieu.

ultimo *(ultimus),* adv., enfin, à la fin.

ultimum *(ultimus),* **1.** adv., pour la dernière fois || **2.** subst., v. *ultimus.*

ultimus, *a, um,* superl. de l'inus. *ulter,* **1.** ***a)*** le plus au-delà, le plus reculé, le plus éloigné: *ultima Gallia,* la Gaule Transalpine || *ultimi,* m., les plus reculés, les plus en arrière; ***b)*** la partie la plus au-delà de, la plus reculée de: *ultima provincia,* la partie la plus reculée de la province || **2.** ***a)*** [en parl. du temps, de la succession] le plus reculé, le plus éloigné: *ultima antiquitas,* l'antiquité la plus reculée || le dernier: *ad ultimum spiritum,* jusqu'au dernier souffle || *ad ultimum* [ou] jusqu'au bout; [ou] enfin, à la fin || *ultima,* n. pl., la fin; ***b)*** [en parl. du classement] le plus grand, le plus élevé, du dernier degré: *summum bonum, quod ultimum appello,* le souverain bien que j'appelle le dernier, le suprême || *ultimum,* n., le plus haut point, le plus haut degré; *ad ultimum,* jusqu'au dernier point || *ultima,* n. pl., les dernières extrémités; ***c)*** le dernier, le plus bas, le plus infime.

ultio, *onis,* f. *(ulciscor),* vengeance, action de tirer vengeance, punition infligée comme vengeance.

ultor, *oris,* m. *(ulciscor),* vengeur, qui tire vengeance, qui punit || *Ultor,* le Vengeur [Mars].

ultra *(uls, ulter),*
I. adv., **1.** de l'autre côté, au-delà: *nec citra nec ultra,* ni en avant ni en arrière || **2.** par-delà, plus loin, en avant.
II. prép. acc., **1.** au-delà de, de l'autre côté de || **2.** au-delà de [sens temporel]: *ultra Socratem usque duravit,* il continua à vivre après Socrate || **3.** [en parl. de nombre, de mesure, etc.] au-delà de, au-dessus de, plus que: *ultra modum,* outre mesure.

ultrix, *icis,* f. de *ultor,* vengeresse.

ultro *(ulter),* **1.** en allant au-delà, de l'autre côté || [d'ordinaire joint à *citro* et primitiv. avec idée de mouvement]: *ultro et citro cursare,* courir dans un sens et dans l'autre; *ultro citro commeare,* circuler ici et là; *beneficia ultro et citro data, accepta,* les bienfaits donnés et reçus avec réciprocité || **2.** ***a)*** en allant plus loin, par-dessus le marché, de plus, en outre; ***b)*** en prenant les devants, en prenant l'offensive, de son propre mouvement, de soi-même.

ultrotributa, v. *ultro* fin.

ultus, *a, um,* part. de *ulciscor.*

ulula, *æ,* f. *(ululo),* chat-huant, effraie.

ululabilis, *e (ululo),* perçant.

1. ululatus, *a, um,* part. de *ululo.*

2. ululatus, *us,* m. *(ululo),* hurlement, cri perçant: *ululatum tollere,* pousser des hurlements || cris de lamentation.

ululo, *are, avi, atum,*
I. intr., **1.** hurler || vociférer || **2.** retentir de hurlements.

II. tr., **1.** appeler par des hurlements || **2.** faire retentir de hurlements.

ulva, *æ*, f., ulve.

umbella, *æ*, f., dimin. de *umbra*, ombrelle.

umbilicus, *i*, m., **1.** nombril || **2.** le milieu, le point central, le centre: *orbis terrarum*, ou *Græciæ* [en parl. de Delphes], le nombril de la terre, de la Grèce || ombilic [bouton aux extrémités du cylindre qui servait à enrouler les manuscrits, d'où le cylindre lui-même || coquillage.

umbo, *onis*, m., **1.** bosse d'un bouclier || **2.** bouclier || **3.** coude.

umbra, *æ*, f., **1.** ombre: *platani umbra*, ombre d'un platane; *umbram suam metuere*, craindre son ombre || **2.** ***a)*** ombre en peinture; ***b)*** ombre d'un mort, fantôme, spectre; pl. *umbræ matris*, l'ombre d'une mère; ***c)*** lieu ombragé, ombrage || la vie à l'ombre || **3.** ***a)*** ombre, apparence; ***b)*** protection, asile, secours.

umbraculum, *i*, n. *(umbra)*, **1.** lieu ombragé || pl. *umbracula*, ombrages de l'école, école || **2.** parasol, ombrelle.

umbraticus, *a, um (umbra)*, qui vit à l'ombre, qui est à l'ombre || fait à l'ombre du cabinet, chez soi, à loisir.

umbratilis, *e (umbra)*, qui reste à l'ombre, désœuvré, oisif: *umbratilis vita*, vie d'oisiveté || loin du soleil, qui se passe à l'ombre de l'école, dans le silence du cabinet.

umbratus, *a, um*, part. de *umbro*.

umbrifer, *era, erum*, qui donne de l'ombre.

umbro, *are, avi, atum (umbra)*, tr., donner de l'ombre à, couvrir d'ombre, ombrager.

umbrosus, *a, um (umbra)*, **1.** ombragé, ombreux || sombre, obscur || pl. n. *umbrosa*, pénombre || **2.** qui donne de l'ombre, ombreux.

umecto, umerus, umidus, umor, v. *hum-*.

umquam (unquam), un jour, quelquefois [dans les propos. négatives ou interrogatives ou conditionnelles]: *nihil umquam*, jamais rien; *nemo umquam*, jamais personne; *si umquam*, si jamais.

una, adv. *(unus)*, ensemble de compagnie, en même temps || *una et probabit et...*, en même temps, tout à la fois et il approuvera et il... || [très souvent accompagne *cum*]: *cum illis una*, de concert avec eux, en même temps qu'eux.

unaetvicesima legio, f., la vingt et unième légion.

unaetvicesimani, *orum*, m., les soldats de la vingt et unième légion.

unanimitas, *atis*, f. *(unanimus)*, accord, harmonie, concorde.

uncia, *æ*, f., la douzième partie d'un tout, **1.** once, douzième de la livre || [mesure agraire] douzième du jugerum || [mesure de longueur] un pouce || **2.** un douzième [en parl. d'héritage] || intérêt d'un douzième pour cent par mois (= 1 p. 100 par an) || **3.** une petite quantité.

uncialis, *e (uncia)*, d'un douzième; d'une once [poids]; d'un pouce.

unciarius, *a, um (uncia)*, d'un douzième: *unciarium fenus*, intérêt d'un douzième pour cent par mois = 1 p. 100 par an.

unciatim *(uncia)*, adv., once par once || sou par sou.

uncinatus, *a, um*, crochu, recourbé en crochet.

unctio, *onis*, f. *(ungo)*, **1.** action d'oindre, friction || lutte, exercice [du gymnase] || **2.** onguent, huile à friction.

unctor, *oris*, m. *(ungo)*, esclave qui frotte d'huile ou d'essence, qui frictionne.

unctorium, *ii*, n. *(ungo)*, lieu où l'on frotte d'huile ou d'essence, salle de frictions.

unctum, *i*, n. *(unctus)*, **1.** huile pour frictions, onguent || **2.** bonne chère, bon dîner.

unctura, *æ*, f. *(ungo)*, action d'oindre [un cadavre], de parfumer.

unctus, *a, um*, **1.** part. de *ungo* || **2.** adj., ***a)*** rendu gras, huileux || oint, parfumé; ***b)*** riche, opulent.

1. uncus, *a, um*, recourbé, crochu.

2. uncus, *i*, m., **1.** crochet, crampon, grappin || [poét.] ancre || **2.** bâton terminé par un croc avec lequel on traînait aux gémonies, croc.

unda, *æ*, f., **1.** eau agitée, onde, flot, vague || **2.** ***a)*** ondes de l'air || vagues de fumée; ***b)*** agitation d'une foule, vagues, remous || **3.** onde, eau.

undabundus, *a, um (undo)*, houleux, orageux.

undatim, adv. *(undatus)*, [fig.] en formant des ondulations, avec des veines || par troupes, par bandes.

unde, adv. relatif-interrogatif de lieu (prim. *cunde*), d'où:

I. A) relatif: *ibi, unde*, à l'endroit d'où, *inde venire, unde*, venir de l'endroit

d'où; *eodem referri, unde,* être ramené au même point d'où;
B) interrogatif, **1.** employé dans l'interrog. [directe]: *unde dejectus est?* d'où a-t-il été rejeté? || **2.** [interr. indir.] *respondit unde esset,* il répondit d'où il était.
II. employé d'une manière gén. comme substitut du relatif-interrogatif accompagné de *ex* ou de *ab* ou de *de*:
A) relatif: *ille ipse, unde rem cognovit,* cette personne même dont il tient le renseignement *(= a quo)*; *is unde petitur,* celui qui est l'objet d'une plainte;
B) interrogatif, **1.** [interr. dir.] *unde eos noverat?* d'où *(ex qua re),* par suite de quelles circonstances les connaissait-il?|| **2.** [interr. indir.] d'où (l'origine).

undecentesimus, *a, um,* quatre-vingt-dix-neuvième.

undecentum, indécl. *(unus, de, centum),* quatre-vingt-dix-neuf [cent moins un].

undecies, adv. *(unus, decies),* onze fois.

undecim, indécl. *(unus, decem),* onze; *undecim viri,* les onze [magistrats d'Athènes chargés de la surveillance de la prison et de l'exécution des jugements criminels].

undecimus, *a, um (undecim),* onzième.

undecimviri, *orum,* m., v. *undecim.*

undecumani, *orum,* m., soldats de la onzième légion.

undecumque (-cunque), adv., **1.** relatif indéterminé, de qq. endroit que || **2.** qqf. adverbe indéfini: de n'importe quel endroit.

undeni, *æ, a,* numéral distrib., chacun onze.

undenonagesimus, *a, um,* quatre-vingt-neuvième.

undenonaginta, indécl., quatre-vingt-neuf.

undeoctoginta, indécl., soixante-dix-neuf.

undequadragesimus, *a, um,* trente-neuvième.

undequadragies, ou **iens,** adv., trente-neuf fois.

undequadraginta, indécl., trente-neuf.

undequinquagesimus, *a, um,* quarante-neuvième.

undequinquaginta, indécl., quarante-neuf.

undesexaginta, indécl., cinquante-neuf.

undetricesimus (-trige-), *a, um,* vingt-neuvième.

unde unde, c. *undecumque.*

undeviceni, *æ, a,* chaque fois dix-neuf.

undevicesimus (-gesimus), *a, um,* dix-neuvième.

undeviginti, indécl., dix-neuf.

undique *(unde* et *que),* adv., **1.** de toutes parts, de tous côtés: *undique eo conveniunt,* de toutes parts ils viennent s'assembler là || **2.** *ab* ou *ex omni parte,* de toutes parts, sous toutes les faces, à tous égards || **3.** *undique versus* ou *versum,* dans toutes les directions, de tous côtés.

undo, *are, avi, atum (unda),* **1.** intr., ***a)*** rouler des vagues, se soulever, être agité; ***b)*** = *abundare,* abonder, *aliqua re,* de qqch.; ***c)*** ondoyer, être ondoyant || flotter; ***d)*** être agité || **2.** tr., inonder.

undose, inus., *undosius,* avec plus de vagues.

undosus, *a, um (unda),* plein de vagues, agité, houleux.

unetvicesimani, *orum,* m., soldats de la 21e légion.

unetvicesimus, *a, um,* vingt et unième.

ungo (unguo), *ere, unxi, unctum,* tr., **1.** oindre, enduire, frotter de || frictionner et parfumer, après le bain || oindre, parfumer le corps d'un défunt || **2.** mettre de la graisse dans: *caules oleo,* assaisonner d'huile des choux || **3.** imprégner.

unguen, *inis,* n. *(ungo),* corps gras, graisse.

unguentaria, *æ,* f. *(unguentarius),* parfumeuse.

unguentarium, *ii,* n. *(unguentarius),* argent pour acheter des parfums.

unguentarius, *a, um (unguentum),* relatif aux parfums: *unguentaria taberna,* boutique de parfumeur || subst. m., parfumeur.

unguentatus, *a, um,* parfumé.

unguentum, *i,* n. *(ungo),* parfum liquide, huile parfumée, essence; sing. et pl.

unguiculus, *i,* m. (dimin. de *unguis*), ongle [de la main ou des pieds] || *a teneris unguiculis,* depuis tes premiers ongles = depuis l'âge le plus tendre; *ab unguiculo ad capillum,* des pieds à la tête.

unguinosus, *a, um (unguen),* gras, onctueux.

unguis, *is,* m., **1.** ongle || **2.** [express. prov.] ***a)*** *ab imis unguibus usque ad* *verticem*, des pieds à la tête; ***b)*** *ab aliqua re traversum unguem non discedere*, ne pas s'écarter de qqch. de l'épaisseur d'un ongle = d'un pouce, d'une ligne; ***c)*** *ad unguem carmen castigare*, châtier, corriger un poème jusqu'à la perfection: *in unguem*, parfaitement.

ungula, *æ*, f. *(unguis)*, **1.** griffe, serre, ongle, sabot || **2.** cheval.

unguo, v. *ungo*.

unicaulis, *e*, qui n'a qu'une tige.

unice *(unicus)*, d'une manière unique, exceptionnelle, tout particulièrement.

unicolor, *oris*, adj., qui est d'une seule couleur.

unicornis, *e (unus, cornu)*, unicorne.

unicus, *a, um (unus)*, **1.** unique, seul: *unicus filius, unica filia*, fils unique, fille unique || **2.** unique, incomparable, sans pareil, sans égal.

uniformis, *e (unus, forma)*, simple, uniforme.

unigena, *æ*, adj. m. f., né seul, unique.

unimanus, *a, um*, qui n'a qu'une main.

1. unio, *ire (unus)*, tr., unir, réunir.

2. unio, *onis*, m., grosse perle.

unitas, *atis*, f. *(unus)*, **1.** unité || **2.** identité || **3.** unité de sentiments.

unitus, *a, um*, part. de *unio*.

uniusmodi, mieux **unius modi,** d'une même espèce.

universalis, *e (universus)*, universel, général.

universe, adv., généralement, en général.

universitas, *atis*, f. *(universus)*, **1.** universalité, totalité, ensemble || **2.** *universitas (rerum)*, l'ensemble des choses, l'univers.

universus, *a, um (unus* et *versus*; contraire *diversus)*, tout entier: ***a)*** sing., considéré dans son ensemble, général, universel; ***b)*** pl., ensemble [opp. aux individus]; ***c)*** pl. *universi, orum*, tous ensemble, tous sans exception; ***d)*** n. sing. *universum, i*, ensemble des choses, univers || *in universum*, en général.

unus, *a, um*, gén. *unius*, dat. *uni*, **1.** adj. numéral, un, une; ***a)*** d'ord. au sing. ou avec le pluriel des subst. qui n'ont pas de sing.: *una castra*, un camp; ***b)*** avec les adj. ordinaux: *uno et octogesimo anno mori*, mourir à quatre-vingt-un ans; ***c)*** avec *alter*: *una ex parte..., altera ex parte*, d'un côté..., de l'autre; ***d)*** *unus e* ou *de civibus*, un des citoyens || [le gén. partitif placé après ou avant *unus*] || **2.** ***a)*** subst. m.: l'ensemble || *ad unum*, jusqu'au dernier, sans exception; surtout *omnes ad unum*, tous jusqu'au dernier || *unus de multis* ou *e multis*, un homme de la foule, le premier venu; ***b)*** subst. n.: *unum etiam est, quod me perturbat*, il y a encore une objection qui me trouble || *in unum*, en un point, en un lieu: *in unum conducere, cogere*, rassembler, réunir || **3.** un même, le même: *uno tempore*, en même temps || *una atque eadem causa*, une seule et même cause; *unum atque idem sentire*, avoir une seule et même opinion || **4.** un seul: *legio una*, une seule légion; *unæ litteræ*, une seule lettre || **5.** par excellence || surtout comme renforcement du superlatif: *unus ex omnibus ad dicendum maxime natus*, né plus que personne au monde pour l'éloquence || **6.** sens indéfini = un, quelqu'un: *sicut unus paterfamilias*, comme quelque père de famille; *quivis unus*, qqn, n'importe qui.

unusquisque, *unaquæque, unumquodque (unumquidque* subst.*)*, chaque, chacun, chacune; *unumquidque*, chaque chose.

unxi, pf. de *ungo*.

upupa, *æ*, f., huppe [oiseau].

Urania, *æ*, f., Uranie [muse de l'astronomie] || **Uranie,** *es*, f.

urbane *(urbanus)*, adv., **1.** civilement, poliment, avec urbanité || **2.** délicatement, finement, spirituellement.

urbanitas, *atis*, f. *(urbanus)*, **1.** le séjour de la ville, la vie de Rome || **2.** qualité de ce qui est de la ville: ***a)*** traits caractéristiques de la ville; ***b)*** urbanité, bon ton, politesse de mœurs; ***c)*** langage spirituel, esprit; ***d)*** plaisanterie, farce plaisante.

urbanus, *a, um*, **1.** de la ville, urbain: *prætor urbanus*, préteur urbain; *urbanæ res*, la situation à Rome || *urbanus, i*, m., un citadin, habitant de la ville || **2.** qui caractérise la ville ou l'habitant de la ville || poli, de bon ton, plein d'urbanité || spirituel, fin || plaisant || hardi, qui a de l'aplomb.

urbicus, *a, um (urbs)*, de la ville || de Rome.

urbs, *urbis*, f., **1.** ville [avec une enceinte] || **2.** la ville, Rome; *ab urbe proficisci*, partir de Rome || **3.** *urbs* = les habitants de la ville.

urceus, *i*, m., pot, cruche.

uredo, *inis*, f. *(urgo)*, **1.** nielle ou charbon [maladie des plantes] || **2.** démangeaison.

urgens, *tis*, part. prés. de *urgeo*.

urgeo et **urgueo,** *ere, ursi,* tr., **1.** presser; *urgeo forum*, je foule le forum; *pedem pede urget*, il presse de son pied le pied du fuyard, il le talonne || *naves in Syrtes*, pousser des navires sur les Syrtes || [absol.] *urgent ad litora fluctus*, les flots poussent au rivage, se pressent contre le rivage || **2.** presser, ***a)*** serrer de près, accabler; ***b)*** *urgens senectus*, la vieillesse qui nous presse; *quem scabies urget*, celui que la gale tourmente; ***c)*** resserrer, tenir à l'étroit [une ville, une vallée] || **3.** ***a)*** pousser qqn dans une discussion; serrer de près, accabler, pousser l'épée dans les reins, charger; *urgetur confessione sua*, il est accablé par ses propres aveux; ***b)*** s'occuper avec insistance de qqch.: *ut eumdem locum diutius urgeam*, pour insister un peu plus longtemps sur le même point || mettre en avant avec insistance: *jus*, insister sur le point de vue droit || poursuivre avec opiniâtreté: *propositum*, s'acharner à la poursuite d'un but || saisir avec empressement.

urica, *æ*, f., chenille.

urina, *æ*, f., urine.

urna, *æ*, f., **1.** urne, grand vase à puiser de l'eau || **2.** urne [en gén.], ***a)*** [de vote] || urne du destin; [pour tirage au sort]; ***b)*** urne cinéraire; ***c)*** urne à serrer de l'argent; ***d)*** mesure de capacité = une demi-amphore || une mesure [en gén.].

urnalis, *e (urna)*, qui contient l'urne [mesure de capacité], de la contenance de l'urne.

urnula, *æ*, f. *(urna)*, petite urne.

uro, *ere, ussi, ustum*, tr., **1.** brûler: *uri calore*, être brûlé, desséché par la chaleur || **2.** ***a)*** traiter par le feu, cautériser, brûler; ***b)*** peindre à l'encaustique; ***c)*** consumer par le feu; brûler un mort || brûler une ville, des maisons, des navires || **3.** faire une impression cuisante, faire souffrir || **4.** échauffer, exciter, irriter || mettre sur le gril, tourmenter, inquiéter || déchirer, ronger.

ursa, *æ*, f., ourse, femelle de l'ours || la Grande (ou la Petite) Ourse || ours.

ursi, pf. de *urgeo*.

ursinus, *a, um (ursus)*, d'ours.

ursus, *i*, m., ours [quadrupède].

urtica, *æ*, f., ortie || ortie de mer.

uruca, *æ*, f., chenille des légumes.

urus, *i, m.* [mot celtique], urus ou aurochs.

urvum (urbum), *i*, n., manche de la charrue.

usitate *(usitatus)*, adv., suivant l'usage, conformément à l'usage.

usitatus, *a, um (usitor)*, usité, accoutumé, entré dans l'usage; *usitatum est*, c'est un usage reçu; *usitatum est* avec prop. inf., il est d'usage que.

usitor, *ari*, intr. (fréq. de *utor*), se servir souvent de.

uspiam, adv., en quelque lieu, quelque part.

usquam, en quelque lieu, quelque part; [en gén. dans une prop. négative ou conditionnelle; sans mouv.].

usque, adv.; prép.

I. adverbe, **A)** sans interruption, avec continuité;

B) joint à des prépos. marquant le point de départ ou le point d'arrivée, dans le sens local, temporel, ou dans des rapports divers: **1.** [avec *a, ab*] à partir de, depuis: *usque a Romulo*, à partir de Romulus || **2.** [avec *ex*] *usque ex ultima Syria*, depuis le fond de la Syrie || **3.** [avec *ad*] jusqu'à; *usque ad castra*, jusqu'au camp; *usque ad extremum vitæ diem*, jusqu'au dernier jour de la vie || **4.** avec *in* acc., jusque dans, jusqu'en || **5.** [avec *trans*] *trans Alpes usque*, jusqu'au-delà des Alpes || **6.** [avec des adv. de lieu correspondant aux prépos.] *usque istinc*, à partir de l'endroit où tu es || *usque eo... quoad*, jusqu'à ce que; *usque eo... ut*, jusqu'au point que, à tel point que; *usque adeo ut*, à tel point que || **7.** [avec abl. sans prép.] *usque Tmolo*, depuis le Tmolus || **8.** [avec noms de ville, acc. sans prép.] *usque Romam*, jusqu'à Rome.

II. préposition, *usque Siculum mare*, jusqu'à la mer de Sicile; *usque Jovem*, jusqu'à Jupiter.

usquequaque, adv., **1.** partout, en tout lieu || **2.** en toute occasion.

ussi, pf. de *uro*.

usta, *æ*, f. *(ustus)*, cinabre brûlé.

ustio, *onis*, f. *(uro)*, brûlure || cautérisation || inflammation [d'une partie du corps].

ustor, *oris*, m. *(uro)*, brûleur de cadavres.

ustus, part. de *uro*.

1. usucapio (ou **usu capio**), *ere, cepi, captum*, tr., acquérir par usucapion (par prescription).

2. usucapio, *onis*, f., usucapion, manière d'acquérir par la possession prolongée.

usucaptus, *a, um*, part. de *usucapio*.

usura, *æ*, f. *(utor)*, **1.** usage, faculté d'user, jouissance de qqch. || **2.** usage du capital prêté, jouissance de l'argent sans intérêt || **3.** intérêt d'un capital prêté [chez les Romains calculé par mois].

usurpatio, *onis*, f. *(usurpo)*, usage, emploi.

usurpator, *oris*, m. *(usurpo)*, celui qui usurpe [qqch.], usurpateur.

usurpatus, *a, um*, part. de *usurpo*.

usurpo, *are, avi, atum (usu, rapio)*, tr., **1.** faire usage de, user de, se servir de, employer: *alicujus memoriam*, se rappeler le souvenir de qqn || **2.** ***a)*** pratiquer, avoir l'usage de qqch. par les sens; ***b)*** [droit] prendre possession: *amissam possessionem*, recouvrer un bien perdu; ***c)*** s'arroger illégalement, usurper || **3.** appeler, désigner.

1. usus, *a, um*, part. de *utor*.

2. usus, *us*, m. *(utor)*, **1.** action de se servir, usage, emploi: *usus urbis*, l'usage = le séjour de la ville || **2.** [droit] faculté d'user, droit d'usage || *usus fructus, usus et fructus, usus fructusque*, usufruit de la propriété d'autrui || **3.** usage = exercice, pratique || **4.** usage, expérience: *usum rei militaris, usum belli habere*, avoir la pratique de l'art militaire, l'expérience de la guerre || **5.** usage [en matière de langue] || **6.** usage = utilité: *usum habere ex aliqua re*, tirer usage, utiliser qqch.; *usui esse alicui*, être utile à qqn; *usui esse ad rem*, servir à qqch.; *ex usu alicujus esse*, être utile à qqn; *ex usu est prœlium committi*, il est avantageux que le combat soit engagé || **7.** besoins || [expressions] ***a)*** *usus est* = *opus est: cum usus est*, quand c'est nécessaire; *si quando usus est*, si besoin est; ***b)*** *usus venit*, le besoin, la nécessité se présente; *si usus venit*, si besoin est; ***c)*** *usu venit*, v. *usuvenit* || **8.** relations: *quocum mihi est magnus usus*, avec qui j'ai beaucoup de relations.

usuvenit (ou **usu venit**), *ire*, intr., venir à usage, à expérience; arriver, se présenter.

ut, plus anc. **uti,**

I. adverbe relatif-interrogatif (exclamatif) et indéfini,

A) adv. relatif, **1.** comme, de la manière que: *si virtus digna est... ut est*, si la vertu est digne..., comme elle l'est réellement; [en corrél. avec *sic, ita*]: *sic (ita)... ut*, de même que; *ut... sic (ita)*, de même que... de même, v. *sic, ita* || *ut... sic (ita)* [avec idée d'oppos.], si... du moins, en revanche || *ut... sic (ita)*, et surtout *ut quisque* avec le superl. *sic (ita)* avec le superl. [marquant une proportion], selon que... ainsi, plus... plus...: *ut quisque ætate antecedebat, ita sententiam dixit ex ordine* = chacun exprima son avis dans l'ordre de préséance que l'âge conférait || *eruditus sic, ut nemo magnis*, savant tel que personne ne l'était davantage || par exemple, ainsi, comme: *in libero populo, ut Rhodi, ut Athenis*, chez un peuple en république, comme à Rhodes, comme à Athènes || **2.** comme = en tant que, dans la pensée que, avec l'idée que: *canem et felem ut deos colunt*, ils honorent le chien et le chat comme des dieux || **3.** en tant que, étant donné que, vu que: ***a)*** surtout avec *est, erat* [sorte de parenth. explicative]: *magnifice, ut erat copiosus...*, somptueusement, vu sa richesse; ***b)*** [sans verbe] étant donné, vu, eu égard à; *Diogenes liberius, ut Cynicus*, Diogène, un peu librement, en philosophe cynique qu'il était [répondit] || **4.** en tant que; [joint au relatif, *ut qui*, suivi du subj.] vu qu'il, car il.

B) employé comme interrog., **1.** [direct ou exclamatif] comment, comme, de quelle manière: *ut totus jacet!* comme il est totalement effondré || **2.** [indirect]: *videmusne, ut pueri aliquid scire se gaudeant?* voyons-nous comment les petits-enfants prennent plaisir à savoir?

C) adverbe indéfini, en qq. manière, **1.** [avec le subj. de souhait] litt., puisse en qq. manière, d'une manière ou d'une autre: *ut te di deæque perduint!* puissent les dieux et les déesses causer ta perte! || **2.** [dans une prop. interrog. avec le subj. de protestation] est-il admissible en qq. manière que? *te ut ulla res frangat!* l'apparence que rien te brise! || **3.** [dans des prop. au subj. de supposition ou de concession] à supposer que, en admettant que.

II. conj. **A)** avec ind.; [sens temporel] ***a)*** quand || *ut primum*, aussitôt que, ou *statim, ut*, ou *simul ut*, ou *continuo, ut*; ***b)*** depuis que [avec pf. ind.] *ut ab urbe discessi...*, depuis mon départ de la ville...

B) conj. avec subj., **1.** voir à **I. C)** § 1 et 3 *ut* = *utinam* et *ut*, à supposer que || **2.** construction de certains verbes: ***a)*** verbes de volonté, d'activité, etc., v. *opto, impero, rogo, hortor*, etc.; ***b)*** verbes de crainte, *ut* = *ne non*, v. *timeo*; ***c)*** après des expressions impers. ou indéterminées: *convenit, placet, accidit, in eo est, in eo res est*, etc. || **3.** [nuance finale] afin que, pour que ||

[avec *idcirco*] *idcirco... ut*, pour que [ou avec *ideo*]; [ou avec *eo*]; [ou avec *propterea*] || **4.** [nuance consécutive] de telle sorte que, en sorte que, si bien que, de manière que; ***a)*** [en corrél. avec *sic, ita*] tellement que, à tel point que [voir ces mots]; ***b)*** [avec *adeo, tam, usque eo, tantopere, hactenus, ejusmodi*, v. ces mots]; [avec *eo, huc, illuc*]: *causa nostra eo jam loci erat, ut*, ma situation était à un point tel que; *rem huc deduxi, ut*, j'ai amené les affaires à une situation telle que; ***c)*** [avec *talis, tantus, tot, tam multi*, v. ces mots]; [avec les démonstratifs *is, hic, ille, iste*, et alors *ut* équivaut souvent au français «à savoir»]: *caput illud est, ut... recipias*, l'essentiel est que tu reçoives...; ***d)*** *ut non* = sans que; ***e)*** [formule de prétérition] *ut plura non dicam*, sans rien dire de plus; *ut aliud nihil dicam*, sans rien dire d'autre; ***f)*** [l'adjonction de *ne* à *ut* consécutif ajoute une idée d'intention, de but]: *caput est hoc, ut ne expectes*, le principal point le voici, n'attends pas...; *ita... ut ne*, à condition de ne pas, avec cette réserve que ne pas; ***g)*** [comparatif suivi de *quam ut*] trop pour.

utcumque (-cumque, arch. **-quomque),** **1.** adv. relatif indéterminé, ***a)*** de quelque manière que; ***b)*** selon que; ***c)*** chaque fois que || **2.** adv. indéfini, de toute façon, bon gré mal gré || tant bien que mal.

utendus, *a, um*, adj. verbal de *utor*.

utens, *tis*, **1.** part. de *utor* || **2.** adj., qui possède, pourvu, riche.

utensilis, *e (utor)*, utile, nécessaire à nos besoins || pl. n. **utensilia,** *ium*, tout ce qui est nécessaire à nos besoins [meubles, ustensiles; moyens d'existence, provisions].

1. uter, *utra, utrum*, gén. *utrius*, dat. *utri*, **1.** pronom relatif, celui des deux qui, celle des deux qui || **2.** employé comme interrogatif, ***a)*** [direct] qui des deux? *uter nostrum?* qui de nous deux? || *utrum mavis? statimne..., an...?* laquelle des deux choses aimes-tu le mieux? est-ce tout de suite... ou bien...? || ***b)*** [indirect]: *quærere, uter utri insidias fecerit*, chercher qui des deux a tendu des embûches à l'autre.

2. uter, *tris*, m., outre [pour liquides] || [pour traverser un cours d'eau] || [un vaniteux].

utercumque (-cunque), *utracumque, utrumcumque*, **1.** [pron. rel. indét.] quel que soit celui des deux qui || **2.** [indéfini] *utrocumque modo*, d'une manière ou de l'autre.

uterlibet, *utralibet, utrumlibet*, pron. indéf., n'importe lequel des deux.

uterque, *utraque, utrumque*, gén. *utriusque*, dat. *utrique*, chacun des deux, l'un et l'autre [adj. et subst.], **1.** sing., *in utramque partem disserere*, disserter dans l'un et l'autre sens (pour et contre); *utraque lingua*, les deux langues [grec et latin] || *uterque nostrum*, chacun de nous deux || [avec le v. au pl.] || [idée de réciprocité] || **2.** pl., ***a)*** [rar.] *utrique imperatores*, les deux généraux; ***b)*** [ord., quand il s'agit de deux groupes].

uterus, *i*, m., **1.** sein ou ventre de la mère || sein de la terre || **2.** ventre, flanc.

utervis, *utravis, utrumvis*, pron. indéf., celui des deux que tu voudras, n'importe lequel des deux.

uti, v. *ut*.

Utica, *æ*, f., Utique [ville maritime de la Zeugitane] || **-ensis,** *e*, d'Utique; [surnom du second Caton]; m. pl., les habitants d'Utique.

utilis, *e (utor)*, qui sert, utile, profitable, avantageux || [constr.] ***a)*** dat., *alicui*, utile à qqn; *alicui rei*, utile à qqch., qui sert à qqch.; ***b)*** *ad rem*, utile, bon à qqch., en vue de qqch.; ***c)*** [avec inf. poét.] *tibia adesse choris erat utilis*, la flûte suffisait à soutenir les chœurs; ***d)*** n. *utile*, l'utile, ou *utilia* || *utile est* avec inf., il est utile de; *utile est* [avec prop. inf.], il est utile que.

utilitas, *atis*, f. *(utilis)*, utilité, avantage, profit, intérêt.

utiliter, utilement, avantageusement, d'une manière profitable.

utinam, adv. (renforc. de l'adv. *uti*, employé avec le subj. de souhait), fasse le ciel que, plaise (plût) aux dieux que: [avec subj.] *utinam incumbat...*, puisse-t-il s'appliquer...; *utinam haberetis*, plût au ciel que vous eussiez = que n'avez-vous... || [ellipse du v.] || [avec nég. *ne*, qqf. *non*].

utique, adv. indéfini, comment qu'il en soit, ***a)*** en tout cas, de toute façon; ***b)*** à toute force; ***c)*** surtout.

utor, *uti, usus sum*, intr. [tr. arch.], **1.** se servir de, faire usage de, user de, utiliser, employer || [avec deux abl.]: *vel imperatore vel milite me utimini*, mettez-moi à contribution à votre gré, comme général ou comme soldat || **2.** [en part.] ***a)*** être en relation avec qqn: *aliquo familiarissime*, avoir avec qqn les relations les plus intimes || fréquenter; ***b)*** [avec un second abl.

attribut] : *me uteris amico*, tu trouveras en moi un ami.

utpote, adv., comme il est possible, comme il est naturel, **1.** [joint d'ordin. au relatif] *utpote qui*, vu qu'il [nuance causale, avec subj.] || **2.** [joint à *cum*] = vu que || **3.** [joint à un part. ou à un adj.] parce que, en tant que : *utpote capta urbe*, parce que la ville était prise.

utralibet, adv., d'un côté ou de l'autre.

utrarius, *ii (uter 2)*, m., porteur d'eau [dans des outres].

utricularius, *ii*, m., joueur de cornemuse.

utrimque (utrinque), adv., de part et d'autre, des deux côtés.

utro, adv., **1.** vers (de) l'un des deux côtés || **2.** [interrog. indir.] vers lequel des deux côtés.

utrobique (utrubique), adv., des deux côtés.

utrolibet, adv., vers n'importe lequel des deux côtés.

utroque, adv., vers l'un et l'autre côté, dans les deux directions, dans les deux sens.

utrum, **1.** n. de *uter* ; [interrog.] litt. = laquelle des deux choses ? || **2.** adv. d'interr. double dir. et indir., ***a)*** [dir.] *utrum... an ?* est-ce que ou bien ? [indir.] si... ou si ; ***b)*** *utrum* suivi de *ne... an*, même sens ; ***c)*** *utrum... necne*, est-ce que... ou non ? si ou non || **3.** qqf. interr. simple, ***a)*** [dir.] est-ce que ? ; ***b)*** [indir.] si.

uva, *æ*, f., **1.** raisin || grappe de raisin || **2.** vigne || **3.** grappe.

uvesco, *ere*, intr., devenir humide, moite.

uvidus, *a, um*, humide, moite, mouillé || arrosé, rafraîchi || qui a bu, humecté.

uxor, *oris*, f., épouse, femme mariée, femme : *uxorem ducere*, se marier.

uxorius, *a, um*, d'épouse, de femme mariée : *res uxoria*, dot, apport matrimonial.

V, v ; *V* représente le nombre cinq.

vacatio, *onis*, f. *(vaco)*, **1.** exemption, dispense : *dare vacationem sumptus, laboris, militiæ, rerum denique omnium*, exempter des frais, du travail, du service militaire, bref de toutes les charges || *ætatis*, exemption de l'âge, privilège de l'âge [à 60 ans les sénateurs avaient le droit de ne plus assister aux délibérations et de prendre une sorte de retraite]; *adulescentiæ vacationem deprecari*, l'indulgence à laquelle elle a droit || **2.** [en part.] s.-ent. *militiæ*, exemption des charges militaires || **3.** prix de la dispense.

vacca, *æ*, f., vache.

vaccinium, *ii*, n., vaciet || airelle.

vaccinus, *a, um (vacca)*, de vache.

vacillatio, *onis*, f. *(vacillo)*, balancement.

vacillo, *are, avi, atum*, intr., vaciller, branler, chanceler : *ex vino*, chanceler sous le coup de l'ivresse.

vacive *(vacivus)*, à loisir.

vaco, *are, avi, atum*, intr.,

I. être vide, **1.** être libre, inoccupé, vacant || **2.** [avec abl.] être libre de, être sans : *culpa vacare*, n'avoir rien à se reprocher || [avec *ab*].

II. être inoccupé, oisif, **1.** être de loisir || **2.** *vacare alicui rei*, avoir des loisirs pour qqch. || [avec *ad*]; [avec *in* acc.], [d'où] vaquer à qqch., donner son temps à qqch., s'occuper de qqch.

III. impers., le temps ne manque pas, il y a loisir, il est loisible, **1.** [avec inf.] || **2.** [absol.] *tu, cui vacat*, toi qui as du loisir.

vacuatus, *a, um*, part. de *vacuo*.

vacuefacio, *ere, feci, factum (vacuus, facio)*, tr., rendre vide, vider.

vacuitas, *atis*, f. *(vacuus)*, **1.** espace vide || **2.** absence de qqch. : *doloris*, absence de douleur ; *ab angoribus*, exemption des tourments.

vacuo, *are, avi, atum (vacuus)*, tr., rendre vide, vider.

vacuus, *a, um*, **1.** vide, inoccupé : *vacua castra*, camp vide ; subst. n., *vacuum*, le vide ; *per vacuum*, dans une région inoccupée || [avec abl.] || *mœnia vacua defensoribus*, murs sans défenseurs || [avec *ab*] *oppidum vacuum ab defensoribus*, ville sans défenseurs || [avec gén.] *ager frugum vacuus*, champ sans moissons || **2.** libre, sans maître, vacant || **3.** libre de, débarrassé de, sans, ***a)*** [avec abl.] *curis vacuus*, sans soucis ; ***b)*** [avec *ab*] *ab omni molestia vacuus*, libre de toute inquiétude || **4.** libre de toute occupation, libre, inoccupé, de loisir || *vacuum Tibur*, Tibur paisible || **5.** libre de préoccupation || **6.** libre = ouvert, accessible ; *vacuum mare*, mer libre (non gardée) || **7.** vide = sans réalité, vain, sans valeur.

vadatus, *a, um*, part. de *vador*.

vadimonium, *ii*, n. *(vas 1)*, engagement pris en fournissant caution ; [quand il y a *in jus vocatio*, citation à comparaître devant le magistrat, la partie citée prend l'engagement avec caution, *vadimonium*, de comparaître à jour dit ; d'où] *vadimonium* = promesse de comparaître : *ad vadimonium venire*, se présenter suivant l'engagement pris ; *vadimonium deserere*, faire défaut.

vado, *ere*, intr., marcher, aller, s'avancer : *ad aliquem*, aller trouver qqn.

vador, *ari, atus sum (vas 1)*, tr., obliger qqn à comparaître en justice en lui faisant donner caution, assigner à comparaître || abl. absol. n. *vadato* = caution ayant été fournie, après engagement pris.

vadosus, *a, um (vadum)*, qui a beaucoup de gués, souvent guéable.

vadum, *i*, n., **1.** gué, bas-fond || **2.** ***a)*** bas-fonds, passe dangereuse ; ***b)*** endroit guéable = sécurité || **3.** fond de la mer, d'un fleuve || eaux, flots.

væ, interj., las ! hélas ! ah ! || [avec un dat.] *væ victis !* malheur aux vaincus !

væc-, væg-, v. *ve-*.

væneo, vænum, v. *ve-*.

vafer, *fra, frum*, fin, rusé, subtil, habile, adroit ; *-ferrimus*.

vaframentum, *i*, n. *(vafer)*, ruse, adresse.

vafre *(vafer)*, adv., avec ruse.

vafritia, *æ*, f. *(vafer)*, finesse [d'esprit].

vagatio, *onis*, f. *(vagor)*, vie errante || changement.

vagatus, *a, um*, part. de *vagor*.

vage, adv., çà et là, de côté et d'autre.

vagina, *æ*, f., **1.** gaine, fourreau || **2.** gaine, étui, enveloppe.

vaginula, *æ*, f., balle du blé.

vagio, *ire, ivi* ou *ii, itum*, intr., vagir, crier.

vagitus, *us*, m. *(vagio)*, vagissement, cri.

vagor, *ari, atus sum (vagus)*, intr., **1.** aller çà et là, errer : *in agris*, errer dans les champs || **2.** ***a)*** se répandre, s'étendre au loin, circuler : *vagabitur tuum nomen longe atque late*, ton nom s'étendra au loin en tous sens ; ***b)*** errer, flotter || aller à l'aventure, sans ordre précis, prendre ses aises.

vagus, *a, um*, **1.** vagabond, qui va çà et là, qui va à l'aventure, errant || **2.** ***a)*** flottant, inconstant, ondoyant ; ***b)*** indéterminé, indéfini.

valde (sync. de *valide*), fort, beaucoup, grandement [avec les v., les adj. et les adv.].

vale, valete, impér. de *valeo*, **1.** porte-toi bien, portez-vous bien [formule d'adieu] || [en part. à la fin des lettres] adieu || *æternum vale !* adieu pour jamais ! || *supremum vale dicere*, dire le dernier adieu.

valedico, *ere, dixi* [ou en deux mots], intr., dire adieu, *alicui*, à qqn.

valens, *tis*, **1.** part. prés. de *valeo* || **2.** adj., ***a)*** fort, robuste, vigoureux ; ***b)*** bien-portant, en bon état ; subst. *valentes*, les gens bien-portants ; ***c)*** puissant.

valenter *(valens)*, fortement, puissamment || avec force, de façon expressive.

valeo, *ere, ui, itum*, intr., **1.** être fort, vigoureux : *plus potest, qui plus valet*, il peut le plus, celui qui est le plus fort || [avec inf.] avoir la force de || **2.** [métaph.] être fort, puissant, avoir de la valeur, etc. ; *amicis*, être puissant par ses amitiés : *apud aliquem multum, plus, minus*, avoir sur qqn beaucoup, plus, moins d'influence ; *ignari quid virtus valeret*, ignorer le pouvoir de la vertu ; *mos majorum, ut lex, valebat*, l'usage des ancêtres avait force de loi || **3.** ***a)*** s'établir, se maintenir, régner ; ***b)*** avoir trait à, viser à : *id eo valet, ut*, cela vise à ce que || [en part.] *valere in aliquem*, viser qqn, s'adresser à qqn ; ***c)*** valoir [en parl. d'argent] ; ***d)*** avoir une signification, un sens [en parl. d'un mot] : *verbum Latinum idem valet*, le mot latin a le même sens ; ***e)*** [avec inf.] pouvoir, être en état de || **4.** ***a)*** se bien porter, être en bonne santé : *qui valuerunt*, ceux qui furent en bonne santé ; *corpore valere*, être bien-portant physiquement || [abrév. en tête de lettre] S. V. B. E. E. V., *si vales, bene est, ego valeo*, si tu vas bien, tant mieux, moi, je vais bien ; ***b)*** [formule d'adieu] v. *vale, valete* ; ***c)*** [fin de lettre] *cura ut valeas*, prends soin de ta santé ; ***d)*** [pour repousser qqch.] *valeat res ludicra, si...*, adieu le théâtre, si ; *quare ista valeant*, laissons donc tout cela de côté.

valesco, *ere, lui (valeo)*, intr., devenir fort.

valetudinarium, *ii*, n., infirmerie, hôpital.

valetudinarius, *a, um (valetudo)*, malade || subst. m., un malade.

valetudo, *inis*, f. *(valeo)*, **1.** état de santé, santé : *integra valetudine esse*, être en parfaite santé ; *bona valetudo*, bonne santé ; *optima valetudine uti, valetudine minus commoda uti*, se porter à merveille, être un peu mal-portant ; *incommoda valetudo, infirma, ægra*, santé mauvaise, chancelante, maladive || **2.** bonne santé ; *valetudinem amittere*, perdre la santé || **3.** mauvaise santé, maladie, indisposition : *excusatione uti valetudinis*, alléguer sa santé comme excuse.

valide, adv. *(validus)*, beaucoup, fortement, grandement || parfaitement, oui, sans doute, à merveille [dans le dialogue].

validus, *a, um (valeo)*, fort, robuste, vigoureux || bien-portant || efficace, puissant, qui agit avec force || violent, impétueux.

valiturus, *a, um*, part. fut. de *valeo*.

vallaris, *e (vallum)*, de rempart, de retranchement.

vallatus, *a, um*, part. de *vallo*.

vallis et **valles,** *is*, f., vallée, vallon.

vallo, *are, avi, atum (vallus* ou *vallum)*, tr., **1.** entourer de palissade, de retranchements, fortifier, retrancher || **2.** [fig.] fortifier, défendre, protéger, armer.

vallum, *i*, n., **1.** palissade [couronnant l'*agger*]: *aggerem ac vallum exstruere*, établir une levée de terre et une palissade || retranchement [levée et palissade], rempart || **2.** défense.

1. vallus, *i*, m., **1.** pieu, échalas, palis || **2.** pieu à palissade || palissade.

2. vallus, *i*, f., petit van.

valui, pf. de *valeo* et de *valesco*.

valvæ, *arum*, f., battants d'une porte, porte à double battant.

valvulæ (-volæ), *arum*, f. *(valva)*, cosse [surtout de la fève], gousse, silique.

vanesco, *ere (vanus)*, intr., s'évanouir.

vanidicus, *a, um (vanus, dico)*, menteur, hâbleur.

vaniloquentia, *æ*, f. *(vaniloquus)*, paroles futiles, bavardage || jactance, fanfaronnades, vanteries || vanité.

vaniloquus, *a, um (vanus, loquor)*, plein de jactance, fanfaron.

vanitas, *atis (vanus)*, f., état de vide, de non-réalité, **1.** vaine apparence, mensonge || paroles creuses, trompeuses || tromperie, fraude || **2.** vanité, frivolité, légèreté || inutilité || **3.** jactance, fanfaronnade.

vanities, *ei*, f. *(vanus)*, c. *vanitas*.

vannus, *i*, f., van, ustensile à vanner.

vanus, *a, um*, **1.** vide, où il n'y a rien || **2. a)** creux, vain, sans consistance, sans fondement, mensonger: *vana oratio*, propos creux (sans sincérité); **b)** trompeur, fourbe, imposteur, sans conscience, sans foi; **c)** sans succès, qui n'aboutit à rien; **d)** [avec gén.] *vanus veri*, qui n'est pas en possession de la vérité; **e)** vain, vaniteux; **f)** subst. n. *vanum*, vanité, inutilité, néant: *ad vanum redacta victoria*, victoire réduite à néant; *ex vano*, sans fondement, sans raison.

vapidus, *a, um (vapor)*, éventé.

vapor, *oris*, m., **1.** vapeur d'eau || exhalaison, vapeur, fumée || **2.** bouffées de chaleur, air chaud.

vaporarium, *ii*, n. *(vapor)*, calorifère.

vaporate, adv., chaudement.

vaporatio, *onis*, f., évaporation, exhalaison || transpiration.

vaporatus, part. de *vaporo*.

vaporo, *are, avi, atum (vapor)*, **1.** intr., exhaler de la vapeur || **2.** tr., **a)** remplir de vapeurs || traiter à la vapeur; **b)** échauffer.

vappa, *æ*, f., vin éventé || vaurien.

vapulo, *are, avi, atum*, intr., être battu, étrillé, recevoir des coups.

vara, *æ*, f. *(varus, a, um)*, traverse de bois, chevalet [de scieur de bois].

Vargunteius (-ejus), *i*, m., complice de Catilina.

varia, *æ*, f. *(varius)*, panthère || pie.

variatio, *onis*, f. *(vario)*, action de varier: *sine ulla variatione*, à l'unanimité.

variatus, *a, um*, **1.** part. de *vario* || **2.** adj., *variatior*, plus nuancé.

varico, *are, avi, atum (varicus)*, intr., écarter beaucoup les jambes || enjamber.

varicus, *a, um (varus)*, qui écarte les jambes.

varie *(varius)*, **1.** avec différentes nuances || **2.** d'une manière variée, diverse || avec inconséquence.

varietas, *atis*, f. *(varius)*, variété, diversité || changement d'humeur, inconstance.

vario, *are, avi, atum (varius)*, **1.** tr., varier, diversifier, nuancer || [pass. impers.]: *in aliqua re inter homines variatur*, il y a sur qqch. entre les hommes une diversité d'opinions || **2.** intr., être varié, nuancé, divers; différer, varier || *variante fortuna*, avec des vicissitudes diverses.

1. varius, *a, um*, **1.** varié, nuancé, tacheté, bigarré, moucheté || **2. a)** divers, différent; **b)** abondant, fécond en idées; **c)** mobile, inconstant, changeant.

2. Varius, *ii*, m., nom d'une famille romaine; notamment, L. Varius, poète, ami d'Horace et de Virgile.

varix, *icis*, m. f., varice.

Varro, *onis*, m., Varron, surnom dans la famille Terentia; notamment C. Terentius Varron, battu à Cannes par

Hannibal || M. Terentius Varron, le polygraphe || *P. Terentius Varro Atacinus*, Varron de l'Atax, poète contemporain d'Auguste || **-nianus,** *a, um*, de Varron.

1. **varus,** *a, um*, **1.** tourné en dehors, cagneux || qui a les genoux tournés en dedans et les pieds tournés en dehors, cagneux || recourbé [en gén.] || **2.** opposé, contraire.

2. **varus,** *i*, m., pustule, petit bouton.

3. **Varus,** *i*, m., surnom romain, particulièrement dans la *gens* Quintilia: notamment P. Quintilius Varus, défait par Arminius.

4. **Varus,** *i*, m., le Var, fleuve de la Narbonnaise.

1. **vas,** *vadis*, m., caution en justice, répondant.

2. **vas,** *vasis*, n., pl. **vasa,** *orum*, de l'ancien mot *vasum*, **1.** vase, vaisseau, pot, etc. || vaisselle, meubles || **2.** pl., ***a)*** bagages des soldats; ***b)*** ruches.

vasarium, *ii*, n. *(vas 2)*, **1.** indemnité d'installation || **2.** prix de location d'un pressoir d'huile || **3.** cuve || **4.** archives.

vasarius, *a, um*, relatif aux vases.

vascularius, *ii*, m. *(vasculum)*, fabricant de vases [d'or et d'argent].

vasculum, *i*, n. *(vas 2)*, **1.** petit vase || **2.** capsule [t. de botanique].

vastabundus, *a, um (vasto*, qui ravage.

vastatio, *onis*, f. *(vasto)*, dévastation.

vastator, *oris*, m. *(vasto)*, dévastateur, ravageur, destructeur.

vastatorius, *a, um (vastator)*, qui dévaste, qui ravage.

vastatrix, *icis*, fém. de *vastator*.

vastatus, *a, um*, part. de *vasto*.

vaste *(vastus)*, **1.** grossièrement, de façon gauche, lourde || **2.** au loin.

vastificus, *a, um*, dévastateur.

vastitas, *atis*, f. *(vastus)*, **1.** désert, solitude || **2.** dévastation, ravage, ruine || **3.** grandeur démesurée, taille monstrueuse || vaste dimension || force prodigieuse de la voix || immensité d'une tâche.

vastito, *are, avi, atum*, tr., dévaster souvent.

vastitudo, *inis*, f. *(vastus)*, dévastation, ravage || proportions énormes.

vasto, *are, avi, atum (vastus)*, tr., **1.** rendre désert, dépeupler || **2.** dévaster, ravager, désoler, ruiner.

vastus, *a, um*, **1.** vide, désert || **2.** désolé, dévasté, ravagé || **3.** prodigieusement grand, monstrueux, démesuré || démesuré, insatiable || **4.** sauvage, grossier, inculte.

vates, *is*, m., **1.** devin, prophète || f., devineresse, prophétesse || **2.** poète [inspiré des dieux] || **3.** [fig.] maître dans un art, oracle.

Vaticanus, seul ou joint à **mons, collis,** m., le Vatican [une des sept collines de Rome] || **-nus,** *a, um*, du Vatican.

vaticinatio, *onis*, f. *(vaticinor)*, action de prédire l'avenir, oracle, prophétie.

vaticinator, *oris*, m. *(vaticinor)*, devin.

vaticinium, *ii*, n. *(vates)*, prédiction, oracle.

vaticinor, *ari, atus sum (vates)*, tr., **1.** prophétiser || enseigner avec l'autorité d'un oracle || parler au nom des dieux || **2.** extravaguer, être en délire.

vaticinus, *a, um (vates, cano)*, prophétique.

1. **Vatinius,** *ii*, m., **1.** P. Vatinius, partisan de César, décrié pour ses vices || **2.** cordonnier de Bénévent qui donna son nom à des vases, *Vatinii calices*.

2. **vatinius,** *ii*, m., sorte de vase.

ve [part. enclitique] ou: *albus aterve*, blanc ou noir || *neve = et ne*, v. *neve*.

vecordia (væc-), *æ*, f. *(vecors)*, état contraire à la raison, extravagance, démence.

vecors (væc-), *dis (ve, cor)*, extravagant, insensé.

vectabilis, *e (vecto)*, qu'on peut transporter.

vectabulum, *i*, n. *(vecto)*, chariot, voiture.

vectatio, *onis*, f. *(vecto)*, action d'être transporté [en voiture, en litière].

vectatus, *a, um*, part. de *vecto*.

vectigal, *alis*, n., revenu que l'on tire d'un objet, **1.** redevance [en argent ou en nature que paient à l'État les locataires ou usufruitiers de telle ou telle partie du domaine public], revenus || **2.** redevance perçue en province par un magistrat || **3.** tribut imposé au vaincu || **4.** revenu, rente.

vectigalis, *e (vectigal)*, **1.** relatif aux redevances || **2.** qui paie une redevance, un impôt || **3.** soumis à un tribut || **4.** [à titre privé] qui rapporte de l'argent.

vectio, *onis*, f. *(veho)*, action de transporter.

vectis, *is*, m. *(veho)*, **1.** levier || **2.** barre d'un pressoir || pillon || barre d'une porte, verrou.

vecto, *are, avi, atum (*fréq. de *veho)*,

tr., transporter, traîner || pass., se promener, voyager.

vector, *oris,* m. *(veho),* **1.** celui qui transporte || **2.** passager sur un navire || cavalier.

vectorius, *a, um (vector),* qui sert à transporter, de transport.

vectura, *æ,* f. *(veho),* transport par terre ou par eau || prix du transport.

vectus, *a, um,* part. de *veho.*

Vedius, *ii,* m., nom d'une famille romaine: notamment Vedius Pollion [sous Auguste, connu pour sa cruauté envers ses esclaves].

vegetabilis, *e (vegeto),* vivifiant.

Vegetius, *ii,* m., Végèce [auteur qui a écrit sur l'art militaire] || plus tard un autre qui a écrit sur l'art vétérinaire.

vegeto, *are, avi, atum,* tr., animer, vivifier.

vegetus, *a, um (vegeo),* bien vivant, vif, dispos.

vegrandis, *e,* **1.** qui n'a pas sa grandeur, trop court, trop petit || **2.** qui dépasse la grandeur normale.

vehemens, *tis,* emporté, impétueux, passionné, violent || violent, rigoureux, sévère || véhément || énergique, fort.

vehementer, avec violence, impétuosité, emportement, passion || vivement, instamment, fortement: *vehementer displicere,* déplaire vivement || avec véhémence.

vehementia, *æ,* f. *(vehemens),* véhémence d'un orateur || force, intensité.

vehes, *is,* f. *(veho),* charretée.

vehicularius, *a, um,* de voiture, de charroi.

vehiculum, *i,* n. *(veho),* moyen de transport, véhicule || voiture, chariot.

veho, *ere, vexi, vectum,* tr., **1.** porter, transporter [à dos d'hommes ou d'animaux]; *in equo vehi,* aller à cheval, être monté sur un cheval || **2.** transporter par bateau || **3.** rouler, charrier || **4.** [intr., au part. prés. et au gérondif]: *lectica per urbem vehendi jus,* le droit de se faire transporter en litière dans Rome.

Veii, *orum,* m., Véies [ancienne ville d'Étrurie] || **Veiens,** *tis,* adj., véien; *Veientes,* Véiens || **-entanus,** *a, um,* de Véies.

vel *(volo),* **1.** adv.: ou, si vous voulez; ou: ***a)*** [donne à choisir une expression entre plusieurs]: *vel ejecimus, vel emisimus, vel...,* nous l'avons [je vous laisse le choix de l'expression] ou rejeté ou renvoyé, ou...; ***b)*** [sert à rectifier]: *vel potius, vel etiam, vel dicam, vel ut verius dicam,* etc., ou plutôt, ou même, ou je dirai, ou pour parler plus exactement, etc.; ***c)*** = même; *vel mediocris orator,* l'orateur même de valeur moyenne || [renforçant le superl.]: *vel maxime,* même au plus haut point; ***d)*** peut-être [avec superl.]: *domus vel optima, notissima quidem certe,* maison peut-être la meilleure, en tout cas la plus connue || **2.** [particule de coordination] ou, ou bien || *vel... vel,* ou... ou, soit... soit.

Velabrum, *i,* n., le Vélabre [quartier de Rome, où se tenait le marché d'huile et comestibles].

velamen, *inis,* n. *(velo),* couverture, enveloppe; vêtement, robe, dépouille des animaux; tunique des plantes, etc.

velamentum, *i,* n. *(velo),* **1.** enveloppe (membrane) || **2.** voile, rideau || **3.** pl. *velamenta,* rameaux entourés de bandelettes [portés par les suppliants] || **4.** voile pour dissimuler qqch.

velaris, *e (velum),* relatif aux voiles [rideaux].

velarium, *ii,* n. *(velum),* voile [qu'on étendait au-dessus du théâtre, pour garantir du soleil].

velati, *orum,* m., v. *accensus.*

velatus, *a, um,* part. de *velo.*

Veleda, *æ,* f., prophétesse divinisée par les Germains.

veles, *itis,* m., ordin. au pl., **velites,** *um,* vélites [soldats armés à la légère, qui escarmouchaient].

velifer, *era, erum (velum, fero),* garni de voiles.

velificatio, *onis,* f. *(velifico),* déploiement des voiles.

velificatus, *a, um,* part. de *velificor.*

velifico, *are, avi, atum (velificus),* intr., faire voile, naviguer.

velificor, *ari, atus sum (velificus),* intr., **1.** déployer les voiles, faire voile, naviguer || **2.** s'employer pour favoriser [avec dat.].

velificus, *a, um (velum, facio),* qui se fait au moyen des voiles.

velitaris, *e (veles),* relatif aux vélites, de vélite || subst. m. pl., troupes légèrement armées.

velivolans, *tis (velum, volo 1),* qui vole avec des voiles.

velivolus, *a, um (velum, volo 1),* qui marche à la voile || où l'on va à la voile.

Velleius, *i,* m., nom d'une famille romaine; notamment Velléius Paterculus [historien latin, préteur sous Tibère].

vellicatio, *onis,* f., coup d'épingle; piqûre, taquinerie.

vellico, *are, avi, atum (*fréq. de *vello),* tr., **1.** tirailler, picoter, becqueter || butiner || **2.** ***a)*** mordiller, déchirer, dénigrer; ***b)*** piquer, exciter.

vello, *ere, vulsi (volsi)* et *velli, vulsum (volsum),* tr., **1.** arracher, détacher en tirant: *signa,* arracher de terre les enseignes [pour se mettre en marche]; *castris signa,* arracher du campement les enseignes, lever le camp || **2.** tirer sans arracher: *barbam alicui,* tirer la barbe à qqn.

vellus, *eris,* n., **1.** peau avec la laine, toison || **2.** ***a)*** toison d'animal vivant; ***b)*** peau de bête qcq. || **3.** flocons de laine.

velo, *are, avi, atum (velum),* tr., **1.** voiler, couvrir: *capite velato,* avec la tête voilée || **2.** entourer, envelopper || **3.** voiler, cacher, dissimuler.

velocitas, *atis,* f. *(velox),* agilité à la course, vitesse, vélocité, célérité || rapidité du style.

velociter *(velox),* rapidement, promptement, avec prestesse.

velox, *ocis,* adj., **1.** agile à la course, rapide, vite, preste || *nihil est animo velocius,* rien n'est plus preste que l'esprit || **2.** prompt, rapide || [avec *ad*] prompt à.

1. velum, *i,* n. *(vexlum,* cf. *vexillum; veho),* voile de navire; surt. au pl.: *vela dare, facere,* mettre à la voile || navire.

2. velum, *i,* n. *(veslum,* cf. *vestis),* voile, toile, tenture, rideau || voile tendu au-dessus d'un théâtre [contre le soleil].

velut ou **veluti** *(vel* et *ut),* adv., **1.** par exemple comme, ainsi, par exemple || **2.** [dans les compar.] comme, de la manière que, ainsi que; ***a)*** *velut... sic,* de même que..., de même; ***b)*** comme, pour ainsi dire || **3.** [dans les hypothèses]: ***a)*** *velut si* subj., comme si; ***b)*** *velut* seul et subj., comme si.

vena, *æ,* f., **1.** veine; *alicujus venas incidere,* ouvrir les veines de qqn; *venas interscindere, abrumpere, abscindere, exsolvere,* s'ouvrir ou se faire ouvrir les veines [par ordre de l'empereur] || **2.** pl. = le pouls || **3.** ***a)*** veine, filon de métal; ***b)*** canal d'eau naturel, veine d'eau; ***c)*** veine du bois [de la pierre]; ***d)*** pores; ***e)*** rangée d'arbres || **4.** ***a)*** le fond d'une chose: *in venis rei publicæ,* dans les veines de l'État || l'essentiel; ***b)*** veine poétique, inspiration.

venabulum, *i,* n. *(venor),* épieu.

Venafrum, *i,* n., ville de Campanie, célèbre par ses oliviers (auj. *Venafro*), || **-franus,** *a, um,* de Vénafre.

venalicius, *a, um (venalis),* **1.** exposé en vente, à vendre, mis en vente || subst. m., marchand d'esclaves.

venalis, *e (venus 2),* **1.** vénal, à vendre: *hortos venales habere,* avoir un parc à vendre, mettre en vente un parc; *vocem venalem habere,* être crieur public || subst. m., esclave à vendre, jeune esclave || **2.** vénal, qui se vend.

venaticius, *a, um,* c. *venaticus.*

venaticus, *a, um (venatus),* relatif à la chasse: *canes venatici,* chiens de chasse.

venatio, *onis,* f. *(venor),* **1.** chasse || **2.** chasse donnée en spectacle dans le cirque || **3.** gibier, venaison.

venator, *oris,* m. *(venor),* **1.** chasseur: *venator canis,* chien de chasse || **2.** aux aguets = investigateur, observateur.

venatorius, *a, um (venator),* de chasse.

venatrix, *icis,* adj. f., chasseresse.

1. venatus, *a, um,* part. de *venor.*

2. venatus, *us,* m., **1.** chasse || **2.** produit de la chasse.

vendibilis, *e (vendo),* **1.** qui se vend facilement, qui trouve des acheteurs || **2.** qui a de la vogue, achalandé: *orator populo vendibilis,* orateur qui plaît à la foule.

vendidi, pf. de *vendo.*

venditatio, *onis (vendito),* action de faire valoir, montre, étalage.

venditator, *oris,* m. *(vendito),* qui tire vanité de.

venditio, *onis,* f. *(vendo),* action de mettre en vente, vente || chose vendue.

vendito, *are, avi, atum,* fréq. de *vendo,* tr., **1.** faire des offres de vente, chercher à vendre || **2.** vendre, négocier, trafiquer de || **3.** *se alicui,* se faire valoir auprès de qqn.

venditor, *oris,* m. *(vendo),* vendeur || qui trafique de.

venditum, *i,* n. du part. de *vendo* pris subst., vente.

vendo, *ere, didi, ditum (*de *venum do),* tr., **1.** vendre: *aliquid pluris, minoris,* vendre qqch. plus cher, moins cher || **2.** faire vendre || faire valoir.

veneficium, *ii,* n. *(veneficus),* confection de breuvage, **1.** empoisonnement, crime d'empoisonnement: *de veneficiis accusare,* accuser du chef d'empoisonnement; *veneficii crimen,* accusation d'empoisonnement || **2.** philtre magique, sortilège, maléfice.

veneficus, *a, um (venenum* et *facio),* **1.** magique || qui jette des maléfices || **2.** subst. : m., ***a)*** empoisonneur ; ***b)*** f., magicienne, sorcière.

venenatus, *a, um,* **1.** part. de *veneno* || **2. *a)*** adj., infecté de poison || venimeux ; ***b)*** enchanté, magique.

venenifer, *era, erum,* venimeux.

veneno, *are, avi, atum (venenum),* tr., empoisonner, imprégner de poison.

venenum, *i,* n., **1.** toute espèce de drogue || **2. *a)*** poison ; ***b)*** breuvage magique, philtre ; ***c)*** teinture.

veneo (mauv. orth. **væneo**), *ire, venii (de venum* et *ire),* intr., être vendu ; *quanti,* à quel prix ; *quam plurimo,* le plus cher possible ; *minoris,* moins cher || *ab hoste venire,* être vendu à l'encan par l'ennemi.

venerabilis, *e (veneror),* **1.** vénérable, respectable, auguste ; *venerabilior* || **2.** qui révère, respectueux.

venerabundus, *a, um,* plein de respect, respectueux [avec acc.].

venerandus, *a, um,* adj. verb. de *veneror,* c. *venerabilis 1.*

veneratio, *onis,* f. *(veneror),* vénération, respect : *venerationem habere,* être entouré de respect || caractère vénérable.

venerator, *oris,* m., celui qui révère.

veneratus, *a, um,* part. de *veneror.*

Venerius, *a, um (Venus),* de Vénus, relatif à Vénus : [pris subst.] *Venerius,* un esclave du temple de Vénus || m., *Venerius,* le coup de Vénus aux dés, v. *Venus 4.*

1. venero, *are (venus),* tr., orner avec grâce.

2. venero, *are,* tr. = *veneror.*

veneror, *ari, atus sum,* tr., **1.** révérer, vénérer, témoigner du respect à, honorer || **2.** prier, supplier respectueusement.

Veneti, *orum,* m., les Vénètes, habitants de la Vénétie ; v. *Venetia.*

Venetia, *æ,* f., la Vénétie, **1.** région au Nord-Est de la Gaule Cisalpine || **2.** province de la Gaule aux environs de Vannes.

Veneticus, *a, um,* des Vénètes.

venetus, *a, um,* bleu azuré ; *veneta factio,* la faction des Bleus [dans les jeux du cirque]; *venetus, i,* m., cocher de la faction des Bleus.

veni, pf. de *venio.*

venia, *æ,* f. *(cf. venus, veneror),* [en gén.] bienveillance, obligeance, complaisance, **1.** faveur, grâce : *hanc veniam dare ut,* accorder la faveur de, ou la permission de || [entre parenthèses] *venia sit dicto,* soit dit sans offenser la divinité || *bona venia* ou *cum bona venia,* avec la permission || **2.** pardon, rémission, excuse : *errati veniam impetrare,* obtenir le pardon d'une erreur.

venii, pf. de *veneo.*

venio, *ire, veni, ventum,* intr., **1.** venir : *in locum,* venir dans un lieu ; *Delum Athenis,* d'Athènes à Délos ; *Italiam,* en Italie ; *auxilio, subsidio venire,* venir au secours ; *emptum venire,* venir pour acheter || *res alicui in mentem venit,* une chose vient à l'esprit de qqn ; *venit mihi in mentem Catonis,* il me souvient de Caton || [pass. impers.] *ad quos ventum erat,* vers lesquels on était venu || **2.** [temps] : *veniens annus,* l'année qui vient (prochaine) || **3.** venir, arriver, se présenter, se montrer, pousser || [avec dat.] échoir, arriver à qqn || *sæpe venit ad aures meas te... dicere,* souvent il m'est revenu aux oreilles que tu disais... || provenir *(ex)* || **4.** parvenir à || **5.** venir à qqch., venir dans tel ou tel état : *aliquid in proverbii consuetudinem venit,* qqch. est passé à l'état de proverbe ; *in spem regni obtinendi,* concevoir l'espérance de détenir le trône || *sæpe in eum locum ventum est ut,* souvent les choses en vinrent à ce point que... || **6.** venir à, en venir à [dans un développ.] : *venio ad tertiam epistulam,* j'en viens à la troisième lettre.

vennucula ou **vennuncula uva,** f., raisin.

venor, *ari, atus sum,* **1.** intr., chasser || **2.** tr., ***a)*** chasser un gibier ; ***b)*** poursuivre, rechercher || trouver en chassant.

venosus, *a, um (vena),* veineux, plein de veines || vieux [aux veines saillantes].

venter, *tris,* m., **1.** ventre || **2. *a)*** sein de la mer ; ***b)*** ventre, flancs.

ventilatio, *onis,* f. *(ventilo),* exposition à l'air.

ventilator, *oris,* m. *(ventilo),* **1.** vanneur || **2.** jongleur.

ventilo, *are, avi, atum (ventus),* tr., **1.** agiter dans l'air || agiter, remuer || [absol.] *ventilare,* battre, fouetter l'air de ses armes || **2.** éventer, donner de l'air, de la fraîcheur à || **3.** exposer à l'air || **4.** attiser [par ventilation], allumer, exciter.

ventito, *are, avi, atum,* fréq. de *venio,* intr., venir souvent, habituellement.

ventosus, *a, um (ventus),* **1.** plein de vent || battu par les vents || **2.** léger, rapide comme le vent || **3.** ***a)*** qui tourne à tous les vents, léger, capricieux, ondoyant; ***b)*** peu sûr, hasardé; ***c)*** vain, vide.

ventrale, *is,* n. *(venter),* ceinture.

ventriculus, *i,* m. *(venter),* **1.** estomac || **2.** petit ventre || **3.** ventricule [du cœur].

ventriosus, *a, um,* ventru.

venturus, *a, um,* pris adj., à venir, futur.

ventus, *i,* m., **1.** vent || **2.** [surtout au pl.] les souffles, les vents; ***a)*** bonne ou mauvaise fortune; ***b)*** tendances, influences, courants d'opinion; ***c)*** tempête soulevée contre qqn.

venula, *æ,* f. *(vena),* petite veine || faible veine [de talent].

venumdo (venundo), *are, dedi, datum (*v. *venus 2),* tr., mettre en vente, vendre.

1. Venus, *eris,* f., **1.** Vénus [déesse de la Beauté et de l'Amour; épouse de Vulcain; mère d'Énée] || **2.** [nom commun] charme, attrait, grâce, agrément, élégance || **3.** Vénus [planète] || **4.** coup de Vénus [aux dés, quand chaque dé présente un nombre différent].

2. venus, *i,* m., vente: [usité seul.] ***a)*** à l'acc. *venum,* en vue de la vente, en vente [dans les expr.] *venum dare,* vendre, et *venum ire,* aller à la vente, être vendu; ***b)*** au dat. *veno,* à la vente: *veno positus,* exposé en vente.

Venusia, *æ,* f., Venouse [ville de l'Apulie, patrie d'Horace] || **-sinus,** *a, um,* de Venouse || **-sini,** *orum,* m., les habitants de Venouse.

venustas, *atis,* f. *(Venus),* **1.** beauté physique || **2.** grâce, élégance, agréments.

venuste *(venustus),* avec grâce, avec élégance.

venustus, *a, um (venus),* plein de charme, de grâce, d'élégance || poli, gracieux, aimable || joli, spirituel, élégant.

vepres, *is,* m., buisson épineux, buisson, épine.

vepretum, *i,* n., lieu rempli d'épines, de buissons.

ver, *veris,* n., **1.** le printemps || **2.** = productions du printemps, fleurs || *ver sacrum,* vœu de consacrer aux dieux tout ce qui doit naître au printemps [dans les circonstances critiques] || printemps de la vie.

veratrum, *i,* n., ellébore [plante].

verax, *acis (verus),* véridique, qui dit la vérité, sincère, sûr.

verbascum, *ri,* n., bouillon-blanc.

verbenaca, *æ,* f., verveine [plante].

verbenæ, *arum,* f., rameaux de laurier, d'olivier, de myrte [portés en couronnes par les prêtres dans les sacrifices].

verbenarius, *ii,* m. *(verbena),* celui qui porte un rameau sacré.

verbenatus, *a, um,* couronné d'un rameau sacré.

verber, *eris,* n. [sing. seul. au gén. et abl.]; ordin. **verbera,** *erum,* n., **1.** baguette, verge; fouet || **2.** lanière d'une fronde || **3.** ***a)*** coup de baguette, de fouet; ***b)*** coup, choc; ***c)*** = atteinte: *fortunæ verbera,* les coups du sort.

verberatio, *onis,* f. *(verbero 1),* correction, réprimande.

verberatus, *a, um,* part. de *verbero.*

1. verbero, *are, avi, atum (verber),* tr., **1.** battre de verges: *civem Romanum,* battre de verges un citoyen romain || frapper || **2.** battre || **3.** maltraiter [en paroles], malmener, fustiger, rabrouer.

2. verbero, *onis,* m. *(verber),* vaurien, pendard.

verbose *(verbosus),* verbeusement, avec prolixité.

verbosus, *a, um (verbum),* verbeux, diffus, prolixe.

verbum, *i,* n., **1.** mot, terme, expression: *complectar uno verbo,* je résumerai tout d'un seul mot || **2.** parole; *verba facere,* parler || **3.** les mots, la forme || mot, parole = apparence: *verbo... re,* en parole... mais en fait; *verba sunt,* ce sont des mots || **4.** [expressions]: ***a)*** *ad verbum,* mot pour mot; *verbum e verbo exprimens,* en rendant mot pour mot, ou *verbum verbo*; ***b)*** *verbo,* d'un mot, par un seul mot; *uno verbo,* pour tout dire d'un seul mot, en un mot; ***c)*** *verbi causa, verbi gratia,* pour prendre un exemple; ***d)*** *meis, tuis, suis verbis,* en mon nom, en ton nom, etc., pour moi, de ma part, etc.

Vercingetorix, *igis,* m., prince des Arvernes, chef des Gaulois coalisés contre César.

vere *(verus),* vraiment, conformément à la vérité, justement.

verecunde *(verecundus),* avec retenue, avec réserve, avec discrétion, avec pudeur.

verecundia, *æ,* f. *(verecundus),* **1.** retenue, réserve, pudeur, modestie, discrétion || **2.** respect de qqn, de qqch. ||

3. honte devant une chose blâmable, sentiment de honte || **4.** excessive modestie, timidité.

verecundor, *ari, atus sum (verecundus),* intr., avoir de la honte, de la timidité, se gêner || [avec inf.] ne pas oser.

verecundus, *a, um (vereor),* **1.** retenu, réservé, discret, modeste || **2.** qu'on respecte, respectable, vénérable.

verendus, *a, um,* **1.** adj. verbal de *vereor* || **2.** adj., respectable, vénérable.

vereor, *eri, itus sum,* tr., **1.** avoir une crainte respectueuse pour, révérer, respecter || appréhender, craindre || [absol.] avoir de l'appréhension, de la crainte, *de aliqua re,* à propos de qqch.; *navibus veritus,* ayant de l'appréhension pour les navires || **2.** [constr.]: ***a)*** [avec inf.] appréhender de, craindre de; [impers.] *aliquem non veritum est* avec inf., qqn n'a pas craint de; ***b)*** [avec intr. indir.] se demander avec inquiétude, avec appréhension; ***c)*** [avec *ne* subj.] craindre que; ***d)*** [avec *ne... non*] craindre que ne... pas; [d'ordinaire *non vereor ne... non*]; *quid est cur verear, ne... non?* pourquoi craindrais-je de ne pas? ***e)*** [avec *ut* subj.] craindre que ne... pas.

Vergiliæ, *arum,* f. *(vergo),* les Pléiades.

vergo, *ere,* **1.** intr., ***a)*** être tourné vers, incliner, pencher; ***b)*** s'étendre [géograph.]: *ad septentriones,* s'étendre vers le nord; ***c)*** se diriger vers, tendre vers; ***d)*** [fig.] être à son déclin || **2.** tr., [au pass. réfléchi] *vergi,* s'incliner vers, se pencher vers, se diriger vers.

vergobretus, *i,* m. (mot celtique) vergobret [premier magistrat des Éduens].

vericulum, *i,* n., v. *veruculum.*

veridicus, *a, um (verus* et *dico),* **1.** véridique, qui dit la vérité || **2.** qui est dit vrai, confirmé par la vérité, par les faits.

verisimilis, mieux **veri similis,** *e,* vraisemblable: *veri simillimum mihi videtur* avec prop. inf., il me paraît très vraisemblable que.

veri similitudo, *inis,* f., vraisemblance.

veritas, *atis,* f. *(verus),* **1.** la vérité, le vrai: *nihil ad veritatem loqui,* ne rien dire de conforme à la vérité || sincérité, franchise || **2.** la réalité.

veritus, *a, um,* part. de *vereor.*

vermiculate *(vermiculatus),* adv., en guise de mosaïque.

vermiculatio, *onis,* f. *(vermiculor),* état de ce qui est vermoulu.

vermiculatus, *a, um (vermiculus),* en forme de ver || vermiculé [en parl. de mosaïque].

vermiculor, *ari, atus sum (vermiculus),* être piqué par les vers, vermoulu.

vermiculus, *i,* m. (dimin. de *vermis*), petit ver, vermisseau.

verminatio, *onis,* f. *(vermino),* maladie des vers || démangeaison, élancement, douleur aiguë.

vermino, *are (vermis),* intr., avoir des vers, être rongé par les vers.

verminor, *ari,* intr., c. *vermino* || donner des élancements [en parl. de la goutte].

verminosus, *a, um (vermis),* où il y a des vers, véreux || plein de vers.

verna, *æ,* m., qqf. f., **1.** esclave né dans la maison du maître, esclave de naissance || **2.** indigène, né dans le pays.

vernaculus, *a, um (verna),* **1.** relatif aux esclaves nés dans la maison || **2.** qui est du pays, indigène, national [c.-à-d. Romain]: *vocabula vernacula,* termes de la langue nationale.

vernatio, *onis,* f. *(verno),* mue, dépouille du serpent.

vernilis, *e (verna),* [fig.] servile, indigne d'un homme libre || bouffon.

vernilitas, *atis,* f. *(vernilis),* servilité || bouffonnerie, esprit bouffon.

verniliter *(vernilis),* adv., servilement || de façon bouffonne.

verno, *are (ver),* intr., être au printemps; ***a)*** reverdir, refleurir; ***b)*** changer de peau || reprendre ses chants.

vernula, *æ,* m. f., de *verna,* jeune esclave né dans la maison.

vernus, *a, um (ver),* du printemps, printanier || **vernum,** *i,* n., printemps; abl., *verno,* au printemps.

vero,

I. adv., **1.** vraiment, à coup sûr, en vérité || [dans les réponses]; oui, parfaitement; oui, vraiment, à moins que || *quasi vero,* comme si vraiment || **2.** [après ponctuation forte] au vrai, de fait, la vérité c'est que || *et vero,* au vrai, et de fait || **3.** [pour enchérir] et même, voire, voire même.

II. conj. de coord., **1.** [marquant une faible opposition comme *autem*] || mais en vérité, mais || **2.** [pour détacher un mot] quant à.

Verona, *æ,* f., Vérone [ville des Vénètes, sur l'Adige, patrie de Catulle] || **-ensis,** *e,* de Vérone || subst. m. pl., les habitants de Vérone.

1. verres, *is,* m., verrat, porc; [jeu de mots avec Verrès].

2. Verres, *is*, m., C. Cornélius Verrès [propréteur en Sicile, attaqué par Cicéron dans ses Verrines] || **-ius,** *a, um*, de Verrès || **Verria,** *orum*, n., Verries, fêtes en l'honneur de Verrès || **-inus,** *a, um*, de Verrès.

verrinus, *a, um (verres)*, de porc || *Verrinus*, v. *Verres*.

verro, *ere, versum*, tr., **1.** balayer || **2.** emporter, enlever en balayant || voler, faire main basse sur || **3.** laisser traîner.

verruca, *æ*, f., hauteur, éminence || excroissance, verrue || tache, léger défaut.

verrunco, *are*, intr. [arch.], tourner: *bene alicui*, bien tourner pour qqn.

versabilis, *e (verso)*, mobile || [fig.] versatile, changeant, léger, inconstant.

versabundus, *a, um (verso)*, qui tourne sur soi-même, qui tourbillonne.

versatilis, *e (verso)*, mobile, qui tourne aisément || flexible, qui se plie à tout.

versatio, *onis*, f. *(verso)*, **1.** action de tourner, de faire tourner || **2.** changement, vicissitude.

versatus, *a, um*, part. de *verso* et de *versor*.

versicolor, *oris (versus, color)*, qui a des couleurs changeantes, bigarré, chatoyant.

versiculus, *i*, m., dimin. de *versus*, petite ligne d'écriture || vers, versiculet.

versificatio, *onis*, f. *(versifico)*, l'art de faire les vers, composition en vers.

versificator, *oris*, m. *(versifico)*, celui qui fait des vers, versificateur.

versifico, *are, avi, atum (versus, facio)*, intr., faire des vers.

verso, *are, avi, atum* (fréq. de verso), tr., **1.** tourner souvent, faire tourner: *se in utramque partem*, se tourner d'un côté, puis de l'autre || pass. *versari*, se tourner, tourner: *mundus versatur circum axem*, le monde tourne autour de son axe || manier, feuilleter || **2.** [fig.] tourner et retourner, ***a)*** plier, modifier [son caractère, son esprit]; ***b)*** = présenter de façons diverses; ***c)*** ballotter en sens divers; ***d)*** remuer, bousculer, malmener, tourmenter; ***e)*** *aliquid in pectore*, ou *animo*, ou *in animo*, rouler, agiter qqch. dans son esprit, l'examiner en tous sens.

versor, *ari, atus sum*, pass. de *verso*, se tourner souvent, habituellement, [d'où]: **1.** se trouver habituellement, vivre dans tel, tel endroit: *ad solarium, in campo, in conviviis*, fréquenter les parages du cadran solaire, le champ de Mars, les banquets; *nobiscum versari*, vivre avec nous, rester avec nous || **2.** [fig.] ***a)*** *in re publica*, être mêlé à la politique; *alicui aliquid in oculis versatur*, ou *ob oculos*, qqch. s'évoque devant les yeux de qqn; ***b)*** s'occuper de, s'appliquer à; ***c)*** [en parl. de choses] rouler sur, reposer sur.

versura (vors-), *æ*, f. *(verto)*, **1.** action de se tourner || extrémité du sillon || encoignure || **2.** action de faire passer une dette sur un autre créancier, d'emprunter à un pour payer un autre || [d'où] emprunt: *versuram facere*, emprunter.

1. versus ou **versum,** adv., dans la direction [de], du côté [de]: [complétant *in* ou *ad*, ou l'acc. de nom de ville question *quo*]: *in forum versus*, dans la direction du forum, en regardant le forum; *ad Oceanum versus*, du côté de l'Océan.

2. versus, *a, um*, part. ***a)*** de *verto*; ***b)*** de *verso*.

3. versus, *us*, m. *(verto)*, **1.** sillon || **2.** ligne, rangée || rang des rameurs || **3.** ligne d'écriture, ligne || vers: *versum facere*, faire un vers || **4.** mesure agraire [cent pieds].

versute *(versutus)*, avec finesse, avec adresse.

versutia, *æ*, f. *(versutus)*, ruse, fourberie, malice, artifice.

versutus, *a, um (verto)*, qui sait se retourner, fécond en expédients, à l'esprit souple, agile || astucieux, artificieux || adroit.

vertebra, *æ*, f. *(verto)*, vertèbre, articulation.

vertebratus, *a, um (vertebra)*, vertébré, fait en forme de vertèbre || mobile, flexible.

vertex (vortex), *icis*, m. *(verto)*, **1.** tourbillon || **2.** sommet: *a vertice*, d'en haut; *cæli*, pôle.

verticosus (vort-), *a, um (vertex)*, plein de tourbillons.

vertiginosus, *a, um (vertigo)*, sujet aux vertiges, aux étourdissements.

vertigo, *inis*, f. *(verto)*, **1.** mouvement de rotation, tournoiement || **2.** vertige, étourdissement, éblouissement.

verto, *ere, ti, sum*,

I. tr., **1.** tourner, faire tourner || retourner: *stilum in tabulis suis*, retourner son style [pour effacer] sur ses tablettes || *se vertere*, surtout *terga vertere*, se retourner, tourner le dos, prendre la fuite || **2.** [pass. à sens réfléchi] se tourner: *ad cædem*, en venir au meurtre || tourner ||

3. retourner, tourner sens dessus dessous, renverser || **4.** ***a)*** tourner dans tel, tel sens; donner telle, telle direction: *aliquid in contumeliam alicujus*, faire tourner qqch. à la honte de qqn || [avec deux dat.] *alicui aliquid vitio*, faire à qqn une tare, un crime de qqch.; ***b)*** changer, convertir, transformer: *terra in aquam se vertit*, la terre se change en eau || [pass. à sens réfl.] *in rabiem cœpit verti jocus*, la plaisanterie commença à se changer en rage; ***c)*** faire passer d'une langue dans une autre, traduire: *Platonem*, traduire Platon; *ex Græco aliquid in Latinum sermonem*, traduire qqch. du grec en latin; ***d)*** [passif à sens réfléchi] se dérouler: *in aliqua re verti*, rouler sur un sujet || reposer sur: *spes civitatis in dictatore vertitur*, tout l'espoir de la cité repose sur un dictateur; ***e)*** attribuer à, faire remonter à.

II. intr., **1.** se tourner, se diriger: *in fugam vertere*, se mettre à fuir, prendre la fuite || *alio vertunt*, ils prennent un autre parti || **2.** tourner, avoir telle, telle suite: *quæ res bene vortat mihi*, et puisse l'affaire bien tourner pour moi || **3.** tourner, changer: *jam verterat fortuna*, déjà la fortune avait tourné || se changer || **4.** part. prés. *vertens*, se déroulant: *anno vertente*, au cours de l'année [ou] d'une année.

Vertumnalia, *ium*, n., Vertumnales, fête en l'honneur de Vertumne.

Vertumnus, *i*, m. *(verto)*, Vertumne [divinité qui présidait aux changements des saisons] || statue de Vertumne [au coin de la place publique, où étaient les boutiques des libraires].

veru, *us*, n., broche || dard, petite pique.

veruculum, *i*, n. *(veru)*, petite broche, brochette.

1. verum *(verus)*, conj. adversative, ***a)*** mais en vérité; ***b)*** mais: *non modo, non solum... verum etiam*, non seulement... mais encore; ***c)*** [dans les transitions]: *verum præterita omittamus*, mais laissons le passé; ***d)*** *verum tamen*, mais pourtant; *verum enimvero*, mais en vérité.

2. verum, *i*, n. de *verus* pris subst., **1.** le vrai, la vérité, le réel; *si verum quærimus*, à vrai dire; *veri similis*, v. *verisimilis* || pl. *vera*, le vrai || **2.** le juste.

verumtamen ou **verum** séparé de **tamen,** adv., mais pourtant, mais cependant.

verus, *a, um*, **1.** vrai, véritable, réel || *si verum est* avec prop. inf., s'il est vrai que [ou avec *ut* subj.] || **2.** conforme à la vérité morale, juste || **3.** véridique, sincère, consciencieux.

verutum, *i*, n. *(veru)*, sorte de dard.

verutus, *a, um (veru)*, armé d'un dard, d'une javeline.

vervactum, *i*, n. *(vervago)*, terre en friche, jachère.

vervago, *ere, egi, actum*, tr., retourner [une jachère] || labourer, défricher.

vervex, *ecis*, m., mouton, bélier.

vesania (mauv. orth. **væs-**), *æ*, f. *(vesanus)*, folie, déraison, délire, extravagance.

vesanus (mauv. orth. **væs-**), *a, um (ve, sanus)*, qui n'est pas dans son bon sens, qui extravague, insensé, fou || furieux, forcené.

vescor, *vesci*, tr. et intr., **1.** se nourrir de, vivre de: ***a)*** [avec abl.]: *lacte, caseo, carne*, vivre de lait, de fromage, de viande; ***b)*** [avec acc.]; ***c)*** [absol.] se nourrir, manger: *vescendi causa*, pour se nourrir, pour la table || **2.** se régaler de, jouir de, avoir.

vescus, *a, um*, **1.** = *edax*, qui cherche avidement à se nourrir: *vescum sal*, sel qui ronge || **2.** sans appétit || maigre: *vescum corpus*, corps maigre; insuffisant, peu nourrissant.

Vesevus, *i*, m., le Vésuve || **-us,** *a, um*, du Vésuve.

vesica, *æ*, f., **1.** vessie || **2.** objet en peau de vessie || bourse || **3.** ampoule, tumeur.

vesicula, *æ*, f. *(vesica)*, vessie || gousse.

Vesontio, *onis*, f., ville des Séquanais [auj. Besançon].

vespa, *æ*, f., guêpe.

Vespasianus, *i*, m., Vespasien [Flavius], empereur romain.

vesper, *eri* et *eris*, m., **1.** le soir: *sub vesperum*, vers le soir || *vespere* [et surtout] *vesperi*, le soir, au soir || **2.** étoile du soir, Vesper || le couchant, l'occident.

vespera, *æ*, f., le temps du soir, soirée: *ad vesperam*, vers le soir.

vesperasco, *ere, ravi (vespera)*, intr., arriver au soir.

vespertilio, *onis*, m. *(vesper)*, chauve-souris.

vespertinus, *a, um (vesper)*, **1.** du soir, qui a lieu le soir || **2.** situé au couchant, occidental.

vespillo, *onis*, m. *(vesper)*, croque-mort.

Vesta, *æ*, f., Vesta Ops ou Cybèle, ou la Terre [femme de Cælus et mère de

Saturne] || Vesta [fille de Saturne et d'Ops, petite-fille de la précédente, déesse du feu] || [poét.] ***a)*** le temple de Vesta ***b)*** le feu || **Vestalis,** *e*, de Vesta: *Vestalis virgo*, et absol. *Vestalis*, Vestale, prêtresse de Vesta.

vester (voster), *tra, trum (vos)*, **1.** votre, vôtre, qui est à vous [subjectif]: *ea vestra culpa est*, c'est votre faute || **2.** pris subst.: *vestrum*, n., votre bien, votre argent || *vestri*, les vôtres, vos amis, votre siècle || *vestra*, n., vos œuvres, vos théories.

vestiarium, *ii*, n. *(vestis)*, armoire ou coffre, garde-robe || habits, vêtements.

vestiarius, *a, um (vestis)*, d'habits, relatif aux habits.

vestibulum, *i*, n., **1.** vestibule || **2.** entrée.

vestigator, *oris*, m. *(vestigo)*, celui qui suit la trace, chasseur || celui qui cherche || espion.

vestigium, *ii*, n., **1.** plante du pied || semelle artificielle, fer d'un cheval || **2.** empreinte des pas, trace du pied; *vestigia ponere*, imprimer ses pas, porter ses pas; *vestigia tenere*, ne pas perdre la trace, suivre à la trace || *vestigiis alicujus ingredi*, marcher sur les traces de qqn || **3.** [en gén.] traces, empreinte [empreinte du corps d'une pers.] || place où s'est tenu qqn || *vestigia urbis*, les vestiges, les ruines d'une ville || **4.** trace, vestige || parcelle du temps, moment, instant; *e vestigio*, ou *ex vestigio*, sur-le-champ, instantanément.

vestigo, *are, avi, atum (vestigium)*, tr., **1.** suivre à la trace, à la piste, chercher || découvrir || **2.** rechercher avec soin.

vestimentum, *i*, n. *(vestis)*, **1.** vêtement, habit || **2.** couverture ou tapis [de lit].

vestio, *ire, ivi* ou *ii, itum (vestis)*, tr., **1.** couvrir d'un vêtement, vêtir, habiller: *aliquem aliqua re*, vêtir qqn de qqch. || **2.** revêtir, recouvrir, entourer, garnir: *terra vestita floribus*, la terre revêtue de fleurs.

vestis, *is*, f., **1.** vêtement, habit, habillement, costume || **2.** *mutare vestem*, ***a)*** prendre des vêtements de deuil; ***b)*** changer de vêtement || **3.** ***a)*** *vestis stragula*, tapis; ***b)*** ou *vestis* seul: tapis.

1. vestitus, *a, um*, part. de *vestio*.

2. vestitus, *us*, m., vêtement, habillement.

Vesuvius, *ii*, m., le Vésuve [volcan près de Naples].

veteramentarius, *a, um (vetus)*, qui a trait aux vieilles choses.

veteranus, *a, um (vetus)*, vieux, ancien: *veterani milites*, ou *veterani* seul, vétérans.

veterarium, *ii*, n. *(veterarius)*, cave pour le vin vieux.

veterarius, *a, um*, qui est de vieille date.

veterasco, *ere (vetus)*, intr., vieillir.

veterator, *oris*, m. *(vetero)*, **1.** celui qui a vieilli dans qqch. [cf. « vieilli sous le harnais »]; au courant, rompu || **2.** vieux routier, vieux renard.

veteratorie *(veteratorius)*, habilement.

veteratorius, *a, um (veterator)*, de vieux routier || qui sent le métier.

veteratus, *a, um*, part. de *vetero*.

1. veteres, *um*, pl. m. de *vetus*, pris subst.: ***a)*** les anciens, gens d'autrefois; ***b)*** anciens écrivains.

2. Veteres, *um*, f. (s.-ent. *tabernæ*), Anciennes Boutiques [lieudit à Rome].

veterinarius, *a, um (veterinus)*, relatif aux bêtes de somme, vétérinaire || **-rius,** *ii*, m., médecin vétérinaire, vétérinaire.

veterinus, *a, um*, relatif aux bêtes de somme; **veterinæ,** *arum*, f., ou **veterina,** *orum*, n., bêtes de somme.

veternosus, *a, um (veternus)*, atteint de somnolence, de léthargie || [fig.] languissant, endormi, engourdi.

veternus, *i*, m. *(vetus)*, vieilleries, vieux oripeaux || somnolence, léthargie, maladie de vieillard || marasme, torpeur.

vetitus, *a, um*, part. de *veto* || **vetitum,** *i*, n., **1.** chose défendue || **2.** défense, interdiction || pl., *jussa ac vetita*, les prescriptions et les défenses.

veto, *are, vetui, vetitum*, tr., ne pas laisser une chose se produire, ne pas permettre, faire défense, interdire, **1.** [absol.] *veto*, je fais opposition [formule des tribuns de la plèbe] || *lex jubet aut vetat*, la loi prescrit ou défend || **2.** *aliquid*, défendre qqch. || **3.** [avec prop. inf.]: *equites Romani flere vetabantur*, défense était faite aux chevaliers romains de pleurer.

vetulus, *a, um (vetus)*, quelque peu vieux.

vetus, *eris*, **1.** qui a des années, vieux, qui n'est pas jeune || **2.** de vieille date, qui remonte loin, qui n'est pas nouveau, pas récent; *vinum vetus*, vin vieux; [avec gén.] *vetus militiæ*, vieux dans le service || **3.** d'autrefois, des temps antérieurs, du temps passé, ancien ; pl. n. *vetera*, les choses d'autrefois, les faits anciens.

vetustas, *atis*, f. *(vetustus)*, **1.** vieillesse, grand âge || **2.** ancien temps, antiquité || **3.** longue durée || la longueur du temps écoulé, la durée, le temps, l'âge || **4.** long temps à venir, postérité.

vetuste, à la manière des anciens.

vetustus, *a, um (vetus)*, **1.** qui a une longue durée, vieux, ancien || **2.** du vieux temps, archaïque.

vexatio, *onis*, f. *(vexo)*, **1.** agitation violente, secousse, ébranlement || **2.** ***a)*** mal, peine, tourment, souffrance ; ***b)*** mauvais traitement, persécution.

vexator, *oris*, m. *(vexo)*, persécuteur, bourreau.

vexatus, *a, um*, part. de *vexo*.

vexi, pf. de *veho*.

vexillarius, *ii*, m. *(vexillum)*, **1.** porte-enseigne || **2.** pl. *vexillarii, orum*, m., vexillaires [corps de vétérans sous les empereurs].

vexillatio, *onis*, f. *(vexillum)*, détachement de vexillaires || corps de cavalerie.

vexillum, *i*, n., dimin. de *velum*, **1.** étendard, drapeau, enseigne || **2.** drapeau [de couleur rouge placé sur la tente du général pour donner le signal du combat] || **3.** [d'où] corps de troupes, détachement groupé autour d'un *vexillum* || escadron.

vexo, *are, avi, atum* (intensif de *veho*), tr., **1.** remuer violemment, secouer, ballotter || **2.** [fig.] ***a)*** tourmenter, persécuter, maltraiter || accabler de vexations || bousculer, traquer sans merci des ennemis, faire souffrir ; ***b)*** malmener en paroles, maltraiter, traiter rudement, attaquer.

via (primit. **vea**), *æ*, f., **1.** chemin, route, voie || *via*, grande route, bonne route, oppos. à *semita*, sentier || [fig.] *in viam redire*, revenir dans la bonne route || **2.** voie, rue : *via Flaminia, Aurelia, Cassia*, voie Flaminia, Aurélia, Cassia ; *Appia*, voie Appienne ; *Sacra*, voie Sacrée [dans Rome] || **3.** route, voyage, trajet, course : *bidui, tridui via*, deux jours, trois jours de marche || **4.** passage, conduit, canal || **5.** [fig.] ***a)*** voie, genre, méthode : *via vivendi*, un genre de vie ; ***b)*** moyen, procédé, méthode : *via laudis*, route pour arriver à la gloire ; ***c)*** joint à *ratio* : *ratione et via*, rationnellement et méthodiquement || *via et arte*, méthodiquement et théoriquement.

viarius, *a, um (via)*, relatif aux routes.

viaticum, *i*, n. *(viaticus)*, **1.** ce qui sert à faire la route, provisions de voyage, argent de voyage || **2.** butin, pécule [du soldat].

viator, *oris*, m. *(vio)*, **1.** voyageur || **2.** appariteur ; messager officiel.

viatorius, *a, um*, de voyage, relatif aux voyages.

vibex, *icis*, f., marque [de coups de fouet], strie, meurtrissure.

vibratus, *a, um*, part. de *vibro*.

vibro, *are, avi, atum*,

I. tr., **1.** imprimer un mouvement vibratoire à qqch, agiter, brandir || secouer || balancer || **2.** friser || **3.** lancer, darder.

II. intr., **1.** avoir des vibrations, des tremblements, des tressaillements || **2.** vibrer [en parl. de sons] || **3.** scintiller, étinceler || **4.** *oratio vibrans*, style pénétrant comme un trait.

viburnum, *i*, n., viorne, petit alisier.

vicanus, *a, um (vicus)*, de bourg, de village || **vicanus,** *i*, m., habitant d'un bourg, d'un village.

vicaria, *æ*, f., remplaçante.

vicarius, *a, um (vicis)*, remplaçant || **vicarius,** *ii*, m., ***a)*** remplaçant ; ***b)*** esclave en sous-ordre [suppléant] ; ***c)*** remplaçant d'un soldat.

vicatim *(vicus)*, quartier par quartier || de bourg en bourg, par bourgs.

viceni, *æ, a*, **1.** distrib., chacun vingt, chaque fois vingt : *annos nonnulli vicenos in disciplina permanent*, quelques-uns restent élèves vingt ans chacun || **2.** vingt.

vicesimani, *orum*, m., soldats de la vingtième légion.

vicesimarius, *a, um*, qui provient de l'impôt du vingtième.

vicesimus (vicensimus), et **vigesimus,** *a, um*, vingtième || **vicesima,** *æ*, f., ***a)*** vingtième partie, le vingtième ; ***b)*** impôt du vingtième.

vici, pf. de *vinco*.

vicia, *æ*, f., vesce.

vicies (viciens), vingt fois.

vicinalis, *e (vicinus)*, de voisin, de voisinage, voisin || vicinal.

vicinia, *æ*, f. *(vicinus)*, **1.** voisinage, proximité || lieux voisins || **2.** gens du voisinage || **3.** rapport, analogie, ressemblance, affinité.

vicinus, *a, um (vicus)*, **1.** voisin, qui est à proximité || [avec dat.] voisin de || **vicinus,** *i*, m., un voisin : *proximus*, le plus proche voisin || **vicina,** *æ*, f., voisine || **vicinum,** *i*, n., voisinage || **2.** qui se rapproche, voisin, qui a du rapport, de l'analogie [avec gén.], [avec dat.].

vicis, gén. f. [pas de nomin.]; acc. *vicem*, abl. *vice*; pl. nomin., acc. *vices*, dat.-abl. *vicibus*, **1.** tour, succession, alternative: *nox vicem peragit*, la nuit accomplit son alternance, règne à son tour; *per vices*, alternativement: *in vices*, à tour de rôle, par roulement; *alterna vice, alternis vicibus*, alternativement || **2.** alternative de la destinée, destinée: *vicem suam conqueri*, déplorer son sort || alternative des combats, chances de la guerre || **3.** retour, réciprocité || **4.** le tour de qqn ou de qqch. dans un roulement, [d'où] place, rôle, fonction, office: *ad vicem alicujus accedere*, remplacer qqn; *vice alicujus* ou *alicujus rei fungi*, remplir le rôle de qqn, de qqch.; *vicem alicujus explere, implere*, remplir le rôle de qqn, ou *obtinere* || **5.** [expressions]: acc. **vicem**, employé adv., ***a)*** = *in vicem*, à tour de rôle; ***b)*** à la place de, pour: *tuam vicem doleo*, je m'afflige pour toi; *meam vicem*, pour moi; *alicujus vicem*, pour qqn; ***c)*** à la manière de, comme || abl. **vice**, ***a)*** à la place de, en guise de, comme: *salis vice*, en guise de sel; ***b)*** à la place de, pour.

vicissim *(vicis)*, **1.** en retour, inversement, par contre || **2.** à son tour, en revanche.

vicissitudo, *inis*, f. *(vicis)*, alternative, échange || passage successif (alternatif) d'un état dans un autre; *dierum noctiumque vicissitudines*, succession (alternative) des jours et des nuits; *fortunæ vicissitudines*, les vicissitudes de la fortune.

victima, *æ*, f., victime, animal destiné au sacrifice.

victimarius, *a, um (victima)*, relatif aux victimes || *victimarius, ii*, m., ***a)*** victimaire [ministre des autels qui préparait tout pour le sacrifice]; ***b)*** marchand d'animaux destinés au sacrifice.

victor, *oris (vinco)*, vainqueur: *belli*, vainqueur à la guerre || *victores discesserunt*, ils se retirèrent vainqueurs.

1. victoria, *æ*, f. *(victor)*, **1.** victoire: *victoriam reportare ab aliquo*, remporter la victoire sur qqn; *ex aliquo victoriam ferre* ou *parere*, remporter la victoire sur qqn || **2.** triomphe, succès.

2. Victoria, *æ*, f., **1.** la Victoire, déesse || **2.** statue de la Victoire.

victoriatus, *a, um (victoria)*, dû à la victoire || subst. m. (s.-ent. *nummus*), pièce d'argent valant cinq as, à l'effigie de la Victoire.

victrix, *icis*, f. (pl. n. *-tricia*), f. de *victor*, **1.** victorieuse || relative à la victoire: *victrices litteræ*, bulletin de victoire || **2.** qui triomphe.

victurus, *a, um*, part. fut. de *vinco* et de *vivo*.

victus, *a, um*, part. de *vinco*.

victus, *us*, m. *(vivo)*, **1.** nourriture, subsistance, vivres, aliments: *major pars eorum victus in lacte, caseo, carne consistit*, la partie la plus importante de leur nourriture consiste en lait, fromage, viande || **2.** genre de vie.

viculus, *i*, m., petit bourg, bourgade.

vicus, *i*, m., **1.** quartier d'une ville || **2.** bourg, village || terre, propriété à la campagne, ferme.

videlicet *(videre licet)*, adv., il va de soi, il va sans dire, bien entendu, naturellement || [souvent ironique] évidemment, bien sûr || sans doute, apparemment.

viden = *videsne?* vois-tu? tu vois, n'est-ce pas?

videns, *tis*, part. prés. de *video*.

video, *ere, vidi, visum*, tr., voir, **1.** [absol.] = percevoir par la vue: *o rem visu fœdam!* ô chose honteuse à voir! *te vidente*, sous tes yeux; [avec acc.] *ea quæ videmus*, ce que nous voyons || **2.** [avec un attribut au complément]: *eos cum tristiores vidisset*, les ayant vus un peu attristés || [part. prés. attribut] *athletas se exercentes*, voir les athlètes s'exercer || [avec part. passé] *se classe hostium circumfusos videbant*, ils se voyaient entourés par la flotte ennemie || [avec *ut*, comment]: *videre ut*, voir comment || **3.** [avec sujet n. de chose]: *triclinium hortum videt*, la salle à manger a vue sur le jardin || **4.** jouir de, disposer de, être témoin de: *multa bona videre*, voir beaucoup d'événements heureux || **5.** = remarquer, constater || **6.** aller voir qqn, se rencontrer avec qqn || **7.** ***a)*** voir avec les yeux de l'esprit, voir par la pensée, en imagination: *aliquid in somnis*, voir qqch. en songe; *animo videre*, voir par la pensée; ***b)*** [absol.] *plus videre*, avoir plus de clairvoyance, de pénétration; ***c)*** remarquer, apercevoir; ***d)*** constater (trouver) dans l'histoire; ***e)*** juger, examiner, déterminer: *nunc ea videamus, quæ*, voyons maintenant ce que || [fut. ant.] *videro, videris*, etc., je verrai, tu verras, etc.: à toi de le voir, de le déterminer; ***f)*** = pourvoir à, prendre des mesures pour, s'occuper de

|| *videre ut*, prendre des mesures pour que, faire en sorte que || *videre ne*, prendre des précautions, des mesures, pour que ne pas = *cavere ne*.

videor, *eri, visus sum*, **1.** pass. de *video*, être vu : *a nullo videbatur*, il n'était vu de personne || **2.** se montrer (apparaître) visiblement, manifestement || **3.** paraître, sembler ; ***a)*** [avec attribut] : *cetera, quæ quibusdam admirabilia videntur*, le reste, qui paraît admirable à certains ; ***b)*** [avec inf.] : *solem e mundo tollere videntur*, ils ont l'air d'enlever le soleil de l'univers ; ***c)*** [avec nom. et inf.] *divitior mihi videtur esse vera amicitia*, la vraie amitié me paraît plus riche ; ***d)*** [parenthèses avec tour impers.] : *ut mihi visum est*, à ce qu'il m'a paru ; *ut mihi videtur*, à ce qu'il me semble ; ***e)*** *mihi videor, tibi videris, sibi videtur*, je crois, tu crois, il croit : *videor mihi perspicere*, je crois voir pleinement || [dat. non exprimé] : *abesse a periculo videntur*, ils se croient loin du danger ; ***f)*** [tour impers.] : *alicui videtur*, il paraît bon à qqn, qqn trouve bon, qqn est d'avis : *si videtur, si tibi videtur* [formule de politesse], s'il te paraît bon, si tu veux bien, s'il te plaît || [avec inf. exprimé ou sous-entendu] : *ad hæc, quæ visum est, respondit*, à cela il répondit ce qu'il lui parut bon [de répondre].

vidua, *æ (viduus)*, veuve.

viduatus, *a, um*, part. de *viduo*.

viduitas, *atis*, f. *(viduus)*, **1.** privation || **2.** veuvage, viduité, état de femme veuve.

viduo, *are, avi, atum (viduus)*, tr., **1.** rendre veuve || **2.** [fig.] rendre vide, vider de, dépouiller de, dépeupler.

viduus, *a, um*, **1.** veuf || **2.** vide de, privé de.

vieo, *ere, etum*, tr., tresser, lier, attacher.

vietus, *a, um*, fané, flétri || trop fait, trop avancé, blet.

vigeo, *ere, vigui*, intr., **1.** être en vigueur, avoir de la force ; végéter || **2.** être en honneur, en vogue, fleurir.

vigil, *ilis*, **1.** adj., éveillé, vigilant, attentif || **2.** qui tient éveillé || **3.** subst. m., garde de nuit, veilleur.

vigilans, *tis*, part. prés. de *vigilo* || adj., vigilant, attentif, soigneux.

vigilanter, adv., avec vigilance, avec soin, attentivement.

vigilantia, *æ*, f. *(vigilans)*, **1.** habitude de veiller || **2.** vigilance, soin vigilant, attention.

vigilate, v. *vigilanter*.

vigilatus, *a, um*, part. de *vigilo*.

vigilax, *acis*, m., f., n., **1.** qui est toujours à veiller, vigilant || **2.** qui tient éveillé.

vigilia, *æ*, f. *(vigil)*, **1.** veille || insomnie || **2.** ***a)*** garde de nuit ; ***b)*** faction de nuit, veille [la nuit est divisée en quatre veilles] ; *de tertia vigilia*, au cours de la troisième veille ; ***c)*** gardien qui veille, sentinelle, poste || **3.** vigilance.

vigiliarium, *ii*, n. *(vigilia)*, guérite, corps de garde.

vigilo, *are, avi, atum (vigil)*,
I. intr., **1.** veiller, être éveillé || **2.** être sur ses gardes, être attentif, veiller au grain, être sur le qui-vive || [avec *ut, ne*] pour faire que, pour éviter que.
II. tr. [poét.], **1.** passer dans la veille || **2.** entourer de veilles, de soins.

viginti, indécl., vingt || abréviation *XX*.

vigintivir, *iri*, m., un vigintivir || surtout au pl. **vigintiviri,** *orum*, vigintivirs, commission de vingt membres.

vigintiviratus, *us*, m., vigintivirat, dignité de vigintivir.

vigor, *oris*, m. *(vigeo)*, vigueur, force vitale || vigueur, énergie [morale, intellectuelle].

vigui, pf. de *vigeo*.

vilica (villica), *æ*, f., fermière.

vilicatio, *onis*, f. *(vilico)*, gouvernement d'une ferme.

vilico (villico), *are (villa)*, intr., administrer une ferme, être fermier.

vilicus (villicus), *a, um (villa)*, relatif à la maison de campagne, de ferme || **vilicus,** *i*, m., fermier, régisseur d'une propriété rurale.

vilis, *e*, **1.** à vil prix, bon marché || **2.** ***a)*** de peu de valeur, sans valeur, vil ; ***b)*** commun, très répandu, vulgaire.

vilitas, *atis*, f. *(vilis)*, **1.** bas prix, bon marché || **2.** absence de valeur, insignifiance || vulgarité, bassesse || **3.** bon marché qu'on fait de qqch.

viliter *(vilis)*, à bon marché, à vil prix.

villa, *æ*, f., **1.** maison de campagne, propriété, maison des champs, ferme, métairie || **2.** *villa publica*, ***a)*** édifice public dans le champ de Mars, où se faisaient les enrôlements, le cens ; ***b)*** résidence où l'on recevait les ambassadeurs.

villaris, *e*, et **villaticus,** *a, um (villa)*, relatif à la maison des champs, de ferme.

villic-, v. *vilic-*.

villosus, *a, um (villus)*, velu, couvert de poils.

villula, *æ*, f. *(villa)*, petite maison de campagne.

villus, *i*, m., poil || mousse des arbres.

vimen, *inis*, n. *(vieo)*, tout bois pliant, flexible, osier; baguette flexible || plant de saule.

vimentum, *i*, n. *(vieo)*, branchage de bois flexible.

1. **viminalis,** *e (vimen)*, propre à faire des liens.

2. **Viminalis collis,** m., le Viminal (colline de l'osier) [une des collines de Rome].

viminetum, *i*, n. *(vimen)*, oseraie.

vimineus, *a, um (vimen)*, fait de bois pliant, d'osier.

vin', pour *visne*? veux-tu?

vinacea (-cia), *æ*, f. *(vinum)*, marc des raisins.

vinaceum (-cium), *i*, n. *(vinum)*, pépin [du raisin] || marc des raisins.

vinaceus, *i*, m. *(vinum)*, pépin de raisin || marc, peau du raisin.

Vinalia, *ium*, n. *(vinum)*, les Vinalies [deux fêtes où l'on célébrait et la floraison de la vigne et la vendange].

vinarium, *ii*, n. *(vinarius)*, vase à mettre du vin, amphore.

vinarius, *a, um (vinum)*, **1.** à vin, relatif au vin || **2.** subst. m., **vinarius,** marchand de vin.

vincio, *ire, vinxi, vinctum*, tr., **1.** lier, attacher || **2.** enchaîner, garrotter || **3.** tenir enfermé par des troupes.

vinco, *ere, vici, victum*, tr., **1.** vaincre [à la guerre], être vainqueur: *qui vicerunt*, les vainqueurs || [avec acc.]: *Galliam bello*, triompher de la Gaule en guerroyant || **2.** vaincre [dans des luttes diverses]: *judicium vincere*, gagner un procès || **3.** triompher de, venir à bout de, surpasser, avoir le dessus || **4.** ***a)*** vaincre, surpasser, etc.; ***b)*** démontrer victorieusement que, réussir à prouver que [avec prop. inf.].

vinctio, *onis*, f. *(vincio)*, c. *vinctura*.

vinctura, *æ*, f. *(vincio)*, **1.** action de lier || **2.** lien || ligament, ligature.

vinctus, *a, um*, part. de *vincio*.

vinculum et **vinclum,** *i*, n. *(vincio)*, **1.** lien, attache || **2.** liens d'un prisonnier, chaînes, fers; *in vincula conjectus*, jeté dans les fers || *vincula publica*, prison de l'État.

vindemia, *æ*, f. *(vinum, demo)*, **1.** vendange || **2.** ***a)*** = raisin; ***b)*** récolte, cueillette.

vindemiator, *oris*, m. *(vindemio)*, **1.** vendangeur || **2.** étoile dans la constellation de la Vierge.

vindemiatorius, *a, um (vindemiator)*, relatif à la vendange.

vindemio, *are (vindemia)*, intr., vendanger.

vindemiola, *æ*, f., petite vendange; petites réserves.

vindemitor, *oris*, m., = *vindemiator*.

1. **vindex,** *icis*, m., **1.** répondant || **2.** défenseur, protecteur || **3.** vengeur, qui tire vengeance de, qui punit.

2. **Vindex,** *icis*, m., C. Julius Vindex [procurateur de la Gaule, qui se révolta contre Néron].

vindicatio, *onis*, f. *(vindico)*, **1.** action de revendiquer en justice, réclamation || **2.** action de prendre la défense, de défendre || action de tirer vengeance, de punir.

vindicatus, *a, um*, part. de *vindico*.

vindiciæ, *arum*, f. *(vindex)*, revendication contradictoire devant le préteur d'un objet ou d'une chose; le préteur accordait la revendication, pour la durée du procès, c.-à-d. la possession provisoire, intérimaire à l'une des deux parties; *vindicias dare secundum libertatem*, accorder l'état provisoire de personne libre.

vindico, *are, avi, atum (vindex)*, tr., **I.** [droit] revendiquer en justice; primit. les deux parties se transportaient sur les lieux avec le préteur et, mettant ensemble la main sur l'objet en litige, le revendiquaient avec des formules sacramentelles || *sponsam in libertatem vindicare*, revendiquer pour sa fiancée l'état de personne libre, [donc] la liberté.

II. 1. réclamer à titre de propriété, revendiquer: *sibi aliquid*, réclamer pour soi, comme sa propriété qqch., ou sans *sibi* || **2.** *in libertatem aliquem vindicare*, rendre à qqn la liberté || **3.** dégager, délivrer || **4.** venger, punir, châtier, tirer vengeance de: *aliquid supplicio omni*, punir qqch. par tous les supplices || [absol., au pass. impers. avec *in* acc.] sévir contre: *vindicatum est in cives*, on a sévi contre des citoyens || *se ab aliquo vindicare*, se venger de qqn.

vindicta, *æ*, f. *(vindico)*, **1.** baguette dont l'*assertor libertatis* touchait l'esclave qu'on voulait affranchir || **2.** ***a)*** action de revendiquer, de reconquérir; ***b)*** affranchissement, délivrance || vengeance, punition.

vinea, *æ*, f. *(vineus)*, **1.** vigne, vignoble || **2.** cep de vigne, pied de vigne || **3.** baraque roulante [pour les sièges], baraque d'approche: *vineas agere,* *conducere*, faire avancer les baraques d'approche.

vinealis, *e*, **vinearius,** *a, um*, et **vineaticus,** *a, um*, de vignoble, vigne.

vinetum, *i*, n. *(vinum)*, lieu planté de vignes, vignoble, de vigne.

vinitor, *oris*, m. *(vinum)*, vigneron, vendangeur.

vinitorius, *a, um (vinitor)*, de vigneron.

vinolentia (vinul-), *æ*, f. *(vinolentus)*, ivresse, ivrognerie.

vinolentus (vinul-), *a, um (vinum)*, **1.** ivre || **2.** où il entre du vin.

vinosus, *a, um (vinum)*, **1.** adonné au vin || **2.** pris de vin || **3.** qui rappelle le vin, vineux.

vinum, *i*, n., **1.** vin || *vina*, les vins || *advinum diserti*, éloquents sous l'effet du vin || **2.** raisin, grappe || vigne || **3.** liqueur tirée d'autres fruits, cidre, poiré, etc.

vinxi, pf. de *vincio*.

vio, *are (via)*, intr., faire route || être en voyage || **viantes,** *ium*, m., voyageurs.

viocurus, *i*, m. *(via, curo)*, inspecteur des chemins, voyer.

viola, *æ*, f., violette || couleur violette.

violabilis, *e (violo)*, qui peut recevoir une atteinte || qu'on peut outrager.

violaceus, *a, um (viola)*, violet, de couleur violette.

violarium, *ii*, n. *(viola)*, plant de violettes.

violatio, *onis*, f. *(violo)*, profanation.

violator, *oris*, m. *(violo)*, profanateur || violateur [du droit], [d'un traité].

violatus, *a, um*, part. de *violo*.

violens, *tis (vis)*, violent, impétueux || emporté, fougueux.

violenter, avec violence, impétuosité || avec violence || violemment, avec emportement.

violentia, *æ*, f. *(violentus)*, **1.** violence, caractère violent, emporté || caractère farouche, indomptable || **2.** violence, force violente.

violentus, *a, um (vis)*, **1.** violent, emporté || farouche, cruel, despote, despotique || **2.** violent, impétueux || despotique, tyrannique.

violo, *are, avi, atum (vis)*, tr., **1.** traiter avec violence, faire violence à: *hospitem*, user de violence à l'égard d'un hôte || porter atteinte à, dévaster, endommager un territoire || **2.** profaner, outrager || porter atteinte à || violer, enfreindre, transgresser || **3.** altérer une couleur, teindre.

vipera, *æ*, f. (peut-être de *vivipara; vivus* et *pario*), vipère.

vipereus, *a, um (vipera)*, de vipère, de serpent || entouré de serpents [en parl. de Méduse ou des Furies].

viperinus, *a, um (vipera)*, de vipère, de serpent.

vipio, *onis*, m., petite grue.

Vipsanius, *ii*, m., nom de famille romain, entre autres d'Agrippa || **-sanus,** *a, um*, de Vipsanius, d'Agrippa; *Vipsanæ columnæ*, colonnes du Portique d'Agrippa.

Vipstanus, *i*, m., Vipstanus Messala [orateur et historien du 1er siècle ap. J.-C.].

vir, *viri*, m., **1.** homme || **2.** homme [être humain, homme en général] || homme jouant un rôle dans la cité, personnalité, personnage || **3.** ***a)*** homme, mari, époux || [anim.] mâle; ***b)*** homme = homme fait [opp. à enfant]; ***c)*** qui a des qualités viriles: *virum se præbere*, se montrer un homme, montrer du caractère; ***d)*** = soldat; fantassin [opp. à cavalier]: *equites virique*, cavaliers et fantassins; *equis viris*, en faisant tout donner, chevaux et hommes = par tous les moyens; ***e)*** tête d'homme, individu; ***f)*** *vir virum legit:* a) chacun choisit son homme, son collègue au sénat; b) son compagnon de combat; c) [ou] son adversaire.

virago, *inis*, f. *(vir)*, femme guerrière, héroïne.

virectum, *i*, n. *(vireo)*, endroit verdoyant, partie gazonnée.

virens, *tis (vireo)*, verdoyant, vert || pl. n., *virentia, ium*, plantes, végétaux.

1. vireo, *ere*, intr., **1.** être vert || **2.** être florissant, vigoureux, être dans sa verdeur.

2. vireo, *onis*, m., verdier ou verdet.

viresco, *ere, rui (vireo)*, intr., **1.** devenir vert, verdir || **2.** devenir florissant, vigoureux.

virga, *æ*, f., **1.** petite branche mince, verge, baguette || **2.** [en part.] ***a)*** rejeton, scion, bouture; ***b)*** gluau, pipeau; ***c)*** baguette, verge pour battre, cravache || [not.] pl., verges en faisceaux des licteurs: *virgas expedire*, dénouer le faisceau de verges, préparer les verges; [d'où] *virga = fasces*; ***d)*** baguette magique || **3.** ***a)*** tige de lin; ***b)*** verge, bande colorée.

virgatus, *a, um (virga)*, **1.** tressé avec des baguettes, en osier || **2.** rayé.

virgetum, *i*, n. *(virga)*, lieu planté d'osier, oseraie.

virgeus, *a, um (virga)*, de baguettes, de branches flexibles.

Virgilius (Verg-), *ii*, m., nom de différents personnages : notamment *Vergilius Maro*, le poète Virgile || **-ianus,** *a, um*, de Virgile, virgilien.

virginalis, *e (virgo)*, de vierge, de jeune fille.

virgineus, *a, um (virgo)*, de jeune fille, de vierge, virginal.

virginitas, *atis*, f. *(virgo)*, virginité.

Virginius (Verg-), *ii*, m., centurion qui tua sa fille pour la soustraire aux poursuites du décemvir Appius Claudius.

virgo, *inis*, f., **1.** jeune fille, vierge : *virgo bellica*, Pallas ; *virgo Saturnia*, Vesta || [en appos.] *Minerva virgo*, la vierge Minerve [la chaste Minerve] ; *virgo dea*, Diane || **2.** [en part.] ***a)*** *Virgines*, les Vestales ; ***b)*** *Virgo*, la Vierge, Diane ; ***c)*** *Virgines* = les Danaïdes || **3.** [en gén.] jeune fille, jeune femme || **4.** ***a)*** la Vierge [constellation] ; ***b)*** *Aqua Virgo* ou *Virgo*, l'eau vierge, découverte par une jeune fille et que M. Agrippa amena à Rome par un aqueduc || **5.** [adj. au fig.] vierge, qui n'a pas servi : *terra virgo*, terre vierge.

virgula, *æ*, f. *(virga)*, petite branche, rameau || petite baguette, baguette.

virgulatus, *a, um*, rayé, strié.

virgulta, *orum*, n. *(virgula)*, menues branches, jeunes pousses, boutures || branchages || broussailles, ronces.

virguncula, *æ*, f. *(virgo)*, petite fille, fillette.

Viriatus (-thus), *i*, m., Viriate ou Viriathe [chef des Lusitaniens, soulevé contre les Romains, IIe siècle av. J.-C., les battit plusieurs fois] || **-tinus (-thi-),** *a, um*, de Viriate ou Viriathe.

viriculum, *i*, n., touret, burin.

viridans, *tis*, part. prés. de *virido*.

viridarium (-diarium), *ii*, n., lieu planté d'arbres, bosquet, parc.

viride, adv., de couleur verte.

viridia, *ium*, n., arbustes (arbres) verts, verdure || jardin, bosquet.

viridis, *e (vireo)*, **1.** vert, verdoyant || **2.** vert, frais, vigoureux || frais, jeune.

viriditas, *atis*, f. *(viridis)*, **1.** la verdure, le vert || **2.** verdeur, vigueur.

virido, *are (viridis)*, tr., rendre vert.

virilis, *e (vir)*, **1.** d'hommes, des hommes, mâle, masculin : *virile secus*, sexe masculin || **2.** d'homme, d'homme fait, viril : *ætas virilis*, l'âge viril ; *toga virilis* || **3.** = individuel, qui revient à une tête, à une personne ; *pro virili parte*, ou *portione*, pour sa part, suivant ses moyens || **4.** mâle, viril, fort, ferme, vigoureux, courageux.

virilitas, *atis*, f., **1.** virilité, âge viril || **2.** sexe de l'homme || **3.** caractère mâle.

viriliter, virilement, d'une manière mâle.

viritim *(vir)*, par homme, par tête, individuellement.

virosus, *a, um (virus)*, d'une odeur fétide, infect.

virtus, *utis*, f. *(vir)*, qualités qui font la valeur de l'homme moral. et phys., **1.** caractère distinctif de l'homme, [et en gén.] qualité distinctive, mérite essentiel, valeur caractéristique, vertu : *animi virtus corporis virtuti anteponitur*, les mérites de l'âme passent avant ceux du corps || [d'où] les qualités, le mérite, la valeur de qqn, de qqch. : *bellandi virtus*, les talents guerriers || **2.** qualités morales, vertus || **3.** [en part.] ***a)*** qualités viriles, vigueur morale, énergie ; ***b)*** bravoure, courage, vaillance : *Helvetii reliquos Gallos virtute præcedunt*, les Helvètes dépassent le reste des Gaulois en courage || **4.** la vertu, perfection morale.

virui, pf. de *viresco*.

virulentus, *a, um (virus)*, venimeux.

virus, *i*, n., **1.** suc, jus, humeur || **2.** venin || **3.** mauvaise odeur, puanteur, infection || âcreté, amertume.

1. vis, 2e pers. sing. ind. prés. de *volo*.

2. vis, acc. *vim*, abl. *vi*, pl. *vires*, *virium*, f.,

I. sing., **1.** force, vigueur || **2.** puissance, force || action efficace || influence, importance : *oratio vim magnam habet*, la parole a une grande influence || **3.** violence, emploi de la force, voies de fait : *vim adhibere, adferre alicui*, faire violence à qqn ; *per vim*, par force, de force, de vive force, ou *vi* || *de vi reus*, accusé du chef de violence || manières violentes, esprit de violence, animosité || **4.** force des armes, attaque de vive force, assaut || **5.** sens d'un mot ; *vis subjecta vocibus*, l'idée abritée sous les mots || **6.** essence, caractère essentiel || **7.** quantité, multitude, abondance : *vis maxima vasorum Corinthiorum*, une immense quantité de vases corinthiens ; *magna vis eboris*, une grande quantité d'ivoire.

II. pl., **1.** force physique, les forces : *vires adulescentis*, les forces de la jeunesse ; *integris viribus*, ayant des forces intactes || [métaph.] *eloquentiæ, ingenii*, la force de l'éloquence, de l'esprit || **2.** force, puissance, vertu, propriétés || **3.** forces armées, troupes, soldats.

viscatus, *a, um (viscum),* **1.** frotté de glu, englué || **2.** qui est comme un gluau, un piège tendu.

viscera, v. *viscus.*

visceratio, *onis,* f. *(viscera),* distribution publique de viande.

viscum, *i,* n., **1.** gui || **2.** glu.

viscus, *eris,* et plus souv. **viscera,** *um,* n., **1.** les parties internes du corps, viscères, intestins, entrailles || **2.** chair || la chair d'une femme = le fruit de ses entrailles, progéniture, enfant || **3.** entrailles, cœur, sein : *in visceribus rei publicæ,* dans les entrailles de l'État || le plus pur sang, la substance.

visio, *onis,* f. *(video),* **1.** action de voir, vue || **2.** ***a)*** action de voir par l'esprit, de concevoir ; ***b)*** idée perçue, conception.

visito, *are, avi, atum* (fréq. de *viso*), tr., **1.** voir souvent, *aliquem,* qqn || **2.** visiter, venir voir qqn.

viso, *ere, si, sum (video),* tr., **1.** voir attentivement, examiner, contempler : *visendi causa,* par curiosité || **2.** ***a)*** aller [ou] venir voir : *vise ad portum,* va voir au port ; ***b)*** rendre visite, aller voir, visiter.

visum, *i,* n. *(video),* chose vue, objet vu, vision.

1. visus, *a, um,* part. de *video.*

2. visus, *us,* m., **1.** action de voir, faculté de voir, vue || **2.** sens de la vue, yeux || ce qu'on voit, vue, vision || aspect, apparence.

vita, *æ,* f. *(vivo),* **1.** vie, existence : *vitam agere, degere,* vivre || **2.** [fig.] ***a)*** vie, genre de vie, manière de vivre : *vita rustica,* la vie des champs ; *vitæ societas,* la vie sociale, les relations de société ; ***b)*** subsistance, moyens d'existence ; ***c)*** la vie = la réalité ; ***d)*** = personne chérie, objet cher entre tous : *mea vita,* ma chère âme ; ***e)*** la vie humaine, le monde ; ***f)*** vie racontée, biographie, histoire ; ***g)*** *vitæ* = les âmes, les ombres aux Enfers.

vitabilis, *e (vito),* qu'on doit éviter.

vitabundus, *a, um (vito),* qui cherche à éviter, *aliquid, aliquem,* qqch., qqn.

vitalia, *ium,* n. *(vitalis),* **1.** les organes essentiels à la vie || **2.** les vêtements d'un mort.

vitalis, *e (vita),* **1.** de la vie, qui concerne la vie, de vie, qui entretient la vie ou qui donne la vie, vital : *vis vitalis,* force vitale ; *spiritus,* souffle vivifiant || capable de vivre || **2.** digne d'être vécu.

vitalitas, *atis,* f. *(vitalis),* vitalité, le principe de la vie, la vie.

vitaliter *(vitalis),* adv., avec un principe de vie, de manière à vivre.

vitatio, *onis,* f. *(vito),* action d'éviter.

vitatus, *a, um,* part. de *vito.*

Vitellius, *ii,* m., Aulus Vitellius [neuvième empereur romain] || **-ius,** *a, um,* de Vitellius ; *Vitellia via,* la route Vitellienne, conduisant du Janicule à la mer || ou **-ianus,** *a, um* || **-iani,** *orum,* m., les Vitelliens, soldats de Vitellius.

vitellus, *i,* m., **1.** petit veau || **2.** jaune d'œuf.

viteus, *a, um (vitis),* de vigne.

vitex, *icis,* f., vitex, espèce de saule.

vitiarium, *ii,* n. *(vitis),* plant de vigne, vignoble.

vitiatus, *a, um,* part. de *vitio.*

viticula, *æ,* f. *(vitis),* **1.** cep de vigne || **2.** tige.

vitifer, *era, erum (vitis, fero),* qui produit de la vigne, planté de vigne.

vitigenus, *a, um,* et **vitigineus,** *a, um (vitis, geno),* de vigne, qui provient de la vigne.

vitiligo, *inis,* f. *(vitium),* tache blanche sur la peau, dartre.

vitilis, *e (vieo),* tressé || **-lia,** *ium,* n., paniers d'osier.

vitio, *are, avi, atum (vitium),* tr., **1.** rendre défectueux, gâter, corrompre, altérer : *auras,* vicier l'air || **2.** déshonorer || **3.** falsifier.

vitiose *(vitiosus),* d'une manière défectueuse || d'une manière entachée d'irrégularité.

vitiositas, *atis,* f. *(vitiosus),* vice, tare || disposition vicieuse.

vitiosus, *a, um (vitium),* **1.** gâté, corrompu || **2.** ***a)*** défectueux, mauvais ; ***b)*** entaché de vice, irrégulier [contre les auspices] ; ***c)*** [moral.] gâté, défectueux, mauvais, corrompu.

vitiparra, *æ,* f., chardonneret.

vitis, *is,* f., **1.** vigne || **2.** baguette du centurion || grade de centurion.

vitisator, *oris,* m. *(vitis, sator),* planteur de la vigne.

vitium, *ii,* n., **1.** défaut, défectuosité, imperfection, tare : *corporis,* défaut physique, difformité, infirmité ; *in tecto,* défectuosité dans le toit ; état défectueux || **2.** ***a)*** défaut ; ***b)*** défectuosité, irrégularité, vice dans les auspices ; ***c)*** *vitia* [opp. à *virtutes*] les vices || *alicui vitio vertere quod,* faire un crime à qqn de; *in vitio esse*, être coupable, être en défaut.

vito, *are, avi, atum*, tr., éviter, se garder de, se dérober à || [fig.] *vituperationem*, éviter le blâme || [avec *ne*] éviter de || [avec inf.].

vitrarius, ou **vitrearius,** *ii*, m., verrier, celui qui travaille et souffle le verre.

vitreus, *a, um (vitrum)*, **1.** de verre, en verre || *vitrea, orum*, n., ouvrage de verre, verrerie || **2.** clair, transparent comme du verre || glauque, vert de mer || brillant et fragile.

vitricus, *i*, m., beau-père.

vitrum, *i*, n., **1.** verre || **2.** pastel ou guède, plante donnant une couleur bleue.

Vitruvius, *ii*, m., nom de div. pers.; notamment M. Vitruvius Pollio, Vitruve, qui écrivit sur l'architecture, sous Auguste.

vitta, *æ*, f., **1.** lien || **2.** bandelette [des victimes ou des prêtres] || **3.** ruban [nouant les cheveux, caractéristique des femmes de naissance libre].

vittatus, *a, um (vitta)*, orné de bandelettes || orné de rubans, pavoisé.

vitula, *æ*, f., génisse.

vitulinus, *a, um (vitulus)*, de veau || **-lina,** *æ*, f., viande de veau.

vitulus, *i*, m., **1.** veau || **2.** petit || *vitulus marinus*, ou *vitulus* seul, veau marin, phoque.

vituperabilis, *e (vitupero)*, blâmable, répréhensible.

vituperatio, *onis*, f. *(vitupero)*, blâme, reproche, réprimande, critique: *in vituperationem venire; cadere*, encourir le blâme.

vituperator, *oris*, m. *(vitupero)*, censeur, critique.

1. vitupero, *are, avi, atum (vitium)*, tr., **1.** trouver des défauts à, blâmer, reprendre, critiquer, censurer qqn ou qqch. || rabaisser || **2.** gâter, vicier.

2. vitupero, *onis*, m. = *vituperator*.

vivacitas, *atis*, f. *(vivax)*, force de vie, longue vie, durée.

vivarium, *ii*, n. *(vivus)*, parc à gibier, garenne, vivier; parc à huîtres.

vivax, *acis (vivo)*, **1.** qui vit longtemps || qui vit trop longtemps || vivace || durable || **2.** animé, vif, bouillant, fougueux.

viverra, *æ*, f., furet.

vivesco (vivisco), *ere, vixi (vivo)*, intr., **1.** prendre vie, commencer à vivre || **2.** [fig.] s'animer, se développer, s'aviver.

vivide *(vividus)*, adv., *vividius*, plus vivement || d'une manière plus expressive.

vividus, *a, um (vivo)*, **1.** vivant, animé || qui semble respirer || **2.** plein de vie, vif, bouillant, vigoureux, énergique, etc.

viviradix, *icis*, f. *(vivus, radix)*, plant vif, plante avec sa racine.

vivo, *ere, vixi, victum*, intr., **1.** vivre, avoir vie, être vivant: *annum vivere*, vivre une année || *tutiorem vitam*, vivre d'une vie plus sûre || **2.** être encore vivant; *si viveret Hortensius...*, si Hortensius était encore en vie... || **3.** [locutions] ***a)*** *vixit, vixisse*, il a vécu, avoir vécu = n'être plus; ***b)*** *ita vivam, putavi*, sur ma vie, je l'ai pensé; ***c)*** *ne vivam, si scio*, que je meure, je veux mourir, si je le sais; ***d)*** *sibi soli vivere*, vivre pour soi seul; ***e)*** *in diem, in horam vivere*, vivre au jour le jour || **4.** vivre vraiment, jouir de la vie || [formule d'adieu]: *vive valeque*, jouis de la vie et porte-toi bien; [poét.] *vivite silvæ*, adieu, forêts! || **5.** vivre, durer, subsister || **6.** vivre de, se nourrir de: *maximam partem lacte atque pecore vivunt*, ils vivent pour la plupart de lait et de la chair des troupeaux; *rapto*, vivre de rapine, ou *ex rapto* || se nourrir, s'entretenir || **7.** vivre, passer sa vie, l'occuper de telle, telle manière: *in agro colendo*, passer sa vie dans la culture des champs; *in oculis civium*, vivre sous les regards de ses concitoyens || *familiariter cum aliquo*, être intimement lié avec qqn; *secum vivere*, vivre avec soi-même, n'avoir d'autre société que soi-même.

vivus, *a, um*, **1.** vivant, vif, animé, en vie: *Tatio... vivo*, du vivant de Tatius; *vivus et videns*, de son vivant et sous ses yeux || *vivus*, subst. m., un vivant || **2.** qui semble vivant || *viva aqua*, eau vive, courante || n. pris subst., le vif: *ad vivum resecare*, couper jusqu'au vif.

vix, adv., à peine, **1.** avec peine, difficilement: [*vix* étant d'ordinaire placé comme *non*] *dici vix potest*, on peut à peine dire || *aut vix aut nullo modo*, ou à peine ou pas du tout; *vix teneor quin*, j'ai peine à me retenir de || **2.** [en corrél. avec *cum*]: *vix processerat, cum...*, à peine s'était-il avancé que... || *vix... et*, à peine... que || **3.** [fortifié par *tandem*] avec peine, mais enfin; tout de même enfin.

vixdum, adv. *(vix, dum)*, à peine encore, à peine || *vixdum... cum*, à peine... quand (que); ou *vixdum... et*.

vixi, pf. de *vivo* et de *vivesco*.

vocabulum, *i*, n. *(voco)*, dénomination, nom d'une chose, mot, terme.

vocalis, *e (vox)*, **1.** qui fait entendre un son de voix [en parl. d'animaux divers] || **2.** qui se sert de la voix || **3.** qui rend un son, sonore || **4.** pris subst., *vocalis is*, f., voyelle.

vocativus, *a, um (voco)*, qui sert à appeler, qui appelle || subst. m., le vocatif.

vocator, *oris*, m., celui qui appelle, qui convoque || celui qui est chargé d'inviter.

1. vocatus, *a, um*, part. de *voco*.

2. vocatus, *us*, m., **1.** convocation : *alicujus vocatu*, sur la convocation de qqn || **2.** appel, convocation || invitation à dîner.

vociferatio, *onis*, f. *(vociferor)*, clameurs, vociférations.

vociferatus, *us*, m., grands cris.

vocifero, *are, avi, atum*, c. *vociferor* || [pass. impers.] *vociferatum (fuerat) fortiter* avec prop. inf., avec des cris forcenés on avait proclamé que...

vociferor, *ari, atus sum (vox, fero)*, **1.** intr., faire entendre des clameurs, pousser de grands cris || [avec *ut*] demander à grands cris que || **2.** tr., crier fort, dire à plein gosier : *pauca*, crier quelques paroles || [avec prop. inf.] crier que.

vocifico, *are (vox, facio)*, **1.** intr., faire grand bruit || **2.** tr., annoncer à haute voix.

vocito, *are, avi, atum (voco)*, tr., nommer habituellement, dénommer, appeler.

voco, *are, avi, atum (vox)*, tr.,
I. appeler, **1.** appeler pour faire venir, appeler, convoquer : *aliquem ad se*, mander qqn auprès de soi ; *ad arma*, appeler aux armes || [absol.] *vocare in contionem*, convoquer à l'assemblée = convoquer l'assemblée du peuple ; *in senatum*, convoquer le sénat || *contionem vocare*, convoquer l'assemblée || *aliquem auxilio*, appeler qqn à son secours, invoquer l'assistance de qqn || **2.** assigner : *aliquem in jus*, appeler en justice qqn || **3.** appeler pour voter || **4.** inviter à venir combattre, provoquer || **5.** inviter à dîner : *vocare ad prandium, ad cenam* || **6.** inviter = exhorter || **7.** appeler = désigner par un nom, nommer ; *animal... quem vocamus hominem*, l'animal... que nous appelons homme.
II. 1. amener : *in invidiam vocare aliquem, in suspicionem*, amener qqn à être détesté, soupçonné ; faire détester, faire soupçonner qqn || **2.** appeler à = destiner à.

vocula, *æ*, f., dimin. de *vox*, voix faible, voix contenue || inflexion douce || pl., paroles chuchotées, médisance, chuchoterie.

volaticus, *a, um (volo 1)*, **1.** qui vole, ailé || **2.** qui va de-ci, de-là, changeant, inconstant.

volatilis, *e (volo 1)*, **1.** qui vole, ailé || **2.** ***a)*** rapide ; ***b)*** éphémère.

volatura, *æ*, f. *(volo 1)*, action de voler || oiseaux (la gent volatile).

volatus, *us*, m. *(volo 1)*, action de voler, vol, volée.

volema pira ou **volema,** *orum*, n. *(vola)*, sorte de grosses poires.

volens, *tis*, **1.** part. prés. de *volo 2* || **2.** adj., ***a)*** qui veut bien, de son plein gré : *volentes parent*, ils obéissent de bon cœur, volontiers ; ***b)*** bénévole, animé de dispositions favorables, favorable, propice ; ***c)*** bienveillant ; ***d)*** pl. n., *volentia alicui*, des choses agréables à qqn, bien accueillies de qqn.

volgo, volgus, etc., v. *vulg-*.

volito, *are, avi, atum (volare)*, intr., **1.** voltiger, voleter, voler çà et là || **2.** courir çà et là, aller et venir || s'agiter avec importance, se démener.

1. volo, *are, avi, atum*, intr., **1.** voler || *volantes, ium*, f., les oiseaux || **2.** venir ou aller rapidement : *volasse eum, non iter fecisse diceres*, on eût dit qu'il avait volé et non voyagé.

2. volo, *velle, vis, vult, volui*, tr.,
I. vouloir, désirer, souhaiter, **1.** [absol.] *velim nolim*, que je veuille ou non, bon gré mal gré ; [de même] *velis nolis ; velit nolit ; velint nolint* || *alicujus causa velle*, vouloir dans l'intérêt de qqn = vouloir du bien à qqn, avoir en vue son intérêt, vouloir lui faire plaisir, etc. || **2.** [avec un acc.] ***a)*** *nummos volo*, c'est de l'argent que je veux ; ***b)*** [surt. pron. n.] : *faciam quod vultis*, je ferai ce que vous voulez ; *quid amplius vultis ?* que voulez-vous de plus ? || **3.** [avec inf.] : *regiones cognoscere volebat*, il voulait se renseigner sur le pays || [inf. à tirer de l'entourage] : *nec tantum proficiebam quantum volebam*, je n'avais pas tout le succès que je voulais [avoir] || **4.** [avec prop. inf.] ***a)*** souhaiter : *vult se esse carum suis*, il veut garder l'affection de ses amis ; ***b)*** [avec inf. pf. pass.] : *Corinthum extinctam esse voluerunt*, ils voulurent la destruction de Corinthe [état permanent] ; ***c)*** [ellipse de *esse*] : *domestica cura te levatum volo*, je désire te voir

sans inquiétude sur la famille ; ***d)*** [avec attribut et ellipse de *esse*] : *te salvum volunt*, ils désirent que tu sois sauvé || **5.** [avec subj.] : *volo exquiras*, je désire que tu recherches || **6.** *velim, ne intermittas*, je voudrais que tu ne cesses pas de || **7.** [avec *ut*].
II. [emplois particuliers], **1.** vouloir, décider, ordonner, ***a)*** [formule pour proposer au peuple une loi, ou une mesure quelconque] : *velitis, jubeatis, Quirites, ut...* daignez vouloir et ordonner, Romains, que... ; ***b)*** [avec prop. inf.] *majores voluerunt...*, nos ancêtres ont établi que || **2.** avoir telle, telle opinion, prétendre, soutenir || affirmer, soutenir || **3.** *nolite velle*, ne veuillez pas || **4.** *quid sibi vult ?* ***a)*** [avec un nom de ch. pour sujet] que signifie ? que veut dire ? *quid illæ sibi statuæ volunt ?* que signifient ces statues ? ***b)*** [avec un nom de pers. ou de chose personnifiée] : *quid tibi vis ?* à quoi veux-tu en venir ? que médites-tu ? ***c)*** [sans *sibi*] *quid comitatus nostri, quid gladii volunt ?* que signifient nos escortes, nos glaives ?

3. volo, *onis*, m., surt. au pl., **volones,** *um (velle)*, esclaves rachetés aux frais du trésor public et enrôlés dans l'armée ; volontaires.

Volsci, *orum*, m., les Volsques, [peuple du Latium] || **-scus,** *a, um*, des Volsques.

volsella (vuls-), *æ*, f. *(vulsus)*, petite pince, pincette ; tenette.

volubilis, *e (volvo)*, **1.** qui a un mouvement giratoire, qui tourne || qui roule || **2.** ***a)*** qui se déroule facilement, au cours facile || à la parole facile, rapide ; ***b)*** qui tourne, inconstant.

volubilitas, *atis*, f. *(volubilis)*, **1.** mouvement giratoire, circulaire, rotation || **2.** rondeur, forme ronde || **3.** ***a)*** rapidité, facilité de la parole || déroulement rapide des phrases, torrent de paroles ; ***b)*** inconstance.

volubiliter, avec un cours rapide.

volucer, *cris, cre (volare)*, **1.** qui vole, ailé || **2.** rapide, vite, léger, ailé || passager, fugitif, éphémère.

volucra, *æ*, f. *(volvo)*, pyrale ou rouleuse, chenille qui s'enveloppe dans les feuilles de la vigne.

volucre, *is*, n., c. *volucra* || **volucres,** *um*, f. pl.

volucris, *is*, f. *(voluer)*, oiseau ; *Junonis*, l'oiseau de Junon, le paon.

volucriter, adv., promptement, vite.

volumen, *inis*, n. *(volvo)*, **1.** chose enroulée ; rouleau d'un manuscrit, manuscrit, volume, livre, ouvrage : *volumen explicare*, déployer un rouleau de manuscrit ; *evolvere volumen epistularum*, dérouler une liasse de lettres [pour les lire] ; *volumina conficere*, rédiger des volumes || **2.** = *liber*, partie d'un ouvrage, tome, volume || **3.** enroulement, replis d'un serpent || tourbillon de fumée || mouvement circulaire, révolution, vicissitude.

voluntarius, *a, um (voluntas)*, **1.** volontaire, qui agit librement, volontairement || *voluntarii*, m., volontaires || **2.** volontaire, fait volontairement : *mors voluntaria*, mort volontaire.

voluntas, *atis*, f. *(volo 2)*, **1.** volonté faculté de vouloir || volonté, vœux, désir || **2.** ***a)*** *sua voluntate pependerunt*, ils ont payé de plein gré ; *mea voluntate concedam*, je concéderai volontairement ; ***b)*** *alicujus voluntate*, avec l'assentiment de qqn ; ***c)*** *ex Cæsaris voluntate*, selon la volonté de César ; *pro Cluentii voluntate*, eu égard à la volonté de Cluentius, au gré de Cluentius || **3.** dispositions à l'égard de qqn, sentiments : *esse in alia voluntate*, avoir d'autres dispositions, d'autres sentiments || **4.** dispositions favorables, bonne volonté, zèle pour qqn || **5.** dernières volontés d'un mort || **6.** intentions.

voluptabilis, *e (voluptas)*, agréable, qui réjouit.

voluptarius, *a, um (voluptas)*, **1.** qui cause du plaisir, agréable, délicieux || **2.** concernant le plaisir || **3.** adonné au plaisir || qui aime le plaisir.

voluptas, *atis*, f., plaisir, joie, satisfaction, contentement : *cum voluptate legere aliquid*, lire qqch. avec plaisir ; *ex aliqua re voluptatem capere* ou *percipere*, trouver du plaisir à (dans) qqch.

voluptuosus, *a, um (voluptas)*, agréable, délicieux ; qui charme, qui plaît.

voluta, *æ*, f. *(volvo)*, volute.

volutabrum, *i*, n. *(voluto)*, bourbier, bauge.

volutabundus, *a, um (voluto)*, qui aime à se vautrer.

volutatio, *onis*, f. *(voluto)*, **1.** action de rouler || **2.** agitation, inquiétude || instabilité.

1. volutatus, *a, um*, part. de *voluto*.

2. volutatus, *us*, m., action de rouler, tourbillon.

voluto, *are, avi, atum (volvo)*, tr., qqf. intr., **1.** rouler : ***a)*** *se in pulvere*, se rouler dans la poussière ; ***b)*** [surtout au pass. à sens réfl.] *volutari*, se rouler || **2.** [pass. réfl.] *in omni genere scelerum* *volutari*, se vautrer dans toute sorte de crimes; ***a)*** *aliquid in animo*, rouler qqch. dans son esprit, méditer qqch., ou *secum in animo*; ou *aliquid animo*; ou *secum*, ou *secum animo*, ou *suo cum corde*; ***b)*** remuer, examiner.

volutus, *a, um*, part. de *volvo*.

volvo, *ere, volvi, volutum*, tr., qqf. intr., **I.** rouler, **1.** faire rouler || *oculos huc illuc*, rouler ses yeux çà et là || **2.** former en roulant || **3.** faire rouler à terre des ennemis || **4.** faire rouler un manuscrit autour de son bâton = le dérouler, le lire: *volvendi sunt libri*, il faut lire les ouvrages || **5.** projeter en tourbillons, exhaler || **6.** [pass. à sens réfl.] ***a)*** se rouler, se vautrer; ***b)*** se rouler, se glisser en ondulant; ***c)*** rouler; ***d)*** *humi volvi*, rouler à terre; *leto*, rouler sans vie || **7.** *volvens* intr.: *volventia plaustra*, les chariots roulant. **II. 1.** *ingentes iras in pectore*, rouler, nourrir dans son cœur de violents ressentiments || **2.** parcourir || *volvens* intr., à sens réfl.: *volventibus annis*, avec les années se déroulant, au cours des années || **3.** dérouler une période || **4.** rouler dans son esprit, méditer, *aliquid cum animo*, ou *secum*, ou *in animo* ou *animo*, ou *in pectore*, ou *sub pectore*, ou *intra se*, ou simpl. *volvere aliquid*.

vomer et **vomis,** *eris*, m., soc de la charrue.

vomica, *æ*, f. *(vomo)*, **1.** abcès, apostème, dépôt d'humeur || vésicule || **2.** plaie, peste, fléau.

vomitio, *onis*, f. *(vomo)*, action de vomir.

vomito, *are*, intr. *(vomo)*, vomir souvent ou abondamment.

vomitor, *oris*, m. *(vomo)*, celui qui vomit.

vomitoria, *orum*, n. *(vomitorius)*, vomitoires, portes de l'amphithéâtre conduisant aux gradins et offrant un dégagement à la foule.

vomitorius, *a, um (vomitor)*, vomitoire, vomitif.

1. vomitus, *a, um*, part. de *vomo*.

2. vomitus, *us*, m., **1.** action de vomir, vomissement || **2.** vomissement.

vomo, *ere, ui, itum*, tr., vomir, **1.** *in mensam*, vomir sur la table; [pass. imp.] *vomebatur*, on vomissait || **2.** avec acc., ***a)*** *sanguinem*, vomir du sang; ***b)*** cracher, vomir, rejeter.

voracitas, *atis*, f. *(vorax)*, voracité, avidité || nature dévorante.

voraginosus, *a, um (vorago)*, plein de gouffres, de trous.

vorago, *inis*, f. *(voro)*, tournant d'eau, gouffre, tourbillon || gouffre, abîme.

voratus, *a, um*, part. de *voro*.

vorax, *acis (voro)*, qui est toujours disposé à dévorer, dévorant, vorace, qui engloutit.

voro, *are, avi, atum*, tr., **1.** dévorer, manger avidement || **2.** ***a)*** dissiper; ***b)*** = se livrer avec passion à: *litteras*, dévorer la littérature.

vos, *vestri* et *vestrum, vobis*, vous: *ardens odio vestri*, enflammé de haine contre vous; *memor vestri*, qui se souvient de vous; *nemo vestrum*, personne de vous.

Vosegus, *i*, m., les Vosges [chaîne de montagne en Gaule].

votivus, *a, um (votum)*, votif, voué, promis par un vœu: *ludi votivi*, jeux votifs; *tabula votiva*, tableau votif [représentant le naufrage dont l'auteur du vœu s'était sauvé, et offert au dieu sauveur], ex-voto.

votum, *i*, n. *(voveo)*, **1.** vœu, promesse faite aux dieux; *vota facere*, faire des vœux || **2.** vœu, souhait, désir: *hoc erat in votis*, voilà ce que je désirais dans mes vœux.

votus, *a, um*, part. de *voveo*.

voveo, *ere, vovi, votum*, tr., **1.** [absol.] faire un vœu à une divinité || **2.** [avec acc.] promettre par un vœu, vouer || [avec prop. inf. au futur]: *vovisse dicitur se daturum*, il avait fait vœu, dit-on, de donner... || **3.** désirer, souhaiter.

vox, *vocis*, f. (cf. *voco*), **1.** voix: *magna voce*, d'une voix forte; *voce maxima clamare*, crier de toutes ses forces || *rerum*, la voix des faits || **2.** son de la voix || **3.** son, ton || **4.** au sing. ***a)*** son, mot, vocable; ***b)*** parole, sentence, mots prononcés par qqn, mot de qqn: *illa tua vox «satis diu vixi...»*, cette parole de ta bouche «j'ai assez vécu...» || **5.** au pl., paroles, propos, dires: *voces habere*, tenir des propos || **6.** langage, langue.

Vulcanalia (Volc-), *ium* ou *iorum*, n., Vulcanales, fêtes en l'honneur de Vulcain.

Vulcanus (Volc-), *i*, m., Vulcain [dieu du Feu, fils de Jupiter et de Junon, époux de Vénus; avait sa résidence sous l'Etna où il forgeait les foudres de Jupiter] || feu, flamme, incendie || **-nius,** *a, um*, de Vulcain || du feu, de l'incendie || *Vulcaniæ insulæ*, les îles Éoliennes, près de la Sicile.

vulgaris (volg-), *e (vulgus)*, qui concerne la foule, général, ordinaire, commun, banal.

vulgariter (volg-) *(vulgaris)*, adv., communément.

vulgarius (volg-), *a, um*, c. *vulgaris*.

vulgator (volg-), *oris*, m. *(vulgo)*, celui qui divulgue, qui révèle.

vulgatus (volg-), *a, um*, **1.** part. de *vulgo* = **2.** adj., ***a)*** habituel, ordinaire; ***b)*** répandu, divulgué, connu partout; ***c)*** accessible à tous, au public.

vulgivagus (volg-), *a, um (vulgus, vagor)*, qui erre partout, vagabond.

1. vulgo (volgo), abl. de *vulgus* pris adv., en foule, indistinctement || en public, ouvertement || couramment, communément.

2. vulgo (volgo), *are, avi, atum (vulgus)*, tr., **1.** répandre dans le public, propager || **2.** divulguer, répandre [un bruit, une nouvelle, etc.] || **3.** offrir à tout le monde.

vulgus (volgus), *i*, n., **1.** le commun des hommes, la foule; *in vulgus*, pour la foule, dans la foule; *in vulgus ignotus*, ignoré dans la foule || **2.** multitude, masse.

vulnerarius, *a, um (vulnero)*, relatif aux blessures || subst. m., chirurgien.

vulneratio (voln-), *onis*, f. *(vulnero)*, blessure, lésion || atteinte à.

vulneratus, *a, um*, part. de *vulnero*.

vulnero (vol-), *are, avi, atum (vulnus)*, tr., blesser || *vulnerata navis*, navire entamé, endommagé || *aliquem voce*, faire une blessure à qqn par des paroles.

vulnificus, *a, um (vulnus, facio)*, qui blesse, qui tue, homicide.

vulnus (volnus), *eris*, n., **1.** blessure, plaie, coup porté ou reçu || toute sorte de lésion, coup, entaille, blessure, déchirure || **2.** atteinte, plaie, etc. || angoisse, douleur, peine.

vulpecula, *æ*, f. *(vulpes)*, renardeau.

vulpes (volpes), *is*, f., renard.

vulpinus, *a, um (vulpes)*, de renard.

vulsi, pf. de *vello*.

vulsus (volsus), *a, um*, **1.** part. de *vello* || **2.** adj., ***a)*** épilé || mou, efféminé; ***b)*** qui a des spasmes.

vulticulus, *i*, m. *(vultus)*, air qq. peu sévère, sombre.

vultuosus, *a, um (vultus)*, trop plein de jeux de physionomie, affecté.

vultur (voltur), *uris*, m., vautour || rapace.

vulturinus (volt-), *a, um (vultur)*, de vautour.

vulturius (volt-), *ii*, m., vautour || = homme rapace, spoliateur.

vulturnus (volt-), *i*, m., vulturne, vent du sud-ouest.

vultus (voltus), *us*, m., expression, air du visage; visage, mine, physionomie; *imago animi vultus est*, le visage est le miroir de l'âme || pl., jeux de physionomie || air, apparence.

X - Y

X, x, f. n., x. || représente en abréviation *decem*, dix, et *denarius*, le denier.

Xanthippe, *es*, f., Xanthippe [femme de Socrate].

Xanthippus, *i*, m., **1.** père de Périclès || **2.** Lacédémonien, général des armées de Carthage dans la première guerre punique.

Xanthus (-os), *i*, m., **1.** rivière de Troie [appelée aussi Scamandre] || **2.** rivière de Lycie || **3.** petite rivière d'Épire.

xenium, *ii*, n., cadeau fait à un hôte, présent || honoraires [d'un avocat].

Xenophon, *ontis*, m., Xénophon [disciple de Socrate, à la fois philosophe, historien et général des Athéniens].

Xenophonteus (-ius), *a, um*, de Xénophon.

Xerxes (-ses), *is* et i, m., fils de Darius, roi des Perses, battu par les Grecs à Salamine.

xiphias, *æ*, m., **1.** espadon || **2.** sorte de comète ayant la forme d'une épée.

xiphium (-on), *ii*, n., glaïeul.

xylobalsamum, *i*, n., baumier.

xylocinnamomum, *i*, n., cannelier.

xystum, *i*, n. et ordin. **xystus,** *i*, m., **1.** [chez les Grecs] portique couvert où s'exerçaient les athlètes || **2.** [chez les Romains] promenade plantée d'arbres.

Y, y, f. n. [lettre grecque employée assez tard par les Latins dans les mots tirés du grec].

Z

Z, z, f. n. [lettre empruntée, comme l'*y*, à l'alphabet grec et employée seulement dans les mots étrangers].

Zama, *æ*, f., métropole de la Numidie, célèbre par la défaite d'Hannibal || **-ensis,** *e*, de Zama.

zea, *æ*, f., épeautre, sorte de blé.

zelotypia, *æ*, f., jalousie, envie.

zelotypus, *a, um*, jaloux, envieux.

zelotypus, *i*, m., jaloux, envieux.

zephyrus, *i*, m., zéphyr [vent d'ouest doux et tiède, qui en Italie amène la fonte des neiges et annonce le printemps] || pl., les Zéphyrs.

Zeuxis, *is* et *idis*, m., célèbre peintre d'Héraclée.

zingiber ou **zingiberi,** *eris*, n. et **zinziber,** *eris*, n., gingembre [plante].

zizyphum ou **ziziphum,** *i*, n., jujube, fruit du jujubier.

zizyphus ou **ziziphus,** *i*, f., jujubier [arbre].

zodiacus, *i*, m., zodiaque, cercle contenant les douze signes parcourus par le soleil.

Zoilus, *i*, m., Zoïle [grammairien d'Alexandrie, détracteur d'Homère] || un détracteur.

zona, *æ*, f., **1.** ceinture || ceinture renfermant l'argent || **2.** constellation d'Orion || **3.** *zonæ*, f., zones, régions de climats.

zonarius, *a, um (zona)*, qui concerne les ceintures || **zonarius,** *ii*, m., fabricant de ceintures.

Zoroastres, *æ* et *is*, m., Zoroastre [roi des Bactriens, prophète et législateur des Perses].

zotheca, *æ*, f., cabinet de repos, boudoir.

zothecula, *æ*, f. *(zotheca)*, petit boudoir.

zythum, *i*, n., bière.

Composition réalisée par COMPOFAC - PARIS

IMPRIMÉ EN FRANCE PAR BRODARD ET TAUPIN
Usine de La Flèche (Sarthe).
LIBRAIRIE GÉNÉRALE FRANÇAISE - 43, quai de Grenelle - 75015 Paris.
ISBN : 2 - 253 - 05076 - 8

Le Livre de Poche

série classique

Alain-Fournier
Le Grand Meaulnes (1000)

Balzac
La Rabouilleuse (543)
Les Chouans (705)
Le Père Goriot (757)
Illusions perdues (862)
La Cousine Bette (952)
Le Cousin Pons (989)
Eugénie Grandet (1414)
Le Lys dans la vallée (1461)
César Birotteau (1605)
La Peau de chagrin (1701)
Le Colonel Chabert *suivi de* Le Contrat de mariage (5907)
HISTOIRE DES TREIZE :
La Duchesse de Langeais *précédé de* Ferragus *et suivi de* La Fille aux yeux d'or (5874)
La Vieille Fille (6421)
Splendeurs et misères des courtisanes (6491)

Barbey d'Aurevilly
Les Diaboliques (6048)

Baudelaire
Les Fleurs du mal (677)
Le Spleen de Paris (1179)
Les Paradis artificiels (1326)

Beecher-Stowe *Harriet*
La Case de l'oncle Tom (6136)

Bernardin de Saint-Pierre
Paul et Virginie (4166)

Brontë *Charlotte*
Jane Eyre (1175)

Brontë *Emily*
Les Hauts de Hurlevent (105)

Chateaubriand
Mémoires d'outre-tombe
Tome 1 (1327)
Tome 2 (1353)
Tome 3 (1356)
Les Natchez -Atala - René (6609)

Chrétien de Troyes
Yvain, le chevalier au lion (6533)

Constant *Benjamin*
Adolphe (360)

Daudet *Alphonse*
Lettres de mon moulin (848)
Le Petit Chose (925)
Contes du Lundi (1058)
Tartarin de Tarascon (5672)

Descartes
Discours de la Méthode (2593)

Diderot
Jacques le Fataliste (403)
Le Neveu de Rameau, Satires, Contes et Entretiens (5925)
La Religieuse (2077)
Le Rêve de d'Alembert et autres écrits philosophiques (5949)

Dostoïevski
L'Éternel Mari (353)
Le Joueur (388)
Les Possédés (695)

Les Frères Karamazov
Tome 1 (825)
Tome 2 (836)
L'Idiot
Tome 1 (941)
Tome 2 (943)
Crime et Châtiment
Tome 1 (1289)
Tome 2 (1291)

Dumas *Alexandre*
Les Trois Mousquetaires (667)
Le Comte de Monte-Cristo
Tome 1 (1119)
Tome 2 (1134)
Tome 3 (1155)
Vingt ans après (5052)

Dumas *Alexandre (Fils)*
La Dame aux camélias (2682)

Erckmann-Chatrian
L'Ami Fritz (4882)
Histoire d'un conscrit de 1813 (4883)

Flaubert
Madame Bovary (713)
L'Éducation sentimentale (1499)
Trois Contes (1958)

Fourastié *Jean et Françoise*
Les Écrivains témoins du peuple (6335)

France *Anatole*
Les dieux ont soif (5136)

François d'Assise *saint*
Les Fioretti (5832)

Gautier *Théophile*
Le Roman de la momie (6099)
Le Capitaine Fracasse (6138)
Contes et Récits fantastiques (6557)

Homère
Odyssée (602)
Iliade (1063)

Hugo
Les Misérables
Tome 1 (964)
Tome 2 (966)
Tome 3 (968)
Les Châtiments (1378)
Les Contemplations (1444)
Notre-Dame de Paris (1698)
Le Dernier Jour d'un condamné (6646)

Huysmans *Joris-Karl*
Là-bas (725)

Ibsen *Henrik*
Maison de poupée (1311)

Imbert *Jacques*
Anthologie des poètes français (6064)

Jarry *Alfred*
Tout Ubu (838)

Jerome *Jerome K.*
Trois hommes dans un bateau (6598)

Kipling
Le Livre de la jungle (6422)
Le Second Livre de la jungle (6534)

La Bruyère
Les Caractères (1478)

Laclos *Choderlos de*
Les Liaisons dangereuses (354)

La Fayette *Mme de*
La Princesse de Clèves (374)

La Fontaine
Fables (1198)

Le Roy *Eugène*
Jacquou le Croquant (3165)

London *Jack*
Croc-Blanc (3918)
L'Appel sauvage (6247)

Loti *Pierre*
Pêcheur d'Islande (2271)

Machiavel
Le Prince (879)

Mallarmé
Poésies (4994)

Marx et **Engels**
Manifeste du Parti communiste *suivi de* Critique du Programme de Gotha (3462)

Maupassant *Guy de*
Une vie (478)
Mademoiselle Fifi (583)
Bel-Ami (619)
Boule de Suif (650)
La Maison Tellier (760)
Le Horla (840)
Le Rosier de Mme Husson (955)
La Petite Roque (1191)
Contes de la Bécasse (1539)
Miss Harriet (1962)
Pierre et Jean (2402)
Mont-Oriol (3190)
Contes du jour et de la nuit (6490)
Fort comme la mort (1112)

Mérimée
Colomba et autres nouvelles (1217)
Carmen et autres nouvelles (1480)

Mirbeau *Octave*
Journal d'une femme de chambre (1293)

Montaigne
Essais
Tome 1 (1393)
Tome 2 (1395)
Tome 3 (1397)

Montesquieu
Lettres persanes (1665)

Nerval
Aurélia *suivi de* Lettres à Jenny Colon, *de* La Pandora *et de* Les Chimères (690)
Les Filles du feu *suivi de* Petits Châteaux de Bohême (1226)

Nietzsche
Ainsi parlait Zarathoustra (987)

Pascal
Pensées (823)

Poe
Histoires extraordinaires (604)
Nouvelles Histoires extraordinaires (1055)
Histoires grotesques et sérieuses (2173)

Pomerand *Gabriel*
Le Petit Philosophe de poche (751)

Pompidou *Georges*
Anthologie de la poésie française (2495)

Pouchkine □
La Dame de pique (6214)

Prévost *Abbé*
Manon Lescaut (460)

Rabelais
Pantagruel (1240)
Gargantua (1589)

Radiguet *Raymond*
Le Diable au corps (119)
Le Bal du comte d'Orgel (435)

Renard *Jules*
Poil de carotte (5992)

Restif de La Bretonne *Nicolas*
Les Nuits révolutionnaires (5020)

Rimbaud
Poésies complètes (5924)

Rostand *Edmond*
Cyrano de Bergerac (873)

Rousseau
Les Confessions
Tome 1 (1098)
Tome 2 (1100)

Les Rêveries du promeneur solitaire (1516)

Sade

Les Crimes de l'amour (3413)

Justine ou les malheurs de la Vertu (3714)

Sand *George*

La Petite Fadette (3550)

La Mare au diable (3551)

François le Champi (4771)

Un hiver à Majorque (5897)

Le Meunier d'Angibault (6047)

Senancour

Oberman (5939)

Shakespeare

Roméo et Juliette *suivi de* Le Songe d'une nuit d'été (1066)

Hamlet - Othello - Macbeth (1265)

Stendhal

Le Rouge et le Noir (357)

La Chartreuse de Parme (851)

Lucien Leuwen (5057)

L'Abbesse de Castro et autres Chroniques italiennes (5861)

Stevenson

L'Ile au trésor (756)

Tolstoï *Léon*

Anna Karénine

Tome 1 (636)

Tome 2 (638)

Guerre et Paix

Tome 1 (1016)

Tome 2 (1019)

La Mort d'Ivan Illitch (3959)

Tourgueniev

Premier Amour *suivi de* L'Auberge de Grand Chemin *et de* L'Antchar (497)

Vallès *Jules*

JACQUES VINGTRAS :

1. L'Enfant (1038)
2. Le Bachelier (1200)
3. L'Insurgé (1244)

Verlaine *Paul*

Poèmes saturniens *suivi de* Fêtes galantes (747)

La Bonne Chanson *suivi de* Romances sans paroles *et de* Sagesse (1116)

Verne *Jules*

Le Tour du monde en 80 jours (2025)

De la Terre à la Lune (2026)

Robur le Conquérant (2027)

Cinq semaines en ballon (2028)

Voyage au centre de la Terre (2029)

Les Tribulations d'un Chinois en Chine (2030)

Le Château des Carpathes (2031)

Les 500 millions de la Bégum (2032)

Vingt mille lieues sous les mers (2033)

Michel Strogoff (2034)

Autour de la Lune (2035)

Les Enfants du capitaine Grant

Tome 1 (2036)

Tome 2 (2037)

L'Ile mystérieuse

Tome 1 (2038)

Tome 2 (2039)

Les Indes noires (2044)

Deux ans de vacances (2049)

Le Sphinx des glaces (2056)

Villiers de L'Isle-Adam

Contes cruels (5847)

Villon

Poésies complètes (1216)

Voltaire

Candide et autres contes (657)

Zadig et autres contes (658)

Wilde *Oscar*
Le Portrait de Dorian Gray (569)
La Ballade de la geôle de Reading *suivi de* De Profundis (3643)

Zola *Émile*
Thérèse Raquin (34)
LES ROUGON-MACQUART :
La Fortune des Rougon (531)
La Curée (349)
Le Ventre de Paris (277)
La Conquête de Plassans (384)
La Faute de l'Abbé Mouret (69)
Son Excellence Eugène Rougon (901)
L'Assommoir (97)
Une page d'amour (681)
Nana (50)
Pot-Bouille (247)
Au Bonheur des Dames (228)
La Joie de vivre (797)
Germinal (145)
L'Œuvre (429)
La Terre (178)
Le Rêve (87)
La Bête humaine (7)
L'Argent (584)
La Débâcle (316)
Le Docteur Pascal (932)

XXX
Tristan et Iseult (1306)
Chants de la Révolution française (6610)
Premiers combats pour la langue française (5067)
La Chanson de la croisade albigeoise (5067)
La Légende de Tristan et Iseut (5085)
Journal d'un bourgeois (5137)

La Bible
Ancien Testament
Tome 1 (5146)
Tome 2 (5147)
Nouveau Testament (5148)

théâtre

Beaumarchais
Le Barbier de Séville (6125)

Corneille
Le Cid (6140)
Horace (6225)
Cinna (6304)
L'Illusion comique (6334)
Polyeucte (6532)

Feydeau *Georges*
Le Dindon (1440)

Giraudoux *Jean*
Electre (1030)

Hugo *Victor*
Hernani (6328)
Ruy Blas (6352)

Labiche
Le Voyage de M. Perrichon (6303)

Marivaux
Le Jeu de l'amour et du hasard (6131)
La Double Inconstance *suivi de* Arlequin poli par l'amour (6351)

Molière
Le Tartuffe (6122)
Le Bourgeois gentilhomme (6126)

Dom Juan (6130)
Le Misanthrope (6133)
Le Malade imaginaire (6135)
L'Avare (6173)
L'École des femmes (6174)
Les Femmes savantes (6181)
Les Fourberies de Scapin (6182)
Le Médecin malgré lui (6183)
George Dandin *suivi de* La Jalousie du Barbouillé (6378)
Amphitryon (6379)

Musset

Lorenzaccio (6248)

Racine

Phèdre (6127)
Iphigénie (6134)
Britannicus (6137)
Andromaque (6180)
Les Plaideurs (6367)
Bérénice (6437)

Tchékhov

La Mouette (6123)
Oncle Vania (6251)
La Cerisaie (1090)

1 Amo, as, are, avi, atum
2 moneo, es, ere, monui, monitum
3 Lego, is, ere, legi, lectum
4 Capio, is, ere, cepi, captum
5 audio, is, ire, audivi, auditum

Imitor, aris, ari, imitatus sum
vereor, eris, eri, veritus sum
utor, eris, i, usus sum
patior, eris, i, passus sum
experior, iris, iri, expertus sum

Anthologie de la littérature latine

par **Yves Avril,**
agrégé de grammaire

Un choix étendu et varié des textes latins les plus célèbres d'Ennius à Saint Augustin.

- Les textes donnés en latin sont accompagnés de notes et d'éclaircissements historiques et grammaticaux.

- Un instrument commode d'initiation pour les jeunes latinistes et de révision pour les plus anciens.